L'ÉTAT DU
MONDE
ÉDITION 1996

Les Éditions du Boréal sont inscrites au Programme de subvention globale
du Conseil des arts du Canada et reçoivent l'appui de la SODEC.

© pour le Canada, Les Éditions du Boréal
ISBN 2-89052-720-4
Dépot légal : 4e trimestre 1995
Bibliothèque nationale du Québec

Diffusion au Canada : Dimedia

L'ÉTAT DU MONDE

MONDE

ÉDITION 1996

*Annuaire économique
et géopolitique mondial*

Éditions La Découverte
Éditions du Boréal
4447, rue Saint-Denis
Montréal (Québec) H2J 2L2

Pierre Haski, *Libération*.

Georg Hoffmann-Ostenhof, *Profil*.

Kathryn Hone, *The Irish Times*.

Antoine Huver.

Paola Juvénal, *AFP*.

Guy-André Kieffer, *La Tribune*.

Joseph Krulic, *historien et politologue, consultant à la FNSP*.

Marie-Hélène Labbé, *Fondation pour les études de défense*.

Guy Labertit, *enseignant-chercheur*.

Annie Labourie-Racapé, *socio-économiste*.

Jérôme Lafargue, *CREPAO, Université de Pau et des Pays de l'Adour*.

Guy Laforest, *Université Laval, Québec*.

Bruno Lautier, *sociologue, GREITD-IEDES, Université Paris-I-Panthéon-Sorbonne*.

Christian Lechervy, *INALCO*.

Jean-Luc Lederrey, *Journal de Genève*.

Jean-François Legrain, *politologue, CNRS*.

Gaëlle Le Marc, *Centre de recherches et d'analyses géopolitiques (CRAG), Université Paris-VIII-Saint-Denis*.

Ignace Leverrier.

Philippe L'Hoiry-Labarthe, *CREPAO, Université de Pau et des Pays de l'Adour*.

Édith Lhomel, *La Documentation française, Le Courrier des pays de l'Est*.

Lubomír Lipták, *Institut d'histoire de l'académie slovaque des sciences, Bratislava*.

Pierre-Jean Luizard, *historien, CNRS*.

Claude Manzagol, *géographe, Université de Montréal*.

Roland Marchal, *sociologie politique, CNRS-EHESS*.

Jean-Marie Martin, *CNRS*.

Giampiero Martinotti, *La Repubblica*.

Hervé Maupeu, *CREPAO, Faculté de droit, Université de Pau et des Pays de l'Adour*.

Patricio Mendez del Villar, *CIRAD*.

Christine Messiant, *sociologue, EHESS*.

Éric Meyer, *INALCO*.

Georges Mink, *sociologue, CNRS, IEP-Paris*.

Stéphane Monclaire, *politologue, Université Paris-I-Panthéon-Sorbonne*.

Jules Nadeau, *spécialiste des questions asiatiques*.

Ana Navarro Pedro, *Público*.

Pierre-Yves Péchoux, *géographe, Université Toulouse-Le-Mirail, CNRS*.

Claude Pereira, *journaliste*.

Élizabeth Picard, *CERI-FNSP*.

Michel Pochoy, *analyste politique et de défense*.

Michèle Poirrier, *La Documentation française, Problèmes d'Amérique latine*.

Lucile Provost.

Patrick Quantin, *FNSP, CEAN/IEP-Bordeaux*.

Jean-Luc Racine, *Centre d'étude de l'Inde, CNRS-EHESS.*

Witt Raczka, *politologue, Université de Strasbourg.*

Marc Raffinot, *CEDRE, Université Paris-IX-Dauphine.*

Philippe Ramirez, *CNRS-UPR 299.*

Bruno Revesz, *CIPCA (Centro de investigación y promoción del campesinado), Piura (Pérou).*

Martine Rigoir, *La Documentation française, CIDIC.*

Jean-Louis Rocca, *Université catholique de Lyon, Institut d'Asie orientale-CNRS.*

Michel Roux, *géographe, Université Toulouse-Le Mirail.*

Olivier Roy, *politologue, CNRS.*

Jean-François Sabouret, *sociologue, CNRS.*

Pierre Salama, *économiste, CEDI, Université Paris-XIII-Villetaneuse.*

Jean-Luc Schilling, *Framlington International, Londres.*

Monique Selim, *anthropologue, ORSTOM.*

Stephen Smith, *Libération.*

Francis Soler, *rédacteur en chef de La Lettre de l'Océan Indien.*

François Soudan, *Jeune Afrique.*

Yves Tomić, *historien.*

Laurence Tubiana, *INRA, directeur de Courrier de la Planète.*

Charles Urjewicz, *INALCO, Université Paris-VIII-Saint-Denis.*

Alfredo G.A. Valladão, *spécialiste des questions stratégiques, IEP-Paris.*

Anne Vaugier-Chatterjee, *Centre de sciences humaines (CSH, New Delhi).*

Francisco Vergara.

Jacques Véron, *INED, directeur-adjoint du CICRED.*

Ibrahim A. Warde, *politologue, Université de Berkeley.*

Jean-Claude Willame, *politologue, Université de Louvin, Institut africain.*

Statistiques : Francisco Vergara.

Cartographie : Claude Dubut, Martine Frouin-Marmouget, Anne Le Fur (AFDEC, 25, rue Jules-Guesde — 75014 Paris. Tél. (1) 43 27 94 39).

Traduction : Ivan Bartošek (tchèque), Denis-Armand Canal (allemand).

Dessins : Plantu (dessins parus dans *Le Monde* et *L'Express*).

Fabrication : Monique Mory.

Les titres et intertitres sont de la responsabilité de l'éditeur.

Avant-propos

L a « guerre froide » avait fourni des grilles de lecture pour comprendre l'évolution des relations internationales ; le jeu des superpuissances et les allégeances des différents États — ou leur neutralité — guidaient l'interprétation. La situation mondiale est désormais caractérisée par un jeu plus complexe. Des acteurs non étatiques tiennent un rôle de plus en plus essentiel (que l'on songe aux réseaux de communication, aux firmes transnationales, aux grandes ONG, etc.) ; certains analystes croient deviner l'esquisse d'une « société mondiale » et l'on évoque fréquemment l'émergence d'une opinion publique internationale. Pour mieux tenir compte de ces phénomènes et leur accorder plus de place, L'État du monde se présente désormais en deux grandes parties.

La première, « Un monde en mutation », est consacrée à l'analyse des grandes évolutions planétaires, qu'elles soient de nature géopolitique, économique, sociale, scientifique et technique ou éthique... On pourra ainsi lire des études sur l'évolution de l'ordre international, dans lequel les trois grands pôles que sont l'Amérique, l'Asie-Pacifique et l'Europe affirment leurs contours ; la question de la prolifération nucléaire ; la reconstitution d'une sphère impériale russe — dont la sanglante intervention en Tchétchénie n'a été qu'un jalon — ; ou les perspectives d'élargissement de l'Union européenne ; mais aussi sur l'évolution de la condition des femmes dans le monde, objet de la conférence de Pékin de l'automne 1995 ; le développement de l'épidémie du sida ; les défis posés à la nouvelle Organisation mondiale du commerce (OMC) ; les conséquences de la concurrence des pays à bas salaires sur l'emploi et les inégalités dans les pays industriels ; ou encore des réflexions sur l'économie politique de la violence ; l'avenir de l'État-nation ; le couple population-développement ; les questions éthiques posées par la médecine prédictive...

Les questions économiques font également l'objet d'une grande attention. Outre un tableau de bord très complet de la conjoncture mondiale, on trouvera ainsi des articles sur des sujets tels que la dette des pays du Sud, les économies émergentes *d'Asie, l'économie informelle, la crise mexicaine et l'état des économies latino-américaines.*

En outre, une dizaine de conflits ou de situations de crise, de la Tchétchénie au Cachemire, en passant par la Bosnie-Herzégovine, sont traités dans des articles spécifiques, qui permettent de réfléchir à des questions comme le nouvel interventionnisme, les nouveaux rapports de force régionaux, etc.

La seconde partie, « Tous les pays du monde », présente quant à elle, comme chaque année, le bilan complet — politique, économique, social et diplomatique — de l'année écoulée pour chacun des 225 États souverains et territoires sous tutelle de la planète.

Enfin, l'index général et thématique fait désormais référence à une sélection d'articles publiés dans les précédentes éditions de l'annuaire, afin d'aider le lecteur dans une recherche documentaire ciblée.

Publié simultanément à Paris et à Montréal, L'État du monde, au contenu comme chaque année entièrement renouvelé, est un ouvrage à caractère véritablement international. Les règles de traitement de l'information qui président à sa réalisation (refus de favoriser un continent ou un pays par rapport aux autres, rigueur d'analyse et indépendance de jugement vis-à-vis des pouvoirs) permettent qu'il soit simultanément et intégralement traduit en italien, en espagnol, en portugais (du Brésil), en roumain, en vietnamien...

Serge Cordellier, Béatrice Didiot

Un CD-Rom L'État du monde 1981-1996, *portant sur les quinze dernières années, sera commercialisé peu après la sortie de cet ouvrage. Documentation sur demande adressée à l'Éditeur.*

Table des matières

Première partie : Un monde en mutation

Enjeux et débats

Conflits et tensions

—————— Questions économiques ——————

Deuxième partie : Tous les pays du monde

—————— 34 États ——————

38 ensembles géopolitiques*

* On trouvera en fin d'ouvrage la liste alphabétique de tous les États et territoires traités dans cette section avec le numéro de la page correspondante.

———————————————— **Annexes** ————————————————

Présentation

L'état du monde 1996 propose un nouvel aménagement de l'ouvrage, visant à renforcer l'analyse des bouleversements qui affectent la planète avec davantage de cartes, de tableaux, et de « fiches » utiles. Le livre est désormais organisé en deux grandes parties :

UN MONDE EN MUTATION

Ouvrant l'ouvrage, cette partie accorde toute leur importance aux grandes évolutions qui marquent notre temps. Alors que dans les décennies précédentes, la « guerre froide » avait octroyé un poids considérable aux réalités militaro-stratégiques et au jeu des États, la situation présente est plus complexe. Des acteurs non étatiques tiennent désormais un rôle de plus en plus essentiel (que l'on songe aux réseaux de communication, aux firmes transnationales, aux grandes ONG, etc.), laissant parfois deviner l'esquisse d'une « société mondiale ».

Cette première partie, « Un monde en mutation », accueille trois sections :

1. Enjeux et débats

Des articles de fond y traitent de questions majeures, qu'elles soient de nature politico-diplomatique, économique, sociale, scientifique et technique, culturelle… Ainsi sont analysés cette année l'évolution de l'ordre international, la question de la prolifération nucléaire, celle de l'économie politique de la guerre, la reconstitution d'une sphère impériale russe, les avancées — et les reculs — de la condition des femmes dans le monde, l'épidémie du sida, quinze ans après la découverte du virus, la concurrence des pays à bas salaires pour les pays industriels, etc.

2. Conflits et tensions

Divers articles complétés par une chronologie traitent des principales guerres et zones de tensions dans le monde, de la Tchétchénie à la Bosnie, en passant par le Cachemire ou le Kurdistan.

3. Questions économiques

Cette rubrique s'ouvre sur un synthétique « Tableau de bord de l'économie mondiale », complété d'analyses approfondies de grandes questions d'actualité : la dette des pays du Sud, les économies émergentes d'Asie, l'économie informelle, la crise mexicaine, ainsi que des études de conjoncture sur les marchés des matières premières et les marchés financiers.

TOUS LES PAYS DU MONDE

Cette seconde partie présente le bilan complet de l'année écoulée pour chacun des 225 États souverains et territoires sous tutelle de la planète.

• *Trente-quatre États* ont été choisis par ordre d'importance « géopolitique » en mettant en relation superficie, population et produit intérieur brut par habitant. Pour chaque État, on trouvera une analyse des principaux développements politiques, diplomatiques, économiques et sociaux de l'année écoulée. Chaque texte est accompagné de tableaux statistiques et d'une bibliographie sélective. Cette année l'Arabie saoudite, l'Autriche, le Mozambique, Sri Lanka, l'Azerbaïdjan, le Pérou, l'Afghanistan, la Bosnie et l'Irak sont présentés dans cette section, tandis qu'autant de pays qui s'y trouvaient dans la précédente édition sont traités cette année dans la section « Trente-huit ensembles géopolitiques ». Cette rotation permet d'aborder en détail l'actualité d'un plus grand nombre d'États.

• *Trente-huit ensembles géopoliques*. Cette section dresse un bilan de l'année dans chacun des États et territoires qui composent les ensembles géopolitiques, définis en fonction de caractéristiques communes *(voir page 23)*. La présentation de chaque ensemble est accompagnée de tableaux statistiques, d'une carte géographique et d'une bibliographie.

ANNEXES

Cette section nouvelle comporte un répertoire très complet des organisations internationales et régionales ainsi que plus de vingt pages de tables statistiques (IDH, PIB-PPA, démographie, commerce international).

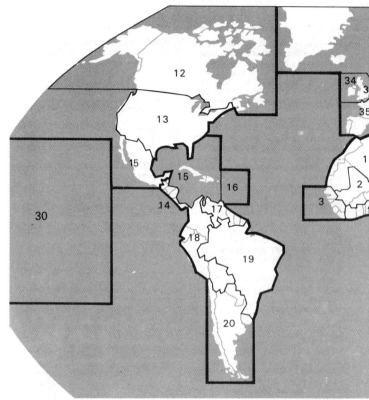

Les ensembles

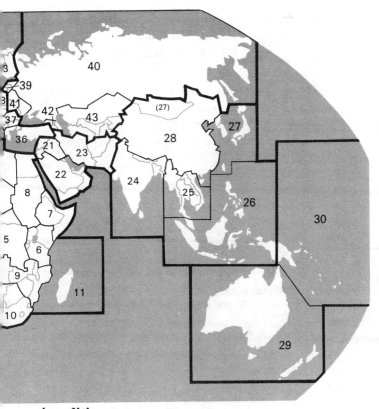

géopolitiques*

Abréviations utilisées
dans les tableaux statistiques

AELE	Association européenne de libre-échange		**Jord**	Jordanie
Afr	Afrique		**Ken**	Kénya
AfS	Afrique du Sud		**Kow**	Koweït
AL	Amérique latine		**(L)**	Licences
Arg	Argentine		**Mal**	Fédération de Malaisie
ArS	Arabie saoudite		**M-O**	Moyen-Orient
Aus	Australie		**Nor**	Norvège
Bel	Belgique		**N-Z**	Nouvelle-Zélande
Bul	Bulgarie		**Oug**	Ouganda
Bré	Brésil		**Pak**	Pakistan
Ex-CAEM	Ex-Conseil d'assistance économique mutuelle		**P-B**	Pays-Bas
			PCD	Pays capitalistes développés
Cam	Cameroun		**PIB** [a]	Produit intérieur brut
Can	Canada		**PMN** [b]	Produit matériel net
CdI	Côte d'Ivoire		**PNB** [b]	Produit national brut
CEE/UE	Communauté économique européenne		**Pol**	Pologne
			Por	Portugal
CEI	Communauté d'États indépendants		**PSG** [b]	Produit social global
			PVD	Pays en voie de développement
Chi	Chine populaire		**RFA**	Rép. fédérale d'Allemagne
Chil	Chili		**R-U**	Royaume-Uni
Col	Colombie		**RUS**	Russie
Cor	Corée du Sud		**Scan**	Pays scandinaves + Finlande
Dnk	Danemark		**Sin**	Singapour
EAU	Émirats arabes unis		**Slov**	Slovaquie
Esp	Espagne		**Srl**	Sri Lanka
E-U	États-Unis		**Som**	Somalie
Eth	Éthiopie		**Suè**	Suède
Eur	Europe occidentale		**Sui**	Suisse
Fij	Fidji		**Syr**	Syrie
Fin	Finlande		**Taïw**	Taïwan
Fra	France		**Tch**	République tchèque
Gha	Ghana		**TEC**	Tonne d'équivalent charbon
Guad	Guadeloupe		**Thaï**	Thaïlande
h	hommes		**Tri**	Trinidad et Tobago
hab	habitants		**Tur**	Turquie
HK	Hong Kong		**UE**	Union européenne
Indo	Indonésie		**Ex-URSS**	Ex-Union soviétique
Irl	Irlande		**Ven**	Vénézuela
Isr	Israël		**Yém**	Yémen
Ita	Italie		**Ex-You**	Ancienne Yougoslavie
Jap	Japon		**Zim**	Zimbabwé

a. Définition p. 26;   b. Définition p. 27.
Notations statistiques : ·· non disponible; — négligeable ou catégorie non applicable.

Les ensembles géopolitiques

Dans cet annuaire, on a choisi de regrouper en « ensembles géopolitiques » les deux cent vingt-cinq États souverains et territoires non indépendants qui se partagent la surface du globe. Certains très grands États comme la Chine ou le Brésil forment chacun ce qu'on peut aussi appeler un ensemble géopolitique. Qu'entend-on par « ensemble géopolitique » et quels ont été les critères de regroupement retenus ?

Contrairement à ce qui se passait encore au lendemain de la Seconde Guerre mondiale, plus aucun État ne vit aujourd'hui replié sur lui-même. Les relations entre États, en s'intensifiant, sont devenues plus complexes. Aussi est-il utile de les envisager à différents niveaux d'analyse spatiale.

— D'une part, *au niveau planétaire*. Il s'agit des relations de chaque État (ou de chaque groupe d'États) avec les grandes puissances : les États d'Europe occidentale, le Japon, les États-Unis et la Russie. Ces grandes puissances, qui entretiennent des rapports complexes sur les plans politique, économique et diplomatique, possèdent, pour certaines, des « zones d'influence » privilégiées. Il en est ainsi, par exemple, de l'Amérique latine pour les États-Unis, de la région Asie-Pacifique pour le Japon, de son ex-empire pour la Russie.

— D'autre part, dans le cadre de chaque *ensemble géopolitique*. Définir un ensemble géopolitique est une façon de voir les choses, de regrouper un certain nombre d'États en fonction de caractéristiques communes. On peut évidemment opérer différents types de regroupement (par exemple : les « pays les moins avancés », les États musulmans, etc.). On a choisi ici des regroupements ayant environ trois à quatre mille kilomètres pour leur plus grande dimension (certains sont plus petits et quelques-uns plus grands).

Considérer qu'un certain nombre d'États font partie d'un même ensemble géopolitique ne veut pas dire que leurs relations sont bonnes, ni qu'ils sont politiquement ou économiquement solidaires les uns des autres (certains d'entre eux peuvent même être en conflit plus ou moins ouvert). Cela signifie seulement qu'ils ont entre eux des relations (bonnes ou mauvaises) relativement importantes, du fait même de leur proximité, des caractéristiques communes jugées significatives et des problèmes assez comparables : même type de difficultés naturelles à affronter, ressemblances culturelles, etc. Chaque État a évidemment, au sein d'un même ensemble, ses caractéristiques propres. Mais c'est en les comparant avec celles des États voisins qu'on saisit le mieux ces particularités et que l'on comprend les rapports mutuels.

Ce découpage en trente-huit ensembles géopolitiques constitue une façon de voir le monde. Elle n'est ni exclusive ni éternelle. Chacun des ensembles géopolitiques définis dans cet ouvrage peut aussi être englobé dans un ensemble plus vaste : on peut, par exemple, regrouper dans un plus grand ensemble qu'on dénommera « Méditerranée américaine » les États d'Amérique centrale et les Antilles et ceux de la partie septentrionale de l'Amérique du Sud. Mais on peut aussi subdiviser certains ensembles géopolitiques, si l'on considère que les États qui les composent forment des groupes de plus en plus différents ou antagonistes : au sein de l'ensemble dénommé « Indochine », le contraste est, par exemple, de plus en plus marqué entre les États communistes (Vietnam, Laos...) et les autres.

On ne peut aujourd'hui comprendre un monde de plus en plus complexe si l'on croit qu'il n'y a qu'une seule façon de le représenter ou si l'on ne se fie qu'à une représentation globalisante. Les grandes «visions» qui soulignent l'opposition entre le *Centre* et la *Périphérie*, le *Nord* et le *Sud*, ce qu'on appelait hier encore l'*Est* et l'*Ouest*, sont certes utiles. Mais elles apparaissent de plus en plus insuffisantes, parce que beaucoup trop schématiques. Il faut combiner les diverses représentations du monde.

Pour définir chacun des trente-huit ensembles géopolitiques, nous avons pris en compte les intersections de divers ensembles de relief comme les grandes zones climatiques, les principales configurations ethniques ou religieuses et les grandes formes d'organisation économique, car tous ces éléments peuvent avoir une grande importance politique et militaire.

En sus du découpage en trente-huit ensembles géopolitiques, un deuxième type de regroupement a été opéré, par continent ou semi-continent : Afrique, Proche et Moyen-Orient, Asie, Pacifique sud, Amérique du Nord, Amérique centrale et du Sud, Europe, Ex-empire soviétique. On trouvera, en tête des sections correspondantes, des présentations géopolitiques de ces grands ensembles qui permettent d'en saisir à la fois l'unité et la diversité. Par ailleurs, cinq articles de «géopolitique interne» rendent compte des contrastes que connaissent les plus grands des États : Russie, États-Unis, Chine, Inde et Brésil.

Yves Lacoste

Les cartes

Chacun des États souverains et des territoires non indépendants étudiés dans l'ouvrage fait l'objet d'une représentation. Généralement, les cartes correspondant aux pays dont l'importance spatiale est la plus grande sont placées dans la rubrique «34 États», les autres dans la rubrique «38 ensembles géopolitiques». L'éclatement de l'URSS a conduit à présenter, outre une carte d'ensemble de la Russie et de l'ex-Union soviétique, quatre autres cartes : «Pays baltes», «Europe orientale», «Transcaucasie» et «Asie centrale».

Cette édition comporte en outre des cartes sur la prolifération nucléaire, l'épidémie du sida, la région des Grands Lacs, le Cachemire, le Kur-

distan, le conflit en Bosnie-Herzégovine, une planche relative à la question palestinienne depuis 1947, etc.

Afin de faciliter leur utilisation, une attention particulière a été portée au tracé des frontières, à la localisation des principales villes, ainsi qu'aux délimitations territoriales, administratives et politiques internes à chaque pays (régions, provinces, États, etc.).

En se référant aux p. 20-21, on prendra connaissance du découpage du monde en ensembles géopolitiques, auxquels correspondent les cartes de cet ouvrage (*liste en fin d'ouvrage*).

Claude Dubut, Martine Frouin-Marmouget, Anne Le Fur

Légende pour la taille des villes :

- moins de 500 000 habitants
- 500 000 à 2 000 000 habitants
- 2 000 000 à 5 000 000 d'habitants
- plus de 5 000 000 d'habitants

Les indicateurs statistiques

Les définitions et commentaires ci-après sont destinés à faciliter la compréhension des données statistiques présentées dans les sections « 34 États » et « 38 ensembles géopolitiques ».

On trouvera p. 22 la liste des abréviations et symboles utilisés dans les tableaux.

Démographie et culture

• L'*indicateur de développement humain* (IDH), exprimé sur une échelle allant de 0 à 1, est un indicateur composite. Il reflète le niveau de santé, d'éducation et de revenu atteint dans le pays concerné (pour plus de détails : voir p. 667. Voir aussi le classement de tous les pays p. 668 et suiv.). [*Source principale* : 39].

• Le chiffre fourni dans la rubrique *population* donne le nombre d'habitants en milieu d'année 1995. Les réfugiés qui ne sont pas installés de manière permanente dans le pays d'accueil sont considérés comme faisant partie de la population du pays d'origine. [*Source principale* : 3].

• Le *taux de mortalité infantile* est le nombre de décès d'enfants âgés de moins d'un an rapporté au nombre d'enfants nés vivants pendant l'année indiquée. [*Sources principales* : 3 et 6].

• L'*indice synthétique de fécondité* (ISF) indique le nombre d'enfants qu'une femme mettrait au monde, du début à la fin de sa vie, en supposant que prévalent, pendant cette vie, les taux de fécondité observés pendant la période indiquée. [*Sources principales* : 3 et 6].

• L'*espérance de vie* est le nombre d'années qu'un nouveau-né peut espérer vivre (en moyenne) dans l'hypothèse où les taux de mortalité, par tranche d'âge, restent, pendant toute sa vie, les mêmes que ceux de l'année de sa naissance. [*Sources principales* : 3 et 6].

• La *population urbaine*, exprimée en pourcentage de la population totale, en dépit des efforts d'harmonisation de l'ONU, est une donnée très approximative, tant la définition urbain-rural diffère d'un pays à l'autre. Les chiffres sont donnés à titre purement indicatif. [*Sources principales* : 6, 32, 33 et 39].

• Le *taux d'analphabétisme* est la part des personnes ne sachant ni lire ni écrire dans la catégorie d'âge « 15 ans et plus ». [*Sources principales* : 7, 8, 39 et 45].

• *Niveau de scolarisation.* L'enseignement primaire et secondaire étant de durée inégale d'un pays à l'autre, la tranche d'âge « normalement » inscrite dans le secondaire est précisée pour chaque pays. Les chiffres donnés sont néanmoins des taux « bruts » : le total des élèves inscrits dans le secondaire (quel que soit leur âge) divisé par le nombre d'enfants de la tranche d'âge en question (le taux peut donc dépasser 100 %). Pour les pays en voie de développement, nous avons préféré au taux d'inscription dans le secondaire le taux d'inscription pour la tranche d'âge « 12-17 ans ». Pour l'ensemble des pays, le taux d'inscription au « 3e degré » (niveau universitaire) correspond au nombre d'étudiants divisé par la population ayant 20 à 24 ans. Dans les très petits pays, ce taux n'est pas toujours significatif dans la mesure où une part importante des universitaires étudie à l'étranger. Dans les pays développés, le taux en question peut refléter le caractère plus ou moins élitiste du système universitaire. [*Sources principales* : 7 et 31].

• *Livres publiés.* Selon les recommandations de l'UNESCO sur « la standardisation des statistiques internationales concernant la publication de livres (1964) », est considérée comme livre une publication non périodique, de 49 pages au moins et disponible au public. [*Pour le détail, voir sources* : 7, 11 et 36].

Les pays à économie de marché et les pays à économie dirigée (ou qui, jusqu'à une date récente, ont connu un tel système économique) ont des systèmes de comptabilité nationale très différents. Les premiers calculent leur produit intérieur brut (PIB) ou le produit national brut (PNB); les seconds ont, dans leur grande majorité, adopté ce système, néanmoins certains privilégient encore le produit matériel net (PMN) ou le produit social global (PSG).

• Le *produit intérieur brut* (PIB) mesure la richesse créée dans le pays pendant l'année, en additionnant la valeur ajoutée dans les différentes branches. La valeur ajoutée de la

Attention, statistiques

■ *Comme pour les éditions précédentes, un important travail de compilation de données recueillies auprès des services statistiques des différents pays et d'organismes internationaux a été réalisé afin de présenter aux lecteurs, dès septembre 1995, le plus grand nombre possible de résultats concernant l'année 1994.*

Les informations portent sur la démographie, la culture, la santé, les forces armées, le commerce extérieur et les grands indicateurs économiques. Pour la section « 34 États », les données de 1970, 1980 et 1994 sont fournies afin de permettre la comparaison dans le temps et de dégager certaines tendances. Dans la section « 38 ensembles géopolitiques », les résultats de 1994 sont consignés pour les États souverains de la planète et pour 11 territoires non indépendants. Depuis 1992, l'ensemble de ces informations statistiques est également fourni pour les 15 républiques de l'ex-URSS devenues indépendantes et les 5 républiques de l'ancienne Yougoslavie. Depuis l'édition 1994, elles sont aussi mentionnées pour les deux États issus de la Tchécoslovaquie.

Les décalages que l'on peut observer, pour certains pays, entre les chiffres présentés dans les articles et ceux qui figurent dans les tableaux peuvent avoir plusieurs origines : les tableaux, qui font l'objet d'une élaboration séparée, privilégient les chiffres officiels plutôt que ceux émanant de sources indépendantes (observatoires, syndicats...) ; et les données « harmonisées » par les organisations internationales ont priorité sur celles publiées par les autorités nationales.

Il convient de rappeler que les statistiques, si elles sont le seul moyen de dépasser les impressions intuitives, ne reflètent la réalité économique et sociale que de manière très approximative, et cela pour trois raisons au moins. D'abord parce qu'il est rare que l'on puisse mesurer directement un concept économique ou social : le taux de chômage, par exemple, mesure certainement un phénomène lié à ce fléau, mais pas le chômage lui-même. Ensuite, l'erreur de mesure est plus importante dans les sciences sociales que dans les sciences exactes. L'imprécision due à des facteurs techniques peut être encore aggravée par la simple malhonnêteté de ceux qui peuvent tirer profit de chiffres « enjolivés ». Il faut savoir aussi que la définition des concepts et les méthodes pour mesurer la réalité qu'ils recouvrent sont différentes d'un pays à l'autre, malgré les efforts d'harmonisation accomplis depuis les années soixante.

production paysanne pour l'auto-consommation, ainsi que celle des « services non marchands » (éducation publique, défense nationale, etc.) sont incluses. En revanche, le travail au noir, les activités illégales (comme le trafic de drogue), le travail domestique des femmes mariées ne sont pas comptabilisés (un homme qui se marie avec sa domestique diminue ainsi le PIB).

• Le *produit national brut* (PNB) est égal au PIB, additionné des revenus rapatriés par les travailleurs et les capitaux nationaux à l'étranger, diminué des revenus exportés par les travailleurs et les capitaux étrangers présents dans le pays.

• Le *produit social global* (PSG) est la somme de la *valeur globale* de la production des différentes branches (et pas seulement de la *valeur ajoutée*, à la différence du PIB). Le PSG comptabilise ainsi deux fois certaines valeurs, comme le blé, qui est non seulement compté comme production agricole, mais aussi comme biscuits ou pâtes alimentaires (production industrielle). Il diffère aussi du PIB dans la mesure où il compte seulement la production « matérielle ». L'éducation, la défense, la médecine gratuite, etc. sont donc exclues.

• Le *produit matériel net* (PMN) est obtenu à partir du PSG, auquel est soustraite la valeur des consommations intermédiaires. C'est donc la somme de la valeur ajoutée des branches de la production « matérielle ».

Certains pays à économie de marché utilisent le PIB comme indicateur de croissance, d'autres utilisent le PNB. Pour les périodes de dix ans et pour des pays suffisamment grands, la différence est, en général, négligeable. Mais pour des pays petits ou très liés à l'extérieur, la différence pour une année donnée peut être considérable. Les pays à économie planifiée diffèrent aussi quant à l'indicateur de croissance qu'ils privilégient, certains choisissant le PMN, d'autres le PSG, d'autres encore utilisant le produit matériel brut. [*Sources principales* : 2, 10, 12, 13, 14, 15 et 16].

Dans les tableaux statistiques des sections « 34 États » et « 38 ensembles géopolitiques », le PIB total de chaque pays est calculé selon la « méthode de l'*Atlas de la Banque mondiale* » tandis que le PIB par habitant est calculé selon la méthode dite des « parités de pouvoir d'achat (PPA, voir encadré p. 673).

Dans la décomposition par branches du PIB, la branche agriculture comprend la pêche et la sylviculture. La production d'eau, d'électricité et de gaz, ainsi que la construction et la production minière ont été incluses dans la branche « industrie ». Tout le reste est classé comme « service ».

• Le taux d'inflation indique le pourcentage d'augmentation des prix des biens de consommation, pour le panier d'un ménage représentatif défini différemment selon les pays. [*Sources principales* : 2, 10, 14, 19 et 30].

• Par *population active*, on entend la population en âge de travailler, à l'exclusion des étudiants, des femmes mariées occupées aux tâches ménagères et de ceux des chômeurs qui ne recherchent pas activement un emploi. Les chômeurs ayant travaillé auparavant sont classés en tant qu'actifs de la branche à laquelle ils participaient. Les chômeurs n'ayant jamais travaillé ne sont pas comptés, l'ensemble totalise donc 100 %. La définition de l'agriculture, de l'industrie et des services utilisée dans la décomposition de la population active est identique à la décomposition de la structure du PIB. [*Sources principales* : 13, 17, 18, 28, 29 et 40].

• Le *taux de chômage* est le rapport entre le nombre de chômeurs — dont la définition est très variable d'un pays à l'autre — et la population active qui, bien que la définition de base soit la même, est calculée de manière un peu différente dans chaque pays. Pour la plupart des pays développés, les chiffres indiqués sont ceux qui résultent de l'harmonisation partielle effectuée par l'UE et l'OCDE. Cette harmonisation ne supprime cependant pas l'effet du

« traitement social » du chômage, souvent plus intensif à l'approche des échéances électorales. Pour les pays en développement, il a semblé préférable de ne pas mentionner les chiffres du chômage tellement leur interprétation est délicate. [*Sources* : 2, 17, 18 et 27].
• *Dette extérieure*. Pour les pays en voie de développement, c'est la dette brute, publique et privée, qui est indiquée. Pour certains pays, la dette est essentiellement libellée en dollars (Mexique par exemple), pour d'autres, elle est libellée en francs (suisses et français), en marks, etc. L'évolution des chiffres reflète donc autant les fluctuations des taux de change que le véritable recours à l'emprunt net. La dette extérieure des pays développés est très mal connue depuis que les capitaux circulent librement et que les détenteurs de créances n'ont plus à déclarer leur nationalité. Elle n'est donc pas indiquée ici. [*Sources principales* : 14, 15, 16 et 20].
• Le *solde* et la *dette brute* des *administrations publiques* sont donnés pour les pays industrialisés. Par *administration publique*, on entend l'*État* et les *administrations centrales*, les *adminis-*

PRINCIPALES SOURCES UTILISÉES

1. Bulletin mensuel de statistique, mai 1995 (ONU).
2. Principaux indicateurs économiques, mai 1995 (OCDE).
3. World Population Prospects, The 1994 Revision, ONU, 1995.
4. Population and Vital Statistics, n° 1, 1995 (ONU).
5. World Tables 1995 (Banque mondiale).
6. World Population Projections 1992-93 Edition, World Bank, 1992.
7. Annuaire statistique de l'UNESCO 1994.
8. UNCTAD Statistical Pocket Book, ONU, 1989.
9. Statistiques financières internationales, Annuaire 1994 (FMI).
10. Statistiques financières internationales, juin 1995 (FMI).
11. An International Survey of Book Production During the Last Decades, Statistical Reports and Studies, n° 26 (UNESCO).
12. Atlas de la Banque mondiale, 1995.
13. Perspectives économiques de l'OCDE, juin 1995.
14. Séries « Country Profile » et « Country Report » (The Economist Intelligence Unit).
15. Étude sur la situation économique de l'Europe en 1994-1995, Commission économique pour l'Europe (ONU).
16. Balance preliminar de la economia latinoamericana 1994, décembre 1994 (CEPAL).
17. Statistiques de la population active 1969-90 (OCDE).
18. Statistiques trimestrielles de la population active, n° 1, 1995 (OCDE).
19. Bulletins périodiques des postes d'expansion économique (PEE) auprès des ambassades de France dans le monde.
20. World Debt Tables 1994-95 (Banque mondiale).
21. Annuaire statistique du commerce international, 1993 (ONU).
22. Manuel de statistiques du commerce international, supplément 1989 (CNUCED).
23. Bulletin mensuel de statistique, juillet 1990, Tableau spécial D (ONU).
24. Direction of Trade Statistics, Yearbook 1994 (FMI).
25. Direction of Trade Statistics, mars 1995 (FMI).
26. Statistiques mensuelles du commerce extérieur, mai 1995 (OCDE).
27. Économie européenne, supplément A, n° 4, 1994 (CEE).
28. Annuaire des statistiques du travail 1994 (BIT).
29. Population active, évaluations 1950-80, projections 1985-2025, vol. 1-5 (BIT).
30. Perspectives économiques mondiales, FMI, mai 1995.
31. Trends and Projections of Enrolment by Level of Education and by Age, UNESCO, 1993.
32. Prospects of World Urbanisation 1988 ; ONU, 1989.
33. World Population Prospects 1990, Population Studies n° 120, ONU, 1991.
34. Le travail dans le monde, vol. IV, Bureau international du travail, 1989.
35. OCDE en chiffres, 1995.
36. Statistical Digest 1990, UNESCO.
37. Energy Yearbook 1992, ONU.
38. État de la population mondiale 1992, FNUAP, 1992.
39. Rapport sur le développement humain 1994, PNUD, 1994.
40. Trends in Developping Economies 1994, Banque mondiale.
41. World Metal Statistic Yearbook, 1995.
42. FAO Quaterly Bulletin of Statistics, 1995/1.
43. FAO Production Yearbook, 1993.
44. FAO Trade Yearbook, 1993.
45. Statistics on adult illiteracy, UNESCO, Statistical issues, octobre 1994.

trations locales, la part « publique » des *assurances sociales* et quelques autres « administrations ». Ce qui est compté est donc très variable d'un pays à l'autre. La « dette brute » des administrations publiques n'a aucun rapport avec la « dette extérieure ». Un « solde » négatif ne signifie pas nécessairement que l'État ou le pays est en train de s'endetter. Pour les pays de l'Union européenne est indiqué le niveau de la dette publique selon la définition retenue par le traité de Maastricht.

• Par *production d'énergie*, on entend la production d'« énergie primaire », non transformée, à partir de ressources nationales. Est donc exclue l'« énergie secondaire » (par exemple l'électricité obtenue à partir de charbon, ce dernier ayant déjà été compté comme énergie primaire). Cependant, l'électricité d'origine nucléaire est comptée dans la production d'énergie primaire, même si l'uranium utilisé est importé. L'uranium produit par un pays et exporté n'est pas compté, en revanche, comme énergie primaire. Le rapport entre énergie produite et énergie consommée indique le degré d'indépendance énergétique du pays. [*Source principale* : 37].

Commerce extérieur

• Le *commerce extérieur*, estimé en pourcentage du PIB, est calculé en additionnant la valeur des exportations et des importations de marchandises et en divisant ce total par $2 \times$ PIB. Ce rapport donne une indication du degré d'ouverture (ou de dépendance) de l'économie vis-à-vis des autres pays. [*Sources principales* : 2, 9, 10 et 26].

• *Commerce extérieur par produits*. Les tableaux distinguent les produits agricoles, miniers et manufacturés. Tous les produits alimentaires sont inclus sous la dénomination « agricoles », quel que soit leur degré d'élaboration/transformation. La dénomination « produits agricoles » correspond aux rubriques $0 + 1 + 2 - 27 - 28 + 4$ de la nomenclature internationale CTCI (classification type du commerce international) ; elle inclut donc les produits de la pêche et de l'industrie agro-alimentaire. La dénomination « métaux et produits miniers » comprend les rubriques $27 + 28 + 68$. [*Sources* : 13, 21 et 22].

La dénomination « produits manufacturés » est égale aux rubriques $5 + 6 + 7 + 8 - 68$.

• *Commerce extérieur par origine et destination*. L'évaluation de la part des différents partenaires commerciaux des pays de l'Afrique au sud du Sahara, des petits pays des Caraïbes, et de quelques pays asiatiques (Birmanie et Thaïlande surtout) pose des problèmes complexes. Certains de ces pays n'ont pas communiqué leurs chiffres depuis très longtemps ; pour d'autres, les chiffres fournis sont douteux. Leur commerce est donc estimé d'après les statistiques de leurs partenaires. [*Sources* : 13, 23, 24 et 26].

Francisco Vergara

Les chronologies

Onze chronologies recensent plus de cinq cents événements parmi les plus significatifs de l'année écoulée. La période de référence s'étend du 1er juin 1994 au 31 mai 1995.

Les trois chronologies de la première partie, « Un monde en mutation », ont un caractère thématique : « Organisations internationales » [dans la section « Enjeux et débats »], « Conflits et tensions » et « Économie et sociétés » [dans les sections qui portent le même nom].

Huit autres chronologies sont présentées dans la section « Trente-huit ensembles géopolitiques », aux chapitres Afrique, Proche et Moyen-Orient, Asie, Pacifique sud, Amérique du Nord, Amérique centrale et du Sud, Europe, Ex-empire soviétique. Les événements mentionnés ont été sélectionnés pour leur importance régionale ou internationale.

Enjeux et débats

L'Amérique, dernier recours du système de sécurité collective

L'année 1994-1995 aura été marquée par une inquiétude croissante concernant la sécurité des deux espaces stratégiques les plus «sensibles» du globe : l'Europe et l'Asie-Pacifique. Depuis la fin de la confrontation «géopolitique» Est-Ouest, le monde semblait vivre au rythme des grandes manœuvres «géo-économiques», menées sous la houlette des États-Unis. L'objectif affiché de la Maison-Blanche était de soutenir, partout dans le monde, le modèle américain de «démocratie de marché» et, pour ce faire, de promouvoir une vaste libéralisation des échanges commerciaux ainsi que des flux de capitaux et d'informations. Il s'agissait, à la fois, d'intégrer rapidement les nouveaux pays industriels «émergents» à l'économie mondiale, de pousser au démantèlement des politiques protectionnistes en Europe et au Japon, et de conquérir les deux dernières «frontières» qui échappaient encore à l'économie de marché : la Russie et la Chine. Les succès mêmes de cette stratégie ont cependant créé les conditions de nouvelles turbulences politiques.

Dès la fin de l'année 1994, les relations avec le Kremlin sont redevenues l'un des principaux motifs de préoccupation des dirigeants européens et américains. La diplomatie russe, qui faisait profil bas depuis l'effondrement de l'Union soviétique, a semblé vouloir à nouveau s'affirmer avec force. Au Conseil de sécurité des Nations unies, en novembre 1994, Moscou prit ainsi ouvertement parti pour la levée des sanctions frappant l'Irak depuis la crise du Golfe de 1990-1991. En décembre, le président russe Boris Eltsine mit en garde contre tout élargissement de l'OTAN (Organisation du traité de l'Atlantique nord) aux pays d'Europe centrale et orientale (PECO) et refusa de donner suite à l'adhésion de la Russie au «partenariat pour la paix» de l'Alliance atlantique. En janvier 1995, l'armée russe intervint massivement en Tchétchénie [*voir article p. 43*]. De même les sympathies proserbes des responsables russes ont-elles encore compliqué la gestion internationale du conflit en Bosnie. En mai, passant outre les objections de Washington, le président russe a confirmé la vente d'équipements nucléaires civils à l'Iran.

Une «paix froide»?

La Russie, bien sûr, s'est montrée encore loin de vouloir rejouer les épisodes de la «guerre froide». Le chaos politique et social régnant dans le pays, les frustrations engendrées par la perte de son rang de superpuissance — ainsi que d'une immense partie de son empire — et, paradoxalement, des performances économiques qui ont semblé s'améliorer progressivement ont nourri une vague nationaliste et l'esprit de revanche. Le ministre des Affaires étrangères, Andreï Kozyrev, a pu évoquer le spectre d'une «paix froide» avec l'Ouest... En réalité, Moscou ne cachait plus sa volonté de retrouver un statut de grande puissance, sinon mondiale, du moins européenne. Il n'était pas question pour la Russie d'abandonner son droit de regard sur les nouveaux équilibres géopolitiques se mettant en place sur le Vieux Continent.

La future «architecture de sécurité» européenne allait ainsi se retrouver au cœur des relations russo-occidentales. Face à ce réveil des ambitions russes, les États centre-européens — et même l'Ukraine — ont insisté, de plus en plus bruyamment, pour accéder rapidement à la qualité de membre à part entière de l'OTAN, afin de bénéficier du parapluie de sécurité occidental. Le Kremlin, pour sa part, a argumenté qu'il s'agirait là d'un acte hostile.

Les négociations sur le désarmement

■ *Le grand événement de l'année 1995 en matière de contrôle des armements a été, sans conteste, la prorogation pour un temps indéfini du Traité de non-prolifération nucléaire (TNP). Ce résultat a été obtenu, en mai, à New York, par un vote par acclamation des 178 pays participants, après une intense campagne de lobbying de la part des États-Unis. Les cinq grandes puissances nucléaires (États-Unis, Russie, France, Royaume-Uni et Chine) avaient déjà « balisé le terrain » en adoptant la résolution 984 du Conseil de sécurité de l'ONU où elles s'engageaient à ne pas utiliser l'arme atomique contre les pays signataires du TNP. Cette proclamation symbolique n'a cependant pas convaincu l'Inde, le Pakistan ou Israël d'adhérer au traité et n'a pas empêché une dénonciation par les pays arabes du statut de puissance nucléaire « non officielle » de l'État juif. Par ailleurs, l'Afrique du Sud est devenue membre du TNP et Cuba a finalement adhéré au traité de Tlatelolco interdisant les armes atomiques sur l'ensemble du territoire latino-américain.*

Ces succès permettaient déjà d'accélérer les négociations en vue d'un traité d'interdiction complète des essais nucléaires (CTBT) qui devrait être signé en 1996. Mais il est vrai que la poursuite des tests atomiques par la Chine et la perspective d'interruption du moratoire observé depuis 1992 par la France compliquent le travail des négociateurs.

En matière d'armements stratégiques, l'adhésion au TNP de l'Ukraine (l'une des quatre puissances nucléaires héritières de l'URSS), en décembre 1994, a laissé le champ libre à l'entrée en vigueur du traité START-1 de réductions des armes nucléaires stratégiques. Russie et États-Unis se sont ainsi engagés dans la bataille pour la ratification, par leurs pouvoirs législatifs respectifs, du traité START-2. En attendant, les deux grandes puissances nucléaires sont tombées d'accord, en mai 1995, sur une nouvelle interprétation du traité antimissile (ABM) de 1972 permettant le déploiement de « défenses antimissile de théâtre » (TMD). Elles ont également poursuivi leurs négociations en vue de la mise au point rapide d'une convention interdisant la production de matériaux fissiles à usage militaire. La seule ombre au tableau aura été la revendication russe de renégocier les clauses du traité FCE portant sur les forces conventionnelles sur le Vieux Continent, ce qui est apparu susceptible de remettre en cause les fragiles équilibres de sécurité en Europe centrale et orientale.

A. V.

(Voir également les encadrés consacrés à ce même sujet dans les éditions précédentes, ainsi que, dans cette même édition, l'article portant sur la prolifération nucléaire, p. 51.)

Repousser les frontières d'une alliance militaire défensive jusqu'au territoire russe, ne serait-ce pas désigner la Russie comme l'« ennemi » ?

Moscou a donc plaidé pour la transformation de l'OTAN en une alliance exclusivement politique, la sécurité du Vieux Continent devant être du ressort de l'OSCE (Organisation pour la sécurité et la coopération en Europe, regroupant déjà tous les pays européens, ainsi que les États-Unis et le Canada) où la Russie détient un droit de veto.

L'élargissement de l'OTAN est ainsi devenu la principale pomme de discorde en Europe. Pour les PECO, ex-membres du pacte de Varsovie, il n'était pas question de se retrouver à nouveau, fût-ce indirectement, sous une quelconque tutelle de Moscou. La mise en cause par le Kremlin, au printemps 1995, du traité de 1990 portant sur la réduction des forces conventionnelles en Europe (FCE — l'un des principaux piliers de la sécurité continentale) n'a fait qu'alimenter leurs craintes. Les Russes, en effet, ont fait valoir que le FCE ne tient pas compte des bouleversements politico-territoriaux des années précédentes : en empêchant des grandes concentrations de troupes dans certaines régions (en particulier le Caucase), le traité exercerait une contrainte inacceptable sur les besoins de sécurité « légitimes » du pays.

Les États-Unis, pour leur part, sont apparus confrontés à un dilemme. D'un côté, ils estiment que l'OTAN, dont ils assument le leadership, est la seule organisation de sécurité crédible dans une Europe de plus en plus instable. Maintenir et même renforcer l'organisation militaire occidentale, tout en y intégrant peu à peu les pays d'Europe centrale et orientale, leur semble la meilleure assurance non seulement contre un éventuel retour de flamme russe, mais aussi contre les multiples dangers de déstabilisation venant des Balkans ou du sud de la Méditerranée. D'un autre côté, la « grande stratégie » post-« guerre froide » des Administrations Bush et Clinton aura été fondée sur l'aide aux réformes politiques et économiques en Russie et son intégration progressive au sein des démocraties de marché, ainsi que sur une étroite collaboration en matière de politique nucléaire et de sécurité. Mais comment verrouiller le cadre politico-militaire

européen en élargissant l'OTAN à l'est, tout en sauvegardant une forte coopération économique et militaire avec Moscou ? La décision de Boris Eltsine, en mai 1995, de participer finalement au « partenariat pour la paix », sous condition que l'Alliance atlantique abandonne l'idée d'un élargissement, n'aura pas été faite pour simplifier le problème.

Quelle sécurité pour l'Europe ?

Cette incertitude a également commencé à alarmer les pays d'Europe occidentale, en particulier l'Allemagne, à nouveau en première ligne. La perspective d'un refroidissement des relations avec la Russie, le danger d'extension des conflits balkaniques à l'Europe centrale et la situation explosive existant au Maghreb sont apparus de nature à mettre en cause tout l'équilibre de sécurité européen. La construction d'une politique de « défense européenne » est ainsi devenue une question urgente. Or, le bourbier bosniaque et l'aggravation de la situation militaire en ex-Yougoslavie ont largement démontré l'incapacité des Européens à assurer eux-mêmes leur propre sécurité. Seuls la France et le Royaume-Uni ont encore les moyens politiques et militaires de mobiliser une force d'intervention armée. Son efficacité reste cependant très limitée sans une importante participation allemande — toujours problématique, malgré le feu vert accordé par la Cour constitutionnelle de Karlsruhe en 1994 — et sans l'appui décisif, logistique et humain, des États-Unis.

Cette dépendance renouvelée de l'Europe envers le « parapluie américain » a suscité des réactions contradictoires. L'Allemagne et le Royaume-Uni ont plaidé pour un renforcement de l'OTAN garantissant la présence des GI sur le Vieux Continent. La France a poursuivi son idée d'une capacité européenne de défense plus autonome, en essayant de doter l'Union de l'Europe occidentale (UEO) de moyens opérationnels et en multipliant les accords militaires inter-européens, telles l'Euroforce et l'Euromarforce, signés en mai 1994 avec l'Espagne, le Portugal et l'Italie. Cependant, même à Paris, on a estimé que le maintien d'une présence américaine en Europe était une garantie essentielle de sécurité, à tel point que, pour la première fois depuis 1966, des représentants français allaient à nouveau siéger dans le « groupe des plans de défense de l'OTAN ». Les États-Unis, quant à eux, se sont montrés favorables à une force militaire européenne efficace, mais maintenue sous le commandement intégré de l'Alliance.

Cette cacophonie a été d'autant plus inquiétante que l'Union européenne (UE) était confrontée à la nécessité d'une profonde redéfinition de ses institutions et de ses objectifs. L'architecture institutionnelle de l'Europe des Douze était devenue beaucoup trop étroite pour accueillir les trois nouveaux membres (Autriche, Finlande et Suède) et ceux qui, en Europe centrale, frappent déjà à la porte. Mais une Europe des Quinze, puis des Vingt-Cinq ou Trente, pourrait-elle être autre chose qu'une vaste zone de libre-échange ? Avec autant de vieilles nations, encore jalouses de leurs identités et sans réels moyens d'assurer leur propre défense, comment définir une « politique extérieure et de sécurité commune » ? Allait-on se diriger vers une Europe « à la carte », où les « noyaux durs » et autres regroupements « à géométrie variable » ne seront que les dénominations modernes du traditionnel jeu d'alliances diplomatiques et d'équilibre des puissances, si catastrophique dans l'histoire européenne ? Ces questions devaient être au cœur de la conférence intergouvernementale (CIG) de 1996, prévue par le traité de Maastricht (relatif à l'Union européenne) pour relancer l'Union dans l'ère post-« guerre froide ».

Le défi apparaissait de taille au premier semestre 1996, d'autant que la génération des artisans de la construction européenne des années quatre-vingt allait passer la main à d'autres, dont la flamme communautaire ne semblait pas aussi forte. L'Italie vivait un maelström politique paralysant sa diplomatie. La France s'est donné un président et une majorité de droite profondément divisés sur la question européenne. Au Royaume-Uni, le gouvernement conservateur a peu à peu sombré et personne n'a semblé prêt à parier sur une bonne volonté « européenne » de la part des travaillistes. En Espagne, le pouvoir de Felipe González, champion de l'intégration européenne de son pays, ne tenait plus qu'à un fil. Même le chancelier Helmut Kohl devait faire face à une érosion de sa majorité et aux réticences de plus en plus claires de l'opinion allemande à sacrifier le mark sur l'autel de l'union monétaire.

Instabilité en Asie-Pacifique

Cette instabilité politique se retrouvait également dans l'autre grande région stratégique du monde, l'Asie-Pacifique. Avec l'arrivée au pouvoir à Tokyo, en juin 1994, d'une improbable coalition socialiste-libérale, le Japon a vécu une crise politique permanente, aggravée par la persistance de difficultés économiques mettant en cause, profondément, le fameux « modèle japonais ». L'état chaotique de la vie politique, le perpétuel bras de fer commercial avec les États-Unis et les menaces émanant de la Corée du Nord ou des ambitions chinoises dans la région n'ont fait qu'alimenter l'émergence d'un nouveau nationalisme japonais. Certains hommes politiques ont proposé, en effet, une vision d'un Japon politiquement et militairement plus autonome des États-Unis, capable d'exercer son leadership sur l'ensemble de la région. Or, une telle perspective ne pouvait manquer d'inquiéter tous les États voisins où la mémoire de l'impérialisme japonais des années trente-quarante est restée vivace. Aucun d'eux, par ailleurs, n'a semblé tenir au retrait du parapluie militaire américain garantissant à la fois la sécurité régionale et une tutelle sur la puissance nippone, retrait qui les laisserait seuls

BIBLIOGRAPHIE

B. Badie, *La Fin des territoires. Essai sur le désordre international et sur l'utilité sociale du respect*, Fayard, Paris, 1995.

B. Badie, M.-C. Smouts, *Le Retournement du monde*, Presses de la FNSP, Paris, 1992.

P. Boniface (sous la dir. de), *L'Année stratégique 1995. Les équilibres militaires (The Military Balance, HSS)*, Dunod/IRIS, Paris, 1995.

GRIP, *Mémento défense-désarmement 1994-95. L'Europe et la sécurité internationale*, Bruxelles, 1995.

F. Gutman, *Le Nouveau Décor international*, Fayard, Paris, 1994.

P. Kennedy, *Préparer le XXIe siècle*, Odile Jacob, Paris, 1994.

Y. Lacoste (sous la dir. de), *Dictionnaire de géopolitique*, Flammarion, Paris, 1993.

Z. Laïdi, *Un monde privé de sens*, Fayard, Paris, 1994.

Médecins sans frontières, *Populations en danger 1995. Rapport annuel sur les crises majeures et l'action humanitaire*, La Découverte, Paris, 1995.

«Monde global, monde dual», *Courrier de la Planète*, n° 26, Montpellier, janv.-févr. 1995.

T. de Montrial (sous la dir. de), *Ramses 95. Rapport mondial annuel sur le système économique et les stratégies*, IFRI, Dunod, Paris, 1994.

J. Rupnik (sous la dir. de), *Le Déchirement des nations*, Seuil, «CERI», Paris, 1994.

SIPRI Yearbook 1994. World Armaments and Disarmaments (annuel), Oxford University Press, Oxford, 1994.

A. Valladão, *Le XXIe siècle sera américain*, La Découverte, Paris, 1993.

face aux appétits des deux mastodontes japonais et chinois.

La Chine, pour sa part, est restée aux prises à la fois avec un boom économique anarchique, une ouverture réticente et désordonnée au monde extérieur et une bataille de succession pour l'héritage de Deng Xiaoping. Cette conjonction de vigueur économique et de fragilité politique a provoqué une crispation intérieure couplée à une fuite en avant dans une nouvelle politique de puissance. Là aussi, les pays voisins ont montré leur crainte face à la persistance d'un régime autoritaire de plus en plus contradictoire avec les libertés prises par la vie économique, ainsi qu'à la revendication chinoise d'une souveraineté sur l'ensemble de la mer de Chine méridionale riche en ressources pétrolières [*voir édition précédente, p. 556*]. La course aux armements — y compris nucléaires

— menée par les autorités de Pékin depuis la fin de la « guerre froide », la constitution au pas de charge d'une marine océanique chinoise et la non-ratification par la Chine du traité sur le droit de la mer ont encore ajouté aux inquiétudes régionales. En réalité, au-delà des différends économiques, c'est toute l'organisation de sécurité en Asie-Pacifique qui s'est trouvée mise en cause avec, là aussi, l'évolution des rapports avec Washington au centre des débats.

Les États-Unis, principaux artisans de la réorganisation de l'économie mondiale depuis la fin de la « guerre froide », ont-ils les moyens de jouer un rôle analogue dans le domaine de la sécurité? En 1994-1995, la Maison-Blanche s'est surtout appliquée à consolider les acquis de sa stratégie « géo-économique » d'intégration du marché mondial. Sous son impulsion, le

Congrès a ratifié l'accord du GATT instituant l'Organisation mondiale du commerce (OMC, en vigueur le 1ᵉʳ janvier 1995). De même, les pays membres de l'APEC (Coopération économique Asie-Pacifique) se sont fixé, à la réunion de Seattle (novembre 1993), les dates de 2010 et 2020 pour la constitution d'une zone de libre-échange, alors que le « sommet des Amériques », en décembre 1994, décidait d'un objectif similaire pour l'ensemble de l'hémisphère américain à l'échéance de 2005. En mai 1995, saisissant au vol une idée lancée par les Canadiens, les Britanniques et les Allemands, l'Administration Clinton se déclarait prête à « étudier sérieusement » la possibilité de créer une formidable zone de libre-échange transatlantique (TAFTA) liant l'ALENA (Accord de libre-échange nord-américain, signé par les États-Unis, le Canada et le Mexique) et l'Union européenne.

Les limites de l'activisme économique américain

Cet activisime économique reste toutefois insuffisant pour répondre aux problèmes de sécurité qui s'accumulent. Washington a pu mesurer l'importance de son leadership lors de la bataille, en mai 1995, pour la prorogation, pour un temps indéfini, du Traité de non-prolifération nucléaire de 1968 [*voir encadré et voir article p. 51*]. Mais, depuis la fin de la « guerre froide », la Maison-Blanche a voulu instaurer une sorte de division des tâches en matière de maintien de la paix dans le monde : aux organisations et alliés régionaux, la charge de la sécurité au jour le jour dans leur zone d'influence locale — quitte à bénéficier de l'aide logistique américaine ; aux États-Unis, la responsabilité de commander les grandes interventions militaires (avec ou sans les alliés) soit pour défendre directement les intérêts américains, soit pour contrer une menace sur les grands équilibres internationaux. L'Amérique ne risquerait donc la vie de ses soldats qu'en dernier recours. Cette vision d'un système de sécurité

planétaire chapeauté par le leader américain fait corps avec l'idée d'une instance ayant la légitimité pour approuver les interventions armées au nom de la « communauté internationale » tout entière. Cette instance, c'est l'ONU.

Les leçons de la guerre du Golfe, du fiasco somalien, du rôle des « casques bleus » en Bosnie, de l'opération *Turquoise* au Rwanda et du débarquement de septembre 1994 à Haïti jettent cependant un doute sur ce bel ordonnancement. Sans forces militaires propres, sans réel état-major opérationnel, l'autorité des responsables onusiens se résume à une simple délégation de pouvoir à une puissance leader (les États-Unis dans le Golfe et à Haïti, la France au Rwanda), ou bien à la confusion des chaînes de commandement et des objectifs politiques qui paralyse l'intervention (Somalie et Bosnie). En outre, il est clair désormais que chaque fois qu'une mission déborde de sa dimension strictement locale ou qu'il ne s'agit plus d'un conflit de très basse intensité, la présence massive non seulement de la logistique, mais des troupes américaines reste la meilleure garantie d'un effet dissuasif et, si nécessaire, d'une intervention efficace. Or, les Administrations américaines — républicaines comme démocrates — ont montré qu'elles refusaient le rôle de « gendarme du monde », mais n'étaient pas prêtes pour autant à financer l'ONU et à lui accorder une autonomie militaire.

« Junior Partners »

La victoire historique du Parti républicain, qui s'est emparé, en novembre 1994, des deux chambres du Congrès à Washington, augure d'une nouvelle bataille politique sur le rôle international des États-Unis [*voir article p. 156*]. Les « isolationnistes », minoritaires dans l'élite américaine, mais présents dans les deux grands partis, se sont approprié le dossier des affaires étrangères. Ce courant, déjà battu sur le terrain économique lors de la ratification de l'ALENA et des accords du GATT, aura toutefois du mal à s'imposer. L'opposition qui semble avoir le plus d'impact sur l'avenir du système de sécurité mondial est celle qui divise les «internationalistes» eux-mêmes. D'une part, la Maison-Blanche de Clinton, tout en réaffirmant le leadership et la liberté d'action américains, prône l'institutionnalisation de procédures «multilatérales» de concertation et d'intervention, au travers de l'ONU ou des organisations de sécurité régionales. D'autre part, les «unilatéralistes», représentés par les ténors républicains au Congrès, Newt Gingrich et Robert Dole, défendent une totale autonomie de décision de la part des États-Unis et privilégient les coalitions *ad hoc*, adaptées à chaque menace spécifique et placées directement sous contrôle américain, qu'elles bénéficient ou non du label onusien.

Ni d'un côté ni de l'autre, on ne remet en cause l'idée d'un système de sécurité collectif et planétaire, dans lequel l'Amérique s'attribue la fonction de dernier recours. Mais, dans le premier cas, les alliés et autres puissances amies sont considérés comme des *junior partners*, cogestionnaires de l'ordre mondial. Dans le second, ils sont ravalés au rang de forces supplétives de la politique et de la machine de guerre américaines. Les États-Unis demeurent la seule superpuissance ayant la capacité d'intervenir où bon lui semble et disposant des ressources logistiques essentielles à l'action de ses partenaires. La mise en place d'une «architecture de sécurité» de la planète devra donc attendre le résultat des élections présidentielles américaines de novembre 1996.

Alfredo G.A. Valladão

Vers des sociétés de guerre?

La fin des tensions Est/Ouest avait laissé espérer à de nombreux observateurs que les conflits armés allaient s'arrêter puisque leurs protagonistes ne bénéficiaient plus de patronage étatique significatif, et donc des ressources nécessaires à la guerre. L'indépendance de la Namibie et la sortie de prison de Nelson Mandela (1990), les renversements de pouvoir intervenus en Éthiopie (1991) et en Somalie (1991) ou encore les accords de paix conclus au Salvador et au Nicaragua peu auparavant ou peu après semblaient confirmer cette espérance.

Il a pourtant fallu se rendre à l'évidence : à l'instar de la guerre civile apparue en Afghanistan après le départ des troupes soviétiques (1989), les «petites guerres» n'ont pas pris fin et de nouvelles sont apparues : Libéria (1990), Somalie (1991), Angola (1992-1994?), ancienne Yougoslavie (1991), sans compter celles qui ont pris naissance sur le territoire de l'ex-URSS (Haut-Karabakh,

Géorgie, Tadjikistan, Tchétchénie)... D'autres, comme celle du Soudan (1983), ont perduré. Il s'est agi, à chaque fois, de guerres civiles ou ethno-nationales. La prédation y a acquis une dimension très spectaculaire : ici, on déterre les canalisations de téléphone pour récupérer le cuivre, là on vole jusqu'au bois des fenêtres... De plus, à la faveur de ces conflits, des activités illicites se développent très rapidement — comme la culture du pavot et du haschich, ou son raffinement au Liban ou à la frontière pakistano-afghane —, qui financent les aventures guerrières de leurs protecteurs.

Il serait commode de postuler la nouveauté du phénomène. Pourtant, c'est d'abord les grilles d'analyse qu'il faut revoir. On a le plus souvent sous-estimé les racines de certains conflits et/ou le talent de certains entrepreneurs politico-militaires qui, à l'instar du dirigeant serbe de Bosnie Radovan Karadzic, jouent sur la fibre ethno-nationale ou sur des revendications bridées par des décennies de partis uniques ou de pouvoir autoritaire pour mener à bien leurs projets. On a également sous-évalué le gigantesque recyclage des stocks d'armements conventionnels appelé par la fin de la «guerre froide» et de certains conflits (par exemple au Liban) et, donc, la grande fluidité qui en a découlé pour le marché des armes. Enfin et surtout, on est resté aveugle pendant des années sur les transformations économiques que permettait la guerre dans des sociétés anémiées par la dictature, la stagnation économique, la marginalisation de la jeunesse, la polarisation extrême de la société, etc., mais où l'informel triomphait. [*Voir l'article consacré à la «guerre de prédation en Bosnie», p. 100.*]

Économie de la guerre et économie dans la guerre

La guerre et l'économie entretiennent des rapports étroits, paradoxalement presque symbiotiques. Pour ne parler que des conflits armés de «basse intensité» qui ont déchiré le tiers monde, deux phénomènes se distinguent, différents, mais très liés et qui ont toujours évolué de pair : l'économie de la guerre (entendue comme celle permettant aux acteurs armés les moyens de la guerre) et l'économie dans la guerre (la reconfiguration de l'économie d'une société tout entière). A l'époque des tensions Est-Ouest, la question de l'identification de ces deux économies et de leur articulation n'était pas posée, car la réponse paraissait évidente : l'État finançait. Pourtant, dans le cadre d'un conflit de longue durée, le seul contrôle d'un territoire ou l'octroi d'un sanctuaire situé sur une zone frontalière par un État ami ne suffit pas : il faut contrôler aussi des populations. Ce besoin présente des justifications différentes selon les conflits : empêcher une part de la population de basculer dans le camp adverse, fournir les recrues en nombre suffisant pour une offensive ou une contre-offensive, offrir une vitrine civile pour obtenir de l'aide

sur une base humanitaire ou plus politique en démontrant sa capacité administrative, etc.

Le relatif retrait des États disposés à financer un conflit a donc modifié ces deux économies et les rapports qu'elles entretenaient, car le contrôle politique et idéologique, mâtiné d'une plus ou moins grande coercition, n'est plus apte à répondre aux besoins tant des groupes armés que des sociétés qui l'acceptaient. Lorsqu'une grande puissance soutenait leur protecteur, ces derniers recevaient en échange de leur soumission des assurances politiques, mais aussi économiques (approvisionnement en denrées de base, etc.). Aujourd'hui, à l'inverse de ce qui se passait dans les années soixante, les guérillas mettent davantage l'accent sur la prise de villes, de ports et d'aéroports, voire de capitales. Certes, l'enjeu est de mettre la main sur des ressources, mais il en est d'autres. D'une part, la ville (la capitale) est devenue le symbole de la légitimité étatique — que l'on se souvienne de la course entre «chefs de guerre» pour prendre le contrôle de Monrovia au Libéria en 1991 ou de Mogadiscio, en Somalie, le massacre des cadres de l'Unita (Union nationale pour l'indépendance totale de l'Angola) dans Luanda à la Toussaint 1992. D'autre part, la ville est un nœud dans un réseau transnational : les journalistes y viennent en plus grand nombre et l'impact politique est immédiat. Enfin, une ville, c'est aussi un carrefour de marchands qui peuvent étendre des réseaux existants ou les démultiplier...

La fin d'une rente acquise sur des bases (géo)politiques pour faire la guerre et, éventuellement, la gagner a donc décuplé la recherche de stratégies de financement alternatives. Une étude attentive des «guérillas héroïques» montre que, dans la phase de grande tension Est-Ouest, ces stratégies étaient déjà à l'œuvre, mais à des niveaux moindres car la situation ne l'exigeait pas et parce que les potentiels étaient différents. Pour ne prendre que l'exemple des drogues, le goût pour la cocaïne ou le mendrax était nettement plus aris-

BIBLIOGRAPHIE

J.-F. BAYART, *L'État en Afrique. La politique du ventre*, Fayard, Paris, 1989.

F. JEAN, J.-C. RUFFIN, *Les Économies de guerre dans les conflits de basse intensité*, MSF, Paris, s.d.

A. JOXE, *Voyage aux sources de la guerre*, PUF, Paris, 1993.

N° spécial de *Culture et conflits*, n° 11 (spécial), Paris, aut. 1993 (articles de G. DORRONSORO sur l'Afghanistan, de C. LECHERVY sur le Cambodge, de R. MARCHAL sur la Somalie, etc.).

R. MARCHAL, « Les mooryaan de Mogadiscio », *Cahiers d'études africaines*, n° 130, Paris, 1993.

tocratique dans les années soixante qu'aujourd'hui.

Le jeu des États, des diasporas, des mafias...

Nombreuses sont les logiques à l'origine du nouveau financement. D'abord, l'aide émanant d'États n'a pas disparu, loin s'en faut — le Portugal — au moins certains secteurs militaires — et la Russie soutiennent par exemple très fermement le MPLA (Mouvement populaire de libération de l'Angola) —, mais ses objectifs peuvent avoir évolué : il faut nuire, c'est-à-dire régler des comptes plus que faire gagner une cause. L'aide iranienne et soudanaise au général somalien Aydiid visait ainsi moins à le faire l'emporter (nul, sauf les Nations unies, l'Érythrée et l'Éthiopie, n'avait d'illusion sur ses promesses) qu'à humilier les États-Unis. Dans le conflit cambodgien, l'armée thaïlandaise, à dessein, n'aura pas exercé un contrôle sans faille sur la frontière cambodgienne.

Par ailleurs, l'aide humanitaire a provoqué de nombreux débats au sein des ONG (Organisations non gouvernementales), car elle sert souvent de placebo, dans le cas de crises dont se désintéressent les classes politiques, mais aussi parce qu'une partie plus ou moins grande de l'argent dépensé se retrouve rapidement aux mains des groupes armés : convois humanitaires dépouillés,

comme en Bosnie, aide alimentaire confisquée dans de très nombreux conflits, voire recrutement de miliciens par des organismes humanitaires faisant le coup de feu pour d'autres motifs que la protection des « médecins d'urgence ». Cependant, les ONG ne sont que des acteurs marginaux par rapport aux agences des Nations unies qui ont des budgets, des équipements et du personnel, des ressources en quantités bien plus grandes. Il est sûr, par exemple, que les camps de réfugiés jouent un rôle important dans la logistique des mouvements armés, des Khmers rouges aux combattants du Sud-Soudan. Cependant, il faut aussi voir l'appui que peut fournir l'aide d'urgence à des États aux abois pour trouver des devises : Khartoum a pu obtenir certaines années entre 15 % et 20 % de ses devises fortes grâce aux programmes d'aide d'urgence, ou utiliser les vols humanitaires pour regarnir très rapidement des zones sensibles.

Dans certains conflits, les diasporas peuvent être également des acteurs essentiels. Le PKK (Parti des travailleurs du Kurdistan, Turquie) s'appuie ainsi beaucoup sur l'action de ses militants émigrés en Allemagne et en France. La même remarque s'imposerait pour l'Érythrée des années quatre-vingt, pour la guerre civile somalienne, pour les Tamouls de Sri Lanka. Ce constat doit cependant être dépassé, à cause des énormes différences dans la manière dont la diaspora se structure — ou est structurée —, pour la collecte de l'argent et l'organisation de ses relations avec le groupe armé. De précieuses indications en découlent quant au caractère de l'organisation armée et à la nature de ses relations tant avec son adversaire qu'avec la population. Comparée aux méthodes coercitives et très expéditives du PKK ou d'autres organisations (extorsion de fonds aux petits commerçants, «impôt révolutionnaire», etc.), la pression du clan chez les Somaliens laisse une place au libre choix. Différent est encore l'encadrement communautaire qu'assurait le mouvement nationaliste érythréen avant sa victoire.

Les scènes de pillage ont toujours eu la faveur des médias, car elles constituent une «belle image» de l'anarchie revenue; elles renvoient aussi au monde de l'invisible si présent dans les cultures de la guerre. Pourtant, le dépeçage s'organise très vite et de nouvelles relations entre mouvement armé et population s'ensuivent, le projet politique ne pouvant plus, en effet, se limiter à la simple substitution d'un pouvoir par un autre.

Le corps social se différencie alors très fortement : des groupes émergent dont l'intérêt est d'accumuler de cette manière, d'autres partent en exil... A ce stade, toute l'économie mafieuse qui peut se développer renvoie à la société non plus l'image d'un corps social uni derrière les vainqueurs, mais de sous-ensembles existants par la force d'intérêts particuliers.

L'économie mafieuse ne crée donc pas seulement un lien spécifique avec le transnational, elle impose de nouvelles relations avec une population, sommée de s'inscrire dans un champ économique recomposé. C'est là typiquement le cas de la guérilla khmère rouge, dont on n'a en général perçu que l'aspect répressif, alors qu'elle est devenue l'un des grands acteurs économiques en Thaïlande. On pourrait aussi évoquer les milices libanaises qui, pendant un temps, ont été à l'origine de près d'un tiers du revenu national.

Criminalisation accrue du politique

Cette évolution doit être appréciée à plusieurs niveaux. Ce système est prédateur, mais il est difficile d'affirmer qu'il l'est plus que les «guérillas héroïques», dont les aspects coercitifs ont toujours été minimisés en regard de ceux des États qu'elles combattaient, comme pour le Sud-Vietnam par exemple. Certes, la justification de la violence est moins élaborée, mais qu'en est-il de cette dernière ?

Les effets sur les mouvements armés sont complexes et tiennent à la manière dont ces activités sont inscrites dans leur organisation interne. Certes, l'affaiblissement de la cohérence interne et la manipulation des groupes paraissent probables. L'Unita fait, depuis des années, le commerce du diamant pour se financer. Depuis 1992, il semble que la centralisation ait considérablement diminué, ce qui a permis une autonomie plus grande des commandants d'unité et une corruption d'échelons intermédiaires qui n'existaient pas avant.

Le FPLE (Front populaire de libération de l'Érythrée) a présenté l'une des expériences les plus sophistiquées de mobilisation de l'aide humanitaire, mais jamais la concussion n'a été acceptée dans ses rangs.

Une question essentielle tient à la reproduction de cette configuration sociale. La guerre recompose société et acteurs armés. Cette recomposition autorise-t-elle la formation de groupes sociaux, combattants ou marchands, dont la guerre pourrait être la rationalité et la finalité ? Bien des groupes armés paraissent arrivés à ce stade à un moment, mais l'analyse rigoureuse est plus circonspecte.

L'économie définie par la guerre est implicitement comparée à une situation normale, mais la normalité en Afrique et ailleurs dans le tiers monde est-elle dans le triomphe de l'État de droit ou dans la criminalisation accrue du politique ?

Roland Marchal

Russie : retour de l'ordre impérial ?

Par son ampleur et sa violence aveugle (des dizaines de milliers de morts, dont beaucoup de civils russes, le rasage de Grozny, la démesure des forces engagées...), l'«aventure tchétchène» de Boris Eltsine suscite bien des questions. Comment en effet analyser la guerre déclenchée en décembre 1994 par le Kremlin en Tchétchénie ? Fallait-il y voir, après la canonnade contre la Maison Blanche (Parlement aux mains des opposants au chef de l'État) puis le sanglant assaut donné contre celle-ci (octobre 1993), un nouveau coup porté au «cours démocratique» inauguré au début des années quatre-vingt-dix ? L'aventure tchétchène signait-elle le brutal retour d'une logique impériale qui fut celle de la Russie tsariste puis de l'Union soviétique ? N'était-ce au contraire qu'un dérapage malheureux provoqué par un lobby militaire frustré, aiguillonné par des milieux d'affaires liés aux intérêts pétroliers ? Alors que la Russie, qui affiche désormais avec arrogance une nouvelle image impériale, tente de reprendre le contrôle de son «étranger proche», ne faut-il pas plutôt y voir l'aboutissement d'un processus inéluctable induit par la dérive autoritaire du régime russe ?

Au tout début des années quatre-vingt-dix, avant que l'URSS ne disparaisse, la Russie semblait pourtant sur le point de rompre avec sa tradition impériale. Les forces démocratiques, avec à leur tête Boris Eltsine, président du Soviet suprême (Parlement), le 29 mai 1990, affirmaient leur volonté de rompre avec la tradition soviétique : seule une Russie débarrassée du carcan de l'Union pourrait trouver sa respiration propre. Avec une naïveté — feinte ou réelle — les «démocrates» rejetaient systématiquement sur la direction soviétique la responsabilité des heurts et tensions qui commençaient à déstabiliser les marches de l'empire.

Une illusion de rupture ?

En Transcaucasie, en Asie centrale, le Kremlin était montré du doigt ; aux yeux de la majorité des démocrates, il portait la responsabilité des conflits interethniques, dont certains allaient bientôt déboucher sur de véritables guerres. Plus d'un démocrate était à cette époque tenté de faire siens les arguments de tel ou tel dirigeant nationaliste. Il suffisait alors d'en appeler aux valeurs de la démocratie pour se forger une légitimité. Au moment où les forces politiques russes étaient engagées dans la bataille pour la souveraineté de la RSFSR (République socialiste fédérative soviétique de Russie), les nostalgiques de l'Union semblaient fourvoyés dans une lutte sans issue. Dans *Comment reconstruire notre Russie* (septembre 1990), la voix prestigieuse d'Alexandre Soljénitsyne prônait un recentrage sur les terres peuplées de Slaves. A ses yeux, la Russie n'avait que faire d'une Transcaucasie et d'une Asie centrale qui avaient mobilisé trop de ressources et d'énergie au détriment de son propre développement.

La tentative de putsch du 19 août 1991 organisée par un groupe de dirigeants du Parti de l'armée et des organes de sécurité accélère le processus de décomposition de l'URSS. La Russie et son président Boris Eltsine (qui venait d'être élu au suffrage universel le 12 juin précédent) avaient été naturellement propulsés au premier plan à la suite de l'échec de la «bande des huit». La république qui constituait le cœur et le poumon de l'Union rêvait d'un destin différent. Tandis que son président évoquait l'éventualité de son adhésion à l'OTAN (Organisation du traité de l'Atlantique nord), elle pouvait enfin s'attacher à constituer une nation comme les autres, retrouvant ainsi le chemin de l'Europe, trop longtemps obstrué par la révolution bolchevique. La création de la Com-

Chronique de la guerre en Tchétchénie

■ *Le 27 septembre 1994, alors que l'opposition tchétchène s'apprête à donner l'assaut contre Grozny, Moscou menace le président Djokar Doudaïev de faire tout le nécessaire afin d'assurer le «rétablissement de l'ordre constitutionnel». Le 29 octobre, D. Doudaïev fait dépendre l'amélioration des relations avec Moscou de «l'arrêt du soutien à l'opposition armée». Devant la déroute de leurs amis, les autorités russes décident d'intervenir en Tchétchénie : le 30 novembre 1994, Boris Eltsine signe un décret (qui ne sera révélé par la presse que quelques mois plus tard) sur «la restauration de l'ordre constitutionnel en Tchétchénie»; un «Groupe» dirigé par Pavel Gratchev (ministre de la Défense) est créé afin de prendre la direction des opérations destinées à démanteler et à désarmer les groupes armés. Le lendemain, un autre décret garantit l'impunité aux Tchétchènes qui rendraient les armes d'ici au 15 décembre. Le 6 décembre, le général Gratchev rencontre le président Doudaïev en Ingouchie. Le 11 décembre, le président russe annonce l'entrée des troupes russes en Tchétchénie. Le 13, le Congrès du peuple tchétchène prolonge le mandat de D. Doudaïev jusqu'en 1999. Le 18 décembre, l'offensive contre Grozny est lancée, incluant des moyens lourds (artillerie, avia-tion) et faisant peu de cas des civils. Le «gouvernement de renouveau national» pro-russe de Salambek Khadjiev fait son apparition. Le 19 janvier les combattants tchétchènes quittent les ruines du palais présidentiel. Le 27 janvier, B. Eltsine nomme Nikolaï Semionov, ex-patron du PC à Grozny, «représentant fédéral». A la mi-février, les troupes russes contrôlent Grozny, un champ de ruines où se poursuivent des combats sporadiques, tandis que l'offensive se poursuit sur le reste du territoire. Le 3 juin, Vedeno, une ville au sud de Grozny, devenue la capitale de la résistance, est prise à la suite de violents combats. Le 15 juin, un commando tchétchène commandé par Chamyl Bassaev s'empare de l'hôpital de Boudennovsk, dans la région de Stavropol, prenant 2 000 personnes en otages. Après l'échec de l'assaut des troupes spéciales russes (une centaine de victimes parmi les otages), le 17 juin, Moscou accepte l'ouverture de négociations. Le 19 juin, le commando libère les otages et prend le chemin de la Tchétchénie. Le même jour, les négociations commencent à Grozny. Les opérations ont fait des dizaines de milliers de morts.*

C. U.

(Voir aussi l'article consacré à la Tchétchénie, p. 90.)

munauté d'États indépendants (CEI), en décembre 1991, semblait avoir pour fonction de combler le vide de feu l'Union soviétique en réalisant une transition qui permettait de liquider au plus vite l'héritage impérial (… et d'ôter tout pouvoir à Mikhaïl Gorbatchev, qui allait bientôt démissionner). Après quelques semaines de flottement, les républiques d'Asie centrale, qui semblaient exclues de ce que certains avaient déjà nommé une «Union slave», rejoignaient la CEI en compagnie de l'Arménie, de l'Azerbaïdjan et de la Moldavie.

En janvier 1992, la « nouvelle Russie » s'engageait, sous la direction d'Egor Gaïdar, un jeune Premier ministre, dans une réforme économique radicale. L'enjeu était de taille : mettre en place les éléments d'une économie de marché, transformer le rouble en une devise convertible, ouvrir la Russie sur le monde. Cette réforme paracheva le processus de désorganisation des liens économiques entre les républiques de l'ex-Union. La direction russe, qui affirmait mener ainsi à son terme la mue de la fédération d'« État totalitaire » en « démocratie pluraliste », semblait alors se désintéresser des son « étranger proche » (formule désignant les autres républiques de l'ex-Union). En fait, dès les premiers jours de son émancipation, la Russie s'était érigée héritière « naturelle » de l'URSS. A l'automne 1991, la question de la flotte militaire de la mer Noire avait déjà provoqué les premières tensions avec l'Ukraine.

Instrumentalisation des conflits

Début 1992, Zviad Gamsakhourdia, l'éphémère président de la Géorgie, était chassé du pouvoir à la suite d'un conflit armé. Ce nationaliste ombrageux laissait la place à Édouard Chevardnadzé, ministre des Affaires étrangères de Mikhaïl Gorbatchev. En 1993, Aboulfaz Eltchibey, président de la République d'Azerbaïdjan, partisan de relations privilégiées avec le « grand frère » turc, était chassé du pouvoir un an après son élection. Jouant, dans les guerres interethniques, les Abkhazes et les Tchétchènes contre les Géorgiens, les Arméniens contre les Azéris, après avoir pris le parti de ces derniers, Moscou instrumentalisait les conflits. Alors que la guerre faisait rage au Haut-Karabakh et en Abkhazie, la Russie faisait sa rentrée en Transcaucasie. La Géorgie et l'Azerbaïdjan n'avaient bientôt d'autre choix que d'intégrer la CEI. En Transdniestrie (Moldavie), déchirée par une guerre civile opposant russophones et roumanophones, la présence de la 14e armée russe commandée par le

général Alexander Lebed assurait à Moscou un droit de regard sur cette république tentée un moment par une unification avec la Roumanie voisine. Au Tadjikistan, la dégradation de la situation intérieure, le face-à-face de plus en plus violent entre « communistes » et coalition « islamo-démocrate » remettaient en cause les intérêts de la Russie. Fortement sollicité par ses partenaires de la région, Moscou décidait de charger l'armée russe de la protection de la frontière tadjiko-afghane. Le vide juridique né de l'effondrement de l'URSS était rapidement comblé. Le nouvel ordre impérial russe prenait la forme d'« accords de sécurité » négociés, voire imposés, aux membres de la CEI, pendant que Moscou obtenait un *blanc-seing* des Occidentaux et des organisations internationales (ONU, OSCE) : en Asie centrale, au Caucase, l'armée russe, dont la présence était doublement légitimée, devenait un facteur d'ordre et de stabilité dans des conflits considérés désormais comme des « affaires intérieures ». Ailleurs, le Kremlin utilisait l'arme économique, tirant parti des faiblesses énergétiques et monétaires de ses partenaires. L'Ukraine, qui était dépendante à 90 % de la Russie dans ses approvisionnements en gaz et en pétrole, aura ainsi été acculée, en 1994, à céder aux conditions imposées par Moscou sur un certain nombre de dossiers essentiels (sécurité, prérogatives nationales).

L'« étranger proche » devenait un concept chargé de sens ; un espace dans lequel la Russie se découvrait des intérêts stratégiques et économiques, mais aussi des compatriotes, les 25 millions de « pieds rouges ». Ces russophones, qui étaient devenus, du jour au lendemain, des étrangers dans les nouveaux États indépendants issus de l'URSS n'avaient jusqu'alors éveillé qu'un intérêt limité en Russie. A l'intérieur de la fédération, tandis que le Tatarstan et la Tchétchénie avaient affirmé leur singularité en proclamant une indépendance unilatérale, respectivement en mars 1992 et en 1991, républiques et régions exigeaient toujours plus d'autonomie, voire de souveraineté. Boris Eltsine ne leur avait-il pas conseillé, en juin 1991, d'exiger «autant de souveraineté qu'elles pourraient en assumer»? L'enthousiasme fondateur d'août 1991, lorsque le chef de l'État russe, qui venait d'évincer *de facto* le président de l'URSS, s'adressait aux «citoyens de Russie», avait fait long feu.

Quelle identité pour la Russie?

Petit à petit, l'équipe dirigeante découvrait qu'on ne peut s'octroyer l'identité de ses désirs. Il fallait se rendre à l'évidence : cette fédération multinationale et multi-ethnique ne pouvait pas constituer un État «comme un autre»; le marché, pas plus qu'il ne pouvait assurer à lui seul la mise en place et l'enracinement de la démocratie, n'était pas à même de combler le vide identitaire de l'ensemble russe. Or cette identité a-t-elle jamais existé hors d'un cadre impérial? Confrontée à une crise économique sans précédent, encore aggravée par les difficultés de la transition, la superpuissance qui avait longtemps pu rivaliser avec un monde occidental exprimait la nostalgie de sa puissance perdue. Les néo-impérialistes exigeaient déjà à hauts cris la reconstitution de l'URSS. De leur côté, les réformateurs voulaient trouver dans la prospérité d'une «Russie capitaliste» la dynamique permettant non seulement de reconstituer l'autorité de l'État, mais aussi de ramener à elle les républiques de l'«étranger proche». Les réalités économiques en ont décidé autrement.

Comment dans ces conditions cimenter le nouvel édifice impérial, fonder une action commune, dégager des codes et des rituels unificateurs? Où trouver un substitut à l'internationalisme prolétarien? Dans une orthodoxie s'appuyant essentiellement sur une partie du monde slave? Quelle crédibilité accorder à une telle option qui exclurait l'Islam et le monde turc de l'espace impérial? Se tourner vers l'Asie, s'y ressourcer, y fonder de nouvelles alliances pour faire émerger une nouvelle «Eurasie», étrange syncrétisme où le mysticisme des penseurs russes du début du siècle aurait rencontré la géopolitique? A l'image des autres forces politiques, divisées, traversées par des options qui semblent transcender les clivages traditionnels, l'option occidentaliste ou européenne de beaucoup de démocrates a laissé la place à une approche confuse. Alors que Moscou, obsédé par la reconstitution d'un glacis aux frontières occidentales de la CEI, est engagé dans une politique d'intimidation visant à empêcher l'extension de l'OTAN à l'est de l'Europe, le retour à l'ordre impérial ne serait-il pas la seule idée unificatrice et porteuse d'identité?

Charles Urjewicz

(Voir aussi l'article consacré au bilan de l'année pour la Russie, p. 166.)

Les enjeux éthiques des tests génétiques

Le 28 mars 1995, le *New York Times* annonçait l'arrivée prochaine sur le marché de tests prédictifs du cancer. Commercialisés par la firme américaine OncorMed, ces tests sont fondés sur la détection sanguine de gènes de prédisposition aux cancers du sein, de la thyroïde, du colon et de la peau. Leur mise au point est une retombée directe du programme international «génome humain», lancé aux États-Unis en 1990, dont l'objectif est l'identification des quelque 100 000 gènes de notre patrimoine héréditaire [*voir édition 1991, p. 555*].

Jusqu'alors, le dépistage génétique restait limité à des affections relati-

BIBLIOGRAPHIE

M. BLANC, *L'Ère de la génétique*, La Découverte, Paris, 1986.

COMITÉ INTERNATIONAL DE BIOÉTHIQUE DE L'UNESCO, *Actes 1995*, 2 vol., 1995 (rapports de 1994).

B. M. KNOPPERS, R. CHADWICK, « The human genome project : under an international ethical microscope », *Science*, 30 sept. 1994.

F. SÉRUSCLAT (*rapport sénatorial*), *Les Sciences de la vie et les droits de l'homme. Bouleversement sans contrôle ou législation à la française*, Économica, Paris, 1992.

J. TESTART, *Le Désir de gène*, Frnaçois Bourin, Paris, 1992.

vement rares, comme la myopathie de Duchenne ou la micoviscidose, d'origine strictement génétique. Quand il existe, un test est proposé aux « familles à risque », afin de déceler en cours de grossesse les fœtus atteints par la maladie. La technique a commencé à être appliquée aux embryons fécondés *in vitro*, pour ne transférer dans l'utérus maternel que les embryons indemnes, évitant ainsi le recours à l'avortement. Dans le cas de pathologies héréditaires qui se déclarent à un âge tardif — telle la maladie de Huntington, une démence fatale se manifestant vers quarante ans —, le test est proposé aux membres d'une famille pour savoir s'ils sont ou non porteurs du gène responsable. Cinq mille maladies génétiques sont recensées, mais seules quelques-unes peuvent encore être dépistées. A terme, toutes pourraient être concernées, les plus graves comme les moins graves.

Vers une « carte d'identité génétique » ?

Les nouveaux tests de prédisposition aux cancers s'appliquent désormais à des maladies beaucoup plus fréquentes : 5 % à 10 % des tumeurs sont d'origine génétique, transmises sur le mode héréditaire. Il apparaît cependant de plus en plus nettement que les autres formes de cancers, sans être pour autant héréditaires, sont aussi dues à l'action de gènes, conjuguée à celle des effets de l'environnement (mode de vie, alimentation,

pollution...). Il en est probablement de même pour bien d'autres affections communes, le diabète, l'infarctus, la maladie d'Alzheimer, etc. Contrairement aux affections strictement héréditaires, le dépistage génétique autorise alors un diagnostic de probabilité et non de certitude. En d'autres termes, l'on ne pourra savoir si un porteur de gènes de prédisposition à la maladie d'Alzheimer sera un jour atteint par le mal.

« En l'an 2000, nous établirons les profils génétiques des individus sur la base de 20 à 50 gènes de maladie. Dix ans plus tard, il y en aura entre 2 000 et 5 000. Et vers 2020-2030, chacun pourra obtenir au drugstore sa propre séquence d'ADN sur un CD, pour ensuite l'analyser à la maison sur son Macintosh. » L'auteur de ces propos n'est pas un écrivain de science-fiction, mais un prix Nobel de chimie, l'Américain Walter Gilbert (*Time*, 15 mars 1993). Dans un futur proche, les nouveau-nés pourraient dès la naissance disposer d'une « carte d'identité génétique », avec une évaluation du risque d'infarctus, d'asthme, de cancer... Grâce à la connaissance de ses gènes, une personne très tôt informée d'un risque de maladie pourra se voir recommander une hygiène de vie adaptée et une surveillance médicale étroite. Nous entrons dans l'ère de la médecine prédictive, celle où chacun prendra en charge son « capital santé ».

C'est donc une prévention médicale individuelle, taillée sur mesure, qui se dessine grâce aux avancées de la génétique médicale. Cette évolution n'en soulève pas moins de redoutables questions. A commencer par celle-ci : sera-t-on capable d'assumer un destin révélé à l'avance ? Les partisans des tests génétiques invoquent le «droit de savoir» et le soulagement de ceux qui se savent non prédisposés à telle pathologie grave. Dans l'incapacité d'éviter la plupart des maladies et de les traiter, il serait dangereux de laisser se généraliser de tels tests, répondent les généticiens les plus prudents. Le cas du cancer du sein est à cet égard emblématique : pour une femme porteuse du gène du cancer du sein dans sa forme héréditaire, gène qui prédispose aussi fortement au cancer de l'ovaire, la seule mesure préventive existante (en 1995) est l'ablation des seins et des ovaires...

Le risque d'un «eugénisme doux et démocratique»

Une autre forme de dérive possible est liée à l'application des tests génétiques aux embryons, dont le tri pourrait se banaliser et conduire à un «eugénisme doux et démocratique», selon l'expression du biologiste français Jacques Testart. Où s'arrête le «normal», où commence l'«anormal»? Des firmes américaines de biotechnologie promettent même qu'il deviendra bientôt possible de «réaliser une sélection pré-implantatoire des embryons en fonction de critères tels que la taille, la nature ou la couleur des cheveux, ou la couleur des yeux, etc.». Seule l'Allemagne interdit explicitement ce type d'examen, quelle qu'en soit la finalité.

Autre interrogation fondamentale : l'utilisation des tests génétiques par les assureurs et les employeurs. Pour Franz Van den Magagdenberg, directeur du personnel dans une firme néerlandaise, «les informations biologiques permettront de déterminer qui sera exclu de certains avantages sociaux, comme une place sur le marché de l'emploi ou la souscription à une assurance» (*Médecine*

Sciences, juin-juillet 1994). Aux États-Unis notamment, des firmes et des sociétés d'assurances ont envisagé ou déjà pratiqué une sélection de leurs employés ou de leurs clients sur des critères génétiques. Certes, la discrimination au moyen de questionnaires de santé existe déjà, et le principe de la solidarité par mutualisation des risques reposant sur des primes d'assurance égales pour tous est abandonné de longue date. La pression pourrait cependant s'accentuer fortement. Les assurés eux-mêmes pourraient exiger une réduction de leurs tarifications pour «bons» résultats génétiques. En France, une loi adoptée en 1994 restreint l'étude génétique à «des fins médicales ou de recherche scientifique». A défaut d'une formulation plus précise, on ne sait si l'examen demandé par un médecin du travail ou un médecin d'assurance est, ou non, exclu des «fins médicales». Selon la revue américaine *Science*, la Belgique est le seul pays à interdire formellement le recours aux tests génétiques par les assureurs.

Se pose aussi la question délicate du stockage des informations génétiques et de leur confidentialité. Qui détient le droit de révéler ou de cacher des informations portant souvent sur des familles entières ? A qui une telle information peut-elle être dévoilée ? A l'individu lui-même, à sa famille, à une autorité médicale ? Et une personne pourra-t-elle refuser de connaître son avenir génétique ?

Une arme à double tranchant

«La médecine prédictive est une arme à double tranchant : d'une part, elle vise à libérer l'homme du fardeau génétique, d'autre part elle risque de restreindre sa liberté en exposant ses faiblesses constitutives», résume Jean-Claude Kaplan, généticien. L'utilisation des tests génétiques renvoie à des choix de société sur lesquels les États auront tôt ou tard à se prononcer. Le Comité international de bioéthique de l'UNESCO (Organisation des

Nations unies pour l'éducation, la science et la culture), qui s'est emparé de cette question, a préparé une déclaration sur la protection du génome humain, dont l'un des grands principes retenus est la non-discrimination entre individus, quelles que soient leurs caractéristiques génétiques. Cette déclaration devrait aboutir en 1998, pour le cinquantième anniversaire de la Déclaration universelle des droits de l'homme des Nations unies. A la logique éthique s'oppose toutefois une puissante logique économique, celle des firmes qui commercialisent les tests génétiques, dont l'intérêt est évidemment d'en développer le marché. Rarement, les démocraties ont su établir des règles éthiques capables de résister à la pression économique. En sera-t-il de même pour les tests génétiques ? Le débat est d'autant plus urgent que les recherches dans ce domaine vont vite, très vite.

Catherine Allais

Ce qui va changer avec l'OMC

Le 1er janvier 1995, l'Organisation mondiale du commerce (OMC) est entrée en fonction. Désormais les négociations commerciales multilatérales se dérouleront en son sein ; les conflits commerciaux y seront arbitrés, les nouvelles règles du commerce seront élaborées dans les groupes de travail de la nouvelle organisation. En pratique que changera la création de l'OMC ?

Le premier changement à attendre est celui du rythme et de l'étendue de la négociation commerciale. Autrefois scandée par les grands cycles engagés tous les dix ou quinze ans dans le cadre du GATT (Accord général sur les tarifs douaniers et le commerce), à l'initiative des pays développés et depuis 1970 des pays de « la triade » (Communauté européenne, Japon, États-Unis), celle-ci devient permanente. Dès lors l'organisation acquiert un rôle de vigilance continue du commerce mondial et une autorité qui faisait défaut à l'ancien secrétariat du GATT. La présence continue au sein de l'institution devient ainsi nécessaire. Cela ne va pas sans poser de problèmes aux petits pays, notamment aux pays en développement, qui disposent de peu de négociateurs qualifiés.

Cette présence est d'autant plus nécessaire que le programme de travail de l'OMC est largement dominé par les nouveaux sujets du commerce international. La négociation ne porte plus essentiellement sur les barrières tarifaires et les concessions réciproques à octroyer en matière de droits de douane. Elle aborde aujourd'hui la question des services, de la propriété intellectuelle, de l'environnement, des investissements. A l'avenir, celle des normes sociales et des codes de concurrence entre les entreprises pourraient faire partie de ses sujets de compétence. Dans ces domaines, les entraves au libre-échange sont très diverses et relèvent des législations nationales, des institutions, voire des habitudes culturelles et sociales. Lorsqu'un pays estime que la concurrence des produits étrangers perturbe l'application des normes choisies en matière environnementale par exemple, il a souvent recours à des mesures commerciales (embargo, taxes, interdictions). C'est également vrai dans le domaine sanitaire.

La question des normes et de leur application

Ces mesures qui visent à préserver des choix collectifs sont-elles discriminatoires et, à ce titre, contradictoires avec les disciplines de l'OMC ? Voilà un exemple de la nature des problèmes que devra résoudre la nouvelle institution. Les normes (sociales, environnementales, de santé) devenant une modalité majeure des interventions publiques (mais aussi privées) dans le commerce, ce chantier sera l'un des principaux champ d'innovation de l'OMC. En pratique, en effet, il faut créer l'essentiel de l'outil juridique : à part quelques grands principes fondateurs, comme celui de la non-discrimination entre producteurs nationaux et étrangers, l'institution ne dispose guère de textes ou de jurisprudence dans des domaines relevant jusque-là strictement des États nationaux. Faire entendre sa voix — c'est-à-dire l'expression des préférences nationales ou régionales, des choix collectifs — implique pour les États d'être fortement présents dans le débat. On mesure dès lors l'enjeu pour des économies relativement faibles et qui ne voudraient pas être pénalisées dans ce processus d'élaboration.

Les pays de l'ANSEA (Association des nations du Sud-Est asiatique) l'ont compris qui, pour renforcer leur poids et rendre plus efficace leur action, ont commencé à organiser un système de représentation et de délégation qui donne à l'un des pays membres un mandat collectif de représentation.

Les nouveaux domaines de compétence laissent planer de nombreuses interrogations. Le cadre de l'OMC est-il adapté pour traité des normes ? Le critère de non-discrimination et la volonté de réduire toujours davantage les obstacles au commerce sont-ils les principes qui devraient *in fine* dicter ce que les pays peuvent faire en matière d'environnement ou de normes sociales ? Le débat sur la compétence de l'OMC est ainsi ouvert et met en présences des thèses très opposées. Les groupes environnementalistes, certaines organisations syndicales, des groupes industriels font pression pour que d'autres principes prévalent, s'agissant des normes et de leur application, que ceux qui ont fondé l'OMC et le GATT. Ils plaident pour une souveraineté nationale sans partage sur ces domaines d'intérêt collectif. Les biens collectifs que sont l'environnement ou

les institutions sociales ne doivent pas, de leur point de vue, dépendre du marché. Les libre-échangistes, appuyés par certains pays en développement, défendent au contraire l'idée que cette bataille autour des normes est une nouvelle figure du protectionnisme. Pour eux, l'environnement et la justice sociale seront mieux servis en améliorant le fonctionnement des marchés, et les mesures pour promouvoir ces normes devraient rester incitatives.

Le débat n'est pas tranché, même si de fait les groupes de travail ont commencé à se réunir à l'OMC. Les débuts des travaux ont montré que la démarche ne peut être que très lente et les consensus difficiles à établir. En revanche, de plus nettes avancées ont pu être observées au sein des accords régionaux ou des zones de libre-échange qui se multiplient depuis le début des années quatre-vingt. En effet, la libéralisation plus importante du commerce qui est permise par ces accords pose nécessairement la question de la compatibilité des normes sociales et environnementales entre les États membres.

La coordination avec les institutions de Bretton Woods

La création de l'OMC apporte un autre changement qui est celui d'un nouvel acteur dans le jeu des institutions économiques internationales. Autrefois dominé sans partage par le Fonds monétaire international (FMI) et la Banque mondiale, seuls vrais détenteurs d'un pouvoir économique, contrairement aux institutions dépendant directement des Nations unies [*voir édition précédente, p. 618*], le champ de la régulation économique internationale doit aujourd'hui compter avec l'OMC. Plusieurs scénarios sont possibles. La création de l'OMC et l'obligation qui lui est faite de se coordonner avec les institutions de Bretton Woods, peuvent amener une amélioration si elles conduisent à une plus grande cohérence des recommandations et des conditionalités que les bailleurs de fonds

BIBLIOGRAPHIE

CEPII, *L'Économie mondiale en 1996*, La Découverte, «Repères», Paris, 1995.

H. DELORME, D. CLERC, *Un nouveau GATT? Les échanges mondiaux après l'Uruguay Round*, Complexe, «CERI», Bruxelles, 1994.

L. FONTAGNE, M. FOUQUIN, J. PISANI-FERRY, «Trois défis pour l'OMC», *La lettre du CEPII*, n° 131, Paris, janv. 1995.

GATT, *Résultats des négociations commerciales multilatérales du cycle de l'Uruguay. Accès aux marchés pour les marchandises et les services. Aperçu des résultats*, Genève, nov. 1994.

GATT, *Résultats des négociations commerciales multilatérales du cycle de l'Uruguay. Textes juridiques*, Genève, mai 1994.

«Organisation mondiale du commerce : 46 ans après, le réveil», *Courrier de la Planète*, n° 22, Montpellier, avr.-mai 1994.

M. RAINELLI, *Le GATT*, La Découverte, «Repères», Paris, 1994.

«Système économique mondial : de la naissance à la crise», *Courrier de la Planète*, n° 23, Montpellier, été 1994.

internationaux imposent aux États sans toujours tenir compte de l'état réel — et non pas supposé — de l'environnement commercial international. En effet, les ajustements structurels négociés sur une base bilatérale imposent au pays signataire une ouverture unilatérale des frontières ou la forte réduction des niveaux de protection, car ils font l'hypothèse d'un fonctionnement des marchés internationaux plus concurrentiel que les marchés intérieurs. Or cela n'est pas toujours vérifié.

De plus, des ouvertures unilatérales sans l'obtention de concessions commerciales réciproques peuvent induire de grandes fragilités pour les balances des paiements. L'OMC peut jouer un rôle dans la meilleure gestion de la libéralisation économique, en montrant la nécessité de mieux relier les rythmes et les formes de celle-ci avec la progression d'ensemble du système multilatéral et en permettant un rééquilibrage des obligations entre pays développés et pays en développement endettés. Un autre scénario est cependant aussi possible, celui du renforcement, dans les institutions internationales, du courant orthodoxe qui plaide pour une libéralisation tous azimuts et la soumission sans distinction de toutes les activités à la régulation de marché. Ce courant peut en effet se voir renforcé par une institution qui sera, elle aussi, productrice de doctrine alors que, par nature, le secrétariat du GATT était un acteur effacé. L'étroitesse du raisonnement orthodoxe conduirait alors au blocage de la réflexion sur la régulation internationale, pourtant aujourd'hui indispensable. Le pire n'est pas toujours sûr ; les nombreuses interrogations qui se font jour, sur le rôle des États dans la production et la gestion des biens collectifs conduiront peut-être les trois institutions économiques à dépasser le débat-écran du libre-échange et du protectionnisme et à formuler les réponses adaptées à la mondialisation des économies.

Laurence Tubiana

La nouvelle donne de la prolifération nucléaire

La prolifération nucléaire, c'est-à-dire la dissémination de matières, de technologies et de savoir-faire permettant de fabriquer une arme nucléaire, a occupé le devant de la scène internationale en 1995 : reconduction pour une durée illimitée du Traité de non-prolifération nucléaire (TNP), le 11 mai 1995, annonce de la reprise des essais nucléaires français, le 13 juin. La prolifération nucléaire représente-t-elle une menace réelle ou sert-elle d'alibi. Peut-elle être freinée ou va-t-elle s'accélérer ?

Acteurs et mobiles

Certes, la prolifération nucléaire n'est pas née avec la fin de la « guerre froide », elle n'en est pas moins emblématique de cette période marquée par la confusion et le désordre.

Elle met, en effet, en scène à la fois des *États* et des *entités infra-étatiques*, sans que la distinction, pour opérationnelle qu'elle soit, soit toujours évidente. Les États sont les acteurs principaux de l'histoire de la prolifération nucléaire. Deux raisons les guident dans ce choix : des raisons de sécurité (sanctuarisation de leur territoire) et des raisons de prestige. La tentation nucléaire risque également de toucher des entités infra-étatiques : peuples sans État issus des décombres des empires ottoman et soviétique, mafias puissantes et organisées, sectes paramilitaires comme la secte Aoum, responsable de l'attentat au gaz sarin commis dans le métro de Tokyo, en mars 1995.

Par ailleurs, la prolifération nucléaire est à la fois un *phénomène régional* et *global*. C'est dans les régions de forte instabilité politique, et lourdement militarisées (Moyen-Orient, Asie du Sud, Extrême-Orient) que les États sont sensibles à la prolifération nucléaire. Des réponses partielles peuvent être trouvées sous forme d'équilibres régio-naux, soit dans le cadre d'une dissuasion nucléaire tacite comme entre l'Inde et le Pakistan (à partir de 1988), soit dans le contexte d'une « désescalade » progressive, comme ce qui est arrivé pour l'Argentine et le Brésil (à partir de 1985). La prolifération nucléaire est cependant aussi un enjeu global. Le TNP (qui rassemblait à la mi-1995 178 États), les contrôles exercés par l'Agence internationale pour l'énergie atomique (AIEA) sont des mécanismes à visée universelle.

Enfin, la prolifération nucléaire combine *volontés d'indépendance nationale* et *contraintes de l'interdépendance*. Un État qui veut se doter d'un programme nucléaire se heurte aux mécanismes de contrôle créés par les cinq membres permanents du Conseil de sécurité de l'ONU. De même, lorsqu'un État doté du feu nucléaire veut moderniser son arsenal ou s'assurer de sa fiabilité et pour cela procéder à des essais, il doit — à l'exception de la Chine peu soucieuse des règles internationales — insérer sa décision dans les engagements pris. Ainsi, le président français Jacques Chirac, lorsqu'il a annoncé, en juin 1995, que la France procéderait à huit essais, a pris soin de préciser que ceux-ci seraient terminés en mai 1996 pour permettre à la France de signer un traité général d'interdiction des essais (*Comprehensive Test Ban Treaty*) d'ici fin 1996 (date fixée lors de la reconduction du TNP).

Croisade américaine ou véritable menace ?

La lutte contre la prolifération est apparue, à bien des égards, comme une croisade américaine, les États-Unis considérant que tous les pays ont « proliféré » depuis l'explosion, en 1949, de la bombe A soviétique. Un rapide survol de la politique de « déprolifération » menée en 1994-1995 montre, en effet, que l'on

BIBLIOGRAPHIE

J. ATTALI, *Économie de l'apocalypse*, Fayard, Paris, 1995.

K. BAILEY, *Strengthening Nuclear Non Proliferation*, Westview Press, Boulder, 1993.

M. H. LABBÉ, *La Tentation nucléaire*, Payot, Paris, 1995.

« La non-prolifération des armes nucléaires : le traité en question », *Le Trimestre du monde*, n° 30, Paris, 2e trim. 1995.

« Les enjeux de la prolifération nucléaire », *Relations internationales et stratégiques*, n° 17, Villetaneuse, print. 1995.

Prolifération et non-prolifération nucléaire, Presses de la Fondation pour les études de défense, Paris, 1995.

peut mettre à l'actif des États-Unis la renonciation de la Biélorussie, de l'Ukraine et du Kazakhstan à leurs armes nucléaires (adhésion au TNP) ; la signature, le 21 octobre 1994, d'un accord avec la Corée du Nord prévoyant le remplacement de son parc de réacteurs graphite-gaz par des réacteurs à eau légère ; l'opposition à la levée de l'embargo appliqué contre l'Irak depuis l'été 1990 malgré le démantèlement de ses armes de destruction massive et la mise en place d'un contrôle à long terme (*résolution 687*) ; la mise sous embargo américain de l'Iran, le 30 avril 1995, et, enfin, la reconduction, pour une durée illimitée, du TNP.

La prolifération nucléaire n'est cependant pas un danger imaginaire. Elle est profondément déstabilisatrice en raison des risques de *guerre accidentelle* qu'elle présente et des potentialités de terrorisme nucléaire qu'elle augmente. Les données géopolitiques — absence de relations binaires —, techniques — absence de moyens d'information — et politiques — faiblesse du pouvoir — spécifiques aux nouvelles puissances nucléaires ont semblé rendre aléatoire l'éventuelle instauration d'une dissuasion stable, comme celle qui a prévalu entre les États-Unis et l'URSS. L'Inde et le Pakistan, qui constituent l'exemple le plus abouti d'une « dissuasion nucléaire » tacite, ont été, en 1990, au bord de l'affrontement, à cause d'un manque

d'information sur les intentions réelles de l'autre.

La prolifération nucléaire accroît également les risques de *terrorisme nucléaire* qui peut prendre deux formes : l'utilisation d'une arme nucléaire à des fins terroristes et l'organisation d'attentats contre des cibles nucléaires. Les attentats d'un certain type se sont multipliés dans la période post-« guerre froide » : à l'explosif, sur le territoire américain (une première fois, contre le World Trade Center, le 26 février 1993, une seconde fois à Oklahoma City, le 19 avril 1995), au gaz dans le métro de Tokyo. Ils ont montré que, face au terrorisme, les démocraties étaient désarmées et ont fait naître des doutes sur les capacités de ces dernières à riposter en cas d'utilisation d'un engin nucléaire.

Les cibles nucléaires (centrales, convois…) apparaissent insuffisamment protégées. Leur vulnérabilité a pris une dimension stratégique internationale lorsque Radovan Karadzic, le leader de la « république serbe » autoproclamée en Bosnie-Herzégovine, a menacé, en août 1992, de bombarder les centrales nucléaires européennes si l'Occident intervenait dans la guerre en Bosnie.

Quelle prévention du risque ?

La lutte contre la prolifération a connu des succès indiscutables : renonciation du Brésil et de l'Argentine à leurs programmes nucléaires

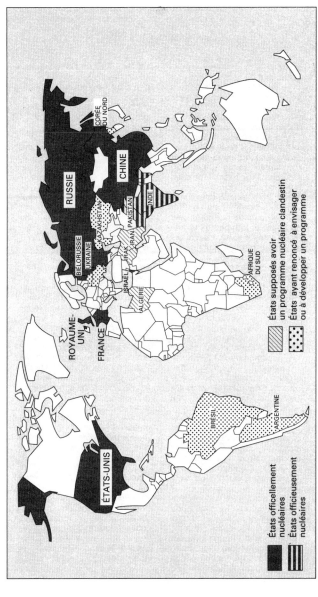

États officiellement nucléaires

États officieusement nucléaires

États supposés avoir un programme nucléaire clandestin

États ayant renoncé à envisager ou à développer un programme

ÉTATS-UNIS

ROYAUME-UNI
FRANCE

RUSSIE
BIÉLORUSSIE
UKRAINE
KAZAKHSTAN
CHINE
CORÉE DU NORD
ISRAËL
IRAK
IRAN
PAKISTAN
INDE
ALGÉRIE
AFRIQUE DU SUD

BRÉSIL
ARGENTINE

D'après M.-H. Labbé, La Tentation nucléaire, Payot, 1995.

Les termes du TNP

■ *Ouvert à la signature à Londres, Moscou et Washington le 1er juillet 1968, le Traité de non-prolifération nucléaire est entré en vigueur le 5 mars 1970.*

Art. 1. Tout État doté d'armes nucléaires qui est partie au Traité s'engage à ne transférer à qui que ce soit, ni directement ni indirectement, des armes nucléaires ou autres dispositifs nucléaires explosifs, ou le contrôle de telles armes ou de tels dispositifs explosifs ; et à n'aider, n'encourager ni inciter d'aucune façon un État non doté d'armes nucléaires, quel qu'il soit, à fabriquer ou acquérir de quelque autre manière des armes nucléaires ou autres dispositifs nucléaires explosifs, ou le contrôle de telles armes ou de tels dispositifs explosifs.

Art. 2. Tout État non doté d'armes nucléaires qui est partie au Traité s'engage à n'accepter de qui que ce soit, ni directement ni indirectement, le transfert d'armes nucléaires ou autres dispositifs nucléaires ou du contrôle de telles armes ou de tels dispositifs explosifs ; à ne fabriquer ni acquérir de quelque autre manière des armes nucléaires ou autres dispositifs nucléaires explosifs ; et à ne rechercher ni recevoir une aide quelconque pour la fabrication d'armes nucléaires ou d'autres dispositifs nucléaires explosifs.

Art. 3 al. 1. Tout État non doté d'armes nucléaires qui est partie au Traité s'engage à accepter les garanties stipulées dans un accord qui sera négocié et conclu avec l'Agence internationale de l'énergie atomique [...] en vue d'empêcher que l'énergie nucléaire ne soit détournée de ses utilisations pacifiques vers des armes nucléaires ou d'autres dispositifs explosifs nucléaires. [...]

Art. 3 al. 2. Tout État partie au Traité s'engage à ne pas fournir : a) de matières brutes ou de produits fissiles spéciaux, ou b) d'équipements ou de matières spécialement conçus ou préparés pour le traitement, l'utilisation ou la production de produits fissiles spéciaux à un État non doté d'armes nucléaires, quel qu'il soit, à des fins pacifiques [...].

Art. 4, al. 1. Aucune disposition du présent Traité ne sera interprétée comme portant atteinte au droit inaliénable de toutes les parties au Traité de développer la recherche, la production et l'utilisation de l'énergie nucléaire à des fins pacifiques [...].

Art. 5. Chaque partie au Traité s'engage à [...] assurer que [...] les avantages pouvant découler des applications pacifiques, quelles qu'elles soient, des explosions nucléaires soient accessibles sur une base non discriminatoire aux États non dotés d'armes nucléaires [...].

Art. 6. Chacune des parties au Traité s'engage à poursuivre de bonne foi des négociations sur des mesures efficaces relatives à la cessation de la course aux armements nucléaires à une date rapprochée et au désarmement nucléaire et sur un traité de désarmement général et complet sous un contrôle international strict et efficace.

Art. 10, al. 1. Chaque partie, dans l'exercice de sa souveraineté nationale, aura le droit [moyennant un préavis de trois mois] de se retirer du Traité si elle décide que des événements extraordinaires, en rapport avec l'objet du présent Traité, ont compromis les intérêts suprêmes de son pays. [...]

militaires et adhésion au TNP, de la seconde en 1995, de l'Afrique du Sud en 1991, après la destruction de ses six armes, de la Biélorussie en 1993, de l'Ukraine et du Kazakhstan en 1994. Dans le même temps, cependant, a dû être fait le constat d'échecs ou de limites de cette évolution : refus de la Chine de respecter ses engagements de non-prolifération, incertitudes concernant l'Irak (réalité de la destruction de son programme, maintien de son potentiel de 10 000 chercheurs et techniciens, et perspective de levée probable de l'embargo pétrolier), tentatives iraniennes d'acheter à la Chine et à la Russie des réacteurs jugés proliférants par les États-Unis, doutes sur la volonté de coopération de la Corée du Nord (qui, malgré l'accord d'octobre 1994, refusait toujours l'inspection des deux sites par l'AIEA), avec le risque d'une nucléarisation en chaîne en Extrême-Orient (Corée du Sud, Japon).

Le TNP (1970), les contrôles de l'AIEA, les directives du Club de Londres, cartel regroupant les principaux exportateurs de nucléaire (1975), et les contrôles nationaux à l'exportation ont contribué à freiner la prolifération nucléaire. La découverte en 1991 du programme nucléaire militaire clandestin de l'Irak, pays inspecté régulièrement par l'AIEA, a conduit en 1992 à un renforcement de ces mécanismes : droit d'« inspections spéciales » donné à l'AIEA, élargissement des directives du Club de Londres concernant les échanges de biens et technologies à double usage, reconduction du TNP pour une durée illimitée. De nouvelles propositions ont été lancées par le président Clinton en septembre 1993 : une interdiction générale des essais nucléaires et la cessation de la production de matières fissiles à des fins explosives (*Fissile Cut-Off*).

Des faiblesses importantes sont toutefois demeurées : le TNP n'est pas universel (Israël, l'Inde et le Pakistan n'en sont pas membres), le Club de Londres n'intègre pas la Chine, principal exportateur de nucléaire (pas plus que les ex-républiques soviétiques), les inspections de l'AIEA, fussent-elles « spéciales », requièrent la collaboration de l'État suspecté.

En définitive, l'évolution de la prolifération nucléaire a semblé devoir dépendre de l'évolution de la situation en Russie, élément clé de la « nouvelle donne ». Le nombre exact d'armes tactiques et stratégiques dans ce pays, ainsi que leur protection physique sont mal connus. Les quantités de matières fissiles sont colossales : 700 tonnes d'uranium hautement enrichi et environ 125 tonnes de plutonium que le démantèlement des têtes nucléaires prévu par le traité de réduction des armements stratégiques START-I devrait encore augmenter. Or le trafic de matières fissiles qui s'est développé à partir de la Russie dès 1994 est réel, la Russie ne disposant pas encore d'une comptabilité physique de ses matières fissiles. Ainsi semble-t-il indispensable que celles-ci, ainsi que les ogives démantelées, soient placées sous contrôle international, de peur que certaines prédictions apocalyptiques se réalisent.

Marie-Hélène Labbé

L'AVENIR ME FAIT PEUR !

PLANTU

Quelle coopération euro-méditerranéenne?

L'organisation du « sommet » euro-méditerranéen de Barcelone (27-28 novembre 1995) a été considérée comme le couronnement de la PMR (Politique méditerranéenne rénovée) approuvée, en décembre 1990, par le Conseil européen afin de corriger les lacunes du passé et de faire contre-poids à l'« ouverture à l'Est ». Cette politique est aussi un tremplin vers l'avenir. La PMR a été mise en œuvre avec l'adoption des protocoles financiers 1992-1996 (2 375 millions d'écus contre 1 618 pour 1986-1991, ce qui représente une augmentation de 40 %), et le lancement des « programmes méditerranéens » : Méd-Urbs (coopération avec les collectivités locales des pays riverains non membres de l'UE), Méd-Campus (coopération entre universités), Méd-Invest (coopération pour le développement des petites et moyennes entreprises [PME] des pays tiers méditerranéens), et Méd-Médias.

La PMR a été définie à la suite d'une série de constats et d'échecs. Accoucheuse de civilisations pendant des millénaires, zone de confrontation mais aussi carrefour d'échanges, la Méditerranée n'est reconnue comme ensemble géopolitique régional par aucune organisation internationale. Au début des années soixante-dix, les présidents algérien Houari Boumediène, tunisien Habib Bourguiba et français Georges Pompidou voulaient en faire un « lac de paix ». En 1973, à la suite du premier « choc pétrolier », la CEE et la Ligue des États arabes avaient entamé le « Dialogue euro-arabe » avec ses trois volets politique, économique et culturel. Il est resté lettre morte par la faute des protagonistes mais aussi des États-Unis qui, par souci hégémonique, lui étaient hostiles comme ils l'ont été à la concertation amorcée, en 1989, entre les « sœurs latines » (Portugal, Espagne, France, Italie, Malte) et les « frères maghrébins » (Libye, Tunisie, Algérie,

Maroc, Mauritanie) connue sous le nom des « 5 + 5 », et en panne depuis 1992 en raison de l'embargo à l'encontre de la Libye et de la crise algérienne. Il est devenu évident que, tout alliés qu'ils soient, les États-Unis et l'Union européenne ont des intérêts à bien des égards divergents en Méditerranée et dans le monde arabe.

Des disparités de tous ordres ont par ailleurs été constatées. Il en va ainsi sur le plan démographique : en 1950, le bassin comptait 212 millions d'habitants dont les deux tiers vivaient sur la rive nord ; en 2025, ils devraient être environ 550 millions, les deux tiers se trouvant au sud. Dans le domaine économique, l'éventail du PIB (produit intérieur brut) par habitant allait, en 1993, de 775 dollars en Égypte à plus de 22 000 dollars en France. Trois pays riverains membres de l'UE (France, Italie, Espagne) pesaient pour plus de 15 % dans le commerce mondial alors que la quinzaine d'autres n'atteignaient pas 3 % ! Au niveau culturel, les États du bassin ont publié, au cours de la période 1990-1994, 125 000 des quelque 500 000 titres de livres paraissant annuellement dans le monde, mais l'« arc latin » (France, Espagne, Italie) assure environ 75 % de la production alors que la Turquie arrive loin derrière avec quelque 7 000 titres, suivie de l'Égypte. De même, plus de 50 % des films tournés en moyenne par an le sont par l'« arc latin » (France 130, Italie 90 et Espagne 50) contre 80 par l'Égypte et de 20 à 60 par la Turquie. Les déséquilibres sont analogues dans le domaine des investissements économiques, des médias, de la recherche scientifique...

Vers un axe Baltique-Méditerranée?

Face à cette situation, on a enregistré quelques initiatives louables et durables, en particulier pour la pro-

BIBLIOGRAPHIE

P. BALTA (sous la dir. de), *La Méditerranée réinventée. Réalités et espoirs de la coopération*, La Découverte/Fondation René-Seydoux, Paris, 1992.

P. BALTA, « L'Euro-Méditerranée, une nouvelle géopolitique », *Le Trimestre du monde*, n° 19, Paris, 3ᵉ trim. 1992.

J.-F. DAGUZAN, R. GIRARDET (sous la dir. de), *La Méditerranée : nouveaux défis, nouveaux risques*, Publisud, Paris, 1995.

X. GIZARD (sous la dir. de), *La Méditerranée inquiète*, DATAR/Éd. de l'Aube, La Tour-d'Aigues, 1993.

M. GRENON, M. BATISSE (sous la dir. de), *Le Plan Bleu, avenirs du bassin méditerranéen*, Économica, Paris, 1989.

« L'Europe et la Méditerranée », *Confluences-Méditerranée*, n° 7, L'Harmattan, Paris, été 1993.

« Rapport de synthèse. Document préparatoire de la Conférence euro-méditerranéenne de Barcelone », *in Confluences-Méditerranée*, n° 15, L'Harmattan, Paris, été 1995.

Répertoire méditerranéen. Centres de recherche, de formation et de coopération. Fondation René-Seydoux, 6ᵉ éd. mise à jour, Paris (à paraître).

tection de l'environnement. La convention de Barcelone (1975), renouvelée en 1995, avait ainsi entraîné la création du PAM (Plan d'action pour la Méditerranée). Ce dernier a impulsé, à partir de 1975, de nombreuses actions dont la publication du *Plan bleu* (1989), aboutissement de dix ans d'études prospectives sur l'agroalimentaire, l'industrie, l'énergie, le tourisme, l'urbanisation, le littoral, l'eau, la mer. Grande oubliée, la culture a tout de même été traitée sous ses différents aspects dans *La Méditerranée réinventée* (1992), à l'initiative de la Fondation René-Seydoux pour le monde méditerranéen.

Depuis le début de la décennie quatre-vingt-dix, les réseaux et les initiatives se sont multipliés de façon exponentielle. Est-ce dû à la crainte des guerres chaudes ou du réveil des conflits en sommeil, aux peurs suscitées par la montée de l'islamisme ou celle de la xénophobie ou à une prise de conscience de la nécessité de relever en commun les défis du IIIᵉ millénaire ? Outre les « programmes Méd », on peut citer, parmi beaucoup d'autres, le Club financier

méditerranéen (Paris, 1991), le Club de Marseille (1992), l'Université de la Méditerranée (Unimed, Rome), le Réseau des libraires de la Méditerranée lancé à Casablanca (1994), la Fondation Laboratorio Méditerranée (Naples, 1995).

Il en a été de même des colloques, séminaires et conférences organisés par des organisations non gouvernementales, des villes ou des États. L'idée lancée par l'Espagne, en 1990, de convoquer une Conférence sur la sécurité et la coopération en Méditerranée (CSCM), à l'instar de la CSCE (Conférence sur la sécurité et la coopération en Europe, initiée en 1975), n'a abouti qu'à une conférence interparlementaire, tenue en 1992, à Malaga. Quant au Forum méditerranéen, initié par l'Égypte, il a réuni, en 1994 et 1995, une dizaine de ministres des Affaires étrangères des deux rives.

Dès mars 1995, le Conseil des quinze membres de l'Union européenne a rédigé un rapport de synthèse en vue de la conférence de Barcelone. Ce document, soumis aux PTM (pays tiers méditerranéens) invités (Maroc, Algérie, Tunisie,

Égypte, Israël, Jordanie, Syrie, Liban, Turquie, Chypre, Malte), devait, après discussions et amendements, servir de base aux recommandations finales. Il comportait un « volet politique et de sécurité », un « volet économique et financier », un « volet social et humain » avec des sous-chapitres « recherche-développement », « éducation-formation », et « culture et médias ».

L'entrée, en 1994, de l'Autriche, de la Finlande et de la Suède dans l'UE a fait « pencher » cette dernière vers le nord. Toutefois, la conférence de Barcelone devrait donner une impulsion à la PMR qui notait déjà, en 1990, que « l'aggravation du désé-quilibre économique et social entre la CEE et les PTM du fait de leurs évolutions respectives serait difficilement tolérable » et mettrait en jeu la sécurité de l'Europe. Elle devrait également contribuer à constituer un axe Baltique-Méditerranée. En effet, tout en exprimant des préoccupations sécuritaires quant aux « menaces » susceptibles de venir du Sud, le rapport de synthèse fourmille de bonnes intentions. Il met surtout l'accent — ce qui est nouveau — sur la « nécessité de construire une zone de prospérité partagée » grâce au « partenariat euro-méditerranéen ».

Paul Balta

L'Union européenne
à l'heure des élargissements

L'Europe des Quinze est confrontée à un dilemme apparent : élargissement ou approfondissement ? Ce constat vaut depuis que l'unification politique du continent européen apparaît comme seule capable de consolider la transition démocratique à l'intérieur des États et de favoriser les relations pacifiées entre pays voisins et entre majorités nationales et minorités.

Si le premier objectif recueille un accord de principe de la part des Quinze parce que les nouvelles démocraties d'Europe centrale et orientale ont besoin de cette perspective pour s'assurer que les changements politiques en cours sont bien irréversibles, le second est sans doute reconnu comme un impératif mais sans susciter de réponses communes. Ce qui fait défaut est moins l'imagination — de nombreux schémas sur l'organisation de l'Europe ont été proposés — que le consensus. En fait, devant la complexité de question d'une Europe qui pourrait comprendre près d'une trentaine de membres au seuil du XXIᵉ siècle, l'alternative s'énonce de manière plus radicale : élargissement viable ou dépérissement du projet européen ?

La question de l'avenir politique de la construction européenne est d'autant plus pressante que celle-ci est confrontée à plusieurs défis concrets majeurs : le défi des frontières et du nombre, celui des financements et celui des institutions.

Le Conseil européen (chefs d'État et de gouvernement) réuni à Cannes, les 26-27 juin 1995, a dû constater l'absence d'accord sur le calendrier de passage à la troisième phase de l'Union économique et monétaire (UEM), retardée de 1997 à 1999, et sur la mobilisation des capitaux publics et privés nécessaires au financement des grands travaux d'infrastructure, pourtant déjà décidés lors des conseils précédents de Corfou et d'Essen.

Tout a semblé se dérouler comme si l'Union pouvait s'accorder plus facilement sur la poursuite de son engagement de solidarité financière avec trois grands groupes d'États demandeurs d'assistance, l'Est européen, le Sud méditerranéen et le tiers monde à faible croissance, que sur ses propres objectifs internes.

Le défi des frontières et du nombre

Lors du Conseil européen de Copenhague (21-22 juin 1993), il a été décidé que les pays associés d'Europe centrale et orientale qui le désiraient pourraient devenir membres de l'Union européenne, l'adhésion pouvant avoir lieu dès que le pays associé sera en mesure de remplir les obligations qui en découlent. Cette stratégie de préadhésion a été confirmée à Essen en décembre 1994. Onze pays ont ainsi pu signer des accords d'association : Chypre et Malte, les quatre pays du groupe de Visegrad (Pologne, République tchèque, Slovaquie, Hongrie) et, plus récemment, la Roumanie et la Bulgarie (1er février 1995) ainsi que les trois États baltes (juin 1995). Bien qu'aucun calendrier n'ait été fixé, ces accords dessinent les contours d'une union élargie ; il s'agit ainsi de marquer la volonté d'accompagner la transition politique et économique de l'Europe centrale et orientale, tout en s'ouvrant à deux États insulaires méditerranéens. L'Union de demain compterait donc vingt-sept membres.

Au-delà de ce dispositif, on relève trois situations particulières.

— Celle de la Turquie d'abord, éternel candidat, liée aux Quinze par une union douanière (1995) et pour laquelle est recherchée une formule de partenariat privilégié. L'adhésion pleine et entière n'était pas encore envisagée, pour des raisons de coût et d'incertitudes politiques pesant sur le pays.

— Celle de l'Ukraine, ensuite : l'Union, comme les États-Unis, souhaite consolider l'indépendance d'un État dont le gouvernement a enfin su s'engager dans la dénucléarisation, gérer le séparatisme en Crimée et partager la flotte militaire de la mer Noire avec la Russie. Une initiative vis-à-vis de ce pays marque aussi un signal pour Moscou, invité à renoncer à ses prétentions impériales et à accepter de devenir un État national comme les autres, gage de sécurité pour ses voisins. Un accord de coopération (juillet 1994),

suivi d'un accord intérimaire (1er juin 1995) ont organisé dialogue politique, assistance technique dans vingt-cinq domaines (pour un total de 700 millions d'écus) et échanges commerciaux.

— Celle des États successeurs de la Yougoslavie, enfin, sorte de « trou noir » d'un continent en voie de démocratisation. Certes, la Croatie a déjà bénéficié de certains programmes, tels que PHARE (Pologne et Hongrie, aide à la reconstruction économique), malgré son implication entière dans les conflits de succession d'États ; mais il semblait probable que, une fois un règlement politique acquis, à moyen ou long terme, et si les régimes en place en faisaient la demande, l'Union contribuerait à la reconstruction des espaces dévastés par les guerres, insérant *de facto* tout ou partie de l'ancienne Yougoslavie dans l'aire d'intervention communautaire, moyennant solides garanties démocratiques des nouveaux États.

Dans ce schéma, manquaient l'Albanie, la Russie et une partie des États de la CEI (Communauté d'États indépendants). On invoquait volontiers, à Bruxelles, à Bonn ou à Paris, la possibilité d'établir un « partenariat stratégique » avec la Russie ; mais le fait de concevoir la CEI comme le second pilier de l'architecture du continent indiquait assez que la Russie n'était pas inscrite dans les cartes mentales des concepteurs de l'Union élargie. Est-on toutefois certain que la Russie ne sera pas un jour candidate à une Union qui inclurait tous les autres États européens, dans le cadre d'une démarche parallèle à son insertion dans un indispensable « système de sécurité de la grande Europe » restant à inventer ?

Le défi des financements

L'intégration des pays associés a un coût, qu'il faudra partager. La simple transposition des politiques communautaires actuelles — subventions agricoles, aides aux régions aux revenus inférieurs à 75 % de la

BIBLIOGRAPHIE

M. FOUCHER (sous la dir. de), *Fragments d'Europe, atlas de l'Europe médiane et orientale*, Fayard/L'Observatoire européen de géopolitique, Paris, 1994 (3e éd.).

L'Europe prochaine, Fondation BBV, Madrid, 1994.

F. DE LA SERRE, C. LEQUESNE, J. RUPNIK, *Union européenne : ouverture à l'Est ?*, PUF, Paris, 1994.

Voir aussi la bibliographie sélective « Europe » dans la section « 38 ensembles géopolitiques ».

moyenne communautaire — à des pays qui ont encore un niveau de vie faible, un secteur agricole pléthorique et des différences régionales de dynamisme accentuées par la transition implique des coûts budgétaires considérables, même si les évaluations finales restent à affiner.

Pour aider ainsi six pays d'Europe centrale, les transferts nets se monteraient de 23 % à 24 % des revenus budgétaires de l'Union, selon les conditions en vigueur en 1995 ; ce pourcentage baisserait à mesure de leur croissance économique. Les simulations portant sur l'ensemble des candidats concluent à un doublement du budget de l'Union, qui devrait alors passer de 75 à 140 milliards d'écus, chiffre plafond. Parmi les candidats, la Pologne et la Roumanie apparaissent comme ceux qui, en raison de leur taille et de leur population, pèseront le plus dans le budget.

Or, l'élargissement n'a de sens que s'il s'adresse en priorité à la Pologne, pour des raisons politiques (consolider la démocratie), géopolitiques (répondre au souci allemand de s'entourer à brève échéance d'États membres) et stratégiques (ce pays se situe, depuis toujours, entre l'Allemagne et la Russie et sa stabilité acceptée par l'une et l'autre est une garantie de sécurité).

A moins d'envisager d'exclure les futurs membres du bénéfice de ces transferts, ce qu'ils refuseraient au nom du principe d'égalité de droits et de devoirs des États membres, un rude effort d'adaptation du budget et de réforme des politiques communautaires devra être conduit pour

dégager un compromis allant dans le sens d'une solidarité des forts aux faibles.

Or, face à ces coûts, les États membres contributeurs réagissent en fonction de leurs intérêts nationaux : les pays bénéficiaires des aides régionales veulent les conserver, même si un audit de leur impact réel vaudrait d'être fait ; les États partisans d'un élargissement rapide, tels que l'Allemagne et le Royaume-Uni, plaident pour une forte diminution des dépenses actuelles, c'est-à-dire de la Politique agricole commune (PAC), coûteuse, et des fonds structurels auxquels la France, en premier lieu, mais aussi la Danemark, la Belgique, l'Italie sont très attachés.

Le défi de l'élargissement est donc aussi politique, impliquant que les responsables politiques des grands pays contributeurs convainquent leurs opinions publiques du bienfondé de cet effort, garant de paix.

Le défi des institutions

A mesure que l'Union s'élargira, que son intervention devra se limiter à des questions essentielles, que le principe de subsidiarité ou de proximité devra s'appliquer en fonction d'une répartition décentralisée des compétences, la règle de la majorité qualifiée devra s'imposer pour les actions essentielles communes.

Les institutions auront besoin d'une transparence plus nette, de procédures de décision plus simples et plus démocratiques — quelle place pour le Parlement européen dans la codécision ? —, enfin d'une visibilité plus forte, par exemple en nommant un président de l'Union qui présiderait à la fois le Conseil européen et la Commission européenne. Pour éviter qu'un seul État sur quinze ou vingt-sept bloque une décision essentielle, ou bien qu'une minorité de blocage de petits États qui ne formeraient que 10 % de la population ne paralyse l'action envisagée par de grands États, le vote à la double majorité qualifiée — majorité des États membres plus majorité en termes de population — pourrait être appliqué pour les décisions essentielles : élargissement, budget, politique étrangère, révision des traités.

Les obstacles sur la voie du consensus sont nombreux, du fait de profondes différences d'intérêts entre grands et petits États, entre partisans d'une vision plus fédérale de l'Europe et tenants d'une primauté des États, entre pays neutres et pays à forts atouts militaires, entre États riches et contributeurs et États bénéficiaires. De plus, l'Union a toujours fonctionné avec des rythmes différenciés d'intégration, soit en ménageant des périodes transitoires pour les nouveaux venus, soit en acceptant des exceptions (non-application de la charte sociale par Londres), soit en envisageant la possibilité d'instituer la monnaie unique dans quelques États seulement au départ.

Essoufflement du binôme France-Allemagne ?

Certains États ont joué conjointement un rôle moteur, dès lors qu'ils étaient en accord, et il apparaît pour l'avenir que l'Europe organisée ne pourra accroître sa capacité d'action que si l'Allemagne et la France sont présentes au niveau de toutes les initiatives. Or, les documents de propositions rédigés en septembre 1994, puis en juin 1995 par le groupe parlementaire chrétien-démocrate du Bundestag, reflétant en fait la position du chancelier Helmut Kohl (dans la seconde version, atténuée sur le féralisme) et qui se fondait sur l'impératif d'un « noyau dur » à la fois monétaire et politique (Allemagne, France et Benelux), n'ont pas trouvé de réponses françaises élaborées. Va-t-on bientôt voir la France officielle s'installer dans l'euroscepticisme et abandonner son rôle de pionnier politique, laissant à l'Allemagne le soin d'innover tout en le lui reprochant ? En réalité, un projet français novateur pour l'Europe de l'an 2000 reste à écrire, comme si ce pays tardait à comprendre qu'il lui fallait imaginer son avenir avec d'autres plutôt que de se replier en un splendide isolement.

Michel Foucher

Le sida, quinze ans après son identification

Identifiée en 1981, l'épidémie de sida avait atteint près de 20 millions de personnes (séropositivité et sida déclarés confondus) à la mi-1995. Il s'agit d'une pandémie que l'on peut représenter comme de multiples épidémies se juxtaposant. En effet, les modes de transmission varient quantitativement selon les pays et les moments. De même, les segments de population touchés changent. Désormais, c'est également une endémie.

Traditionnellement, on décrit une pandémie en reportant des pourcentages sur une carte du monde. La Global Aids Policy Coalition de Harvard (GAPC) a préféré un découpage des 5,7 milliards d'individus peuplant la planète en dix aires ayant des traits communs : pauvreté, sous-éducation, état sanitaire, condition inégalitaire des femmes ; proximité d'un épicentre d'infection ; évolution de l'épidémie depuis son identification ; importance de la réponse sociale et politique. En adoptant ce principe, il est possible de distinguer six aires d'affinités géographiques.

BIBLIOGRAPHIE

T. BARNETT, P. BLAIKIE, *Aids in Africa : its Present and Future Impact*, Bellhaven, Londres, 1992.

O. BENNETT, *Sida, une triple menace pour les femmes*, L'Harmattan, Paris, 1991.

A. FLEMING *et alii*, *The Global Impact of Aids*, Wiley Liss, New York, 1988.

M. GRMEK, *L'Histoire du sida*, Payot, Paris, 1990.

D. C. LAMBERT, *Le Coût mondial du sida 1980-2000*, CNRS-Éditions, Paris, 1992.

J. MANN, D.J.M. TARANTOLA, T. W. NETTER, *Aids in the World*, Harvard University Press, Harvard, Paris.

J. VALLIN (sous la dir. de), *Populations africaines et sida*, La Découverte/CEPED, Paris, 1994.

L'état des lieux

Si seulement 15 % des cas cumulés ont été recensés dans les pays développés, ils ont bénéficié de 92 % des sommes dépensées dans le monde pour la prévention et le traitement de la maladie, estimées à 14,2 milliards de dollars.

♦ **Afrique subsaharienne.** En 1995, entre 11 et 15 millions de cas de contamination ont été dénombrés, près de 66 % des personnes atteintes dans le monde et 90 % des enfants touchés vivant en Afrique. Une épidémie plus grave encore semble s'annoncer en Asie, la région la plus peuplée du monde, pour le début du XXIe siècle. L'épidémie a surtout frappé l'Afrique de l'Est, parfois jusqu'à 26 % de la population. Certains villages se désertifient alors. En 1995, 80 % des personnes atteintes ont entre 15 et 45 ans. La transmission principalement hétérosexuelle est favorisée par l'ulcération des muqueuses génitales suite à des infections vénériennes non traitées, par une commercialisation du sexe pour survivre et par la dissymétrie de statut entre hommes et femmes, qui ne permet pas à celles-ci d'intervenir efficacement dans la prévention. Au Kénya, en Ouganda et en Tanzanie, les femmes, socialement plus vulnérables, sont atteintes entre 15 et 20 ans, les hommes entre 25 et 29 ans. Cela signifie que la population la plus touchée est la colonne vertébrale de l'économie. La transmission materno-fœtale et par allaitement est importante. Les enfants meurent pendant leurs cinq premières années. La jeunesse restée indemne entre 5 et 15 ans constitue ce que les Africains appellent la « fenêtre de l'espoir ». De nombreux freins économiques et religieux s'opposent cependant à l'éducation sexuelle de cette classe d'âge.

Le Zaïre, premier pays à reconnaître l'épidémie chez lui, a subi une telle débâcle politique que ses structures sanitaires se sont effondrées malgré l'appui de la coopération internationale. L'Afrique de l'Ouest est soumise à deux virus : le VIH1, le plus dangereux dont la transmission est la plus fréquente, et le VIH2, dont l'incubation est beaucoup plus lente (20-25 ans, contre 10-11 ans pour le VIH1) ; certaines populations sont affectées par les deux (VIH signifie virus de l'immunodéficience humaine acquise).

♦ **Maghreb et Moyen-Orient.** La présence du virus y est faible, comparée à d'autres aires géographiques : 3 500 cas étaient officiellement recensés en 1992. La transmission d'homme à homme y était plus visible qu'en Afrique subsaharienne. Le Maroc, l'Égypte et Djibouti, recensant mieux les cas, ont indiqué une progression inquiétante.

L'inégalité devant la maladie

■ *L'impact du sida sur les économies croît par les coûts directs — dépenses médicales et sociales — à charge des individus et des structures et par les coûts indirects — journées de travail et années de vie perdues, orphelins à charge... Seules sont approximativement comparables les dépenses médicales directes.*

En 1994, 92 % des montants dépensés dans le monde pour la prévention et le traitement du sida (environ 142 milliards de dollars) ont été consacrés à un cinquième de la population mondiale, c'est-à-dire aux pays développés où vivent 16 % des personnes atteintes. L'Afrique subsaharienne (10 % de la population mondiale, mais 66 % des personnes atteintes) n'a bénéficié que de 2,9 % de ces montants.

Les sommes allouées à la prévention sont de bons révélateurs de la capacité et de la volonté politique à lutter contre le sida.

En 1991, seuls l'Amérique du Nord, l'Europe de l'Ouest et le Pacifique sud ont consacré plus de 1 dollar par habitant et par an à la prévention, contre 0,1 dollar par habitant en moyenne pour le reste du monde.

En 1992, aux États-Unis, le coût annuel de traitement d'une personne atteinte par le sida s'élevait à 32 000 dollars et celui d'une personne séropositive à 5 150 dollars, alors qu'à la même date le PNB était en moyenne de 470 dollars par habitant en Afrique subsaharienne. Dans les pays en développement, les dépenses en matière de soins sont plus souvent orientées sur l'hospitalisation plutôt que sur le traitement, l'hospitalisation constituant le mode d'accès aux médicaments. Les soins à domicile seraient d'un meilleur rapport coût-efficacité si l'infrastructure et l'idéologie dominante dans le système de santé suivaient...

D. D.

♦ **Asie de l'Est et du Sud-Est.** Avec ses 866 millions d'habitants, l'Inde est l'épicentre de l'Asie touchée par le VIH. Deux millions de personnes au moins seraient contaminées. Selon les projections de l'OMS (Organisation mondiale de la santé), 8 millions pourraient être atteintes d'ici l'an 2000. La prévalence est forte dans les régions industrielles et les régions agricoles les plus riches. La transmission dominante se fait par voie hétérosexuelle, facilitée par un taux élevé de maladies sexuellement transmissibles (MST).

Une étude menée à Bombay en 1993 révélait que 50 % des femmes vivant du commerce sexuel et 35 % des patients qui fréquentaient les cliniques pour MST étaient séroposi-

tifs. Les 6 millions de chauffeurs routiers sont, comme en Afrique, particulièrement vulnérables à la prostitution qui borde les grands axes routiers. L'épidémie met parfois en présence le VIH1 et le VIH2, avec une prédominance du VIH1 et un taux de 15 % de double contamination.

En Chine, le virus s'est répandu rapidement. Repéré en 1986 chez un hémophile, il a atteint les utilisateurs d'héroïne par voie intraveineuse dans la province du Yunnan — proche du Triangle d'or — pour laquelle, en 1994, le président du Comité chinois contre le sida a estimé à 12 000 le nombre de cas de séropositivité, dont 85 % par injection (seuls 1 824 cas d'infection, dont 66 sidas déclarés, ont été officiellement identifiés). L'Académie chinoise de médecine préventive estimait les cas à 20 000 et en prévoyait 100 000 pour l'an 2000. Les régions côtières et les ports apparaissaient comme les principaux lieux de diffusion, Canton étant le deuxième point sensible.

Avec des laboratoires sous-équipés, des équipes médicales et éducatives sous-informées, un pouvoir politique hésitant à aborder de front la question de la toxicomanie, de la sexualité, de l'homosexualité, le risque social encouru par les séropositifs, l'épidémie est potentiellement explosive.

Le Cambodge, dont les structures de soins ont été dévastées par la guerre, est aussi une région très vulnérable. La Thaïlande a identifié son premier cas en 1984. En septembre 1991, les séropositifs étaient estimés entre 200 000 et 400 000. S'il n'y avait pas de changements majeurs dans les comportements, rapporte un groupe d'études thaï, on pourrait prévoir 650 000 cas de sida en l'an 2000. 87,2 % des cas rapportés en 1994 l'ont été parmi des personnes âgées de 15 à 49 ans, le *sex ratio* étant de 6,1 femmes pour 1 homme et les MST étant le principal cofacteur.

Le Japon appartient à cette aire, mais en diffère économiquement et politiquement. La prévalence du VIH y est faible, l'épidémie a d'abord été identifiée chez des hémophiles à partir d'importations de produits sanguins. La GAPC estimait à 42 000 les cas de contamination en 1992, ce qui paraît excessif.

♦ **Pacifique sud, Amérique du Nord, Europe occidentale.** Ces régions, éloignées géographiquement, ont en commun un niveau élevé de développement industriel, un régime démocratique, des modes de vie et de croyance, un niveau sanitaire. Par Pacifique sud, on entend notamment Australie et Nouvelle-Zélande. Le nombre de contaminations était estimé en 1994 à 35 000 dans cette région, à 1,5 million pour l'Amérique du Nord, à 560 000 pour l'Europe (dont 128 267 cas de sida déclarés).

Les premiers touchés ont été les homosexuels masculins dont la proportion parmi l'ensemble des cas recensés a décliné. En effet, à partir du milieu des années quatre-vingt, la transmission hétérosexuelle s'est accrue. En Europe de l'Ouest, trois pays ont déclaré plus de 20 000 cas au 30 juin 1994 : la France, l'Espagne et l'Italie. Le nombre de cas a baissé au Royaume-Uni et en Europe du Nord. En France, il s'est stabilisé chez les homosexuels et les utilisateurs de drogue et a faiblement augmenté chez les hétérosexuels. Il s'est accru en Espagne et en Italie.

♦ **Amérique latine et Caraïbes.** Ayant débuté dans les années quatre-vingt, l'épidémie touchait en 1992 un million de personnes en Amérique latine et 310 000 aux Caraïbes, surtout en Haïti et en République dominicaine. Les Caraïbes ont le taux de contamination le plus élevé du monde : les MST, la misère, les dictatures, les guerres civiles qui entraînent des déplacements continus des populations en sont les principaux facteurs.

Le pays d'Amérique latine le moins affecté par le VIH, le Guatémala, présentait déjà une endémie bien installée. Si l'Uruguay avait la plus forte prévalence, le pays le plus touché était le Brésil, Rio concentrant, au 1er janvier 1994, 11 % des cas rapportés de VIH-sida, dont les deux tiers parmi les hommes homosexuels et bisexuels âgés de 30 à 40 ans, même si on a constaté en 1995 une augmentation de la contamination hétérosexuelle. La tuberculose, en recrudescence mondiale, apparaissait, avec les MST, le cofacteur important de cette épidémie.

♦ **Europe de l'Est, ex-URSS.** L'OMS a estimé en 1994 à 50 000 les cas de contamination dans cette aire qui représente 43 % de la population européenne. Les bouleversements sociaux, l'effondrement des systèmes de prise en charge sanitaire et sociale, les mouvements de population (migration, tourisme), la prostitution, l'extension de l'usage de drogue, l'existence des MST et l'insuffisance de traitements et de

© Éditions La Découverte

Amérique du Nord
1 524 000
(29 000)

Europe occidentale
1 205 500
(19 500)

Europe orientale
44 500
(500)

Asie du Nord-Est
82 000
(2 000)

Asie du Sud-Est
1 292 500
(72 500)

Océanie
41 000
(1 000)

Afrique du Nord et Moyen-Orient
62 000
(3 000)

Caraïbes
511 500
(37 500)

Amérique du Sud
1 491 000
(84 000)

Afrique subsaharienne
13 479 500
(2 030 500)

Nombre cumulé des personnes infectées par le VIH (adultes et enfants) répartis par aires géographiques.

total
enfants

Source : AIDS in the World, *Global Aides Policy Coalition (GAPC), Harvard.*

formation des personnels sanitaires sont autant de facteurs de propagation rapide de l'épidémie.

En 1990, la Yougoslavie était le pays où le plus grand nombre de cas, notamment après transmission par voie intraveineuse, étaient rapportés. La Roumanie suivait, avec près de 3 000 cas dont 2 695 chez des enfants contaminés par injection de produits sanguins dans les orphelinats et à cause de la réutilisation des seringues et aiguilles. 300 enfants ont ainsi été contaminés en Russie.

Pandémie et solidarité internationale

Ce bilan illustre les multiples dimensions de l'épidémie. Sur le plan démographique, elle réduit les gains d'espérance de vie acquis pendant les trente années précédentes dans les pays en développement. Elle accroît le poids économique des personnes dépendantes : vieillards et enfants (indemnes en Afrique entre cinq et quinze ans, mais orphelins par millions), tandis que la partie active de la population est fauchée entre 35 et 49 ans. Elle atteint des secteurs entiers de l'économie : c'est le cas des transports routiers en Afrique et en Inde, seuls moyens de désenclaver certaines régions, ou des mines de Zambie. Les pays les plus pauvres qui vivent de l'émigration et du tourisme sont très vulnérables. L'épidémie de sida a ainsi révélé le peu d'investissement que le pouvoir politique accordait aux structures sanitaires dans de nombreux pays (souvent moins de 1 % du PIB en Afrique).

En 1986, l'OMS reconnaissait la dimension pandémique de l'affection. A partir de 1987, elle mettait en place 130 programmes nationaux d'éducation, de prévention, de sécurité transfusionnelle, de soins et de recherche, mais avec souvent trop peu de moyens. L'espoir de mise au point d'un vaccin à court terme semblait alors la solution la moins coûteuse pour prévenir l'épidémie dans les pays en développement. Cet espoir n'a cessé de reculer du fait de la complexité et de la mutabilité

du virus. La prévention repose désormais sur des modifications radicales dans la gestion de ces sociétés.

Dans tous les pays du monde, l'initiative d'associations en proximité avec les personnes les plus exposées est devenue le moteur de la lutte. Apparu aux États-Unis dès 1982 avec le Gay Men's Health Crisis, créé par des homosexuels new-yorkais, ce modèle s'est mondialisé. La chute du Mur de Berlin permettant un contact direct de population à population aussi bien de l'Ouest à l'Est que du Nord au Sud, des organisations non gouvernementales (ONG), nationales et internationales, propagent désormais des modèles d'intervention qui se sont mondialisés en dix ans.

A la fin des années quatre-vingt, la Banque mondiale prenait un important virage politique en accordant une place de choix à la santé publique. Au concept européen de la santé comme consommation socialisée elle substituait celui d'investissement prioritaire. Le sida est en effet un problème transversal qui nécessite une politique globale et des investissements. Certaines agences de l'ONU (Organisation des Nations unies) ou de son système, l'UNESCO (Organisation des Nations unies pour l'éducation, la science et la culture), l'UNICEF (Fonds des Nations unies de secours d'urgence à l'enfance), le PNUD (Programme des Nations unies pour le développement), la Banque mondiale et l'OMS ont mis sur pied un programme coparrainé d'intervention mondiale qui devrait devenir opérationnel en 1996. Ces grandes institutions internationales restent bureaucratiques ; les pays donateurs subissent par ailleurs une crise économique qui limite leur capacité et leur volonté d'investissement mondial. L'état de sous-développement de certaines parties du monde s'est aggravé ces vingt dernières années, indépendamment du sida. Les anciens pays socialistes sont entrés dans la demande de soutien international et leur sous-équipement est criant.

L'espoir d'une solution par la vaccination a reculé. Aussi le XXIᵉ siècle sera-t-il marqué, au-delà de sa première moitié, par le sida. Seuls les pays développés semblent aujourd'hui en mesure de peser sur cette histoire.

Daniel Defert

Croissance démographique et développement durable

Le phénomène de croissance rapide qu'a connu la population mondiale au cours du XXᵉ siècle a nourri des discours catastrophistes, annonçant la généralisation des situations de très grande pauvreté, voire la multiplication des famines et des épidémies. Dans les années soixante-dix, l'accent a surtout été mis sur la croissance indéfinie (la référence à « la maudite exponentielle » était fréquente), qui conduisait inévitablement, à plus ou moins long terme, à une densité d'un habitant au mètre carré sur l'ensemble du globe ! Dans les années quatre-vingt-dix, la forte augmentation de la population a souvent été rendue responsable de l'ensemble des problèmes de développement.

Il est vrai que, dans les années 1965-1970, le rythme de croissance de la population mondiale dépassait 2 % par an, ce qui signifiait un doublement du nombre des hommes sur la planète en moins de trente-cinq ans. Il est également vrai qu'un milliard d'habitants peuplaient la planète au début du XIXᵉ siècle et que le chiffre de 6 milliards sera atteint avant la fin du XXᵉ siècle, la population devant vraisemblablement continuer à croître jusqu'à 12 milliards dans deux siècles. Enfin, il est vrai que c'est dans les pays les plus pauvres que la croissance démographique est la plus forte. Dans bon nombre d'États de l'Afrique subsaharienne, la population augmente au rythme annuel de 3 % par an (doublement en moins de vingt-quatre ans), aggravant les problèmes de nourriture, d'espace, d'éducation, de santé ou d'emploi (estimations pour 1990-1995).

Mais si la croissance démographique rapide rend plus intenses les défis auxquels sont confrontés les pays en développement, il n'est pas inutile de rappeler que celle-ci résulte avant tout des progrès considérables accomplis dans la lutte contre la mortalité et qu'en ce sens elle traduit une amélioration du sort des populations. Par ailleurs, le rythme de croissance de la population mondiale s'est ralenti puisqu'il n'était plus que de 1,6 % dans la période 1990-1995 (contre 2,1 % en 1960-1965). A très long terme, la stabilisation apparaît possible. Enfin, cette croissance rapide est tout autant la conséquence que l'une des causes des difficultés des pays à se développer.

Une équation complexe et des situations diverses

Depuis l'économiste Thomas Robert Malthus (1766-1834), de nombreux auteurs ont affirmé, ou essayé de prouver, qu'une augmentation de la population compromettait nécessairement toute élévation du niveau de vie. Les recherches postulant une corrélation négative, c'est-à-dire une relation inverse entre croissance démographique et croissance économique, se sont multipliées sans aboutir à des conclusions simples et irréfutables. L'analyse statistique conjoncturelle ne saurait, en tout état de cause, rendre compte de processus complexes s'inscrivant dans la durée.

L'économiste et historienne Ester Boserup (née en 1910) a repoussé l'argumentation malthusienne en affirmant que la croissance de la population pouvait être l'un des moteurs du développement, par l'adoption de techniques de culture plus efficaces qu'elle rend indispensable. Mais le modèle boserupien n'apparaît pas plus général que celui de Malthus. Il existe des situations malthusiennes et des situations boserupiennes, et, au cours de son histoire, un même pays peut connaître les deux.

Le progrès technique a permis de concilier augmentation de la population d'une part, accroissement de la production alimentaire, du revenu par habitant ou du niveau de vie d'autre part. Les « révolutions vertes » (accroissement des rendements par sélection de nouvelles variétés de céréales et fertilisation des sols) ont ainsi permis une augmentation de la production alimentaire par habitant dans des pays comme le Mexique où la croissance démographique a été particulièrement rapide. Quant à la question de savoir si le progrès technique est de nature endogène (stimulé, notamment, par la croissance de la population *via* l'augmentation du « capital humain ») ou exogène (indépendante de celle-ci), elle nourrit de difficiles débats d'experts.

La complexité des relations entre population et développement provient simultanément de l'interdépendance entre différentes composantes du développement — elles forment un système — et de l'existence d'une forte diversité des situations nationales. Du fait des interactions entre fécondité, mortalité, mobilité, éducation, emploi, statut des femmes..., il apparaît illusoire de vouloir agir exclusivement sur une variable. Tout change ou doit changer en même temps : améliorer le statut des femmes n'est possible que si la fécondité diminue et si l'éducation augmente ; une baisse de la fécondité et des progrès de l'éducation féminine contribuent à l'amélioration du statut des femmes, le développement de l'éducation est généralement associé à l'urbanisation...

L'hétérogénéité des pays au regard du développement est trop souvent sous-estimée. Le continent africain présente certaines spécificités, mais d'importants contrastes existent dans la nature des sols, les richesses du sous-sol, le climat, les religions... C'est pourquoi les théories récentes s'efforcent de mieux tenir compte des « conditions locales ».

Le développement apparaît aujourd'hui comme un impératif absolu pour les deux tiers de l'humanité, mais le concept même de développement est sujet à évolution.

Définir le développement

Le développement a longtemps été assimilé à une stricte croissance économique mesurée par le PNB ou le PIB par habitant. Il est assez rapidement apparu qu'au-delà des critiques formulées sur la pertinence de ces indicateurs pour mesurer le niveau de vie d'une population, l'utilisation d'une valeur moyenne sans préciser la dispersion autour de cette moyenne présentait des inconvénients notables : si la croissance économique s'accompagne d'une plus forte inégalité des revenus, il est impossible de conclure que le bien-être d'une population augmente.

Le développement ne se réduit par ailleurs pas à la seule dimension du développement économique. Différents efforts ont été engagés pour élargir et préciser cette notion de développement. Le PNUD (Programme des Nations unies pour le développement) se réfère ainsi au concept de développement « humain » et tente de le mesurer par un indicateur, l'IDH, combinant durée de vie moyenne, niveau d'éducation et revenus [*voir p. 667*].

La CNUED (Conférence des Nations unies sur l'environnement et le développement), qui s'est tenue à Rio de Janeiro en 1992, a popularisé le concept de développement « durable », c'est-à-dire respectueux des êtres humains mais aussi de l'avenir de la Terre. Définir un cadre d'action permettant de concilier croissance démographique, développement des pays pauvres et respect de l'environnement était l'objet de la conférence du Caire, qui, à certains égards, entendait prolonger celle de Rio.

Quelques faux débats

■ *Les discussions sur la question de la population mondiale et du développement nourrissent régulièrement de faux débats dont voici quatre exemples.*

Une « croissance zéro » aujourd'hui ou à terme ?

Même si la fécondité diminuait brutalement pour se situer de manière immédiate au niveau du remplacement, la stabilisation de la population mondiale demanderait du temps. Il existe une forte inertie (un élan de la croissance passée), liée à une structure par âge jeune (poids important des femmes en âge d'enfanter) interdisant toute croissance zéro immédiate. Les Nations unies considèrent dans leurs perspectives à long terme qu'il faudrait attendre l'an 2150 pour voir s'amorcer la stabilisation de la population mondiale.

Planification familiale ou développement ?

Depuis la conférence de Bucarest de 1974, où s'étaient affrontés pays du Sud et du Nord sur les priorités en termes de population et de développement, l'opposition entre les tenants du préalable d'une politique de limitation des naissances et ceux du préalable du développement revient régulièrement. Pour les premiers, il existerait une demande de contraception insatisfaite et la satisfaire suffirait à faire baisser la fécondité. Pour les seconds, sans développement réel, il n'y aurait aucune incitation à réduire la taille des familles (la rationalité d'une forte fécondité demeurerait). En réalité, ces approches ne sont pas opposées mais complémentaires, dans la mesure où la baisse de la fécon-dité n'allège la contrainte démographique qu'à terme ; il doit y avoir une réponse immédiate, en termes de développement, aux défis démographiques actuels.

Capital physique ou capital humain ?

La forte croissance de la population réduirait le montant des investissements économiques (productifs) au profit des investissements démographiques (servant seulement à maintenir les niveaux d'éducation et l'état de santé de la population). Toute croissance démographique aurait donc des effets négatifs sur la croissance économique. Or l'exemple de plusieurs pays d'Asie de l'Est ou du Sud-Est ayant misé sur le capital humain montre que l'éducation des populations est un facteur de croissance économique tout autant que la disponibilité en capital physique.

Population ou consommation ?

Dans les débats sur le thème population et environnement, la croissance démographique rapide des pays du Sud est accusée d'être la première responsable de la dégradation de l'environnement. A cela, le Sud répond que le Nord pollue plus, en raison des consommations par tête excessives. En réalité, les effets population et consommation sont tous deux en cause (avec l'effet technologie) et sont multiplicatifs : si tous les habitants du Sud se mettent dans l'avenir à consommer comme ceux du Nord, la dégradation de l'environnement sera extrême. Il faut, par conséquent, inventer un nouveau modèle de développement.

J. V.

BIBLIOGRAPHIE

P. DEMENY, « Population and Development », *Distinguished Lecture Series on Population and Development*, IUSPP, Liège, 1994.

« La population mondiale, défis et perspectives » (dossier constitué par J. VÉRON), *Problèmes politiques et sociaux*, n° 743, La Documentation française, Paris, janv. 1995.

H. LE BRAS, *Les Limites de la planète. Mythes de la nature et de la population*, Flammarion, Paris, 1994.

NATIONS UNIES, « Programme d'action de la Conférence internationale sur la population et le développement », 1994.

« Population : un défi possible », *Courrier de la Planète*, n° 25, Montpellier, nov.-déc. 1994.

UNESCO, « Population : problèmes et politiques », *Revue internationale des sciences sociales*, n° 141, septembre 1994.

J. VALLIN, *La Population mondiale*, La Découverte, « Repères », Paris, 1995 (nouv. éd.).

J. VÉRON, *Population et développement*, PUF, « Que sais-je ? », Paris, 1994.

Le programme d'action du Caire

En septembre 1994, les Nations unies ont organisé au Caire une Conférence internationale sur la population et le développement (CIPD) réunissant quelque 180 États, qui se sont entendus sur un programme d'action commun pour la prochaine décennie.

Au Caire — la presse s'en est largement fait l'écho — les discussions ont porté presque exclusivement sur l'avortement, la sexualité et la famille, en raison de l'hostilité du Vatican et de certains pays musulmans à la rédaction initiale du texte. Le programme d'action finalement adopté a cependant abordé les problèmes de population de manière beaucoup plus globale, en insistant sur la nécessité de concilier croissance économique soutenue et développement durable, de promouvoir l'égalité des sexes et de renforcer le pouvoir des femmes, enfin de veiller à ce que l'éducation se généralise...

Il restait ensuite à traduire ce programme en actions concrètes susceptibles d'améliorer véritablement la qualité de vie des populations.

Jacques Véron

(Voir aussi les tables démographiques p. 679 et suivantes.)

L'État-nation, un modèle en épuisement ?

La décolonisation devait marquer l'apothéose de l'État-nation : revendiquée au nom du droit des peuples à s'ériger en nations souveraines, elle aboutissait à découper la scène mondiale en États indépendants, membres reconnus de la communauté internationale et des Nations unies. L'échec du développementalisme a, cependant, rapidement dissipé les illusions : les souverainetés sont vite apparues plus formelles que réelles ; après plusieurs décennies, dans bien des cas, les nations nouvelles restent à construire ou se délitent et les États nouveaux s'affaiblissent sous les coups d'une territorialité incertaine, de modèles institutionnels mal adaptés ou importés à la hâte, de légitimités contrariées et de citoyennetés fragiles. Sans trop forcer le trait, on peut considérer qu'une dépendance a cédé la place à l'autre : d'un ordre colonial marqué par la prétention impériale des grands États européens, on est passé à un ordre post-colonial reposant sur un utopique monde du «tout État», dans lequel l'alignement de tous sur un «prêt-à-porter étatique» devient source de désordre et d'inégalité.

Une construction d'«un autre monde et d'un autre temps»?

Encore convient-il d'écarter deux malentendus. L'État est lié à une histoire singulière, prenant sa source dans la sortie des sociétés européennes de l'organisation féodale. Cette particularité est pourtant gommée par la référence faite à la raison comme mode de légitimation d'une invention politique qui prétend s'émanciper de la tradition. Or le discours de la raison ne peut être qu'universel : l'État ne peut garder sa légitimité que s'il apporte la preuve de son universalité. On trouve ici l'origine d'un évolutionnisme politique qui récuse comme des marques d'infériorité, d'échec ou de sous-développement toute construction étatique contrariée. Aussi le droit international public, les institutions internationales, tout comme les pratiques politico-diplomatiques sont-ils figés, face à chaque crise nouvelle, dans l'usage, sans imagination, de la thérapie stato-nationale. Il n'est pas sûr cependant que l'avènement de l'État marque la fin de l'histoire ni donc que son échec constitue *a priori* et inévitablement une régression.

La crise de l'État s'affirme avec netteté non seulement dans les pays du Sud, mais aussi au centre et à l'est de l'Europe, sur les ruines de l'ex-empire soviétique; elle transparaît au sein de l'Asie orientale développée, à travers les vicissitudes institutionnelles et territoriales qui frappent cette région; elle est devenue présente, et de façon multiple, en Europe occidentale, tant à travers la crise de l'État-providence que dans les incertitudes qui se sont fait jour sur le rôle économique de l'État, même si son rôle reste encore appréciable, notamment dans l'organisation du commerce international. Au total, jamais à l'Ouest l'idée de la souveraineté stato-nationale n'a été aussi vigoureusement défiée.

L'État souffre autant des effets de la modernisation que du retour de la tradition. La mondialisation — ou «globalisation» pour les Anglo-Saxons — décrit l'interdépendance croissante qui unit entre elles les sociétés et les économies les plus «avancées» : elle révèle l'extraordinaire complexité des flux transnationaux qui contournent les prérogatives des États et cisaillent leur souveraineté; elle suggère aussi l'artifice des débats sur des thèmes comme la souveraineté monétaire ou la maîtrise nationale des politiques. Elle laisse découvrir, en contrepoint, un nationalisme d'une nouvelle nature : défensif ou du moins protecteur, frileux devant la modernité, en réalité plus protestataire que créateur.

De multiples flux transnationaux

La souveraineté stato-nationale n'est pas écornée par la seule pression des flux économiques transnationaux. Dès le début des années soixante, l'URSS avait compris comment la diffusion de plus en plus sophistiquée des flux de communication devenait un obstacle évident au maintien de sa souveraineté; la constatation vaut aujourd'hui pour les antennes paraboliques, qui créent de fait un espace de circulation des sons et des images qui abolit les frontières d'État. La même remarque vaudrait pour les flux migratoires que les politiques publiques ne parviennent ni à contrôler ni à réglementer. Humainement, culturellement, économiquement et financièrement naissent ainsi des éléments d'une société mondiale qui double la communauté des États, qui agit de façon plus ou moins autonome face aux politiques

BIBLIOGRAPHIE

B. BADIE, *L'État importé*, Fayard, Paris, 1992.

B. BADIE, *La Fin des territoires*, Fayard, Paris, 1995.

J. CALLAGHY, « The State as Lame Leviathan : the Patrimonial Administrative State in Africa », *in* Z. ERGAS (sous la dir. de), *The African State in Transition*, McMillan, Basingstake, 1987.

R. JACKSON, *Quasi-States : Sovereignty, International Relations and the Third World*, Cambridge University Press, Cambridge, 1990.

I. ZARTMAN (sous la dir. de), *Collapsed States*, Lynne Rienner, 1995.

publiques et qui suscite, en Europe, en Amérique du Nord ou en Asie orientale notamment, des actes d'autorité, d'allocation, voire de redistribution. Mobilisations religieuses, associatives, économie informelle ou clandestine, réseaux transnationaux de toute nature sont là pour en témoigner.

La modernisation est, de même, venue légitimer un peu partout dans les zones en développement l'importation du modèle étatique d'extraction occidentale qui a tendu à faire disparaître une part essentielle de l'histoire des sociétés concernées. Paradoxalement, en Inde, dans le monde arabe comme en Afrique, ce fut l'emprunt à l'Occident colonisateur de la thématique nationale, puis du modèle étatique qui a conduit soit à l'indépendance soit à la restauration de souverainetés mises à mal, comme dans le monde ottoman ou chinois, soit à la réinsertion de systèmes traditionnels dans le concert mondial.

Les effets de cette importation ont été aggravés par la stratégie des bourgeoisies d'État naissantes reposant sur un imposant système bureaucratique. Ils le furent aussi par le jeu des intellectuels qui ont très tôt trouvé, dans l'œuvre de traduction, une source de promotion et de pouvoir que n'offrait pas, avec la même intensité, la seule gestion de la tradition. Le retour vers celle-ci *via* la négation militante de l'État importé, ou du moins la distanciation critique à son égard, est un phénomène assez nouveau, contemporain du moins de la vigueur nouvelle gagnée par le revivalisme, qui remobilise les liens traditionnels afin d'inventer une modernité concurrente.

Le revivalisme s'inscrit, aujourd'hui plus que jamais, au centre de toutes les contestations du modèle étatique dans le monde extra-occidental. Qu'on ne s'y trompe pas, de veine islamique, hindouiste ou orthodoxe ; de nature ethnique, tribale, communautaire ou sectaire, ce phénomène constitue d'abord un réinvestissement tactique de la tradition, un moyen politique de dénoncer les échecs du développement, de cristalliser les frustrations et surtout de combler le vide laissé par l'affaissement de l'État importé, par son déficit de légitimité et par son incapacité à susciter de véritables relations d'allégeance citoyenne. Les sociétés du monde arabe ne sont pas plus religieuses que les autres, de même que les sociétés africaines ne sont pas tribales ou « ethniques » par nature : elles le sont devenues ou redevenues, par l'effet médiateur de stratégies politiques manipulant des symboles perçus comme plus légitimes et plus intelligibles que ceux associés à des institutions étatiques venues d'ailleurs et plaquées sans discernement.

« Léviathan boiteux »

« Quasi-États », « Léviathan boiteux », « États manqués » : les termes abondent, dans les littératures, pour sanctionner cet échec. L'acharnement de l'ONU à prescrire une « thérapie » stato-nationale pour remédier à la crise somalienne durant depuis 1991 n'a pas empêché le retour incessant de la clanisation. L'usage par les acteurs politiques rwandais de la référence ethnique permet, entre autres, de corriger le défaut d'identification citoyenne qui portait atteinte à la légitimité de l'État du Rwanda. Les sociétés guerrières apparues au Tchad, au Mozambique, en Angola ou au Libéria s'appréhendent aussi comme des substituts à des sociétés politiques qui n'ont pas pu se construire, c'est-à-dire recueillir un minimum d'adhésion citoyenne.

La vigueur des séparatismes ethniques, hors l'Occident, souligne que les prétentions universalistes et intégratrices de l'État y semblent moins crédibles, même s'il est également évident que le défaut de démocratie et le faible niveau de développement économique interviennent comme circonstances aggravantes.

Loin de son lieu d'invention, le Léviathan est d'autant plus « boiteux » qu'il ne parvient plus à réunir et à confondre l'idée de peuple et celle de communauté politique territorialisée. Le droit des peuples était clair, et même évident, au temps des indépendances, lorsque les communautés nationales se formaient contre le colonisateur. La fin du XXᵉ siècle révèle toute sa contradiction : quelle échelle devient pertinente pour repérer les « peuples » africains, en Somalie, au Rwanda ou au Libéria ? Que dire de l'Asie centrale où les références ethniques, religieuses ou claniques ne cessent de s'entrecroiser ? A quel niveau saisit-on les peuples dans le monde arabe et dans le monde indien ? Et comment qualifier ce cortège de peuples déterritorialisés : diasporas volontaires ou forcées, peuples déportés par les autoritarismes politiques ou par un entêtement stato-national ?

C'est l'idée même de communauté politique nationale qui est ainsi en péril, mais dont on penserait à tort que son échec tient au seul défaut de développement ou au simple effet d'une résistance culturelle opposée par des peuples élus ou miraculeusement éternels : le faible appel à l'État-nation est la conséquence de la faiblesse d'attraction d'un modèle étatique resté incompris.

Identitarisme religieux ou ethnique

Certes, les cas d'adaptation à la tradition ne sont pas rares. Sur le plan institutionnel, ils sont plus symboliques que réels ; sur celui de la communauté nationale, ils tendent à parer l'État-nation d'un identitarisme religieux ou ethnique qui vient tout simplement nier son projet intégrateur pour viser, au contraire, la ghettoïsation des identités et l'exclusion des autres : partition religieuse de l'empire des Indes, création de l'État d'Israël, islamisation de certains États du monde musulman, création de bantoustans en Afrique du Sud, découpages ethniques dans l'ancienne Yougoslavie, idée de création d'un « Tutsiland » et d'un « Hutuland ».

Sur le plan des pratiques, le résultat est au moins aussi complexe : l'État importé, faiblement légitime, est peu efficace et, en réalité, dédoublé par tout un ensemble de réseaux extra-institutionnels où se joue l'essentiel, en lieu et place de la relation citoyenne. Liens de clientèle ou de parentèle, monde associatif, structures communautaires, arbitrages de nature traditionnelle, institutions religieuses, sectes ou confréries, communes ou coopératives rurales, entraides et pratiques mutualistes remplacent l'essentiel du travail politique. On peut aller jusqu'à évoquer le monde de la mafia dont la pertinence politique est inversement proportionnelle à la crédibilité de l'État, notamment en Amérique andine, en Asie du Sud-Est et en Russie, où il s'impose comme « un État dans l'État ».

Dans ce contexte d'échec, de dépérissement, ou de déliquescence, un peu partout d'inefficacité croissante, les recompositions sont complexes. Il est évident que l'État ne disparaît pas : au Nord, les ressources accumulées et les traditions établies sont beaucoup trop fortes ; au Sud, et de plus en plus à l'Est, l'absence de modèle de substitution, ou la patrimonialisation et la prolifération des avantages rentiers tirés de l'État contribuent à prolonger celui-ci, parfois à lui donner des couleurs. Le jeu international, en particulier, favorise ces résistances. Dans le monde développé s'instaure un véritable « club des États » qui prétend partager les rôles entre ses membres, reconstituer des sphères régionales d'influence et négocier la régulation des grandes crises, à l'instar de ce que cherche à faire le G-7 (Groupe des sept pays les plus industrialisés). Au sein des mondes en développement, les princes déploient des stratégies d'extraversion, usant de l'affichage international de l'État pour compenser, de manière ambiguë, la crise de légitimité dont celui-ci souffre auprès des gouvernés.

Face à des sociétés ainsi frappées d'anomie, les réseaux sociaux, informels, officieux ou clandestins, les systèmes normatifs de substitution issus de la tradition sont suffisamment puissants pour structurer les comportements sociaux et entretenir leur canalisation contestataire ; ils sont, en revanche, trop faibles et surtout insuffisamment reconnus pour servir de fondement à un nouvel exercice du pouvoir. Aussi la crise de l'État contribue-t-elle, là où elle est la plus vive, à réaliser une puissante inversion : l'exercice de la contestation devient plus légitime et plus mobilisateur que l'exercice du pouvoir, comme on le voit notamment dans un grand nombre de pays musulmans. Un peu partout, et de plus en plus en Europe, l'État arti-

cule davantage une thématique protestataire que des programmes de gouvernement...

Inventer une nouvelle grammaire

Est-ce d'un jeu international renouvelé que viendra le salut ? C'est par ce biais que, jadis, dans le Vieux Continent, puis ailleurs, l'État s'était imposé. Peut-être est-ce au terme du même cheminement que les structures d'autorité pourront se redéployer, conformément aux besoins d'un monde en proie au bouleversement. L'essor des réseaux transnationaux s'inscrit dans cette veine : diasporas, flux migratoires, maillages économiques et marchands ont des vertus d'efficacité que la « statolâtrie » a trop vite fait d'occulter. Les processus d'intégration régionale semblent aller dans le même sens : au lieu, par exemple, de poser frileusement la construction en termes de transferts de souveraineté ou de fédéralisme diabolisé, il convient de mesurer les éléments d'innovation réelle dont elle est porteuse. Espace à géométrie variable, mode somme toute efficace de transcender les particularismes et les menaces d'« ethnicisation » du monde, l'intégration européenne n'abolit pas les États-nations et ne se limite pas non plus à les juxtaposer, mais les inscrit dans une nouvelle grammaire, à l'instar de ce que l'on voit s'esquisser en Asie orientale. Peut-être, dans les faits, l'expérience d'un système postinternational a-t-elle déjà commencé, qui se substituerait à un système exclusivement composé d'États-nations...

Bertrand Badie

« Le progrès pour les femmes, c'est le progrès pour tous »

La troisième conférence mondiale sur les femmes, organisée par l'ONU à Nairobi (Kénya), avait réuni en 1985 plus de 10 000 participantes. La quatrième, à Pékin, en septembre 1995, devait en rassembler plus de 30 000, membres des délégations officielles des États ou appartenant à des organisations non gouvernementales.

Pendant deux ans, conférences régionales, dispositifs nationaux, colloques et manifestations diverses auront préparé cette rencontre devant faire le bilan sur la condition des femmes depuis 1985 et déterminer des mesures prioritaires visant à améliorer leur situation pour l'avenir. Or, de 1985 à 1995, le monde a connu de considérables bouleversements que l'on doit prendre en compte pour analyser l'évolution de la condition des femmes.

D'une part, la population a continué à croître de manière rapide, rendant plus aiguë l'urgence de penser le couple « population/développement » [*voir article p. 67*]. Pour les populations du Sud, la situation économique a connu des évolutions très contrastées selon les continents. Pour beaucoup de régions, ces années resteront marquées par la crise de la dette et par les conséquences sociales des plans d'ajustement structurel [*voir article p. 123*]. Les pays du Sud sont également ceux qui subissent le plus gravement les conséquences de la pandémie de sida [*voir article p. 61*].

Au Nord, tandis que les valeurs dites « féminines » tendent à progresser, le parti de l'« ordre moral » s'appuyant sur les « courants politiques extrémistes et sur des intégrismes religieux, s'est manifesté dans de nombreux pays pour tenter de remettre en cause certains acquis des femmes. Parallèlement, dans certains pays musulmans, on assiste à la montée en puissance de mouvements islamistes favorables à un statut des femmes leur déniant des droits égaux.

Enfin, dans le monde qui était encore communiste en 1985, les ruptures politiques ont elles aussi eu beaucoup de conséquences quant à la situation des femmes.

Une visibilité ambivalente

« Le dossier de la condition féminine est en passe de prendre la première place dans le débat mondial sur le développement social, économique et politique ». C'est en ces termes que commence l'avant-propos du recueil statistique sur les femmes dans le monde présenté par l'ONU.

Dans de nombreux domaines, les femmes sont devenues plus « visibles ». Elles sont sorties progressivement d'un univers caché, échappant à un certain effacement, pour apparaître davantage dans la sphère publique. Visibilité qui porte des ambiguités, qui peut maintenir certaines formes de marginalisation, mais à laquelle sont attachés des acquis en matière d'égalité. Ces avancées, en particulier sur le plan des droits, sont incontestables, mais elles restent menacées et fragiles. De plus, les écarts entre la situation des femmes des pays industrialisés et celle des femmes des pays en développement ne se sont guère réduits.

Le salariat féminin s'est développé, notamment dans les domaines d'emploi traditionnellement féminins : les services, la santé et l'éducation. Même si le travail productif des femmes s'exerce toujours à l'intérieur de la sphère familiale, dans les pays les moins développés, l'activité professionnelle des femmes est devenue plus visible et peut être comptabilisée dans l'économie. L'urbanisation croissante favorise une telle évolution. En Amérique latine et dans les Caraïbes, 60 à 70 % de la population active féminine est employée dans le secteur des services. En Afrique subsaharienne, la situation est bien différente : l'activité des femmes s'exerce encore principalement dans l'agriculture familiale ou villageoise. La question de la prise en compte par les comptabilités nationales des activités informelles et des tâches ménagères et éducatives assurées par les femmes a été débattue au cours des réunions préparant la conférence de Pékin. Le souci de reconnaissance et de valorisation de la participation à l'économie sous-tend ce type de propositions. Mais cela ne comporte-t-il pas aussi le risque de figer les rôles assumés respectivement par les hommes et les femmes et de sous-évaluer la contribution réelle de ces dernières ?

Certes, on a vu apparaître quelques femmes chefs d'État ou de gouvernement (à Sri Lanka, en Inde, au Pakistan, aux Philippines... ou au Royaume-Uni) ou encore comme chef de l'opposition (comme la Birmane Aung San Suu Kyi, en résidence surveillée de 1989 à 1995 et qui a reçu le prix Nobel de la paix en 1991, de même que l'Indienne guatémaltèque Rigoberta Menchu en 1992). Certes, on a également vu progresser le nombre de femmes cadres notamment dans le secteur public, tandis que quelques femmes « perçaient » dans des fonctions qui représentaient jusqu'alors des bastions masculins. Tout cela a été autant d'avancées, dont les médias se sont saisis, pouvant laisser croire à une égalité enfin atteinte. Le monde du pouvoir politique reste en fait particulièrement fermé aux femmes, à l'exception toutefois des pays européens nordiques. Ainsi, en France, par exemple, 6 % seulement des parlementaires sont des femmes... Dans la plupart des pays, les responsabilités politiques qui leur sont attribuées relèvent généralement du domaine social, de la santé ou de la culture.

La présence plus fréquente de silhouettes féminines, le plus souvent au second plan, dans nombre de lieux qui appartenaient au domaine réservé des hommes, est le signe d'acquis certains, mais dont l'irréversibilité est cependant loin d'être évidente.

L'égalité difficile

Les femmes ayant de jeunes enfants sont de plus en plus nombreuses à occuper un emploi dans les pays les plus développés. Le taux d'activité des femmes âgées de 25 à 49 ans était ainsi de 68,0 % en 1992 dans l'Europe des Douze. Ces emplois sont cependant en majorité peu qualifiés, souvent à temps partiel. Les femmes sont également davantage touchées que les hommes par la précarisation de l'emploi, et leurs salaires sont, à qualification égale, en moyenne partout inférieurs à ceux des hommes. Les inégalités persistent donc, en dépit du droit proclamé et affirmé à l'égalité des sexes. Dans les régions moins développées et plus particulièrement en Afrique subsaharienne, là où les femmes n'ont le droit ni de travailler la terre en leur propre nom, ni d'accéder aux prêts bancaires, leur autonomie économique est bien fragile. La crise de la dette et les mesures de stabilisation et d'ajustement structurel adoptées sous les injonctions du FMI dans les années quatre-vingt ont compromis les avancées qui se dessinaient dans quelques régions. En effet, des coupes sombres ont été opérées dans les budgets sociaux, éducation et santé notamment. La pauvreté s'est accentuée dans la première moitié des années quatre-vingt-dix : 62 % des femmes vivent dans des pays où le PIB annuel par habitant est inférieur à 1 000 dollars, 14 % dans des pays où il dépassait 10 000 dollars.

La situation des femmes s'est également dégradée dans les pays d'Europe centrale et orientale, ainsi que dans les républiques issues de l'URSS où le chômage s'est accru, et où la réorganisation de l'économie tend à exclure les femmes des travaux techniques et des travaux les plus valorisants. Si « l'obligation » au travail a pesé pendant des années pour certaines catégories de femmes de ces

Les trois précédentes conférences mondiales sur les femmes

♦ *1975. Mexico.*

« [...] promouvoir l'égalité entre l'homme et la femme, assurer la pleine intégration des femmes à l'effort global de développement et accroître la contribution des femmes au renforcement de la paix dans le monde. »

♦ *1980. Copenhague.*

« [...] importance de la participation des femmes au processus de développement, à titre aussi bien d'agents que de bénéficiaires [...]. Il a été demandé que des mesures appropriées soient prises pour provoquer de profonds changements sociaux et économiques et éliminer les déséquilibres structurels qui, ajoutant encore aux handicaps de la femme, perpétuent sa condition d'infériorité dans la société. »

♦ *1985. Nairobi.*

« [...] relancer l'engagement pris par la communauté internationale de favoriser la promotion de la femme et d'éliminer les formes de discriminations fondées sur le sexe. »

En 1979, l'Assemblée générale des Nations unies a adopté la Convention sur l'élimination de toutes les formes de discrimination à l'égard des femmes (CEDAW) signée par 133 États en 1994. Différentes résolutions ont, par ailleurs, été adoptées à l'occasion de conférences internationales organisées par l'ONU.

« [...] les droits fondamentaux des femmes et des fillettes font inaliénablement, intégralement et indissociablement partie des droits universels de la personne. » (Conférence des droits de l'homme, Vienne 1993.)

« [...] tout couple et tout individu a le droit fondamental de décider librement et en toute responsabilité du nombre de ses enfants et de l'espacement de leur naissance, et de disposer de l'information, de l'éducation et des moyens voulus en la matière. » (Conférence internationale sur la population et le développement, Le Caire, 1994.)

« [...] l'égalité et l'équité entre hommes et femmes est pour la communauté internationale un objectif prioritaire qui doit, en tant que tel, se situer au cœur du développement économique et social. » (Sommet mondial pour le développement social, Copenhague, 1995.)

---

pays — l'égalité des sexes étant assimilée à une égalité dans la fonction de travail —, les remises en question consécutives à l'effondrement du bloc soviétique ont créé de nouvelles inégalités et discriminations et tendu à la remise en cause de certains droits. Ainsi du droit à l'avortement, qui a été âprement discuté dans certains pays comme la Pologne. Quant à la Chine, le développement du capitalisme sauvage tend à rompre avec certaines garanties sociales minimales qui s'appliquaient à de grandes masses humaines, tandis que se creusent de formidables inégalités sociales.

Si, globalement pour les femmes, le taux d'analphabétisme est passé de 46,5 % à 33,6 % entre 1970 et 1990, dans certaines régions du monde le phénomène de mise à l'écart de l'éducation s'est accentué. En Asie du Sud, plus de 50 % des jeunes femmes âgées de 20 à 24 ans étaient ainsi analphabètes en 1990, contre 30 % des hommes de la même classe d'âge. Dans nombre de pays développés, en revanche, les jeunes filles sont plus nombreuses que les jeunes hommes à poursuivre des études secondaires et de plus, elles tendent à mieux réussir que les garçons.

BIBLIOGRAPHIE

La Place des femmes. Les enjeux de l'identité et de l'égalité au regard des sciences sociales (actes du colloque international de recherche des 6-7 mars 1995, La Découverte, « Recherche », Paris, 1995.

ONU, *Les Femmes dans le monde 1970-1990. Des chiffres et des idées*, New York, 1992.

ONU, *Les Stratégies prospectives de Nairobi pour la promotion de la femme*, New York, 1985.

ONU, *Projet de plate-forme d'action pour la 4e conférence mondiale sur les femmes (Pékin)*, New York, 1995.

ONU, *Rapport sur la 38e session*, (7-18 mars 1994), Commission de la condition de la femme/Conseil économique et social.

E. PAQUOT (sous la dir. de), *Terre des femmes. Panorama de la situation des femmes dans le monde*, La Découverte/Boréal, coll. « L'état du monde », Paris/Montréal, 1982.

PNUD, *Rapport sur le développement humain 1992*, Économica, Paris, 1992.

Cependant, elles restent encore trop souvent éloignées des filières d'enseignement les plus prestigieuses.

Un droit fragile

S'il est un acquis dont l'irréversibilité apparaît évidente, c'est la maîtrise que les femmes peuvent avoir de leur propre fécondité, avec la généralisation des pratiques concernant la contraception. La possibilité de planifier les naissances, permettant de distinguer sexualité et procréation, a profondément modifié le rapport à la sexualité, à la maternité et à la paternité. Ce droit a été clairement formulé dans les textes issus de la conférence du Caire en 1994, sur le thème « population et développement » [*voir article p. 67*]. Mais tout droit, tout progrès technique peut être contrarié, utilisé et se retourner contre ceux ou celles pour lesquels il représentait une avancée.

Dans les sociétés les plus développées, on est passé de la crainte de la naissance non désirée à la hantise de l'infécondité, mais les progrès existant en matière de procréation techniquement assistée ne risquent-ils pas d'ouvrir le chemin à une sorte de désappropriation du choix des femmes au profit d'un pouvoir technico-médical ?

Dans les régions moins développées, l'objectif de réduction de la fécondité a dans certains pays engendré des politiques coercitives de contraception. Les très fortes pressions exercées en Chine sur les femmes pour limiter le nombre de leurs enfants — un seul par famille —, les méthodes autoritaires ou policières dans d'autres pays, comme le Rajasthan (Inde) où le refus de planification familiale peut entraîner le retrait du lopin de terre, sont l'illustration de dérives.

Les discussions serrées ayant eu lieu lors des conférences mondiales ou les réunions préparatoires sur les droits en matière de reproduction ou les conduites sexuelles, qui ont souvent amené les différents intégrismes religieux sur des positions convergentes, ont occulté d'une certaine façon le droit au développement, à la santé et à l'éducation. Des responsables d'organisations non gouvernementales de pays en développement ont contesté cette réduction des droits des femmes au droit à l'accès aux moyens de contraception. Une telle restriction ne peut que faire le lit des extrémistes de l'« ordre moral », auxquels est abandonné le débat sur la famille, et laisser de côté les problèmes liés à la féminisation croissante de la pauvreté.

Violences symboliques et violences réelles

Les femmes sont de plus en plus visibles dans les images et représentations que véhiculent les médias. L'image d'une femme « moderne », indépendante, « libérée », est ainsi présentée, non sans ambiguïté, par les magazines féminins des pays industrialisés, dont certains ont une diffusion internationale. Dans le même temps, l'utilisation du corps des femmes (mais aussi du corps des enfants et des hommes), à des fins publicitaires notamment, manifeste une sorte de violence symbolique faite à la personne humaine. La violence peut s'exercer directement aussi, dans les pays connaissant des conflits armés. Les hommes se trouvant enrôlés ou embrigadés de force, de même souvent que les jeunes garçons, les femmes doivent faire face aux problèmes du quotidien : trouver de la nourriture alors que les récoltes ne peuvent être assurées, trouver un refuge aussi lorsque villes ou villages sont détruits. Viols et abus sexuels sont aussi souvent liés aux conflits. Enfin, n'est-ce pas violence que les négligences et discriminations qui aboutissent à ce qu'un sixième des nourrissons de sexe féminin meurent en Inde ou au Bangladesh ? N'est-ce pas violence que le développement de l'industrie du sexe dans certaines régions comme l'Asie du Sud-Est où cette activité est devenue un symbole de la mondialisation ?

« Gender » et « empowerment »

« Gender », « partenariat égalitaire » et « empowerment » sont trois idées force apparaissant dans les textes préparatoires à la 4e conférence mondiale. La notion de genre (de rapport masculin/féminin) inclut la dimension culturelle et sociale de la construction des identités sexuées et tend, de plus en plus, à se substituer à celle de sexe, tout projet de développement devant prendre en compte aujourd'hui la dimension du genre. Celle de partenariat égalitaire suppose que les femmes ne soient plus considérées uniquement comme une catégorie particulière à défendre, à protéger ou comme bénéficiaires de protection sociale, mais comme actrices du développement humain dans tous les secteurs de la vie politique, économique, sociale, culturelle et participant aux instances ayant un pouvoir de décision. Enfin donner « l'*empowerment* » aux femmes signifie que tout droit acquis s'accompagne de mesures, de moyens concrets donnant la capacité aux femmes de faire, d'agir, et par là même d'exercer ce droit.

Regards sur les femmes, regards des femmes... regards masculins et féminins ont changé de perspective au cours de la décennie 1985-1995. Le mouvement féministe lui-même s'est d'une certaine façon renouvelé. Si la « sensibilité féministe » s'est étendue, élargie, elle s'est aussi adaptée à des cultures parfois très éloignées des lieux où ce mouvement est né.

Certains ont applaudi à la « montée des valeurs féminines », d'autres ont, au contraire, déploré le risque d'une perte de repères identitaires pour les hommes. Débat révélateur des mutations engagées quant à la place et au rôle des femmes... et des hommes, à l'aube du XXIe siècle.

Annie Labourie-Racapé

Délocalisations, emploi et inégalités

Il faut distinguer, dans l'économie mondiale contemporaine, deux logiques distinctes : celle des firmes et celle des États. Si les capitaux et les biens et services circulent de plus en plus librement et à coût décroissant, il est dans la logique des firmes de localiser leurs différentes activités au sein des territoires où il est le plus rentable pour elles de le faire. Dès l'instant où certaines s'engagent dans ce type de mouvement et y trouvent un avantage compétitif, les autres sont obligées de suivre, sauf à disparaître.

Les délocalisations ne sont donc qu'une manifestation du libre-échange avec les pays à bas salaires. La vraie question est, dès lors, celle de la compétition opposant pays industrialisés et pays à bas salaires. Cette question relève des États. En effet leur logique, dans le domaine économique, est de créer les conditions de la prospérité matérielle *au sein des territoires* où s'exerce leur souveraineté. Il leur revient donc d'apprécier si — et à quelles conditions — le libre-échange contribue à cette prospérité et d'agir en conséquence.

Le débat sur le libre-échange avec les pays à bas salaires

Or, si l'intérêt du libre-échange entre zones de même niveau de développement n'est qu'exceptionnellement contesté, les conséquences, en particulier sur l'emploi et les inégalités, des échanges croissants entre pays riches et pays à bas salaires en industrialisation rapide suscitent de nombreux débats.

Certains, tel le prix Nobel français Maurice Allais, n'hésitent plus à prôner le protectionnisme à l'égard de ces pays. D'autres n'osent s'avouer protectionnistes, mais les accusent de *dumping* en matière sociale et environnementale. Enfin, même les économistes libéraux, qui considèrent que les deux zones gagnent incontes-

tablement en moyenne au libre-échange, reconnaissent que certaines catégories de population dans les pays riches, et spécialement les travailleurs non qualifiés, y perdent — au moins transitoirement. Il suffit donc à leurs yeux que, dans ces pays, les gagnants fassent un effort de solidarité au profit des perdants.

De nombreuses études ont essayé de quantifier le phénomène et de mesurer les pertes d'emplois induites dans les pays riches par l'échange avec les pays à bas salaires. Elles concluent toutes à des effets pour l'instant limités [*par exemple Wood et INSEE — voir bibliographie*]. Cependant, au-delà de la mesure des effets directs, cette quantification est extrêmement difficile. Comment, en effet, évaluer les effets indirects provoqués par le fait qu'un ordinateur portable d'IBM, par exemple, comptabilisé comme importation américaine contient plus de 30 % de valeur ajoutée réalisée à Singapour et en Corée ? Ces études ne portent, par ailleurs, que sur le passé et n'intègrent donc pas encore pleinement l'effet des nouveaux pays émergents, autrement plus peuplés que les premiers « dragons ».

Les années quatre-vingt, marquées par les déréglementations financières, ont vu se constituer un véritable marché mondial des capitaux. Jamais dans l'histoire, l'épargne accumulée dans un territoire quelconque n'avait eu autant de facilité à aller s'investir dans un autre. Ces mouvements de capitaux ont d'abord lieu entre pays riches, mais ils s'étendent de manière croissante au reste du monde, en particulier aux « marchés émergents » d'Asie et d'Amérique latine.

Les coûts de transports des marchandises permettent aujourd'hui à l'Extrême-Orient d'être aussi « proche » de Rotterdam, pour des biens durables comme l'automobile, qu'une zone reculée d'Europe. Le coût du transport intercontinental de données numérisées, quant à lui, continuera certainement à baisser, puisque la déréglementation et la compétition mondiales dans ce domaine sont encore récentes.

Les coûts salariaux totaux (charges comprises) dans l'industrie des différents pays en développement qui produisent et exportent de manière croissante des biens manufacturés, mais aussi des services, varient de 2 % ou 3 % (Vietnam, Madagascar) à 40 % de ceux des pays riches d'Europe. La Chine se situe entre 3 % et 16 % selon les estimations, l'Inde autour de 5 %. Avec l'effondrement du bloc soviétique, il existe désormais aux portes de l'Union européenne des réservoirs de travail qualifié dont les coûts n'atteignent que 5 % (Roumanie) à 20 % (Pologne, Hongrie) de ceux de l'Allemagne. En revanche, les plus anciens des « nouveaux pays industrialisés » (NPI), tels Taïwan, Singapour ou la Corée du Sud, ont désormais pratiquement rattrapé les coûts du Portugal ou de la Grèce.

Des effets encore largement à venir

Ce sont désormais des centaines de millions d'hommes dans des pays à bas salaires mais à bonne capacité technologique (PBSCT) qui se lancent dans l'industrialisation. En effet, nombre de pays d'Asie et du reste de l'ex-tiers monde ont commencé à « s'envoler ». Ces millions d'hommes sont engagés dans des processus d'industrialisation rapide, en Chine, en Inde, dans toute l'Europe de l'Est et en Russie, en Amérique latine. Grâce à cela depuis les années soixante-dix, jamais sans doute les perspectives économiques globales du monde n'ont été meilleures.

Les effets, sur les pays riches, de ce développement et de l'accroissement des échanges sont encore largement *à venir*. On ne peut tirer aucune conclusion significative de ce qui s'est passé avec les premiers NPI, ces simples précurseurs. Ils ne rassemblaient que quelques dizaines de millions d'hommes.

Pour évaluer ces effets, une démarche en deux temps sera ici conduite : une démonstration portant sur les mécanismes économiques de base, puis une conjecture de nature prospective.

Divisons la population active des pays industrialisés en trois catégories.
1) Les *« compétitifs »*. Ils possèdent les savoir-faire qui permettent aux pays industrialisés d'être toujours capables de produire des biens et services que les PBSCT ne peuvent imiter.
2) Les *« exposés »*. Ils sont directement en compétition avec les salariés, de l'ouvrier à l'informaticien, des PBSCT, car les différences de salaires sont désormais plus fortes que les écarts de productivité du travail.
3) Les *« protégés »*. Ils produisent ceux des biens et services qui, par nature, ne peuvent pas voyager.

Cette typologie n'est pas fondée sur la nature des emplois, mais sur leur situation de compétitivité à l'égard des pays à bas salaires et à capacité technologique, laquelle bien sûr évolue. Ainsi, un ouvrier immigré clandestin du quartier du Sentier à Paris, qui coud des boutonnières à longueur de journée, est un travailleur non qualifié. Cependant, c'est un « compétitif » car il participe à un atelier capable de réassortir en 24 heures la mode parisienne, ce que n'est pas (encore) capable de faire le même atelier en Tunisie. Inversement, un informaticien de haut niveau est déjà, et sera de manière croissante, exposé à la concurrence de son homologue indien. Ces catégories ne recouvrent donc pas la division simpliste travail qualifié/travail non qualifié, utilisée dans la plupart des études portant sur ces questions.

Examinons maintenant quels sont les effets d'un échange entre un pays riche, les États-Unis, et le Mexique, par exemple. L'achat d'une chemise importée du Mexique à 20 dollars, au lieu de celle proposée à 50 dollars par un producteur situé aux États-Unis, fait d'abord économiser 30 dollars au consommateur américain. Supposons qu'il les utilise à

BIBLIOGRAPHIE

M. ALLAIS, «La théorie des coûts comparés et les échanges internationaux», *Revue d'économie politique*, n° 104, Paris, janv.-févr. 1994.

P.-N. GIRAUD, «Libre-échange et inégalités», *Annales des Mines, Gérer et Comprendre*, 12/94, repris dans *Problèmes économiques*, n° 2421, La Documentation française, Paris, avr. 1995.

INSEE, «Ouvertures à l'Est et au Sud», *Économie et statistiques*, n° 279-280, Paris, sept.-oct. 1994.

P. KRUGMAN, «Europe jobless, America, penniless?», *Foreign Policy*, Washington, 1994, repris en français dans *Problèmes économiques*, n° 2427, La Documentation française, Paris, juin 1995.

A. WOOD, «North-South trade, employment and inequality», Clarendon Press, Oxford, 1994.

acheter des produits américains, par exemple à aller au restaurant ou à acheter des livres. Pour 50 dollars, notre consommateur a désormais, au lieu d'une chemise, une chemise plus 30 dollars de biens et services divers. Quant aux 20 dollars dépensés au Mexique pour la chemise, ils vont circuler dans l'économie mondiale et, si les États-Unis tiennent leur rang parmi les pays industrialisés, vont se traduire par une demande de 20 dollars de produits américains compétitifs, par exemple «20 dollars de Boeing».

Le bilan apparaît donc entièrement favorable. Le territoire américain produit autant : 20 dollars «de Boeing» et 30 dollars de produits divers au lieu de 50 dollars de chemises. La balance commerciale y reste équilibrée, et surtout les consommateurs ont beaucoup gagné. On n'insistera jamais assez sur cet aspect du libre-échange, sans lequel il n'y aurait pas débat.

Les conséquences en termes d'emplois et d'inégalités

Mais quel est le bilan en termes d'emplois? Passons des dollars aux millions de dollars : 20 millions de dollars d'importations de chemises venant se substituer à 50 millions de dollars de production américaine détruisent environ 1 250 emplois. 30 millions de dollars de production américaine moyenne supplémentaire crée environ 420 emplois. L'exportation de 20 millions de dollars «de Boeing» ne crée que 300 emplois. Le solde est donc une diminution d'emplois de 530, simplement parce que, dans le commerce d'un pays riche avec les pays à bas salaires, la valeur ajoutée par emploi est supérieure à la moyenne pour les biens exportés et inférieure à la moyenne pour les biens chassés par les importations. C'est, il faut le souligner, la raison d'être du commerce entre pays à niveaux de salaires très différents.

Le raisonnement est-il terminé? Généralement, ceux qui, dans les pays riches, s'inquiètent des effets des délocalisations et, plus généralement, de la compétition avec les PBSCT sur l'emploi se bornent à constater qu'il y a destruction initiale d'emplois. Cela est vrai. Mais il faut poursuivre l'analyse.

Qu'est ce qui empêche en effet de transformer les 530 «exposés» qui ont perdu leur emploi en «compétitifs»? Imaginons un instant ces 530 personnes fondant une entreprise qui crée un nouveau produit que les consommateurs américains sont extrêmement désireux d'acheter, en remplacement d'une importation, ou même simplement dès que leur pouvoir d'achat augmente. Dans ce cas, la loi de Say — l'offre crée sa propre demande — jouera dans le cadre du territoire américain et le problème sera résolu par le haut : les Américains auront en effet non seulement les avantages du libre-échange mais un surcroît de croissance endogène !

En revanche, si les 530 « exposés » ne parviennent pas à se transformer en « compétitifs », ils ne peuvent qu'être absorbés, pour que le chômage n'augmente pas, par le groupe déjà nombreux des « protégés ». Mais pour cela, il faut que la demande de produits protégés augmente ; il faut donc que leur prix baisse, donc que le coût du travail protégé baisse, donc que les revenus des « protégés » baissent.

Concluons donc sur ces mécanismes : « Si, face à la destruction inévitable d'emplois exposés provoquée par l'accroissement des échanges, même équilibrés, entre pays riches et PBSCT, le rythme de création endogène d'emplois compétitifs dans les pays riches n'est pas assez rapide, alors le chômage ne peut y être évité que par l'accroissement des inégalités de revenus. »

Ce théorème diffère du théorème néoclassique de Hekscher-Ohlin-Samuelson. Pour ces derniers, qui raisonnent dans un cadre statique, l'égalisation du coût des facteurs par l'échange, donc l'accroissement des écarts de prix entre le facteur abondant dans les pays riches (le travail qualifié) et le facteur abondant dans les pays pauvres (le travail non qualifié) est inévitable. En dynamique, ce n'est plus nécessairement vrai, car tout dépend des rythmes relatifs de destruction d'emplois exposés et de création d'emplois compétitifs. De plus, ces derniers, comme on l'a vu, sont loin de recouvrir la distinction non qualifié - qualifié.

Une conjecture

Même si les pays riches tendent tous leurs efforts vers la création d'emplois compétitifs, face à la Chine, l'Inde, l'Amérique latine et l'Europe de l'Est désormais lancées ensemble dans des croissances extraverties, il est hautement probable qu'ils ne créeront jamais assez d'emplois compétitifs pour éviter l'accroissement des inégalités.

Cependant, en ce domaine, on ne peut plus rien démontrer au sens strict, car il s'agit d'évaluer des tendances et des rythmes à venir. On peut cependant penser que ceux qui considèrent que les pays riches vont pouvoir « courir » assez vite sont excessivement optimistes.

En d'autres termes, quand les pays riches, qui rassemblent 700 millions d'habitants, ont été mis au contact des quelques dizaines de millions d'habitants des premiers NPI, c'est leur système qui a conféré ses caractéristiques à ces derniers. Ils les ont rapidement « tirés » vers eux, sans même s'en apercevoir, ou à peine. Les pays riches vont désormais être en communication, par un commerce croissant, avec 3 à 4 milliards d'hommes. Peuvent-ils raisonnablement espérer que ces masses humaines ne vont pas leur transmettre, au moins en partie, leurs propres caractéristiques, et d'abord des écarts de revenus bien plus importants que ceux qui existent aujourd'hui dans le « Nord » ? L'inégalité entre territoires va ainsi se réduire, mais certainement au prix d'un accroissement des inégalités internes aux territoires.

Pierre-Noël Giraud

Organisations internationales / Journal de l'année

— 1994 —

9-12 juin. **Union européenne**. Les élections au Parlement européen voient la montée des droites anti-européennes, les socialistes et les chrétiens-démocrates restant les deux groupes majoritaires.

22 juin. **OTAN-Russie**. La Russie adhère au « partenariat pour la paix », proposé par l'OTAN aux pays de l'ex-pacte de Varsovie dans le but de développer la coopération militaire Est-Ouest.

22 juin. **ONU-Rwanda**. Après les massacres qui ont fait plus de 500 000 victimes parmi les Tutsi et les Hutu modérés, la France, autorisée à intervenir au Rwanda par la *résolution 929* du Conseil de sécurité, mobilise 2 500 soldats pendant deux mois dans le cadre de l'opération *Turquoise*. La Commission des droits de l'homme de l'ONU conclut à la perpétration d'un génocide ; le 8 novembre, le Conseil de sécurité de l'ONU décide la création d'un Tribunal criminel international pour le Rwanda, chargé de juger les coupables.

23 juin. **ONU**. Avec la fin de l'apartheid, l'Afrique du Sud retrouve son siège au sein de l'organisation.

8-10 juillet. **G-7**. 20ᵉ « sommet » à Naples. Les Sept accordent 200 millions de dollars d'aide à l'Ukraine pour la fermeture de la centrale nucléaire de Tchernobyl, qui viennent s'ajouter aux 120 millions de dollars promis par l'Union européenne.

31 juillet. **ONU-Haïti**. Par la *résolution 940*, le Conseil de sécurité de l'ONU autorise les États-Unis à intervenir militairement en Haïti afin de chasser les putschistes. Après la démission de la junte, le Conseil de sécurité lève les sanctions économiques contre Haïti, le 29 septembre. Les « casques bleus » (6 000 soldats et 900 policiers) prennent le relais des forces américaines, le 31 mars 1995.

2-9 août. **SADC**. L'Afrique du Sud devient le onzième membre de la Communauté de développement de l'Afrique australe.

5-13 septembre. **ONU**. La troisième conférence des Nations unies sur la population et le développement se tient au Caire, accueillant les représentants de 182 pays. Les thèmes de la contraception et de l'avortement font l'objet de vifs

débats, du fait des positions prises par le Vatican et certains pays musulmans.

27 septembre. **ONU-Japon**. Lors de la 49ᵉ assemblée générale, le Japon, deuxième contributeur au budget de l'ONU, se déclare candidat à un siège permanent au Conseil de sécurité.

29 septembre. **OTAN-France**. Pour la première fois depuis 1966, la France participe à la réunion des ministres de la Défense de l'OTAN, à Séville. Le même jour, le Belge Willy Claes est nommé secrétaire général de l'OTAN.

4-6 octobre. **FMI-BIRD**. L'assemblée générale de Madrid marque le cinquantenaire des institutions de Bretton Woods. Des manifestations d'ONG ont lieu contre la « tyrannie » des organisations monétaires internationales.

21 octobre. **TNP-Corée du Nord**. Un accord sur la question nucléaire nord-coréenne, signé par Washington et Pyongyang, garantit le maintien de la Corée du Nord au sein du Traité de non-prolifération nucléaire.

30 octobre-1ᵉʳ novembre. **Moyen-Orient**. A Casablanca, le premier « sommet » économique pour le développement du Moyen-Orient et de l'Afrique du Nord rassemble Arabes et Israéliens.

7 novembre. **ONU-Ancienne Yougoslavie**. Première audience du Tribunal pénal international mis en place à La Haye en 1993 pour juger les criminels de guerre de l'ancienne Yougoslavie.

14-15 novembre. **APEC**. Le deuxième « sommet » de la Coopération économique Asie-Pacifique réunit à Bogor (Indonésie) seize pays des deux rives du Pacifique, avec le Chili comme nouveau membre. La constitution d'une zone de libre-échange transpacifique (TAFTA) est projetée d'ici 2020.

16 novembre. **Droit de la mer**. Entrée en vigueur de la Convention des Nations unies sur le droit de la mer, signée à Montego-Bay (Jamaïque) en 1982.

1ᵉʳ-3 décembre. **Sida**. 42 États se réunissent au « sommet » de Paris.

5-6 décembre. **OSCE**. Le « sommet » de Budapest entérine la tranformation de la CSCE, née des accords d'Helsinki de 1975, en « Organisation pour la sécurité et la coopération en Europe », qui réunit 52 États.

9 décembre. **ONU-Mozambique.** Fin du mandat de l'Onumoz (Opération des Nations unies au Mozambique).

9-11 décembre. **«Sommet des Amériques».** Troisième rencontre panaméricaine, à Miami, qui réunit les 34 États indépendants du continent, hormis Cuba, non invité. Adoption d'un projet de zone de libre-échange des Amériques à l'horizon 2005.

13-15 décembre. **OCI.** Un code de conduite contre l'extrémisme religieux est approuvé lors du septième «sommet» de l'Organisation de la conférence islamique, à Casablanca.

19 décembre. **ONU-Pacifique.** Palau devient le 185e membre des Nations unies.

— 1995 —

1er janvier. **Groupe des Trois.** Entrée en vigueur de l'accord de libre-échange signé par la Colombie, le Mexique et le Vénézuela.

1er janvier. **Mercosur.** Entrée en vigueur du Marché commun de l'Amérique du Sud (Argentine, Brésil, Paraguay et Uruguay).

1er janvier. **OMC.** Entrée en activité de l'Organisation mondiale du commerce, succédant au GATT, dont l'Italien Renato Ruggiero, candidat soutenu par les Européens, prend la direction le 21 mars.

1er janvier. **UE.** L'Union européenne s'élargit à 15 membres avec l'entrée en son sein de l'Autriche, de la Suède et de la Finlande ; les Norvégiens ont refusé le 27 novembre 1994, par référendum, l'adhésion de leur pays. Le 23, le Luxembourgeois Jacques Santer succède au Français Jacques Delors à la présidence de la Commission européenne.

Février. **Conseil de l'Europe.** La Lettonie, après l'adhésion d'Andorre le 10 novembre 1994, devient le 34e pays membre. La Russie voit son admission repoussée du fait de la guerre menée en Tchétchénie.

8 février. **ONU-Angola.** Le Conseil de sécurité décide l'envoi de 7 000 «casques bleus» (Unavem-III) pour appliquer les accords de paix de novembre 1994.

15-17 février. **UE-ACP.** Le désaccord entre les Quinze sur le montant de l'aide aux pays ACP (Afrique, Caraïbes, Pacifique) pour la période 1995-2000 entraîne l'abandon de la révision à mi-parcours de la Convention de Lomé IV.

25-26 février. **G-7.** Réunis à Bruxelles sur le sujet des «autoroutes de l'information», les Sept se prononcent pour la déréglementation des télécommunications.

2-3 mars. **ONU-Somalie.** Le retrait des derniers «casques bleus» de l'Onusom, décidé le 4 novembre 1994 par le Conseil de sécurité, s'effectue dans le cadre de l'opération *Bouclier unifié.*

6 mars. **UE-Turquie.** Les Quinze signent un accord d'union douanière avec la Turquie, remis en cause par l'intervention de l'armée turque contre le PKK au nord de l'Irak.

6-12 mars. **ONU.** Lors du 1er «sommet» mondial pour le développement social à Copenhague, 184 États adoptent un programme de lutte contre la pauvreté.

26 mars. **Schengen.** Entrée en vigueur de la Convention de Schengen, signée par sept pays de l'Union européenne (Allemagne, Belgique, Espagne, France, Luxembourg, Pays-Bas et Portugal) et devant instituer une seule frontière extérieure entre eux. L'Autriche signe la Convention le 28 avril suivant.

28 mars-7 avril. **ONU.** La conférence de Berlin (120 participants) sur les changements climatiques adopte un compromis sur la limitation des émissions de gaz à «effet de serre».

14 avril. **ONU-Irak.** Le Conseil de sécurité des Nations unies autorise l'Irak à des ventes de pétrole limitées à un montant de 1 milliard de dollars pour trois mois renouvelables, alors que l'embargo a été reconduit le 13 mars précédent.

11 mai. **TNP.** Le Traité de non-prolifération nucléaire est prorogé indéfiniment par les 178 États signataires. L'Ukraine a ratifié le traité le 16 novembre 1994.

26 mai. **ONU-Ancienne Yougoslavie.** Les Serbes de Bosnie prennent en otage plusieurs centaines de «casques bleus» et observateurs de l'ONU, en réponse aux raids aériens de l'OTAN des 25 et 26 mai. La proposition française d'une Force de réaction rapide (FRR) chargée de soutenir la Forpronu est adoptée par quinze ministres de la défense de l'OTAN et de l'Union européenne, lors de la réunion de Paris le 3 juin.

Véronique Chaumet

Un monde en mutation

Conflits
et tensions

Conflits et tensions / Journal de l'année

— 1994 —

L'ÉTAT DU MONDE 1996

21 juin. **Géorgie.** La Russie envoie pour six mois des forces d'interposition dans le conflit opposant les séparatistes d'Abkhazie aux autorités géorgiennes. [*Sur le jeu de la Russie dans les conflits périphériques et le retour de ses ambitions impériales, voir p. 42.*]

22 juin. **Rwanda.** Après les massacres perpétrés à partir d'avril par les milices extrémistes hutu du régime de Juvénal Habyarimana qui ont fait plus de 500 000 victimes (Tutsi et Hutu modérés), la France, autorisée à intervenir au Rwanda par le Conseil de sécurité, envoie 2 500 soldats dans le cadre de l'opération à but humanitaire *Turquoise*. La Commission des droits de l'homme de l'ONU qualifie les massacres de génocide. Le 8 novembre, le Conseil de sécurité décidera la création d'un Tribunal criminel international pour le Rwanda, chargé de juger les coupables. [*Voir article « La région des Grands Lacs après le génocide », p. 92, et carte, p. 93. Voir également, dans l'édition précédente, article 47.*]

7 juillet. **Yémen.** Chute d'Aden, qui marque l'issue du conflit sécessionniste qui a embrasé le pays depuis que, le 21 mai, Ali Salem al-Bid a proclamé la création, au sud du pays, de la République démocratique du Yémen (sécessionniste). Cette grave crise politique est intervenue quatre ans après la réunification du Yémen-Sud et du Yémen-Nord. [*Voir édition précédente, p. 240.*]

20 juillet. **Tchétchénie.** Début, dans la république tchétchène qui a autoproclamé son indépendance, des affrontements armés entre les forces du président Djokhar Doudaïev et l'opposition à son régime, soutenue par Moscou. Le 11 août, Djokhar Doudaïev procède à la mobilisation générale contre l'« agression russe ».

31 juillet. **Haïti.** Le Conseil de sécurité de l'ONU autorise les États-Unis à intervenir militairement en Haïti afin de chasser les putschistes. Devant l'imminence d'une invasion, la junte démissionne, ce qui ouvre la voie au retour du président légitime, Jean-Bertrand Aristide (effectif le 15 octobre). Le Conseil de sécurité lève les sanctions économiques contre Haïti le 29 septembre. Les « casques bleus » (6 000 soldats et 900 policiers) prennent le relais des forces américaines le 31 mars 1995.

5 août. **Serbie.** Les autorités de Belgrade annoncent un embargo à l'encontre de la « république serbe » autoproclamée de Bosnie. Cette décision — à l'application toute relative — traduit le souci de démarcation diplomatique de Slobadan Milosevic à l'égard de Radovan Karadzic. [*Voir articles p. 100 et p. 285*]

31 août. **Irlande du Nord.** Cessez-le-feu total et inconditionnel annoncé par l'Armée républicaine irlandaise. Le 10 mai 1995 auront lieu les premiers pourparlers directs entre le Sinn Féin (aile politique de l'IRA) et le gouverneur britannique. [*Voir encadré p. 240. Voir aussi édition précédente, p. 559.*]

14 octobre. **Israël-Palestine.** Yasser Arafat, Itzhak Rabin et Shimon Pérès se voient attribuer conjointement le prix Nobel de la paix. L'un des cinq membres du jury démissionne en protestation de la désignation de Y. Arafat.

21 octobre. **Corée du Nord-États-Unis.** Accord cadre signé à Genève sur le programme nucléaire nord-coréen. Il prévoit le remplacement de la filière nucléaire nord-coréenne au graphite-gaz par celle à eau légère, avec l'aide d'un consortium international dirigé par les États-Unis et garantit le maintien de la Corée du Nord au sein du TNP. [*Sur la prolifération nucléaire, voir article p. 51.*]

26 octobre. **Israël-Jordanie.** Signature, en présence du président américain Bill Clinton, d'un traité de paix entre les deux États qui échangeront bientôt des ambassades et ouvriront leurs frontières. Cet accord de paix succède à ceux — valant reconnaissance de l'État hébreu — déjà signés par l'Égypte (« Camp David ») et l'OLP (« Gaza-Jéricho d'abord »). [*Sur la nouvelle donne diplomatique issue de l'accord de 1993, voir édition précédente, p. 42.*]

27-29 octobre. **Mozambique.** Élections pluralistes dans ce pays qui a connu quinze ans de guerre civile et où un accord de paix a été signé le 4 octobre 1992. Le 9 décembre, il sera mis fin au mandat de l'Onumoz, l'Opération des Nations unies au Mozambique. [*Voir l'article consacré à ce pays, p. 325.*]

7 novembre. **Ancienne Yougoslavie.** Première audience du Tribunal pénal international mis en place à La Haye en 1993 pour juger les criminels de guerre. [*Sur la théorie et la pratique de la purification ethnique, voir édition 1994, p. 36.*]

10 novembre. **Irak-Koweït.** Reconnaissance officielle par Bagdad de la souveraineté et de l'intégrité territoriale du Koweït, ainsi que de « ses frontières internationales », conformément à la *résolution 833* de l'ONU.

13 novembre. **Afghanistan.** La ville de Kandahar est prise par les *taliban* (« étudiants en théologie ») dont le mouvement, apparu en août précédent, a conduit une guerre éclair. [*Voir l'article consacré à ce pays, p. 334.*]

15 novembre. **Timor-Indonésie.** Manifestation d'indépendantistes timorais à l'ambassade des États-Unis de Jakarta où se trouve Bill Clinton à l'occasion de la réunion de l'APEC. [*Sur le conflit de Timor oriental, voir encadré p. 218.*]

11 décembre. **Tchétchénie.** L'armée fédérale russe entre en Tchétchénie pour mettre fin « à l'activité des bandes armées illégales ». Le 18, offensive des blindés russes sur Grozny qui, malgré le pilonnage de l'aviation, ne tombera qu'en février 1995. Cette intervention aura été très brutale et très coûteuse en vies humaines, surtout pour les populations civiles. Le 14 juin 1995, un commando tchétchène prendra 2 000 personnes en otages, à Boudennovsk (Russie). Le 19, le Premier ministre russe, Victor Tchernomyrdine s'engage à mettre fin aux opérations militaires et à négocier. [*Voir article p. 90 et chronologie p. 43.*]
[*Sur les autres conflits concernant l'ex-URSS, voir chronique p. 109, ainsi que les articles consacrés à chacun des pays.*]

— 1995 —

6 janvier. **Sri Lanka.** Accord de cessez-le-feu entre le gouvernement et les Tigres de libération de l'Eelam tamoul (LTTE), à l'issue des négociations de paix entamées le 31 août 1994. La trêve est rompue le 19 avril 1995 par un attentat des LTTE. [*Voir l'article consacré à ce pays, p. 330.*]

26 janvier-28 février. **Pérou-Équateur.** Affrontements armés dans une zone frontalière (le Condor) dont la délimitation est contestée. Les pays garants du protocole de Rio (Argentine, Brésil, Chili, États-Unis) parviennent à faire accepter un cessez-le-feu.

30 janvier. **Algérie.** Un attentat à la voiture piégée fait 42 morts à Alger. Le nombre des victimes de la violence islamiste et de la violence d'État depuis trois ans se chiffrerait à plus de 30 000 morts. Quinze jours plus tôt, le 13 janvier, les principaux partis d'opposition (dont le Front islamique de salut — FIS) publient

une plate-forme pour une issue politique. [*Voir encadré p. 319 ou article p. 104.*]

8 février. **Angola.** Le Conseil de sécurité décide l'envoi de 7 000 « casques bleus » (Unavem-III) pour appliquer les accords de paix de novembre 1994.

9 février. **Mexique.** A la suite de l'échec des négociations avec les insurgés de l'Armée zapatiste de libération nationale (AZLN), le gouvernement lance une vaste chasse à l'homme contre les leaders du mouvement et déploie des troupes dans l'État du Chiapas. L'opération est interrompue le 14 février.

2-3 mars. **Somalie.** Le retrait des derniers « casques bleus » de l'Onusom, décidé le 4 novembre 1994 par le Conseil de sécurité, conclut l'échec politique de l'opération *Restore Hope*, lancée fin 1992. [*Sur l'ONU et le nouvel interventionnisme, voir édition précédente, p. 29 et p. 606 et édition 1994, p. 533.*]

2 mai. **Croatie.** Une rapide attaque permet à l'armée croate de reprendre le contrôle de l'enclave de Slavonie occidentale tenue par les Serbes. Début août, une massive offensive permettra la reconquête de la Krajina par cette même armée, suscitant un considérable exode des populations serbes.

11 mai. **Cachemire.** Destruction du lieu de culte de Charar-e-Sharief (district central du Cachemire), qui avait déjà été le théâtre d'affrontements sanglants entre l'armée indienne et des groupes armés. Les élections du 18 juillet dans l'État indien du Jammu et du Cachemire sont annulées et l'administration directe par New Dehli (*President's Rule*) prolongée de six mois. [*Voir article p. 96, ainsi que les cartes p. 98-99.*]

26 mai. **ONU-Bosnie-Herzégovine.** Les Serbes de Bosnie prennent en otage plusieurs centaines de « casques bleus » et observateurs de l'ONU, en réponse aux raids aériens de l'OTAN des 25 et 26 mai. La proposition française d'une Force de réaction rapide (FRR), chargée de soutenir la Forpronu, est adoptée par quinze ministres de la Défense de l'OTAN et de l'Union européenne, lors de la réunion de Paris, le 3 juin. [*Sur l'attitude des chancelleries face à la crise yougoslave, voir édition précédente, p. 563.*]

1er juin. **El Salvador.** Entrée en fonction de A. Calderon Sol, vainqueur des présidentielles deux ans et demi après les accords de paix. [*Sur les processus de paix en Amérique centrale, voir article p. 107.*]

La nation tchétchène aux prises avec l'Histoire

Les Tchétchènes constituent l'une des populations les plus anciennes du Caucase ; on considère leur existence attestée à plus de 8 000 ans. La langue tchétchène est une langue caucasique, de la branche nakh, à lauqelle appartient également la langue ingouche. Les Tchétchènes ont été islamisés tardivement, à partir des XVe-XVIe siècles, par des missionnaires soufis qui ont établi des confréries, maintenues jusqu'à nos jours. Composée essentiellement d'agriculteurs en plaine et d'éleveurs en montagne, la société tchétchène, qui n'a jamais connu de cadre étatique autochtone, est de tradition égalitaire. L'organisation sociale, originale, repose sur les *teip*, des clans rassemblant chacun plusieurs villages et dirigés par des conseils d'anciens. On estime aujourd'hui leur nombre à près d'une centaine.

Au cours de la seconde moitié du XVIIIe siècle, la conquête russe s'était déjà heurtée à une farouche résistance menée par Cheikh Mansour, leader religieux et chef de guerre, devenu une figure mythique. Dès lors, les Tchétchènes n'auront de cesse de s'opposer aux troupes et à l'administration de Saint-Pétersbourg. Au cours du XIXe siècle, alors que les « guerres du Caucase » embrasent toute la partie septentrionale de la région, Tcherkesses, Tchétchènes et populations du Daghestan font plier la Russie, infligeant à ses troupes de cinglantes défaites. Après la reddition, en 1859, de l'imam Chamyl, chef spirituel et militaire des insurgés, les Tchétchènes continuent la lutte pendant près de cinq ans.

En 1877-1879, la guerre reprend avec son cortège de déportations, en particulier vers l'Empire ottoman. Forts de leur réputation de peuple intraitable, les Tchétchènes seront peu sollicités par l'administration impériale dans le cadre de sa politique d'intégration des populations de la région.

L'un des « peuples punis »

Née à la suite de l'effondrement de l'Empire tsariste (1917), la République de la montagne (1918), confédération de peuples au sein desquels les Tchétchènes occupent une place centrale, va rapidement se heurter à une vigoureuse contre-offensive bolchevique. Le 30 novembre 1922, la Tchétchénie est séparée de la République de la montagne, devenant Région autonome de Tchétchénie — elle se transformera en Région autonome tchétchène-ingouche le 15 janvier 1934, et accédera au statut de République autonome de la RSFSR (République socialiste fédérative soviétique de Russie) le 5 décembre 1936.

La cohabitation avec le pouvoir soviétique, même paré de ses habits tchétchènes, est conflictuelle, marquée par de nombreux soulèvements et révoltes. La collectivisation, à la fin des années vingt, met fin à la relative tolérance des autorités soviétiques ; persécutions antireligieuses et répressions massives s'abattent sur la population. Il s'agit de détruire la capacité de résistance d'un peuple toujours fortement structuré par ses clans et ses confréries. Brièvement occupée par la Wehrmacht en 1942 lors de l'offensive allemande, la république répond peu aux sollicitations des nazis. En juin 1941, lors de l'attaque allemande contre l'URSS, les Tchétchènes ont été massivement mobilisés dans l'Armée rouge et se sont distingués par leur bravoure. Le 23 février 1944, pourtant, quelque 100 000 hommes des troupes du NKVD (police politique soviétique) appuyés par des milliers de supplétifs venus de tout le Caucase entreprennent de déporter tous les Tchétchènes et Ingouches vivant non seulement dans la République autonome de Tchétchénie-Ingouchie, mais également dans les républiques et régions voisines. En moins d'une semaine, malgré le froid et une neige abondante, 478 479 hommes, femmes et enfants quittent la république à bord de 180 convois à destination du Kazakhstan et de l'Ouzbékistan.

En octobre 1946, alors que la plupart des soldats démobilisés ont rejoint leurs familles, on ne compte plus que 400 478 Tchétchènes et Ingouches. Le 25 juin 1946, un décret publié dans la presse moscovite annonçait l'abrogation de la République tchétchène-ingouche. Les conditions de vie des « peuples punis » (accusés collectivement par Staline de collaboration avec les nazis, et déportés) sont extrêmement difficiles, voire humiliantes. Les Tchétchènes réussiront à survivre en s'appuyant sur les solidarités issues des structures traditionnelles de leur nation.

Tandis que les confréries apportent un réconfort spirituel, le *teip* retrouve toute sa vigueur. Le 9 janvier 1957, un décret rétablit la République tchétchène-ingouche, tandis que par milliers les Tchétchènes prennent le chemin de leur patrie où de nombreux Slaves chassés par la guerre se sont installés. Privée de beaucoup de ses cadres disparus au cours des purges, pénalisée par les longues années d'exil, la Tchétchénie doit compter sur les nombreux Russes qui, dans l'administration, à l'Université, etc., occupent souvent les postes les plus qualifiés. Cette république fortement rurale (59 % en 1989), où la natalité est importante, connaît un sous-emploi endémique, tempéré par les solidarités familiales et claniques. L'émigration reste souvent l'unique solution dans un environnement régional marqué par la corruption.

Autoproclamation de l'indépendance

La nomenclature locale, qui avait réussi à endiguer les effets de la *perestroïka* en jouant sur les peurs et le conservatisme traditionnel de la population, ne résistera pas au séisme provoqué par la tentative de putsch à la tête de l'État soviétique du 19 août 1991. Accusé de « complicité » avec la « bande des huit », Dokou Zavgaev, président du Soviet suprême de Tchétchénie-Ingouchie, un brejnévien blanchi sous le harnais, est bientôt acculé à la démission tandis que s'installe à Grozny une situation révolutionnaire. Le Congrès national du peuple tchétchène, parti indépendantiste créé en 1990, qui a porté à sa tête Djokar Doudaïev, un général de l'Armée de l'air soviétique, détient bientôt la réalité du pouvoir. Le Conseil suprême provisoire, soutenu par les dirigeants russes, en particulier le Tchétchène Rouslan Khasboulatov, président du Soviet suprême de Russie et, alors, proche de Boris Eltsine, a fait long feu.

Les amis de D. Doudaïev vont dès lors jouer sur les peurs héritées du passé ; les putschistes de Moscou, secondés par « leurs complices tchétchènes », auraient préparé une nouvelle déportation du peuple tchétchène.

Moscou ne semble pas avoir pris la mesure de ce qui se déroule à Grozny. Ses représentants apportent leur soutien à la nouvelle équipe. Le 27 octobre 1991, D. Doudaïev est élu président de la République. Le 2 novembre, B. Eltsine décrète cette consultation électorale « illégale ». Le 7, un décret présidentiel instaure l'état d'urgence, tandis que des troupes aéroportées du ministère russe de l'Intérieur tentent de prendre position à Grozny, mais sont contraintes à une humiliante retraite. Le 11 novembre, le Soviet suprême de Russie invalide le décret présidentiel, tandis que B. Eltsine reconnaît son erreur.

L'indépendance tchétchène ne trouve pas l'écho souhaité hors des frontières de la république. Certes, le président géorgien Zviad Gamsakhourdia semble un allié fidèle, mais sa position est fragile. L'ambition de D. Doudaïev, qui affirme vouloir être l'artisan de l'unité des peuples du Caucase, paraît relayée par la Confédération des peuples montagnards. Mais les divisions demeurent dans une région marquée par une histoire tragique, où se développent les conflits interethniques. Le 1er décembre 1991, les Ingouches se prononcent par référendum en faveur de la création d'une République ingouche qui, à la différence de la Tchétchénie, décide de rester dans la RSFSR. Ils espèrent ainsi pouvoir recouvrer une bande de territoire « offerte » à l'Ossétie du Nord en 1944.

Divisions intérieures encouragées par Moscou

Dès le printemps 1992, des divisions se font jour au sein de l'équipe au pouvoir. Le Parlement, avant d'être dispersé en 1993, affirme bientôt sa différence. Le pays semble de moins en moins gouverné, alors que les conditions de vie de la population continuent à se dégrader. Sur la place centrale de Grozny, partisans et adversaires du régime s'opposent dans un face-à-face permanent, bientôt ponctué d'affrontements sporadiques.

Les nouvelles structures politiques nées de la « révolution » de 1991 cohabitent difficilement avec les structures traditionnelles. Clans et conseils d'anciens sont de plus en plus parties prenantes d'une confrontation à la violence contenue : dans une société où la *vendetta* n'a pas disparu, la peur d'un bain de sang consécutif à une confrontation politique est un frein puissant, incitant

les parties en présence au compromis. La Tchétchénie continue à se distinguer, en particulier par la voix de son président. Fantasque, provocateur, D. Doudaïev interpelle le Kremlin, tente de rompre son isolement politique en multipliant les déplacements-surprises à l'étranger. Tandis que les communautés cosaques tentent de résister, les Russes de Tchétchénie quittent massivement la république.

En 1994, alors que le Centre a réussi à normaliser les relations avec les sujets de la fédération, la position du Kremlin se durcit : aux yeux des dirigeants russes, la Tchétchénie est devenue une zone de « non-loi » où les « mafias » régneraient en maître après y avoir développé la contrebande et le commerce illicite des armes. Après une longue hésitation, Moscou tente d'instrumentaliser la lassitude d'une grande partie de la population ainsi que les divisions entre clans et régions, et tente d'aider, voire de susciter une opposition plus radicale au régime de D. Doudaïev. A partir de l'été 1994 des groupes armés multiplient les coups de main. Mais l'opposition démocratique ne parvient pas à renverser D. Doudaïev par la force. Financée et entraînée par les services spéciaux russes (FSK), elle s'est compromise aux yeux de la population. La voie d'une intervention directe de la Russie était ouverte.

Charles Urjewicz

La région des Grands Lacs après le génocide

La guerre civile rwandaise d'avril-juillet 1994 figure désormais parmi les grands génocides de ce siècle : outre les centaines de milliers de morts, plus de deux millions de réfugiés et déplacés ont rejoint en exil et/ou dans la misère le million de Burundais victimes des affrontements survenus lors du putsch militaire de 1993 et de leurs résurgences épisodiques. En fait, depuis la période des indépendances,

l'histoire de la région a été marquée par des épisodes meurtriers (1959, 1963, 1973, pour le Rwanda ; 1965, 1972, 1988, pour le Burundi), provoquant à chaque fois des centaines de milliers de réfugiés s'additionnant aux réfugiés « historiques » zaïrois puis ougandais (sous les régimes d'Amin Dada et de Milton Oboté).

Au-delà de la tragédie humaine vécue par les victimes directes et indi-

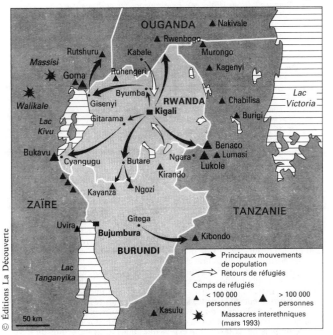

Rwanda-Burundi 1993-1995
Mouvements de population et camps de réfugiés

OUGANDA ▲ Nakivale
▲ Rwenbogo
Rutshuru ▲ Kabale Murongo
Massis Ruhengeri ▲ Kagenyi
✸ Goma ▲ ▲
Byumba **RWANDA** ▲ Chabilisa *Lac Victoria*
Walikale ✸ Gisenyi ■ **Kigali** ▲ Burigi
Lac Kivu Gitarama
Benaco ▲
Bukavu ▲ Ngara ▲ ▲ Lumasi
Cyangugu ▲ Butare ▲ Lukole
Kirando ▲
ZAÏRE Kayanza ▲ Ngozi **TANZANIE**

Uvira ▲ Gitega
■ **Bujumbura**
BURUNDI ▲ Kibondo

Lac Tanganyika

→ Principaux mouvements de population
⇒ Retours de réfugiés
Camps de réfugiés
▲ < 100 000 personnes   ▲ > 100 000 personnes
✸ Massacres interethniques (mars 1993)

50 km ▲ Kasulu

© Éditions La Découverte

93
•

rectes de la région des Grands Lacs (les populations des pays hôtes), la situation régionale constitue un véritable défi pour la communauté internationale. Nourrir deux millions de réfugiés coûte environ 1 million de dollars par jour. La seule prise en charge humanitaire des populations sinistrées de l'intérieur et de l'extérieur représente une dépense annuelle de plus d'un milliard de dollars.

L'ampleur, la complexité et la longévité prévisible des crises politiques burundaise et rwandaise rendent toutefois peu probable le maintien d'un tel effort international sur la longue durée. Sans le relais d'une action politique ferme et cohérente, les limites du « traitement humanitaire » seront de plus en plus cruellement ressenties par ses destinataires : de nombreuses organisations caritatives se sont déjà désengagées ou ont réduit leurs apports, le Programme alimentaire mondial (PAM) a diminué ses rations de moitié dans les camps de réfugiés au Zaïre du fait du blocage de la frontière par les autorités de Kigali…

Des fragilités structurelles

Plus globalement, les économies de la région sont sinistrées, fortement contraintes qu'elles sont par l'enclavement, l'importante pression foncière (de 400 à plus de 800 habitants au km² dans les zones centrales de la crête Zaïre-Nil), la dépendance pres-

BIBLIOGRAPHIE

A. GUICHAOUA (sous la dir. de), *Enjeux nationaux et dynamiques régionales dans l'Afrique des Grands Lacs*, Université des sciences et technologies de Lille, Lille, 1992.

A. GUICHAOUA (sous la dir. de), *Les Crises politiques au Burundi et au Rwanda 1993-1994*, Université de Lille/Karthala, Lille/Paris, 1995.

MÉDECINS SANS FRONTIÈRES, *Populations en danger 1995, Rapport annuel sur les crises majeures et l'action humanitaire*, La Découverte, Paris, 1995.

F. REYNTJENS, *L'Afrique des Grands Lacs en crise, Rwanda-Burundi : 1988-1994*, Karthala, Paris, 1994.

« Rwanda-Burundi, 1994-1995. Les politiques de la haine », *Les Temps Modernes*, n° 583, Paris, juil.-août 1995.

F.-X. VERSCHAVE, *Complicité de génocide ? La politique de la France au Rwanda*, La Découverte, Paris, 1994.

Voir aussi la bibliographie « Afrique de l'Est » dans la section « 38 ensembles géopolitiques ».

que totale vis-à-vis du café comme recette d'exportation.

Entre 1989 et 1993, du fait de la guerre civile, le PIB par habitant au Rwanda avait déjà chuté de 330 à 200 dollars. Pour 1995, l'aide financière extérieure attendue a été évaluée à 39 milliards de francs rwandais (FRW) alors que les dépenses courantes de l'État, hors investissement et remboursement de la dette, sont estimées à 37 millions (dont 18, au minimum, pour l'entretien d'une armée de plus de 45 000 hommes).

Le Burundi, considéré jusqu'en 1993 comme un pays de référence en matière de libéralisation économique, a aussitôt subi les conséquences des troubles politiques : le PIB national (en francs burundais [FBu] constants) avait diminué de 7 % à 10 % en 1993 et de 12 % à 17 % en 1994 ; le revenu par habitant avait baissé de 210 dollars en 1992 à quelque 150 dollars en 1994.

Avant même le déclenchement des crises politiques, les perspectives de ces économies agricoles apparaissaient bien sombres. En 1990, au Burundi, le tiers de la population vivait en dessous du seuil de pauvreté alors fixé à 104 dollars par habitant ; en 1994, ils étaient 52 % dans ce cas. Sur la base d'un maintien du rythme

moyen de croissance 1990-1994, désormais complètement irréaliste, les projections sur vingt-cinq ans indiquaient que 60 % de la population burundaise vivrait en dessous du seuil de pauvreté en 2020 et annonçaient une croissance négative du PIB par habitant à partir des années 2000. Sans le rétablissement rapide de la paix et une forte mobilisation de toutes les ressources nationales, ce sont non seulement les richesses « renouvelables » qui seraient perdues mais aussi les acquis du développement patiemment accumulés au cours des décennies passées en matière de santé, d'éducation et d'environnement. En comptant avec les effets dévastateurs induits par la présence de centaines de milliers de réfugiés sur les fragiles ressources locales des populations du Nord-Kivu et du Sud-Kivu (au Zaïre), des régions de Kigoma et de Ngara en Tanzanie, quelque 30 millions d'individus voient leur capacité de survie ou celle de leurs descendants potentiels profondément affectées par la déstabilisation politique récente.

Tous les États riverains impliqués, voire même le Kénya, ont pris la mesure des risques encourus. L'imbrication des enjeux impose en effet une vision régionale.

Quelles conséquences au Zaïre, en Tanzanie, en Ouganda ?

Le Zaïre, tout d'abord, sur le plan international, a déjà touché des dividendes politiques majeurs pour avoir offert une base arrière aux interventions militaires et civiles des pays occidentaux lorsque les Forces armées rwandaises (FAR, liées au régime des massacreurs) et plus de deux millions de civils ont déferlé sur le Nord-Kivu et le Sud-Kivu en juillet 1994 (1,08 million de réfugiés étaient décomptés en avril 1995). Par la suite, toute la partie orientale du pays allait devoir vivre au rythme des événements burundais et rwandais. La forte présence de militaires zaïrois (largement inédite dans la sous-région), la déstructuration socio-économique profonde des campagnes et des villes du fait de l'installation durable de centaines de milliers de nouveaux réfugiés hutu, les départs massifs de dizaines de milliers d'anciens réfugiés tutsi rentrés au Rwanda, dont les propriétés et les élevages occupaient des milliers d'hectares, la rupture des flux économiques frontaliers traditionnels due aux tensions politiques, aux pillages et aux exactions des forces armées pèsent en effet lourdement.

De plus, la présence de forces militaires et de camps d'entraînement pro-hutu (burundais et rwandais) en liaison avec l'armée zaïroise est apparue exercer une pression sur les équilibres politiques d'une région traditionnellement hostile à la tutelle de Kinshasa. Toutes ces raisons, ajoutées à la menace permanente de représailles de la part de l'Armée patriotique rwandaise (APR, gouvernementale) en réponse aux incursions hutu sur le territoire rwandais, ont suscité chez de nombreux Zaïrois un sentiment d'hostilité croissant envers ceux qui ont été perçus comme ayant apporté le « malheur » ou qui sont repartis sans exprimer leur reconnaissance envers leurs hôtes de trente ans.

En Tanzanie, la situation est tout aussi critique compte tenu des flux de réfugiés rwandais et burundais (en avril 1995, les différents camps comptaient 596 000 Rwandais et plus de 200 000 Burundais). Prudent, le Haut Commissariat des Nations unies pour les réfugiés (HCR) a identifié plusieurs sites susceptibles d'en accueillir de nouveaux... Toutefois, si la faible concurrence avec les populations locales, proprement submergées, a rendu la situation moins conflictuelle qu'au Zaïre, le verrouillage militaire, politique et « ethnique » (par repeuplement) des préfectures frontalières auquel a procédé le Front patriotique rwandais (FPR), à majorité tutsi, au pouvoir depuis l'été 1994, n'a guère laissé augurer de solution autre qu'une intégration sur place, avec ou sans l'agrément des autorités tanzaniennes.

Le régime ougandais, quant à lui, a tiré divers avantages de la victoire de ses anciens compagnons d'armes du FPR (de 1982 à 1986, de nombreux réfugiés tutsi avaient rejoint la National Resistance Army (NRA) de Yoweri Museveni avant de s'intégrer dans les structures du nouveau pouvoir ougandais). Sur le plan économique, l'Ouganda assure une large part des approvisionnements de Kigali ; sur le plan politique, le départ massif des Banyarwanda tutsi ou pro-Tutsi, qui étaient réfugiés au sud du pays, a atténué les conflits avec les populations autochtones. A la mi-1995, 600 000 personnes auraient déjà regagné le Rwanda et 400 000 autres étaient incitées à le faire avec le lancement annoncé d'une campagne de vérification des antécédents nationaux remontant jusqu'en 1926 !

En ce qui concerne le Burundi et le Rwanda, on relèvera la convergence actuelle des systèmes de pouvoir et des rapports de force. Les deux armées « nationales » (largement mono-ethniques et animées de préoccupations sécuritaires identiques) y forment l'unique corps de l'État rayonnant sur l'ensemble du territoire, informé des « mouvements sociaux » et disposant des moyens d'intervention appropriés. Les autorités civiles, à majorité hutu, paraissent largement impuissantes ou démunies de relais propres à l'intérieur des pays. Ainsi, au Rwanda, le gouvernement et l'Assemblée nationale — pluripartisans et pluriethniques — semblent fortement déconnectés par rapport aux centres de décision effectifs (les cadres politiques du FPR et l'APR). Le durcissement politique rwandais intervenu à compter de février 1995 et l'insécurité grandissante régnant au Burundi apparaissaient rendre fort improbable le rétablissement rapide des conditions de sécurité préalables à la réinstallation des divers réfugiés et déplacés. Malgré les recommandations de la conférence régionale de Bujumbura de février 1995 sur les réfugiés en faveur d'un règlement « définitif » impliquant le retour rapide des réfugiés récents et la récupération de leurs biens, les autorités de Kigali ont donné l'impression de préférer un *statu quo* « durable » similaire à celui qui avait été appliqué aux réfugiés tutsi de 1959-1963. La dégradation du contexte régional, les potentiels de déstabilisation prévalant au Burundi et au Kivu, dans le Zaïre voisin, apparaissaient cependant rendre cette position intenable.

A plus ou moins longue échéance, la sortie de crise attendue par la communauté internationale devrait déboucher sur une conférence internationale consacrée à l'ensemble des problèmes de la sous-région. Le rétablissement d'États de droit s'appuyant sur des administrations civiles inspirant confiance à toute la population, la mise en place de systèmes judiciaires impartiaux chargés d'identifier et de juger les responsables des attentats, massacres et actes de génocide, le démarrage des programmes de démobilisation des militaires et le « reprofilage » des armées (taille et composition, redéfinition des fonctions) ne pourront se concrétiser tant que l'ensemble des forces nationales et des pays impliqués dans la région ne s'accorderont pas pour neutraliser durablement les extrémistes ethnistes des divers bords.

André Guichaoua

(Voir aussi édition 1995, p. 47, et édition 1992, p. 545.)

La tension au Cachemire

Alors qu'elles apparaissaient en voie de normalisation sur le long terme après trois guerres (1947-1949, 1965 et 1971), les relations indo-pakistanaises sont devenues franchement mauvaises avec l'apparition, en 1989, d'un cycle manifestation-répression-terrorisme (11 000 morts de 1989 à 1995) dans l'État indien du Jammu et Cachemire (J & K), dont le Pakistan occupe deux cinquièmes depuis 1947. Ce cycle a développé une tendance séparatiste chez les musulmans (majoritaires) de la zone sous contrôle indien (6 millions de personnes en 1981). L'Inde a accusé le Pakistan d'armer les séparatistes et le Pakistan reproche aux forces de l'ordre indiennes de violer les droits de l'homme.

Islamabad a réclamé la mise en œuvre du « plébiscite libre et impartial », préconisé par la résolution du 5 janvier 1949 de la Commission des Nations unies pour l'Inde et le Pakistan(CNUIP), de manière à ce que la population de cette ancienne principauté décide de son rattachement à l'un des deux pays. New Delhi s'est, pour sa part, retranché derrière l'accession à l'Union indienne du maharadjah du J & K, Hari Singh, le 26 octobre 1947, conformément au processus prévu lors de l'indépendance de l'Inde et du Pakistan, le 15 août 1947, pour régler le sort des 565 principautés du sous-continent qui ne faisaient pas partie des Indes britanniques. De plus, le retrait des forces pakistanaises de la principauté devait constituer un préalable au plébiscite (résolution CNUIP du 13 août 1948).

BIBLIOGRAPHIE

M. J. Akbar, *Kashmir : Behind the Vale*, Viking Penguin India, New Delhi, 1991.

C. Hurtig, « Le séparatisme cachemiri. Du régionalisme à l'irrédentisme ? », *Hérodote*, n° 71, La Découverte, 4ᵉ trim. 1993.

R. Kadian, *The Kashmir Tangle : Issues and Options*, Asia Publishing House, Londres, 1992.

A. Lamb, *Kashmir, a Disputed Legacy, 1846-1990*, Oxford University Press, 1991.

A. Lamb, *Birth of a Tragedy, Kashmir 1947*, Oxford University Press, Oxford, 1994.

Il n'a donc jamais été question d'indépendance pour les Cachemiris. Cependant, parmi les mouvements formés par les partisans de la séparation d'avec l'Inde et dont le principal est le Hezb-ul Mujahidin (Parti des combattants), prônant le rattachement au Pakistan, on trouve le Front de libération du J & K (JKLF), qui revendique une totale indépendance.

Une mosaïque géographique et ethnique

Les régions constituant l'ancienne principauté, et séparées par la ligne de contrôle du cessez-le-feu du 1ᵉʳ janvier 1949, présentent une étendue (218 000 km²) et une diversité impressionnantes [*voir cartes*]. En se déplaçant de la plaine indo-gangétique vers la Chine, apparaissent la région de Poonch, dont les habitants, de souche afghane, sont à 90 % musulmans chiites ; celle de Jammu, avec sa ville éponyme et capitale d'hiver, de peuplement dogra majoritairement hindou (2,7 millions en 1981) ; le Cachemire proprement dit, aussi appelé la « Vallée », vallée au fond de laquelle coule la rivière Jhelum, avec la capitale d'été Srinagar. Les Cachemiris (trois millions en 1981) sont musulmans sunnites à environ 90 %, mais les 150 000 hindous de la classe dominante des brahmanes *pandit* se sont réfugiés au Jammu et au Pendjab en 1990. Le plateau aride (cours supérieur de l'Indus) accueille, à l'est, le Ladakh (Leh), avec 133 000 habitants de souche tibétaine, en majorité bouddhistes ; à l'ouest, le Baltistan (Skardu) ; puis la région de Gilgit et huit principautés : Hunza, Nagar, Punial, Yasin, Kuh Ghizar, Ishkoman et Chilas, au total environ 1,5 million d'habitants, presque tous musulmans chiites.

En 1846, le rajah hindou de Jammu, un Dogra nommé Gulab Singh, acheta la vallée du Cachemire et Gilgit à l'Angleterre. Il avait conquis le Ladakh en 1834, une partie du Baltistan en 1840. A la fin du siècle, les Britanniques vassalisèrent de force les huit principautés pour le compte de ses héritiers. En 1935, son arrière-petit-neveu, Hari Singh s'appropria Poonch.

Pour toutes ces populations, la dynastie dogra constitua une occupation étrangère réputée très dure. Aussi, dès août 1947, les régions de Gilgit et de Poonch se révoltèrent-elles, sur fond de massacre des musulmans de Jammu par des hindous et des sikhs. Le 22 octobre, 3 000 combattants irréguliers, originaires de la frontière afghane, envahissaient la « Vallée », poussant Hari Singh à opter pour l'accession à l'Union indienne. Cela permit l'intervention militaire de New Delhi et, au début de 1948, celle du Pakistan. Le 24, les rebelles de Poonch créaient une entité indépendante, l'Azad Jammu & Kashmir (J & K libre).

L'Azad J & K, dont la capitale est Muzaffarabad, dispose d'une Constitution provisoire (24 août 1974) et d'un Parlement élu. Son gouvernement est « conseillé » par le gouvernement pakistanais. Par l'accord de Karachi du 28 avril 1949, son premier président, le sardar Ibrahim Khan, a confié au Pakistan l'administration du Baltistan, de Gilgit et des huit principautés, réunis sous l'appellation de « Territoires du Nord » (Northern Areas).

L'État indien du J & K a été gouverné de 1947 à 1987 par la Conférence nationale du Cachemire, mouvement nationaliste créé en 1939 contre le pouvoir dogra par Mohammad Abdullah. Associé à l'Union indienne (laïque), mais garant de l'identité cachemiri — la *Kashmiriyat* —, ce parti, titulaire de tous les sièges à l'Assemblée constituante, a ratifié l'accession de la principauté à l'Inde, le 5 février 1954, et l'a dotée d'une Constitution (26 janvier 1957), entérinée par l'article 370 de celle de

La question des frontières

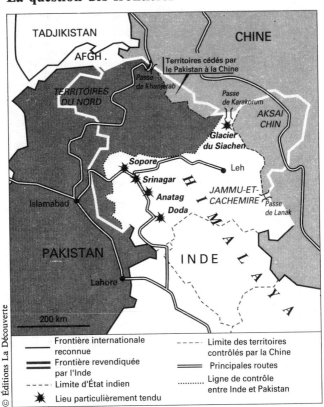

—— Frontière internationale reconnue	---- Limite des territoires contrôlés par la Chine
══ Frontière revendiquée par l'Inde	══ Principales routes
---- Limite d'État indien	······ Ligne de contrôle entre Inde et Pakistan
✴ Lieu particulièrement tendu	

l'Inde. C'est la malheureuse alliance de Farooq, fils d'Abdullah, avec Rajiv Gandhi, Premier ministre de l'Inde de 1984 à 1989, et son parti du Congrès-I aux élections truquées de 1987 qui a entraîné les manifestations de 1989.

Un risque de guerre indo-pakistanaise ?

D'autres contentieux majeurs, notamment le partage des eaux de l'Indus, ont déjà été réglés entre l'Inde et le Pakistan. Mais la question du J & K met en cause le principe fondateur de l'État du Pakistan, créé sur des bases religieuses, à l'inverse de celui de l'Union indienne à vocation laïque. On assiste donc là à la dernière étape, continuellement remise en question, du dramatique partage de 1947 entre Inde et Pakistan, lors de la décolonisation.

Ainsi, les guerres indo-pakistanaises de 1947 et 1965 ont eu pour objet le Jammu et Cachemire. A partir de 1983, une guerre de posi-

Géographie ethno-religieuse

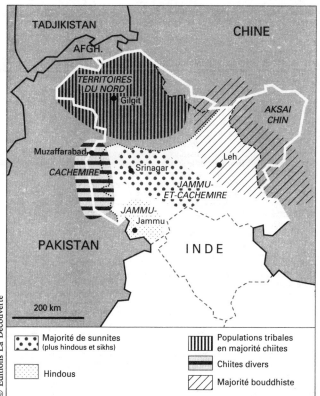

Majorité de sunnites (plus hindous et sikhs)

Hindous

Populations tribales en majorité chiites

Chiites divers

Majorité bouddhiste

© Éditions La Découverte

tions y a été engagée dans le Karakorum (au sud du glacier du Siachen), les Indiens interdisant aux Pakistanais l'accès au col éponyme, à la frontière chinoise. Pourtant, les risques de guerre paraissent faibles : par l'accord de Simla du 2 juillet 1972, les deux pays se sont engagés à « résoudre leurs différends par des moyens pacifiques » ; depuis 1990, les deux budgets de défense ont souffert de coupes claires ; les deux armées ont été de plus en plus sollicitées pour des opérations de maintien de l'ordre intérieur (dans le Sind, au Pakistan ; au J & K, au Pendjab et dans les États du Nord-Est en Inde) ; enfin, la capacité, admise par les deux États, de se constituer un arsenal nucléaire militaire leur a imposé un salutaire régime de prédissuasion nucléaire réciproque.

Michel Pochoy

Économie de prédation en Bosnie-Herzégovine

Traditionnellement, l'idée d'économie de guerre est associée à celle de mobilisation de l'économie, sous l'étroit contrôle de l'État et au détriment du marché libre. En Bosnie-Herzégovine, l'économie qui s'est développée autour du conflit est d'une tout autre nature : économie de prédation et non de production, elle repose sur des réseaux de type criminel et débouche sur une généralisation de l'économie souterraine. Même quand, dans le cas de la « république serbe », l'armée s'est d'abord appuyée sur la puissance économique de l'État voisin (le soutien matériel accordé par la Serbie aux Serbes de Bosnie et de Croatie entre 1992 et 1994 a été estimé à 20 % de son PNB), cette économie de nature criminelle s'est rapidement développée, au point de gangrener l'État en question et de précipiter son effondrement économique.

En l'absence d'une véritable économie de guerre, les trois armées présentes en Bosnie-Herzégovine sont restées composées soit d'unités locales de conscrits dépendant d'une économie de subsistance (autoproduction familiale, aide de parents émigrés, aide humanitaire), soit d'unités mobiles, idéologico-mafieuses constituées sur la base du volontariat. Ces unités, milices parallèles (milices serbes de Zeljko dit Arkan Raznjatovic et de Vojislav Seselj, milices musulmanes de Jusuf dit Juka Prazina) ou parties constituantes des armées (« unités spéciales » du Conseil de défense croate [HVO] et de l'armée bosniaque), sont apparues comme les premiers acteurs de l'économie de prédation.

Pillage, racket, « prélèvements » arbitraires et marché noir

Cette prédation allait revêtir deux formes essentielles. La première, directe et extrêmement violente, recouvre les pratiques de pillage et de racket associées au nettoyage ethnique. La seconde, plus indirecte, concerne les pratiques de taxation ou de rente commerciale liées à l'approvisionnement des populations enclavées. Cette seconde forme peut aller du prélèvement arbitraire sur l'aide humanitaire (30 % à 50 % de cette aide serait ainsi détournée) au contrôle du marché noir, en passant par l'imposition de différentes « taxes » sur les principaux axes routiers.

Les pratiques de pillage et de racket ont sans aucun doute amplifié, sinon motivé dans certains cas, le nettoyage ethnique. En « république serbe » autoproclamée, ce dernier s'accompagne ainsi d'une confiscation des biens et d'un racket financier systématique (menaces d'assassinat ou de viol, achat des « autorisations » de départ, « frais de transport », etc.). De même, à Zenica en 1992, le HVO est allé jusqu'à orchestrer l'hostilité envers les populations serbes avant de leur proposer « aimablement » un transfert vers les territoires serbes... moyennant finance.

Les pratiques de contrôle du marché noir ont, quant à elles, amené à l'établissement d'une coopération parfois étroite entre des unités théoriquement opposées. En 1992 et 1993, le HVO de Kiseljak ou de Stup a ainsi ouvertement coopéré avec l'armée serbe autour de Sarajevo. A la même époque, l'afflux des « unités spéciales » de l'armée bosniaque vers le mont Igman avait moins pour but le désenclavement de Sarajevo, que le contrôle de trafics juteux dont la condition expresse était la persistance du siège imposé par l'armée serbe.

A la logique politique du conflit est donc venue se superposer une logique économique de type mafieux qui, se manifestant ouvertement lors de la fourniture de munitions ou de la location d'armements lourds entre armées différentes, est apparue pourtant largement négligée. Qui se rappelle que les quatre avions abattus par l'OTAN (Organisation du traité de l'Atlantique nord) en février 1994 étaient des avions de l'armée serbe louant leurs services au HVO croate ? Qui a précisé que, lorsque l'artillerie du même HVO a soutenu l'armée bosniaque, ce fut le plus souvent contre espèces sonnantes et trébuchantes ? Ce relatif silence s'expliquerait-il par le fait qu'aucune des armées en présence (pas même la Forpronu — Force de protection des Nations unies) n'est restée étrangère à cette logique ?

Quelle influence sur l'évolution du conflit ?

Ces réalités ont profondément influencé l'évolution du conflit. D'une part, elles ont contribué à d'importantes modifications (affrontements croato-musulmans) ou variations locales (coopération entre les enclaves croates de Bosnie centrale et la « république serbe ») dans les configurations militaires entre communautés. D'autre part, elles ont contribué à l'aggravation des tensions sociales et politiques au sein de chaque communauté, tensions qui se sont exprimées violemment à l'automne 1993 (élimination de certaines milices musulmanes à Sarajevo, mutinerie de certaines unités de l'armée serbe à Banja Luka, sécession du leader local Fikret Abdic vis-à-vis du pouvoir bosniaque dans l'enclave musulmane de Bihac).

Après ces crises ouvertes, plusieurs tentatives de mettre un terme à cette économie de prédation et de lui substituer une véritable économie de guerre ont eu lieu, telles que le plan de mobilisation de l'économie présenté par le Premier ministre bosniaque Haris Silajdzic en octobre 1993, les différents plans de militarisation de l'économie évoqués en « république serbe », voire la réforme monétaire de Dragoslav Avramovic, directeur de la Banque nationale de Yougoslavie, en Serbie même en janvier 1994. Il semble toutefois que, de part et d'autre, ces projets se soient heurtés au délabrement des infrastructures, à l'épuisement des populations et surtout à la puissance des acteurs et bénéficiaires de cette économie de prédation.

Inversement, celle-ci a tendu à s'étendre à de nouvelles activités criminelles (contournement de l'embargo international, blanchiment de l'argent sale, etc.), à investir l'économie légale (participation au processus de privatisation, contrôle de certains marchés — devises, dérivés pétroliers — ou de certaines activités — tourisme, médias, etc.). Elle contraint la population elle-même à se réfugier dans l'économie « parallèle » (fraude fiscale, travail au noir, contrebande, etc.). En cela, elle est apparue constituer un facteur important non seulement dans le conflit bosniaque, mais dans l'ensemble des mutations économiques, sociales et politiques affectant l'ex-Yougoslavie.

Xavier Bougarel

Les mouvements islamistes au Kurdistan

Peuple sans État, les vingt à vingt-cinq millions de Kurdes sont pour l'essentiel répartis entre l'Iran, l'Irak, la Turquie et la Syrie. Historiquement, leurs révoltes contre ces États ont souvent été liées au rôle des confréries soufies, très présentes au Kurdistan.

A partir des années soixante, la rhétorique marxiste est devenue dominante au sein de tous les partis nationalistes kurdes, avec des pratiques proches du stalinisme pour le Parti des travailleurs du Kurdistan (PKK, marxiste-léniniste et séparatiste, créé en 1977), en Turquie, ou beaucoup plus modérées pour le Parti démocratique du Kurdistan (PDK) d'Irak ou celui d'Iran. *A priori*, les Kurdes devaient donc rester à l'écart des mouvements islamistes contemporains, la plupart des intellectuels partageant une idéologie marxiste et les leaders politiques s'appuyant sur les religieux les plus traditionalistes, éloignés du fondamentalisme et peu favorables à une implication politique. Si, en Iran, le mouvement nationaliste kurde est resté fidèle à sa tradition progressiste, la révolution islamiste iranienne de 1979 ayant éliminé toute possibilité de formation d'un parti islamiste kurde, au cours des années quatre-vingt, des partis islamistes ont peu à peu parus s'implanter au Kurdistan d'Irak et de Turquie, dans des contextes cependant très différents.

Les succès du Refah en Turquie

En Turquie, il faut distinguer les partis islamistes implantés au Kurdistan et ceux qui sont proprement kurdes.

Le Hezbollah (Parti de Dieu), surtout actif dans la région de Diyarbakir et de Batman, se réclame idéologiquement de la révolution iranienne, même s'il est surtout formé de Kurdes sunnites. Pris dans le piège de la clandestinité, il n'est pas parvenu à élargir sa base militante de façon notable dans les années quatre-vingt-dix.

La grande nouveauté est venue des élections municipales du printemps 1994 qui ont vu une progression spectaculaire du Refah Partisi (Parti de la prospérité), au Kurdistan comme dans toute la Turquie. La plupart des grandes villes kurdes étaient désormais aux mains de municipalités islamistes, notamment Diyarbakir, Mardin, Siirt. Il en est allé de même pour Ankara et Istanbul...

Cette progression a pu s'expliquer par le fait que les partis kurdes avaient été empêchés de participer aux élections par une multiplication des intimidations à leur égard, dont des assassinats de candidats. Le DEP (Parti travailliste démocratique, aile légale du PKK), qui représentait une force politique importante, avait renoncé officiellement à présenter des candidats, appelant au boycottage des élections (il a été interdit en juin 1994).

Le Refah Partisi, à la différence des partis liés au pouvoir, a pu porter la protestation des Kurdes contre la répression menée depuis des années par la police et l'armée. Les islamistes ont aussi bénéficié d'un discours cohérent sur la question kurde, étant en rupture avec le nationalisme kémaliste et voulant fonder la citoyenneté sur l'appartenance à l'Oumma (communauté des croyants) et non à la nation turque. L'impact de l'islamisme dans la jeunesse kurde est apparu avéré, les islamistes étant désormais dominants sur le campus de Dyarbakir, autrefois « tenu » par les marxistes.

Après plus d'un an d'exercice du pouvoir municipal, le Refah Partisi ne semblait pas avoir perdu le crédit dont il jouissait avant les élections. Il apparaissait probable que les Kurdes voteraient massivement en sa faveur aux élections législatives prévues pour octobre 1996, ce qui pourrait se révéler décisif au niveau national.

Le Kurdistan

Carte du Kurdistan. Zone de peuplement kurde : nettement majoritaire, densité significative. ■ Forte présence citadine. 250 km

© Éditions La Découverte

103
•

Peut-on, par ailleurs, parler d'une récupération des thèmes islamistes par les autres partis ? Dans le cas du PKK, il y a clairement eu, à partir des années quatre-vingt-dix, une volonté de récupération, au point qu'on a pu se poser la question de son «islamisation». En fait, les cadres de l'organisation, toujours athées, ont utilisé ce thème dans une perspective frontiste qui n'est pas surprenante pour un parti d'inspiration léniniste.

La place du Harakat-é islami et du Hezbollah en Irak

Depuis la guerre du Golfe (1991), le Kurdistan d'Irak a obtenu une certaine autonomie, protégée de Sad-dam Hussein par les forces de la coalition dans le cadre de l'opération *Provide Comfort*. Il s'est d'ailleurs doté d'une Assemblée générale, d'un gouvernement autoproclamé et d'une armée unifiée. Dans ce contexte bien particulier, on a vu naître ou se développer de nombreux partis, dont certains se réclament d'une idéologie islamiste.

Ainsi le Harakat-é islami (Mouvement islamique), petit mouvement implanté au départ près de la frontière iranienne, a-t-il pu sortir de la confidentialité grâce aux financements des Saoudiens, soucieux de marquer des points dans leur lutte d'influence contre les Iraniens. Ces fonds ont permis à ses leaders, souvent des mollahs (docteurs de la loi

BIBLIOGRAPHIE

H. Bozarslan (sous la dir. de), « Les Kurdes et les États », *Peuples méditerranéens*, n° 68-69, juil.-déc. 1994.

G. Chaliand, *Le Malheur kurde*, Seuil, Paris, 1992.

« La question kurde » (dossier constitué par H. Bozarslan), *Problèmes politiques et sociaux*, n° 709, La Documentation française, Paris, 1993.

E. Picard (sous la dir. de), *La Question kurde*, Complexe, « CERI », Bruxelles, 1991.

chiite) ou des étudiants, d'entretenir une clientèle locale et de concurrencer les chefs de la confrérie Naqshbandi, autrefois dominants.

Deuxième parti islamiste important, le Hezbollah est très lié à l'un des deux grands partis kurdes d'Irak, son fondateur, Muhammad Khalid, étant membre de la grande famille Barzani, qui domine également le Parti démocratique du Kurdistan d'Irak. Forte de sa légitimité religieuse, cette famille peut manipuler sans ambages les symboles islamiques, ce qui n'est pas le cas du parti concurrent, l'Union patriotique du Kurdistan (UPK) de Jalal Talabani, qui s'est construit sur une légitimité idéologique « progressiste ». Le Hezbollah a choisi de s'allier avec le PDK dans les affrontements inter-kurdes apparus à partir de décembre 1994, renonçant, au moins provisoirement, à une stratégie autonome.

La population kurde d'Irak ne semble pas globalement très sensible aux thèmes islamistes, même si les relations avec les populations chrétiennes sont, depuis toujours, conflictuelles. Les investissements saoudiens ou, marginalement, iraniens pourraient toutefois avoir un impact à long terme, notamment par la formation d'une nouvelle génération de mollahs.

En ce milieu des années quatre-vingt-dix, la question islamiste, déterminante pour l'avenir au Kurdistan de Turquie, reste donc encore marginale en Irak. Cela confirme, une fois de plus, l'absence d'unité, et même d'espace politique commun, entre les différents Kurdistans.

Gilles Dorronsoro

L'attitude des chancelleries face à la crise algérienne

L'attitude des partenaires extérieurs de l'Algérie, au premier rang desquels la France — ancienne puissance tutélaire —, apparaissait à la mi-1995 marquée par une réelle perplexité. Après trois ans et demi d'une guerre civile larvée qui aurait fait plus de 30 000 morts, la définition d'une stratégie politique à l'égard de ce pays apparaissait en effet complexe. Entre un pouvoir discrédité par une politique du « tout répressif » qui ne lui aura permis que de durer, et des islamistes qui, depuis l'annulation des élections législatives en décembre 1991, se sont tournés vers la lutte armée et le terrorisme, l'impression pouvait prédominer qu'il n'y avait pas de choix possible. L'objectif premier des puissances occidentales était donc d'attendre un hypothétique dénouement de cette crise durable, en maintenant l'aide économique censée garantir une certaine stabilité et en préservant, pour les pays européens, leur territoire de l'émigration algérienne par l'application d'une politique très restrictive en matière de circulation des personnes. Quant au discours politique, il a été réduit au minimum, de même que les contacts avec les différents protagonistes du drame algérien, l'heure étant à la distanciation.

Cette attitude ne s'explique pas seulement par des raisons conjoncturelles. Au fond, l'Algérie, depuis son indépendance, est restée pour les principales puissances occidentales un pays difficile à appréhender. Jusqu'à la fin des années quatre-vingt, seule la France s'était efforcée de définir véritablement une politique étrangère à son égard. Les autres partenaires qui comptent aujourd'hui (États-Unis, Japon, Allemagne, Italie, Espagne) n'y avaient développé leur présence que sous une forme strictement économique, certains dès la décennie soixante (Japon, Allemagne, États-Unis), d'autres beaucoup plus tardivement (Italie, Espagne). Les richesses de l'Algérie en hydrocarbures, sa volonté de s'équiper avec des technologies d'avant-garde, ses besoins en produits de consommation courante et un comportement de paiement fiable en faisaient en effet un partenaire économique intéressant.

Des rapports complexes et passionnels avec la France

Au plan politique, ces pays considéraient que l'Algérie relevait du « pré carré » français. Cette opinion était étayée par le fait que, sous couvert de développement économique autocentré et de dénonciation virulente de l'ex-puissance coloniale à la tribune de l'ONU ou dans le cadre du mouvement des non-alignés, l'Algérie a défini avec la France une relation économique forte portant aussi bien sur ses besoins en produits de consommation que sur l'équipement du pays en infrastructures industrielles. Dans les années quatre-vingt, le marché algérien est devenu plus concurrentiel ; à partir de 1991,

l'« ouverture » du secteur des hydrocarbures a renforcé l'importance relative des États-Unis. La France est cependant restée prépondérante. Sa part de marché s'est même renforcée à partir de 1993, passant de 30 % à 33 %, la crise ayant conforté les liens traditionnels au détriment de la concurrence.

La relation franco-algérienne a toujours été complexe. L'appui au régime algérien ne s'est pas démenti depuis l'indépendance, qu'il s'agisse de l'envoi massif de coopérants au cours des années soixante-dix, ou du soutien sans faille à la présence des entreprises de l'Hexagone : Total, Thomson, Peugeot et Renault (fournisseurs de 80 % des véhicules automobiles), EDF qui n'a jamais cessé sa collaboration avec la Sonelgaz, son équivalent algérien, etc. Plus qu'ailleurs, du fait des traumatismes de la guerre d'Algérie (1954-1962) et d'un certain sentiment de culpabilité, la France a pourtant affiché son souci de non-ingérence. Cela n'a pas empêché la structuration de réseaux d'influence économique entre Paris et Alger et qu'une certaine intelligentsia française (les « intellectuels de gauche »), à de rares exceptions près, apporte un soutien motivé à l'État algérien et à ses choix économiques, cités en exemple, du temps de Boumédiène.

Quant aux liens entre la société française et la société algérienne, ils ne se sont jamais interrompus, malgré la transformation en profondeur de cette dernière (plus de 50 % des 28 millions d'Algériens, en 1995, ont moins de vingt ans). 800 000 Algériens vivent en France, et jusqu'en 1987 les Algériens pouvaient se rendre librement, sans visa, sur le territoire français. En 1993, ils étaient encore 1 500 à obtenir quotidiennement pendant les mois d'été l'autorisation de séjourner en France pour des raisons familiales, touristiques ou économiques.

Malgré ces liens, la France n'a pas vu venir la crise algérienne. Plus grave, confrontée à cette crise où elle a été directement mise en cause (assassinats de ressortissants fran-

BIBLIOGRAPHIE

L. ADDI, *L'Algérie et la Démocratie*, La Découverte, Paris, 1994.

« Avec l'Algérie », *Esprit*, Paris, 1995.

S. GOUMÉZIANE, *Le Mal algérien*, Fayard, Paris, 1994.

G. HIDOUCI, *Algérie, la libération non achevée*, La Découverte, Paris, 1995.

REPORTERS SANS FRONTIÈRES, *Le Drame algérien. Un peuple en otage*, La Découverte, Paris, 1995 (nouv. édit. mise à jour).

A. ROUADJA, *Grandeur et décadence de l'État algérien*, Karthala, Paris, 1994.

Voir aussi la bibliographie p. 318.

çais, détournement d'un Airbus d'Air France en décembre 1994, assassinat à Paris d'un dirigeant islamiste, l'imam Abdelbaki Sahraoui, le 11 juillet 1995), elle a brutalement expérimenté la pauvreté de ses analyses. La menace islamiste en Algérie, l'articulation entre les politiques du Front islamique du salut (FIS, dissous et passé à la clandestinité) et les groupes armés, leur évolution lui sont resté très opaques, d'autant plus que la doctrine française a toujours été d'écarter officiellement tout contact avec les islamistes. La nature et le fonctionnement réel du régime algérien pourtant fréquenté et soutenu pendant trente ans sont également restés peu connus. Les généralités entendues communément (le pouvoir est de fait détenu par l'armée et exercé de manière clanique), sans être fausses, ne pouvaient suffire à fonder une politique.

Des pays comme les États-Unis ou l'Allemagne se sont efforcés, aux débuts de la crise ouverte en 1992, de conserver vis-à-vis des différentes forces politiques algériennes, notamment des islamistes, une attitude plus nuancée que la France. Les États-Unis ont accueilli un Anouar Haddam tandis que Rabah Kebir trouvait asile en Allemagne. La légitimité politique qu'avaient donnée au FIS ses succès au premier tour des élections législatives de 1991 justifiait pour ces États le maintien d'un dialogue et surtout le fait de leur don-

ner un lieu d'expression politique à l'extérieur du territoire algérien qui leur était désormais interdit. Le Congrès américain a eu longtemps une position encore plus positive que l'Administration vis-à-vis des islamistes. Il considérait en effet que, en tant qu'assemblée élue, il ne pouvait que condamner très vigoureusement l'annulation du processus électoral algérien, et par là prendre la défense des intérêts des islamistes et des autres partis auxquels avait été déniée la victoire.

Une réflexion frappée de paralysie

A mesure que la crise durait, la réflexion des puissances intéressées, loin de s'affiner, a été cependant peu à peu frappée de paralysie. Les options françaises de soutien au pouvoir ont été de plus en plus suivies, particulièrement à compter de l'ouverture des négociations entre le FMI et l'Algérie, en mars 1994. La restriction du champ politique et l'intensification de la lutte armée, la crainte du terrorisme aussi, ont en grande partie découragé la définition de politiques alternatives. Ainsi la France a-t-elle mené à compter d'octobre 1993, qui marquait le début de l'escalade dans l'assassinat d'étrangers sur le territoire algérien, plusieurs opérations policières spectaculaires contre les réseaux islamistes en France. Le démantèlement d'un réseau en Italie au printemps

1995 est venu illustrer la dimension européenne de ce phénomène et renforcer la suspicion de l'ensemble des partenaires occidentaux de l'Algérie à l'égard du FIS. Anouar Haddam s'est bientôt vu interdire toute déclaration politique aux États-Unis.

A la mi-1995, c'est exclusivement par le biais de l'économie que les partenaires extérieurs de l'Algérie maintenaient leurs relations avec ce pays. Il s'agissait à la fois de maintenir à flot le régime grâce aux prêts du FMI, de la Banque mondiale, grâce à des conditions de rééchelonnement exceptionnellement favorables consenties au Club de Paris en 1994 et 1995 et à des aides bilatérales substantielles, et de continuer des ventes rentables sur l'un des marchés les plus importants d'Afrique et des pays arabes, tout en prenant date dans le domaine des hydrocarbures dont les perspectives restent prometteuses.

Les initiatives politiques prises par l'opposition algérienne n'ont pas, dans ce contexte, bénéficié d'une réelle attention. L'initiative conduite par les « trois fronts » (FLN - Front de libération nationale, FFS - Front des forces socialistes et FIS) à Rome à la fin de 1994 et de 1995, qui a abouti à l'adoption d'une plate-forme démocratique commune [*voir p. 315*],

s'est heurtée à un scepticisme d'autant plus marqué que la participation du FIS au processus soulevait de nombreuses interrogations (quelle réelle volonté démocratique pour un parti ayant marqué sa présence depuis trois ans par la lutte armée et le terrorisme, quelle autorité pour ses représentants par rapport à la logique du terrain en Algérie?).

Le processus de Rome aura eu le double mérite d'avoir été la première initiative de réouverture du champ politique coordonnée depuis l'annulation des élections législatives de décembre 1991 et le début de la lutte armée, et de poser aux partenaires extérieurs de l'Algérie la question de leur attitude politique vis-à-vis de la crise algérienne. Le FIS, interdit depuis 1992, aura montré à cette occasion sa capacité à réinvestir le champ politique.

Si les élections présidentielles programmées par le pouvoir pour décembre 1995 devaient se tenir, leurs résultats ne manqueraient pas de reposer aux partenaires extérieurs de l'Algérie la question de leur attitude politique à l'égard de la crise algérienne, attitude qu'ils ont pour l'instant choisi de placer entre parenthèses.

Lucile Provost

Où en sont les processus de paix en Amérique centrale ?

Les processus de paix en Amérique centrale ont fait des progrès considérables depuis le début des années quatre-vingt-dix, après les années quatre-vingt qui avaient provoqué la mort de quelque 250 000 personnes. Au Nicaragua et au Salvador, les armes se sont tues. Au Guatémala, les représentants de la guérilla et du gouvernement négocient d'arrache-pied un accord qui mettrait un terme à plus de trente années d'affrontements. Partout, la réconciliation est apparue en bonne voie, les rendez-

vous électoraux rythmant la vie politique. Pourtant, à la mi-1995, la démilitarisation n'était pas achevée et de graves problèmes sociaux demeuraient, dont la délinquance et l'insécurité n'étaient que la plus spectaculaire manifestation.

C'est avec la défaite des sandinistes au Nicaragua lors des élections du 25 février 1990 que la dynamique de paix régionale a reçu une impulsion décisive. Les sandinistes qui, depuis la révolution de 1979, gouvernaient le pays en faisant face à une opposition armée, ont accepté de se retirer, après s'être assurés que les « acquis de la révolution » (réformes sociales, agraires, éducatives, etc.) ne seraient pas remis en question. Un protocole de transfert du pouvoir était signé à cet effet le 23 mars 1990. Le Salvador, déchiré par une guerre civile depuis 1979, est parvenu à un accord de paix le 16 janvier 1992, grâce à la médiation efficace de l'ONU. Au Guatémala, les négociations se sont révélées plus complexes. Un pas important a cependant été franchi avec la signature, le 31 mars 1995, d'un « Accord sur l'identité et les droits des peuples indigènes ».

Démobilisation des guérillas et des armées

Au Nicaragua et au Salvador, la mise en application des accords de paix n'est pas allée sans heurts. Dans les deux cas, le processus de pacification passait par une démobilisation des combattants et leur réintégration à la vie civile. Ainsi, les 12 000 rebelles de la contre-révolution nicaraguayenne (la Contra) et les quelque 8 000 combattants du Front Farabundo Marti de libération nationale (FMLN) salvadorien ont rendu leurs armes. De leur côté, les armées ont réduit leurs effectifs (ceux de l'Armée populaire sandiniste ont été ramenés de 88 000 à 21 000 hommes et ceux de l'armée salvadorienne de 62 000 à 31 500 hommes), dissous leurs appareils répressifs et accepté de se soumettre à un plus grand contrôle des civils, dans un cadre démocratique. Cette démobilisation massive a posé de nombreux problèmes. Les accords de paix prévoyaient notamment l'octroi de lopins de terre ou d'indemnisations pour les ex-combattants qui n'a pu être réalisé, faute de volonté politique et de marges de manœuvre économiques.

Au Nicaragua, les anciens combattants de la Contra (les *recontras*) ont plusieurs fois repris les armes pour exiger le respect des accords de paix, provoquant la mobilisation d'anciens militaires sandinistes (*recompas*). Le pays a même failli retomber dans la guerre civile le 20 juillet 1993, lorsqu'un Front révolutionnaire des paysans et des ouvriers (FROC), composé de *recontras* et de *recompas*, prenait Esteli, quatrième ville du pays avec 150 000 habitants. La présidente Violeta Chamorro dut faire preuve de beaucoup d'habileté pour obtenir la signature, le 24 février 1994, d'un nouvel accord de paix prévoyant le désarmement des rebelles et leur intégration dans la police.

Au Salvador, les « Observateurs des Nations unies pour le Salvador » (Onusal) ont eu bien des difficultés à faire respecter le calendrier des accords de paix. Les délais pour la démobilisation des guérilleros ont été repoussés à plusieurs reprises, l'armée rechignant à supprimer ses organes de répression. Toutefois, en janvier 1995, la police nationale (PN), maintes fois accusée de violations des droits de l'homme pendant la guerre civile, était dissoute et remplacée par une police nationale civile (PNC), unique corps de sécurité placé sous contrôle civil. L'« épuration » n'était néanmoins pas totale. De surcroît, plus de trois ans après la signature des accords de paix, seules 40 % des demandes de terres avaient été satisfaites, laissant des milliers d'ex-combattants d'origine paysanne sans ressources.

Au Guatémala, aux problèmes de la démobilisation des guérilleros de l'Union révolutionnaire nationale du Guatémala (URNG) et de la démilitarisation du pays, se sont ajoutés ceux posés par la reconnaissance des droits des Indiens (60 % de la population). A la différence du Nicaragua et du Salvador, les militaires guatémaltèques n'ont jamais été convaincus de la nécessité de négocier avec une guérilla incapable de leur porter des coups sérieux. La médiation de l'ONU, acceptée tardivement et à contrecœur par les militaires, a permis de débloquer les négociations en janvier 1994. Le dossier le plus épineux reste celui des droits de l'homme. Une Commission de la vérité a été mise en place en juin 1994, et une Mission des Nations unies de vérification des droits de l'homme au Guatémala (Minugua) a commencé à travailler en novembre 1994. Il reste néanmoins beaucoup à faire pour que le Guatémala cesse d'être le pays d'Amérique latine le moins respectueux des droits de l'homme.

Les laissés-pour-compte des plans de paix

Dans aucun de ces pays la cessation des hostilités n'a signifié une pacification complète de la société. Aux affrontements entre armées et guérillas a en effet succédé une hausse spectaculaire de la criminalité, de la délinquance et du trafic de drogue, avant tout due à la dégradation des conditions de vie des Centraméricains, les programmes d'ajustement préconisés par le FMI (Fonds monétaire international) et la Banque mondiale ayant tendance à creuser les écarts sociaux. Cependant, elle prend aussi sa source dans l'imparfaite réinsertion des anciens combattants. Alors que les anciens dirigeants guérilleros ont pu réintégrer la vie politique, à l'image du FMLN salvadorien, devenu la deuxième force politique du pays, et de sa dirigeante Ana Guadalupe Martinez, élue vice-présidente de l'Assemblée, l'essentiel des troupes ont été les laissés-pour-compte des plans de paix. Nombre d'entre eux ont d'ailleurs conservé leurs armes, quand ils ne les ont pas vendues avant d'être démobilisés. On estime ainsi au Salvador qu'environ 10 % seulement des 300 000 armes

de guerre qui circulent dans le pays ont été récupérées. Cette situation est apparue susceptible de favoriser le retour au premier plan de certaines figures autoritaires, comme l'ancien dictateur Rios Montt (1982-1983) au Guatémala. L'insécurité rampante a eu pour conséquence de freiner la démilitarisation des sociétés, voire de renverser la tendance. Ainsi, au Guatémala, des bataillons de l'armée allaient-ils prêter leur assistance à la police nationale, dans le cadre de « commandos anti-enlèvements », sans être placés sous autorité civile. De même, au Salvador, 5 000 militaires ont entrepris de collaborer avec la toute jeune police nationale civile pour appliquer un « plan guardian » contre la délinquance. Au Honduras, où la délinquance a augmenté de 500 % en 1994, un plan de sécurité « Centinela 95 » a été lancé avec la participation de 4 800 policiers et de 3 000 militaires.

Partout, sont réapparues des patrouilles dans les villes et les campagnes. On a même vu se reformer des « escadrons de la mort » se chargeant de rendre une justice expéditive. Parce qu'il a impliqué une dynamique de collaboration intergouvernementale dans la région, le processus de paix a débouché sur une relance de l'intégration économique et politique qui, à terme, devrait porter ses fruits. Pour l'heure, les Centraméricains attendent toujours de pouvoir jouir pleinement du retour de la paix dans la région.

Olivier Dabène

Ex-empire soviétique
Chronique des tensions nationales

Jusqu'au 11 décembre 1994, la Fédération de Russie, malgré certaines tensions et violences, pouvait se prévaloir de sa stabilité et de l'absence de conflits majeurs sur son territoire. Malgré la gravité des affrontements entre Ossètes et Ingouches à l'automne 1992 (plusieurs centaines

de morts), l'État russe n'était pas directement impliqué sur le terrain. Fort de sa capacité à faire régner l'ordre dans la Fédération et d'une légitimité historique proclamée, le Kremlin se voulait le garant de la paix sur ses marches, en particulier dans les zones de conflit (Tadjikistan, Abkhazie, Géorgie, Haut-Karabakh). La guerre en Tchétchénie a bouleversé cette donne. Moscou, avec le blanc-seing des organisations internationales (ONU, OSCE — Organisation pour la sécurité et la coopération en Europe —, HCR — Haut Commissariat des Nations unies pour les réfugiés), a continué à intervenir dans les conflits se déroulant sur les territoires de l'ex-URSS. Les progrès réalisés sont cependant restés fragiles, à la merci du moindre incident.

Au **Tadjikistan**, le cessez-le-feu signé en septembre 1994 entre les autorités de Douchanbé et l'opposition a été prolongé. Mais les affrontements se sont multipliés sur la frontière afghane où le corps expéditionnaire russe s'est heurté aux groupes armés islamistes. En **Estonie** et en **Lettonie**, les minorités russophones demeuraient dans l'attente d'un nouveau statut, «passeport» pour l'intégration. Au **Kazakhstan** et au **Kirghizstan**, les tensions vécues par les communautés russes sont restées fortes; beaucoup ont choisi de quitter ces républiques pour la Russie. Les autorités russes n'ont pas toujours semblé en état de maîtriser la douloureuse question des réfugiés, russes ou citoyens des autres républiques, en provenance des zones de conflit.

Le retrait de la 14e armée russe, stationnée en **Transdniestrie** (Moldavie), négocié entre Moscou et Chisinau, a provoqué de fortes oppositions dans la «république autoproclamée» russophone ainsi qu'à la Douma russe. En **Abkhazie**, la question des Géorgiens (qui peuplaient à 45 % ce territoire en 1989), chassés en octobre 1993 à la suite de la guerre entre séparatistes abkhazes et forces géorgiennes, et la question du statut futur de l'Abkhazie ont entretenu une forte tension, alors que les incidents armés restaient nombreux.

Malgré le cessez-le-feu signé au printemps 1994, des affrontements sporadiques ont continué à opposer Azéris et Arméniens dans le **Haut-Karabakh**. Les deux parties n'avaient toujours pas réussi à trouver l'ébauche d'une solution politique et territoriale au conflit qui oppose un territoire sous administration azerbaïdjanaise et peuplé majoritairement d'Arméniens à l'Azerbaïdjan. Le **Nord-Caucase** est resté la zone la moins stable de la Fédération de Russie. Ossètes et Ingouches ont continué à s'affronter. Le rapatriement des 30 000 Ingouches attendant de revenir dans le district de Prigorodny s'est heurté à l'hostilité des autorités ossètes.

A Moscou et Saint-Pétersbourg, mais aussi dans la région de Stavropol, les Caucasiens ont dû subir l'hostilité et la méfiance d'une partie de la population. Les autorités n'ont pas hésité à y susciter un racisme anticaucasien, souvent accompagné d'une véritable chasse au faciès.

Enfin, si la «guerre des souverainetés» entre Kiev et Simféropol (**République autonome de Crimée**) a semblé connaître une pause, les rapports entre Moscou et Kiev sont demeurés marqués par des tensions sporadiques à propos du partage de la flotte militaire de la mer Noire, alors que la Douma exigeait que la ville de Sébastopol, siège d'une importante base navale, soit placée sous souveraineté russe. Le 23 juin 1995, l'assassinat de deux Tatars a fait monter la tension entre les communautés russe et tatare.

Charles Urjewicz

(Voir aussi l'encadré consacré à la crise en Tchétchénie, p. 43; celui consacré à la reconstitution d'une sphère impériale russe, p. 42. Voir aussi les articles relatifs aux différentes républiques issues de l'ex-URSS, p. 626 et suiv.)

Questions économiques

Économie et sociétés / Journal de l'année

— 1994 —

8-12 juillet. **G-7.** Lors du « sommet » de Naples du Groupe des sept pays les plus industrialisés, la question de l'emploi est pour la première fois mise à l'ordre du jour, sans grandes conséquences [*sur les retombées pour les pays industrialisés de la concurrence des pays à bas salaires, voir p. 80*]. La question des conditions financières de la fermeture de la centrale nucléaire de Tchernobyl est également abordée : les Sept accordent 200 millions de dollars d'aide à l'Ukraine pour abandonner ce site. Cette aide vient s'ajouter aux 120 millions de dollars déjà promis par l'Union européenne.

22 juillet. **Bretton Woods.** Le cinquantième anniversaire des accords de Bretton Woods, qui ont abouti à la mise en place du FMI et de la Banque mondiale, intervient à un moment où le système monétaire international suscite de nombreux débats [*voir notamment édition précédente, p. 27, 585 et 618*]. Lors de l'Assemblée générale des deux institutions, qui se déroulera à Madrid les 4-5-6 octobre suivants, les organisations non gouvernementales manifestent pour dénoncer les stratégies de ces dernières, qu'elles considèrent comme dominatrices à l'égard des États du Sud. Ceux-ci ont bloqué deux décisions du Fonds concernant des allocations et crédits destinés aux pays de l'Est.

5-13 septembre. **ONU.** La 3e conférence des Nations unies sur la population et le développement se tient au Caire, accueillant les représentants de 182 pays. Les médias retiennent surtout la vivacité des débats concernant la contraception et l'avortement, à la satisfaction du Vatican et de certains pays musulmans qui ont développé une efficace campagne oppositionnelle sur ces thèmes, occultant pour partie d'autres enjeux essentiels des travaux. [*Voir article p. 67, et encadré p. 69.*]

20 septembre. **Azerbaïdjan.** Signature, malgré l'obstruction de Moscou, d'un contrat de trente ans avec un consortium occidental (British Petroleum et six autres firmes) pour l'exploitation du pétrole des gisements *offshore* de Chirag et d'Azeri, sur la mer Caspienne. [*Voir article p. 348, et carte p. 352.*]

11 octobre. **Russie.** Le rouble perd plus d'un cinquième de sa valeur face au dollar. Cette chute de la monnaie russe entraîne la destitution du gouverneur de la Banque centrale, ainsi qu'un important remaniement ministériel.

21-24 octobre. **CEI.** Réunies en « sommet », les douze républiques de la Communauté d'États indépendants décident de la création d'un comité intergouvernemental économique, première structure supranationale où la Russie détient 50 % des voix. [*Sur la reconstitution d'une sphère impériale russe, voir article p. 42.*]

7 novembre. **Corée.** La Corée du Sud lève l'embargo économique appliqué à l'encontre de la Corée du Nord.

14-15 novembre. **Pacifique.** Le deuxième « sommet » de la Coopération économique Asie-Pacifique (APEC) réunit à Bogor (Indonésie) seize pays des deux rives du Pacifique, avec le Chili comme nouveau membre. La constitution d'une zone de libre-échange transpacifique est projetée à l'horizon 2020. [*Sur les enjeux de la coopération transpacifique, voir notamment édition précédente, p. 36.*]

9-11 décembre. **Amériques.** Début à Miami du « sommet des Amériques », troisième rencontre réunissant tous les pays du continent, à l'exception de Cuba, non représenté. Les participants projettent de créer une zone de libre-échange panaméricaine.

19 décembre. **Chine.** Échec des négociations portant sur l'entrée de la Chine au GATT et sa participation au lancement de l'OMC. Ce pays, où se développe sous régime politique autoritaire un capitalisme sauvage en forte croissance, apparaît comme une future puissance économique considérable dans une région en très forte croissance. [*Sur les économies émergentes d'Asie, voir article p. 132.*]

20 décembre. **Mexique.** Une dévaluation du peso (15 %) révèle une grave crise économique et financière. La monnaie mexicaine perd rapidement 60 % de sa valeur face au dollar. La Bourse s'effondre et les sorties de capitaux sont massives. Le pays apparaît au bord du gouffre et l'onde de choc se fait sentir sur les marchés financiers mondiaux. [*Sur la crise mexicaine et l'état des économies latino-américaines, voir article p. 135. Voir aussi article sur la dette des tiers mondes, p. 123.*]

— 1995 —

1er janvier. **Groupe des Trois.** L'accord de libre-échange signé par la Colombie, le Mexique et le Vénézuela entrent en vigueur.

1er janvier. **Mercosur.** Le Marché commun du Sud de l'Amérique (Argentine, Brésil, Paraguay et Uruguay) entre en vigueur. Le traité d'Asunción (1991) a été complété en décembre 1994 par le protocole d'Ouro Preto (Brésil) qui l'a doté d'une personnalité juridique.

1er janvier. **OMC.** Entrée en activité de l'Organisation mondiale du commerce. Elle prend la suite de l'Accord général sur les tarifs douaniers et le commerce (GATT), conformément aux conclusions des discussions commerciales multilatérales de l'*Uruguay Round*, signées à Marrakech le 15 avril précédent. [*Sur les défis posés à l'OMC, voir p. 48 ; sur les négociations du GATT, voir édition précédente, p. 580.*]

1er janvier. **UE.** L'Union européenne passe de douze à quinze membres avec l'entrée de l'Autriche, de la Suède et de la Finlande. Les Norvégiens ont, quant à eux, refusé le 28 novembre 1994, par référendum, l'adhésion de leur pays. Le 23, le Luxembourgeois Jacques Santer succède au Français Jacques Delors à la présidence de la Commission européenne. [*Sur la question des élargissements, voir article p. 58 ; sur les mutations de l'Europe, voir aussi p. 565.*]

15-17 février. **UE-ACP.** La révision à mi-parcours de la Convention de Lomé IV, relative à l'aide aux pays ACP (Afrique, Caraïbes, Pacifique) pour 1995-2000, est abandonnée du fait de dissensions entre les Quinze.

21 février. **Mexique.** Le pays reçoit une aide de 52 milliards de dollars pour juguler la crise financière. Le président américain Bill Clinton a fait débloquer des crédits d'urgence pour une valeur de 20 milliards de dollars, contraignant en contrepartie le Mexique à accentuer encore davantage l'austérité. Le président Ernesto Zedillo s'y engage et, dès le 9 mars, rend public un nouveau plan de stabilisation.

25-26 février. **G-7.** Réunis à Bruxelles sur le sujet des « autoroutes de l'information », les Sept se prononcent pour la déréglementation des télécommunications.

26 février. **Chine-États-Unis.** Un accord est passé à Pékin concernant les droits de la propriété intellectuelle et la libéralisation des importations de produits audiovisuels et écrits. En d'autres termes, cet accord concerne le piratage commercial relatif aux films, aux cassettes et autres produits des industries culturelles et électroniques.

27 février. **Canada.** Le ministre des Finances Paul Martin propose un budget d'austérité pour résoudre le problème du déficit. Dans la fonction publique, les effectifs, au niveau fédéral, devraient être réduits de 15 %.

5 mars. **Système monétaire.** Dévaluation de la peseta espagnole de 7 % et de l'escudo portugais de 3,3 %, du fait de la chute du dollar et des retombées de la crise financière mexicaine. [*Sur les fragilités du Système monétaire et financier international, voir édition précédente, p. 27.*]

6-12 mars. **ONU.** Lors du 1er « sommet mondial pour le développement social » à Copenhague, 184 États adoptent un programme de lutte contre la pauvreté, perçu par beaucoup comme une déclaration d'intention. Cela illustre la montée des préoccupations concernant les inégalités et les fractures sociales, mais est également significatif de la volonté de certaines organisations internationales d'investir de nouveaux champs d'action.

14 avril. **Irak.** L'ONU autorise une reprise limitée des ventes de pétrole irakien. Le pays est soumis à embargo international (reconduit le 13 mars précédent) depuis son invasion du Koweït, en août 1990.

16 avril. **Travail des enfants.** L'assassinat de Iqbal Masih, un jeune Pakistanais de douze ans œuvrant au sein d'un mouvement militant contre le travail forcé des enfants, vient rappeler une donnée tragique de la croissance de certains pays.

18 avril. **Yen-dollar.** La devise américaine apparaît en chute libre face au yen, atteignant son plancher historique depuis la fin de la guerre, malgré les interventions de la Banque centrale du Japon et celle de la Réserve fédérale américaine. Les autorités nippones s'alarment des contraintes que cela fait peser sur leur économie. Un plan est présenté le 14 avril pour tenter de réagir.

30 avril. **États-Unis-Iran.** Bill Clinton annonce un embargo américain envers l'Iran, accusé de se prêter au terrorisme et d'avoir des ambitions nucléaires.

16 mai. **États-Unis-Japon.** Washington menace de taxer au maximum de nombreux modèles de voitures de luxe à l'importation si Tokyo n'ouvre pas davantage son marché intérieur aux pièces automobiles américaines. Le déficit de la balance commerciale américaine avec le Japon a été de plus de 65 milliards de dollars en 1994, essentiellement du fait du secteur automobile (37 milliards). Peu avant l'échéance de l'ultimatum américain, le 28 juin, le Japon cède sur certains points.

Serge Cordellier

Tableau de bord
de l'économie mondiale en 1994-1995

Pour la troisième année consécutive, la croissance de l'économie mondiale a continué à s'accélérer en 1994-1995. Elle est passée de 2,5 % en 1993 à 3,7 % en 1994 et devrait se maintenir à ce rythme en 1995. Cette accélération a touché toutes les régions, sauf le Moyen-Orient (où la croissance s'est ralentie), la Russie (où la production s'est contractée encore plus rapidement que l'année précédente), et, bien sûr, les pays en état de guerre, lesquels ont connu de fortes chutes de la production.

Les trois régions
du monde industrialisé

Les résultats économiques des pays industrialisés se sont améliorés en 1994 et ont été meilleurs que ne l'avaient prévu les experts de l'OCDE et du FMI. Le taux de croissance moyen de la zone, qui avait été de 1,2 % en 1993, est passé à 3,0 % et devrait se maintenir à ce rythme en 1995.

Contrairement à l'année 1993 (où les pays anglo-saxons étaient en croissance, tandis que l'Europe et le Japon étaient en récession), l'année 1994 aura correspondu à une croissance générale pour les pays industrialisés.

Deux groupes de pays peuvent être distingués selon le retard ou l'avance qu'ils marquent sur le cycle économique. D'un côté, les pays anglo-saxons (États-Unis, Royaume-Uni, Canada, Australie et Nouvelle-Zélande), en avance sur le cycle, qui avaient atteint le plus profond de la récession en 1991, en sont sortis en 1992 ; d'un autre côté, les pays d'Europe occidentale et le Japon ont atteint le creux de la vague en 1993 et n'ont renoué avec la croissance qu'en 1994.

Ainsi, les États-Unis sont entrés, en 1995, dans leur quatrième année de reprise, l'Europe occidentale et le

Japon dans leur deuxième. Ce décalage conjoncturel, ainsi que des choix différents de politique économique expliquent en grande partie les particularités de la reprise dans ces trois grandes zones [*voir tableaux 1 à 5, ainsi que tableau 12*].

Aux États-Unis, la croissance est revenue en 1992 grâce à une forte augmentation de la demande intérieure ; la contribution du commerce extérieur demeurant négative en 1992, 1993 et 1994 (les pays d'Europe occidentale étaient en récession en 1993 et le Mexique a connu une violente contraction de ses importations en 1994). La demande intérieure américaine s'est pour sa part accélérée en 1993 et 1994, augmentant de 11 % en trois ans.

En Europe, les premiers signes de la reprise sont venus, en 1993, de la demande extérieure, dont l'essor s'expliquait par la reprise engagée dans les pays anglo-saxons et par la forte croissance des pays asiatiques. En 1994, la relève fut prise, très modérément, par l'investissement (+ 2,1 %) et la consommatin (+ 1,7 %). En 1995, on s'attendait à une modeste augmentation de la demande intérieure (+ 2,7 %). S'est développée, chez nombre d'économistes, la conviction que l'Europe connaissait une croissance très insuffisante de la consommation. De 1990 à 1995, celle-ci n'a en effet augmenté que de 1,6 % par an, soit nettement moins que la production potentielle. Cela est probablement la conséquence de la forte diminution de la part des salaires dans le revenu national constatée depuis douze ans. Cette part est en revanche restée très stable aux États-Unis et au Japon [*voir graphique page 575 de la précédente édition*].

Le Japon a retrouvé la croissance en 1994, grâce à une augmentation planifiée de la consommation et de l'investissement, résultat d'un ambi-

TABLEAU 1. PRODUCTION MONDIALE PAR GROUPES DE PAYS
(Taux de croissance annuel)

	1977-86	1990	1991	1992	1993	1994
Monde	3,4	2,4	1,3	2,0	2,5	3,7
PCD [a]	2,7	2,4	0,8	1,5	1,2	3,0
PVD [b]	4,6	3,9	4,9	5,9	6,1	6,3
Pays en transition [c]	3,3	−3,9	−11,6	−15,3	−9,2	−9,4

a. Pays capitalistes développés ; b. Pays en voie de développement ; c. Ex-URSS, Bulgarie, ex-Tchécoslovaquie, Roumanie, Pologne et Hongrie.
Source : FMI.

TABLEAU 2. PAYS INDUSTRIALISÉS
(Taux de croissance annuel)

	1977-86	1990	1991	1992	1993	1994
Ensemble	2,7	2,4	1,3	2,0	2,5	3,7
États-Unis	2,7	1,2	−0,6	2,3	3,1	4,1
Japon	4,0	4,8	4,3	1,1	−0,2	0,6
Allemagne	1,9 [a]	5,7 [a]	2,8	2,2	−1,1	2,9
France	2,2	2,5	0,8	1,2	−1,0	2,5
Royaume-Uni	2,1	0,4	−2,0	−0,5	2,2	3,8
Italie	2,7	2,1	1,2	0,7	−0,7	2,5
Europe (UE)	2,1	3,0	1,1	1,0	−0,4	2,8

a. Länder de l'Ouest seulement.
Source : FMI.

TABLEAU 3. URSS ET PAYS DE L'EST
(Taux de croissance annuel)

	1977-86	1990	1991	1992	1993	1994
Rép. tchèque	..	..	..	..	−0,9	2,6
Hongrie	2,5	−3,5	−11,0	−4,3	−2,3	2,6
Pologne	1,4	−11,6	−7,0	2,6	3,8	6,0
Albanie	1,6	−10,0	−27,7	−9,7	11,0	7,4
Bulgarie	5,7	−9,1	−11,7	−5,7	−4,2	0,0
Roumanie	4,0	−5,6	−12,9	−10,1	1,3	3,4
Russie	..	..	−13,0	−19,0	−12,0	−15,0
Ukraine	..	..	−11,9	−17,0	−17,1	−23,0
Croatie	..	..	..	..	−3,2	1,8
Slovénie	..	..	..	..	1,3	5,0
Ensemble [a]	3,3	−3,9	−11,6	−15,3	−9,2	−9,4

a. Europe centrale et ex-URSS.
Source : FMI.

TABLEAU 4. PAYS EN VOIE DE DÉVELOPPEMENT (Taux de croissance annuel)						
	1977-86	1990	1991	1992	1993	1994
Ensemble	4,6	3,9	4,9	5,9	6,1	6,3
Afrique	2,1	2,0	1,9	0,8	0,7	2,7
Asie	6,9	5,6	6,4	8,2	8,7	8,6
Moyen-Orient	2,5	4,8	3,1	5,5	3,7	0,7
Amérique latine	3,2	0,6	3,5	2,7	3,2	4,6

Source : FMI.

TABLEAU 5. INFLATION ANNUELLE [a]						
	1970	1975	1980	1985	1993	1994
Pays industrialisés	5,6	11,2	12,0	4,1	3,0	2,4
États-Unis	5,9	9,0	13,5	3,6	3,0	2,6
Japon	7,7	11,8	7,7	2,0	1,3	0,7
RFA	3,4	5,9	5,4	2,2	4,7	3,1
France	5,9	11,8	13,3	5,8	2,1	1,7
Royaume-Uni	6,4	24,2	18,0	6,1	3,0	2,4
Italie	5,1	17,1	21,0	9,2	4,4	4,0
Canada	3,4	10,8	10,2	4,0	1,8	0,2
PVD [b]	8,5	23,1	27,8	35,5	43,0	48,0
Afrique	5,4	18,9	14,2	12,2	26,8	33,6
Asie	••	1,7	12,3	6,0	9,4	13,5
Moyen-Orient	3,1	21,5	17,3	13,4	24,5	32,3
Amérique latine	12,3	37,2	55,2	127,5	212,3	225,8

a. Taux officiels de croissance annuels de l'indice des prix à la consommation ; b. Pays en voie de développement.
Source : FMI.

TABLEAU 6. EXPORTATIONS MONDIALES						
Année	1970	1980	1985	1990	1992	1994
Total monde (milliards $)	292	1 897	1 819	3 430	3 754	4 252
dont (en %)						
Pays industrialisés	76,2	66,7	70,5	71,5	70,6	68,1
Amérique du Nord	20,4	15,5	17,0	15,2	15,5	15,9
Europe	47,1	42,9	42,2	46,5	44,6	41,5
Japon	6,6	6,9	9,7	8,4	9,1	9,3
PVD [a]	23,8	33,3	29,5	28,5	29,4	31,9
Afrique	4,4	5,0	3,6	2,5	2,2	1,8
Asie	5,8	8,6	11,5	13,2	15,5	18,1
Amérique latine	5,6	5,5	5,4	3,7	3,5	3,7

a. Pays en voie de développement.
Source : FMI.

TABLEAU 7. DETTE EXTÉRIEURE TOTALE (Milliards de dollars)						
Année	1970 [a]	1980	1986	1990	1992	1994 [d]
Ensemble PVD [c]	62	658	1 218	1 539	1 696	1 945
Afrique [b]	5,7	84	139	192	195	211
Asie et Pacifique	19,3	135	283	396	472	571
Europe et ex-URSS	4,8	95	202	286	333	403
Amérique latine	27,7	257	434	476	500	547
Moyen-Orient et Afrique du Nord	4,4	86	160	189	195	213

a. Dette à long terme seulement ; b. Afrique du Nord non comprise ; c. Pays en voie de développement, y compris ex-URSS ; d. Projection.
Source : Banque mondiale.

TABLEAU 8. PRODUIT INTÉRIEUR BRUT PAR HABITANT [a] (États-Unis = 100)			
	1985	1990	1994
États-Unis	100	100	100
Japon	72	80	81
RFA	81	84	75
France	77	79	77
Royaume-Uni	68	72	71
Italie	69	73	72
Canada	88	87	80

a. Les PIB sont calculés selon la méthode des taux de change à parité de pouvoir d'achat (PPA).
Source : OCDE.

TABLEAU 9. PRODUCTION INDUSTRIELLE (1990 = 100)						
	1970	1975	1980	1985	1990	1994
Pays industrialisés	57,2	62,6	77,5	85,3	100,0	100,4
États-Unis	55,4	58,9	76,6	87,4	100,0	107,9
Japon	45,3	49,0	67,8	80,3	100,0	91,8
RFA	70,7	71,5	84,1	85,4	100,0	97,5
France	66,1	76,0	89,2	87,6	100,0	99,2
Royaume-Uni	73,5	75,1	81,5	88,0	100,0	103,3
Italie	62,3	67,1	87,3	84,7	100,0	102,2
Canada	58,4	70,8	81,3	94,3	100,0	108,4

Source : FMI.

tieux plan anticyclique. La chute de l'investissement a été contenue grâce à un important programme d'investissements publics. Ainsi, au plus fort du ralentissement (en 1993), le PIB nippon a poursuivi sa croissance (+ 1,0 %) et le taux de chômage — extrêmement faible — n'a pratiquement pas bougé (2,8 % en décembre 1994).

Le résultat du Japon en matière de chômage n'est pas, contrairement à ce qu'affirment beaucoup d'experts, le simple résultat d'un comportement des femmes japonaises qui ne s'inscriraient pas à l'agence de l'emploi. En 1993 et 1994, la population active féminine a continué de croître dans ce pays, ce qui dément une telle explication. C'est bien plutôt le modèle d'intervention publique adopté par le pays qui lui a assuré une meilleure maîtrise de la conjoncture qu'en Europe

ou aux États-Unis. Il faut souligner par ailleurs que la tradition patronale nippone compte moins sur les licenciements comme forme d'ajustement. D'ailleurs, certains « petits » pays européens dits « à haute cohérence sociale » (Norvège, Danemark, Luxembourg), qui devraient, en raison de leur degré d'ouverture, être extrêmement vulnérables à la conjoncture internationale, ont traversé la récession mondiale, comme le Japon, sans diminution de leur PIB. D'autres pays de ce type, tout en ayant connu une récession, ont maîtrisé leur taux de chômage (Suisse, Autriche).

Malgré cela, de nombreuses études sur le chômage négligent totalement l'expérience de ces pays à faible chômage, se concentrant trop exclusivement sur le cas des États-Unis, en se fondant sur le fait très contestable que ces derniers

TABLEAU 10. EMPLOI (1985 = 100)						
	1970	1975	1980	1985	1992	1994
Pays industrialisés	86,5	90,3	96,6	100	107	108
CEE	99,5	100,3	102,0	100	103	101
États-Unis	73,4	80,1	92,7	100	108	113
Japon	87,7	89,9	95,3	100	110	111
RFA	104,6	101,1	103,1	100	108	104
France	97,2	99,8	102,0	100	102	101
Italie	93,7	95,0	99,0	100	104	98
Royaume-Uni	100,7	102,1	103,3	100	96	96
Canada	70,6	82,7	95,4	100	106	110

Source : OCDE.

TABLEAU 11. TAUX DE CHÔMAGE (% de la population active)							
	1975	1980	1985	1989	1990	1992	1994
Pays industrialisés	5,4	5,5	7,2	6,2	6,1	7,4	7,8
CEE	4,3	6,4	10,9	9,0	8,4	9,4	11,4
États-Unis	8,3	7,0	7,1	5,2	5,4	7,3	6,0
Japon	1,9	2,0	2,6	2,3	2,1	2,2	2,9
RFA [a]	3,6	2,9	7,2	5,6	4,9	4,6	6,9
France	4,0	6,3	10,2	9,4	8,9	10,4	12,3
Royaume-Uni	4,3	6,4	11,2	7,2	6,8	10,1	9,6
Italie	5,8	7,5	9,6	10,9	10,3	10,5	12,1

Source : OCDE. a. Allemagne occidentale seulement.

TABLEAU 12. PERFORMANCES COMPARÉES DE LA TRIADE E-U, JAPON, UE						
Taux de croissance de la consommation						
	1990	1991	1992	1993	1994	1995
États-Unis	1,5	−0,4	2,8	3,3	3,5	2,9
Japon	3,9	2,2	1,7	1,0	2,2	2,7
CEE/UE	3,0	2,3	1,6	0,0	1,7	2,4
Taux de croissance de l'investissement						
États-Unis	−1,7	−7,6	5,5	11,3	12,3	7,3
Japon	8,8	3,7	−1,1	−1,8	−2,3	2,3
CEE/UE	3,8	0,4	−0,7	−5,6	2,1	5,3
Taux de croissance de la demande intérieure						
États-Unis	1,3	−1,2	2,5	3,7	4,1	3,2
Japon	5,3	2,6	0,8	0,1	0,8	2,6
CEE/UE	3,0	1,8	1,2	−1,2	1,7	2,7
Taux de croissance du solde extérieur [a]						
États-Unis	0,4	0,7	−0,3	−0,8	−0,7	0,3
Japon	−0,2	1,3	0,7	−0,2	−0,4	−1,0
CEE/UE	0,1	−0,6	−0,1	1,3	0,4	0,3
Taux de croissance du PIB						
États-Unis	1,5	−0,4	2,8	3,3	3,5	2,9
Japon	3,9	2,2	1,7	1,0	2,2	2,7
CEE/UEE	3,0	2,3	1,6	0,0	1,7	2,4

a. En % du PIB de l'année précédente.

connaîtraient une situation d'emploi envieuse. [*Sur les analyses de la persistance du chômage de masse en Europe, voir article suivant.*]

Deux points de vue s'opposent concernant l'utilité pour l'économie mondiale des nouveaux marchés financiers internationaux déréglementés. Le premier, défendu par l'OCDE [*voir par exemple* Perspectives économiques de l'OCDE, *juin 1995, page XVI*], soutient qu'ils contribuent à une allocation efficace des capitaux dans le monde, qu'ils constituent une menace utile pour contraindre des gouvernements potentiellement irresponsables et que leur re-réglementation provoquerait des distorsions globalement nocives pour la croissance. Selon le second point de vue, l'instabilité de ces marchés pénalise non seulement les gouvernements « irresponsables », mais aussi les autres. Ces marchés obéiraient plus à des rumeurs et à la spéculation qu'à l'analyse froide des données « fondamentales ». Ainsi nombre d'observateurs pensent qu'une très légère taxe sur les transactions (entre 0,1 % et 0,5 % sur chaque opération) pourrait dissuader les mouvements massifs de capitaux les plus irrationnels. Cette initiative est associée au nom du prix Nobel d'économie James Tobin qui la proposa dans les années soixante-dix, et a été récemment défendue avec force arguments par le PNUD — Programme des Nations unies pour le développement [*dans sa revue* Choix, *avril 1995*].

BIBLIOGRAPHIE

BANQUE DES RÈGLEMENTS INTERNATIONAUX (BRI), *65ᵉ Rapport*, Bâle, juin 1995.

BIT, *L'Emploi dans le monde 1995*, partie 4, Genève, 1995.

CEPII, *L'Économie mondiale 1996*, Paris, La Découverte, « Repères », 1995.

FMI, *Perspectives de l'économie mondiale*, Washington, mai 1995.

« La croissance retrouvée. L'état de l'économie 1995 », *Alternatives économiques*, n° 24 (hors série), Paris, 1995.

La lettre du CEPII, La Documentation française, Paris (11 n° par an).

ONU, *La Situation économique en Europe 1994-1995*, Genève, 1995.

Les contrastes des pays en développement

Les pays en voie de développement ont globalement connu, en 1994, une croissance de 6,3 %, marginalement plus élevée que l'année précédente. Comme d'habitude, cette croissance a été très inégalement distribuée. Ainsi, pour la troisième année consécutive, l'Asie a enregistré un taux impressionnant, dépassant 8 %. En plus des quatre « tigres » (Corée du Sud, Taïwan, Hong Kong, Singapour) et de la Chine, d'autres pays semblent entrés dans le peloton de croissance rapide. C'est le cas de l'Indonésie, du Laos, de la Fédération de Malaisie, de la Thaïlande et du Vietnam [*voir l'article consacré aux économies émergentes asiatiques, p. 132*]. La réussite de ces pays semble avoir ébranlé les idées schématiques qui prévalaient dans les institutions internationales sur ce qu'est une « bonne politique » de développement. Ainsi, l'intervention « sélective » de l'État dans l'économie est désormais assez souvent mentionnée, autant que les forces du marché, comme un facteur ayant joué « un rôle décisif » [*voir Rapport de la Banque des règlements internationaux, BRI, 12 juin 1995*].

Après une très longue période de croissance ralentie, l'Amérique latine a connu une bonne année 1994 (4,6 %). Le Chili, qui était le seul pays de la région à avoir un taux de croissance élevé, a été rejoint par l'Argentine qui a enregistré, en 1994, sa quatrième année de croissance (près de 7 %). Malheureusement, ce rythme ne devait pas se poursuivre en 1995. Les réformes néo-libérales appliquées au Mexique depuis près de dix ans, que le FMI présentait comme exemplaires, ont produit de nombreux effets pervers (croissance débridée de la consommation, déficit énorme de la balance commerciale, surévaluation de la monnaie, etc.), sans amélioration du taux d'épargne et de l'investissement. Cela a provoqué une fuite massive des capitaux flottants, accompagnée d'une sévère politique d'austérité destinée à rassurer les marchés. Cette politique devait provoquer une forte récession en 1995. Par contagion, plusieurs autres pays du continent (Argentine, Brésil, Vénézuela) ont aussi dû appliquer des politiques « pour rassurer les marchés ». Les perspectives de croissance sont donc apparues réduites pour 1995 [*voir l'article consacré au bilan des politiques néo-libérales en Amérique latine, p. 135*].

En Afrique, la croissance s'est améliorée, atteignant 2,7 %, soit un taux restant inférieur au rythme de croissance de la population (2,8 %). Le Botswana, qui avait été le seul phare de croissance sur ce continent (plus de 10 % par an entre 1977 et 1991), a connu pour la troisième année consécutive une activité bien moins soutenue.

Au Moyen-Orient, la croissance s'est ralentie pour la deuxième année consécutive (0,7 % en 1994), à cause, notamment, du retour à une croissance « normale » au Koweït (après deux années très actives de reconstruction consécutives à la guerre du Golfe) et de la forte récession enregistrée par la Turquie (que le FMI regroupe avec le Moyen-Orient pour ses analyses économiques et que *L'état du monde* classe en Europe).

Les perspectives des pays « en transition »

Le groupe des anciens pays socialistes d'Europe centrale et des Balkans a connu globalement une croissance positive pour la première fois depuis 1989 (+ 2,7 %). Depuis le début de la transition vers l'économie de marché le produit intérieur brut de ces pays avait chuté de 27 %. La Pologne a connu sa troisième année de croissance positive et l'Albanie et la Roumanie leur deuxième année.

Pour ce qui concerne les anciennes républiques de l'URSS, on peut distinguer les pays baltes, plus avancés dans les réformes que les autres, et qui ont retrouvé en 1994 une croissance positive ; la Biélorussie, l'Ukraine et la Moldavie, dont le PIB a chuté de près de 22 % ; la Russie et les républiques d'Asie, dont la production a régressé de près de 15 %.

Dans presque tous ces pays, des forces plus ou moins liées aux anciens partis communistes ont gagné les élections et sont revenues au pouvoir. Mais l'option prise en faveur de l'économie de marché n'a pas semblé contestée.

Parmi les républiques de l'ancienne Yougoslavie, la Croatie et la Slovénie ont enregistré un taux de croissance positif. Selon les Nations unies, la Serbie-Monténégro aurait, malgré l'embargo qu'elle subit, connu une croissance positive.

Selon la Commission économique des Nations unies pour l'Europe, des perspectives de croissance très lente se présentent à ces pays (tant pour ceux qui sont déjà sortis de la récession pour ceux qui en sortiront). Les investissements privés étrangers, sur lesquels des espoirs avaient été fondés pour la modernisation du tissu industriel, ont été extrêmement modiques. Quant à l'aide publique (de l'Union européenne ou des autres pays de l'OCDE), elle a été cruellement décevante.

Francisco Vergara

Quelques idées reçues sur la persistance du chômage en Europe

La totalité des instituts de prévision conviennent que la phase de croissance engagée en Europe ne permettra pas une réduction substantielle du chômage. Celui-ci devrait être, en 1996, en moyenne de 10,1 %, plus élevé donc qu'en 1992.

Une des théories les plus à la mode expliquant la *persistance du chômage* consiste à lier celle-ci à la « rigidité des prix et des salaires ».

Cette opinion n'est cependant pas aussi partagée qu'on le pense. Ainsi, dans le rapport du Bureau international du travail (BIT) *L'Emploi dans le monde, 1995*, auquel ont collaboré de nombreux spécialistes du marché du travail, on peut lire que « la persistance du chômage ne saurait être rattachée à une quelconque rigidité salariale sur le marché du travail [...] les faits ne corroborent pas la thèse selon laquelle la persistance du chômage en Europe serait due en grande partie aux rigidités du marché du travail ».

Une autre thèse fort répandue consiste à insister sur la responsabilité des politiques monétaires et fiscales restrictives pratiquées depuis le début des années quatre-vingt. Or, il est à peu près certain que l'application d'une politique de réduction du déficit budgétaire en pleine récession (comme le décidèrent certains gouvernements européens en 1993) est cause d'augmentation des licenciements. En revanche, une période plus longue (depuis 1985, ou depuis 1970, par exemple) ne fait presque pas apparaître de différence entre les taux de croissance de pays comme les États-Unis ou le Royaume-Uni (qui ont appliqué une politique relativement expansionniste) et celui d'un pays comme la France, laquelle a appliqué les politiques incriminées.

TAUX DE CROISSANCE DU PNB
(1985-1993)

États-Unis	2,1
Royaume-Uni	1,6
France	2,4
Allemagne	2,5

Source : Atlas de la Banque mondiale, *calcul selon la méthode des moindres carrés.*

Dans une certaine mesure, le chômage peut être expliqué par une croissance insuffisante, mais il n'est pas certain qu'une politique fiscale et monétaire plus souple *suffise* à assurer une forte croissance.

Une autre théorie à la mode soutient que les marchés financiers internationaux sont devenus tellement intégrés et puissants que les États ont perdu toute autonomie en matière de politique économique et n'auraient d'autre alternative que d'adhérer à l'orthodoxie monétaire et fiscale.

Un pays qui a une dette plus élevée que ses voisins, ou qui augmente son déficit plus vite que les autres se verrait ainsi imposer une prime de risque plus importante par les marchés financiers. Cette prime de risque se répercuterait sur les autres taux d'intérêt nationaux et pénaliserait toute l'économie, en particulier l'investissement.

Nul doute que des pays en faillite comme le Zaïre soient fortement pénalisés par les marchés financiers. De même, dans une moindre mesure des pays comme la Grèce. Mais cette « sanction » joue-t-elle un véritable rôle en ce qui concerne les pays les plus développés (à l'intérieur des fourchettes de dette et de déficit qu'ils pratiquent régulièrement depuis trente ans) ? Le *tableau 6 [ci-dessous]*, qui donne le poids de la dette et le taux d'intérêt moyen payé sur cette dette pour quelques pays européens, suggère que la prime de risque en question — si elle existe

LA DETTE PUBLIQUE EN EUROPE OCCIDENTALE (1994)	Dette publique (en % du PIB)	Taux d'intérêt moyen sur la dette
Belgique	142,6	7,2
Italie	123,3	8,5
Irlande	93,1	6,7
Pays-Bas	82,2	7,5
Danemark	82,2	9,4
Espagne	61,4	8,6
Allemagne	53,6	6,9
Royaume-Uni	50,5	6,3
France	48,1	8,1
UE	69,8	7,9

Source : Économie européenne, *n° 58, 1994.*

— est assez modérée. Ainsi, des pays comme l'Italie ou la Belgique qui ont une dette proportionnellement trois fois plus élevée que celle de la France, paient sur cette dette approximativement le même taux d'intérêt (même plus faible, dans le cas de la Belgique). La dette publique de cette dernière dépasse 100 % du PIB depuis quinze ans ; la « prime de risque » ne semble donc pas automatique.

Francisco Vergara

Dette des tiers mondes
Un retour sur le devant de la scène ?

La crise de la dette des pays du Sud a tenu une place considérable dans l'actualité des années quatre-vingt. Mais elle a cessé par la suite de faire les gros titres des journaux, semblant « digérée ». La menace que cette crise constituait pour les systèmes financiers des pays industrialisés est pourtant restée latente, mais bien d'autres motifs de fragilité ont contribué à la faire « oublier » : crise de l'immobilier dans les grandes métropoles, risque des marchés dérivés, niveaux des taux d'intérêt réels, etc. La dette des tiers mondes a semblé remisée sur les étagères aux produits exotiques. Il a fallu la brève crise mexicaine de janvier 1995 pour que l'actualité se saisisse à nouveau du problème, invitant au réexamen d'un problème qui a considérablement évolué, et qui est devenu multiforme.

De profondes évolutions

La crise mexicaine de 1995 [*voir article p. 135*] présente certaines analogies avec celle de 1982, qui avait été le détonateur de la crise de la dette. Dans les deux cas, la soudaine méfiance des marchés a conduit à un brusque déséquilibre de balance des paiements et à une mobilisation générale des États-Unis et des institutions internationales. Mais l'analogie s'arrête là. La reprise des flux de financements extérieurs dont bénéficient les pays « émergents » (pays ayant commencé leur « décollage économique ») ne peut se comparer à celle des années soixante-dix : au début des années quatre-vingt-dix, les flux sont pour une grande part composés d'investissements directs (non générateurs d'endettement) et d'investissements de portefeuille, portant souvent sur des titres privés. Les prêts bancaires aux États ne jouent qu'un rôle restreint : depuis 1991, l'essentiel du financement extérieur des États endettés se fait sur les marchés obligataires internationaux. Cette nouvelle configuration modifie sensiblement la répartition des risques : les investisseurs internationaux portent dorénavant une part importante du risque, et le lien entre dette publique et dette extérieure se trouve ainsi détendu.

Ce sont ces éléments qui soustendaient le diagnostic de « fin de la crise ». Parmi les symptômes a notamment figuré la remontée des cours des créances sur les pays en développement sur les marchés secondaires. Après avoir atteint un sommet en 1987, les principaux indicateurs d'endettement ont ensuite diminué pour se rapprocher progressivement des niveaux antérieurs à la crise [*voir graphique I*]. Il faut noter que les diverses modalités de réduction de la dette n'ont joué qu'un faible rôle dans la sortie de crise. L'avancée la plus prometteuse en ce domaine est restée le plan Brady de 1989 (du nom du secrétaire au Trésor des États-Unis de l'époque), fondé sur la titrisation des créances (transformation de celles-ci en obligations facilement négociables, mais avec une décote correspondant à celle qui était apparue sur le marché secondaire). Mais ce plan n'a finalement porté que sur des montants limités. En fait, la situation a surtout été modifiée par la mise en place de nouvelles politiques économiques liées à la libéralisation progressive des économies. En particulier la vague de privatisations d'entreprises publiques, la mise en place de marchés financiers nationaux, ainsi que la réduction des obstacles à l'investissement étranger ont eu un impact considérable sur le financement extérieur. Les échanges de dettes contre actifs (*debt equity swaps*) ont ouvert un nouveau champ. Par la suite, la reprise de la croissance a contribué à inverser à nouveau les anticipations des investisseurs internationaux, d'autant que des taux d'intérêt très bas aux États-Unis les incitaient à chercher ailleurs des placements plus rémunérateurs. Tous ces éléments ont contribué à une reprise remarquable du financement international privé vers les pays du Sud, évidemment polarisée sur les pays dont le potentiel économique paraissait le plus prometteur (Chine, Inde, etc.).

La crise mexicaine du début 1995 est venue rappeler à la prudence. Elle a souligné un aspect profondément nouveau de la situation actuelle : l'intégration en profondeur des marchés internationaux de capitaux, fondée sur une extrême mobilité. Les pays émergents ayant reçu une partie importante de leurs capitaux sous forme de placements spéculatifs étaient ainsi à la merci d'un reflux brutal, sous l'effet de causes internes (politique économique, troubles politiques) ou externes (modification des taux d'intérêt aux États-Unis). Les pays émergents se retrouvaient donc dans une situation commune à d'autres pays : les marges de manœuvre des gouvernements et des banques centrales sont de plus en plus limitées par le rôle croissant des marchés internationaux de capitaux. Évidemment, les effets de cette instabilité sont d'autant plus violents qu'ils frappent des économies relativement fragiles, tant au niveau de leur structure productive (semi-industrialisation) que financière. Paradoxalement, cette crise qui

concerne principalement des marchés privés a remis au premier plan le rôle des autorités publiques à travers l'impact des décisions gouvernementales sur l'évolution des taux de change et des taux d'intérêt.

Une différenciation croissante des pays débiteurs

La profonde hétérogénéité des pays du Sud s'était encore creusée dans les années soixante-dix, lorsque les banques cherchèrent à recycler des liquidités excessives : ces financements se concentrèrent sur les pays relativement les plus riches, laissant pratiquement de côté les pays les moins avancés. Ces derniers n'ont donc

GRAPHIQUE 1
PAYS EN DÉVELOPPEMENT
SERVICE DE LA DETTE EXTÉRIEURE [a]

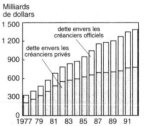

a. Par service de la dette, on entend la somme, sur la base des règlements effectifs, des intérêts sur le total de la dette et de l'amortissement de la dette à long terme ; b. En pourcentage des exportations de biens et services (échelle de gauche) ; c. Échelle de droite.

Source : FMI, Rapport annuel, *1993.*

GRAPHIQUE 2
PAYS EN DÉVELOPPEMENT : ENCOURS
ET SERVICE DE LA DETTE EXTÉRIEURE [a]
(en % de la valeur des exportations)

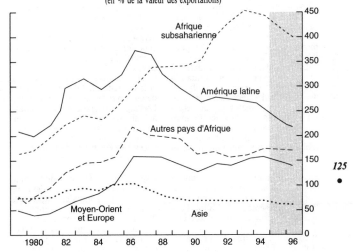

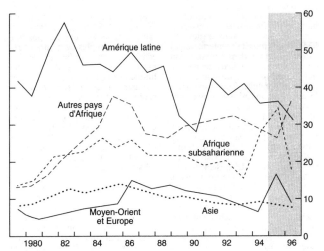

a. Les zones en gris correspondent à des projections prenant en compte les financements exceptionnels.

Source : FMI, Perspectives de l'économie mondiale, mai 1995.

accès qu'aux financements publics bilatéraux ou multilatéraux, qui leur sont accordés à des conditions très favorables. En 1990, par exemple, 99 % du financement extérieur des pays à faible revenu de l'Afrique subsaharienne était public, et pour 87 % concessionnel (taux d'intérêt moyen : 3,9 %, contre 8 % pour l'Amérique latine).

La crise dans les pays endettés à revenu relativement élevé a quant à elle été déclenchée par la méfiance des marchés, lesquels ont subitement refusé tout nouveau prêt non nécessaire pour assurer le service des intérêts dus. Pourtant, dans les années soixante-dix, ces pays ont connu une croissance rapide, ainsi qu'un développement spectaculaire de leurs exportations non traditionnelles. Si les déterminants « fondamentaux » (solde des échanges extérieurs, inflation, etc.) étaient relativement sains, le choc représenté par le brutal changement de politique monétaire aux États-Unis (1979) avait jeté le doute et conduit à une inversion des anticipations. C'est ainsi que les transferts vers ces pays devinrent négatifs, les remboursements dépassant le montant des financements nouveaux. Les politiques de stabilisation du FMI (Fonds monétaire international) furent appliquées dans cette situation de pénurie artificielle de devises, ce qui se traduisit par un « surajustement » et conduisit à une forte décélération économique, durement ressentie par les groupes sociaux les plus déshéritées.

Rien de tel ne s'est produit pour les pays les plus pauvres. Les flux vers ces pays sont restés stables, voire légèrement croissants en termes réels sur le long terme. L'enlisement dans l'endettement aura été pour eux le résultat d'une faible croissance, du faible rendement du système fiscal et, surtout, de l'instabilité des recettes d'exportations. L'endettement extérieur n'y a pourtant généralement pas le caractère d'une contrainte extérieure forte, car le non-respect des échéances n'est que faiblement sanctionné. Seuls des pays très désorganisés (comme le Zaïre) ont atteint

le point de non-retour ; l'accumulation d'arriérés a conduit à la seule sanction possible : l'arrêt des financements extérieurs.

Le centre de la crise de la dette s'est manifestement déplacé, des grands débiteurs (Mexique, Brésil) vers les pays les plus pauvres. Ceux-ci ne doivent pas des montants considérables (l'Afrique subsaharienne ne devait en 1982 que 17 % de la dette totale des pays en développement), et la quasi-totalité de cette dette est détenue par des organismes publics. L'incapacité persistante de ces pays à rembourser rend cependant de plus en plus dérisoires les méthodes mises en œuvre. Pourtant, de temps à autre, les grands pays créanciers ont procédé à des annulations de dette. Lorsqu'il s'agit de pays à faible revenu, depuis l'initiative de Toronto (1988), les pays du G-7 annulent une partie (un tiers initialement, puis la moitié et les deux tiers à compter de décembre 1994) des sommes rééchelonnées au Club de Paris, instance informelle où les États industrialisés examinent au cas par cas les problèmes des pays débiteurs. Un pas supplémentaire a été franchi en décembre 1994 puisque, dans certains cas, il est devenu possible d'annuler non plus les montants rééchelonnés (qui sont souvent très faibles), mais le stock de la dette lui-même (traitement de sortie). Les mesures prises se sont toutefois révélées insuffisasntes : les indicateurs d'endettement des pays pauvres n'ont cessé de progresser, alors que ceux des autres pays du Sud revenaient progressivement à des niveaux plus réduits [*voir graphique 2*]. A partir de 1993, en Afrique subsaharienne, le rapport entre l'encours de la dette et les exportations de biens et services a dépassé le niveau le plus élevé atteint par l'Amérique latine au cours de la crise. Cela devrait conduire rapidement à en prendre acte, et à annuler des montants significatifs du stock de dette de ces pays, lequel devient de plus en plus virtuel au fur et à mesure que s'éloignent les perspectives de remboursement.

Conditionnalité : légitimer le droit d'ingérence ?

■ *Les prêts des organismes internationaux (Fonds monétaires international - FMI et Banque mondiale) ont toujours été soumis à des conditions, même avant 1973 lorsque ces prêts étaient essentiellement destinés aux pays industrialisés. La conditionnalité est devenue un objet de débats lorsqu'elle a été appliquée aux pays en développement sur une grande échelle, au début des années quatre-vingt (développement des prêts d'ajustement structurel), quoique ces conditions résultent toujours d'un accord entre le gouvernement demandeur et l'organisation internationale. La conditionnalité s'est aussi étendue aux prêts bilatéraux (entre deux États), qui faisaient rarement l'objet de conditions explicites.*

Les conditions étaient à l'origine destinées à imposer l'application de l'orthodoxie économique libérale : équilibre budgétaire et extérieur, suppression de la fixation des prix, privatisation d'entreprises publiques, etc. Les résultats ont souvent été décevants, beaucoup de programmes s'arrêtant faute de respect des conditions. Les raisons de cet état de fait sont techniques (mauvaise élaboration des programmes, multiplicité et incohérence des conditions), mais aussi politiques (manque de volonté de la part des autorités pour mettre en œuvre les programmes signés).

Sous l'impulsion de l'UNICEF (Fonds des Nations unies de secours d'urgence à l'enfance), à la fin des années quatre-vingt, l'accent a été mis sur les effets sociaux défavorables qui pouvaient résulter des programmes d'ajustement structurel, effets sociaux susceptibles de provoquer un rejet des politiques préconisées. La conditionnalité a alors été utilisée pour imposer l'amélioration des services de santé et d'éducation primaire, souvent en contradiction avec la réduction antérieure des dépenses publiques.

Enfin, dans les années quatre-vingt-dix, la conditionnalité a été utilisée pour impulser la démocratisation. Cette approche nouvelle est toutefois restée limitée par le désir de maintenir une certaine stabilité politique, jugée nécessaire à la croissance (Algérie, Russie, par exemple). De plus, les investissements importants consentis pour mettre en œuvre des processus électoraux ont parfois rendu difficile d'en dénoncer les résultats, même en cas de fraude massive.

M. R.

Ce remboursement est d'autant plus difficile que le poids de la dette inhibe la croissance. Certains économistes mettent en avant l'idée que l'alourdissement de la dette conduit le secteur privé à anticiper un accroissement des prélèvements futurs, ce qui réduirait leur incitation à investir. Mais la croissance est surtout freinée par le fait que le paiement de la dette par les États remet en cause leur possibilité de jouer un rôle économique et social minimal. En particulier, la réduction de l'investissement public et de l'entretien des infrastructures a un effet négatif sur l'investissement privé. L'éventuelle annulation de montants substantiels de créances pose évidemment de délicats problèmes budgétaires aux pays industrialisés. C'est aussi un problème délicat pour les banques de

━━━

BIBLIOGRAPHIE

J. ADDA (présenté par), *L'Amérique latine face à la dette, 1982-1989*, La Documentation française, Paris, 1990.

BANQUE MONDIALE, *World Debt Tables*, Washington (annuel).

J.-C. BERTHÉLEMY, VOURCH, *Allégement de la dette et croissance*, OCDE, Paris, 1994.

FMI, *Perspectives de l'économie mondiale*, Washington (semestriel).

M. MATTHEW, *The Crumbling Façade of African Debt Negociations*, MacMillan, Londres, 1991.

M. RAFFINOT, *La Dette des tiers mondes*, La Découverte, « Repères », Paris, 1993.

développement qui détiennent un stock de créances considérable sur les pays à revenu faible et intermédiaire. Cela explique leur refus obstiné de toute restructuration de leurs créances.

Quel financement du développement ?

Si l'endettement extérieur a cessé de constituer un véritable problème en tant que tel, la nécessité de promouvoir le développement des pays du Sud et leur démocratisation impose de repenser en profondeur le financement extérieur de ces pays, ainsi que les institutions qui les dispensent. La réflexion à ce niveau ne peut être coupée de celle qui concerne les échanges commerciaux, à la fois parce que des recettes d'exportation importantes limitent les besoins en financement extérieur et aussi parce que les flux financiers à long terme Nord-Sud ne peuvent se développer que si les biens et services produits au Sud peuvent accéder aux marchés du Nord, dégageant ainsi les excédents de balance courante nécessaires au remboursement.

Si les flux privés jouent un rôle de plus en plus important en matière de financement des activités industrielles et commerciales, les flux publics (y compris ceux des banques commerciales) devront s'orienter principalement vers le financement des infrastructures économiques et sociales ainsi que vers le soutien à la lutte contre la pauvreté, dans le cadre d'une meilleure coordination entre bailleurs de fonds. Par ailleurs le rôle du FMI devra également être repensé pour lui permettre d'intervenir efficacement en cas de crises monétaires graves, qui peuvent désorganiser durablement les économies les plus fragiles.

Marc Raffinot

Comment interpréter l'économie informelle ?

L'économie informelle existe aussi bien dans les pays industrialisés que dans les pays en développement. Cependant, les situations des deux types de pays sont fort dissemblables, qu'il s'agisse des mots employés, des activités désignées, de l'origine du phénomène ou de son ampleur.

Pays développés : un phénomène circonscrit

Dans les pays industrialisés, certains auteurs limitent cette économie aux activités marchandes qui n'observent pas la réglementation économique, fiscale ou sociale, l'assimilant au « travail au noir » (auquel s'ajoutent les activités délictueuses, y compris la fraude fiscale). Ce travail au noir se rencontre essentiellement dans les services personnels (ménage, coiffure, *baby-sitting*...), la récolte de fruits, la confection, le second œuvre du bâtiment.

Bien que l'imprécision des données incite à la prudence, il semble que, contrairement à une idée reçue, la montée du chômage de longue durée n'ait pas entraîné d'expansion notable du travail au noir. Les raisons en sont multiples : la demande reste peu dynamique et ce type d'activité est souvent réservé à ceux qui bénéficient de réseaux, de savoir-faire, voire d'un capital de départ dont ces chômeurs sont dépourvus. Enfin, l'État parvient (comme pour les services domestiques en France en 1994) à « blanchir » partiellement ces activités en rendant, par des mesures fiscales, peu attrayante leur dissimulation.

D'autres visions étendent le champ de l'économie informelle à un ensemble d'activités non marchandes, associatives ou domestiques (travail domestique, autoproduction alimentaire...). L'ampleur du phénomène dépend donc de la définition que l'on en donne. Une vision minimaliste, celle de l'OCDE (Organisation de coopération et de développement économiques) — qui la réduit au travail au noir —, a évalué l'économie informelle de ses pays membres à environ 2,5 % du produit intérieur brut (PIB) en 1990. En France elle avait atteint 4 % du PIB (fraude fiscale incluse) en 1989. A la fin des années quatre-vingt, l'Italie estimait son économie informelle à 17 % du PIB, réévaluant officiellement ce dernier d'autant. Si les activités privées non marchandes sont incluses, la part des « ressources informelles » dans la consommation des ménages peut représenter plus de la moitié de celle-ci (53 % en Allemagne, par exemple, en 1994).

Selon la définition proposée par la 15e Conférence internationale des statisticiens du travail en 1993, qui vaut pour tous les types de pays, c'est le critère du non-respect des règlements (fiscaux et sociaux) par des activités économiques marchandes qui caractérise l'économie informelle. C'est donc l'évaluation basse (2 % à 3 % du PIB), sans commune mesure avec celle concernant les pays en développement, qu'il faut retenir.

Il y a essentiellement trois raisons à ce faible niveau. Tout d'abord, les « petits métiers » — prestations de services et commerce ambulant — qui abondaient dans les grandes villes européennes au XIXe siècle (un quart de la population active de Londres vers 1880) ont été quasiment supprimés, pour des raisons aussi bien économiques que fiscales ou d'ordre public. L'évolution des nomenclatures statistiques de l'emploi témoigne d'ailleurs de la disparition d'un grand nombre d'entre eux.

Ensuite, les droits sociaux de l'État-providence se généralisant progressivement, la légalisation de l'activité est devenue une revendication des travailleurs eux-mêmes (y compris des non-salariés) ; seuls les personnes bénéficiant déjà d'une couverture sociale (étudiants...) ou les salariés dans une situation d'extrême précarité (immigrés clandestins, par exemple) « acceptent » leur non-déclaration.

Enfin, malgré la révélation de nombreux cas de corruption, l'État de droit domine globalement en matière de droit du travail ou de fiscalité.

Quelle fonction dans les pays en développement ?

L'usage des termes « économie informelle » et « secteur informel » date de 1972, et a été promu par le Bureau international du travail (BIT). A cette époque, l'attention portée à ces activités résultait de débats sur les modèles de développement : il apparaissait que l'industrialisation en cours ne permettait pas d'absorber la croissance démographique urbaine, et que se développaient des activités « transitionnelles », en attente d'absorption par les activités

Derrière les mots

■ *L'économie informelle se définit comme l'ensemble des activités économiques ne respectant pas la réglementation étatique. Il est alors normal que le phénomène ne retienne l'attention des fonctionnaires de l'État, des chercheurs, des syndicalistes et des hommes politiques que dans des circonstances particulières : quand ceux qui n'observent pas la réglementation sont accusés par ceux qui la respectent de concurrence déloyale ; ou quand ceux qui estiment la réglementation excessive ou trop coûteuse tirent argument de l'existence de l'économie informelle pour demander un abaissement du niveau de réglementation ; ou encore quand l'importance de l'économie informelle met en évidence l'échec d'un projet social reposant sur l'encadrement étatique de l'activité économique.*

Les historiens emploient peu des expressions telles qu'économie informelle, ou souterraine... Pourtant, on pourrait qualifier ainsi les manufactures qui, dès la fin du Moyen Âge en Europe occidentale, s'implantaient à la périphérie des villes pour échapper aux règlements des guildes et corporations, ou encore tous les petits métiers indépendants qui y étaient encore très fréquents jusqu'au lendemain de la Seconde Guerre mondiale. *Ce qui a institué le clivage entre économie informelle et formelle est la lente montée de la fiscalisation de l'économie et la généralisation du droit social : l'apparition des retraites, de l'assurance maladie, de la TVA (taxe sur la valeur ajoutée), par exemple, ont puissamment contribué à instaurer ce clivage dans les pays où cette législation est devenue une norme socialement acceptée et garantie. En revanche, quand ce n'est pas le cas (la majorité des pays en développement), la séparation entre les deux formes d'économie est beaucoup plus floue ; certaines lois sont respectées, d'autres non. Le mouvement de «déréglementation» dans les pays de l'OCDE des années quatre-vingt ou, plus précisément, de multiplication des règlements dérogatoires) à cet égard, a rapproché ces pays de ceux du tiers monde : un «stagiaire» qui n'a ni garantie d'emploi ni aucun droit dans l'entreprise, un domestique dont on n'a plus à payer les charges sociales, ne sont pas à proprement parler «informels» ; pourtant, leur situation a commencé à se rapprocher de celle de beaucoup de salariés «informels» du tiers monde.*

B. L.

«modernes». Dès lors, les institutions internationales y ont essentiellement vu un secteur de survie, dont une petite partie seulement (une fraction des micro-entreprises artisanales) avait vocation à se formaliser.

Le débat sur l'identification et la mesure des activités informelles, leurs fonctions, la facilité ou la difficulté qu'il y a à y pénétrer, la pertinence ou non de la notion de «secteur informel» — du fait de son hétérogénéité — a été très vif à partir du début des années quatre-vingt. Généralement, l'économie informelle est mesurée en combinant les critères de taille (unités de moins de dix personnes) et de non-observation de la réglementation sociale et fiscale. Elle représentait alors de 20 % à

80 % de l'emploi urbain au début des années quatre-vingt-dix (les pays latino-américains se situant dans une fourchette de 20 % à 50 %, les pays africains de 40 % à 80 %).

Le ralentissement de la croissance, la montée de l'endettement, l'échec de nombreuses politiques de développement fondées sur l'industrialisation et les politiques économiques d'ajustement structurel mises en place dans les années quatre-vingt ont entraîné une modification des caractéristiques de l'économie informelle et du rôle qui lui est assigné par les gouvernements et les institutions internationales.

Globalement, deux parties de l'économie informelle s'opposent : le « haut de gamme », caractérisé par la difficulté d'entrée (capital de départ, savoir-faire, participation à des réseaux, appartenance à une ethnie...), regroupe des actifs plus âgés que la moyenne, micro-entrepreneurs ou indépendants, ayant des revenus souvent supérieurs à ceux de la moyenne des salariés déclarés ; l'autre partie (très hétérogène, puisqu'elle regroupe des apprentis, des domestiques, des vendeurs de rue, des « petits métiers ») présente, dans l'ensemble, des caractéristiques inverses.

A partir du milieu des années quatre-vingt, cette seconde partie a augmenté beaucoup plus vite que la première. Si elle a joué un rôle d'« éponge à emplois » (accueil des jeunes « déscolarisés », des fonctionnaires ou ouvriers précaires licenciés...), c'est au prix d'une paupérisation très forte, accentuée par l'affaiblissement de la demande adressée à ce type d'activités du fait de la baisse des revenus et de l'emploi « formels ».

A compter de 1990, les organisations internationales (en particulier la Banque mondiale) ont assigné à l'économie informelle une fonction « sociale » (génération d'emplois et de revenus) de palliatif aux conséquences des politiques d'ajustement. Cette analyse peut laisser sceptique étant donné les difficultés déjà évoquées et l'affaiblissement des solida-

rités familiales et communautaires dû à la crise.

L'économiste péruvien Hernando de Soto a ainsi vu dans l'informalité la conséquence d'un excès de réglementation et de fiscalité, et proposé, pour libérer les potentialités de l'économie informelle, un abaissement brutal du niveau de contraintes juridiques et fiscales. Cette mesure, outre qu'elle affaiblirait la protection sociale des salariés « formels », négligerait les véritables raisons de l'informalité. Dans la plupart des cas, les obligations légales sont, en effet, ignorées, l'économie informelle produisant ses propres codes et ses sanctions, souvent violentes.

Quel rapport à l'État ?

L'opposition entre pays industrialisés et pays en développement est particulièrement significative en ce qui concerne le rapport à l'État. Globalement, dans les pays industrialisés, l'économie informelle reste aux marges d'une économie qui demeure structurée par les codes étatiques, même si des ghettos péri-urbains se sont développés, où l'économie illégale (particulièrement celle de la drogue) tend à s'autonomiser.

Dans de nombreuses régions du tiers monde, l'économie informelle est tolérée (du fait de l'échec des politiques de développement), sinon promue. Cette position, toujours réversible, est le moyen d'une précarisation des travailleurs informels, jamais à l'abri d'une répression qui n'a pas besoin de se justifier. Cela permet aussi de légitimer les autres aspects de l'informalité, situés au cœur de l'État et des grandes firmes : corruption, collusion avec les narco-trafiquants, fraude sur les cotisations sociales... Cette situation amène un fractionnement de la citoyenneté, chacune des catégories de citoyens semblant dans la pratique dotée de droits plus ou moins garantis, même si, en apparence, le mouvement de démocratisation se poursuit.

Plus encore que les pays occidentaux, les pays de l'Est européen sont à la croisée des chemins. Malgré

BIBLIOGRAPHIE

E. Archambault et X. Greffe, *Les Économies non officielles*, La Découverte, Paris, 1984.

R. Klatzman, *Le Travail noir*, PUF, « Que sais-je ? », Paris, 1982, rééd. 1989.

B. Lautier, *L'Économie informelle dans le tiers monde*, La Découverte, « Repères », 1994.

F. Roubaud, *L'Économie informelle au Mexique*, Karthala, Paris, 1994.

B. Salome *et alii, Nouvelles approches du secteur informel*, OCDE, Paris, 1990.

H. de Soto, *L'Autre Sentier. La révolution informelle*, La Découverte, Paris, 1994.

J.- C. Willard, « L'économie souterraine dans les comptes nationaux », *Économie et statistiques* n° 226, INSEE, Paris, nov. 1989.

132
•

l'existence d'une forte base industrielle, l'économie informelle s'y est rapidement développée à partir de 1989 : non seulement les mafias, mais un grand nombre de firmes privées échappent à la loi (particulièrement en matière de commerce international et de paiement des cotisations sociales). Quant au petit commerce, il n'est que très peu contrôlé. Du point de vue de l'informalité, l'Est se « tiers-mondise » donc sous couvert de libéralisation.

Le développement de l'économie informelle dans le tiers monde interroge alors les sociétés industrialisées de l'Ouest et de l'Est sur leur avenir : même si cela peut sembler résoudre à court terme des problèmes sociaux, laisser proliférer des activités économiques illégales constitue en effet une menace pour des sociétés qui se veulent démocratiques.

Bruno Lautier

L'émergence des économies asiatiques
Une croissance contagieuse

Depuis le milieu des années cinquante, la croissance est contagieuse en Asie. La reconstruction du Japon a été suivie par l'envol de la Corée du Sud, de Taïwan, de Hong Kong et de Singapour dans les années soixante puis, vingt ans plus tard, par l'émergence de l'Indonésie, de la Fédération de Malaisie, de la Thaïlande et de la Chine et enfin, après l'effondrement du bloc soviétique, par celle du Vietnam. Les uns après les autres, ces pays ont adopté des stratégies d'industrialisation combinant la promotion des exportations de produits manufacturés et — à l'exception de Hong Kong et de Sin-

gapour — une protection sélective de leurs marchés.

En 1993, alors que le commerce mondial diminuait en valeur, les échanges asiatiques progressaient de 10 %. La croissance asiatique semble s'être « découplée » de celle des pays industrialisés, son moteur n'est plus le commerce mondial, mais le dynamisme des marchés intérieurs et des échanges régionaux. La reprise mondiale, puis la réévaluation du yen ont donné une nouvelle impulsion : en 1995 les taux de croissance devaient se situer entre 5 % (Hong Kong) et 9 % (Chine et Fédération de Malaisie).

Pareil dynamisme étonne. La Banque mondiale évoque les « miracles asiatiques » et les médias décrivent les « nouveaux tigres », différents des « petits dragons » (c'est-à-dire Corée du Sud, Taïwan, Hong Kong et Singapour). Aussi imagés soient-ils, ces qualificatifs ne rendent pas compte de la diversité de pays qui, hors de la géographie, n'ont pas grand-chose en commun. La distance économique entre l'Allemagne et la Grèce, en Europe, est peu de chose comparée au fossé qui sépare Taïwan, au revenu par habitant voisin de celui de l'Espagne, de l'Indonésie, au revenu par habitant proche de celui de l'Égypte. Singapour est une cité-État peuplée de moins de 3 millions d'habitants, l'Indonésie un archipel de près de 200 millions d'habitants et un cinquième de l'humanité est chinoise. Alors que la Corée du Sud et Taïwan sont caractérisés par leur homogénéité ethnique, la Fédération de Malaisie a du accueillir des immigrés indiens et chinois au XIXᵉ siècle. Les différences culturelles sont considérables ; le monde sinisé est loin du monde malais musulman et de la société thaïlandaise bouddhiste. Quant à l'éventail politique, il va des nouvelles démocraties (Corée du Sud, Taïwan, Thaïlande, Philippines) aux régimes restés communistes (Chine et Vietnam) en passant par des démocraties plus ou moins musclées (Indonésie, Fédération de Malaisie et Singapour).

Deux vagues successives

Au risque de simplifier, on peut distinguer les « nouveaux pays industriels » — NPI — (Corée du Sud, Taïwan, Hong Kong, Singapour), qui partagent le fonds culturel chinois, de la seconde vague composée de la Chine et des pays d'Asie du Sud-Est (Indonésie, Fédération de Malaisie, Philippines, Thaïlande et Vietnam).

Dépourvus de ressources naturelles, les NPI ont démarré les premiers. Les analyses élaborées par Arnold Toynbee pour rendre compte de l'histoire des civilisations trouvent une application inattendue dans ces pays où le développement a consisté à relever des défis : celui du Japon — ex-métropole coloniale — et de la concurrence proche du communisme pour la Corée du Sud, Taïwan et Hong Kong, et celui du monde malais pour l'enclave chinoise de Singapour. Postes avancés de la « guerre froide », la Corée du Sud et Taïwan ont bénéficié d'une aide internationale importante dans les années cinquante ; ils ont réalisé des réformes agraires qui ont jeté les bases d'agricultures minifundiaires. La diminution de l'aide les a amenés à adopter une stratégie de promotion des exportations. Lancés dans le mouvement initié par le Japon, ces pays ont exporté successivement des chemises, des tissus, des téléviseurs, puis des puces électroniques et des automobiles. Les exportations représentent entre 30 % (Corée du Sud) et 175 % (Singapour) du PIB (1995). Entre 1987 et 1995, démocratisation et luttes sociales aidant, les salaires ont augmenté de plus de 10 % l'an et le différentiel avec les standards de vie européens a diminué. Ces hausses ont élargi les débouchés locaux, mais pèsent sur les coûts de production. Selon les comparaisons établies par l'Union des banques suisses, en 1993, les ouvrières du textile étaient mieux rémunérées à Séoul et Taipei qu'à Lisbonne et l'écart de salaire pour un ouvrier tourneur selon qu'il travaillait à Séoul ou à Paris était de 10 %. Pour surmonter cette contrainte, les industriels ont investi massivement en Chine et dans le reste de l'Asie.

C'est en valorisant leurs ressources naturelles abondantes (étain, pétrole, gaz, plantations d'hévéas et de palmiers à huile) que les pays du Sud-Est asiatique se sont quant à eux développés après les indépendances. L'industrie légère, contrôlée par des entrepreneurs chinois, était peu exportatrice. A partir de 1980, la chute des cours des matières premières a convaincu les États de donner la priorité à l'exportation ; à la même époque la Chine engageait des réformes de modernisation pour construire le « socialisme de marché ».

134
•

BIBLIOGRAPHIE

BANQUE MONDIALE, *East Asian Miracles Economics Growth and Public Policy*, Washington, 1993.

É. BOUTEILLER, M. FOUQUIN, *Le Développement économique de l'Asie orientale*, La Découverte, « Repères », Paris (à paraître).

J.-R. CHAPONNIÈRE, « L'Europe et la montée en puissance de l'Asie, faux débats et vrais problèmes », *Futuribles*, Paris, mars 1995.

J.-R. CHAPONNIÈRE, *La Puce et le Riz*. Croissance dans le Sud-Est asiatique, Armand Colin, Paris, 1986.

F. DOURILLE-FEER, M. FOUQUIN, O. MARTINS, *L'Asie-Pacifique, le recentrage asiatique*, Économica, « CEPII », Paris, 1991.

Ces changements ont coïncidé avec le début des délocalisations japonaises (après la réévaluation du yen de 1985), coréennes et taïwanaises. Le Sud-Est asiatique et la Chine sont devenus des plates-formes exportatrices de produits industriels. Le pétrole et le gaz représentaient l'essentiel des exportations indonésiennes en 1980, mais moins de 40 % en 1994. A compter de 1992, la Chine a davantage exporté que la Corée du Sud.

Des États généralement interventionnistes

Dans les années soixante, les NPI mobilisaient des « petites mains », ayant en moyenne effectué entre six et dix années d'études. En 1991, les jeunes Coréens étaient proportionnellement plus nombreux à être inscrits à l'Université que les Français... Les pays du Sud-Est asiatique n'ont cependant pas accordé la même priorité à l'éducation, avec seulement 37 % des jeunes scolarisés dans le secondaire, la Thaïlande est — si l'on excepte Myanmar — la lanterne rouge de l'Asie. Alors qu'en 1993 une ouvrière du textile de Bangkok était cinq fois moins payée qu'à Séoul, la pénurie relative de personnel qualifié réduisait l'écart de salaires à seulement 40 % pour les ouvriers tourneurs ou les ingénieurs.

A compter de 1980, une dizaine d'entreprises coréennes se sont classées parmi les 500 premières mondiales, mais aucune firme indonésienne, malaisienne ou thaïlandaise n'a pu prétendre à cette distinction. Les entreprises étrangères ont en revanche joué un rôle plus important dans le Sud-Est asiatique et les flux d'investissement direct à l'étranger ont financé un pourcentage plus important de l'activité qu'en Corée du Sud ou à Taïwan.

Les pays de l'Est et du Sud-Est asiatiques ont en commun d'être des « tard venus » à l'industrie. En étudiant l'histoire européenne, A. Gerschenkron avait remarqué que plus le retard était important et plus l'intervention de l'État devait être forte. Cela s'est confirmé en Asie. L'État est dirigiste en Corée du Sud, à Taïwan, à Singapour, et assez interventionniste en Indonésie et dans la Fédération de Malaisie. Font exception Hong Kong, colonie britannique jusqu'en juillet 1997, et la Thaïlande. La coexistence entre un État interventionniste et une économie de marché a conduit à évoquer la notion de *Capitalist Development State* (« État développeur ») caractérisé par une étroite imbrication entre la puissance publique et les entreprises.

Ces émergences ont accéléré le « recentrage asiatique » de l'Asie-Pacifique. Pourtant, et contrairement à une opinion répandue, cela ne suffit pas à accréditer l'idée de la construction d'un « bloc » régional. Les échanges intra-asiatiques augmentent certes rapidement, mais la part de l'Asie dans le commerce mondial s'accroît plus rapidement encore, aussi le biais régional — défini par le rapport entre la part des échanges intra-zone et la part de la zone dans le commerce mondial — a peu varié alors qu'il augmentait par exemple pour l'Union européenne.

Menace ou opportunité ?

Le mouvement d'intégration qui accompagne l'émergence de l'Asie témoigne d'un phénomène de rattrapage. Ni la télécopie ni les téléconférences ne permettent de s'affranchir des contraintes de la géographie, et la plupart des pays effectuent l'essentiel de leurs échanges avec leurs proches voisins : la France avec l'Allemagne, les États-Unis avec le Canada. Ce n'était pas le cas en Asie. Alors qu'il suffit d'une journée de bateau pour aller de la péninsule coréenne aux côtes chinoises ou pour franchir le détroit de Taïwan, ni la Corée du Sud, ni Taïwan ne commerçaient avec la Chine. Tout a changé depuis 1989. En 1995, la Chine est le troisième partenaire commercial de la Corée et Taïwan réalise 10 % de ses échanges avec le continent chinois. A cela s'ajoutent les flux liés aux délocalisations de l'Est asiatique vers le Sud-Est asiatique.

Ces évolutions ont bouleversé la géographie économique. Peuplée de 45 millions d'habitants, la Corée du Sud importe autant des pays de l'OCDE (Organisation de développement et de coopération économiques) que l'Afrique noire tout entière et, ensemble, la Corée du Sud et Taïwan importent davantage que les trois plus importants pays d'Amérique latine (Brésil, Argentine, Mexique). En 1984, les pays industrialisés dirigeaient 9 % de leurs exportations vers l'Asie en développement. Dix ans plus tard, ce pourcentage était passé à 14 %, cette région absorbant autant d'importations que les États-Unis.

La montée en puissance de l'Asie bouleverse l'ordre établi et certains dénoncent la concurrence de ces économies émergentes en oubliant que ces pays sont aussi des marchés. L'émergence asiatique représente davantage une opportunité qu'une menace.

Jean-Raphaël Chaponnière

L'échec néolibéral des économies latino-américaines

La crise mexicaine de 1994 [*voir encadré*] a radicalement remis en cause la thèse selon laquelle la libéralisation la plus rapide et la plus complète possible des différents marchés conduirait au succès économique et permettrait de réduire durablement la pauvreté. Venue du Mexique en décembre 1994, la crainte des financiers s'est propagée dans plusieurs pays d'Amérique latine : les fuites de capitaux se sont multipliées au Mexique, en Argentine et au Brésil, les cours en Bourse ont fortement baissé. Les banques ont subi de plein fouet l'« effet tequila », voyant leurs liquidités fortement compromises par les retraits massifs de dépôts (Argentine). Les difficultés à maintenir la valeur du taux de change (Argentine), à maîtriser une dévaluation (Brésil) ont rendu difficile, voire impossible, la poursuite de l'expérience libérale sous les formes qu'elle avait connues depuis quelques années.

Une histoire économique mouvementée

Les prix ont évolué de manière chaotique dans la plupart des pays, au cours des dix dernières années, et plus particulièrement au Pérou, en Bolivie, au Brésil et en Argentine, où ils ont atteint des niveaux particulièrement élevés, au Mexique où la hausse fut moindre mais néanmoins importante. Pour la première fois, on a observé des phases durables d'inflation à des niveaux très élevés. Ces paliers — plus proches d'une hyperinflation rampante que d'une hyperinflation ouverte classique, de courte durée — sont apparus suivis de chutes rapides de l'inflation, éphémères lorsqu'elles résultent d'un contrôle des prix renforcé, plus longues lorsqu'elles sont le produit d'une libéralisation conséquente des différents marchés, mais terriblement fragiles lorsque celle-ci bute sur le déficit grandissant de la balance des paiements.

La croissance économique, très élevée dans les années soixante-dix dans la plupart des pays, fut suivie d'une dépression longue et profonde dans les années quatre-vingt, certains pays connaissant une fluctuation importante de leur PIB autour de zéro (Brésil, Mexique par exemple), ou autour d'un taux négatif (Argentine, Pérou par exemple), puis d'une reprise plus ou moins prononcée à la fin des années quatre-vingt (Mexique) ou au début des années quatre-vingt-dix (Argentine, Pérou), jusqu'à 1994. A partir de cette date, le ralentissement de la croissance a été notable dans plusieurs pays ; dans certains, des menaces d'hyper-récession sont apparues à la suite des mesures d'austérité prises pour lutter contre la spéculation sur leurs monnaies (Mexique, Argentine).

Le taux d'investissement avait chuté de plusieurs points pendant

TABLEAU 1
BALANCE COMMERCIALE
(millions de dollars)

	1992	1993	1994 [a]
Amérique latine et Caraïbes	− 10 266	− 15 311	− 18 205
Mexique [b]	− 20 677	− 18 891	− 23 645
Argentine	− 1 450	− 2 455	− 4 225
Brésil [c]	+ 15 525	+ 13 072	+ 11 300
Pérou	− 565	− 580	− 1 250

TABLEAU 2
BALANCE DES COMPTES COURANTS
(millions de dollars)

	1992	1993	1994 [a]
Amérique latine et Caraïbes	− 37 172	− 45 958	− 49 725
Mexique	− 24 919	− 23 489	− 28 500
Argentine	− 6 664	− 7 479	− 10 500
Brésil	6 266	− 637	− 3 060
Pérou	− 2 143	− 2 217	− 2 895

TABLEAU 3
BALANCE DU COMPTE CAPITAL
(millions de dollars)

	1992	1993	1994 [a]
Amérique latine et Caraïbes	61 682	65 088	56 565
Mexique	26 664	29 531	19 500
Argentine	11 213	10 047	10 500
Brésil	8 802	9 041	13 060
Pérou	2 711	2 662	5 975

a. Estimations ; b. N'est pas inclus le solde net des «maquilas». Si on tient compte de celui-ci, le solde devient : 15 924 en 1992, 13 481 en 1993, 17 590 en 1994 ; c. Le Brésil a connu à compter de la fin 1994 un fort déficit de sa balance commerciale.

La crise mexicaine

■ *De 1989 à 1994, le Mexique a reçu de l'étranger 95,2 milliards de dollars, dont 72 milliards d'investissements en portefeuille. Sur cette somme, 27,9 milliards ont servi à acheter des actions, et le reste, soit un peu plus de 44 milliards, a été placé sur des produits financiers à très court terme, le plus souvent des bons du Trésor libellés en dollars, dès 1994. Ces moyens ont servi à financer le service de la dette externe (65,3 milliards de dollars pour les six dernières années), à compenser le solde de la balance commerciale devenu profondément négatif [voir tableau] et enfin à constituer des réserves. Dès la fin de 1994, celles-ci vont fondre avec la spéculation contre le peso. Le cours de la monnaie mexicaine plonge, passant de 3,5 pesos pour un dollar à 7 pesos fin mars, en conséquence de quoi la Bourse s'effondre.*

Les sorties de capitaux et le non-renouvellement des bons du Trésor mexicains venus à échéance sur les marchés internationaux ont représenté 23,4 milliards de dollars en 1994. 47 % de cette somme, soit 7,2 % du PIB, a quitté le pays entre novembre et décembre 1994. Les réserves internationales sont passées de 29,5 milliards de dollars en février 1994 à 6,14 milliards de dollars en janvier 1995. C'est cette dégringolade vertigineuse des réserves, avec le risque majeur de défaut de paiement qu'elle impliquait, qui explique l'«aide» massive accordée par les États-Unis au Mexique.

P. S.

les années quatre-vingt, qualifiées de «décennie perdue» par la Commission économique pour l'Amérique latine de l'ONU (CEPAL). Bien qu'il ait augmenté ensuite, il n'a pas retrouvé le niveau atteint dans les années soixante-dix, se situant très loin derrière celui des pays du Sud-Est asiatique.

Le taux d'épargne, faible, ne permettait pas de financer un investissement capable de nourrir une croissance élevée. Cette épargne insuffisante fut en partie complétée par les emprunts extérieurs contractés dans les années soixante-dix pour soutenir l'effort d'investissement (Brésil). Dans les années quatre-vingt, l'épargne s'est orientée vers des activités de plus en plus spéculatives au détriment de l'investissement ; l'épargne forcée connaissant un essor prodigieux dû à l'hyper-inflation. Le retour à la croissance s'est accompagné d'une légère augmentation du taux d'épargne intérieure. L'apport massif de capitaux extérieurs s'étant massivement dirigé vers des investissements en portefeuille, particulièrement des bons du Trésor mais aussi des titres émis par les entreprises (actions, nouveaux produits financiers), il n'a suppléé qu'en partie et marginalement l'insuffisance de l'épargne locale.

L'intervention de l'État, importante depuis des décennies, a changé. La réduction des dépenses de l'État, consécutive aux politiques d'ajustement du début des années quatre-vingt, a accentué à la fois son inefficacité face à une situation de crise provoquée en grande partie par le traitement de la dette extérieure (l'État avait moins de moyens alors qu'il aurait fallu qu'il en ait probablement davantage), et son aspect «parasitaire» (la réduction des dépenses est d'abord focalisée sur les

BIBLIOGRAPHIE

Y. Akyus, J.-M. Fontaine (sous la dir. de), «L'ouverture hétérodoxe : politiques et réformes pour les années quatre-vingt-dix, *Revue Tiers-Monde*, n° 139, Paris, 1994.

A. Huerta, «La politica neoliberal de estabilización economica en Mexico, limites y alternativas», *Diana*, 1994.

P. Salama, «Fragilité des nouvelles politiques économiques en Amérique latine, *Problèmes d'Amérique latine*, n° 10, La Documentation française, Paris, 1993.

P. Salama, J. Valier, *Pauvreté et inégalités dans le tiers monde*, La Découverte, Paris, 1994.

services que doivent rendre les appareils d'État plutôt que sur le personnel de ces administrations). Les dépenses sociales de l'État diminuaient tandis que les inégalités de revenus et la pauvreté augmentaient; dans un second temps, parallèlement à l'essor des privatisations dans la plupart des pays, elles s'orientaient vers des dépenses davantage ciblées et décentralisées, sans être pour autant à la hauteur des inégalités et de l'appauvrissement des plus pauvres créés par l'environnement hyperinflationniste et dépressif.

Accroissement de la pauvreté et de la dépendance financière

La pauvreté avait probablement lentement diminué pendant les années soixante-dix, mais elle s'est profondément accentuée dans les années quatre-vingt tandis que s'accroissaient les inégalités dans presque tous les pays d'Amérique latine, avec des «pointes» au Guatémala (et au Chiapas mexicain), au Brésil, au Mexique et en Argentine. Non seulement les pauvres, de plus en plus nombreux, sont devenus un peu plus pauvres, mais les plus pauvres se sont appauvris plus vite. Avec la reprise des années quatre-vingt-dix, la pauvreté a souvent faiblement reculé, tandis que les inégalités continuaient à croître.

Le dépassement de la crise des années quatre-vingt, la réduction massive de l'inflation, la reprise de la croissance, modérée au Mexique, mais vive en Argentine, la réduction du déficit budgétaire, l'apparition d'une brèche commerciale soudaine et importante, la réinsertion de ces économies sur les marchés financiers internationaux et l'augmentation considérable des flux de capitaux — les investisseurs étant attirés surtout par les taux d'intérêt élevés et la garantie de pouvoir se retirer s'ils le désiraient — ont paru tenir du miracle et ont consolidé l'idée selon laquelle il n'y avait qu'une seule issue possible à la crise, passant par la libéralisation la plus rapide possible de l'ensemble des marchés, internes et externes.

L'afflux considérable de capitaux étrangers permet de financer le solde négatif de la balance commerciale, le service de la dette externe, l'augmentation des dépenses de tourisme à l'étranger. Il autorise aussi souvent une augmentation des réserves.

L'État émet des titres destinés aux marchés financiers intérieur et extérieur. D'un côté, il doit financer le service de sa dette intérieure et partiellement celui de sa dette extérieure, faute de pouvoir le faire en réduisant suffisamment ses autres dépenses; de l'autre, il doit trouver des devises pour financer le solde négatif de sa balance commerciale et celui des services. Le marché doit alors offrir suffisamment de titres privés et publics assez attractifs pour inciter une entrée de capitaux massive de nature à au moins compenser le solde négatif de la balance des comptes courants.

Lorsque l'État émet des bons du Trésor vers l'étranger afin de trouver des ressources financières nécessaires au financement du service de sa dette extérieure, cette dernière augmente. Tant qu'il y a une abondance de capitaux, le remboursement des titres publics à court terme et le service des taux d'intérêt s'effectuent sur la base des entrées nouvelles de capitaux. Celles-ci, auxquelles s'ajoutent d'autres entrées de capitaux, deviennent tellement importantes que l'illusion s'installe sur la pérennité de ce système qui, dans les faits, s'apparente davantage à ce que les comptables appellent de la cavalerie qu'à un financement sain de la croissance.

Le système ne se reproduit que sur le fil du rasoir, d'autant que la part consacrée aux investissements directs diminue fortement et que les investissements en portefeuille s'orientent de plus en plus vers des titres à très court terme, libellés le plus souvent en dollars lorsque le risque d'une dévaluation possible se profile, comme on a pu l'observer au Mexique dès l'assassinat, en mars 1994, de Luis Donaldo Colosio, candidat du PRI (Parti révolutionnaire institutionnel) à la présidence de la République. Le risque de change est alors principalement supporté par les pays latino-américains, à l'exception du risque majeur de cessation de paiement à mesure que la brèche commerciale augmente et que le gouvernement ne paraît plus à même de la réduire sans remettre en cause la libéralisation de l'ensemble des marchés, qui la provoque.

Une brèche commerciale insoutenable

L'appréciation de la monnaie, produite par l'afflux de capitaux, rend les exportations plus difficiles et les importations plus aisées. La réduction des subventions à l'exportation et la diminution des protections, directes et indirectes, vont dans le même sens. L'excédent commercial diminue et se transforme en déficit, d'autant plus aisément que la décennie précédente s'était caractérisée par un fort recul des investissements et par une réduction de la compétitivité des entreprises. Malgré cet affaiblissement, l'ouverture ne s'est pas faite au détriment des exportations. Les politiques régionales d'intégration économique — l'ALENA (Accord de libre-échange nord-américain, entré en vigueur le 1er janvier 1994 entre les États-Unis, le Mexique et le Canada), et le Mercosur (Marché commun de l'Amérique du Sud, entré en vigueur le 1er janvier 1995 entre l'Argentine, le Brésil, l'Uruguay et le Paraguay) — ont permis un certain redéploiement industriel. L'ouverture a cependant conduit à un différentiel croissant entre les exportations et les importations, au profit surtout d'importations de biens intermédiaires et d'équipement. La nature des importations n'autorise pas le diagnostic optimiste que firent les ministres de l'Économie du Mexique ou de l'Argentine. Le pari, souvent évoqué, d'une brèche commerciale importante comme prix à payer pour une restructuration de l'appareil de production — condition d'une reprise brutale et saine de la croissance — reste très risqué lorsque, parallèlement, un retrait massif de l'État au niveau économique est préconisé. Nombre d'industries auraient pu être consolidées au lieu d'être éliminées par la concurrence internationale sauvage si une politique industrielle active avait été mise en place. La restructuration est apparue insuffisamment rapide pour produire un essor des exportations capable de combler la brèche commerciale. Les bases même sur lesquelles repose cette politique sont donc minées.

Il suffit que se produise un ralentissement du rythme d'entrée des capitaux, voire une inversion, pour qu'il devienne impossible de faire face aux trois échéances : celle du financement de la brèche commerciale, celle de l'ancienne dette extérieure, celle enfin de la nouvelle dette extérieure. C'est sur l'épargne nationale que se feront ces sorties de capitaux au titre du service de la dette.

L'histoire risque de se répéter, en pire. En effet, après la plongée dans les abysses, les politiques d'ajustement devront alors produire un excédent commercial et financer une dette alourdie par les produits financiers souscrits. Devant la difficulté de dégager un solde commercial positif, il restera l'arme ultime de la récession. Devant l'insuffisance de l'épargne, il restera la baisse nouvelle des revenus tirés du travail, c'est-à-dire l'inflation retrouvée.

La spéculation effrénée, l'endettement massif, la difficulté à faire à nouveau appel aux marchés financiers internationaux malgré la garantie massive donnée par le FMI et plusieurs pays développés, la chute du peso mexicain, les conséquences en termes de chute du niveau d'activité, de reprise de l'inflation et de réduction du niveau de vie des plus démunis sont de nature à produire un changement radical des politiques économiques. Plus d'interventionnisme est désormais prévisible, tant au niveau du contrôle des importations qu'à celui des mouvements internationaux de capitaux, et cela probablement dans l'ensemble des économies latino-américaines.

Pierre Salama

Marchés financiers
Conjoncture 1994-1995

A compter de 1994, l'évolution des marchés financiers est redevenue capricieuse, en contraste avec l'année précédente, qui avait été trop logique : la baisse des taux attendue avait en effet été au rendez-vous et poussait à la hausse les marchés des obligations et des actions. La conjoncture a ensuite renoué avec l'incertain, tandis que la planète financière continuait à se réorganiser et à se moderniser en prenant acte de la globalité croissante des enjeux.

En retrouvant le chemin de la croissance et en continuant à maîtriser l'inflation, la plupart des pays développés ont dessiné un espace *a priori* favorable à l'investisseur. Il faut cependant compter avec l'influence souvent déterminante des taux d'intérêt et celle, versatile et toujours plus imposante, des « capitaux saute-frontières ». A partir de février 1994 et pour la première fois depuis cinq ans, les taux américains, longs et courts, sont repartis à la hausse, sous l'impulsion du Fed (banque centrale américaine) soucieux de prévenir une « surchauffe » économique potentiellement porteuse de germes inflationnistes. Les investisseurs, surpris, ont d'abord cru à un phénomène passager. Mais, avec une tendance qui s'amplifiait et se propageait aux autres pays développés (entre le début et la fin de l'année, les taux longs sont passés en moyenne de 6 % à 8 %, et n'ont réamorcé leur baisse qu'en 1995), la réaction est devenue brutale : la hausse des taux longs a mécaniquement engendré une forte baisse des cours obligataires et a semé un désordre persistant sur certains marchés d'actions, européens pour la plupart. Explication *a posteriori* : les investisseurs sanctionnent des États trop dépensiers et donc trop emprunteurs, et relèvent en conséquence leurs exigences de rémunération.

L'indice Morgan Stanley qui mesure la performance moyenne des actions des pays développés n'a ainsi enregistré pour 1994 qu'une timide hausse de 3,4 %, contre 20 % en 1993. Cette moyenne masquait cependant des profils individuels contrastés : − 17 % en France, − 10 % au Royaume-Uni, − 8 % en Allemagne, mais + 13 % au Japon (chiffres en monnaie locale).

A fin juin 1995, la situation des marchés d'actions s'était inversée entre les pays européens (arrêt de la

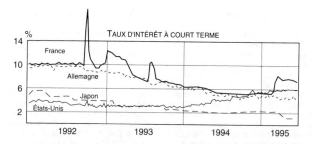

TAUX D'INTÉRÊT À COURT TERME

France

Allemagne

Japon

États-Unis

1992   1993   1994   1995

TAUX MOYEN DES OBLIGATIONS D'ÉTAT À DIX ANS

France

États-Unis

Japon

Allemagne

1992   1993   1994   1995

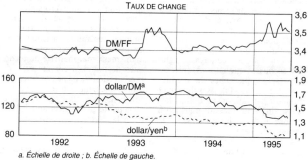

TAUX DE CHANGE

DM/FF

dollar/DM[a]

dollar/yen[b]

1992   1993   1994   1995

a. Échelle de droite ; b. Échelle de gauche.

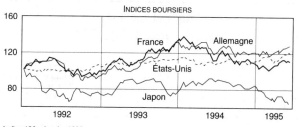

INDICES BOURSIERS

France   Allemagne

États-Unis

Japon

1992   1993   1994   1995

Indice 100 = janvier 1992.

baisse, voire amélioration) et le Japon (en forte chute). En France, la bourse restait néanmoins handicapée par le boulet de taux d'intérêt encore bien supérieurs (du fait de la défense du franc et d'un important déficit budgétaire) à ceux de ses grands voisins. Quant à la place de Wall Street, elle n'a pas laissé de surprendre ceux qui trouvent ce marché trop cher et lui prédisent régulièrement un « krach » : après une faible hausse de 2 % en 1994, l'indice Dow Jones avait encore progressé de 20 % pendant le premier semestre de 1995, dépassant la barre des 4 550.

Une autre perturbation a été enregistrée en décembre 1994 avec la crise mexicaine : les capitaux étrangers, déçus par un contexte économique plus dégradé que prévu et attirés par des taux en hausse aux États-Unis, ont précipitamment fui le pays et provoqué la chute du peso [*voir article p. 135*]. La secousse gagna d'autres pays d'Amérique latine, discrédita pendant trois mois l'ensemble des marchés dits « émergents » (économies d'Amérique, d'Asie et d'Europe de l'Est en voie de rapide développement) pourtant riches de promesses pour l'investisseur de long terme.

Si l'on ajoute à ce paysage agité des secousses monétaires épisodiques, telles que celles du premier semestre de 1995 (hausses du yen et du mark par rapport au dollar, faiblesse du franc face au mark), on mesure la difficulté à décrypter la conjoncture pour des stratégistes et des gérants institutionnels en charge de rémunérer au mieux les capitaux qui leur sont confiés — trésorerie d'entreprises, épargne des ménages, fonds de pension des futurs retraités. Le « temps du monde fini », annoncé par l'écrivain Paul Valéry, a effectivement commencé pour les acteurs financiers, qui évoluent à l'heure de la communication instantanée. Des flux monétaires considérables cherchent 24 heures sur 24 un point de chute, dans un contexte d'économie libérale assis, depuis la chute du bloc soviétique, à l'échelle de la planète. La modernisation se poursuit, « nouveau marché » parisien en 1996 selon le modèle du NASDAQ américain, fusion annoncée des principales bourses allemandes, nouveaux systèmes de cotation, regroupement des courtiers Merrill Lynch et Smith New Court.

Changements de politique d'allocation d'actifs, investisseurs plus influents (« gouvernement d'entreprise » des fonds de pension anglo-saxons, agences de *rating*) et prises de position spéculatives nourrissent ainsi une volatilité croissante des marchés boursiers et de change, embarrassant souvent l'action des banques centrales. La situation est même parfois dangereuse lorsqu'un maniement mal maîtrisé de techniques de marchés comme celle des produits dérivés mène carrément à la faillite une banque britannique deux fois centenaire (Barings, reprise en 1995 par le groupe néerlandais ING) ou à la déroute l'important fonds californien Orange County.

Jean-Luc Schilling

Mines et métaux
Conjoncture 1994-1995

Prévisible, le rebond de conjoncture des métaux de base s'est confirmé en 1994. Les pertes accumulées en 1992 et 1993 se sont effacées dès le début du second semestre. La production de métaux est redevenue, en 1994, une opération rentable. Sur la base de cours moyens annuels, les prix de l'aluminium et du cuivre ont regagné 30 % par rapport à 1993, tandis que le nickel s'adjugeait un gain de 20 %. Le zinc a, en revanche, piétiné, avec une hausse limitée à 4 %, tandis que l'étain

Acier [a]		
Pays	**Million tonnes**	**% du total**
Japon	99,6	13,7
Ex-URSS	95,7	13,2
Chine	88,7	12,2
États-Unis	87,0	12,0
Allemagne	37,6	5,2
Total 5 pays	**408,6**	**56,3**
Total monde	**726,0**	**100,0**

a. 1993.

Bauxite		
Pays	**Millier tonnes [b]**	**% du total**
Australie	41 733,0	37,1
Guinée	17 040,0	15,1
Jamaïque	11 571,3	10,3
Brésil	8 280,8	7,4
Chine [a]	7 260,0	6,5
Total 5 pays	**85 885,1**	**76,3**
Total monde	**112 494,9**	**100,0**

a. 1993 ; b. Poids du minérai.

Aluminium		
Pays	**Millier tonnes [b]**	**% du total**
États-Unis	3 298,5	17,2
Ex-URSS [a]	3 065,0	16,0
Canada	2 254,7	11,8
Chine	1 446,1	7,6
Australie	1 310,8	6,8
Total 5 pays	**11 375,1**	**59,4**
Total monde	**19 145,5**	**100,0**

a. 1993 ; b. Production d'aluminium primaire.

Cadmium		
Pays	**Tonnes [b]**	**% du total**
Japon	2 614,1	14,7
Canada	2 167,8	12,2
Belgique	1 556,1	8,7
Ex-URSS [a]	1 500,0	8,4
Chine	1 270,0	7,1
Total 5 pays	**9 108,0**	**51,2**
Total monde	**17 800,0**	**100,0**

a. 1993 ; b. Métal produit.

Antimoine		
Pays	**Tonnes [b]**	**% du total**
Chine	12 927	33,0
Ex-URSS [a]	8 800	22,5
Bolivie	7 050	18,0
Afrique du Sud	3 700	9,4
Mexique	1 942	5,0
Total 5 pays	**34 419**	**87,8**
Total monde	**39 197**	**100,0**

a. 1993 ; b. Métal contenu dans les minerais et concentrés.

Chrome		
Pays	**Millier tonnes [b]**	**% du total**
Ex-URSS [a]	3 500,0	36,1
Afrique du Sud	3 500,0	36,1
Inde	1 100,0	11,4
Zimbabwé	516,8	5,3
Finlande	233,6	2,4
Total 5 pays	**8 850,4**	**91,4**
Total monde	**9 687,9**	**100,0**

a. 1993 ; b. Minerais et concentrés produits.

Argent		
Pays	**Tonnes [b]**	**% du total**
Mexique	2 251,1	17,4
Pérou	1 824,0	14,1
États-Unis	1 400,0	10,8
Ex-URSS [a]	1 220,0	9,4
Chili	959,2	7,4
Total 5 pays	**7 654,3**	**59,1**
Total monde	**12 848,9**	**100,0**

a. 1993 ; b. Métal contenu dans les minerais et concentrés.

Cobalt		
Pays	**Tonnes [a]**	**% du total**
Zaïre	3 300	17,8
Ex-URSS	3 244	17,5
Finlande	3 000	16,2
Canada	2 950	15,9
Norvège	2 823	15,3
Total 5 pays	**15 317**	**82,8**
Total monde	**18 497**	**100,0**

a. Métal produit et métal contenu dans les sels de cobalt.

Cuivre		
Pays	Millier tonnes [b]	% du total
Chili	2 219,9	23,2
États-Unis	1 795,4	18,8
Ex-URSS [a]	885,0	9,3
Canada	617,4	6,5
Chine	432,1	4,5
Total 5 pays	5 949,8	62,3
Total monde	9 553,2	100,0

a. 1993; b. Métal contenu dans les minérais et concentrés.

Diamants industriels [a]		
Pays	Million carats	% du total
Australie	41,0	40,7
Zaïre	16,5	16,4
Botswana	14,7	14,6
Pays de la CEI	11,5	11,4
Afrique du Sud	9,8	9,7
Total 5 pays	93,5	92,8
Total monde	100,8	100,0

a. 1993.

Étain		
Pays	Millier tonnes [b]	% du total
Chine [a]	46,0	27,2
Indonésie	30,6	18,1
Pérou	20,0	11,8
Brésil	17,0	10,0
Bolivie	16,1	9,5
Total 5 pays	129,7	76,6
Total monde	169,4	100,0

a. 1993; b. Métal contenu dans les minérais et concentrés.

Fer [a]		
Pays	Million tonnes [b]	% du total
Chine	224,7	24,0
Ex-URSS	155,0	16,5
Brésil	152,0	16,2
Australie	121,4	12,9
Inde	55,0	5,9
Total 5 pays	708,1	75,5
Total monde	938,2	100,0

a. 1993; b. Poids du minerai.

Magnésium		
Pays	Milliers tonnes [b]	% du total
États-Unis	128,5	41,6
Ex-URSS [a]	75,0	24,3
Canada	38,6	12,5
Norvège	27,6	8,9
Chine	11,0	3,6
Total 5 pays	280,7	90,8
Total monde	309,0	100,0

a. 1993; b. Magnésium primaire raffiné.

Manganèse		
Pays	Millier tonnes [b]	% du total
Ex-URSS [a]	6 200,0	28,5
Chine [a]	4 700,0	21,6
Afrique du Sud	2 500,0	11,5
Brésil	2 321,0	10,7
Australie	1 986,0	9,1
Total 5 pays	17 707,0	81,3
Total monde	21 788,1	100,0

a. 1993; b. Métal contenu dans les minerais et concentrés.

Mercure		
Pays	Tonnes [a]	% du total
Ex-URSS	1 500,0	51,5
Chine	408,0	14,0
Algérie	400,0	13,7
Espagne	385,6	13,2
États-Unis	70,0	2,4
Total 5 pays	2 763,6	94,9
Total monde	2 912,6	100,0

a. 1994. Métal produit.

Molybdène		
Pays	Millier tonnes [b]	% du total
États-Unis	48,3	48,0
Chili	16,0	15,9
Ex-URSS [a]	15,0	14,9
Canada	9,9	9,8
Mongolie	2,9	2,9
Total 5 pays	92,1	91,5
Total monde	100,7	100,0

a. 1993; b. Métal contenu dans les minérais et concentrés.

Nickel		
Pays	Millier tonnes [b]	% du total
Ex-URSS [a]	190,0	23,7
Canada	150,1	18,7
Indonésie	81,2	10,1
Nlle-Calédonie	73,6	9,2
Australie	71,9	9,0
Total 5 pays	566,8	70,7
Total monde	802,0	100,0

a. 1993; b. Métal contenu dans les minerais et concentrés.

Or		
Pays	Tonne [b]	% du total
Afrique du Sud	583,9	27,5
États-Unis	330,0	15,5
Australie	256,2	12,1
Ex-URSS [a]	220,0	10,4
Chine [a]	160,0	7,5
Total 5 pays	1 550,1	73,0
Total monde	2 123,3	100,0

a. 1993; b. Métal contenu dans les minerais et concentrés.

Platine		
Pays	Tonne [a]	% du total
Afrique du Sud	101,1	79,7
Ex-URSS	15,3	12,1
Canada	5,7	4,5
Colombie	2,2	1,7
États-Unis	1,8	1,4
Total 5 pays	126,1	99,4
Total monde	126,9	100,0

a. Métal contenu dans les minerais et concentrés.

Plomb		
Pays	Millier tonnes [b]	% du total
Australie	523,8	19,3
États-Unis	374,0	13,8
Chine [a]	338,1	12,4
Pérou	216,7	8,0
Ex-URSS [a]	203,0	7,5
Total 5 pays	1 655,6	60,9
Total monde	2 716,4	100,0

a. 1993; b. Métal contenu dans les minerais et concentrés.

Titane		
Pays	Millier tonnes [a]	% du total
Australie	1 218,3	33,3
Afrique du Sud	618,0	16,9
Canada	612,0	16,7
Norvège	368,1	10,1
Ex-URSS	230,0	6,3
Total 5 pays	3 046,4	83,2
Total monde	3 661,5	100,0

a. 1994. Production d'éponge de titane.

Tungstène		
Pays	Tonne [a]	% du total
Chine	20 000	80,3
Ex-URSS [a]	3 000	12,1
Bolivie	592	2,4
Myanmar	394	1,6
Pérou	256	1,0
Total 5 pays	24 242	97,4
Total monde	24 892	100,0

a. 1993; b. Métal contenu dans les minerais et concentrés.

Uranium [a]		
Pays	Tonne [b]	% du total
Canada	9 173	28,2
Niger	2 914	9,0
Kazakhstan	2 700	8,3
Ouzbékistan	2 600	8,0
Russie	2 399	7,4
Total 5 pays	19 786	60,8
Total monde	32 532	100,0

a. 1993; b. Métal contenu dans les minerais et concentrés.

Zinc		
Pays	Millier tonnes [b]	% du total
Canada	1 008,5	14,9
Australie	963,1	14,2
Chine [a]	775,4	11,5
Pérou	674,2	10,0
États-Unis	584,9	8,7
Total 5 pays	4 006,1	59,3
Total monde	6 759,8	100,0

a. 1993; b. Métal contenu dans les minerais et concentrés.

payait le prix d'exportations chinoises désordonnées.

Le mouvement de reprise paraissait quasi général. Les petits métaux ont enregistré des hausses sans précédent. Entre les basses eaux de 1993 et la fin du premier semestre de 1995, le prix de l'antimoine, une base pour les plastiques, a augmenté de 162 %. Le molybdène et le vanadium, deux composants des aciers spéciaux, ont engrangé des gains respectifs de 450 % et 160 %. Le cobalt, métal prisé dans l'aéronautique, a affiché un bond de 127 %. Les prix du cadmium et de l'indium, deux métaux non ferreux destinés au marché de l'électronique, se sont envolés respectivement de 220 % et 150 %. La demande sur l'ensemble des métaux a donc été bien réelle. Les stocks dans les entreprises se sont reconstitués. Durant une partie de 1994, cependant, le marché a été abusé par la nature de la hausse.

Les professionnels ont cru qu'elle était le fait de fonds spéculatifs. Ils n'ont pas perçu que les transformations du marché des non ferreux. Ainsi, pour la première fois en vingt ans, le retournement des prix s'est opéré alors que les stocks enregistrés au London Metal Exchange (LME) continuaient de progresser. Obnubilé par le niveau des stocks, les opérateurs ne se sont pas rendu compte que les inventaires du LME mesuraient de plus en plus un flux, un courant d'échanges, conséquence de l'intégration de la Russie ainsi que de la Chine dans le commerce mondial des métaux non ferreux. L'inversion de tendance dans les inventaires s'est affirmée seulement dans la seconde moitié de 1994. Une fois le mouvement lancé, tout est cependant allé très vite : les stocks d'aluminium au LME ont reculé de près de deux millions de tonnes entre juillet 1994 et juin 1995 ; en cuivre et en zinc, les dépôts se sont réduits de près d'un demi-million de tonnes, et en nickel et en étain, ils ont baissé de moitié.

Pour l'aluminium, l'explication tient à l'application par les grands pays producteurs d'aluminium du « Memorandum of Understatement »

(MOU). Ce protocole prévoyait un recul concerté de la production pendant dix-huit mois à partir de février 1994. L'opération a été un succès. La Russie a ramené en décembre 1994 sa production à 2,592 millions de tonnes, soit une baisse de 281 000 tonnes. Du côté occidental, le recul a atteint 679 000 tonnes. De quinze semaines de consommation mondiale, le niveau des stocks est tombé, en mai 1995, à dix semaines. Le ratio, resté élevé, explique le tassement, puis la stabilisation des cours de l'aluminium à partir de février 1995. Le marché a pris en compte la mise en service de nouvelles capacités, dont celles de la société sud-africaine Alusaf (460 000 tonnes par an).

La gestion de l'offre par les producteurs n'a guère eu d'écho dans les autres non ferreux, à l'exception de l'étain. La Chine, qui en 1994 avait multiplié par trois son quota à l'exportation, a décidé d'en limiter les ventes, en 1995, à 20 000 tonnes. Les velléités de réduction des capacités d'affinage de zinc en Europe ont tourné court. Les producteurs ont noté le bon niveau de prix né des tensions sur l'offre de concentrés de zinc, repoussant à plus tard les discussions sur les surcapacités. Cependant, la faiblesse du dollar, accordant un avantage comparatif au zinc nord-américain, a remis cette question à l'ordre du jour, en Europe et au Japon.

Dans le cuivre, l'équation entre offre et demande semble devoir être très rapidement bouleversée avec la mise en service, d'ici 1996, de 1,35 million de tonnes de capacités nouvelles liées à la généralisation de la technologie SX-EW à base de solvants. Le déficit de l'offre apparu en 1994 a paru devoir de maintenir en 1995. Le cas chinois perturbe cependant les équilibres du marché du cuivre. En 1993, Pékin a importé 250 000 tonnes de cuivre. En 1994, ses achats se sont réduits à 180 000 tonnes. En mai 1995, la Chine a exporté 100 000 tonnes de métal rouge alors qu'une pénurie de cuivre affectait son industrie.

Dans le monde minier, l'année 1994 a donc marqué un tournant. Pour la première fois depuis 1990, plus de la moitié des nouveaux projets des producteurs ont porté sur des non ferreux et non sur les métaux précieux, sauf en Afrique. En 1994, elle a drainé 18 % des nouveaux investissements miniers. Mais les deux tiers se sont concentrés sur les mines d'or, une activité où le court terme reste la règle.

Guy-André Kieffer

Énergies combustibles
Conjoncture 1994-1995

Le « contre-choc mou » de l'hiver 1993-1994 (par trois fois, le baril de Brent de mer du Nord daté servant de référence sur le marché européen a effleuré la barre inférieure de 13 dollars) est oublié. A partir de janvier 1995, le prix spot de ce même brut n'a cessé de se raffermir, dépassant au premier semestre 18 dollars en moyenne mensuelle.

Une augmentation de la demande mondiale de pétrole a été à l'origine de la reprise (+ 3,1 % en 1994 et + 1,8 % au cours du premier semestre 1995 par rapport à la même période de 1994), alors que la consommation des pays de la CEI (Communauté d'États indépendants) a poursuivi sa chute (− 14,3 %). L'essor de la demande est venu des États-Unis (+ 2,6 %) et plus encore du Japon (+ 4,5 %) et du reste de l'Asie (+ 6 %) où les besoins de fuel lourd de l'industrie électrique s'ajoutent au « boom » du transport routier.

Du côté de l'offre, la remontée des prix est d'abord apparue comme le résultat de la relative discipline des pays de l'OPEP (Organisation des pays exportateurs de pétrole). Pour la deuxième année consécutive, leur conférence des ministres (Vienne le 20 juin 1995) a reconduit jusqu'à la fin de l'année le quota de 24,52 millions de barils-jour (Mbj). Certes, quelques pays « trichent », mais au regard des capacités immédiatement disponibles, le maintien de la production estimée à 25,2 Mbj au cours du premier semestre 1995 aura été un succès pour l'organisation.

Le fait que les pays non membres de l'OPEP aient fait preuve d'un dynamisme exceptionnel en est une des raisons. Si la production de brut a continué de régresser dans les pays de la CEI (− 8,4 % au premier semestre 1995), et de stagner aux États-Unis autour de 8,6 Mbj, elle a progressé en mer du Nord, en Chine, en Inde, au Vietnam, en Argentine, au Brésil, en Équateur, en Colombie, à Oman et en Syrie… Les multinationales développent prioritairement les gisements qu'elles contrôlent depuis que les progrès techniques en rendent les coûts compétitifs.

La menace pour les pays de l'OPEP est d'autant plus sérieuse que la dévaluation du dollar a amputé leurs revenus pétroliers de l'équivalent moyen de 2 dollars par baril exporté au cours du premier semestre 1995. Après la période estivale consacrée à la maintenance des installations en mer du Nord, la compétition devrait redevenir serrée, surtout si la Russie retrouve toute sa capacité d'exportation et si l'Irak ouvre quelques brèches supplémentaires dans l'embargo qui lui est appliqué depuis 1990.

Comparée à celle du pétrole, la conjoncture 1994-1995 du gaz naturel semblait peu brillante. La très médiocre croissance de la consommation mondiale (+ 0,5 %) a été très influencée par le nouveau recul de la demande dans les pays de la CEI (− 6,8 %) et l'effondrement de la production du Turkménistan (− 43,5 %).

Productions énergétiques 1994

Énergie primaire [a]

Pays	Million tonnes	% du total
États-Unis	2 028,6	25,6
Chine	748,7	9,4
Russie	664,6	8,4
Japon	478,5	6,0
Allemagne	333,2	4,2
Total 5 pays	**4 253,6**	**53,7**
France	232,0	2,9
Canada	222,5	2,8
Royaume-Uni	217,8	2,7
Inde	212,4	2,7
Total monde	**7 923,8**	**100,0**

a. Énergie commerciale seulement (consommation), mesurée en équivalent pétrole. L'électricité est convertie en TEP sur la base de l'énergie contenue dans l'électricité produite.

Charbon [a]

Pays	Million tonnes [b]	% du total
Chine	592,0	27,4
États-Unis	550,1	25,5
Russie	120,8	5,6
Australie	118,3	5,5
Afrique du Sud	103,5	4,8
Total 5 pays	**1 484,7**	**68,8**
Pologne	86,4	4,0
Allemagne	76,5	3,5
Kazakhstan	53,7	2,5
Total monde	**2 158,3**	**100,0**

a. Tous charbons : houille, lignite, etc.
b. Équivalent pétrole.

Énergie nucléaire [a]

Pays	Million tonnes	% du total
États-Unis	173,6	30,3
France	92,8	16,2
Japon	67,3	11,7
Allemagne	39,0	6,8
Canada	27,8	4,9
Total 5 pays	**400,5**	**69,9**
Russie	25,3	4,4
Royaume-Uni	22,9	4,0
Suède	19,0	3,3
Total monde	**573,1**	**100,0**

a. Équivalent pétrole (consommation).

Pétrole brut

Pays	Million tonnes	% du total
Arabie saoudite	427,5	13,3
États-Unis	386,3	12,0
Russie	316,0	9,8
Iran	178,0	5,5
Mexique	160,0	5,0
Total 5 pays	**1 467,8**	**45,7**
Chine	144,9	4,5
Vénézuela	138,0	4,3
Norvège	129,3	4,0
Royaume-Uni	126,7	3,9
Canada	106,2	3,3
Koweït	103,7	3,2
Abu Dhabi	94,1	2,9
Nigéria	93,1	2,9
Indonésie	74,2	2,3
Libye	67,6	2,1
Algérie	55,7	1,7
Total monde	**3 209,1**	**100,0**
Total OPEP	**1 313,4**	**40,9**

Gaz naturel

Pays	Million tonnes [a]	% du total
Russie	509,6	27,2
États-Unis	487,9	26,0
Canada	121,7	6,5
Pays-Bas	59,3	3,2
Royaume-Uni	58,9	3,1
Total 5 pays	**1 237,4**	**66,0**
Indonésie	55,8	3,0
Algérie	45,3	2,4
Ouzbékistan	39,6	2,1
Arabie saoudite	33,9	1,8
Total monde	**1 873,8**	**100,0**

a. Équivalent pétrole.

Électricité hydraulique [a]

Pays	Million tonnes	% du total
Canada	26,8	13,3
États-Unis	21,4	10,6
Brésil	21,2	10,5
Russie	15,2	7,6
Chine	14,5	7,2
Total 5 pays	**99,1**	**49,3**
Total monde	**201,0**	**100,0**

a. Équivalent pétrole (consommation).

Charbon (houille)		
Pays	Million tonnes	% du total
Chine	1 110,0	34,9
États-Unis	605,0	19,0
Inde	248,0	7,8
Afrique du Sud	195,3	6,1
Australie	181,6	5,7
Total 5 pays	2 339,9	73,6
Russie	176,0	5,5
Pologne	133,6	4,2
Kazakhstan	101,5	3,2
Total monde	3 181,2	100,0

Le marché de l'Asie-Pacifique est resté le plus dynamique, avec une demande en hausse de 6,8 % au Japon en 1994. Les prix du gaz naturel liquéfié (GNL), bien que supérieurs de 1 à 2 dollars par million de British thermal unit (MBtu) à ceux d'Europe occidentale et plus encore d'Amérique du Nord, sont devenus très compétitifs face à ceux de leurs concurrents, les gaz de pétrole liquéfiés et les naphta. L'industrie électrique, notamment, a profité de l'aubaine.

En Amérique du Nord, le marché est resté très porteur, avec une croissance de la consommation de 4,2 % en 1994. La dérégulation du marché y a contribué puisque les gros utilisateurs (industriels, *utilities*, compagnies de distribution) peuvent désormais négocier directement leurs contrats avec les producteurs (canadiens, notamment) sans l'intermédiaire des transporteurs.

La douceur du climat des premiers mois d'hiver 1994-1995 a réduit la croissance de la consommation de l'Europe occidentale à 2 % en 1994 mais, tant du côté de la demande (stimulée par la diffusion des turbines à gaz dans l'industrie électrique) que du côté de l'offre (nouveaux contrats et projets de gazoducs en mer du Nord), les indicateurs étaient favorables à la poursuite de l'expansion.

L'industrie charbonnière mondiale est restée pour sa part contrastée avec, d'un côté, la lente agonie de l'industrie européenne (la production a baissé de 17,4 % en 1994 dans l'Europe des Douze) et la crise de l'industrie russe (−6,2 %); de l'autre, une industrie dynamique aux États-Unis (+7,2 %), en Inde, en Chine, en Australie, en Afrique du Sud, en Colombie... Sur une production mondiale de 3 528 millions de tonnes (+2 %) en 1994, les échanges internationaux ne représentaient que 12 %, mais ils deviennent les régulateurs de l'économie charbonnière à l'échelle mondiale. Ainsi, profitant d'une demande soutenue de la sidérurgie et de l'industrie électrique japonaises, les compagnies minières d'Australie, épaulées par des syndicats, ont arraché en avril et mai 1995 des hausses moyennes de 6 dollars par tonne. Stimulée par ce succès, l'Afrique du Sud a réclamé des augmentations au moins égales, tandis que les États-Unis marquaient un regain d'intérêt pour un marché international dont les cours étaient tombés à 2 dollars au-dessous de ceux du marché domestique.

Jean-Marie Martin

Céréales
Conjoncture 1994-1995

Les récoltes céréalières de 1994-1995 ont enregistré une reprise en ce qui concerne les céréales secondaires (maïs, orge, sorgho) et le riz, et un recul pour le blé. La production mondiale des céréales a ainsi connu une amélioration de 3 % par rapport à l'année précédente, s'élevant, d'après l'Organisation des Nations unies pour l'alimentation et l'agriculture (FAO), à 1 953 millions de tonnes. Elle est cependant restée insuffisante par rapport aux besoins, ce qui a provoqué une nouvelle érosion des stocks mondiaux.

En 1994, la production mondiale de blé a été estimée par la FAO à 529 millions de tonnes, en baisse de 10 % par rapport à la campagne précédente. Cette diminution est apparue directement liée à la récolte catastrophique qu'ont connue les pays de la CEI (Communauté d'États indépendants) à la suite de la sécheresse et de la pénurie d'intrants. Par ailleurs, l'amélioration de la production de blé en Europe, notamment dans les pays de l'Est, n'a pas compensé la diminution des volumes récoltés en Chine, en Australie et en Amérique du Nord.

La production de céréales secondaires a été de 888 millions de tonnes, progressant de 10 % par rapport à l'année précédente. Cette augmentation a été possible grâce à une très forte reprise de la production de maïs aux États-Unis après les graves perturbations climatiques de l'année précédente. Selon le ministère américain de l'Agriculture (USDA), la production aurait atteint 257 millions de tonnes, contre 161 millions de tonnes en 1993-1994.

D'après la FAO, la production de riz a augmenté de 2 % par rapport à 1993 grâce à de bonnes récoltes secondaires dans plusieurs pays grands producteurs en Asie (Inde, Thaïlande, Philippines) et au retour au niveau normal de production du Japon qui, l'année précédente, avait connu sa plus mauvaise récolte depuis la fin de la Seconde Guerre mondiale (9,7 millions de tonnes).

La consommation totale de céréales a progressé de 1 %, s'élevant à environ 1 782 millions de tonnes contre 1 764 millions en 1993-1994. La part destinée à la consommation humaine directe a augmenté de 2 %, passant de 888 à 905 millions de tonnes, soit une progression très légèrement supérieure à celle de la population mondiale. Celle liée à la consommation animale est, en revanche, restée inchangée.

Les stocks mondiaux de céréales ont connu une baisse de 5 % par rapport à leur niveau d'ouverture. Ce phénomène est directement imputable au recul de la production et des stocks de blé à leur niveau le plus bas depuis 1983-1984. Les stocks céréaliers totaux seraient de 308 millions de tonnes en 1994-1995 contre 324 millions l'année précédente, soit l'équivalent de 17 % de la consommation mondiale de céréales, niveau jugé par la FAO inférieur aux seuils minimaux de sécurité.

Les échanges mondiaux ont connu quant à eux une légère reprise, augmentant de 1,6 % avec 192 millions de tonnes, soit 3 millions de tonnes de mieux qu'en 1993-1994. Concernant le blé, ils sont restés relativement stables par rapport au volume réduit de l'année précédente (93 millions contre 92 millions de tonnes). L'un des plus faibles enregistrés depuis des décennies, ce niveau d'échange tient en particulier au recul des importations des pays de la CEI, dont les achats de blé sont passés de 20 millions de tonnes, au début des années quatre-vingt-dix, à 6 millions de tonnes en 1994-1995. L'essentiel des augmentations des importations de blé a été le fait de l'Asie, notamment de la Chine dont les achats devraient atteindre, en 1995, 11,5 mil-

Productions céréalières 1994

Céréales (production)

Pays	Million tonnes	% du total
Chine	396,5	20,3
États-Unis	354,1	18,1
Inde	211,5	10,8
Russie	85,0	4,3
Indonésie	53,8	2,7
France	53,2	2,7
Canada	46,3	2,4
Brésil	45,9	2,3
Ukraine	37,0	1,9
Allemagne	35,0	1,8
Bangladesh	28,7	1,5
Turquie	27,2	1,4
Mexique	26,3	1,3
Vietnam	23,5	1,2
Pologne	21,8	1,1
Total monde	**1 956,7**	**100,0**

Céréales (exportations) [a]

Pays	Million tonnes	% du total
États-Unis	88,0	38,2
France	34,2	14,8
Canada	23,1	10,0
Chine	13,1	5,7
Argentine	12,3	5,3
Total monde	**230,6**	**100,0**

a. 1993.

Céréales (importations) [a]

Pays	Million tonnes	% du total
Japon	28,0	12,2
Chine	14,0	6,1
Corée du Sud	11,3	4,9
Russie	11,2	4,9
Brésil	7,8	3,4
Égypte	7,2	3,1
Italie	6,2	2,7
Mexique	6,2	2,7
Algérie	5,8	2,5
Belgique	5,3	2,3
Total monde	**228,8**	**100,0**

a. 1993.

Riz (paddy)

Pays	Million tonnes	% du total
Chine	175,6	33,1
Inde	117,6	22,2
Indonésie	46,9	8,8
Bangladesh	27,5	5,2
Vietnam	22,5	4,2
Myanmar	19,1	3,6
Thaïlande	18,4	3,5
Japon	13,0	2,5
Total monde	**530,0**	**100,0**

Millet et sorgho

Pays	Million tonnes	% du total
Inde	23,0	26,2
États-Unis	15,8	18,0
Chine	7,9	9,0
Nigéria	7,6	8,7
Mexique	5,2	5,9
Soudan	3,5	4,0
Total monde	**87,8**	**100,0**

Blé

Pays	Million tonnes	% du total
Chine	102,0	19,0
États-Unis	63,1	11,8
Inde	57,8	10,8
Russie	37,0	6,9
France	29,9	5,6
Canada	23,2	4,3
Turquie	18,0	3,4
Ukraine	18,0	3,4
Total monde	**535,8**	**100,0**

Maïs

Pays	Million tonnes	% du total
États-Unis	254,3	44,5
Chine	104,4	18,3
Brésil	32,1	5,6
Mexique	16,6	2,9
Afrique du Sud	12,9	2,3
France	12,9	2,3
Total monde	**570,9**	**100,0**

Autres productions agricoles (1994)

Coton (fibres)

Pays	Millier tonnes	% du total
Chine	4 500	23,8
États-Unis	4 235	22,4
Inde	2 264	12,0
Pakistan	1 584	8,4
Ouzbékistan	1 306	6,9
Turquie	590	3,1
Brésil	501	2,6
Turkménistan	403	2,1
Grèce	330	1,7
Australie	329	1,7
Égypte	314	1,7
Argentine	235	1,2
Total monde	**18 930**	**100,0**

Café vert

Pays	Millier tonnes	% du total
Brésil	1 295	23,8
Colombie	684	12,6
Indonésie	400	7,4
Mexique	249	4,6
Éthiopie	198	3,6
Ouganda	180	3,3
Inde	170	3,1
Guatémala	168	3,1
Total monde	**5 434**	**100,0**

Sucre brut

Pays	Millier tonnes	% du total
Brésil	10 700	9,8
Inde	10 593	9,7
États-Unis	7 185	6,6
Chine	6 567	6,0
Australie	4 908	4,5
France	4 457	4,1
Ukraine	4 250	3,9
Thaïlande	4 009	3,7
Cuba	4 000	3,6
Mexique	3 930	3,6
Allemagne	3 850	3,5
Pakistan	3 120	2,8
Indonésie	2 552	2,3
Russie	2 350	2,1
Total monde	**109 603**	**100,0**

Cacao (fèves)

Pays	Millier tonnes	% du total
Côte d'Ivoire	809	31,5
Brésil	348	13,6
Ghana	270	10,5
Indonésie	260	10,1
Malaisie	230	9,0
Nigéria	135	5,3
Cameroun	115	4,5
Équateur	84	3,3
Total monde	**2 568**	**100,0**

Thé

Pays	Millier tonnes	% du total
Inde	720	27,2
Chine	637	24,1
Sri Lanka	240	9,1
Kénya	200	7,6
Indonésie	174	6,6
Turquie	125	4,7
Japon	92	3,5
Iran	75	2,8
Total monde	**2 645**	**100,0**

Caoutchouc naturel

Pays	Millier tonnes	% du total
Thaïlande	1 667	29,9
Indonésie	1 258	22,5
Myanmar	1 074	19,2
Inde	485	8,7
Chine	341	6,1
Pakistan	178	3,2
Nigéria	105	1,9
Sri Lanka	102	1,8
Total monde	**5 584**	**100,0**

Soja

Pays	Million tonnes	% du total
États-Unis	69,6	51,1
Brésil	24,9	18,3
Chine	15,0	11,0
Argentine	11,9	8,7
Inde	3,3	2,4
Indonésie	1,8	1,3
Total monde	**136,2**	**100,0**

lions de tonnes. Il reste que les disponibilités exportables de blé, en baisse de 6 %, ne devraient pas satisfaire la demande mondiale, même réduite, en raison de la très mauvaise récolte enregistrée en Australie.

Les échanges de céréales secondaires ont atteint 84 millions de tonnes, marquant une progression de 4 % par rapport à 1993-1994. Les expéditions à destination des pays en développement ont augmenté de 19 %, s'élevant à un niveau record de 52 millions de tonnes. Cette croissance a concerné, pour l'essentiel, les achats de maïs et de seigle émanant des pays asiatiques et destinés à l'alimentation animale. Les importations des pays développés, qui n'ont représenté qu'un tiers des échanges (54 millions de tonnes), sont en revanche tombées à leur plus bas niveau depuis vingt ans.

Les échanges mondiaux de riz sont restés inchangés, représentant 16 millions de tonnes. En 1995, les importations asiatiques ne devraient reculer que très légèrement par rapport à leur niveau élevé de 1994. La Chine devrait passer de sa position de quatrième pays exportateur en 1994, à celle de principal importateur de riz (1,5 million de tonnes). Des pays tels que le Bangladesh, l'Indonésie et la Corée du Nord devraient aussi augmenter leurs achats en raison des mauvais résultats de 1994. Aussi les ventes des principaux pays exportateurs (Thaïlande, États-Unis et Vietnam) ont-elles été très importantes à partir du début de l'année 1995 ; elles dépassaient de 30 % à 40 % le volume exporté en 1994 à la même période.

Qu'en a-t-il été des prix ? Ceux du blé ont continué à faiblir en raison des perspectives de récoltes plus favorables en 1995 et du maintien du faible volume d'échanges. Les prix du maïs n'ont, en revanche, cessé de grimper, soutenus par une forte demande d'importation et des perspectives de réduction des récoltes en 1995. Les prix du riz se sont fermement maintenus à la hausse, stimulés par une forte activité des marchés asiatiques. Globalement, les prix mondiaux des céréales semblaient devoir se maintenir à des niveaux élevés, compte tenu de la stagnation de la production mondiale des céréales projetée pour la campagne 1995-1996.

Patricio Mendez del Villar

Tous les pays du monde

34 États

États-Unis
Débâcle électorale pour Bill Clinton

L'année 1994 devait être celle des grandes réformes. Elle avait débuté sous de bons auspices pour le président Bill Clinton : l'économie américaine avait renoué avec la croissance, et, fort d'une série de succès politiques, en particulier concernant l'ALENA (Accord de libre-échange nord-américain), il avait entamé l'année avec 60 % d'opinions favorables. Pourtant, au fil des mois, sa popularité ne cessait de s'effriter et, lors des élections du 8 novembre, 43 % seulement des Américains se déclaraient encore satisfaits de son action (46 % de mécontents).

Alors même que les doutes et polémiques sur la question du « tempérament » du président et de son aptitude à gouverner, qui étaient apparus lors des élections présidentielles de 1992, commençaient à s'effacer, des accusations et révélations en série sont venues à nouveau souligner sa vulnérabilité. Les « affaires » — tant le scandale politico-immobilier Whitewater que les escapades extraconjugales de B. Clinton ou les spéculations boursières de son épouse — n'ont cessé de dominer les grands titres de la presse, éclipsant les quelques succès dont le président aurait pu se prévaloir. L'opinion publique a ainsi semblé ne vouloir retenir que les événements négatifs, tels l'échec du projet de réforme du système de santé, qui devait être la grande réalisation législative de l'Administration Clinton, et qui, bien que vidé de sa substance par une succession d'amendements, n'a pas, faute de soutien politique, été soumis à un vote ; ou le retrait peu glorieux des troupes américaines de Somalie en mars 1994. L'image de « Bill le Fuyant » (*slick Willie*), celle d'un politicien calculateur et opportuniste, sans envergure ni convictions, a continué à coller à la peau du chef de l'État.

Virage à droite
ou signal de fort mécontentement ?

La défaite des candidats du Parti démocrate aux élections du 8 novembre (*mid term*) était largement annoncée, mais son ampleur a surpris. Les républicains allaient désormais disposer de 53 sièges sur 100 au Sénat, et de 230 sièges sur 435 à la Chambre des représentants devenant, pour la première fois depuis quarante ans, majoritaires à la Chambre des représentants et retrouvant par ailleurs la majorité — perdue en 1986 — au Sénat. Un raz de marée comparable a été observé pour l'élection des gouverneurs : onze démocrates sortants ont été battus et sept des huit États les plus peuplés allaient désormais être aux mains des républicains. Tous les « sortants » républicains (gouverneurs, sénateurs, membres de la Chambre des représentants) ont été réélus, alors que plusieurs ténors démocrates, dont Mario Cuomo, gouverneur de l'État de New York, et Tom Foley, président sortant de la Chambre des représentants, étaient battus. Par ailleurs, dès le lendemain des élections, une série de défections démocrates se sont produites, profitant aux républicains.

Les nouveaux élus, comparés à leurs prédécesseurs plus jeunes, sont apparus en général plus riches et plus conservateurs, en particulier parmi les républicains. Paradoxalement, en effet, les démocrates élus ou réélus étaient le plus souvent classés plus à gauche, tandis que la droite du parti était en général balayée par la vague républicaine. Cela allait encore compliquer la tâche du président, les principaux dirigeants démocrates au sein de la Chambre des représentants — tels le nouveau chef de file Richard Gephardt et son adjoint David Bonior — appartenant désormais à l'aile « libérale » (au sens américain, c'est-à-dire progressiste) du parti.

Le président a été tenu pour responsable de la débâcle, y compris dans son propre camp. Déjà, à la veille des élections, de nombreux candidats démocrates s'étaient écartés de lui, certains allant même jusqu'à lui demander de s'abstenir de se montrer dans leurs circonscriptions, craignant qu'il ne leur fasse perdre des voix... Les «démocrates traditionnels» lui ont reproché d'avoir trahi le parti. A vouloir gouverner au centre — alors qu'il avait fait campagne en 1992 sur le thème du changement —, il s'est aliéné les composantes les plus dynamiques et les mieux organisées de la «coalition démocrate» (syndicats, groupes ethniques, écologistes, minorités culturelles). Les militants ont été déçus de voir le président courtiser ceux — les milieux d'affaires par exemple — qui allaient de toute manière voter républicain. Même le Democratic Leadership Council, groupement centriste que B. Clinton avait naguère présidé, s'est acharné contre lui. Son président Dave McCurdy, membre de la Chambre des représentants battu dans l'Oklahoma, a imputé sa défaite aux louvoiements du chef de l'État : «Le président a bien le cerveau à droite, mais son cœur est toujours à gauche. S'il continue à gouverner ainsi, il ne sera plus qu'une "figure de transition" au sein du Parti démocrate.»

Au lendemain du raz de marée républicain, B. Clinton a fait son *mea culpa*. Il a dit accepter «sa part de responsabilité» dans la défaite des démocrates, et a promis de donner suite au «message clair» des électeurs.

Croissance économique et réduction du pouvoir d'achat

Le verdict des urnes a donné lieu à des explications très divergentes. Certains y ont vu un véritable séisme politique marquant un clair virage à droite de l'électorat, tandis que pour d'autres, il ne s'est agi que d'un «mouvement d'humeur» dépourvu de sens idéologique. Ces élections n'en ont pas moins démenti un axiome jusque-là toujours vérifié, voulant que de bons chiffres de croissance et de chômage garantissent la reconduction du mandat du parti au pouvoir.

Sur ce plan, le bilan des deux premières années de l'administration Clinton a pu apparaître nettement positif : près de 6 millions de nouveaux emplois ont été créés, et la croissance s'est poursuivie, à un rythme annuel de 3,9 %. Tous les autres indicateurs économiques traditionnels ont également été positifs : inflation maîtrisée à 2,7 % ; déficits budgétaires en baisse sensible ; taux d'intérêt maintenus bas (malgré six augmentations de taux de la Réserve fédérale — banque centrale — en 1994) ; productivité des entreprises en amélioration ; exportations battant tous les records (+ 10,2 %).

157
●

▼
ÉTATS-UNIS

États-Unis d'Amérique.
Capitale : Washington.
Superficie : 9 363 123 km² (17 fois la France).
Monnaie : dollar (1 dollar = 4,87 FF au 11.7.95).
Langue : anglais (officielle).
Chef de l'État : Bill Clinton (William Jefferson), président (élu le 3.11.92), mandat expirant en janv. 96.
Nature de l'État : république fédérale (50 États et le District of Columbia).
Échéances électorales : présidentielles et législatives le 5.11.96.
Nature du régime : démocratie présidentielle.
Principaux partis politiques : Parti républicain et Parti démocrate.
Possessions, États associés et territoires sous tutelle : Porto Rico, îles Vierges américaines [Caraïbes], zone du canal de Panama [Amérique centrale], îles Mariannes du Nord, Guam, Samoa américaines, Midway, Wake, Johnson [Pacifique].
Carte : p. 158-159.
Statistiques : voir aussi p. 516.

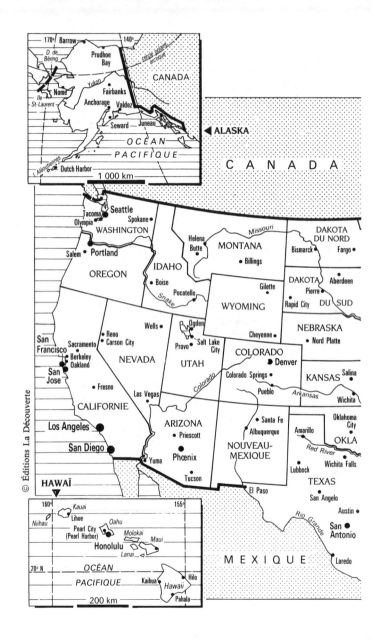

États-Unis

1 – NEW HAMPSHIRE	8 – MARYLAND
2 – VERMONT	9 – DISTRICT DE COLUMBIA
3 – MASSACHUSETTS	10 – PENNSYLVANIE
4 – RHODE ISLAND	11 – VIRGINIE OCCIDENTALE
5 – CONNECTICUT	12 – TENNESSEE
6 – NEW JERSEY	13 – MISSISSIPPI
7 – DELAWARE	14 – LOUISIANE

MINNESOTA
Duluth
Lac Supérieur
(MICHIGAN)
Québec
MAINE
Montréal
Augusta
Minneapolis St-Paul
WISCONSIN
Lac Huron
Lac Ontario
NEW YORK
Manchester
2
3
Boston
Sioux Falls
Milwaukee
MICHIGAN
Lansing
Lac Michigan
Lac Érié
Rochester
Buffalo
Albany
Providence
5
4
Madison
Detroit
Cleveland
New York
Sioux City
IOWA
Toledo
Pittsburgh
10
Trenton
6
Lincoln
Des Moines
Chicago
INDIANA
OHIO
Harrisburg
Philadelphie
St-Joseph
ILLINOIS
Indianapolis
Columbus
Cincinnati
11
Baltimore
8
WASHINGTON (9)
Topeka
Jefferson City
St-Louis
Ohio
Louisville
Charleston
Richmond
Norfolk
Kansas City
MISSOURI
KENTUCKY
VIRGINIE
Springfield
Nashville
Knoxville
Salem
Raleigh
CAROLINE DU NORD
Tulsa
ARKANSAS
Memphis
12
Tennessee
Charlotte
Columbia
Wilmington
HOMA
Little Rock
13
Atlanta
Birmingham
CAROLINE DU SUD
Augusta
Charleston
OCÉAN
ATLANTIQUE
Dallas Fort-Worth
Monroe
Jackson
ALABAMA
Montgomery
Macon
GEORGIE
Savannah
Beaumont
14
Mobile
Jacksonville
Daytona Beach
Bâton-Rouge
Pensacola
Tallahassee
Orlando
West Palm Beach
Port Arthur
Houston
New Orleans
Tampa
FLORIDE
Galveston
St-Petersburg
Fort Lauderdale
Corpus Christi
GOLFE DU MEXIQUE
Miami
Brownsville
BAHAMAS
500 km

Géopolitique interne des États-Unis

■ *La puissance américaine s'est forgée dans l'organisation d'un vaste espace : aux 48 États métropolitains (7 839 000 km²) s'ajoutent les îles Hawaii (16 000 km²) pour une population de 263 millions d'habitants.*

L'armature physique est simple, trois grands ensembles méridiens s'ordonnent d'est en ouest : surplombant une plaine littorale qui s'élargit vers le sud, les crêtes et sillons de la vieille chaîne appalachienne, qui courent du Maine à l'Alabama ; les grandes plaines centrales drainées, au sud des Grands Lacs, vers le golfe du Mexique par le système du Mississippi ; les Cordillères occidentales qui associent en bandes parallèles les Rocheuses, les hauts plateaux centraux et les chaînes bordières (axe Sierra-Nevada - Cascades et Coast Range encadrant la Grande Vallée californienne). La disposition du relief favorise un quadrillage climatique générateur de variété : l'influence pacifique est limitée à un étroit liseré, l'aridité prévaut à l'ouest du centième méridien ; le jeu nord-sud des masses d'air favorise les contrastes thermiques saisonniers ; seul le Sud subtropical échappe aux hivers rudes. Diversité et distance sont deux composantes essentielles de l'espace américain.

La prépondérance du Nord-Est industriel

Dans la foulée de la guerre de Sécession (1861-1865), le Nord-Est établit sa suprématie et conduit l'intégration économique à son profit grâce aux politiques qu'il impose en matière de transport, de douanes, de ban-que, d'étalon monétaire et de distribution des terres publiques. Alors se met en place une structure cœur-hinterland. Le cœur est le quadrilatère Baltimore-Saint Louis-Milwaukee-Portland où s'érige la puissance industrielle de l'Union ; la « Manufacturing Belt » (la ceinture manufacturière) concentre vers 1900 plus de trois quarts des effectifs industriels.

Le centre de gravité, d'abord fixé autour de Boston et New York (commerce, banque et industries de consommation), migre vers la Pennsylvanie et les Grands Lacs où règnent les industries de biens d'équipement. Pittsburgh, Detroit, Chicago, etc. fixent immigrants et attirent les Noirs du Sud. Cette expansion est largement financée par les exportations agricoles de l'hinterland structuré en ceintures spécialisées : lait du Wisconsin, maïs de l'Iowa, blé du Dakota, vergers et jardins de Californie et Floride. A côté des villes marchés émergent quelques grandes portes commerciales (San Francisco, Los Angeles). Cet hinterland n'est cependant pas homogène : à un Sud mal dégagé de ses pesanteurs historiques s'oppose un Ouest vibrant et dynamique.

La domination du Nord s'est assortie de la suprématie du Parti républicain lié aux milieux d'affaires, suprématie qu'a rompue la Grande Dépression (1929) au profit de la coalition du New Deal (syndicats, minorités, Sud) menée par le Parti démocrate dont la politique de croissance stimulée par l'intervention publique fédérale a longtemps masqué les contradictions régionales.

Le grand retournement spatial

Les difficultés économiques des années soixante-dix et quatre-vingt ont révélé le renversement de la dynamique spatiale, le poids démographique et industriel du Nord est tombé sous les 50 % avant 1980. Aux prises avec les difficultés de la sidérurgie, de l'automobile, la Manufacturing Belt — *désormais baptisée* Frost Belt, *voire* Rust Belt *(ceinture du givre, de la rouille) — perd de sa substance au profit du Sud et de l'Ouest, la* Sun Belt *qui fixe les nouveaux immigrants (Cubains de Floride, Mexicains du Texas à la Californie, Asiatiques sur la côte ouest). Fuyant les rigidités d'un cadre vieilli, les entreprises jettent dans ces nouveaux espaces les bases d'une rentabilité renouvelée. Les symboles de cet essor sont la Silicon Valley, complexe à base scientifique développé autour de l'université Stanford près de San Francisco, le Triangle d'or de Caroline du Nord, le complexe micro-électronique d'Austin (Texas) et la puissante mégapole de la Californie du Sud (Los Angeles-San Diego).*

La fortune de la Sun Belt, *château fort d'un Parti républicain royal, n'est pas exempte de nuages (séquelles de la crise pétrolière à Houston après 1980, recul des industries militaires de Californie en 1990-1992). Le Nord-Est conserve l'essentiel du pouvoir de commandement (70 % des sièges sociaux des grandes entreprises); au sein de la puissante Mégalopolis (45 millions d'habitants entre Boston et Washington), New York affirme son rôle commercial et financier mondial.*

Sans doute l'adhésion du Mexique à l'ALENA (Accord de libre-échange nord-américain) confirme-t-elle l'attraction du Sud : la croissance du Texas à partir de 1992 en a témoigné. L'Amérique en difficulté, c'est d'abord celle du Centre; après la restructuration des industries de biens d'équipement qui a restauré de Chicago à Pittsburgh une base manufacturière plus flexible mais plus étroite, c'est le Midwest agricole qui enregistre les conséquences des faillites et de la concentration foncière; alors que progressent les États côtiers, les Grandes Plaines stagnent ou déclinent. Le clivage le plus redoutable fracture cependant l'Amérique urbaine tout entière : le centre des grandes villes, avec les accumulations de chômeurs, de sans-abri, de minorités défavorisées, les ravages de la drogue, l'insécurité et parfois les émeutes, contraste violemment avec les banlieues blanches et prospères. Désormais, la majorité de la population américaine vit dans les banlieues qui se réorganisent autour de nouveaux noyaux (les edge cities). Cette nouvelle suburbia aura été la principale base du succès républicain aux élections de 1994.*

L'offensive conservatrice se nourrit notamment de la méfiance que suscite l'afflux des immigrants (un million par an en moyenne) dont la provenance se diversifie : aux Latino-Américains s'ajoutent, de plus en plus nombreux, les Asiatiques. L'élargissement annoncé de l'ALENA accélère par ailleurs le redéploiement des entreprises et les mouvements de population. Ainsi s'esquisse une nouvelle géographie à la dimension d'un continent largement ouvert sur le Pacifique.

Claude Manzagol

États-Unis *(Voir aussi tableau p. 516)*

DÉMOGRAPHIE, CULTURE, ARMÉE

L'ÉTAT DU MONDE 1996

INDICATEUR	UNITÉ	1970	1980	1994
Démographie				
Population	million	205,1	227,8	263,3 e
Densité	hab./km²	21,9	24,3	28,1 e
Croissance annuelle	%	1,1 a	1,0 b	1,0 c
Indice de fécondité (ISF)		2,3 a	1,9 b	2,1 c
Mortalité infantile	%oo	18,6	12,6	9 c
Espérance de vie	année	70,8	73,7	76 c
Population urbaine	%	73,6	73,7	76,0
Culture				
Nombre de médecins	%oo hab.	1,58	1,9	2,3 f
Scolarisation 2e degré j	%	92 k	89	94 d
Scolarisation 3e degré	%	57,3 k	56,0	76,2 d
Téléviseurs	%oo	413	684	815 d
Livres publiés	titre	79 530	85 126	••
Armée				
Marine	millier d'h.	988 h	717 i	482,8 l
Aviation	millier d'h.	810	555	433,8
Armée de terre	millier d'h.	1 363	774	559,9

a. 1965-75; b. 1975-85; c. 1990-95; d. 1992; e. 1995; f. 1990; g. 1989; h. Dont 294 000 marines; i. Dont 189 000 marines; j. 14-17 ans; k. 1975; l. dont 174 000 « marines ».

COMMERCE EXTÉRIEUR a

INDICATEUR	UNITÉ	1970	1980	1994
Commerce extérieur	% PIB	8,5	8,7	8,9
Total imports	milliard $	42,7	273,3	633,8
Produits agricoles	%	20,7	10,4	7,3 c
Produits énergétiques	%	7,7	32,5	9,8 c
Produits manufacturés	%	60,7	50,0	77,2 c
Total exports	milliard $	43,2	233,7	512,4
Produits agricoles	%	20,9	23,0	13,3 c
Minerais et métaux	%	5,2	5,0	2,2 c
Produits manufacturés	%	66,7	64,2	76,7 c
Principaux fournisseurs	% imports			
CEE/UE		24,4	15,6	16,7
Asie b		24,2	34,3	43,9
Japon		14,7	12,8	17,9
Principaux clients	% exports			
CEE/UE		28,6	26,7	20,1
Amérique latine		15,1	17,5	18,4
Asie b		23,5	26,5	31,4

a. Marchandises; b. Moyen-Orient, Chine et Japon compris; c. 1993.

États-Unis

INDICATEUR	UNITÉ	1970	1980	1994
ÉCONOMIE				
PNB	milliard $	1 015	2 732	6 638
Croissance annuelle	%	2,6 a	2,9 b	4,1
Par habitant h	$	4 949	11 998	25 572
Structure du PIB				
Agriculture	% ⎫	2,8	2,6	1,9 i
Industrie	% ⎬ 100 %	34,6	33,6	26,4 i
Services	% ⎭	62,7	63,8	71,7 i
Taux d'inflation	%	5,9	13,5	2,7
Population active	million	86,0	109,0	132,5
Agriculture	% ⎫	4,5	3,6	2,9
Industrie	% ⎬ 100 %	34,4	30,5	24,0
Services	% ⎭	61,1	65,9	73,1
Chômage	%	4,8	7,0	5,4 f
Dépenses publiques				
Éducation	% PIB	6,5	6,7	5,3 c
Défense	% PIB	7,7	6,0	3,9
Recherche et Développement	% PIB	2,6	2,4	2,81 e
Aide au développement	% PIB	0,31	0,27	0,15 d
Administrations publiques				
Solde g	% PIB	− 1,0	− 1,3	− 0,1
Dette brute	% PIB	45,5	37,9	64,6
Énergie				
Consommation par habitant	kg	10 809	10 380	10 737 e
Taux de couverture	%	94,9	86,5	83,6 e

a. 1965-75; b. 1975-85; c. 1990; d. 1993; e. 1992; f. En décembre; g. Capacité ou besoin de financement; h. A parité de pouvoir d'achat (voir p. 673); i. 1991.

Ces chiffres masquaient pourtant une réalité plus ambiguë. L'économie a eu beau croître et le chômage décliner, la majorité de la population n'en a pas ressenti les effets. Malgré les bénéfices records des entreprises (en hausse de 40 % en 1994 par rapport à l'année précédente), le pouvoir d'achat moyen a baissé pour la quatrième année consécutive. Et malgré les statistiques sur l'emploi, les salariés se sont plus fortement inquiétés pour leur avenir. Les emplois créés ont surtout été des « petits boulots », précaires et sans couverture sociale, les grandes entreprises, comme atteintes d'anorexie, justifiant leurs réductions d'effectifs par l'âpreté de la concurrence internationale. Ce qui séduit les marchés financiers ne réussit donc pas forcément à convaincre les salariés. Ainsi, en février 1994, a-t-on pu voir Alan Greenspan, président de la Réserve fédérale, déclarer que « jamais de mémoire récente l'économie ne s'était aussi bien portée » alors même qu'un sondage révélait que pour 57 % des Américains l'économie était toujours en récession.

Les grandes mutations économiques attribuées aux avancées technologiques et à la globalisation de l'économie sont apparues nourrir un sentiment diffus d'inquiétude (crainte de déclassement) et une recherche de boucs émissaires : immigrés et catégories perçues comme bénéficiaires d'un État-providence devant, de toute urgence, être démantelé.

BIBLIOGRAPHIE

A. BAILLY, G. DOREL, J.-B. RACINE et P. VILLENEUVE, *États-Unis, Canada*, Géographie universelle Reclus, Hachette, Paris, 1992.

E. DREW, *On the Edge : The Clinton Presidency*, Simon & Schuster, New York, 1995.

«États-Unis, fin de siècle», *Manière de voir/Le Monde diplomatique*, Paris, 1992.

M. FOUET, *L'Économie des États-Unis*, La Découverte, « Repères », Paris, 1989.

S. HALIMI, « Virage à droite aux États-Unis », *Le Monde diplomatique*, Paris, déc. 1994. «Les boîtes à idées de la droite américaine », *Le Monde diplomatique*, Paris, mai 1995.

D. LACORNE, *L'Invention de la République : le modèle américain*, Hachette, Paris, 1991.

A. LENNKH, M.-F. TOINET (sous la dir. de), *L'état des États-Unis*, La Découverte, coll. «L'état du monde», Paris, 1990.

J. PORTES, *Histoire des États-Unis depuis 1945*, La Découverte, coll. «Repères», Paris, 1991.

J. PORTES (sous la dir. de), *L'Amérique comme modèle ; l'Amérique sans modèle*, Presses universitaires de Lille, Lille, 1993.

F. SUBILEAU, M.-F. TOINET, *Les Chemins de l'abstention. Une comparaison franco-américaine*, La Découverte, Paris, 1992.

M.-F. TOINET, «Les croisés du libre-échange », *Le Monde diplomatique*, Paris, févr. 1995.

M.-F. TOINET, *La Présidence américaine*, Montchrestien, Paris, 1991.

A. VALLADÃO, *Le XXIᵉ siècle sera américain*, La Découverte, Paris, 1993.

B. VINCENT, *Histoire des États-Unis*, Presses universitaires de Nancy, Nancy, 1994.

La promesse essentielle du « contrat pour l'Amérique », l'engagement solennel pris par tous les candidats républicains à la Chambre des représentants, a en effet été d'introduire au cours des cent premiers jours de leur mandat dix réformes jugées essentielles (27 septembre). Le projet, d'inspiration très reaganienne, reposait sur une promesse de réduction des impôts, de suppression de programmes fédéraux, d'augmentation des dépenses militaires, et surtout de combat en faveur des « valeurs traditionnelles » — famille, travail, religion ; des promesses claires, mais des détails flous ou peu convaincants et des chiffres souvent fantaisistes. La Chambre a pourtant tenu parole en soumettant les dix propositions à un vote. Dans neuf cas sur dix, elles ont été approuvées (seul le projet de limitation de la durée des mandats politiques a été rejeté).

A Washington, l'heure était donc à la « cohabitation » entre un président démocrate et un Congrès républicain. Newt Gingrich, nouveau président (*speaker*) de la Chambre des représentants, est apparu comme le nouvel homme fort de Washington, tant du fait du poste occupé (troisième personnage du pouvoir d'après le protocole officiel) que de sa personnalité et du rôle qu'il a joué dans la victoire républicaine. Au lendemain de l'élection, il a donné le ton : « Oui à la coopération, non au compromis ». Se voulant à la fois intellectuel (il a été un temps professeur d'Université) et révolutionnaire, il a manifesté son intention de mener la révolution conservatrice à son terme.

L'image brouillée de la politique extérieure

Si l'ordre du jour en matière de politique intérieure était désormais aux mains de la nouvelle majorité républicaine, la politique étrangère a évolué au rythme de crises à répétition, et les responsables ont donné l'image de novices dépassés par les événements, même quand ils pouvaient se prévaloir de certains succès. En Haïti, la démission forcée de la junte militaire et le retour du président légitime Jean-Bertrand Aristide, les 10 et 15 octobre 1994, ont eu lieu sans effusion de sang. Dans la crise coréenne, le pire a pu être évité, la Corée du Nord s'étant engagée à geler son programme nucléaire et à rester membre du Traité de non-prolifération nucléaire (TNP) en échange d'une aide financière américaine assortie d'une normalisation des relations diplomatiques (13 août 1994). Dans de nombreuses régions — Irlande, Afrique du Sud, Moyen-Orient — Washington a joué les parrains et les réconciliateurs. La coopération tant militaire qu'économique avec Moscou s'est intensifiée, même si elle a été émaillée d'incidents. Le 21 février 1994, une « taupe » a été découverte au sein de la CIA (Central Intelligence Agency) : Aldrich Ames, ancien chef de la section de contre-espionnage soviétique, avait collaboré avec les services secrets soviétiques, puis russes, pendant neuf ans, en échange de près d'un million et demi de dollars. La découverte aura surtout eu des répercussions au sein de l'appareil de renseignement américain : refonte complète de la CIA (10 mars) et démission du directeur James Woolsey (27 décembre).

De toutes les affaires de politique extérieure, la crise bosniaque aura sans doute été, dans cette période, la plus embarrassante pour l'Administration américaine. Elle a en effet mis en évidence le manque d'initiative de Washington, ses atermoiements, l'absence de positions claires et de coordination avec les alliés européens mais aussi avec l'ONU et l'OTAN.

En matière de « diplomatie économique » en revanche, l'Administration Clinton a multiplié initiatives et succès. Qu'il s'agisse de l'ALENA (Accord de libre-échange nord-américain entré en vigueur le 1er janvier 1994), du GATT (Accord général sur les tarifs douaniers et le commerce, auquel a succédé l'OMC — Organisation mondiale du commerce, le 1er janvier 1995), du « sommet » de la Coopération économique Asie-Pacifique (APEC) réuni à Seattle puis à Bogor (Indonésie) en novembre 1993 et novembre 1994, ou du « sommet des Amériques » (Miami, décembre 1994), les États-Unis ont presque toujours obtenu gain de cause. Par ailleurs, les diplomates américains ont su manier la carotte et le bâton pour forcer le Japon à ouvrir ses marchés, pour demander des « contributions » financières aux alliés dans le cadre des opérations multilatérales, et surtout pour défendre les intérêts des firmes américaines sur les marchés étrangers. Dans les relations avec la Chine et avec le Vietnam (la normalisation complète a eu lieu le 11 juillet 1995, vingt ans après la chute de Saïgon), les considérations économiques l'ont emporté sur l'idéologie ou les principes humanitaires.

Isolationnisme et moralisme

La marge de manœuvre de l'Administration Clinton est apparue réduite par le courant isolationniste traversant le pays, mais aussi par le rôle de Jesse Helms, président de la commission sénatoriale des Affaires étrangères. Dans les premiers mois, ce dernier s'est démarqué de l'Administration sur tous les dossiers, ne cherchant même pas à cacher son mépris pour B. Clinton. J. Helms a annoncé vouloir réduire de manière drastique l'aide extérieure américaine, considérant que les pays européens et le Japon ne contribuaient pas suffisamment à leur propre défense, et continuant de percevoir la Russie comme le principal ennemi des États-Unis.

Par ailleurs, dans les mois ayant suivi l'élection, la surenchère sécuritaire et le discours sur les « valeurs » ont pris une ampleur et des formes nouvelles. La contre-révolution moraliste est apparue en marche, et le renouveau spirituel à l'ordre du jour. Mais aussi bien la « coalition chrétienne », qui avait lancé toutes ses forces dans la bataille, que le lobby des armes à feu, la redoutable National Rifle Association (NRA), ont parfois été sur la défensive. L'attentat d'Oklahoma City (19 avril 1995), qui a fait près de 200 morts dans un immeuble appartenant au gouvernement fédéral, a jeté une lumière crue tant sur les milices extrémistes, que sur le fait que de tels incidents ne sont pas sans lien avec le « ton » du discours politique.

Cet événement a permis, un temps, à B. Clinton de reprendre la main. Malgré ses revers, il s'est dit confiant en sa réélection en 1996. N'a-t-il pas déjà, par le passé, surpris l'*establishment* politique par sa capacité à « rebondir » dans les situations les plus désespérées, méritant le surnom de « revenant » (*comeback kid*) ?

A la mi-1995, il semblait toujours hésiter entre deux stratégies. L'une consistait à garder profil bas, laissant les républicains « s'autodétruire », la réduction drastique des programmes fédéraux, une fois mise en pratique, étant vouée à être impopulaire. L'autre, sans doute inspirée par Dick Morris, le nouveau conseiller politique — républicain (!) — du président, préconisait de prendre les devants, adoptant les thèmes républicains (réduction des impôts, augmentation du budget de la défense, déréglementation, suppression d'agences fédérales, discours sur les valeurs, etc.). Mais ce mimétisme risquait aussi d'asseoir une image de politicien sans convictions ni principes, dont les choix oscillent au gré de l'opinion publique.

Ibrahim A. Warde

Russie
Pourquoi la Tchétchénie ?

L'intégrité territoriale de la Russie était-elle vraiment menacée pour que les forces militaires du Centre interviennent avec une telle brutalité à l'hiver 1994, ou bien fallait-il rattraper dans une sorte de fuite éperdue scandales et criminalité qui frappaient au plus haut niveau ? En 1994-1995, les « affaires » ont pris des proportions entachant comme jamais la respectabilité de l'État. La société MMM, construction financière pyramidale, s'est écroulée durant l'été 1994, ruinant des centaines de milliers de petites gens attirés par d'extravagants dividendes. Après quelques semaines de prison, Serge Mavrodi, son responsable, n'en a pas moins été élu à la Douma (Parlement), à la place du député assassiné A. Aïdzerzis. Le scandale financier a touché plus profondément encore le cœur de l'État avec la crise du rouble, survenue le 11 octobre 1994 appelé « mardi noir » : la monnaie russe a perdu en une seule journée 21 % de sa valeur. La presse a accusé la Banque centrale d'avoir volontairement et, avec la complicité du Premier ministre Victor Tchernomyrdine, manipulé le marché des changes afin de « boucher les trous » du budget. Le pouvoir, lui, a parlé de « tentative de putsch financier » et procédé à d'importants remaniements : Alexandre Chokhine, ministre des Finances et de l'Économie, a été limogé ainsi que le président de la Banque centrale, Viktor Guerachenko et le libéral Anatoly Tchoubaïs a accédé au poste de vice-premier ministre.

« Réduire les bandes armées illégales »

Ce sont cependant les scandales dans l'armée qui ont donné toute leur gravité aux événements ultérieurs, provoquant une véritable restructuration de l'État. Le 16 octobre 1994, un jeune journaliste de vingt-sept ans, Dimitri Kholodov, était déchiqueté par une bombe déposée dans une mallette censée contenir des informations inédites sur un important trafic d'armes organisé à partir de l'Allemagne orientale. Le général Pavel Gratchev, ministre de la Défense, fut mis en cause, ainsi que les plus hauts responsables de l'armée. Seul le vice-ministre de la Défense, le général Matvei Bourlakov, sera finalement limogé et P. Gratchev viendra plaider devant la Douma la cause d'une armée plutôt réduite à l'indigence qu'encline à la corruption.

La presse révéla cependant bientôt que des conscrits russes étaient secrètement rémunérés par les services de contre-espionnage pour aller soutenir en Tchétchénie les opposants au général Djokar Doudaïev. Alors que chaque jour en apportait de nouvelles confirmations, un décret présidentiel était publié le 9 décembre 1994, autorisant le recours à la force pour mettre au pas la république tchétchène, relevant en droit international de la souveraineté russe, mais s'étant autoproclamée indépendante en novembre 1991.

La Russie allait ainsi entrer dans un long conflit. Alors que les autorités avaient annoncé une opération-éclair, 20 000 à 30 000 hommes firent d'abord leur entrée sur le territoire tchétchène, renforcées au fur et à mesure des besoins, les forces des ministères de la Défense et de l'Intérieur se relayant sur le terrain. La terminologie de Moscou concernant cette intervention resta invariable : il s'agissait de réduire les « bandes armées illégales ».

Ce que l'on pouvait considérer comme une partie jouée d'avance, étant donné la supériorité militaire russe, tourna cependant vite et publiquement au désastre. L'armement était inadapté au terrain, l'opération mal préparée et certains régiments manifestaient une absence de motivation qui accentuait l'embourbement. L'assaut contre la capitale

Fédération de Russie
Capitale : Moscou.
Superficie : 17 075 400 km² (31 fois la France, soit les 3/4 de l'ex-URSS).
Monnaie : rouble (au taux officiel, 100 roubles = 0,1 FF au 26.6.95).
Langues : russe (langue off. d'État), bachkir, tatare, tchétchène, etc.
Chef de l'État : Boris Eltsine, président de la Russie, élu le 12.6.91.
Premier ministre : Victor Tchernomyrdine, depuis le 14.12.92.
Échéances électorales : législatives (déc. 95) et présidentielles (juin 96).
Nature de l'État : république fédérale, comportant 89 « sujets de la Fédération ».
Nature du régime : présidentiel fort.
Principaux partis politiques : « Notre maison la Russie » (présidentiel, V. Tchernomyrdine), « L'accord » (présidentiel, I. Rybkine), « Stabilité » (pro-gouvernemental, O. Boïko), Parti des sociaux-démocrates (pro-gouvernemental, A. Iakovlev), Unité et entente (S. Chakhraï), Choix démocratique de la Russie (libéral-démocrate, E. Gaïdar), Mouvement Iabloko (libéral), Parti démocratique de la Russie (centriste, S. Glaziev, S. Govoroukhine), En avant la Russie (libéral et patriotique, B. Fiodorov), Congrès des communautés russes (lobby militaro-industriel), Parti unifié des industriels, Femmes de Russie (conservateur), Parti agraire (conservateur), Parti communiste russe, Association sociale patriotique Puissance (ultra-nationaliste, A. Routskoï), Parti libéral-démocrate (ultra-nationaliste, V. Jirinovski).
Souveraineté contestée : La république de Tchétchénie s'est proclamée indépendante le 1.11.1991.
Territoires contestés : îles Kouriles [Pacifique], revendiquées par le Japon.
Carte : p. 168-169.
Statistiques : voir aussi p. 634.

La Russie et l'ex-URSS (Voir également les cartes plus détaillées

Spitzberg (NORV.)

OCÉAN

Terre François Joseph

NORVÈGE

SUÈDE

Pays baltes

FINLANDE

Europe orientale

MER DE BARENTS

Nouvelle-Zemble

Mourmansk

XV XIV XIII

Kaliningrad

POLOGNE

(I) VILNIUS RIGA TALLINN

II

KIEV

III

MINSK

St-Pétersbourg

Petrozavodsk

Arkhangelsk

Vorkouta

R

U

S

S

Ténissei

g

Ob

XII

CHISINAU

Odessa

Dniepr

MOSCOU

Nijni-Novgorod

Kharkov

Dniepropetrovsk

Donetsk

Kazan

Volga

Samara

Oural

Perm

Ékaterinbourg

Tcheliabinsk

Irtych

Omsk

Tomsk

Novosibirsk

MER NOIRE

h

Rostov

a

Don

Volgograd

Oufa

4 5

7

6

8

Barnaoul

d

TURQUIE

18

19

10

9

VI

14

MER CASPIENNE

MER D'ARAL

X

Lac Balkhach

c

IRAK

IV

V

Nakh

Transcaucasie

20

VII

ACHKHABAD

VIII

TACHKENT

Samarcande

ALMA ATA

BICHKEK

XI

Asie centrale

IRAN

DOUCHANBÉ

IX

k

CHINE

PAKISTAN

NÉPAL

BH

Mer d'Oman

INDE

1000 km

© Éditions La Découverte

p. 629, 633, 639 et 644-645.)

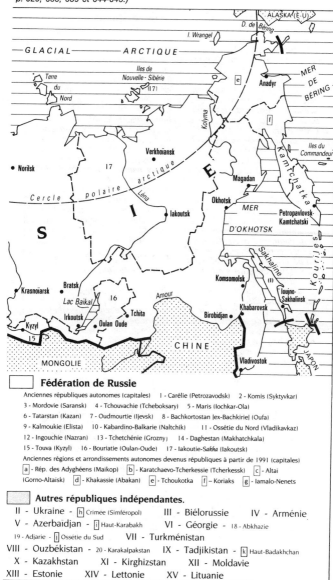

Fédération de Russie

Anciennes républiques autonomes (capitales)   1 - Carélie (Petrozavodsk)   2 - Komis (Syktyvkar)
3 - Mordovie (Saransk)   4 - Tchouvachie (Tcheboksary)   5 - Maris (Iochkar-Ola)
6 - Tatarstan (Kazan)   7 - Oudmourtie (Ijevsk)   8 - Bachkortostan [ex-Bachkirie] (Oufa)
9 - Kalmoukie (Elista)   10 - Kabardino-Balkarie (Naltchik)   11 - Ossétie du Nord (Vladikavkaz)
12 - Ingouchie (Nazran)   13 - Tchetchénie (Grozny)   14 - Daghestan (Makhatchkala)
15 - Touva (Kyzyl)   16 - Bouriatie (Oulan-Oude)   17 - Iakoutie-*Sakha* (Iakoutsk)
Anciennes régions et arrondissements autonomes devenus républiques à partir de 1991 (capitales)
a - Rép. des Adyghéens (Maikop)   b - Karatchaevo-Tcherkessie (Tcherkessk)   c - Altaï
(Gorno-Altaisk)   d - Khakassie (Abakan)   e - Tchoukotka   f - Koriaks   g - Iamalo-Nenets

Autres républiques indépendantes.

II - Ukraine - h Crimée (Simféropol)   III - Biélorussie   IV - Arménie
V - Azerbaïdjan - i Haut-Karabakh   VI - Géorgie - 18 - Abkhazie
19 - Adjarie - j Ossétie du Sud   VII - Turkménistan
VIII - Ouzbékistan - 20 - Karakalpakstan   IX - Tadjikistan - k Haut-Badakhchan
X - Kazakhstan   XI - Kirghizstan   XII - Moldavie
XIII - Estonie   XIV - Lettonie   XV - Lituanie

Géopolitique interne de la Russie

■ L'ombre de la Tchétchénie aura plané sur l'ensemble de la Fédération de Russie en 1995. L'intervention russe déclenchée en décembre 1994 a lourdement pesé sur les relations entre le Kremlin d'un côté, les républiques et les régions de la Fédération de l'autre. Après l'adoption, en décembre 1993, d'une nouvelle Constitution établissant plus précisément les prérogatives des 89 « sujets » (entités telles que républiques ou régions « autonomes ») de la Fédération, l'année 1994 avait été marquée par le traité bilatéral signé le 15 février entre la Russie et le Tatarstan. Mais la commémoration solennelle, un an plus tard, de cet accord qui régularisait des rapports difficiles entre Moscou et Kazan, consécutifs à la proclamation d'indépendance du Tatarstan en mars 1992, n'a pu faire disparaître le profond malaise qui s'est emparé de nombreux sujets de la Fédération.

Confrontées à un pouvoir qui n'a pas hésité à raser la capitale tchétchène, Grozny, afin d'éradiquer toute velléité séparatiste, républiques et régions ont dès lors fait montre de circonspection. Face à un « parti de la guerre » décidé à imposer la volonté du Centre par tous les moyens, la périphérie a fait le « gros dos », tentant de conserver les positions acquises.

La question de la « souveraineté » des républiques et des autres sujets de la Fédération a été au centre de l'offensive lancée par tous ceux se réclamant d'une « Russie une et indivisible » : le 17 février 1995, une conférence sur le pouvoir local, inaugurée par le Premier ministre Victor Tchernomyrdine,

organisée au Kremlin, a vu s'exprimer des points de vue de plus en plus divergents. La nécessité d'un pouvoir local vigoureux y a été réaffirmée par tous les participants. Les émissaires des républiques, dont certains exigent l'établissement de quotas afin de mieux représenter les nationalités au plus haut niveau, ont vivement rejeté la proposition avancée par certains intervenants — dont l'écrivain Alexandre Soljénitsyne — visant à abolir les entités formées sur une base ethnique en créant de grandes régions transcendant les frontières nationales et ethniques.

Le remodelage du territoire à l'ordre du jour

Sur fond de « danger séparatiste » illustré par l'exemple tchétchène, le remodelage du territoire de la Russie est passé à l'ordre du jour. Si le leader ultranationaliste Vladimir Jirinovski a préconisé un redécoupage radical du territoire en 50 régions administratives, tandis que la nébuleuse des mouvements cosaques proposait de partager le pays en six régions militaires cosaques, l'entourage du président Boris Eltsine semblait vouloir procéder par étapes. En juin 1995, Sergueï Chakhraï (vice-premier ministre), l'un des « faucons » les plus actifs dans le domaine des relations nationales, annonçait une loi limitant les pouvoirs des 89 sujets de la Fédération. Seuls le Tatarstan et la Tchétchénie conserveraient le privilège d'un accord d'association avec la Russie.

Moscou devait cependant

tenir compte de l'héritage soviétique. La vie politique est restée dépendante des structures fédérales. Le nouveau parti animé par V. Tchernomyrdine, Notre maison la Russie, s'appuie sur une solide armature régionale et républicaine ; le Premier ministre du Tatarstan Farid Moukhamedchin siège à sa direction aux côtés des présidents et représentants de nombreuses républiques et régions. Accordant aux uns ce qu'il refuse aux autres, le pouvoir a souvent fait preuve d'incohérence au gré des luttes d'influences qui se déroulent dans l'entourage présidentiel. Alors que républiques et régions exigeaient une refonte radicale de la fiscalité, qui leur permettrait de prélever directement taxes et impôts, l'État semblait toujours dans l'incapacité de mettre en place un système unique. Républiques et régions ont âprement négocié la part de ressources qui revient à chacune d'entre elles.

L'État fédéral, incapable de débloquer des aides dans les situations exceptionnelles, a préféré réduire l'imposition des régions touchées par les catastrophes naturelles. L'exemple de l'île de Sakhaline, frappée par un tremblement de terre meurtrier le 27 mai 1995 (2 000 morts), illustrait bien une situation où l'État et les régions se renvoient la responsabilité de l'incurie générale. Alors que Moscou déclarait péremptoirement son refus de toute immixtion étrangère », en particulier nippone, l'administration locale a accepté l'aide humanitaire venue du Japon, pays soupçonné de vouloir récupérer les Kouriles par tous les moyens, y compris les plus sournois.

Les revendications économiques ont continué à émaner des régions les plus pauvres, en particulier du Daghestan et, plus largement, du Caucase du Nord où, selon les responsables politiques, le revenu par tête serait deux fois plus faible que dans les régions voisines peuplées majoritairement de Russes. Les tensions, malgré la guerre en Tchétchénie, ont continué à y opposer Azéris et Lezghiens, Ossètes et Ingouches. La question des « pieds rouges », ces Russes devenus des étrangers après les proclamations d'indépendance, est démeurée entière alors que Moscou était tenté d'utiliser les communautés russophones afin de s'arroger un droit d'intervention dans l'« étranger proche », en particulier en Estonie et en Lettonie où leur statut est resté incertain.

Centralisme ou fédéralisme ?

Alors que les problèmes de l'identité russe et de la citoyenneté restaient en suspens, la Russie a continué à s'interroger sur le type d'État qu'elle doit construire. La question divise le monde politique, transcendant les clivages traditionnels. Les centralistes se partagent entre « modernistes » qui s'inspirent de l'État-nation occidental et nationalistes qui rêvent d'un retour à l'empire prérévolutionnaire. Les fédéralistes se recrutent parmi les « démocrates », mais aussi parmi les communistes restés fidèles à la structure fédérale de l'État soviétique, alors que les partisans d'une confédération semblent aujourd'hui en recul. Cet espace traumatisé par l'aventure tchétchène saura-t-il trouver le cadre institutionnel indispensable à la cohabitation des quelque 150 nations et ethnies qui y vivent ?

Charles Urjewicz

Russie [1] *(Voir aussi tableau p. 634)*

DÉMOGRAPHIE, CULTURE, ARMÉE

INDICATEUR	UNITÉ	1980	1985	1994
Population	*million*	139,2	143,9	147,0 f
Densité	*hab./km²*	8,2	8,4	8,6 f
Croissance annuelle	%	0,7 b	0,6 c	− 0,1 c
Indice de fécondité (ISF)		1,9	2,4	1,5 c
Mortalité infantile	%₀₀	22,1	20,7	21 c
Espérance de vie	*année*	67,5	69,3	68 c
Population urbaine	%	71,0	73,1	75,6
Nombre de médecins	%₀₀ hab.	4,04	4,51	4,5
Téléviseurs	%₀₀	..	..	370 d
Livres publiés	*titre*	..	..	28 716 d
Marine	*millier d'h.*	..	..	13
Aviation	*millier d'h.*	..	..	170
Armée de terre	*millier d'h.*	..	..	780
Total	*millier d'h.*	..	..	1 714

a. 1990-95;   b. 1980-85;   c. 1990-95;   d. 1992;   e. 1993;   f. 1995.

COMMERCE EXTÉRIEUR [a]

INDICATEUR	UNITÉ	1985	1990	1994
Total imports [b]	*milliard $*	..	82,90	35,97
Produits alimentaires	%	..	10,3	19,3 c
Produits énergétiques	%	..	7,5	..
Biens d'investissement	%	..	45,9	..
Total exports [b]	*milliard $*	..	80,90	62,25
Produits alimentaires	%	..	1,6	4,0 c
Produits énergétiques	%	..	35,6	44,3 c
Biens d'investissement	%	..	31,6	..
Principaux fournisseurs	*% imports*			
PCD [d]		..	52,9	69,2
Ex-CAEM [e]		..	23,2	8,5
CEI [f]		..	..	21,6
Principaux clients	*% exports*			
PCD [d]		..	..	56,4 c
PVD		..	..	20,7 c
CEI [f]		..	..	22,8

a. Marchandises;   b. Hors pays de l'ex-URSS;   c. 1993;   d. Pays capitalistes développés;
e. Conseil d'assistance économique mutuelle (COMECON), hors pays de l'ex-URSS; f. Autres États
membres de la Communauté des États indépendants (regroupant l'ensemble des républiques de
l'ex-URSS, sauf les trois pays baltes).

1. L'Union soviétique a cessé d'exister en tant qu'État en décembre 1991. Les statistiques portant sur
les 15 républiques qui étaient « fédérées » au sein de l'URSS — dont la Russie — présentaient des cohérences variables et l'information était loin d'être transparente. Il en découle une difficulté méthodologique pour reconstituer certaines séries de données pour les années antérieures à la dislocation de l'Union.

Russie

ÉCONOMIE

INDICATEUR	UNITÉ	1980	1985	1994
PIB	milliard $	..	367,7	329,1
Croissance annuelle	%	2,2 d	1,3 g	− 15,0
Par habitant e	$	..	..	5 240 a
Structure du PIB				
Agriculture	% ⎫	8,7	11,9	7
Industrie	% ⎬ 100 %	54,3	50,0	39
Services	% ⎭	36,9	38,1	54
Production (taux de croissance)				
agricole	%	..	..	− 9,0
industrielle	%	..	..	− 20,9
Dette extérieure totale	milliard $	..	30,7 b	120
Taux d'inflation	%	0,9 d	3,2 e	198,5
Emploi total	million	73,3	74,9	70,1
Agriculture	% ⎫	14,6	14,3	13,5 a
Industrie	% ⎬ 100 %	42,5	41,8	40,6 a
Services	% ⎭	42,9	43,9	45,9 a
Taux de chômage	%	—	—	2,1 f
Dépenses publiques				
Défense	% PIB	..	..	4,1
Éducation	% PIB	..	..	4,4
Énergie				
Consommation par habitant	kg	..	..	7 357 c
Taux de couverture	%	..	..	146,3 c

a. 1993; b. 1986; c. 1992; d. 1980-85; e. A parité de pouvoir d'achat (voir p. 673);
f. 7,1 % selon la définition BIT; g. 1985-90.

tchétchène Grozny demanda des semaines et la ville ne tomba que début mars 1995, après avoir été presque totalement détruite. Des dissensions s'exprimèrent d'ailleurs au sein de l'armée, certains responsables militaires refusant d'obtempérer quand il s'agissait, par exemple, de mener des opérations atteignant des civils ou d'obéir à des ordres incohérents.

Manipulation ?

Double jeu ou mauvaise coordination ? Au sommet de l'État aussi, les contradictions s'accumulèrent. Le président Boris Eltsine ordonna, fin décembre 1994, la suspension des hostilités, mais sur place les bombardements reprirent plus intensivement que jamais. Le « traître » Doudaïev, selon les termes de la propagande russe, échappait étrangement à ses poursuivants, alors qu'il multipliait les interviews publiques à la presse russe et internationale. Mais c'est avec les massacres commis en avril 1995 dans la ville de Samachki, à l'ouest de la république, que fut atteint le sommet de l'horreur : des vieillards, femmes et enfants furent sommairement exécutés et les maisons brûlées une à une.

Le conflit a cependant eu pour effet de réveiller une partie de la société civile russe. Le Comité des mères de soldats, soucieux de protéger — ou retrouver — les conscrits engagés ou disparus dans l'affrontement, a montré à la société le visage de la dignité. Les mères russes et tchétchènes ont œuvré côte à côte, conjuguant expéditions sur place et assistance juridique dans les principales villes de Russie. Les militaires opposés au conflit s'organisèrent eux aussi en un mouvement, tandis que réapparaissaient des publications proches des *samizdat* (tirages clandestins) de l'époque brejnévienne. Le propre conseiller aux Droits de l'homme du président Eltsine, Sergueï Kovalev, qui est resté dans le réduit de Grozny pendant les phases les plus dures des combats, sera ensuite un témoin infatigable, surnommé «le nouveau Sakharov».

S. Kovalev avança le chiffre de 20 000 à 30 000 morts civils pour la seule prise de Grozny. Les médias russes ont montré certaines images insoutenables ou souligné les contradictions existant entre informations de sources militaires et témoignages de terrain. Enquêtes, documents, éditoriaux au vitriol, une forme de nouveau journalisme russe est née du conflit, dont la télévision indépendante *NTV* a été l'un des supports les plus éloquents.

La «normalisation» que le Kremlin appelait régulièrement de ses vœux, annonçant tantôt de pseudo-négociations, tantôt des ralliements politiques qui n'avaient pas eu lieu, ressembla plutôt au fil des mois à une forme d'indifférence jusqu'à la spectaculaire prise d'otages de Boudennovsk par un commando tchétchène, le 15 juin 1994 [*voir p. 43*], qui a débloqué un vrai processus de négociation.

Qui gouverne la Russie ?

Pendant que la guerre se déroulait dans le Caucase, le pouvoir, lui, se réorganisait. Dans un premier temps, toute autorité fut donnée au Conseil de sécurité, marginalisant à la fois le travail du gouvernement et les débats parlementaires. Cette institution, surnommée «le nouveau Politburo» devait acquérir une influence grandissante. Les discours s'y radicalisèrent et ses décisions devinrent aussi secrètes qu'incontestées.

Mais derrière la question lancinante souvent posée par la presse «Qui gouverne la Russie?» se profilait un autre rapport de forces, plus occulte encore. Alexandre Korjakov, officiellement responsable de la Garde présidentielle, contrôlait en fait au sein du Kremlin une sorte de garde prétorienne rassemblant quelque 40 000 hommes. Dans l'entourage du président, on ne tarda pas à parler de terreur, paralysant toute décision collégiale et évoquant une sorte d'État policier naissant.

Après les événements de Boudennovsk, le Premier ministre, ayant su négocier et faire preuve de responsabilité, a semblé bénéficier de plus de poids. Les remaniements qui ont suivi ont cependant contribué à accentuer le sentiment de reprise en main du pouvoir : le ministre de l'Intérieur Victor Erine a été remplacé par le commandant en chef des forces armées en Tchétchénie, le général Koulikov, et le responsable des services de contre-espionnage, Sergueï Stepachine, a été sanctionné au bénéfice du général Barsoukov, chef de la sécurité du Kremlin et étroitement lié au général Korjakov.

Les pouvoirs offerts aux services de contre-espionnage, ancien KGB devenu FSK puis FSS, furent renforcés. Selon l'ordonnance du 6 avril 1995, ils allaient désormais pouvoir conduire leurs enquêtes, procéder à des perquisitions sans mandat, disposer de leurs propres prisons, possibilités qui avaient été retirées au KGB au moment de sa transformation. Autre changement dans les institutions de l'État, la Cour constitutionnelle a repris ses activités le 16 mars 1995, après un an et demi d'arrêt, et ce sous la présidence d'un juriste plutôt impartial, Vladimir Toumanov. Nouveau signe de durcissement de l'État, le service militaire a été prolongé à deux ans (au lieu d'un an et demi) et la plupart des sursis aux étudiants supprimés. L'État lui-même a pris acte de ses nouveaux besoins militaires dans le Caucase, créant en avril 1995 la 58e armée sans en définir exactement les missions, qui contrediront de fait le traité FCE sur les armes conventionnelles en Europe devant entrer en application fin 1995.

Le pouvoir, continuant à s'affirmer comme démocratique, a cherché une justification nouvelle à ces bruits de bottes au moment de la commémoration du cinquantième anniversaire de la Victoire sur le fascisme, le 9 mai 1995, suivi d'un « sommet » russo-américain. Une énorme parade eut lieu sur la place Rouge, essentiellement composée de vétérans, suivie par quelques chefs d'État occidentaux, certains ayant refusé de légitimer par leur présence les exactions de l'armée en Tchétchénie.

Cette volonté de retrouver une certaine dignité dans l'histoire se manifesta également lors de la première présentation depuis cinquante ans, dans les musées de Moscou et Pétersbourg, des « trophées de guerre » saisis à l'Allemagne, chefs-d'œuvre artistiques que les dirigeants du pays avaient longtemps nié détenir dans leurs caves. En quête de nouveaux symboles de grandeur nationale, le pays entend aussi valoriser son patrimoine. La galerie Tretiakov, fermée depuis dix ans, a rouvert ses portes après une longue restauration et la coûteuse reconstruction de l'église Saint-Sauveur, détruite par Staline dans les années trente, a été entamée. Une vaste entreprise de rénovation a été engagée à Moscou associant blanchiment d'argent sale et projets grandioses d'une Mairie soucieuse de présenter un visage flatteur aux investisseurs.

Gages de stabilisation

Ces derniers se sont montrés plus réticents après le début de l'intervention en Tchétchénie. Les indicateurs économiques n'ont cependant pas été catastrophiques. Après de longs débats, exécutif et législatif se sont accordés sur un budget rigoureux permettant au FMI d'allouer, sous condition, un crédit de 6,5 milliards de dollars pour l'année 1995. Si les retards de paiement ont continué de sévir dans la fonction publique, l'inflation, quant à elle, a semblé se stabiliser.

Conscientes des effets négatifs sur l'économie d'une certaine méfiance occidentale, les cinq plus importantes banques de Russie se sont regroupées pour former un nouveau parti politique, Stabilité, appelant à soutenir le pouvoir, voire à reporter les élections législatives et présidentielles. Boris Eltsine rappela cependant rapidement sa détermination à convoquer les deux scrutins aux échéances prévues, respectivement décembre 1995 et juin 1996.

La fragilité des institutions est pourtant redevenue spectaculaire au moment de l'assassinat de Vladislav Listiev, présentateur vedette de la télévision d'État (1er mars 1995). Il devait prendre un mois plus tard la direction de la chaîne. Proposant d'y supprimer la publicité, ses projets de réorganisation auraient, semble-t-il, touché trop d'intérêts en place. Le journaliste a eu des funérailles quasi nationales mais, pour le pouvoir, la leçon était claire : les médias ont pris trop d'importance dans la vie publique et politique, nécessitant une reprise en main. Le directeur de la très officielle agence Itar-Tass a été promu vice-ministre au sein du gouvernement.

Le pouvoir s'est d'ailleurs attaché à mettre en place, lui-même, une forme de multipartisme, présidant, par exemple, à la création de deux blocs politiques, l'un de centre droite sous la direction du Premier ministre, l'autre de centre gauche dirigé par le président du Parlement Ivan Rybkine. Organiser ostensiblement une campagne électorale pour les législatives de décembre 1995 et les présidentielles de juin 1996 pouvait ainsi aider à restaurer l'image démocratique de l'État. L'ancien vice-président Alexandre Routskoï, le leader ultranationaliste Vladimir Jirinovski, le chef de file libéral Grégori Iavlinski ont, entre autres, fait acte de candidature, tandis que l'ancien « Premier ministre en exercice » Egor Gaïdar, qui avait exprimé son opposition au durcissement du pouvoir, se retrouvait marginalisé. Mikhaïl Gorbatchev, qui est réapparu, n'a pas exclu de se présenter lui aussi. Quant au général Alexander Lebed, chef de la 14e armée stationnée en

BIBLIOGRAPHIE

R. Berton-Hogge et M.-A. Crosnier (sous la dir. de), *Russie : la décentralisation aux prises avec l'étatisme*, Les études de la Documentation française, Paris, 1994.

M.-A. Crosnier, « Multiple Russie : profils socio-économiques des 21 républiques de la Fédération, de la Carélie... à la Iakoutie », *Le Courrier des pays de l'Est*, n° 393, La Documentation française, Paris, 1994.

M. Ferro (sous la dir. de, avec la collab. de M.-H. Mandrillon), *L'état de toutes les Russies. Les États et nations de l'ex-URSS*, La Découverte, coll. « L'état du monde », Paris, 1993.

M. Mendras (sous la dir. de), *Un État pour la Russie*, Complexe, coll. « CERI », Bruxelles, 1992.

Problèmes politiques et sociaux. Série « Russie » (4 n°ˢ par an), La Documentation française, Paris. Voir notamment : « Les Russes à la recherche d'une identité nationale » (dossier constitué par C. Urjewicz), n° 700, 1993 ; « Les syndicats en Russie » (dossier constitué par M. Désert et A. Bérélowitch), n° 724, 1994 ; « Russie : la nouvelle donne politique » (dossier constitué par R. Berton-Hogge), n° 730, 1994 ; « La Russie face à ses régions » (dossier constitué par J. Radvanyi), n° 742, 1994 ; « La crise sociale en Russie » (dossier constitué par M.-H. Mandrillon), n° 747, 1995.

G. Sokoloff, *La Puissance pauvre : histoire de la Russie de 1815 à nos jours*, Fayard, Paris, 1993.

N. Werth, *L'Histoire de l'Union soviétique. De l'Empire russe à l'Union soviétique 1900-1990*, PUF, Paris, 1991.

N. Werth, G. Moullec, *Rapports secrets soviétiques, 1921-1991. La société russe dans les documents officiels*, Gallimard, Paris, 1994.

Voir aussi la bibliographie sélective « Ex-empire soviétique » dans la section « 38 ensembles géopolitiques ».

Transdniestrie, sanctionné pour son opposition au conflit tchétchène, il envisageait une carrière politique.

Les maîtres-mots du moment, régulièrement repris par le pouvoir, auront été la « fin du romantisme du marché » et l'entrée dans une période « civilisée » où domineraient pragmatisme et sens du concret.

L'ère nostalgique de la Grande Russie ne semblait pourtant pas révolue : si la CEI (Communauté d'États indépendants) avait toujours du mal à trouver ses marques, Moscou a voulu voir dans les résultats du référendum de mars 1995 en Biélorussie (la population s'est prononcée massivement en faveur d'une intégration à la Russie) le signe d'une tendance pouvant se généraliser.

Qu'il s'agisse de l'ancienne Yougoslavie, des palinodies sur l'élargissement de l'OTAN (Organisation du traité de l'Atlantique nord) aux pays d'Europe centrale ou de la signature de mauvaise grâce des premiers documents du « partenariat pour la paix », l'État russe entendait privilégier sa propre domination et sa propre vision du monde par rapport à l'ouverture vers l'Occident.

A la « guerre froide » succédait peut-être une période de « paix froide », selon l'expression du président Eltsine.

Annie Daubenton

(Voir aussi les articles p. 42, 90 et 109.)

Chine
Négocier le virage de la transition

A partir du début de 1994, l'état de santé de Deng Xiaoping a encore une fois représenté une source d'interrogation majeure pour les Chinois. Leur attente inquiète a encore ajouté à l'instabilité prévalant dans la plupart des domaines de la vie sociale. Dans le même temps, la crise intérieure a contribué à un raidissement de l'attitude de la Chine vis-à-vis de ses principaux voisins et de ses principaux partenaires économiques.

Sur le plan économique, 1994 aura été une nouvelle année de croissance (le PIB a augmenté de 11,8 %), mais déséquilibrée et fortement inflationniste. Si la production industrielle a connu une augmentation de 18 %, celles de l'agriculture (+ 3,5 %), de l'énergie, des matières premières et des transports ont été beaucoup plus modestes. Plus grave, la production céréalière a diminué de 2,5 %. Autrement dit, les meilleures performances ont été enregistrées dans les secteurs industriels où les investissements sont faibles et les profits rapides, tandis que les activités de base, comme l'agriculture, restaient négligées. La balance commerciale est redevenue excédentaire (5,2 milliards de dollars) grâce à une forte croissance des exportations en 1994 (+ 25 %).

Restructurer les entreprises d'État

Malgré les promesses, l'inflation a été de 18,7 % pour 1994. Ces chiffres — records pour la Chine populaire — sont cependant largement en dessous de la réalité. Comme par le passé, les tensions inflationnistes ont été la conséquence d'une forte croissance des investissements (nationaux et en provenance des pays étrangers) et de l'ampleur considérable de la spéculation. Ainsi, malgré les mesures restrictives prises à partir de 1993, le gouvernement central est resté incapable de limiter les appétits économiques des autorités locales qui, profitant des mesures de décentralisation adoptées dans les années quatre-vingt, se sont lancée dans un affairisme tous azimuts.

La situation de l'industrie d'État (110 millions de postes de travail, soit la grande majorité de l'emploi urbain) n'a cessé de se détériorer. Selon les estimations, de 40 % à 70 % des entreprises publiques seraient déficitaires, cette proportion (ainsi que la masse du déficit) augmentant continuellement. La production des entreprises d'État n'a crû que de 5,5 % contre 21,4 % pour les entreprises collectives et 27,3 % pour les entreprises rurales. Les produits fabriqués sont souvent de mauvaise qualité et les malversations, monnaie courante. Devant l'ampleur de ce fardeau pour les finances publiques, le gouvernement central a décidé de lancer une énième tentative de réforme.

Cette fois, les dirigeants ont semblé résolus à moderniser le secteur étatique. Des mesures expérimentales ont été prises depuis le début de 1994 dans dix-huit grandes villes afin d'aider les entreprises publiques en difficulté. Mais, en cas de déficit structurel, il a été prévu qu'elles soient systématiquement mises en liquidation ou fusionnées avec d'autres. Parallèlement, les charges sociales des entreprises devraient être allégées par le financement d'une partie des avantages sociaux par les salariés eux-mêmes. Enfin, le système d'assurance chômage devait être étendu, pour permettre aux entreprises d'alléger leurs effectifs pléthoriques.

S'il est mené à terme, ce processus de modernisation constituera une réforme radicale de l'économie socialiste. Les entreprises mises en faillite depuis le début de l'expérience n'étaient cependant pas nombreuses,

Chine

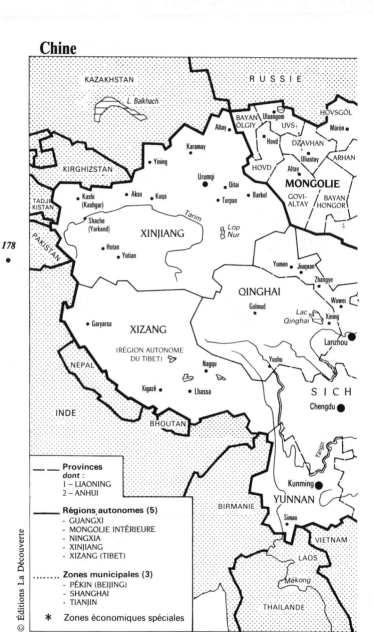

Provinces
dont :
1 – LIAONING
2 – ANHUI

Régions autonomes (5)
- GUANGXI
- MONGOLIE INTÉRIEURE
- NINGXIA
- XINJIANG
- XIZANG (TIBET)

Zones municipales (3)
- PÉKIN (BEIJING)
- SHANGHAI
- TIANJIN

* Zones économiques spéciales

178

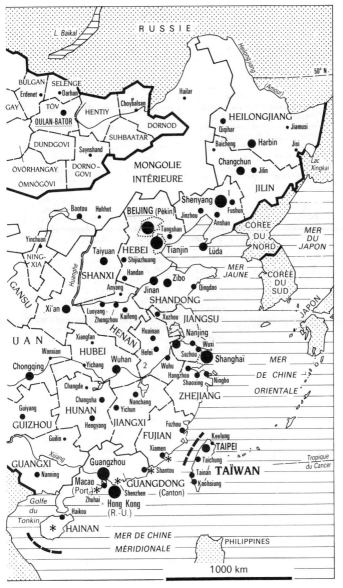

179

Carte avec les pays et régions : RUSSIE, MONGOLIE INTÉRIEURE, HEILONGJIANG, JILIN, HEBEI, SHANXI, SHANDONG, HENAN, HUBEI, JIANGSU, ZHEJIANG, HUNAN, JIANGXI, FUJIAN, GUANGXI, GUANGDONG (Canton), HAINAN, TAÏWAN, GANSU, NINGXIA, GUIZHOU, CORÉE DU NORD, CORÉE DU SUD, JAPON, PHILIPPINES.

Mers : MER DU JAPON, MER JAUNE, MER DE CHINE ORIENTALE, MER DE CHINE MÉRIDIONALE, Golfe du Tonkin, Lac Xingkai, L. Baïkal.

Mongolie : OULAN-BATOR, BULGAN, SELENGE, GAY, TÖV, HENTIY, DORNOD, SUHBAATAR, DUNDGOVI, DORNO-GOVI, ÖVÖRHANGAY, ÖMNÖGOVI, Erdenet, Darhan, Choybalsan, Saynshand.

Villes : Hailar, Qiqihar, Jiamusi, Baicheng, Harbin, Jixi, Changchun, Jilin, Shenyang, Fushun, Anshan, Jinzhou, Lüda, Baotou, Huhhot, BEIJING (Pékin), Tangshan, Tianjin, Taiyuan, Shijiazhuang, Handan, Zibo, Qingdao, Yinchuan, Anyang, Jinan, Xi'an, Luoyang, Zhengzhou, Kaifeng, Xuzhou, Huaian, Nanjing, Wuxi, Suzhou, Shanghai, Xiangfan, Hefei, Wuhu, Hangzhou, Ningbo, Shaoxing, Wanxian, Wuhan, Yichang, Chongqing, Changde, Changsha, Nanchang, Yichun, Guiyang, Guilin, Hengyang, Fuzhou, Nanning, Guangzhou, Xiamen, Shantou, Macao (Port.), Shenzhen, Zhuhai, Hong Kong (R.-U.), Haikou, Keelung, TAIPEI, Taichung, Tainan, Kaohsiung.

Fleuves : Heilongjiang (Amour), Huanghe, Xijiang.

Repères : 50° N, Tropique du Cancer.

Échelle : 1000 km

Géopolitique interne de la Chine

■ Les enjeux géopolitiques chinois qui s'étaient traduits, à partir de 1990, par de légers glissements des centres d'intérêt et des priorités accordées à tout ce qui peut rapprocher les parties en présence en Asie orientale (entre Chine et Japon, entre Taïwan et continent, entre Chine et Asie du Sud-Est, entre Chinois d'outre-mer et continentaux, et avant tout entre Chine et communauté internationale) ont laissé apparaître, à partir de 1994, une tendance contraire, faite d'agressivité, peut-être conjoncturelle. Au sein même du pays, néanmoins, les grandes fractures subsistent, certaines s'élargissent : entre l'Ouest pauvre des peuples allogènes, de la haute montagne (Tibet), du désert (Xinjiang) ou de la steppe et du désert de Gobi (Mongolie), et l'Est riche et peuplé, l'écart socio-économique s'accroît. L'Est lui-même, décomposé en bandes de latitude — Nord-Est mandchou, Nord pékinois, Centre-Est shanghaïen, Sud cantonais —, voit son image brouillée depuis 1979 par la dichotomie côtes développées / intérieur plus archaïque.

L'évolution irrésistible du continent vers le capitalisme a conduit à la mise en place, en quelques années à peine, d'une économie à plusieurs marchés. Si la manifestation la plus sensible des mutations que connaît la Chine continentale peut être perçue au niveau de la province (pour ce qui concerne l'autonomie croissante de l'économie et aussi de la politique de développement), les dernières années ont renforcé la prééminence des villes de toute taille. Il est vrai que leur rôle a toujours été majeur.

La création et le développement constant de pôles de richesse, de techniques et de concentration sociale divisent le territoire chinois en unités emboîtées, dont, pour le moment, la paysannerie constitue le maillon le plus faible.

La proximité d'échéances inexorables, tant territoriales (retour de Hong Kong au continent en juin 1997, de Macao en 1999) que politico-économiques (adhésion demandée à l'OMC — Organisation mondiale du commerce — à la fois par la République populaire et par Taïwan), a tendu les ressorts et avivé les ambitions. Non seulement chaque bourgade, chaque ville, chaque province tend à prospérer pour elle-même dans le temps le plus court possible, mais en outre chaque entité bénéficie de la dynamique de l'économie continentale, venue s'insérer dans le réseau des pays de l'Asie du Sud-Est d'une part, de l'ensemble des rives du Pacifique d'autre part.

De multiples Chines

La Chine, État indivisible comme l'ont voulu, à la suite d'une tradition bimillénaire, les constitutions promulguées depuis 1952, est dans les faits composée de plusieurs grandes entités. Taïwan est un État à part, qui considère cependant faire partie intégrante de la Chine continentale, à la condition que cette dernière ne soit plus communiste. Hong Kong, colonie britannique, est condamnée à revenir en 1997 dans le giron de la Chine continentale, espérant que les accords sino-britanniques seront respectés, qui devraient lui accorder, à cette date un « statut spécial » dans le cadre de la République populaire. Il devrait en être de même pour Macao en 1999, jusque-là territoire sous administration portugaise.

La Chine continentale est elle-même subdivisée en pratiquement trois « sous-Chine » : la Chine maritime, la Chine intérieure, les régions périphériques moins développées et peuplées de non-Chinois. La Chine populaire dispute à d'autres États des atolls et îlots : les archipels Spratly et Paracels (en chinois Nansha, Xisha et Dongsha), et, au nord de Taïwan, les îles Senkaku, sous administration japonaise.

Depuis le début des années quatre-vingt, une cinquantaine de millions de descendants de Chinois émigrés outre-mer (Huaqiao), originaires surtout de Chine du Sud, jouent dans toute l'Asie du Sud-Est (voire au-delà) un rôle plus important. Ils se tiennent, en effet, moins à l'écart de la vie socio-économique des pays où ils vivent. Leur action sur le continent tient à leur puissance économique, mais leur poids culturel est encore plus considérable grâce à leur présence dans l'ensemble du monde.

L'expansion des provinces côtières

Le développement rapide de la Chine maritime dérive directement de la politique de réformes et d'ouverture engagée en 1979 ; la partie la plus « ouverte » de la Chine continentale aux échanges avec l'étranger réunit, en effet, les dix provinces côtières, sur les trente que compte le pays. Cette zone traite les trois quarts du commerce international. Malgré des inégalités internes,

qui font des villes côtières, des ports et des « zones économiques spéciales » les lieux les plus productifs, l'ensemble de la côte fonctionne comme le véritable centre dynamique du pays, l'intérieur devant être considéré comme une « périphérie », à l'inverse de l'organisation territoriale de la tradition impériale.

La Chine maritime tend, en outre, à se subdiviser en trois ensembles économiques, mouvement d'autant plus puissant qu'il repose sur des comportements ethno-culturels. Au nord-est, la Mandchourie poursuit un développement fondé sur l'industrie lourde et se sent proche du Japon. Au centre, la région organisée autour de Shanghaï cherche à retrouver le dynamisme du grand capitalisme d'avant 1949 et tente d'établir des relations avec l'extérieur. L'ouverture de toute la vallée du Yangzi à l'étranger en 1992 a créé en faveur de Shanghaï la première pénétrante jusqu'au cœur du Sichuan. C'est avec cet ensemble du centre que la Corée du Sud aimerait traiter préférentiellement. Au sud, les provinces du Fujian et de Canton mènent des politiques les conduisant à des rapprochements de plus en plus étroits avec les Chinois d'outre-mer, originaires pour l'essentiel de ces deux provinces. Taïwan et toute l'Asie du Sud-Est, avec Hong Kong interposé, s'y taillent la part du lion.

L'État central chinois doit composer avec toutes ces forces nouvelles. Il a perdu une partie de sa puissance en l'espace de quelques années, résultat d'une décentralisation économique et fiscale. Mais que sont quelques années dans une histoire plusieurs fois millénaire ?

Pierre Gentelle

Chine *(Voir aussi tableau p. 490)*

DÉMOGRAPHIE, CULTURE, ARMÉE

INDICATEUR	UNITÉ	1970	1980	1994
Démographie				
Population	million	831	996	1 221 f
Densité	hab./km²	86,6	103,8	127,3 f
Croissance annuelle	%	2,4 a	1,3 b	1,1 c
Indice de fécondité (ISF)		5,4 a	2,6 b	1,9 c
Mortalité infantile	%₀	71,0	40,0	44 c
Espérance de vie	année	61,4	66,8	68 c
Population urbaine	%	17,4	19,6	29,4
Culture				
Analphabétisme	%	..	34,0	18,5 f
Nombre de médecins	%₀ hab.	0,26 i	0,45	1,37 g
Scolarisation 12-17 ans	%	67,0 h	46,7	43,2 d
Scolarisation 3e degré	%	0,1	1,3	1,6 d
Téléviseurs	%₀	0,8	4,0	31 e
Livres publiés	titre	4 889	21 621	90 156 d
Armée				
Marine	millier d'h.	150	360	260
Aviation	millier d'h.	180	490	470
Armée de terre	millier d'h.	2 450	3 600	2 200

a. 1965-75;   b. 1975-85;   c. 1990-95;   d. 1991;   e. 1992;   f. 1995;   g. 1990;   h. 1960;
i. 1965.

COMMERCE EXTÉRIEUR a

INDICATEUR	UNITÉ	1970	1980	1994
Total imports	milliard $	2,3	19,9	105,8
Produits agricoles	%	37,5	47,7	5,9 d
Énergie	%	0,5	0,1	5,6 d
Produits manufacturés c	%	..	69,2 e	84,0 d
Total exports	milliard $	2,3	18,1	111,0
Produits agricoles	%	40,7	32,4	12,7 d
Produits énergétiques	%	12,5	25,9	4,5 d
Produits manufacturés	%	41,8 f	47,5	80,5 d
Principaux fournisseurs	% imports			
CEE/UE		32,4	14,1	13,9 d
Japon		25,0	25,9	22,5 d
États-Unis		—	19,2	10,3 d
PVD		22,4	16,1	45,8 d
Principaux clients	% exports			
CEE/UE		14,2	13,0	12,8 d
Japon		9,9	22,2	17,2 d
États-Unis		—	5,4	18,5 d
PVD		59,8	45,6	46,9 d

a. Marchandises;   b. Hors énergie;   c. Y compris industries agro-alimentaires;   d. 1993;
e. 1984;   f. 1975;   g. Non compris produits agro-alimentaires.

ÉCONOMIE

INDICATEUR	UNITÉ	1970	1980	1994
PNB	milliard $	97,8	294,3	581,1
Croissance annuelle	%	5,8 [a]	7,8 [b]	12,0
Par habitant [f]	$	..	..	2 120 [c]
Structure du PIB				
Agriculture	%	34,1	30,4	19,5 [c]
Industrie	% } 100 %	38,4	49,0	47,6 [c]
Services	%	27,5	20,6	32,9 [c]
Taux d'inflation	%	..	7,4	18,7
Dette extérieure totale	milliard $	—	4,5	83,8 [c]
Service de la dette/Exportations	%	—	4,6	10,7 [c]
Population active	million	428,3	547,1	707,5 [c]
Agriculture	%	78,7 [e]	68,9	65,2 [c]
Industrie	% } 100 %	12,3 [e]	18,5	18,6 [c]
Services	%	9,0 [e]	12,6	16,2 [c]
Dépenses publiques				
Éducation	% PNB	1,8 [e]	1,9	1,7 [d]
Défense	% PNB	9,1	4,7	1,4 [c]
Énergie				
Consommation par habitant	kg	347	565	833 [d]
Taux de couverture	%	105,3	109,3	106,6 [d]

a. 1965-75; b. 1975-85; c. 1993; d. 1992; e. 1973; f. A parité de pouvoir d'achat (voir p. 673).

en raison des problèmes politiques que poserait le chômage de millions d'ouvriers. L'adoption d'un certain nombre de textes législatifs visant à transformer les entreprises d'État en sociétés par actions est à replacer dans le même mouvement de « modernisation » des structures économiques.

Des revendications sociales très pragmatiques

Les enquêtes d'opinion ont révélé un malaise au sein de la population, qui a l'impression de vivre dans un monde de plus en plus instable. Au premier rang des préoccupations populaires, figure la détérioration des conditions de vie. Dans les villes, sous le double coup de l'inflation et de la restructuration de l'emploi public, les revenus d'une partie importante de la population ont subi une baisse significative. Selon les chiffres officiels, 8 % des résidents vivaient en dessous du seuil de pauvreté. Beaucoup d'entreprises publiques ne peuvent plus payer leurs salariés, et certaines provinces ont dû verser des aides exceptionnelles à des familles en difficulté « afin qu'elles passent correctement les fêtes du nouvel an (1995) ». Des milliers de grèves et de manifestations ont éclaté un peu partout en Chine, en particulier dans les provinces du Nord-Est, afin de protester contre le non-paiement des salaires ou contre des fermetures d'usine. Les mouvements ont parfois dégénéré dans la violence : bâtiments officiels incendiés, responsables molestés, etc. Très souvent, les autorités ont cédé devant les revendications pour éviter tout risque de troubles politiques.

Les entreprises à capitaux asiatiques (Hong Kong, Taïwan, Corée du

Sud) ont été le théâtre de nombreux conflits du travail. Ce sont là principalement les conditions de travail qui ont été critiquées : 14 heures de labeur quotidien, absence de sécurité et d'hygiène, précarité de l'emploi, mauvais traitements, etc. Les autorités locales ne sont, en effet, pas très regardantes sur la façon dont peuvent être éventuellement malmenés les ouvriers chinois à partir du moment où une partie significative des profits tombe dans leur escarcelle. Des syndicats clandestins indépendants ont été créés ici ou là.

De nombreux incidents ont opposé les autorités locales aux paysans. Dans certains cas, plusieurs milliers d'entre eux ont pillé les sièges du Parti ou de l'administration et battu des responsables. Ici, on protestait contre des taxes et des impôts illégaux décidés par l'administration, diminuant d'autant le revenu paysan, en très net recul par rapport au revenu urbain. Ailleurs, on s'est insurgé contre la confiscation de terres arables par l'armée, sans compensation suffisante.

Enfin, les mouvements de protestation parmi les entrepreneurs privés se sont multipliés. Des grèves ont éclaté dans les marchés, des conducteurs de taxis ont manifesté contre des mesures jugées injustes, des percepteurs ont été agressés par des commerçants ayant le sentiment d'être racketés.

L'ordre établi n'a cependant jamais été remis en cause. Les ouvriers exigeaient seulement que l'État continue de jouer son rôle de « défenseur de la classe ouvrière ». Les paysans réclamaient de bons despotes, tandis que les entrepreneurs individuels demandaient avant tout qu'on les laisse tranquillement faire leurs affaires.

Le sentiment d'insécurité qui s'est développé dans la population est aussi lié à l'explosion de la criminalité. Les actions de bandes de brigands qui pillent ou rançonnent les voyageurs sur les axes routiers ou dans les trains ont été en recrudescence. Les migrations vers les villes ont conduit à une multiplication des actes criminels commis par des paysans sans travail, tandis que le développement des triades de Hong Kong a défrayé la chronique à de multiples reprises.

Enfin, l'avidité des cadres a continué de grandir et la corruption à faire des ravages. Face à cette criminalité, les autorités semblaient impuissantes. Certes, le début de l'année 1995 a encore été marqué par l'exécution sans grand discernement de plusieurs centaines de personnes accusées d'être des assassins, trafiquants de drogue, proxénètes, petits fonctionnaires corrompus, etc., mais, de l'aveu même des autorités, la situation de l'ordre public restait extrêmement préoccupante.

Grandes manœuvres politiques avant la succession

Les résultats de la réforme fiscale, destinée à redonner une certaine puissance financière au gouvernement central au détriment des bureaucraties locales, ont été assez contrastés. D'un côté, le responsable de l'économie Zhu Rongji s'est réjoui d'avoir fait passer la part des impôts contrôlée par le Centre à plus de 60 % (contre 30 % en 1993). D'un autre côté, les autorités centrales ont maintes fois évoqué les difficultés qu'elles rencontrent à contrôler les réseaux financiers et à appliquer la nouvelle TVA (taxe à la valeur ajoutée) sur les transactions de terrains (une sorte d'impôt sur les plus-values), destinée à limiter la spéculation des autorités locales.

De fait, les relations entre le Centre et les provinces sont apparues de plus en plus tendues. En mars 1995, les représentants des provinces à l'Assemblée nationale ont ouvertement critiqué la politique, à leur goût trop centralisatrice, de Pékin. La nomination d'un protégé du chef de l'État Jiang Zemin au poste de vice-président de l'Assemblée n'a été obtenue qu'à une majorité inhabituellement courte (36 % de vote contre). A l'inverse, les gouverneurs de nombreuses provinces (Shandong, Hubei, Jiangsu, Anhui, Heilongjiang, etc.) ont été remerciés. Cette vague de limogeage doit être replacée dans le cadre des grandes manœuvres préparatoires à la succession de Deng Xiaoping, consistant en la mise à l'écart des leaders locaux un peu trop indépendants.

Officiellement, l'unité a continué de régner parmi les dirigeants, chacun défendant le principe du « renforcement de la construction du Parti », nouveau mot d'ordre adopté par un plénum du Comité central en octobre 1994. Certains fils de hauts dignitaires, dont l'affairisme et la corruption portaient ombrage à la réputation de l'ensemble du Parti, ont été inquiétés par la police. En avril 1995, l'homme fort de Pékin, l'inamovible Chen Xitong, était limogé en raison de ses responsabilités supposées dans les malversations commises par l'aciérie Shougang, une énorme entreprise d'État aux ramifications internationales et aux protections multiples. Le pouvoir a également renforcé son contrôle sur les médias et sur les milieux de la dissidence, pendant qu'il courtisait l'armée en modernisant son équipement et en améliorant la situation matérielle des troupes.

Dans l'ombre, cependant, les couteaux continuaient de s'aiguiser. Jiang Zemin, cumulant tous les postes importants, a tenté de renforcer les prérogatives de la police armée (troupes de l'armée spécialisées dans le maintien de l'ordre). Par ailleurs, il a réussi à faire entrer deux de ses protégés, Huang Ju et Wu Bangguo, respectivement au Bureau politique et au secrétariat du Comité central. Qiao Shi, ancien responsable des services secrets et président de l'ANP (Assemblée nationale populaire), a entrepris, avec un succès mitigé, d'accroître les pouvoirs du Parlement. Li Peng, le Premier ministre dont l'étoile tend à pâlir, a continué de cultiver de solides amitiés dans la police. Dans le cadre de cette lutte politique, la mort, le 10 avril 1995, de Chen Yun, l'un des derniers leaders historiques de la Chine socialiste, a indéniablement affaibli la position de ceux qui voudraient un

République populaire de Chine.

Capitale : Pékin (Beijing).

Superficie : 9 596 961 km² (17,5 fois la France).

Monnaie : renminbi (*yuan*) ; au taux officiel, 1 yuan = 1 renminbi = 0,59 FF au 30.3.95).

Langues : mandarin (*putonghua*, langue commune officielle) ; huit dialectes avec de nombreuses variantes ; 55 minorités nationales avec leur propre langue.

Chef de l'État : Jiang Zemin, président de la République, qui a remplacé Yang Shangkun le 29.3.93.

Premier ministre : Li Peng, « numéro deux » du CP du Bureau politique du Parti (depuis 1987).

Nature de l'État : « république socialiste unitaire et multinationale » (22 provinces, 5 régions « autonomes », 3 grandes municipalités : Pékin, Shanghaï, Tianjin).

Nature du régime : démocratie populaire à parti unique et idéologie d'État : le marxisme-léninisme.

Parti unique : Parti communiste chinois (secrétaire général : Jiang Zemin, depuis le 24.6.89). Deng Xiaoping, qui s'est fait remplacer en nov. 89 à la tête de la Commission militaire, présidée elle aussi par Jiang Zemin, reste l'arbitre du régime.

Problèmes de souveraineté territoriale : Taïwan est considéré par la Chine continentale comme une province devant un jour revenir à la mère patrie ; Hong Kong, sous tutelle britannique, doit revenir à la Chine en 1997 et Macao, sous administration portugaise, en 1999. Les archipels de la mer de Chine du Sud (Spratly, Paracels, Macclesfield, Pratas) font l'objet de revendications multiples (Vietnam, Taïwan, Fédération de Malaisie, Philippines, Brunéi). Les îles Senkaku, sous administration japonaise, sont revendiquées par Pékin. L'Inde et la Chine revendiquent mutuellement des territoires frontaliers, respectivement l'Aksaï Chin et l'Arunachal Pradesh.

Carte : p. 178-179.

Statistiques : voir aussi p. 490-491.

BIBLIOGRAPHIE

M.-C. Bergère, *La République populaire de Chine de 1949 à nos jours*, Armand Colin, Paris, 1987.

M. Brosseau, C.K. Lo (sous la dir. de), *China Review 1994*, The Chinese University Press, Hong Kong, 1994.

J.-L. Domenach, *Chine : l'archipel oublié*, Fayard, Paris, 1992.

J.-L. Domenach, P. Richier, *La Chine 1949-1985* (2 vol.), Imprimerie nationale, Paris, 1987.

P. Gentelle (sous la dir. de), *L'état de la Chine*, La Découverte, coll. «L'état du monde», Paris, 1989.

P. Gentelle, «La Chine», *Documentation photographique*, n° 7002, La Documentation française, Paris, 1994.

F. Gipouloux, *La Chine vers l'économie de marché?* Nathan, Paris, 1993.

Hou Xiaotian, *Comme une herbe dans le désert. Le combat d'une Chinoise pour la liberté*, La Découverte / Reporters sans frontières, Paris, 1994.

D. Kelliner, *Peasant Power in China. The Era of Rural Reform, 1979, 1989*, Yale University Press, New Haven/Londres, 1992.

Le Courrier des pays de l'Est (10 numéros/an), CEDUCEE, La Documentation française, Paris.

F. Lemoine, *La Nouvelle Économie chinoise*, La Découverte, «Repères», Paris, 1994 (nouv. éd.).

J.-L. Rocca, *L'Empire et son milieu. La criminalité en Chine populaire*, Plon, Paris, 1991.

J.-L. Rocca (dossier constitué par), «Essor économique et pouvoir politique», *Problèmes politique et sociaux*, n° 736, La Documentation française, Paris, 1994.

S.L. Shirk, *The Political Logic of Economic Reform in China*, University of California Press, Berkeley, 1993.

D. J. Solinger, *China's Transition from Socialism : Statist Legacies and Marketing Reforms*, M.E. Sharpe, Armonck, 1993.

P. Triolliet, *La Diaspora chinoise*, PUF, Paris, 1994.

J.N. Wassertrom, E. J. Perry (sous la dir. de), *Popular Protest and Political Culture in Modern China : Learning from 1989*, Westview Press, Boulder, 1991.

Voir aussi la bibliographie sélective «Asie», ainsi que la bibliographie «Asie du Nord-Est» dans la section «38 ensembles géopolitiques» pour Taïwan, Hong Kong, Macao.

ralentissement des réformes. Mais à l'inverse, la persistance de l'inflation a sapé le prestige de Zhu Rongji, généralement considéré comme l'un des porte-parole de la nouvelle génération de technocrates.

La tentation du repli sur soi diplomatique

L'instabilité intérieure s'est conjuguée à un raidissement extérieur.

Vexé par le refus opposé à sa demande d'adhésion au GATT (Accord général sur les tarifs douaniers et le commerce) puis à l'OMC (Organisation mondiale du commerce) qui lui a succédé, en raison de son protectionnisme trop marqué, Pékin a semblé moins empressé de rallier le concert des nations. Dans la querelle qui a opposé, au début de 1995, la Chine aux États-Unis concernant le non-respect des droits de *copyright*, Pékin a fait preuve d'une grande fermeté. Washington, qui a évalué le différend à 1 milliard de dollars par an, a finalement obtenu de Pékin, en avril 1995, un accord sur le respect des droits en matière de musique, de films et de logiciels, mais sans véritable garantie sur l'avenir.

Les investissements étrangers, qui ont continué de croître mais d'une manière moins soutenue qu'en 1993 (+35 %, contre +150 %), ont eu moins bonne presse chez les autorités. Certes, on a annoncé l'ouverture de nouveaux secteurs au capital étranger, mais on lui a aussi reproché d'accroître l'inflation, voire de déstabiliser l'économie. Du côté des investisseurs, l'enthousiasme est lui aussi tombé d'un cran. On a commencé à s'inquiéter des mœurs particulières des entreprises chinoises (non-respect des contrats et non-reconnaissance des dettes) et de ce qu'il adviendrait de la stabilité du pays après la mort de Deng Xiaoping.

Le raidissement a été encore plus net dans le domaine des relations régionales. Pékin est demeuré intran-sigeant sur les dossiers de Hong Kong (devant réintégrer le giron chinois en 1997), de Taïwan ou du Tibet : ces territoires sont chinois et ne peuvent prétendre à aucune marge d'autonomie politique. En mer de Chine, la pression chinoise s'est encore accentuée puisque, après l'annexion, en 1974, d'atolls des Spratly (Nansha en chinois) contrôlés par le Vietnam dans les années précédentes, la marine chinoise a installé une base sur un récif revendiqué par les Philippines au début de 1995 [*voir édition précédente, p. 556*]. Ce déploiement de force a inquiété à juste titre les puissances de l'ANSEA (Association des nations du Sud-Est asiatique). Enfin, la visite semi-officielle du président taïwanais aux États-Unis en juin 1995 a renforcé l'animosité chinoise vis-à-vis de l'administration Clinton.

Confronté à une crise de succession, il était ainsi tentant pour le régime de jouer à fond la carte de la rhétorique nationaliste afin de préserver une certaine unité intérieure.

Jean-Louis Rocca

Inde
Le Congrès-I en perte de puissance

L'année 1994-1995 a été marquée sur la scène intérieure par une fragilisation des assises du parti du Congrès-I, revenu au pouvoir depuis juin 1991. Celle-ci s'est traduite par une débâcle électorale sans précédent aux élections régionales de novembre-décembre 1994 et de février-mars 1995, mais surtout par la fin du consensus autour de la personne du Premier ministre, Narasimha Rao, surveillé par les barons du parti depuis quatre ans.

Le point culminant des dissensions au sommet fut sans doute atteint avec l'expulsion d'Arjun Singh, ministre des Ressources humaines et du Développement, du Congrès-I, le 24 janvier 1995. Ce dernier avait pré-senté sa démission au gouvernement, le 24 décembre 1994, et décidé de faire cavalier seul dans la campagne électorale.

Une autre démission significative a eu lieu, cette fois à la direction du parti : celle de Narain Dutt Tiwari, président du Congrès-I en Uttar Pradesh, pour n'avoir pas obtenu gain de cause dans sa demande de retrait du soutien du Congrès-I à la coalition SP-BSP (Samajwadi Party-Bahujan Samaj Party ; castéistes) au pouvoir en Uttar Pradesh.

Montée des partis régionaux

La première vague d'élections régionales en novembre-décembre 1994 à

Inde et périphérie

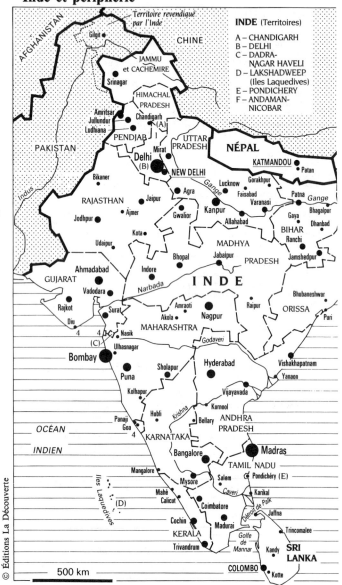

INDE (Territoires)

A – CHANDIGARH
B – DELHI
C – DADRA-
    NAGAR HAVELI
D – LAKSHADWEEP
    (Iles Laquedives)
E – PONDICHERY
F – ANDAMAN-
    NICOBAR

AFGHANISTAN

Territoire revendiqué par l'Inde

CHINE

Gilgit

JAMMU et CACHEMIRE

Srinagar

HIMACHAL PRADESH

Amritsar
Jullundur
Ludhiana
PENDJAB

Chandigarh
(A)

UTTAR PRADESH

NÉPAL

KATMANDOU

Patan

PAKISTAN

Mirat

Delhi
(B)

NEW DELHI

Lucknow
Gorakhpur

Gange

Patna

Gange

Bikaner

Faisabad
Varanasi

Bhagalpur

Indus

RAJASTHAN

Jaipur

Agra

Kanpur

Ajmer

Gwalior

Allahabad

Gaya

Dhanbad

Jodhpur

BIHAR

Ranchi

Kota

Udaipur

MADHYA

Jamshedpur

Ahmadabad

Bhopal

Jabaipur

PRADESH

GUJARAT

Indore

I N D E

Bhubaneshwar

Vadodara

Narbada

Rajkot

ORISSA

Raipur

Diu

Surat

Amraoti

Puri

4 4

Nasik

Akola

Nagpur

(C)

Ulhasnagar

MAHARASHTRA

Godaveri

Bombay

Vishakhapatnam

Puna

Sholapur

Hyderabad

Yanaon

Kolhapur

Vijayavada

OCÉAN

Hubli

Krishna

Kurnool

Panaji
Goa

Bellary

ANDHRA PRADESH

INDIEN

4

KARNATAKA

Bangalore

Madras

TAMIL NADU

Mangalore

Salem

Pondichéry (E)

Mysore

Karikal

Mahé
Calicut

Caveri

Iles Laquedives

(D)

Coimbatore

Jaffna

Cochin

Madurai

Détroit de Palk

KERALA

Trincomalee

Trivandrum

Golfe de Mannar

Kandy

SRI LANKA

COLOMBO

Kotte

500 km

© Éditions La Découverte

188

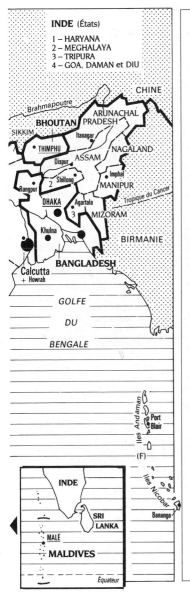

INDE (États)

1 – HARYANA
2 – MEGHALAYA
3 – TRIPURA
4 – GOA, DAMAN et DIU

CHINE

Brahmapoutre

BHOUTAN ARUNACHAL PRADESH

SIKKIM

THIMPHU Itanagar

ASSAM NAGALAND

Dispur

Rangpur Shillong Imphal MANIPUR

DHAKA Agartala Tropique du Cancer

Khulna 3 MIZORAM

BIRMANIE

BANGLADESH

Calcutta
+ Howrah

GOLFE

DU

BENGALE

Port Blair

Îles Andaman

(F)

Îles Nicobar

INDE

SRI LANKA Bananga

MALÉ

MALDIVES

Équateur

▼
INDE

Union indienne.
Capitale : New Delhi.
Superficie : 3 287 590 km² (6 fois la France).
Monnaie : roupie (1 roupie = 0,15 FF au 30.4.95).
Langues : outre l'anglais, langue véhiculaire, 15 langues officielles (assamais, bengali, gujarati, hindi, kannada, cachemiri, malayalam, marathi, oriya, pendjabi, sanscrit, sindhi, tamoul, telugu et ourdou). Entre 3 000 et 5 000 langues et dialectes non reconnus.
Chef de l'État : Shankar Dayal Sharma (depuis le 16.7.92).
Chef du gouvernement : Panelaparthy Venkata Narasimha Rao (depuis le 21.6.91).
Échéances électorales : législatives en 1996.
Nature de l'État : république fédérale (25 États, 6 territoires de l'Union).
Nature du régime : démocratie parlementaire.
Principaux partis politiques : *Au plan national :* Bharatiya Janata Party (BJP, nationaliste hindou); Congrès-I (« I » pour Indira Gandhi); Parti communiste de l'Inde; Parti communiste de l'Inde (marxiste); Janata Dal (parti de Vishwanath Pratap Singh dominé par les castes paysannes intermédiaires du Nord); Janata Dal (S) — « S » pour socialiste — dirigé par Chandra Shekhar et Devi Lal. *Au plan régional :* Asom Gana Parishad (Assam); Shivsena (nationaliste, au pouvoir en coalition avec le BJP dans le Maharashtra); Dravida Munetra Kazagham (Tamil Nadu); Telugu Desam Party (Andhra Pradesh); Conférence nationale du Cachemire et All India Anna Dravida Munetra Kazagham (tous deux alliés au Congrès-I; BSP — Bahujan Samaj Party; SP — Samjawadi Party (Uttar Pradesh)).
Statistiques : voir aussi p. 470-471.

Géopolitique interne de l'Inde

■ *La compréhension de l'Inde contemporaine peut s'ordonner autour de l'analyse de quatre variations d'un thème unique : la gestion, dans l'unité nationale, de la pluralité sans égale de ce pays, comptant 844 millions d'habitants en 1991; soit un sixième environ de la population mondiale.*

Il s'y dessine une géopolitique de la diversité : l'hindouisme l'emporte très largement (82 % de la population en 1981, pour 12 % de musulmans), mais les minorités religieuses constituent parfois des majorités locales (musulmans du Cachemire, sikhs du Pendjab, entre autres). L'islam indien compte au total plus de 100 millions de musulmans, présents dans tout le pays. L'Inde est aussi une Babel de plus d'un millier de langues, dont 18 « constitutionnelles », au premier rang desquelles l'hindi, langue maternelle de près de 40 % de la population, et huit autres langues comptant chacune plus de 30 millions de locuteurs.

Première ligne de force : l'Inde, se définissant constitutionnellement comme une, a su effectivement, à partir de son indépendance, obtenue en 1947, gérer sa pluralité. Des élections régulières, une idéologie unificatrice longtemps prégnante, une carte administrative largement remodelée de 1953 à 1972 ont conforté son Union d'États : 25 en 1995, dont les plus peuplés sont des entités démographiques considérables : Uttar Pradesh (139 millions d'habitants), Bihar (86 millions), Maharashtra (79 millions)... S'y ajoutent sept petits « territoires de l'Union », dont celui de Delhi, capitale du pays.

Deuxième constante : deux types de tensions internes sont récurrents, mais ne remettent pas en cause l'unité nationale. Les premières relèvent du problème fondamental du partage des pouvoirs entre le gouvernement central et les gouvernements des États, qui ne sont pas toujours du même bord politique. La férule présidentielle (« President's Rule »), qui suspend provisoirement l'autorité locale lorsque la situation politique est jugée instable, illustre au mieux la forte prééminence du « Centre », marquée aussi sur le plan économique.

La question des séparatismes périphériques

Appartiennent au second type de tensions les régionalismes militant pour un redécoupage de la carte administrative, afin de détacher de tel ou tel État un territoire accueillant une concentration ethnique différente à fortes revendications identitaires (agitation mesurée des bouddhistes du Ladakh — État du Jammu et Cachemire —, troubles violents des tribaux du Jarkhand, au sud du Bihar, et des partisans d'un Gorkhaland détaché du Bengale, voire mouvement armé du Bodoland, au cœur de l'Assam). La politique de New Delhi, comme celle des États affectés, cherche à calmer le jeu, en concédant des « conseils régionaux » (Gorkhaland en 1991, Bodoland en 1993, Jarkhand en 1994), plutôt qu'en acceptant le démantèlement des États existants.

Troisième caractéristique de la réalité indienne : quand elles affectent un État tout entier, ces revendications identitaires peu-

vent mener au séparatisme armé, qui marqua tant les années quatre-vingt. Au Pendjab, le mouvement indépendantiste du Khalistan a peu à peu dérivé, après l'assassinat du Premier ministre indien Indira Gandhi, en 1984, vers le terrorisme et le chaos. Après une période de férule présidentielle exceptionnellement longue, les élections législatives de 1992 ont ouvert la voie à une normalisation qui s'affermit sous le gouvernement congressiste de Beant Singh.

En Assam, la venue au pouvoir du parti régionaliste Asom Gana Parishad (AGP), en 1986, puis l'alternance congressiste n'ont pu résoudre le problème de l'immigration massive en provenance du Bangladesh — qui avait stimulé une réaction identitaire assamaise — ni réduire tout à fait le Front uni de libération de l'Assam, mouvement séparatiste armé, lié à d'autres guérillas du Nord-Est indien.

Cachemire, toujours l'impasse

La situation est autrement plus grave au Cachemire, tranché depuis 1949 par la « ligne de contrôle » séparant le Nord, sous autorité pakistanaise, du Sud, l'État indien du Jammu et Cachemire, à forte majorité musulmane. Disposant de bases en Azad Cachemire pakistanais, un double mouvement séparatiste s'est développé au sud, indépendantiste pour une part, pro-pakistanais pour l'autre. Les troubles armés, aigus depuis 1990, n'ont pas été réduits par la dure répression policière et militaire indienne.

Le Pakistan, jouant cette fois la carte des droits de l'homme, n'a pu toutefois faire condamner l'Inde par les instances internationales. Une fois encore, le Cachemire est ainsi redevenu le point de fixation majeur de l'abcès indo-pakistanais, paramètre géopolitique essentiel de l'Asie du Sud depuis la partition de 1947. Après la destruction du lieu de culte de Charar-e-Sharief, les tentatives de remise en route du jeu électoral souhaitées par New Dehli ont à nouveau été bloquées. Le gouvernement indien souhaitait tout de même continuer dans cette voie.

Nationalisme hindou, populisme et réforme économique

Après la poussée du nationalisme hindou (destruction de la mosquée d'Ayodhya, en décembre 1992) et ses contrecoups (massacres, attentats de Bombay, en mars 1993), l'année 1994 a marqué une pause, le Bharatiya Janata Party (BJP) ayant perdu aux élections partielles de novembre 1993 plusieurs États de l'Inde du Nord. L'ordre du jour était économique. Les élections partielles de mars-avril 1995 ont ravivé la question essentielle de la nature de la nation indienne, dans un pays engagé dans une réforme économique profonde, s'ouvrant à la globalisation, et accordant aux États, libéralisation oblige, une marge accrue d'initiatives. Le BJP a accédé au pouvoir dans les États les plus économiquement avancés (Gujarat, Maharashtra). Ailleurs (Andhra Pradesh, Karnataka, Bihar), les élections aux assemblées d'États ont confirmé le poids des partis populistes, régionalistes, ou de défense des intérêts des basses castes. Dans une Inde en pleine transition, réforme et essor économiques accroissent l'incertitude quant à l'équilibre politique qui sortira des urnes lors des élections générales de 1996.

Jean-Luc Racine

Inde *(Voir aussi tableau p. 470)*

DÉMOGRAPHIE, CULTURE, ARMÉE

INDICATEUR	UNITÉ	1970	1980	1994
Démographie				
Population	million	554,9	688,9	935,7 g
Densité	hab./km²	168,8	209,5	284,6 g
Croissance annuelle	%	2,3 a	2,1 b	1,9 c
Indice de fécondité (ISF)		5,6 a	4,8 b	3,7 c
Mortalité infantile	%₀	140,0	114	82 c
Espérance de vie	année	47,3	53,3	60 c
Population urbaine	%	19,8	23,1	26,5
Culture				
Analphabétisme	%	66,0	59,2	48,0 g
Nombre de médecins	%₀ hab.	0,21	0,38	0,41 h
Scolarisation 12-17 ans	%	25,1	31,6	43,8 h
Scolarisation 3e degré	%	. .	5,7	6,0 d
Téléviseurs	%₀	0,1	4,4	37 e
Livres publiés	titre	14 145	13 148	14 438 f
Armée				
Marine	millier d'h.	40	47	55
Aviation	millier d'h.	90	113	110
Armée de terre	millier d'h.	800	944	1 100

a. 1965-75; b. 1975-85; c. 1990-95; d. 1989; e. 1992; f. 1991; g. 1995; h. 1990.

COMMERCE EXTÉRIEUR a

INDICATEUR	UNITÉ	1970	1980	1994
Commerce extérieur	% PIB	3,9	7,2	9,5
Total imports	milliard $	2,12	14,86	25,7
Produits agricoles	%	30,1	10,7	7,2 b
Produits énergétiques	%	7,7	44,6	29,8 c
Produits manufacturés	%	49,4	38,7	49,8 c
Total exports	milliard $	2,03	8,59	24,3
Produits agricoles	%	35,3	33,2	17,4 b
Produits manufacturés	%	51,7	58,6	73,5 c
Métaux et prod. miniers d	%	12,7	7,9	7,1 c
Principaux fournisseurs	% imports			
États-Unis		29,3	12,5	9,6 b
CEE / UE		18,0	21,8	30,0 b
PVD		21,9	42,4	40,4 b
Ex-CAEM e		14,9	10,6	••
Principaux clients	% exports			
États-Unis		13,5	11,5	19,1 b
CEE / UE		19,1	23,0	27,3 b
PVD		25,7	29,6	38,1 b
Ex-CAEM e		20,2	19,4	••

a. Marchandises; b. 1993; c. 1992; d. Y compris produits énergétiques; e. Conseil d'assistance économique mutuelle (COMECON).

ÉCONOMIE

INDICATEUR	UNITÉ		1970	1980	1994
PIB	milliard $		60,3	164,9	262,8 d
Croissance annuelle	%		3,9 a	4,5 b	4,8
Par habitant e	$		308	653	1 250 d
Structure du PIB					
Agriculture	%	} 100 %	45,1	38,0	31,4 d
Industrie	%		21,9	25,9	27,3 d
Services	%		32,9	36,1	41,3 d
Dette extérieure totale	milliard $		8,1	20,6	91,8 d
Service de la dette/Exportations	%		23,0	9,1	28,4 d
Taux d'inflation	%		5,1	11,4	9,5
Population active	million		223,9	265,3	341,5 d
Agriculture	%	} 100 %	71,8	69,8	65,5 d
Industrie	%		12,5	13,2	15,1 d
Services	%		15,7	17,0	19,4 d
Dépenses publiques					
Éducation	% PIB		2,8	2,8	3,9 c
Défense	% PIB		2,7	2,8	2,8 g
Recherche et Développement	% PIB		0,4	0,5	0,8
Énergie					
Consommation par habitant	kg		138	202	350 f
Taux de couverture	%		88,7	81,4	87,8 f

a. 1965-75; b. 1975-85; c. 1991; d. 1993; e. A parité de pouvoir d'achat (voir p. 673);
f. 1992; g. 1990.

quatre assemblées régionales, dont celles de deux importants États d'Inde méridionale, le Karnataka et l'Andhra Pradesh, a traduit de profonds changements. Dans ce qui fut deux de ses bastions, le Congrès-I a perdu sa base électorale traditionnelle formée par les intouchables, les aborigènes et les musulmans. Les résultats électoraux ont reflété la montée en puissance de partis régionaux et l'orientation populiste que semblait prendre le système politique indien. La victoire du Telugu Desam Party de Nandamuri Taraka Rama Rao, en Andhra Pradesh, en était un exemple parfait.

Le second test électoral, en février-mars 1995, dans les États du Gujarat, du Maharashtra, de l'Orissa, du Bihar, et de l'Arunachal Pradesh, a confirmé ces analyses. L'ampleur de la victoire des nationalistes hindous dans l'Inde de l'Ouest a cependant surpris plus d'un observateur. Au Gujarat, où le Congrès-I était au pouvoir depuis 1989, le centre de gravité politique s'est déplacé vers la droite nationaliste hindoue, représentée par le BJP (Bharatiya Janata Party). A l'instar de ce qui s'est passé dans les États du Sud, la perte des voix des intouchables, des musulmans et des tribaux pouvait expliquer un tel résultat.

Dans l'État du Maharashtra, on a assisté à un repli identitaire avec la victoire de la coalition nationaliste BJP-Shiv Sena qui a fortement inquiété les partis de gauche et le Congrès-I. Dès mars 1995, le leader du Shivsena, Bal Thackeray, prenait la communauté musulmane de Bombay comme bouc émissaire, et relançait le slogan « Le Maharashtra aux Maharashtriens ».

La scène politique indienne n'a jamais présenté un tableau plus éclaté. Le Congrès-I, seul parti apte à mener un mandat à terme, s'est trouvé fragilisé dans ses positions. La scission du parti du Congrès-I, le 19 mai 1995, à l'initiative de la faction dirigée par Narain Dutt Tiwari et Arjun Singh n'a surpris personne. C'est sur la question des minorités — en particulier des musulmans —, et des *dalits* (intouchables «opprimés») que s'est articulé le programme des «dissidents» du Congrès-I. Paradoxalement, le seul élément qui pouvait paraître stable était l'État très agité du Bihar où le leader du Janata Dal, Lalu Prasad Yadav, grâce à une écrasante victoire en avril 1995, a conservé son poste de chef du gouvernement. L'État du Bihar n'a cessé d'être, depuis le début des années quatre-vingt-dix, le terrain de mouvements sociaux violents, dotés d'une représentation politique depuis l'arrivée au pouvoir, en 1991, d'un *yadav* (membre d'une basse caste). Ce scénario électoral semblait pouvoir préfigurer les élections générales fixées à la mi-1996, l'ère des gouvernements de coalition paraissant proche.

Enlisement des conflits internes

Dans les États de la périphérie, la situation n'a pas connu d'évolution radicale. Au Pendjab, après des années de lutte du mouvement séparatiste, la stabilité politique a semblé acquise, en dépit de l'absence de légitimité du gouvernement congressiste. Le prix à payer pour la paix retrouvée, arrestations sous la loi antiterroriste TADA (*Terrorist and disruptive activities act*), a donné lieu à de nombreux abus dénoncés en mars 1995 par le président de la Punjab Human Rights Organisation, Harcharan Singh Bains installé à Toronto. Les efforts d'unité du parti régional Akali ébauchés par la déclaration d'Amritsar de mai 1994 ne se sont pas traduits par l'adoption d'une politique commune.

Au Cachemire, où la guerre civile perdure depuis 1990 — opposant le JKLF (Front de libération du Jammu et Cachemire, laïque), partisan d'un «Azad Kashmir» (Cachemire libre); le Hezb-ul Mujahidin, pour le rattachement au Pakistan; et la National Conference, pour le maintien de l'intégration nationale —, la situation s'est enlisée. Aucune décision n'a été prise quant à la tenue d'élections dans cet État qui devait sortir du régime d'administration directe (*President's Rule*), le 18 juillet 1995. Le 26 janvier 1995, jour anniversaire de la naissance de la République indienne, le gouverneur général du Cachemire, K.V. Krishna Rao, a miraculeusement échappé à un attentat au Jammu, dans lequel huit personnes ont péri et 54 autres ont été blessées.

Le 18 février 1995, des militants du mouvement Hezb-ul Mujahidin ont péri lors d'une fusillade avec les forces de sécurité autour du lieu de culte de Charar-e-Sharief (district central du Cachemire). Cet événement a eu lieu une semaine après que l'armée indienne eut coordonné et opéré des perquisitions systématiques.

La destruction de ce lieu de culte, le 11 mai 1995, dont ont été accusés l'armée, le gouvernement ou diverses formations activistes — dans les différentes versions de l'événement — a sonné le glas d'une normalisation anticipée. Les élections prévues pour après le 18 juillet ont été reportées *sine die*.

Le mouvement insurrectionnel du Nord-Est s'est, quant à lui, étendu à l'État du Meghalaya. En Assam, la situation a dégénéré et les attentats se sont multipliés, avec notamment celui du 25 février 1995 dans un train, qui a fait plus de 40 morts. Le Manipur a porté au pouvoir un gouvernement congressiste. Le «Centre» pourrait y trouver un point d'appui pour contrôler les réseaux terroristes de la région.

Sur le plan de sa politique extérieure, l'Inde a vu ses relations avec ses voisins transformées par les changements de direction au Népal et à Sri Lanka. Dans ce dernier pays, l'arrivée au pouvoir de Chandrika Kumaratunga, en août 1994, a semblé ouvrir une ère de collaboration entre les deux États. Lors de sa visite en Inde, du 24 au 28 mars 1995, le Premier ministre sri-lankais a proposé un accord de libre-échange entre les deux pays. La question chère à l'Inde de l'arrestation et de l'extradition du chef des LTTE (Tigres de libération de l'Eelam tamoul), Velupillai Prabhakaran, impliqué dans l'assassinat du Premier ministre Rajiv Gandhi, en mai 1991, est demeurée en suspens.

Après la formation à Katmandou d'un gouvernement communiste par l'UML (Parti marxiste-léniniste unifié) en novembre 1994, les relations avec le Népal ont été relancées. Le vice-premier ministre népalais, Madhav Kumar Nepal, s'est ainsi rendu à New Delhi, le 6 février 1995. La question d'un partage plus favorable pour le Népal de l'électricité produite par la centrale de Tarakpur, et la révision « [selon] les besoins et réalités d'aujourd'hui » du traité de paix et d'amitié du 31 juillet 1950 étaient au centre des discussions. Katmandou a, par ailleurs, assuré New Dehli qu'il n'autoriserait en aucun cas l'utilisation de son territoire pour des activités menées contre l'Inde.

Tensions persistantes avec le Pakistan

Avec le Pakistan, en revanche, les perspectives de renouer un véritable dialogue demeuraient sombres. La fermeture du consulat indien de Karachi, le 26 décembre 1994, n'a pas surpris New Delhi. Depuis juin 1994, en effet, la campagne battait son plein contre les diplomates indiens, accusés d'entretenir la violence dans la province du Sind, où agit un mouvement séparatiste entretenu par les Mohajirs (émigrés d'Inde au moment de la partition) et violemment réprimé par Islamabad. Le dialogue indo-pakistanais sur la question du Cachemire ne semblait pas non plus près de reprendre : le 16 janvier 1995, l'Inde a refusé en bloc les conditions préliminaires fixées par le Premier ministre pakistanais Benazir Bhutto : retrait des troupes indiennes de la vallée du Cachemire, et abrogation du TADA. Le 13 février 1995, le ministre des Affaires extérieures pakistanais, Sardar Asif Ahmad Ali, dénonçait, devant la Commission des droits de l'homme à Genève, les violations des droits de l'homme perpétrées par l'Inde au Cachemire, estimant à 40 000 le nombre des victimes et à 30 000 celui des prisonniers.

Avec la Chine, le rapprochement engagé avec la visite de Narasimha Rao à Pékin en 1993 s'est poursuivi avec le passage du ministre de la Défense chinois Chi Hao Tiang à Delhi en août 1994. D'importants troubles demeuraient, cependant, dans les États du Nord-Est, frontaliers de la Chine ; une réunion d'experts s'est tenue à New Delhi du 1er au 3 mars 1995 pour examiner ces problèmes.

L'Inde a poursuivi sa politique de balance entre Moscou et Washington. Les liens avec la Russie se sont resserrés. On retiendra, en mars 1995, la visite du leader ultra-nationaliste Vladimir Jirinovski, dont les propos provocateurs ont reçu des échos favorables en Inde. En dépit de profondes divergences de fond entre Inde et États-Unis sur les questions afférant à la non-prolifération nucléaire et à la question des droits de l'homme, Hillary Clinton, l'épouse du président américain, s'est rendue en Inde, en avril 1995.

Par ailleurs, lors de la visite du ministre des Affaires étrangères iranien, Ali Akbar Velayati, le 1er janvier 1995, les deux pays ont décidé de développer leurs relations commerciales et leur coopération économique bilatérale, et de mettre au point des projets d'accord de transit commercial entre l'Inde, l'Iran et les républiques d'Asie centrale. La signature avec Ankara, les 31 janvier et 1er février 1995, de deux accords sur la non-double imposition et sur la promotion du tourisme et le souhait d'une coopération multilatérale avec d'autres États d'Asie centrale allaient dans le même sens.

La poursuite des réformes économiques et les remous politiques de l'année n'ont pas épargné le ministre des Finances, Manmohan Singh, instigateur du processus de libérali-

BIBLIOGRAPHIE

A. BERNARD, *L'Inde, le pouvoir et la puissance*, Paris, Fayard, 1985.

G. HEUZÉ, L. R. JAGGA, M. J. ZINS, *Les Conflits du travail en Inde et à Sri Lanka*, Karthala, Paris, 1993.

G. HEUZÉ, *Où va l'Inde ?* L'Harmattan, Paris, 1993.

« L'Inde et la question nationale », *Hérodote*, n° 71, La Découverte, Paris, 4ᵉ trim. 1993.

C. JAFFRELOT, *Les Nationalistes hindous — Idéologies, implantation et mobilisation des années 1920 aux années 1990*, Presses de la FNSP, Paris, 1993.

C. JAFFRELOT (sous la dir. de), *Histoire de l'Inde contemporaine*, Fayard, Paris (à paraître).

C. MARKOVITS (sous la dir. de), *Histoire de l'Inde moderne, 1480-1950*, Fayard, Paris, 1994.

É. MÉYER, D. VIDAL, G. TARABOUT, « Violences et non-violence en Inde », *Purusartha*, n° 16, EHESS, Paris, 1994.

J. VIRAMA-RACINE, J. RACINE, *Une vie de paria : le rire des asservis*, Plon/UNESCO, Paris, « Terre humaine », 1995.

M.J. ZINS, *Histoire politique de l'Inde indépendante*, PUF, Paris, 1992.

(Voir également les bibliographies « Océan Indien » et « Inde et périphérie » dans la section « 38 ensembles géopolitiques ».)

sation engagé dès juillet 1991. La mise en échec de cette politique sonnerait le glas de l'expérience menée par le tandem Rao-Singh.

Le ministre des Finances s'est justement trouvé en butte aux attaques de ceux qui condamnent les efforts déployés dans ce cadre, jugeant que la libéralisation ne profite qu'aux plus riches. Le bilan présenté par le gouvernement était toutefois optimiste. Le taux de croissance est, en effet, monté à 4,8 % en 1994 contre 4,2 % en 1993, les performances dans le secteur primaire restant particulièrement remarquées : 3 % de taux de croissance, avec une production de céréales record estimée à 185 millions de tonnes. L'industrie, quant à elle, après une période difficile de compression des importations et de baisse de la demande, a affiché un taux de croissance de plus de 8 %.

Si la part des investissements étrangers et leur rôle dans la croissance économique sont demeurés difficiles à apprécier, la croissance des exportations, estimée à 13,5 %, était plutôt rassurante. Néanmoins, de justes inquiétudes demeuraient quant au poids croissant de la dette. Le rapport de la Banque mondiale de juin 1994 classait l'Inde parmi les pays modérément endettés au vu du chiffre de 94,25 milliards de dollars que sa dette extérieure atteignait fin mars 1995. L'Inde n'en était pas moins le troisième pays le plus endetté du monde après le Mexique et le Brésil. La Banque mondiale a finalisé un prêt de 741,3 millions de dollars à l'Inde en mai 1995, auxquels s'ajoutent les prêts de l'AID (Agence américaine pour le développement international) d'un montant total de 966,2 millions de dollars.

Autre ombre au tableau, l'inflation atteignait 11 % à la fin du mois de mars 1995, expliquant pour partie l'impopularité croissante du Congrès-I. Le budget présenté le 15 mars 1995 a été largement dénoncé comme électoraliste, reposant sur une série de mesures populistes à l'approche des élections de 1996.

Intégrer le marché mondial

L'insertion dans le marché mondial est encore limitée. Le 23 janvier 1995 s'est tenue à New Delhi la cinquième conférence des ministres du Travail des pays non alignés et en développement. Ces derniers ont unanimement décidé de ne pas lier la clause relative aux conditions de travail à l'intégration dans le commerce international.

Le 15 février 1995, le secrétaire d'État aux Finances, Montek Singh Ahluwalia, a réaffirmé que l'inflation croissante due aux apports financiers d'investisseurs institutionnels étrangers ne pousserait pas le gouvernement indien à réduire ces fonds, et qu'en aucun cas il n'y aurait de changement de politique vis-à-vis des investissements de portefeuille étrangers, tout à fait libres dans le pays.

Les États européens ont suivi de près les progrès de la libéralisation économique ; la France étant représentée par une importante délégation du CNPF (Conseil national du patronat français) en mission exploratoire, du 6 au 15 février 1995. Le secrétaire d'État britannique Douglas Hurd, présent, le 5 janvier 1995, au « sommet » du partenariat de la CII (Confédération du patronat indien), s'est dit confiant dans le caractère irréversible des réformes économiques, malgré les déboires rencontrés par le parti au pouvoir.

Le ministre du Commerce américain Ron Brown s'est pour sa part entretenu, le 16 janvier 1995, avec le Premier ministre et le ministre des Finances. Il était porteur d'une lettre de Bill Clinton, affirmant que les États-Unis souhaitaient devenir le premier partenaire commercial de l'Inde et le principal investisseur dans ce pays. Ce faisant, les États-Unis se posaient en rival du Japon, qui se présente comme le principal investisseur en Inde à l'horizon de l'an 2000.

Anne Vaugier-Chatterjee

(Voir aussi l'article sur le Cachemire, p. 96.)

Japon
Une société traumatisée

Le Japon a connu en 1995 — par ailleurs date du cinquantième anniversaire des bombardements atomiques sur Hiroshima et Nagasaki —, des chocs à répétition qui ont ébranlé nombre de certitudes sur lesquelles le Japon de l'après-guerre avait fait reposer son dynamisme. Les phénomènes négatifs intervenus pendant ces six mois — séisme à Kobe, hausse du yen, attentat au gaz de la secte Aum, crise politique — ont en effet relevé d'évolutions pas fondamentalement nouvelles, mais ont choqué par leur violence et leur concomitance.

Un séisme là où on ne l'attendait pas

Mardi 17 janvier 1995 à 5 h 40, un séisme de force 7,2 sur l'échelle de Richter a ravagé plus de 100 hectares d'habitations à Kobe, sixième plus grande ville du pays (1,47 million d'habitants) et deuxième port du Japon. On a dénombré 5 500 morts, des milliers de blessés et plus de 310 000 personnes sans abri. Le pays n'avait pas subi une telle catastrophe depuis le grand tremblement de terre de Tokyo survenu le 1er septembre 1923 et qui avait coûté la vie à 142 000 personnes. Le cataclysme qui a frappé Kobe a fait disparaître en un instant un certain nombre de certitudes, avant tout celle que les constructions japonaises modernes pouvaient résister à de forts séismes. On en est ensuite venu à douter que les responsables tant politiques qu'administratifs avaient pris toutes les précautions pour intervenir vite et sauver le maximum de personnes.

DÉMOGRAPHIE, CULTURE, ARMÉE

INDICATEUR	UNITÉ	1970	1980	1994
Démographie				
Population	*million*	104,3	116,8	125,1 e
Densité	*hab./km²*	277,7	313,7	331,2 e
Croissance annuelle	%	1,2 a	0,8 b	0,3 c
Indice de fécondité (ISF)		2,0 a	1,8 b	1,5 c
Mortalité infantile	%₀	13,1	7,5	4 c
Espérance de vie	*année*	72,3	76,0	79 c
Population urbaine	%	71,2	76,2	77,5
Culture				
Nombre de médecins	%₀ *hab.*	1,13	1,31	1,6 g
Scolarisation 2e degré f	%	86,0	93,0	97 d
Scolarisation 3e degré	%	17,0	30,5	31,5 d
Téléviseurs	%₀	335	539	614 d
Livres publiés	*titre*	31 249	45 596	36 346 h
Armée				
Marine	*millier d'h.*	38	42	43
Aviation	*millier d'h.*	42	44	44,5
Armée de terre	*millier d'h.*	179	155	150

a. 1965-75; b. 1975-85; c. 1990-95; d. 1992; e. 1995; f. 12-17 ans; g. 1990;
h. 1987.

COMMERCE EXTÉRIEUR a

INDICATEUR	UNITÉ	1970	1980	1994
Commerce extérieur	*% PNB*	9,4	12,8	7,2
Total imports	*milliard $*	18,9	141,3	274,4
Produits agricoles	%	33,1	20,7	23,7
Produits énergétiques	%	20,7	49,9	17,4
Minerais et métaux	%	20,9	10,0	6,4 b
Total exports	*milliard $*	19,3	130,4	395,6
Produits manufacturés	%	92,5	94,5	96,5
Machines et équipements	%	40,6	54,9	71,4
Produits agricoles	%	5,1	2,3	1,2
Principaux fournisseurs	*% imports*			
États-Unis		29,5	17,4	23,0
CEE / UE		8,5	5,9	13,0
PVD		39,3	63,0	52,3
Principaux clients	*% exports*			
États-Unis		31,1	24,5	30,0
CEE / UE		12,1	14,0	14,6
PVD		36,8	45,8	49,3

a. Marchandises; b. 1993.

ÉCONOMIE

INDICATEUR	UNITÉ	1970	1980	1994
PNB	milliard $	201,8	1 152,6	4 651,1
Croissance annuelle	%	7,6 [a]	4,5 [b]	0,6
Par habitant [h]	$	2 763	8 262	21 091
Structure du PIB				
Agriculture	% ⎫	6,1	3,7	2,2 [f]
Industrie	% ⎬ 100 %	46,7	41,9	41,1 [f]
Services	% ⎭	47,2	54,4	56,7 [f]
Taux d'inflation	%	7,6	7,7	0,7
Population active	million	51,5	56,5	66,45
Agriculture	% ⎫	17,4	10,4	5,8
Industrie	% ⎬ 100 %	35,7	35,3	34,0
Services	% ⎭	46,9	54,2	60,2
Chômage	%	1,1	2,0	2,8 [e]
Dépenses publiques				
Éducation	% PNB	3,9	5,8	4,7 [d]
Défense	% PNB	0,8	0,9	1,0
Recherche et Développement	% PNB	1,5	2,2	3,0 [f]
Aide au développement	% PIB	0,23	0,30	0,26 [c]
Administrations publiques				
Solde [g]	% PIB	1,7	− 4,4	− 1,6
Dette brute	% PIB	12,1	52,0	78,7
Énergie				
Consommation par habitant	kg	3 786	3 722	4 735 [f]
Taux de couverture	%	9,2	9,7	18,2 [f]

a. 1965-75; b. 1975-85; c. 1993; d. 1989; e. En décembre; f. 1992; g. Capacité ou besoin de financement; h. A parité de pouvoir d'achat (voir p. 673).

La réponse tardive du Premier ministre Murayama Tomiichi, le désarroi du préfet Kaihara Toshitami et du maire Sasayama Kazutoshi de Kobe, l'attentisme étrange des forces d'autodéfense, les hésitations voire les refus d'accepter l'aide d'équipes de secours du monde entier ont fait prendre conscience du peu de poids des discours rassurants tenus jusqu'alors.

Les pertes pour la ville sont énormes puisque 40 % de ses revenus provenaient du port, inutilisable pour sa plus grande partie, qui fournissait en outre 110 000 emplois. Décès de proches, solitude, abandon, disparition de tous ses biens (3 % seulement des habitants de Kobe avaient contracté une assurance immobilière contre les séismes,

contre 16 % à Tokyo), faillites multiples, impossibilité de rembourser des prêts engagés : la liste des malheurs est longue et de nombreuses personnes ont dû se résoudre à habiter pendant de longs mois sous des tentes ou dans des bâtiments préfabriqués installés un peu partout sur le port, dans les jardins publics ou dans les cours d'écoles.

Les experts ont évoqué un délai de trois à quatre ans pour reconstruire la ville, avec un budget représentant 2 % à 3 % du PNB nippon — certaines estimations prenant en compte les personnes réduites au chômage, les faillites multiples, le manque à gagner de toute une ville tournée vers l'exportation allaient jusqu'à près de 10 %.

Un séisme n'excluant pas la menace d'un autre et celui de l'île de Sakhaline, le 6 juin 1995, ayant fait 2 000 morts, les avertissements des experts prévoyant un tremblement de terre de force majeure dans la région de Tokyo d'ici 2010 ont été pris très au sérieux. Si un séisme semblable à celui de Kobe frappait la capitale, les simulations prévoient au moins 150 000 morts, et plus de 2 millions de sans-abri. Or Tokyo concentre le quart de la population, 82 % de l'activité boursière et 60 % des grandes entreprises ; 32 % du PNB provient de cette ville où 50 000 fonctionnaires travaillent dans les administrations centrales. Un cataclysme important risquerait ainsi de mettre en péril l'économie de tout le Japon. Le thème de la délocalisation de la capitale a ainsi été remis à l'ordre du jour en 1995.

Hausse du yen et concurrence des voisins asiatiques

Malgré les demandes insistantes faites par les États-Unis au Japon depuis plusieurs années de réduire le déséquilibre commercial, en exportant moins et en important davantage de produits américains [*voir édition 1995, p. 36*], le déséquilibre s'est encore accusé en 1994. Le dollar se négociait à environ 100 yens vers la fin 1994 et beaucoup pensaient que cette nouvelle parité serait stable. Le yen a cependant continué à s'apprécier par rapport à un dollar en effondrement, entre janvier et avril 1995, gagnant jusqu'à 20 % de sa valeur de décembre 1994. A l'inverse, l'indice Nikkei du Kabutocho (Bourse de Tokyo) a considérablement chuté en l'espace de quelques mois.

La hausse vertigineuse et accélérée du yen est apparue constituer un grave danger pour une économie japonaise risquant de ne pas pouvoir s'adapter à cette nouvelle donne. Le ministre des Transports, Kamei Shizuka, a accusé les États-Unis de « laisser filer » volontairement le dollar pour faire tomber le Japon. Il est vrai que la réunion des ministres des Finances au « sommet » du G-7 à Washington en avril 1995 n'a pas semblé avoir eu une répercussion immédiate sur le taux de change. Certains ont continué de parler d'un bras de fer nippo-américain et rien n'indiquait que les États-Unis, tenant peut-être là une arme efficace, aient envie d'en changer.

En mai 1995, le dollar s'échangeait encore à 83 yens, ce qui était insuffisant pour assurer au Japon un taux de croissance significatif, la main-d'œuvre et les produits nippons courant le risque d'être pénalisés dans la compétition internationale parce que trop chers. Tokyo devait donc très rapidement prendre des mesures aux répercussions économiques et sociales énormes.

La plus importante de ces mesures a été la délocalisation en Asie de nombreuses entreprises, non seulement des multinationales, mais aussi des PMI (petites et moyennes industries), avec des conséquences immédiates sur l'emploi. Le taux de chômage officiel était de 3,2 % en mai 1995 (2,1 millions de chômeurs, pour 63,8 millions d'actifs). Au cours de l'année fiscale 1994 (qui s'est terminée fin mars 1995), il n'y aura eu que 64 offres d'emploi pour 100 demandeurs (contre 71 l'année précédente). La presse s'est fait l'écho des entreprises ayant projeté d'introduire sous peu le salaire au mérite et licencier leur personnel en sureffectif. Ainsi un autre grand mythe, celui du « made in Japan », a-t-il commencé de disparaître. Les entreprises japonaises implantées en Thaïlande ou en Indonésie exportent directement aux États-Unis ou même au Japon (Canon ou le constructeur automobile Hino). La grande chaîne de magasins Daiei vend sans complexe, pour la plus grande joie du consommateur japonais, tout une gamme de produits asiatiques (réfrigérateurs coréens, chaînes haute-fidélité malaisiennes, lecteurs de CD chinois, et magnétoscopes indonésiens).

La stratégie du Japon a toujours été de préserver ses transferts de technologie, au grand dam de ses voisins et concurrents. Là encore, la hausse du yen a eu des conséquences heureuses pour ces derniers. Pour abaisser au maximum le coût des produits, les entreprises japonaises sont amenées à délocaliser une part croissante des opérations de production à l'étranger, où des ingénieurs japonais sont envoyés et où l'on forme et recrute de plus en plus d'ingénieurs locaux (29 ingénieurs pour 10 000 personnes en 1990 à Singapour ; 40 pour 10 000 en 1992).

Ce précieux savoir transféré dans des entreprises chinoises, coréennes ou malaisiennes menace les produits japonais dans le pays même. Les gérants coréens s'installent au Japon et, connaissant bien le piège que représente la distribution japonaise, vendent directement leurs produits. De jeunes diplômés japonais de haut niveau, faute de trouver un emploi dans le pays, partent travailler dans un autre pays asiatique. Des ingénieurs mis à la retraite anticipée se font embaucher par des concurrents étrangers. Le Japon semble ainsi pris en sandwich entre la puissance américaine et le progrès technologique de ses voisins asiatiques. Pour inciter à l'investissement au Japon, le taux d'escompte a été abaissé en avril 1995 de 1,75 % à 1 %. Selon les experts, si le dollar s'échangeait au-dessus de 85 yens, le taux de croissance pourrait être supérieur à 1,5 % en 1995... à la condition qu'aucun autre événement fâcheux ne survienne.

Les attentats de la secte Aum

Plus de 5 500 personnes qui avaient emprunté le métro le matin du lundi 20 mars ont respiré un gaz mortel, le sarin, bien connu pour avoir été utilisé par l'armée allemande durant la Première Guerre mondiale. Douze passagers en sont morts et de nombreux autres ont été atteints. Le 27 juin 1994, déjà, le même gaz avait causé le décès de sept personnes et en avait blessé plus de deux cents dans la ville de Matsumoto.

Très vite, les soupçons se sont portés vers une nouvelle secte religieuse, Aum Shinrikyo, autorisée en 1989 et

dirigée par Asahara Shoko. Elle est adepte d'une tendance du bouddhisme ésotérique tibétain, où l'on

▼

JAPON

Japon (Nihon Koku).
Capitale : Tokyo.
Superficie : 377 750 km² (0,69 fois la France).
Monnaie : yen (100 yens = 5,57 FF ou 1,14 dollar au 11.7.95).
Langue : japonais.
Chef de l'État : Akihito, empereur.
Chef du gouvernement : Murayama Tomiichi, qui a remplacé Hata Tsutomu (démissionnaire le 25.6.94), lequel avait succédé à Hosokawa Morihiro (démissionnaire le 8.4.94).
Échéances électorales : élections à la Chambre des députés (1997).
Nature de l'État : empire (l'empereur n'a aucun pouvoir pour gouverner).
Nature du régime : monarchie de style constitutionnel. L'empereur demeure constitutionnellement le symbole de l'État et le garant de l'unité de la nation. Le pouvoir exécutif est détenu par un gouvernement investi par la Diète.
Principaux partis politiques : Jiminto (Parti libéral démocrate, PLD, conservateur) ; Komeito (bouddhiste, centriste) ; Minshato (Parti social-démocrate) ; Shakaito (Parti socialiste) ; Kyosanto (Parti communiste japonais) ; Shinseito (Parti du renouveau) ; Shinto-Sakigake (Nouveau parti des précurseurs) ; NPJ (Nouveau parti du Japon) ; Shaminren (sociaux-démocrates minoritaires) ; indépendants.
Revendication territoriale : « Territoires du Nord », c'est-à-dire les quatre îles Kouriles nommées Kunashiri, Habomai, Shikotan et Eterofu (5 000 km² au total), annexées par l'URSS en 1945 et aujourd'hui possessions russes.
Carte : p. 489.
Statistiques : voir aussi p. 490-491.

BIBLIOGRAPHIE

A. BERQUE, *Du geste à la cité*, Gallimard, Paris, 1993.

J.-M. BOUISSOU, *Le Japon depuis 1945*, Armand Colin, Paris, 1992.

J.-M. BOUISSOU, G. FAURE, Z. LAÏDI, *L'Expansion de la puissance japonaise*, Complexe, coll. «CERI», Bruxelles, 1992.

E.T. HALL, M.R. HALL, *Comprendre les Japonais*, Seuil, Paris, 1994.

F. HÉRAIL (sous la dir. de), *Histoire du Japon*, Horvath, Le Coteau, 1990.

Y. HIGUCHI, C. SAUTTER (sous la dir. de), *L'État et l'individu au Japon. Études japonaises*, 1, EHESS, Paris, 1990.

T. HORIO, *L'Éducation au Japon*, CNRS-Éditions, Paris, 1993.

M. JOLIVET, *Un pays en mal d'enfants. Crise de la maternité au Japon*, La Découverte, Paris, 1993.

«Le Japon et le nouvel ordre international» (dossier constitué par É. SEIZELET), *Problèmes politiques et sociaux*, n° 707, La Documentation française, Paris, juil. 1993.

A. L'HÉNORET, *Le clou qui dépasse, Récit du Japon d'en bas*, La Découverte, Paris, 1993.

«L'histoire du Japon sous le regard japonais», *Annales EHS*, n° 2, Paris, mars-avr. 1995.

K. POSTEL-VINAY, *La Révolution silencieuse du Japon*, Calmann-Lévy/Fondation Saint-Simon, Paris, 1994.

J.-F. SABOURET (sous la dir. de), *Invitation à la culture japonaise*, La Découverte, Paris, 1991.

J.-F. SABOURET (sous la dir. de), *L'état du Japon*, La Découverte, coll. «L'état du monde», Paris, 1988 (nouv. éd. totalement refondue à paraître en 1995).

M. VIÉ, *Le Japon et le monde au xxᵉ siècle*, Masson, Paris, 1995.

E. WILKINSON, *Le Japon face à l'Occident*, Complexe, Bruxelles, 1992.

Voir aussi la bibliographie «Asie du Nord-Est» dans la section «38 ensembles géopolitiques».

pratique intensivement le yoga et la méditation, et comptait début 1995 10 000 membres au Japon et plus de 30 000 en Russie. Durant tout le mois d'avril, la police a perquisitionné dans les diverses installations de la secte et découvert un stock impressionnant de matériaux chimiques et des laboratoires clandestins, installés sous les salles de prière et équipés pour produire le gaz mortel ainsi que son antidote.

Une part importante des fidèles étaient des jeunes gens très diplômés, issus d'universités cotées. Dans les premiers mois qui avaient suivi l'attentat, la police n'avait obtenu aucun aveu des responsables de la secte, mais, le 16 mai, elle a arrêté son gourou, Asahara Shoko. Les responsables de cette secte millénariste, qui avaient annoncé la fin du monde pour l'an 2000, n'hésitaient pas à séquestrer certains fidèles récalcitrants et à pratiquer l'enlèvement et l'assassinat de ceux qui se mettaient en travers de son chemin; enfin, ils soumettaient leurs fidèles en Russie à un entraînement militaire. Entre le 20 mars et le 20 mai, trois autres attaques au gaz se sont produites dans le métro de Tokyo ou sa banlieue.

La population a été scandalisée que le Japon, réputé être l'un des plus sûrs pays du monde, ait pu être le théâtre d'attentats pareils. Le mythe sécuritaire a ainsi laissé la place à la psychose du terrorisme.

Le paysage politique japonais, monolithique et conservateur trente-neuf ans durant, a basculé au cours de l'été 1993 quand Hosokawa Morihiro, leader d'un petit parti conservateur dissident, le Nouveau parti du Japon (NPJ), a fait «tomber» le puissant Parti libéral-démocrate (PLD) en s'alliant à de nombreux partis d'opposition. Les membres de sa coalition, au nombre desquels les socialistes, ont dirigé le pays jusqu'à l'été 1994. L'un des hommes clés de la nouvelle majorité, Ozawa Ichiro, ne souhaitant pas voir nommer un Premier ministre du Parti socialiste, formation à laquelle il était pourtant allié, le socialiste Murayama Tomiichi a proposé ses services à la vieille garde du PLD, qui, le 29 juin 1994, a accepté. Ainsi une majorité inédite — PLD-Parti socialiste — a-t-elle vu le jour. Une partie du camp socialiste a critiqué sévèrement cette alliance et menacé à plusieurs reprises de faire sécession.

Dans l'intervalle, Ozawa Ichiro a réussi à réunir neuf partis d'opposition (dont le Komeito) dans une nouvelle formation pour former, le 10 décembre 1994, le Shinshinto (Parti de la nouvelle frontière), nouveau grand parti de centre droit. L'ancien Premier ministre Kaifu Toshiki (PLD) en a été élu Premier président. Le Shinshinto s'est ainsi trouvé disposer de 214 membres dans les deux chambres, contre 295 au PLD, représentant la deuxième force politique du pays. Mais si le Shinshinto se veut nouveau, les hommes qui l'ont créé (comme Ozawa Ichiro, Hata Tsutomu ou Kaifu Toshiki) sont déjà bien anciens et connus des électeurs.

Lors des élections municipales et régionales d'avril 1995, les électeurs ont clairement montré leur préférence pour les candidats indépendants (40 % des sièges) et ont porté à la tête des plus importantes mairies du pays deux hommes réputés intègres issus des médias et qui ont

innové par des campagnes sobres et peu coûteuses : Aoshima Yukio (Tokyo) et Yokoyama Knock (Osaka). En privilégiant des programmes de lutte contre la corruption, d'aide aux plus défavorisés, d'arrêt des projets de prestige comme l'exposition internationale de Tokyo en 1996, les électeurs japonais ont semblé avoir porté au pouvoir des hommes proches d'eux et non des politiciens professionnels. Le plus grand perdant a été le Parti socialiste.

Une diplomatie en sommeil

La seule bonne nouvelle de l'année 1994 est venue du champ littéraire quand l'écrivain «engagé» Oe Kenzaburo a reçu le prix Nobel. Pour le reste, les Japonais n'ont pas porté une grande attention aux thèmes récurrents de la participation de l'armée japonaise à des opérations onusiennes en pays étrangers. Le Japon s'est replié sur lui-même.

Quoique demeurant la deuxième puissance économique du monde, la violence de l'attaque sur le yen a montré que la «diplomatie japonaise» est d'abord une diplomatie de l'économie, de l'exportation et des carnets de commandes. La fragilité politique de l'étrange majorité semblait empêcher le gouvernement de faire entendre une voix claire dans le domaine diplomatique.

Un grand thème international, lui aussi récurrent, a cependant occupé l'esprit du gouvernement et rempli les colonnes de tous les journaux : le cinquantième anniversaire de la fin de la guerre du Pacifique (15 août 1945). A cette occasion, le Japon n'est toujours pas parvenu à convaincre ses voisins chinois, coréens, philippins qu'il regrettait profondément la guerre d'agression et les meurtres et humiliations de millions de personnes perpétrés à cette époque. Des procès se sont poursuivis où il a été demandé à l'État une déclaration claire et un dédommagement individuel des victimes.

Les divers gouvernements ont louvoyé, essayant de faire oublier les forfaitures passées en présentant le

Japon comme la seule grande victime de la guerre atomique. Les positions ambiguës et les déclarations incomplètes et restrictives ont prévalu et aucun dirigeant ne s'est risqué à rappeler que feu l'empereur Hirohito (1901-1989), allié de Hitler et de Mussolini et maintenu au pouvoir après la défaite, avait été le plus haut responsable engagé dans cette guerre.

Une fois l'année de la commémoration passée, il est fort probable que le Japon tournera la page des remords convenus et des pleurs officiels. Certaines voix se sont cependant élevées pour dire que la dénégation des actes passés resterait un lourd handicap pour la coopération asiatique.

Jean-François Sabouret

Allemagne
Nouveaux défis pour le chancelier réélu

En consacrant sa une, le 1er août 1994, à l'éloge de la «machine de pouvoir» (*Machtmaschine*) de Helmut Kohl, *Der Spiegel* abandonnait pour la première fois l'attitude très critique qu'il avait eue vis-à-vis du chancelier dès son arrivée au pouvoir, en 1982. Par ce mouvement très symbolique, l'hebdomadaire avait anticipé la nouvelle victoire de H. Kohl aux élections législatives fédérales du 16 octobre 1994.

Affaibli en 1993 par la récession et de nombreuses affaires financières et politiques — entre autres hommes politiques mis en cause, le ministre de l'Économie Jürgen Möllemann, impliqué dans une affaire de pots-de-vin, a dû démissionner —, le chancelier a réussi à retourner la situation en sa faveur au cours du *Superwahljahr* 1994, l'année des 19 élections. Mais ce qui paraissait être un succès indéniable s'est vite révélé être une victoire au goût amer. La population, devant accepter des sacrifices sociaux croissants et recherchant toujours une nouvelle identité nationale depuis la chute du Mur de Berlin en 1989 et l'unification du pays en 1990, n'a accordé qu'une faible majorité à H. Kohl.

Succès économiques et politiques tout relatifs

Le retournement en faveur du chancelier s'est opéré dans les premiers mois de 1994. Sorti renforcé du congrès de la CDU (Union chrétienne démocrate), son parti, le 23 février, H. Kohl a aussi profité des faux pas de son concurrent du SPD (Parti social-démocrate), Rudolf Scharping, qui, entre autres bévues, avait confondu revenus bruts et nets en présentant son programme fiscal.

Surtout, l'accumulation d'indicateurs positifs en matière économique a aidé le chancelier dans sa remontée. Le nombre des demandeurs d'emploi, qui, pour la première fois en RFA, avait dépassé la barre des 4 millions en janvier 1994, a ensuite baissé de près de 200 000 en un an. Avec une croissance de 2,3 % en 1994, la reprise conjoncturelle à l'Ouest a dépassé les attentes des experts. Les exportateurs ont augmenté leurs ventes de 10 % et regagné ainsi, pour la première fois depuis cinq ans, des parts du marché mondial. A l'Est, un retour d'optimisme s'annonçait après l'échec, fin 1993, de la lutte acharnée des mineurs de Bischofferode (Thuringe) pour la survie de leur entreprise. La croissance dans les nouveaux *Länder* s'est accélérée en 1994 pour atteindre 9,2 % contre 5,8 % en 1993. De plus, la Treuhandanstalt (THA), organisme chargé depuis 1990 de la privatisation en ex-RDA, a achevé son programme fin 1994. Elle avait alors privatisé 14 500 entreprises ou parties d'entreprises, 3 661 autres avaient dû être fermées et 350 restaient à privatiser par des organismes succédant à la THA.

Les succès politiques se sont multipliés en parallèle pour le chancelier Kohl. Le 23 mai 1994, son candidat à la présidence de la République, Roman Herzog, l'a emporté sur le candidat du SPD, succédant ainsi au très populaire Richard von Weizsäcker, qui avait occupé cette fonction, largement symbolique, pendant dix ans. En passant de 37,8 % à 38,8 % des voix, la CDU a aussi conforté son avance sur le SPD aux élections européennes du 12 juin 1994. Enfin, aux législatives d'octobre, les partis de la coalition sortante, CDU et FDP (Parti libéral), ont obtenu 48,4 % des voix, contre 43,7 % pour les principaux partis d'opposition, le SPD et les Verts (Bündnis 90/Grünen). Helmut Kohl s'apprêtait alors à battre le record de longévité au pouvoir du premier chancelier de RFA Konrad Adenauer (1949-1963).

La victoire de H. Kohl et l'amélioration des conditions de vie de la population étaient pourtant toutes relatives. Réélu chancelier de justesse par le nouveau Parlement fédéral (Bundestag) le 15 novembre 1994, H. Kohl n'y a plus disposé que d'une majorité de 10 voix. De même, malgré son rattrapage économique, le PIB dans les nouveaux *Länder* n'atteignait toujours que 10,3 % de celui de l'Ouest en 1994, pour un poids démographique dans la population totale de près de 20 %. La croissance y demeurait tributaire des transferts d'État (200 milliards DM), destinés à financer le renouvellement des infrastructures, les subventions ou le traitement du chômage.

Le ministre fédéral des Finances Theo Waigel a alors favorisé la rigueur, réussissant à faire descendre le déficit de l'État au-dessous du seuil de 3 % du PIB. Si la RFA remplissait ainsi, dès 1994, les conditions posées pour la réalisation de l'union monétaire européenne, la contrepartie en était des coupes sensibles dans les dépenses sociales (environ

▼

ALLEMAGNE

République fédérale d'Allemagne (RFA).

Capitale : Berlin (Bonn étant siège du gouvernement fédéral).

Superficie : 357 050 km² (0,65 fois la France).

Monnaie : mark (1 mark = 0,54 écu ou 0,71 dollar des États-Unis ou 3,47 FF au 11.7.95).

Langue : allemand.

Chef de l'État : Roman Herzog, président élu le 23.5.94 pour un mandat de 5 ans, a succédé à Richard von Weizsäcker.

Chef du gouvernement : Helmut Kohl, chancelier fédéral (depuis oct. 1982, réélu en oct. 1994 pour 4 ans).

Nature de l'État : république fédérale. Les deux États issus de la Seconde Guerre mondiale ont été réunifiés politiquement le 3.10.90. La république compte 16 *Länder* (10 de l'ancienne RFA, 5 de l'ex-RDA, auxquels s'ajoute le *Land* de Berlin, qui devrait fusionner avec celui du Brandebourg).

Nature du régime : démocratie parlementaire.

Échéances électorales : législatives fédérales en 1998.

Principaux partis politiques : *Gouvernement :* Union démocrate chrétienne (CDU); Union sociale chrétienne (CSU); Parti libéral (FDP). *Opposition :* Parti social-démocrate (SPD); Die Grünen / Bündnis 90 (fusion des Verts et de l'Alliance 90, regroupement de mouvements contestataires en ex-RDA); Parti du socialisme démocratique (PDS, ex-Parti communiste en RDA); Die Republikaner (extrême droite, non représenté au Bundestag).

Carte : p. 573.

Statistiques : voir aussi p. 572.

DÉMOGRAPHIE, CULTURE, ARMÉE [1]

INDICATEUR	UNITÉ	1970	1980	1994
Démographie				
Population	*million*	60,7	61,6	81,6[f]
Densité	*hab./km²*	244	247	228,3
Croissance annuelle	*%*	0,5[a]	− 0,1[b]	0,6[c]
Indice de fécondité (ISF)		2,0[a]	1,4[b]	1,3[c]
Mortalité infantile	*%₀₀*	23,4	12,7	6[c]
Espérance de vie	*année*	70,5	73,2	76[c]
Population urbaine	*%*	81,3	84,6	86,3
Nombre de médecins	*%₀₀ hab.*	1,72	2,26	3,2[h]
Scolarisation 2ᵉ degré [g]	*%*	71	94	107[i]
Scolarisation 3ᵉ degré	*%*	24,5	26,2	33,3[d]
Téléviseurs	*%₀₀*	362	438	558[e]
Livres publiés	*titre*	45 369	64 761	67 277[e]
Armée				
Marine	*millier d'h.*	36,0	36,5	30,1
Aviation	*millier d'h.*	104	106	82,9
Armée de terre	*millier d'h.*	326	335	254,3

(1) Les données des colonnes 1970 et 1980 se réfèrent à la RFA dans ses frontières d'avant l'unification de 1990. Sauf indication contraire, les données de la colonne 1994 concernent l'Allemagne unifiée.
a. 1965-75;   b. 1975-85;   c. 1990-95;   d. 1989;   e. 1992;   f. 1995;   g. 10-18 ans;
h. 1991;   i. 1990.

COMMERCE EXTÉRIEUR [1]

INDICATEUR	UNITÉ	1970	1980	1994
Commerce extérieur	*% PIB*	17,4	23,4	19,6
Total imports [a]	*milliard $*	29,9	188,0	376,6
Produits agricoles	*%*	25,1	16,3	12,1[b]
Produits énergétiques	*%*	8,8	22,5	8,3[b]
Minerais et métaux	*%*	11,3	6,2	3,3[b]
Total exports [a]	*milliard $*	34,2	192,9	422,3
Produits agricoles	*%*	5,0	6,8	6,5[b]
Produits manufacturés	*%*	87,5	84,3	88,3[b]
Mach. et mat. de transp.	*%*	46,5	44,9	49,5[b]
Principaux fournisseurs	*% imports*			
CEE / UE		51,6	48,6	47,2
France		12,7	10,7	11,1
PVD		16,1	22,1	23,2
Principaux clients	*% exports*			
CEE / UE		49,9	51,2	48,9
France		12,4	13,3	12,0
PVD		11,7	18,3	22,2
États-Unis		9,1	6,1	7,9

(1) Les données des colonnes 1970 et 1980 se réfèrent à la RFA dans ses frontières d'avant l'unification de 1990. Sauf indication contraire, les données de la colonne 1994 concernent l'Allemagne unifiée.
a. Non compris le commerce avec la RDA;   b. 1993.

ÉCONOMIE [1]				
INDICATEUR	**UNITÉ**	**1970**	**1980**	**1994**
PNB	milliard $	173,5	821,3	2041,5
Croissance annuelle	%	3,1 a	2,3 b	2,5
Par habitant h	$	3592	9779	19279
Structure du PIB				
Agriculture	% ⎫	3,2	2,1	1,2 g
Industrie	% ⎬ 100 %	49,4	42,7	36,3 g
Services	% ⎭	47,4	55,2	62,5 g
Taux d'inflation	%	3,4	5,4	2,7
Population active	million	26,8	27,2	30,86
Agriculture	% ⎫	8,6	5,6	2,9
Industrie	% ⎬ 100 %	49,3	44,1	36,0
Services	% ⎭	42,1	50,3	61,1
Chômage	%	0,6	2,9	6,8 f
Dépenses publiques				
Éducation	% PIB	3,5	4,7	4,0 d
Défense	% PIB	3,3	3,3	1,4
Recherche et Dévelopement	% PIB	1,9	2,4	2,5 c
Aide au développement	% PIB	0,33	0,45	0,37 c
Administrations publiques				
Solde e	% PIB	0,4	− 2,8	− 3,1
Dette brute	% PIB			53,6
Énergie				
Consommation par habitant	kg	5171	5834	5890 g
Taux de couverture	%	55,5	45,5	48,4 g

(1) Les données des colonnes 1970 et 1980 se réfèrent à la RFA dans ses frontières d'avant l'unification de 1990. Sauf indication contraire, les données de la colonne 1994 concernent l'Allemagne unifiée.
a. 1965-75; b. 1975-85; c. 1993; d. 1990; e. Capacité ou besoin de financement; f. En décembre; g. 1992; h. A parité de pouvoir d'achat (voir p. 673).

ALLEMAGNE

207 ●

20 milliards DM) et une hausse des prélèvements obligatoires à un nouveau niveau record de près de 45 % du PIB. Après avoir augmenté les cotisations retraite et l'impôt sur les produits pétroliers en 1994, le gouvernement a, en effet, réintroduit en janvier 1995 la surtaxe de solidarité, déjà prélevée en 1991-1992, et a relevé pour la première fois les cotisations à la nouvelle assurance dépendance (*Pflegeversicherung*).

Or, déprimant la demande intérieure, la seule surtaxe de solidarité a freiné la croissance d'un demi-point. De plus, les succès de la politique de rigueur, jugés favorablement dans les milieux financiers internationaux, ont contribué à une forte appréciation du DM, conduisant, au début 1995, à un renchérissement en un an de 7 % des exportations allemandes. Le P-DG de l'entreprise automobile Mercedes, Helmut Werner, a annoncé en avril 1995 de nouvelles délocalisations de sites de production.

En revanche, les syndicats de la métallurgie ont lancé, en février 1995, leur première grève depuis onze ans, après avoir accepté des hausses de salaires d'à peine 2 % en 1994 et, ainsi, la plus forte baisse de pouvoir d'achat en RFA depuis les années cinquante. L'accord conclu le 7 mars prévoyait cette fois une hausse salariale de 4 % en 1995 et de 3,6 % en 1996, et confirmait, en dépit des

BIBLIOGRAPHIE

L. Baier, *Les Allemands maîtres du temps*, La Découverte, Paris, 1991.

M. Desmotes-Mainard, *L'Économie de la RFA*, La Découverte, « Repères », Paris, 1989.

R. Fritsch-Bournazel, *L'Allemagne unie dans la nouvelle Europe*, Complexe, Bruxelles, 1991.

M. Korinman (sous la dir. de), *L'Allemagne vue d'ailleurs*, Balland, Paris, 1992.

« L'Allemagne », *Pouvoirs*, n° 66, Paris, sept. 1993.

« La question allemande », *Hérodote*, n° 68, La Découverte, Paris, 1er trim. 1993.

A.-M. Le Gloannec (sous la dir. de), *L'Allemagne après la guerre froide. Le vainqueur entravé*, Complexe, coll. « CERI », Bruxelles, 1993.

A.-M. Le Gloannec (sous la dir. de), *L'état de l'Allemagne*, La Découverte, coll. « L'état du monde », Paris, 1995.

D. Marsh, *German and Europe, the Crisis of Unity*, Heinemann, Londres, 1994.

H. Ménudier (sous la dir. de), *Le Couple franco-allemand en Europe*, Publications de l'Institut allemand d'Asnières, 1993.

F. Nicolas, H. Stark, *L'Allemagne. Une nouvelle hégémonie ?* Dunod, Paris, 1992.

J. Rovan, *Histoire de l'Allemagne, des origines à nos jours*, Seuil, Paris, 1994.

D. Vernet, *La Renaissance allemande*, Flammarion, Paris, 1992.

pressions du patronat, la mise en application de la semaine de trente-cinq heures, fixée depuis plusieurs années au 1er octobre 1995.

Les manifestations du mécontentement populaire

Compte tenu des nombreux sacrifices de la population, seule la colère pouvait répondre aux déclarations, en avril 1994, du patron de la Deutsche Bank, Hilmar Kopper, qualifiant de *peanuts* (cacahuètes) les 50 millions DM de pertes causées par la faillite de l'entreprise de bâtiment Schneider. Si *peanuts* était alors déclaré officiellement mot de l'année, la Deutsche Bank a dû se lancer dans une coûteuse campagne de restauration de son image.

Sur le plan politique, le mécontentement s'est manifesté par une forte remontée des ex-communistes du PDS (Parti du socialisme démocratique), qui a obtenu entre 16 % et 22 % des voix aux élections à l'Est en 1994. Faiblement présent à l'Ouest, il siégera même au Bundestag grâce aux mandats directs gagnés dans quatre circonscriptions à l'Est. Confrontés au choix d'accepter le PDS comme un parti « normal » ou de l'exclure de la vie politique, les partis traditionnels à l'Ouest ont penché majoritairement pour la seconde option.

Autre signe de la recomposition du paysage politique, la remontée des Verts (7,3 % aux élections fédérales) a amené la CDU à débattre sur le sujet d'éventuelles coalitions avec ces « enfants terribles » d'autrefois. Le parti conservateur a finalement fait élire le député vert Antje Vollmer au sein de la présidence du Bundestag — d'autant plus que les libéraux du petit parti FDP, alliés indispensables des chrétiens-démocrates depuis 1982, avaient failli ne plus être présent au Parlement. N'étant plus représentés, après les élections des *Länder* de Brême et de Rhénanie du Nord-Westphalie du 14 mai 1995, que dans 5 des 16 *Länder*, après de nombreux échecs électoraux en 1994, les libéraux n'ont obtenu que 6,9 % des voix le 16 octobre 1994.

Plus lourds de conséquences pour le chancelier étaient les succès du SPD au niveau des *Länder*, en 1994. Profitant ainsi d'une nette majorité au Bundesrat (Chambre basse représentant les *Länder*), le SPD a refusé, en avril 1995, l'adoption du budget fédéral, blocage qui ne s'était produit que deux fois dans l'histoire de la RFA.

Après des débats serrés, le Bundestag a, en revanche, autorisé l'artiste Christo à emballer, en juin 1995, le Reichstag à Berlin. Ce projet, lourd de symboles, avait animé vingt-trois ans durant des débats en RFA. Le chrétien-démocrate Wolfgang Schäuble avait encore appelé, juste avant la décision de février 1994, à ne pas jouer avec ce «témoin de pierre» du destin allemand. Ce destin devait occuper les Allemands de façon particulièrement intense en 1994-1995.

Quel rôle international ?

Le départ des dernières troupes russes, américaines, britanniques et françaises, stationnées depuis 1945 sur le sol allemand, a constitué à l'été 1994 un nouveau pas vers la pleine souveraineté du pays. Si le président américain Bill Clinton a appelé les Allemands à prendre plus de responsabilités politiques sur le plan international, les conditions précises de ce nouveau rôle restaient controversées au sein du pays. Sur le plan juridique, la décision de la Cour constitutionnelle fédérale de Karlsruhe du 12 juillet 1994 a rappelé que toute participation de soldats allemands à des actions d'intervention militaire de l'ONU nécessiterait l'accord préalable du Bundestag, renvoyant le chancelier devant l'obstacle de sa faible majorité.

Dans la pratique, la diplomatie allemande hésitait quant à la position à adopter dans le conflit opposant l'État turc aux Kurdes indépendantistes. Après de violentes manifestations kurdes en Allemagne, en mars 1994, les ministres de l'Intérieur du *Bund* et des *Länder* devaient décider s'il fallait ou non renvoyer des demandeurs d'asile en Turquie, où ils risquent la torture ou la peine de mort. De plus, l'accord qu'avait passé Bonn avec Ankara, interdisant l'emploi d'armes fournies par l'Allemagne dans le conflit avec les Kurdes, paraissait ne pas avoir été respecté, comme le révélait la presse allemande en avril 1994 et avril 1995. Des tensions diplomatiques sont également apparues entre Bonn et Varsovie après l'éviction de la Pologne de la célébration en Allemagne du cinquantenaire de la fin de la Seconde Guerre mondiale.

Or, en 1995, la date du 8 mai était surtout l'occasion de débats sur l'identité nationale. L'«appel du 8 mai», lancé par des hommes politiques de droite, a révélé des divergences profondes d'appréciation : fallait-il, comme le demandaient les signataires, considérer le 8 mai 1945 non seulement comme date de libération, mais comme une défaite ? En toute apparence, l'Allemagne n'en avait pas encore fini de chercher un nouvel équilibre cinq ans après la chute du Mur.

Thomas Fricke

Brésil
Les limites du « miracle » Cardoso

Autant fin 1994 l'économie brésilienne semblait être d'être stabilisée, autant cette perspective s'est éloignée au fil de l'année 1995. Ce renversement de tendance est à rapprocher, puisqu'il s'en nourrissait et l'alimentait, de l'évolution de la popularité de Fernando Henrique Cardoso, triomphalement élu à la présidence de la République le 3 octobre 1994. Dès les premiers mois de son mandat, cet intellectuel a, en effet, perdu une bonne part de son crédit politique.

Sociologue de renommée internationale, F.H. Cardoso (né en 1931) fut l'un des artisans de la transition démocratique (1974-1985). Épris de justice sociale, il est, en 1988, cofondateur de la social-démocratie brésilienne (PSDB) et reçoit son premier portefeuille ministériel en octobre 1993. Chargé des Affaires étrangères par le président Itamar Franco, il accède au ministère des Finances en mai 1993.

Dans un premier temps, il s'efforça d'entraver une hyperinflation menaçante. Début 1994, sachant jouer de sa probité alors que le scandale de la corruption d'élus de tous bords discréditait un peu plus le personnel politique, il s'engagea dans la course présidentielle. Le favori en était Luis Inácio Lula da Silva (dit

---

BRÉSIL

République fédérative du Brésil.
Capitale : Brasilia.
Superficie : 8 511 965 km² (15,6 fois la France).
Monnaie : real, qui a remplacé le cruzeiro real le 1.7.94 (1 real = 5,37 FF au 31.4.95).
Langue : portugais.
Chef de l'État : Fernando Henrique Cardoso, qui a remplacé Itamar Franco le 1.1.95.
Nature de l'État : république fédérale (26 États et le district fédéral de Brasilia).
Nature du régime : démocratie présidentielle.
Échéances électorales : municipales (octobre 1996).
Principaux partis politiques : Parti du mouvement démocratique brésilien (PMDB) ; Parti du front libéral (PFL) ; Parti progressiste rénovateur (PPR) ; Parti de la social-démocratie brésilienne (PSDB) ; Parti des travailleurs (PT).
Statistiques : voir aussi p. 560-561.

« Lula »), ancien ouvrier métallurgiste et leader du Parti des travailleurs (PT). Cette formation de gauche radicale promettait d'engager des réformes structurelles susceptibles de restreindre fortement les privilèges et la domination séculaire des élites conservatrices. Craignant une telle éventualité, celles-ci se cherchaient un champion et F.H. Cardoso put s'allier avec le Parti du front libéral (PFL), deuxième formation du pays.

L'instigateur du plan Cardoso élu président

Sur le plan idéologique, cet accord semblait contre nature, mais il isolait Lula en privant le PT de l'appui de la gauche modérée. En outre, la complémentarité de l'implantation électorale du PSDB et du PFL permettait à F.H. Cardoso de disposer, sur l'ensemble du territoire, d'élus locaux mobilisant à son profit une part significative des 94 782 000 ins-

© Éditions La Découverte

crits. En effet, si quantitativement cet électorat est parmi les plus importants du monde, il est aussi massivement sous-éduqué : 16 % des électeurs sont analphabètes ou semi-analphabètes et 48 % sont restés tout au plus sept ans à l'école. Autrement dit, nombre d'électeurs, surtout parmi les couches populaires (57 %

de l'électorat), ne pouvaient guère suivre et comprendre les débats abstraits de la vie politique.

Par ailleurs, l'alliance PSDB-PFL rendait plus facile l'élection des candidats de ces deux formations aux autres postes mis en jeu. En octobre 1994, les Brésiliens devaient, en effet, également élire les gouverneurs des

Géopolitique interne du Brésil

■ *Avec 160 millions d'habitants en 1995, le Brésil est le pays le plus peuplé d'Amérique latine. Sa population qui, majoritairement d'origine européenne blanche et africaine noire (descendants d'esclaves déportés), comprend aussi des Asiatiques (descendants d'immigrants venus du Japon) révèle les vagues de peuplement qui ont submergé le fonds autochtone indien. Deux Brésiliens sur cinq sont des métis, biologiquement, mais aussi culturellement. Les syncrétismes religieux mêlent ainsi les cultes africains à la foi chrétienne.*

Doté de vastes réserves foncières (ses 8,5 millions de km² restent sous-occupés dans l'intérieur) et grand exportateur agricole, le Brésil est, depuis les années soixante-dix, une réelle puissance industrielle. Mais il traverse une crise économique et sociale que la « nouvelle République », mise en place en 1985, ne parvient pas à résoudre, faute de s'être démarquée assez clairement du modèle de croissance hérité du régime dictatorial antérieur. S'il y a eu matière à parler de « miracle » (1967-1973), on pouvait aussi bien évoquer le « mal-développement » : la croissance n'a pas engendré un développement harmonieux, et, malgré son revenu intermédiaire (PIB de 2 610 dollars par habitant en 1993), le Brésil fait figure de pays riche peuplé en majorité de pauvres.

Ces oppositions s'enracinent dans l'origine même d'un pays devenu indépendant en 1822 où l'esclavage n'a été aboli qu'en 1888. Jusqu'en 1930, le Brésil a développé une économie minière et agro-exportatrice, vendant successivement du bois, du sucre de canne, de l'or et des diamants, enfin du café. Les années trente ont constitué un tournant. Contraint par la baisse des cours du café à réviser son insertion dans la division internationale du travail, le pays a entamé son industrialisation, fabriquant d'abord des biens de consommation simples destinés au marché intérieur, puis développant des industries lourdes et d'équipement. De la sidérurgie à l'automobile et à l'aéronautique, la production industrielle est aujourd'hui diversifiée, puissante, ouverte sur l'extérieur. L'État et les firmes étrangères y tiennent une grande place.*

Un développement à plusieurs vitesses

Le Brésil a connu sous le régime militaire (1964-1985) une « modernisation conservatrice » : la transformation de l'appareil productif, fondée sur la concentration du revenu, a produit une classe moyenne urbaine étoffée, mais n'a pas amélioré le niveau de vie des classes populaires, ni à la campagne où la réforme agraire n'a pas été réalisée, ni à la ville où les salaires ouvriers sont restés bas. Dans un contexte de forte pression démographique, aujourd'hui ralentie (indice conjoncturel de fécondité de 2,7), l'exode rural a fait grossir les villes (trois Brésiliens sur quatre sont citadins) et y a aggravé les tensions sociales. Le travail informel s'y est considérablement développé. Le contraste entre le luxe des beaux quartiers et les bidonvilles donne ainsi à voir la déchirure du tissu social.

État fédéral, le Brésil présente de forts contrastes régionaux. Le Sudeste (63 millions d'habitants en 1991, soit 43 % de la population, mais presque les trois cinquièmes du PIB et les deux tiers de l'emploi de l'industrie de transformation) est le cœur économique du pays. Certes, la pauvreté y existe dans les favelas de Rio de Janeiro (9,5 millions d'habitants dans l'aire métropolitaine en 1991) comme dans l'agglomération de São Paulo (15,2 millions d'habitants en 1991). Pourtant, la dynamique sociale a été largement celle d'un pays neuf. Dans la région de São Paulo, comme dans le Sud, s'est constituée une classe moyenne, devenue la base sociale d'un relatif développement. Le triangle formé par les trois villes São Paulo, Rio de Janeiro et Belo Horizonte est une zone de concentration industrielle sans équivalent dans le reste du pays. C'est là que sont implantées, surtout autour de São Paulo, les entreprises de haute technologie. La métropole pauliste, plus que Rio de Janeiro, concentre aussi les fonctions de commandement économique.

Sous la houlette de ce « centre » économique existe une « périphérie » pauvre dans le cas du Nordeste, en cours de mise en valeur dans le cas de l'Ouest. Économiquement et culturellement marqué par la période coloniale, le Nordeste (1,5 million de km²) présente les résultats économiques et sociaux les plus médiocres. L'oligarchie foncière y domine une société très inégalitaire. Les délocalisations industrielles réalisées à Salvador et à Recife grâce aux avantages fiscaux n'ont pas eu les effets d'entraînement attendus. Aussi la région présente-t-elle un solde migratoire négatif et, malgré une tendance plus nataliste qu'ailleurs, voit-elle son poids démographique relatif baisser : à peine 29 % de la population en 1991 contre 35 % en 1950.

L'Amazonie en controverse

L'Ouest constitue le Brésil pionnier. Dans le Centre-Ouest, Brasilia symbolise la volonté géopolitique d'occuper l'intérieur. Le transfert de la capitale a représenté en 1960 une étape fondamentale dans l'intériorisation du peuplement et de l'économie, poursuivie par la mise en valeur de la région Nord, c'est-à-dire le bassin amazonien. A elles deux, ces régions couvrent 5,5 millions de km² (64 % du territoire). Leur poids démographique (9,4 millions d'habitants en 1991 dans le Centre-Ouest, et 10,1 dans le Nord) grandit grâce aux migrations internes : 13,2 % de la population en 1991 contre 7,9 % en 1960.

La mise en valeur de l'Amazonie demeure cependant un sujet de controverse : les conflits pour la terre y sont violents ; les Indiens sont menacés malgré des garanties juridiques ; enfin, les défrichements appauvrissent la forêt et compromettent sa diversité biologique.

Puissance émergente, le Brésil joue un rôle moteur dans le Mercosur (marché commun sud-américain) qui le lie, depuis 1995, à l'Argentine et le liera, dès l'année suivante, à l'Uruguay et au Paraguay. La puissance extérieure, limitée par le poids de la dette, ne doit toutefois pas masquer la gravité des problèmes internes. Si l'inflation a été maîtrisée, le maintien des trois cinquièmes de la population dans la pauvreté rend le pays fragile. Le régime risque, en effet, de perdre sa crédibilité s'il ne réussit pas à garantir des conditions de vie permettant l'exercice effectif de la citoyenneté. C'est pourquoi Fernando Henrique Cardoso, élu président de la République en 1995, a fait de la question sociale une priorité.

Bernard Bret

Brésil *(Voir aussi tableau p. 560)*

DÉMOGRAPHIE, CULTURE, ARMÉE

INDICATEUR	UNITÉ	1970	1980	1994
Démographie				
Population	*million*	95,85	121,3	161,8 f
Densité	*hab./km²*	11,3	14,3	19,0 f
Croissance annuelle	%	2,5 a	2,3 b	1,7 c
Indice de fécondité (ISF)		5,0 a	4,0 b	2,9 c
Mortalité infantile	‰	94,6	74,2	58 c
Espérance de vie	*année*	58,9	62,6	66 c
Population urbaine	%	55,8	66,2	77,6
Analphabétisme	%	33,8	25,5	16,7 f
Nombre de médecins	‰ *hab.*	0,51	0,96	1,49 g
Scolarisation 12-17 ans	%	49,9	61,7	74,3 d
Scolarisation 3e degré	%	5,3	11,9	11,7 d
Téléviseurs	‰	64	124	208 e
Livres publiés	*titre*	8 579 h	18 102	17 648 i
Armée				
Marine	*millier d'h.*	44,4	47	58,4
Aviation	*millier d'h.*	30	43	59,4
Armée de terre	*millier d'h.*	120	183	219

a. 1965-75; b. 1975-85; c. 1990-95; d. 1991; e. 1992; f. 1995; g. 1990; h. 1971; i. 1985.

COMMERCE EXTÉRIEUR a

INDICATEUR	UNITÉ	1970	1980	1994
Commerce extérieur	% *PIB*	6,1	9,0	8,4
Total imports	*milliard $*	2,8	25,0	36,0
Produits énergétiques	%	12,4	43,1	20,3 c
Produits agricoles	%	12,8	10,9	13,8 c
Produits manufacturés	%	68,4	40,8	62,0 c
Total exports	*milliard $*	2,7	20,1	43,6
Produits agricoles	%	75,2	50,3	28,3 c
Minerais et métaux b	%	10,1	9,4	10,7 c
Produits manufacturés	%	13,2	37,2	58,8 c
Principaux fournisseurs	% *imports*			
États-Unis		32,2	18,6	23,6 c
Moyen-Orient		5,9	33,2	8,8 c
CEE / UE		30,2	16,5	22,7 c
Principaux clients	% *exports*			
États-Unis		24,7	17,4	20,7 c
CEE / UE		39,7	30,5	25,9 c
Amérique latine		11,6	18,1	25,2 c

a. Marchandises; b. Produits énergétiques non compris; c. 1993.

ÉCONOMIE

INDICATEUR	UNITÉ	1970	1980	1994
PIB	milliard $	43,1	252,3	472,0 c
Croissance annuelle	%	8,2 a	4,4 b	5,7
Par habitant g	$	902	3 059	5 470 c
Structure du PIB				
Agriculture	% ⎫	11,5	11,0	11,3 c
Industrie	% ⎬ 100 %	35,6	43,8	34,7 c
Services	% ⎭	52,9	45,2	54,0 c
Dette extérieure totale	milliard $	5,1	71,0	132,7 c
Service de la dette/Exportations	%	21,8	63,1	24,4 c
Taux d'inflation	%	22,3	82,8	1 238
Population active	million	31,54	44,24	58,69 c
Agriculture	% ⎫	44,9	30,9	22,6 c
Industrie	% ⎬ 100 %	21,8	26,3	27,4 c
Services	% ⎭	33,3	42,8	50,0 c
Dépenses publiques				
Éducation	% PIB	2,9	3,6	4,6 e
Défense	% PIB	2,0	0,8	0,7 c
Recherche et Développement	% PIB	••	0,7 h	0,4 i
Énergie				
Consommation par habitant	kg	435	763	810 d
Taux de couverture	%	44,8	37,3	66,3 d

a. 1965-75; b. 1975-85; c. 1993; d. 1992; e. 1989; f. 1991; g. A parité de pouvoir d'achat (voir p. 673); h. 1982; i. 1985.

26 États fédérés et du District fédéral, renouveler 54 des 81 sièges de sénateurs, désigner 513 députés fédéraux et 1 045 membres des assemblées législatives.

F.H. Cardoso sut également profiter de sa présence au gouvernement pour susciter une amélioration sensible de la situation économique. Son plan de stabilisation, rapidement baptisé du nom de la nouvelle monnaie introduite le 1er juillet 1994, le real, assura son succès. Les Brésiliens avaient, certes, été échaudés par les échecs des plans précédents, mais l'arrivée du real avait été précédée ou accompagnée de mesures qui avaient rapidement freiné l'indexation des salaires sur les prix, gelé les tarifs publics et réduit le déficit budgétaire. Elle provoqua donc une brutale chute de l'inflation sans désorganiser pour autant le marché : en juin 1994, la hausse des prix avait culminé à 45 % ; elle n'était plus que de 4,3 % en juillet et tomba à moins de 3 % les mois suivants. Parallèlement, le chômage régressait et le volume des investissements étrangers était de 35 % supérieur aux prévisions. En somme, la croissance s'accélérait, avec un PIB en progression de 5,7 % en 1994.

Surestimant l'embellie de l'économie et voyant leur pouvoir d'achat moins rongé par l'inflation, beaucoup d'électeurs se mirent à soutenir le candidat Cardoso. Ceux des couches moyennes (29 % du corps électoral) le firent d'autant plus volontiers que la plupart des journalistes dont ils dévoraient les éditoriaux les y encourageaient vivement. Courant juillet, F.H. Cardoso remonta son handicap sur Lula et bénéficia du ralliement de nombreux

BIBLIOGRAPHIE

F.H. CARDOSO, « Pour un Brésil plus juste », *Politique internationale*, Paris, n° 67, Paris, 1995.

J.-Y. MÉRIAN, « Le Mercosur », *Lusotopies*, n° 1/2, Maison des pays Ibériques/L'Harmattan, Bordeaux-Paris, 1994.

S. MONCLAIRE, « Élections : la victoire de M. Cardoso », *Lusotopies*, n° 3, 1995.

S. MONCLAIRE, « Le Congrès révise », *Infos-Brésil*, n°s 102 et 103.

L. C. RIBEIRO, « Évolution métropolitaine et nouveaux modèles d'inégalités sociales », *Problèmes d'Amérique latine*, n° 14, La Documentation française, Paris, juil. 1994.

P. SALAMA, J. VALIER, *L'Économie gangrenée*, La Découverte, Paris, 1990.

« Spécial Brésil », *Problèmes d'Amérique latine*, n° 9, La Documentation française, Paris, avr.-juin 1993.

H. THÉRY, *Le Brésil*, Masson, Paris, 1989 (2e éd.).

élus opportunistes, notamment ceux du Parti du mouvement démocratique brésilien (PMDB, centre droit ; première force politique du pays). Passé en tête des sondages à la mi-août, il fut élu dès le premier tour avec 54,3 % des suffrages exprimés ; soit un score deux fois plus élevé que celui de Lula. Quant aux six autres candidats en lice, ils firent ensemble trois fois moins bien que le vainqueur.

Une politique prioritairement sociale

Investi le premier janvier 1995, il reconduit le choix de son prédécesseur concernant la lutte contre la violence. A Rio, l'armée restait, en effet, dans les *favelas*, mais ne parvenait guère à réduire le trafic de drogue et la criminalité qu'elle avive. F. H. Cardoso déclara prioritaires les problèmes de santé et d'éducation. Mais, plutôt que d'envisager, comme ses prédécesseurs, des projets pharaoniques qui auraient interdit l'équilibre budgétaire, il se fit gestionnaire. Ainsi modifia-t-il les procédures de financement des services de santé afin de réduire les détournements de fonds qui empêchaient depuis longtemps les hôpitaux d'assurer leur mission. De même, pour diminuer l'impressionnant taux d'échec scolaire, engagea-t-il un plan de formation continue des maîtres (*via* une chaîne de télévision éducative) et accéléra la distribution rapide de manuels scolaires plus pédagogiques.

Nécessaires mais insuffisantes à réduire les inégalités sociales, ces mesures furent menées dans l'attente de réformes plus structurelles, lesquelles, parce qu'extrêmement coûteuses, exigeaient une stabilisation durable de l'économie et des finances publiques saines et plus mobilisables. Un premier train d'amendements constitutionnels fut donc adressé, début février 1995, au Congrès. Les uns redéfinissaient le statut juridique des entreprises pour faciliter les investissements productifs étrangers, d'autres rendaient possible la privatisation partielle de sociétés de télécommunication, d'extraction ou d'exploitation de pétrole et de minerais, ou réorganisaient le système de retraite et son financement. Les réformes du système fiscal et du mode de scrutin avaient été fixées à début 1996.

Mais au Congrès, le président manquait d'appui. Certes, au soir des élections multiples, le PSDB avait progressé : outre la conquête d'un tiers des postes de gouverneurs, il comptait dorénavant 13 % des sièges de députés et 12 % des sénateurs. Le PT avait aussi renforcé ses positions : 10 % d'élus à la Chambre et 6 % au Sénat. Mais ces arènes, où pas moins de 18 partis étaient à nouveau représentés, sont restées aux mains des conservateurs, c'est-à-dire du PFL (respectivement 17 % et 26 % des sièges) et plus encore du PMDB qui est demeuré, malgré l'échec cuisant de son candidat à la présidence (Orestes Quercia, 2,2 % des voix), le premier parti du pays (21 % et 27 % des sièges).

D'importantes réformes empêchées

Comme toute révision de la Constitution exigeait, tant à la Chambre qu'au Sénat, un double vote à la majorité des trois cinquièmes, le sort des amendements de F.H. Cardoso dépendait de sa capacité à obtenir le soutien des conservateurs dont l'alliance lui avait valu son poste de président. Ceux-ci étaient disposés à approuver des textes d'inspiration libérale, mais à condition que le PSDB et le chef de l'État ne soient pas ensuite les seuls à pouvoir se prévaloir de la stabilisation obtenue.

Empêcher le chef de l'État de rester populaire devint dès lors leur obsession. Ils s'opposèrent à sa politique salariale et mirent peu d'empressement à voter ses amendements. De la sorte, plusieurs des conditions de la stabilisation n'étaient pas satisfaites lorsque s'aggravèrent la crise politique et monétaire mexicaine et la chute du peso en Argentine (principal partenaire du Brésil, surtout à partir de la suppression des barrières douanières entre produits des pays du Mercosur, le 1er janvier 1995).

Déjà rendu fragile par un inquiétant déficit commercial engendré par l'augmentation massive des importations de biens de consommation, le real perdit de sa valeur et les couches populaires virent s'envoler les gains de pouvoir d'achat enregistrés les mois précédents. Pris entre les états d'âme des conservateurs et une opposition de gauche décidée (le PT et les syndicats ont multiplié les grèves et les manifestations contre F.H. Cardoso), celui-ci sembla perdre l'initiative. En même temps que sa popularité chutait — la médiation du Brésil dans le conflit frontalier opposant Pérou et Équateur au début 1995 n'a guère freiné cette chute —, s'évanouissaient les chances du Brésil de devenir rapidement un pays plus juste.

Stéphane Monclaire

(Voir aussi l'article p. 135.)

Indonésie
Nouveau durcissement du régime

L'ouverture politique prônée par le régime Suharto à partir de 1990 a pris fin le 21 juin 1994 avec l'interdiction des trois hebdomadaires les plus lus, *Tempo*, *Editor* et *Detik*. Ils avaient profité du relâchement de la censure pour rendre compte de sujets brûlants, tels une grave escroquerie bancaire impliquant des proches du pouvoir ou le conflit opposant le ministre de la Recherche, Bacharuddin Jusuf Habibie, à celui des Finances, Mar'ie Muhammad : le premier,

favori de Suharto et détesté par l'armée, réclamait 1,1 milliard de dollars pour rénover 39 bateaux de guerre qu'il avait achetés à l'ex-RDA ; le second a sabré ce budget des deux tiers.

À la suite de cette triple interdiction, des manifestations ont eu lieu pour défendre la liberté de la presse et une Association des journalistes indépendants (AJI) s'est créée, publiant sans permis un journal, *Independen*. Mais la presse, dans son

Timor, vingt ans de violences

■ Colonie portugaise depuis 1914, la moitié orientale de l'île de Timor (21 000 km²) a proclamé son indépendance le 28 novembre 1975 sous l'égide du Fretilin (Front révolutionnaire pour l'indépendance de Timor oriental). L'Indonésie, redoutant de voir un «autre Cuba» s'installer à sa porte, l'a occupée dès le 7 décembre suivant avec l'accord tacite de l'Australie et des États-Unis. Le 17 juillet 1976, Timor oriental est devenu la vingt-septième province indonésienne malgré une résolution de l'ONU réclamant l'autodétermination.

Environ un tiers de la population timoraise (600 000 habitants au total) a été tué par l'armée indonésienne. Vingt ans plus tard, celle-ci n'avait pourtant pas réussi à venir à bout de la résistance timoraise soudée autour du Fretilin. L'extrême brutalité de la répression, le climat de peur et de violence ont été dénoncés par Mgr Belo, représentant local du Vatican — Timor oriental est de religion catholique, alors que l'Indonésie est majoritairement musulmane.

Jakarta a constamment tenté de faire oublier cet épineux litige de souveraineté au plan diplomatique, et seuls le Portugal et le Parlement européen défendent les revendications timoraises. Le massacre par l'armée d'une centaine de jeunes manifestants indépendantistes à Dili, le 12 novembre 1991, a cependant projeté ce territoire sur le devant de la scène. Pour la première fois, des sanctions ont été prises à Jakarta contre les responsables militaires. L'Indonésie a accepté de négocier avec le Portugal et, plus récemment, de rencontrer des indépendantistes timorais. Mais, même si elle a parlé d'autonomie pour Timor oriental, elle n'entendait pas «lâcher» ce territoire, de peur de créer un précédent dangereux pour elle. Les propositions de pourparlers de paix du Fretilin sont donc restées sans écho.

Lors de la réunion de l'APEC (Coopération économique de la zone Asie-Pacifique) en Indonésie en novembre 1994, l'irruption d'une trentaine de jeunes Timorais à l'ambassade des États-Unis, où se trouvait le président américain Bill Clinton, a exaspéré Jakarta. Le rapporteur de l'ONU, venu enquêter sur le massacre de 1991, a estimé que les conditions étaient réunies pour de nouvelles violences. De fait, l'armée indonésienne, dont les positions restaient rigides, a tué en janvier 1995, à Baucau et à Liquica, plusieurs civils. Simultanément, des «ninjas», cagoulés de noir, faisaient régner la terreur la nuit, à Dili. La paix semblait donc loin, même si les négociations continuaient, notamment entre factions timoraises début juin 1995 en Autriche.

F. C.-B.

ensemble, est revenue à l'autocensure. En mars 1995, une vague d'arrestations a frappé des membres de l'AJI, ainsi que des étudiants appartenant à la Fondation Pijar, qui s'est donné pour objectif de coordonner la contestation. Par ailleurs, fin 1994, un décret renforçait le contrôle du pouvoir sur les ONG (organisations non gouvernementales). L'une d'elles n'a-t-elle pas porté plainte (sans succès, bien sûr) contre le président Suharto lui-même pour avoir alloué à l'usine aéronautique de B.J. Habibie des fonds prévus pour le reboisement ?

Le durcissement a également été sensible dans la suite donnée à la grève de Medan en avril 1994 : les dirigeants du syndicat indépendant Prospérité (non autorisé) ont été condamnés à quatre et trois ans de prison. Quant aux familles de paysans contestataires qui luttaient depuis des années pour obtenir une indemnisation plus équitable de leurs terres, noyées par le barrage de Kedung Ombo (Java-Centre), et à qui un juge avait très étonnamment donné complète satisfaction en juillet, elles ont vu ce jugement annulé dès novembre 1994 par la Cour suprême.

Une opposition toujours existante, mais surveillée

Si la santé du président Suharto (soixante-quatorze ans) a donné des inquiétudes en août 1994 — l'empêchant de se rendre à la conférence internationale sur la population et le développement qui s'est tenue au Caire du 5 au 13 septembre 1994 —, il n'en a pas moins continué de renforcer son contrôle sur les institutions et notamment l'armée, en plaçant à sa tête, en février 1995, le général Hartono, son ancien aide de camp, musulman pratiquant, proche de la faction Habibie. D'autres généraux, proches de l'ancien homme fort, le général Murdani, ont été écartés. L'armée est apparue de plus en plus divisée entre pro- et anti-Suharto. Par ailleurs, deux députés contestataires ont été « rappelés » et remplacés, pratique qui n'est pas inhabituelle.

Lors du troisième congrès du PPP (Parti unité développement ; opposition), fin août 1994, des personnalités du Nahdatul Ulama (NU, Renaissance des oulémas) ont échoué dans leur projet de prendre la direction de la formation et c'est Ismail Hassan Metareum, favori du pouvoir, qui est demeuré à sa tête. Le NU, première organisation musulmane avec 30 millions de membres et 6 500 pensionnats coraniques, a

continué d'irriter le pouvoir. Ainsi son chef, le charismatique et démocrate Abdurrahman Wahid, a-t-il refusé d'entrer à l'influente ICMI (Union des intellectuels musulmans indonésiens), présidée par B.J. Habibie. En décembre 1994, malgré les manœuvres du pouvoir, il a cependant été réélu à la tête du NU.

Il y a également eu tentative d'affaiblir de manière détournée la position de Megawati, fille de l'ancien président Sukarno (1945-1967), portée en décembre

▼
INDONÉSIE

République d'Indonésie.
Capitale : Jakarta.
Superficie : 1 913 000 km² (3,7 fois la France).
Monnaie : roupie (au taux officiel, 100 roupies = 0,22 FF au 30.4.95).
Langues : bahasa Indonesia (officielle) ; 200 langues et dialectes régionaux.
Chef de l'État : général Suharto, président (depuis mars 1968).
Échéances institutionnelles : élections générales en 1997 et présidentielles en 1998.
Nature de l'État : république.
Nature du régime : régime présidentiel autoritaire. L'armée de terre tient un rôle important.
Principaux partis politiques :
Gouvernement : Golkar (Golongan Karya, fédération de « groupes fonctionnels » où les militaires occupent une grande place).
Opposition légale : Partai Persatuan Pembangunan (PPP, Parti unité développement, coalition musulmane) ; Parti démocratique indonésien (PDI, nationaliste-chrétien).
Territoire contesté : l'ONU ne reconnaît pas la souveraineté indonésienne sur Timor-Est, ancienne possession portugaise occupée en 1975, puis annexée.
Carte : p. 482-483.
Statistiques : voir aussi p. 484-485.

Indonésie *(Voir aussi tableau p. 484)*

DÉMOGRAPHIE, CULTURE, ARMÉE

INDICATEUR	UNITÉ	1970	1980	1994
Population	million	120,3	151,0	197,6 e
Densité	hab./km²	62,9	78,9	103,3 e
Croissance annuelle	%	2,4 a	2,1 b	1,6 c
Indice de fécondité (ISF)		5,3 a	4,4 b	2,9 c
Mortalité infantile	%₀	119	105,0	58 c
Espérance de vie	année	47,0	52,5	63 c
Population urbaine	%	17,1	22,2	34,4
Analphabétisme	%	46,0	32,7	16,2 e
Nombre de médecins	%₀ hab.	0,04	0,09 i	0,14 f
Scolarisation 12-17 ans	%	33,1	51,3	60,1 f
Scolarisation 3e degré	%	2,8	3,9 h	10,1 d
Téléviseurs	%₀	0,7	20	60 d
Livres publiés	titre	1 424 g	2 322	6 303 d
Armée				
Marine	millier d'h.	40	35,8	42
Aviation	millier d'h.	50	25	20
Armée de terre	millier d'h.	275	181	214

a. 1965-75; b. 1975-85; c. 1990-95; d. 1992; e. 1995; f. 1990; g. 1971; h. 1981; i. 1979.

COMMERCE EXTÉRIEUR [a]

INDICATEUR	UNITÉ	1970	1980	1994
Commerce extérieur	% PIB	11,5	22,6	25,3
Total imports	milliard $	1,0	10,8	32,4
Produits agricoles	%	15,8	15,3	15,4 b
Produits miniers et métaux c	%	2,0	2,4	4,2 b
Produits manufacturés	%	84,1	64,9	76,0 b
Total exports	milliard $	1,1	21,9	36,8
Produits énergétiques	%	32,8	71,9	28,2 b
Caoutchouc	%	19,3	4,9	2,7 b
Autres produits agricoles	%	35,0	16,9	12,6 b
Principaux fournisseurs	% imports			
Japon		29,4	31,5	22,1 b
États-Unis		17,8	13,0	18,5 b
CEE / UE		21,6	13,6	19,9 b
Singapour		5,7	8,6	6,3 b
Principaux clients	% exports			
Japon		39,0	49,3	30,3 b
États-Unis		12,4	19,6	14,2 b
CEE / UE		14,9	6,5	14,4 b
Singapour		14,8	11,3	9,2 b

a. Marchandises; b. 1993; c. Non compris produits énergétiques.

Indonésie

ÉCONOMIE

INDICATEUR	UNITÉ		1970	1980	1994
PIB	milliard $		9,44	69,56	137,0 c
Croissance annuelle	%		6,9 a	6,2 b	7,0
Par habitant f	$		259	1 110	3 140 c
Structure du PIB					
Agriculture	%	⎫	44,9	24,0	18,8 c
Industrie	%	⎬ 100 %	18,7	41,7	39,4 c
Services	%	⎭	36,4	34,3	41,8 c
Dette extérieure totale	milliard $		3,0	20,9	89,5 c
Service de la dette/Exportations	%		13,9	13,9	32,6 c
Taux d'inflation	%		12,3	18,5	9,6
Population active	million		45,6	56,3	76,1 c
Agriculture	%	⎫	66,3	57,2	52,9 d
Industrie	%	⎬ 100 %	10,3	13,1	14,1 d
Services	%	⎭	23,4	29,7	33,0 d
Dépenses publiques					
Éducation	% PIB		2,8	1,7	2,2 d
Défense	% PIB		3,1	2,9	1,7
Recherche et développement	% PIB		..	0,3	0,2 g
Énergie					
Consommation par habitant	kg		116	230	383 d
Taux de couverture	%		459,7	386,2	268,9 d

a. 1965-75;   b. 1975-85;   c. 1993;   d. 1992;   e. 1988;   f. A parité de pouvoir d'achat (voir p. 673);   g. 1988.

1993 à la présidence du PDI (Parti démocratique indonésien), dont le fonctionnement apparaissait le plus conforme à celui d'un parti d'opposition. En septembre 1994, une faction dissidente rivale a contesté son autorité, puis, en janvier 1995, certains responsables du PDI ont été accusés d'avoir eu des liens avec l'ancien Parti communiste interdit en 1966 et soumis à une très sanglante répression. Harmoko, ministre de l'Information et président du Golkar, l'organisation gouvernementale, a lancé un avertissement contre le renouveau du communisme. Si le pouvoir n'a pas semblé juger dangereux le sectarisme musulman en plein essor, il a, en revanche, paru craindre beaucoup une éventuelle alliance du NU et du PDI aux élections générales de 1997.

Redémarrage économique

Pour mettre fin à un ralentissement inquiétant des investissements étrangers, Jakarta a pris des mesures incitatives, en juin 1994, levant les dernières restrictions à leur égard. Le résultat a dépassé les espérances : 23,7 milliards de dollars de projets ont été approuvés en 1994, chiffre record — presque le triple de 1993 — qui pourrait être dépassé en 1995. Les investissements intérieurs ont augmenté de 35 % (24 milliards de dollars). Le taux de croissance pour 1994 a été de 7,0 %.

Le budget pour 1995 est resté très «raisonnable» (en augmentation de 7,3 % seulement). Les exportations n'ont crû que de 8,7 % en 1994 — les exportations non pétrolières n'ont augmenté que de 12 %, contre 26,9 % prévus. L'excédent commer-

BIBLIOGRAPHIE

F. CAYRAC-BLANCHARD, *Indonésie, l'armée et le pouvoir. De la révolution au développement*, L'Harmattan, Paris, 1991.

F. CAYRAC-BLANCHARD, « Indonésie. Les classes moyennes s'islamisent », in *L'Islamisme*, La Découverte, « Les Dossiers de L'état du monde », Paris, 1994.

G. DEFERT, *Timor-Est, le génocide oublié, droit d'un peuple et raison d'État*, L'Harmattan, Paris, 1992.

B. DORLÉANS, *L'Indonésie, les incertitudes du décollage*, La Documentation française, Paris, 1992.

F. DURAND, *Les Forêts en Asie du Sud-Est, le cas de l'Indonésie*, L'Harmattan, Paris, 1994.

H. HILL (sous la dir. de), *Indonesia's New Order : the Dynamics of Socio-Economic Transformation*, Allen & Unwin, Sydney, 1994.

« L'Indonésie et son nouvel ordre », *Archipel*, n° 46, Paris, 1993.

D. LOMBARD, *Le Carrefour javanais, essai d'histoire globale*, EHESS, Paris, 1990.

A. SCHWARTZ, *A Nation in Waiting : Indonesia in the 1990s*, Allen & Unwin, Sydney, 1994.

O. SEVIN, *L'Indonésie*, PUF, coll. « Que sais-je ? », Paris, 1993.

M. VATIKIOTIS, *Indonesian Politics under Suharto. Order, Development and Pressure for Change*, Routledge, Londres - New York, 1993.

Voir aussi la bibliographie « Asie du Sud-Est insulaire » dans la section « 38 ensembles géopolitiques ».

cial de 8,1 milliards de dollars a été légèrement inférieur à celui de 1993. La dette étrangère, la troisième du monde après celles du Brésil et du Mexique, atteindra, selon les prévisions, 100 milliards de dollars en 1995. Jakarta a pris des mesures pour réduire l'impact de la hausse du yen japonais (40 % de la dette sont libellés en yens) et de la baisse du dollar (90 % de ses revenus étrangers). Le service de la dette est demeuré élevé (32 % de la valeur des exportations) mais stable, et la remontée du prix du pétrole, en avril 1995, a joué en faveur de l'Indonésie.

L'aide étrangère ne s'est pas démentie : 5,2 milliards de dollars ont été accordés par un consortium international, à Paris en juillet 1994. Un autre facteur favorable a été la poursuite du programme de privatisation des industries d'État. Indosat (télécommunications internationales) a réussi son entrée en bourse, en octobre 1994, rapportant 1,1 milliard de dollars. Telkom devrait suivre.

L'accord, longtemps reporté, avec l'américain Exxon pour l'exploitation du gaz naturel au large des îles Natuna (les plus grandes réserves du monde) a été signé en janvier 1995, sur une base de partage 50/50. Le projet a été estimé à 40 milliards de dollars.

Divers sujets d'inquiétude demeuraient cependant : le prix du riz a fortement augmenté en 1994, risquant de remettre en cause l'auto-suffisance (sécheresse) et de relancer l'inflation. Par ailleurs, de très importants feux de forêt à Sumatra et Kalimantan ont obscurci le ciel jusqu'à Singapour et Kuala Lumpur.

Bien que Jakarta ait procédé à une réduction des tarifs douaniers intra-ANSEA (Association des nations du Sud-Est asiatique) au 1er janvier 1995, il est apparu que le complexe pétrochimique Chandra Asri, contrôlé notamment par Bambang Triamodjo, l'un des fils du président, bénéficierait de mesures protectionnistes (janvier 1995). Quant à l'IPTN (usine aéronautique dirigée par B.J. Habibie), dont le coûteux fleuron qu'est le moyen-porteur à hélice N250 n'a encore rien rapporté, elle a réclamé un financement de 600 millions de dollars pour construire un avion à réaction, le N130, s'attirant à nouveau les foudres du ministère des Finances.

Un succès international mitigé

La réunion de l'APEC (Coopération économique de la zone Asie-Pacifique) en Indonésie, à Bogor (15 novembre), devait consacrer le nouveau rôle international de l'Indonésie. Tous les grands de la région, dont le président américain Bill Clinton, y étaient conviés et les préparatifs logistiques et protocolaires ont été minutieux. Jakarta y a fait adopter le principe du libre-échange dans la déclaration finale. Ce revirement, s'il a satisfait les États-Unis, à quelque peu surpris les autres États, l'Indonésie s'étant montrée jusque-là plutôt protectionniste. En revanche, la manifestation des indépendantistes timorais [voir encadré] réclamant la libération du chef du Fretilin (Front révolutionnaire d'indépendance de Timor oriental), Xanana Gusmao, a compromis l'image triomphante que l'Indonésie voulait donner au monde.

Lors de son entrevue avec Bill Clinton, le 16 novembre, Suharto n'a rien cédé sur la question des droits de l'homme.

L'Indonésie qui, au même moment, voyait reconnaître, conformément à la Convention internationale sur le droit de la mer, son « territoire archipélagique » (3 millions de km² de mers intérieures) s'est efforcée d'amplifier son rôle international. Elle a été élue au Conseil de sécurité de l'ONU pour deux ans, en janvier 1995. Si elle n'a pas réussi à faire l'unanimité au sein du mouvement des non-alignés à propos du TNP (Traité de non prolifération nucléaire), elle s'est prononcée pour son extension limitée, mais renouvelable. Enfin, elle a demandé à la Chine des clarifications concernant ses revendications territoriales en mer de Chine du Sud, dans la région des îles Natuna [voir édition 1995, p. 556].

Jakarta a, en revanche, montré beaucoup de maladresse en tentant d'obliger Manille à interdire une réunion internationale sur Timor oriental, fixée à juin 1994 ; elle est allée jusqu'à agiter la menace de sanctions économiques et la fin de sa mission de bons offices dans les négociations avec les insurgés musulmans de Mindanao du Front moro de libération nationale.

Françoise Cayrac-Blanchard

Nigéria
Un régime isolé

C'est dans un climat tendu que les travaux de la Conférence nationale consultative (NCC) ont débuté à Abuja le 27 juin 1994.

A partir du mois d'avril, le régime du général Sanni Abacha s'était trouvé confronté à un regain de combativité de la part des forces d'opposition, regroupées au sein de la Coalition démocratique nationale (Nadeco) composée de membres des institutions dissoutes par l'armée en novembre 1993 et des partisans de Moshood Abiola, vainqueur de l'élection présidentielle du 12 juin 1993, annulée par les militaires. Alors que les actions de désobéissance civile se multipliaient depuis plusieurs semaines, M. Abiola s'est décidé à défier les militaires le 11 juin 1994, veille du premier anniversaire du scrutin : il s'est proclamé prési-

Nigéria *(Voir aussi tableau p. 387)*

DÉMOGRAPHIE, CULTURE, ARMÉE

INDICATEUR	UNITÉ	1970	1980	1994
Démographie				
Population	*million*	56,58	78,43	111,7 f
Densité	*hab./km²*	61,2	84,9	120,9 f
Croissance annuelle	*%*	3,1 a	3,3 b	3,0 c
Indice de fécondité (ISF)		6,9 a	6,9 b	6,4 c
Mortalité infantile	*%₀*	157,6	118,0	84 c
Espérance de vie	*année*	43,5	47,5	50 c
Population urbaine	*%*	20,0	27,1	38,5
Analphabétisme	*%*	75	65,4	42,9 f
Nombre de médecins	*%₀ hab.*	0,05	0,10	0,17 d
Scolarisation 12-17 ans	*%*	13,9	40	32,0 h
Scolarisation 3e degré	*%*	0,5	2,2	3,7 d
Téléviseurs	*%₀*	1,3	7,0	33 e
Livres publiés	*titre*	1 219 g	2 316	1 562 e
Armée				
Marine	*millier d'h.*	2	8	5
Aviation	*millier d'h.*	3	8	9,5
Armée de terre	*millier d'h.*	180	130	62

a. 1965-75; b. 1975-85; c. 1990-95; d. 1989; e. 1992; f. 1995; g. 1971; h. 1991.

COMMERCE EXTÉRIEUR a

INDICATEUR	UNITÉ	1970	1980	1994
Commerce extérieur	*% PIB*	14,6	23,4	28,8 b
Total imports	*milliard $*	1,1	16,7	7,5 b
Produits agricoles	*%*	9,1	17,6	16,6 b
Minerais et métaux	*%*	2,2	2,4	3,5 c
Produits manufacturés	*%*	83,1	77,4	83,2 c
Total exports	*milliard $*	1,2	25,9	11,6
Pétrole	*%*	58,2	96,9	96,0 b
Cacao	*%*	16,9	1,7	1,9 b
Autres produits agricoles	*%*	19,6	0,6	0,9 b
Principaux fournisseurs	*% imports*			
CEE / UE		58,9	57,9	50,1 b
dont Royaume-Uni		30,7	18,7	14,0 b
PVD		7,4	15,0	24,3 b
Principaux clients	*% exports*			
États-Unis		11,5	38,8	44,1 b
CEE / UE		70,1	38,0	29,7 b
dont Royaume-Uni		28,3	1,2	1,3 b

a. Marchandises; b. 1993; c. 1987.

ÉCONOMIE				
INDICATEUR	**UNITÉ**	**1970**	**1980**	**1994**
PIB	milliard $	9,93	84,43	32,99 c
Croissance annuelle	%	6,8 a	0,3 b	0,6
Par habitant e	$	356	922	1 480 c
Structure du PIB				
Agriculture	% ⎫	41,3	27,4	33,5 c
Industrie	% ⎬ 100 %	13,8	40,3	42,6 c
Services	% ⎭	44,9	32,3	23,9 c
Dette extérieure totale	milliard $	0,6	8,9	32,5 c
Service de la dette/Exportations	%	7,2	4,2	29,4 d
Taux d'inflation	%	13,7	10,0	60,2
Population active	million	23,64	32,09	45,60 c
Agriculture	% ⎫	71,0	68,2	63,7 c
Industrie	% ⎬ 100 %	10,5	11,6	13,2 c
Services	% ⎭	18,5	20,2	23,1 c
Dépenses publiques				
Éducation	% PNB	3,9	6,1 f	1,7 d
Défense	% PNB	9,3	2,0	0,5 c
Énergie				
Consommation par habitant	kg	47	140	207 d
Taux de couverture	%	2 933,3	1 398,2	576,6 d

a. 1965-75;   b. 1975-85;   c. 1993;   d. 1992;   e. A parité de pouvoir d'achat (voir p. 673); f. 1981.

dent de la République fédérale nigériane, tout en annonçant la formation d'un gouvernement d'union nationale et le rétablissement des institutions démocratiques dissoutes à la suite de la prise du pouvoir du général Abacha. Activement recherché par la police, M. Abiola était arrêté et emprisonné le 22 juin suivant, soit trois jours avant la réunion inaugurale de la NCC.

Le jeu d'Abacha

La crédibilité de cette instance a d'emblée paru doublement affectée. Malgré sa vocation à préparer de nouvelles échéances électorales sur les cendres de résultats jugés incontestables à l'époque, sa légitimité démocratique était quasi inexistante : 96 des « constituants » ont été nommés, 273 autres ont été élus, mais au suffrage indirect et après que leurs candidatures ont été jugées recevables par les autorités militaires. La portée des scrutins organisés les 23 et 28 mai 1994 a largement pâti des consignes de boycottage de la Nadeco. La lassitude aidant, le taux moyen de participation a été estimé à seulement 1 % des inscrits.

Les réunions de la NCC ont rouvert des débats datant de la préparation de la Constitution de 1989, suspendue par le régime Abacha sans qu'elle ait jamais été appliquée. L'organisation d'un nouveau recensement a été décidée par la Conférence, celui de 1991 étant désormais jugé inacceptable ; les échanges se sont à nouveau focalisés sur le nombre des partis politiques (rétablissement du multipartisme à la place du bipartisme institutionnel instauré par la Constitution de 1989), l'alternance au pouvoir de dirigeants issus du Nord et du Sud (principe d'une rota-

BIBLIOGRAPHIE

D. C. BACH, J. EGG, J. PHILIPPE (sous la dir. de), *Nigéria, le pouvoir en puissance*, Karthala, Paris, 1988.

D. C. BACH, « Nigéria : le modèle fédéral à bout de souffle », *Politique internationale*, Paris, été 1995 (dans ce même n°, voir aussi «Entretien avec Wole Soyinka »).

CLUB DU SAHEL, *Le Nigéria et les perspectives d'intégration régionale en Afrique de l'Ouest*, Paris, 1994.

T. FORREST, *The Advance of African Capital : the Growth of Nigerian Private Enterprise*, Edinburgh University Press, Édimbourg, 1994.

A. KLEIN, « Trapped in the traffic : Growing Problems of Drug Consumption in Lagos», *The Journal of Modern African Studies*, 32/4 (1994).

J.-F. MÉDARD (sous la dir. de), *États d'Afrique noire*, Karthala, Paris, 1992.

M.-A. PÉROUSE DE MONCLOS, *Le Nigéria*, Karthala, Paris, 1993.

tion de la Présidence et création de plusieurs vice-présidences), la formule de répartition des revenus de la Fédération ou encore la création de nouveaux États...

L'échéancier de la transition initialement annoncé par le général Abacha prévoyait une publication de la nouvelle Constitution et l'autorisation de former de nouveaux partis politiques courant janvier 1995. Ces dispositions n'ont été que partiellement appliquées — l'interdiction des activités politiques a tout de même été levée le 27 juin 1995 —, du fait de l'ampleur des modifications suggérées par les constituants qui, malgré leur pouvoir purement consultatif, se sont révélés totalement inconscient des coûts financiers et des risques d'éclatement de la Fédération engendrés par leurs appétits.

Le 6 décembre 1994, une résolution de la NCC a pris par surprise le régime Abacha en proposant que la date du transfert du pouvoir à un régime civil soit fixée au 1er janvier 1996. En réaction, le 6 janvier 1995, les travaux de l'Assemblée ont été ajournés pour deux mois. Cette suspension, officiellement motivée par le ramadan et la préparation du projet final de la Constitution, a surtout permis aux autorités militaires de conjuguer pressions et promesses pour inciter la Conférence à trouver une date butoir plus acceptable. Cet objectif a été atteint le 24 avril 1995, date de l'adoption d'une résolution qui recommandait un transfert du pouvoir en 1997.

Indépendamment de l'ingérence de l'armée dans les travaux de la NCC, le maintien en détention de M. Abiola et la prétention à tirer un trait sur sa victoire électorale de juin 1993 ont entretenu des tensions récurrentes entre le pouvoir militaire et la société civile. En juillet 1994, le syndicat des travailleurs du gaz et du pétrole, le NUPENG, a pris l'initiative d'un mouvement de grève qui a paralysé une partie de l'activité économique du pays durant sept semaines.

Militarisation du gouvernement

Le général Abacha a réagi par un durcissement de ses positions, malgré les appels à la négociation qui s'exprimaient au sein même des instances gouvernementales. A l'interdiction de publication des journaux du groupe Guardian, le 15 août 1994, ont succédé la dissolution des appareils dirigeants des trois principales centrales syndicales et l'arrestation systématique des personnalités susceptibles de mobiliser l'opposition dans le pays ou à l'étranger.

La lassitude et la répression ont finalement eu raison du mouvement de grève qui a pris fin le 5 septembre 1994. Une « militarisation » des instances de gouvernement est intervenue le 27 septembre 1994, à l'occasion du remaniement du Conseil provisoire de gouvernement (PRC), dès lors exclusivement composé de militaires.

L'arrestation, en février-mars 1995, de plus de 150 officiers a témoigné du malaise au sein même de l'armée. Farouchement niée par l'administration militaire dans un premier temps, l'existence d'un projet de putsch a finalement été reconnue.

A partir de septembre 1994, les trois principaux quotidiens indépendants *Concord*, *Guardian* et *Punch* ont été interdits, la détention préventive sans jugement a été portée à trois mois ; enfin et surtout, l'impossibilité juridique de contester devant les tribunaux les décrets du pouvoir militaire a été réglementée. Minée par cette dernière mesure, l'autorité du pouvoir judiciaire a également été affaiblie par le traitement cavalier réservé par l'administration militaire aux décisions de justice — carrément ignorées dans le cas de la libération sous caution de M. Abiola, qui restait toujours sans jugement un an après son emprisonnement.

Outre le harcèlement des organes de presse indépendants et la répression des manifestations de rue, les arrestations arbitraires de syndicalistes, journalistes, militants des droits de l'homme, écrivains et universitaires se sont multipliées. En mai 1994, l'écrivain Ken Saro-Wiwa, animateur du Mouvement pour la survie du peuple ogoni (Mosop), a ainsi été arrêté et mis au secret dans l'attente d'un procès escamoté qui s'est ouvert à Port Harcourt, en janvier 1995, devant une juridiction d'exception. En novembre 1994, le prix Nobel de littérature Wole Soyinka s'est résolu à quitter clandestinement le pays après la confiscation de son passeport.

Sur le plan international, le régime du général Abacha a vu s'accroître son isolement. Son triste bilan en matière de non-respect des droits de l'homme, sa complaisance envers les narco-trafiquants sont venus aiguiser les critiques de sa politique économique au sein des organisations de Bretton Woods, du Club de Paris et du Club de Londres.

En mars 1995, l'arrestation de personnalités aussi internationalement connues que l'ancien chef de l'État Olusegun Obasanjo (1976-1979) ou son ex-second Yar A'dua n'a pas peu contribué à donner du Nigéria l'image d'un pays de moins en moins fréquentable. L'annonce, le 16 mars, de la décision de la Fédération internationale de football (FIFA) de retirer au Nigéria l'organisation du championnat du monde junior s'est inscrite dans ce contexte.

Une économie en difficulté

Les sept semaines de grève de juillet-août 1994 ont eu pour conséquence la réduction de 20 % de la production pétrolière journalière et un

▼
NIGÉRIA
République fédérale du Nigéria.
Capitale : Abuja.
Superficie : 923 768 km² (1,7 fois la France).
Monnaie : naira (au taux officiel, 1 naira = 0,22 FF au 30.4.95).
Langues : anglais (officielle, utilisée dans tous les documents administratifs) ; 200 langues dont le haoussa (Nord), l'igbo (Est), le yorouba (Ouest).
Chef de l'État (au 15.7.94) : général Sanni Abacha, qui a succédé à Ernest Shonekan (coup d'État du 17.11.93), lequel avait remplacé Ibrahim Babangida (démissionnaire le 26.8.93).
Nature de l'État : république fédérale (30 États).
Nature du régime : militaire ; les partis politiques sont interdits.
Carte : p. 385.
Statistiques : voir aussi p. 386-387.

ralentissement général de la croissance économique estimée à 0,6 % pour l'ensemble de l'année 1994. Après avoir bruyamment annoncé la fin de la politique économique d'ajustement structurel et l'instauration de mesures dirigistes, le général Abacha s'est finalement rendu à l'évidence. Pour l'exercice 1995, il a été mis un terme au contrôle des changes, l'impôt sur le revenu a été allégé, de même que les barrières tarifaires. Le retour à un taux de change flottant de la naira a été autorisé dans le cadre d'un marché financier autonome. Enfin et surtout, le *Nigerian Enterprises Decree* de 1979, qui imposait l'indigénisation de 40 % à 100 % du capital des entreprises établies au Nigéria, a été abrogé, avec l'espoir d'attirer à nouveau les investisseurs étrangers.

Ainsi s'est trouvé remis en question l'un des éléments clés de la politique économique mise en œuvre par les autorités nigérianes dans la foulée du « boom » pétrolier de 1973. Désormais souhaitée par les dirigeants nigérians, la reprise des relations avec le FMI est toutefois restée entravée par la persistance d'importants arriérés (8 milliards de dollars) dans le remboursement d'une dette publique extérieure évaluée à 24,4 milliards de dollars en octobre 1994.

Daniel C. Bach

Pakistan
Escalade dans les violences

L'année 1994, qui s'annonçait comme celle de la stabilité enfin trouvée, a été marquée par une escalade sans précédent des violences confessionnelles et ethniques.

Le gouvernement dirigé par le Parti du peuple pakistanais (PPP), n'étant pas disposé à laisser l'opposition jouer son rôle, Mian Nawaz Sharif, dirigeant de la Ligue musulmane du Pakistan (groupe Nawaz) — PML (N) — et chef de l'opposition à l'Assemblée nationale, a saisi toutes les occasions pour tenter de déstabiliser le Premier ministre Benazir Bhutto (PPP). L'opposition a, entre autres, accusé le président Farooq Ahmed Khan Leghari d'être impliqué dans le scandale du « Mehrangate », où une banque privée (la Mehran) avait fait profiter de ses largesses de nombreux politiciens et militaires de haut rang.

Le mouvement d'agitation lancé en septembre 1994 par M. Nawaz Sharif pour « délivrer le pays d'un gouvernement corrompu et inefficace » n'a pas rencontré le succès escompté. Les nombreuses procédures pour corruption et détournement de fonds publics engagées contre des personnalités de la PML (N) ont une fois de plus démontré que les dirigeants pakistanais étaient souvent motivés par un esprit de vengeance personnelle. Une enquête a été ouverte sur Ittefaq Industries, empire industriel de la famille de Nawaz Sharif, et notamment sur les conditions dans lesquelles de nombreux prêts bancaires lui avaient été accordés. En novembre, Mian Mohammed Sharif, soixante-quinze ans, père du chef de l'opposition, a été accusé d'escroquerie et incarcéré. Des rumeurs ayant fait état de sa mort en détention, le gouvernement s'est empressé de le remettre en liberté.

Les extrémistes religieux de moins en moins contrôlables

En octobre 1994, des membres de tribus pachtou ont lancé un *jihad* (« guerre sainte ») dans les districts de Swat, Malakand et Dir, au nord au pays, pour réclamer l'application de la *charia* (législation islamique), prenant des fonctionnaires en otages et bloquant les routes. Le mouvement a été durement réprimé par les unités paramilitaires des Frontier Corps ; le gouvernement s'est toutefois engagé à appliquer partiellement la *charia* dans cette région.

Les tensions entre sunnites et chiites se sont par ailleurs exacerbées, faisant des dizaines de victimes dans la province du Pendjab et à Karachi. En mai 1994, les députés du Sipah-e Sahaba Pakistan (SSP, Armée des compagnons du Prophète), organisation extrémiste sunnite liée au Jamiat-e Ulama-e Islam (JUI, Rassemblement des oulémas de l'islam), ont déposé une proposition de loi visant à faire de la communauté chiite une minorité non musulmane. Le SSP a lancé de nombreuses attaques contre des mosquées chiites ; une organisation extrémiste chiite, le Sipah-e Mohammad Pakistan (SMP, Armée du Prophète), a riposté en attaquant les mosquées sunnites. Le gouvernement a annoncé, en février 1995, son intention d'interdire ces organisations extrémistes.

La situation n'a cessé de se dégrader à Karachi. Alors que l'armée tentait de maintenir l'ordre, des factions rivales du Muhajir Qaumi Movement (MQM, Mouvement national muhajir), parti des musulmans venus de l'Inde après la partition du sous-continent en 1947, s'affrontaient dans les rues de la ville. Altaf Hussain, dirigeant de la faction dominante du MQM, réfugié à Londres, a appelé à la création d'une province séparée pour les Muhajirs. Selon les chiffres officiels, quelque 700 personnes ont trouvé la mort en 1994. Le retrait de l'armée, en décembre 1994, a été suivi d'un bain de sang : on a recensé plus de 400 morts entre janvier et mars 1995. Enfin, le 5 février 1995, onze militants au moins du Harkat-ul Ansar (Mouvement des partisans), organisation cachemirie, ont été abattus à Karachi ; la responsabilité de ces homicides a été attribuée directement à New Dehli.

▼

PAKISTAN

République islamique du Pakistan.

Capitale : Islamabad.

Superficie : 803 943 km² (1,47 fois la France).

Monnaie : roupie (au taux officiel, 100 roupies = 15,9 FF au 30.4.95).

Langues : ourdou, anglais (officielles) ; pendjabi, sindhi, pashtou, baloutchi.

Chef de l'État : Farooq Ahmed Khan Leghari, président de la République depuis le 13.11.93.

Premier ministre : Benazir Bhutto, depuis le 19.10.93.

Nature de l'État : république islamique.

Nature du régime : semi-présidentiel.

Principaux partis politiques : *Partis laïques :* Parti du peuple pakistanais (PPP, social-démocrate), dirigé par Benazir Bhutto ; Parti national du peuple (NPP, socialiste), dirigé par Ghulam Mustapha Jatoi ; Ligue musulmane du Pakistan (PML, libérale) : faction (N) dirigée par Mian Nawaz Sharif, faction (J) dirigée par Hamid Nasir Chatha. *Partis régionaux : baloutche :* Jamboori Watan Party (JWP), dirigé par Salim Akbar Bugti ; *pathan :* Parti national Awami (ANP), dirigé par Khan Abdul Wali Khan ; Parti national populaire pachtou (PKMAP), dirigé par Mahmood Khan Achakzai ; *immigrés indiens musulmans dans le Sind :* Mouvement national mohadjir (MQM), dirigé par Azim Ahmad Tariq. *Partis de religieux :* Rassemblement des oulémas de l'islam (JUI), dirigé par Maulana Fazlur Rehman ; Rassemblement des oulémas du Pakistan (JUP), dirigé par Maulana Shah Ahmed Nourani. *Partis religieux :* Jamaat-e Islami (JI, fondamentaliste sunnite), dirigé par Qazi Hussain Ahmad ; Mouvement djafarite du Pakistan (TJP), dirigé par Allama Sajid Naqvi.

Territoire à souveraineté contesté : anciennes principautés de Junagadh et de Jammu et Cachemire, toutes deux revendiquées aussi par l'Inde.

Carte : p. 461.

Statistiques : voir aussi p. 460.

Pakistan *(Voir aussi tableau p. 460)*

DÉMOGRAPHIE, CULTURE, ARMÉE

INDICATEUR	UNITÉ	1970	1980	1994
Population	*million*	65,7	85,3	140,5 [f]
Densité	*hab./km²*	81,7	106,1	174,8 [f]
Croissance annuelle	*%*	2,7 [a]	3,2 [b]	2,8 [c]
Indice de fécondité (ISF)		7,0 [a]	7,0 [b]	6,2 [c]
Mortalité infantile	*%₀*	142,4	124,5	91 [c]
Espérance de vie	*année*	46,0	49,0	62 [c]
Population urbaine	*%*	24,9	28,1	34,1
Analphabétisme	*%*	79,0	72,9	62,2 [f]
Nombre de médecins	*%₀ hab.*	0,26	0,29	0,50 [g]
Scolarisation 12-17 ans	*%*	10,2	11,2	17,0 [h]
Scolarisation 3e degré	*%*	2,3	2,0	2,8 [d]
Téléviseurs	*%₀*	1,5	11	18 [e]
Livres publiés	*titre*	1 744	1 279	..
Armée				
Marine	*millier d'h.*	10	13	22
Aviation	*millier d'h.*	17	17,6	45
Armée de terre	*millier d'h.*	278	408	520

a. 1965-75; b. 1975-85; c. 1990-95; d. 1989; e. 1992; f. 1995; g. 1991; h. 1990.

COMMERCE EXTÉRIEUR [a]

INDICATEUR	UNITÉ	1970	1980	1994
Commerce extérieur	*% PIB*	10,8	16,8	15,0
Total imports	*milliard $*	0,68	5,35	8,73
Produits agricoles	*%*	24,5	16,4	17,7 [c]
Produits énergétiques	*%*	6,5	27,0	17,1 [c]
Produits manufacturés	*%*	66,1	54,0	62,0 [c]
Total exports	*milliard $*	0,69	2,62	7,22
Produits agricoles	*%*	40,8	44,0	14,0 [c]
Minerais et métaux [b]	*%*	0,7	0,4	0,2 [c]
Produits manufacturés	*%*	57,2	48,2	84,7 [c]
Principaux fournisseurs	*% imports*			
États-Unis		28,4	14,1	9,3 [c]
PVD		10,6	46,6	44,9 [c]
CEE / UE		29,9	21,9	22,8 [c]
Japon		10,9	10,3	15,7 [c]
Principaux clients	*% exports*			
Japon		5,9	7,8	7,2 [c]
États-Unis		11,7	5,3	14,5 [c]
CEE / UE		25,6	19,8	30,0 [c]
PVD		31,5	59,3	40,5 [c]

a. Marchandises; b. Non compris produits énergétiques; c. 1993.

Pakistan

ÉCONOMIE				
INDICATEUR	**UNITÉ**	**1970**	**1980**	**1994**
PIB	milliard $	10,30	23,95	53,25 d
Croissance annuelle	%		3,6 a	6,3 b	4,1
Par habitant g	$		386	949	2 110 d
Structure du PIB				
Agriculture	%		36,8	29,5	24,8 d
Industrie	%	100 %	22,3	24,9	25,3 d
Services	%		40,8	45,6	49,9 d
Dette extérieure totale	milliard $	3,1	9,9	26,1 d
Service de la dette/Exportations	%	21,7	16,9	24,7 d
Taux d'inflation	%	5,2	11,9	14,3
Population active	million	19,3	25,4	36,8 d
Agriculture	%		58,9	54,6	48,2 d
Industrie	%	100 %	18,7	15,7	19,5 d
Services	%		22,4	29,7	32,3 d
Dépenses publiques				
Éducation	% PIB	1,7	2,0	2,7 c
Défense	% PIB	6,3	6,4	6,9 d
Recherche et développement	% PIB	..	..	0,1 h
Énergie				
Consommation par habitant	kg	172	194	299 e
Taux de couverture	%	25,8	68,1	70,7 e

a. 1965-75;   b. 1975-85;   c. 1991;   d. 1993;   e. 1992;   f. 1975;   g. A parité de pouvoir d'achat (voir p. 673);   h. 1987.

Nécessité d'une diplomatie active

Comme en 1993, B. Bhutto a déployé une activité intense au niveau international. Les relations avec les États-Unis se sont améliorées, bien que le Pakistan n'ait pas changé sa position officielle sur la question nucléaire, insistant sur le fait qu'il ne renoncerait à l'option nucléaire que si l'Inde en faisait autant. L'extradition aux États-Unis de Ramzi Youssef, l'un des auteurs présumés de l'attentat perpétré en février 1993 contre le World Trade Center à New York et qui avait été arrêté au Pakistan, a été interprétée comme un geste de bonne volonté avant la visite de B. Bhutto à Washington en avril 1995. Suite à cela, un attentat a été commis à Karachi, le 8 mars 1995, qui a coûté la vie à deux diplomates américains. Ce voyage de B. Bhutto n'a pas permis de trouver une solution pour les 22 avions F-16 commandés et payés par le Pakistan mais maintenus sous embargo, l'amendement Pressler — adopté en 1990 et conditionnant l'octroi de toute aide américaine à la certification par le président américain au Congrès que le Pakistan n'a pas l'arme nucléaire — restant en vigueur.

La tension est restée très vive entre l'Inde et le Pakistan à propos du Cachemire, région frontalière que les deux États se disputent. B. Bhutto a poursuivi ses efforts en vue d'internationaliser ce problème sans toutefois y parvenir. Le Pakistan n'a pu trouver un seul allié aux Nations unies, même parmi les pays musulmans, pour soutenir un projet de résolution sur le sujet. Soucieux d'améliorer ses relations avec Mos-

BIBLIOGRAPHIE

R. Akhtar, *Pakistan Yearbook*, East & West Publishing Co., Karachi-Lahore.

J.-J. Boillot, A. Krieger-Krynicki, « Le Pakistan : les turbulences de l'État des Purs », *Notes et études documentaires*, n° 4918, La Documentation française, Paris, 1990.

G. Étienne, *Le Pakistan, don de l'Indus : économie et politique*, PUF, Paris, 1989.

M. Pochoy, *Le Pakistan, l'océan Indien et la France*, dossier n° 38, FEDN, Paris, 1991.

M. Pochoy, « Pakistan. "République islamique" » *in L'Islamisme*, La Découverte, « Les Dossiers de L'état du monde », Paris, 1994.

H.A. Rizvi, *Pakistan and the Geostrategic Environment. A Study of Foreign Policy*, St. Martin's Press, New York, 1993.

Voir aussi la bibliographie « Inde et périphérie » dans la section « 38 ensembles géopolitiques ».

cou et d'obtenir du matériel militaire russe, Islamabad a accueilli, en octobre 1994, des négociations entre le gouvernement tadjik, soutenu par la Russie, et les factions aidées par l'Afghanistan pour tenter de mettre un terme à la guerre civile au Tadjikistan. Aucune solution ne semblait toutefois en vue.

Les « taliban », pièce stratégique d'Islamabad dans le jeu afghan

La poursuite de la guerre civile en Afghanistan, qui a entraîné la fermeture de l'ambassade du Pakistan à Kaboul au début de 1994, a désespéré Islamabad. Bien que la frontière ait été fermée au début de 1994, de très nombreux réfugiés afghans, fuyant les combats, qui continuaient de faire rage à Kaboul, sont entrés au Pakistan.

La lutte pour le pouvoir entre les factions de *mudjaheddin* empêchait l'accès routier aux républiques ex-soviétiques d'Asie centrale. Or, depuis 1991, les Pakistanais rêvent d'une sphère d'influence naturelle comprenant la Turquie, l'Iran, l'Afghanistan et les républiques d'Asie centrale, qui permettrait de renouer les liens commerciaux et culturels traditionnels et de contre-balancer les visées hégémoniques de l'Inde dans la région. C'est pour permettre la réalisation de ces ambitions commerciales que le ministre de l'Intérieur Naseerullah Babar a fait une tournée en Afghanistan en septembre 1994. Il a notamment inauguré un consulat pakistanais à Herat. B. Bhutto s'est, pour sa part, rendue en octobre 1994 au Turkménistan où elle a rencontré deux leaders d'Afghanistan : le général Rashid Dustom, chef de la faction ouzbèke, et Ismaïl Khan, gouverneur de la province de Herat, qui lui ont donné des assurances quant à la sécurité des routes qu'ils contrôlent et à leur ouverture au commerce pakistanais.

Au début de novembre 1994, un convoi de 30 camions pakistanais a tenté d'ouvrier une route à partir de Quetta et de Chaman vers Kandahar et Herat pour rejoindre les républiques d'Asie centrale. Ce convoi, dans lequel figuraient une quarantaine de militaires pakistanais, a été intercepté par des groupes de *mudjaheddin*. Quelque 2 500 Afghans bien armés — les *taliban* (« étudiants en théologie ») — sont intervenus et ont libéré le convoi.

Une grande partie des taliban ont été formés dans les *madrasa* (écoles religieuses) du JUI au Baloutchistan et dans la Province de la frontière du Nord-Ouest (NWFP). Le JUI, adversaire du Jamaat-e Islami, parti fondamentaliste qui avait eu les faveurs du général Mohammad Ziaul Haq (au pouvoir de 1977 à 1988) et influencé la politique afghane du Pakistan, s'est trouvé propulsé en situation de définir cette politique et de prendre le dessus sur son rival. En marquant ses distances par rapport au Jamaat-e Islami, l'armée pakistanaise a semblé renforcer le nationalisme pachtou et vouloir créer un *leadership* de rechange en Afghanistan.

La situation économique s'est quant à elle quelque peu améliorée. Le déficit budgétaire, qui était considérable lors de l'accession au pouvoir de B. Bhutto, en octobre 1993, a été fortement réduit. Les crédits alloués aux programmes de développement — et notamment aux infrastructures — ont été augmentés de 20 % dans le budget 1994-1995, les crédits de la santé et ceux de l'éducation bénéficiant respectivement d'une augmentation de 190 % et de 45 % par rapport à l'exercice précédent.

La privatisation des entreprises du secteur public s'est poursuivie. Par ailleurs, des contrats portant essentiellement sur des projets énergétiques ont été signés avec des investisseurs privés originaires des États-Unis, de Hong Kong et de Corée du Sud.

Mariam Abou Zahab

(Voir aussi l'article sur le Cachemire p. 96.)

Canada
« Statu quo » politique

La tenue éventuelle d'un référendum sur la souveraineté du Québec a encore gagné en actualité avec les élections législatives organisées dans la province francophone, le 12 septembre 1994.

En 1982, le Canada avait retiré au Parlement britannique le contrôle de la formule d'amendement de sa propre Constitution, tout en la bonifiant d'une Charte des droits et libertés. Cette réforme avait été l'œuvre du Premier ministre Pierre Elliott Trudeau (1968-1979, puis 1980-1984), qui aura profondément marqué la vie politique du pays. Le Québec, seule province à majorité francophone, n'avait cependant pas signé la Loi constitutionnelle, considérant qu'elle portait atteinte à ses pouvoirs dans les secteurs essentiels de la langue et de l'éducation. Fort de l'appui de neuf provinces sur dix, soutenu par la très grande majorité des représentants québécois au Parlement fédéral, P. Trudeau avait obtenu la confirmation de la légalité de la réforme par la Cour suprême en décembre 1982, huit mois après l'entrée en vigueur de la Loi constitutionnelle.

Les successeurs de P. Trudeau et de René Lévesque (qui avait dirigé la province de Québec de 1976 à 1985) ont consacré le meilleur de leur énergie à des négociations visant notamment à conférer au Québec une place satisfaisante dans la symbolique et les institutions de la Fédération. Le système politique canadien s'est toutefois réorienté en 1993, avec l'arrivée au pouvoir du Parti libéral dirigé par Jean Chrétien, lequel a nié l'existence même de tout problème constitutionnel, et avec la montée du Bloc québécois, avec à sa tête Lucien Bouchard, mouvement qui a obtenu le statut d'opposition officielle pour défendre la cause de la souveraineté du Québec.

La stratégie du nouveau gouvernement québécois

Le principal événement de l'année 1994, le scrutin législatif du 12 sep-

Canada

OCÉAN GLACIAL ARCTIQUE

Terre Ellesmere

MER DE BEAUFORT

ALASKA (ÉTATS-UNIS)

Iles de la Reine Élisabeth

Sachs Harbour
Inuvik
Dawson

T. de Banks
Resolute
BAIE DE

TERRITOIRE DU YUKON
Whitehorse

Gd Lac de l'Ours
Terre Victoria
DISTRICT DE FRANKLIN
Mary River
Terre de

Mackenzie

TERRITOIRES DU NORD-OUEST

DISTRICT DE MACKENZIE
Hay River
Yellowknife

COLOMBIE BRITANNIQUE
Fort-Nelson

Gd Lac des Esclaves

DISTRICT DE KEEWATIN

Coral Harbour
Détroit

I. Graham
I. Moresby
Dawson Creek

Peace River
Lac Athabasca

Rankin Inlet

Prince George

ALBERTA
Athabasca

BAIE D'HUDSON

Inukjuak

Victoria
Vancouver

Edmonton
SASKATCHEWAN
MANITOBA

Churchill

Ile de Vancouver

Calgary
Saskatoon
Lac Winnipeg

ONTARIO

Baie James

Regina
Winnipeg
Red Lake

Eastmain
Moosonee

ÉTATS-UNIS

Thunder Bay
Lac Supérieur

Sault Ste-Marie

1 – ILE DU PRINCE ÉDOUARD
2 – NOUVEAU-BRUNSWICK

Lac Michigan

Toronto
Hamilton
L. Ontario
L. Érié

1 000 km

234

© Éditions La Découverte

tembre 1994 au Québec, a accentué ce phénomène. Le Parti québécois (44,7 % des suffrages) s'y est imposé de justesse devant le Parti libéral (44,3 % des voix). Pour apprécier la portée de tels résultats, il faut se rappeler que l'équipe libérale était usée par une décennie au pouvoir, et qu'elle avait perdu plusieurs de ses grands leaders (Lise Bacon, Claude Ryan). Le Parti québécois a fait élire 77 de ses candidats, tandis que les libéraux ont conservé 47 circonscriptions. Un troisième parti est entrée à l'Assemblée nationale, l'Action démocratique, fondée par Jean Allaire et les transfuges du Parti libéral et dirigée par Mario Dumont (vingt-quatre ans), élu dans

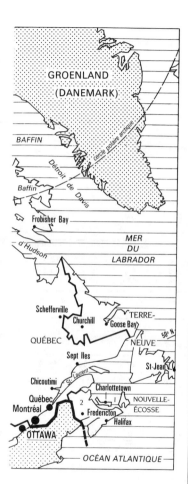

Rivière-du-Loup. Les résultats obtenus par cette formation ont pu paraître humbles — un élu, avc 6,5 % des voix —, mais dans le contexte d'un éventuel référendum sur la souveraineté, un parti jouant la carte du nationalisme modéré, et dirigé de surcroît par un très jeune chef pourrait peser dans le jeu politique.

▼

CANADA

Canada.

Capitale : Ottawa.

Superficie : 9 976 139 km² (18,2 fois la France).

Monnaie : dollar canadien (1 dollar canadien = 3,60 FF ou 0,74 dollar des États-Unis au 11.7.95).

Langues : anglais et français (officielles).

Chef de l'État : reine Elizabeth II, représentée par un gouverneur général. Le pouvoir exécutif est assuré par le Premier ministre.

Chef du gouvernement : Jean Chrétien, Premier ministre, qui a succédé à Kim Campbell le 5.11.93, laquelle avait elle-même remplacé Brian Mulroney le 25.6.93.

Échéances électorales : législatives au niveau fédéral à l'automne 97 ; législatives en Colombie britannique à l'automne 1995.

Nature de l'État : fédération (10 provinces et 2 territoires). Au gouvernement fédéral existent deux chambres (Chambre des communes, élective ; Sénat dont les membres sont nommés par le gouvernement). Les deux provinces les plus importantes, l'Ontario et le Québec, regroupent 63 % de la population canadienne.

Nature du régime : démocratie parlementaire.

Principaux partis politiques : *Au niveau fédéral et provincial :* Parti progressiste conservateur (conservateur) ; Parti libéral ; Nouveau parti démocratique (social-démocrate). *Au niveau fédéral seulement :* Reform Party (très conservateur) ; Bloc québécois, présent au Québec seulement (souverainiste). *Au niveau provincial seulement :* Parti québécois et Parti action démocratique (Québec).

Statistiques : voir aussi p. 516.

Canada *(Voir aussi tableau p. 516)*

DÉMOGRAPHIE, CULTURE, ARMÉE

INDICATEUR	UNITÉ	1970	1980	1994
Démographie				
Population	million	21,3	24,0	29,5 e
Densité	hab./km²	2,1	2,4	3,0 e
Croissance annuelle	%	1,4 a	1,1 b	1,2 c
Indice de fécondité (ISF)		2,2 a	1,7 b	1,9 c
Mortalité infantile	%₀	19,0	10,4	7 c
Espérance de vie	année	72,6	75,1	77 c
Population urbaine	%	75,7	75,7	76,6
Culture				
Nombre de médecins	%₀ hab.	1,46	1,8	2,2 h
Scolarisation 2e degré f	%	65	89	107 d
Scolarisation 3e degré	%	34,6	55,5	98,8 d
Téléviseurs	%₀	333	443	640 d
Livres publiés	titre	3 457	19 063	••
Armée				
Marine	millier d'h.	17,0	5,3 g	12,5 g
Aviation	millier d'h.	41,0	15,3 g	20,6 g
Armée de terre	millier d'h.	35,4	12,7 g	20,0 g

a. 1965-75; b. 1975-85; c. 1990-95; d. 1992; e. 1995; f. 12-17 ans; g. Services communs non ventilés; h. 1991.

COMMERCE EXTÉRIEUR a

INDICATEUR	UNITÉ	1970	1980	1994
Commerce extérieur	% PIB	18,2	24,6	29,0
Total imports	milliard $	14,3	62,5	147,8
Produits agricoles	%	11,0	9,2	7,6
Produits énergétiques	%	5,6	12,1	3,5
Minerais et métaux	%	3,8	4,8	2,7 b
Total exports	milliard $	16,7	67,7	165,8
Produits agricoles	%	22,2	22,8	16,4
Produits énergétiques	%	6,0	14,5	9,7
Minerais et métaux	%	20,4	13,4	6,0 b
Principaux fournisseurs	% imports			
États-Unis		68,6	67,5	67,6
Japon		4,0	3,9	5,6
CEE / UE		11,4	8,1	9,7
Principaux clients	% exports			
États-Unis		62,3	60,6	81,7
Japon		4,6	5,5	4,3
CEE / UE		16,1	12,4	5,4

a. Marchandises; b. 1993.

ÉCONOMIE				
INDICATEUR	**UNITÉ**	**1970**	**1980**	**1994**
P N B	milliard $	82,7	257,5	541,5
Croissance annuelle	%	4,8 a	3,1 b	4,5
Par habitant f	$	4 168	11 509	20 257
Structure du P I B				
Agriculture	% ⎫	4,4	4,1	2,2 c
Industrie	% ⎬ 100 %	36,5	36,2	32,5 c
Services	% ⎭	59,1	59,6	65,3 c
Taux d'inflation	%	3,3	10,2	0,2
Population active	million	8,5	11,6	14,9
Agriculture	% ⎫	7,6	5,4	4,3
Industrie	% ⎬ 100 %	30,9	28,5	21,7
Services	% ⎭	61,4	66,0	74,0
Chômage	%	5,6	7,4	9,5
Dépenses publiques				
Éducation	% PIB	8,9	7,0	7,6 c
Défense	% PIB	2,4	1,9	1,5
Recherche et Développement	% PIB	1,2	1,2	1,48
Aide au développement	% PIB	0,41	0,50	0,45 d
Administrations publiques				
Solde g	% PIB	0,8	− 2,8	− 1,3
Dette brute	% PIB	51,9	44,7	95,6
Énergie				
Consommation par habitant	kg	8 864	10 592	10 965 c
Taux de couverture	%	108,6	110,5	138,7 c

a. 1965-75; b. 1975-85; c. 1992; d. 1993; e. En décembre; f. A parité de pouvoir d'achat (voir p. 673); g. Capacité ou besoin de financement.

En dépit de sa très courte victoire, le nouveau Premier ministre du Québec, Jacques Parizeau (soixante-quatre ans), a immédiatement lancé son gouvernement sur le terrain référendaire. Toutefois, contrairement à ce qui était prévu dans le programme de son parti, il a renoncé à l'idée de la mise en place d'une commission constitutionnelle et d'une déclaration solennelle de souveraineté à l'Assemblée nationale (le scénario slovaque de 1992). Il a préféré déposer à l'Assemblée, le 6 décembre 1994, un avant-projet de loi sur la souveraineté, dont les grands traits étaient les suivants : définition générale de la souveraineté (compétence de voter des lois, de lever des impôts, de signer des traités), maintien comme monnaie du dollar canadien et de l'union économique en place, protection des droits historiques de la minorité anglophone et des peuples autochtones, mise sur pied d'une série de commissions régionales visant à consulter la population, proclamation de la souveraineté un an après la tenue d'un référendum.

Le référendum reporté à l'automne

Avec la création des commissions régionales, le gouvernement souhaitait provoquer une vaste mobilisation populaire en faveur de son projet. Ce plan a été contrarié par divers facteurs : l'équipe ministérielle a fait plusieurs faux pas dans la gestion des

BIBLIOGRAPHIE

L. BOUCHARD, *A visage découvert*, Boréal, Montréal, 1992.

A. BURELLE, *Le Mal canadien. Essai de diagnostic et esquisse de thérapie*, Fides, Montréal, 1994.

J. CARENS, *Is Quebec Nationalism Just? Perspectives from Anglophone Canada*, McGill-Queen's University Press, Montréal-Kingston, 1995.

M. IGNATIEFF, «Québec : la société distincte, jusqu'où ?» *in* J. RUPNIK (sous la dir. de), *Le Déchirement des nations*, Seuil/CERI, Paris, 1995.

G. LAFOREST, *De la prudence, textes politiques*, Boréal, Montréal, 1993.

D. LATOUCHE, *Plaidoyer pour le Québec*, Boréal, Montréal, 1995.

J.-F. LISÉE, *Le Tricheur. Robert Bourassa et la politique québécoise, 1990-1991*, Boréal, Montréal, 1994.

D. TARAS, B. RASPORICH et E. MANDEL (sous la dir. de), *A Passion for Identity. An Introduction to Canadian Studies*, Nelson Canada, Toronto, 1993.

C. TAYLOR, *Rapprocher les solitudes. Écrits sur le fédéralisme et le nationalisme au Canada*, Presses de l'Université Laval, Sainte-Foy, 1992.

P.E. TRUDEAU, *Le Fédéralisme et la Société canadienne-française*, HMH, Montréal, 1967.

R. YOUNG, *La Sécession du Québec et l'avenir du Canada*, Presses de l'Université Laval, Sainte-Foy, 1995.

affaires courantes, minant ainsi le climat de confiance dont elle avait tant besoin ; le plus populaire des ténors souverainistes, Lucien Bouchard, a dû quitter la vie publique pendant quatre mois à cause d'une infection rare et extrêmement grave (il a été amputé de sa jambe gauche) ; la situation économique est restée très difficile, avec un taux de chômage dépassant 12 % et un endettement public dépassant celui des autres provinces du Canada ; enfin, éclatées et sans direction, les commissions régionales ont permis l'expression des grognes les plus diverses plutôt que le développement d'une réflexion rigoureuse sur la création d'un pays.

Sentant qu'au printemps 1995 la victoire lui aurait échappé, J. Parizeau a préféré reporter la tenue du référendum à l'automne. Remis de sa maladie, L. Bouchard a imposé à ses partenaires un virage entraînant l'inclusion d'un projet d'union politique — et non plus seulement économique — entre le Québec et la Fédération dans la formulation de la question référendaire.

Si une certaine lassitude a semblé s'emparer de l'opinion québécoise, dans le reste du Canada, la rhétorique souverainiste a été de moins en moins comprise. La réforme de 1982 a, en effet, suscité un authentique patriotisme constitutionnel dans certaines couches de la population (communautés linguistiques minoritaires, groupes ethniques, régions économiquement défavorisées, groupes féministes...).

Le problème de la dette et des finances publiques

Hors la question québécoise, le débat public canadien a continué d'être dominé par les problèmes du déficit public et de la gestion des finances. La dette du gouvernement fédéral a approché 550 milliards de dollars canadiens (750 milliards avec la dette des provinces, dépassant ainsi le montant du PNB). Sur chaque dollar de recettes fiscales, près de la moitié sert ainsi à payer les intérêts de la dette.

Il a été prévu, en 1994, de réduire le déficit public annuel de 34 milliards de dollars canadiens en 1993 à 25 milliards en 1997. La tendance a effectivement pu être inversée, mais bien timidement. Le Parti libéral a hésité à «sabrer» dans des programmes sociaux constituant la «différence canadienne» en Amérique du Nord. Après avoir annoncé, en octobre 1994, une vaste réforme du système de sécurité sociale (assurance chômage, bien-être et éducation post-secondaire), le ministre fédéral des Ressources humaines, Lloyd Axworthy, a dû surseoir à des velléités de décentralisation et revoir tout l'exercice. Les décisions difficiles ont ainsi été reportées.

La palme de la rigueur budgétaire est revenue en 1994 à l'ouest du pays, et notamment à l'Alberta qui a présenté un budget sans impasse, remboursé une fraction de sa dette et démantelé une part importante de l'administration gouvernementale. Le nombre des allocataires du bien-être social a été réduit de moitié. Les réformes albertaines ont exercé un effet d'entraînement sur le reste du pays. Deux administrations provinciales résistaient encore à ce mouvement, et non des moindres : l'Ontario et le Québec, les deux plus imposantes. La victoire des conservateurs menés par Mike Harris aux élections législatives ontariennes du 8 juin 1995 menaçait cependant d'isoler le Québec sur ce front. Dans la province francophone, le gouvernement de J. Parizeau cherchait, en effet, à se ménager le soutien des syndicats et des bénéficiaires de l'État-providence pour mener à bien sa démarche souverainiste.

Dans un scénario d'indépendance, J. Parizeau a confirmé que le Québec assumerait sa part du déficit fédéral (environ 130 milliards de dollars canadiens). Ses adversaires politiques ont fait valoir que si la sécession était accompagnée de coûts de transition importants et d'une détérioration de la situation économique (une probabilité à leurs yeux), la situation du Québec deviendrait catastrophique. L'hypothèque de la dette publique est ainsi apparue pouvoir jouer contre les promoteurs du changement constitutionnel.

La diplomatie d'une «puissance moyenne»

Vis-à-vis d'un référendum sur la souveraineté au Québec, le gouvernement fédéral a choisi d'adopter une attitude attentiste, mais, en revanche, en matière de politique étrangère, il a redoublé d'initiatives. J. Chrétien a mené d'importantes délégations commerciales en Chine et en Amérique latine. Il a également participé au «sommet» des Amériques, à Miami, en décembre 1994. Beaucoup d'énergie a également été consacrée à la préparation de la rencontre du G-7 (Groupe des sept pays les plus industrialisés) en juin 1995 à Halifax (province de Nouvelle-Écosse). Lors de cette rencontre, J.Chrétien a cherché à convaincre ses partenaires de l'urgence d'une réforme du système financier international pour éviter une nouvelle crise semblable à celle provoquée par la chute du peso au Mexique en janvier 1995, qui a jeté un peu d'ombre sur les accords de l'ALENA (Accord de libre-échange nord-américain) entre les trois partenaires d'Amérique du Nord. Le message envoyé aux Canadiens, et surtout aux Québécois, a paru très clair : puissance moyenne, le Canada pèse néanmoins un poids non négligeable à l'échelle internationale.

Plusieurs indicateurs économiques ont donné des signaux plutôt positifs : en 1994, l'inflation a été à peu près nulle, le chômage est tombé sous la barre des 10 %, la croissance a atteint 4,5 %. Malheureusement, l'importance de la dette portait ombrage à ces résultats. Et lorsque, en 1994, le dollar canadien a été tiré vers le bas par le dollar américain face aux devises fortes tels le mark et le yen, le problème a fini par obnubiler toute la classe politique.

Guy Laforest

L'anti-héros de la pensée unique

La troisième tentative aura été la bonne. A l'issue des élections au suffrage universel des 23 avril et 7 mai 1995, Jacques Chirac (droite), qui avait échoué en 1981 et en 1988, est devenu président de la République. Il a donc succédé, le 17 mai, au socialiste François Mitterrand, lequel a fini son second septennat malgré un grand affaiblissement dû à la maladie.

Jusqu'au début de l'année 1995, les sondages indiquaient que J. Chirac était très nettement dominé dans les faveurs des électeurs par le Premier ministre Édouard Balladur. Situation inédite, les deux hommes étaient issus du même parti, le RPR (Rassemblement pour la République), fondé en 1976 par J. Chirac et lointain héritier du courant jadis incarné par le général de Gaulle.

Après l'écrasante victoire de la droite aux élections législatives de mars 1993, É. Balladur était devenu Premier ministre en plein accord avec J. Chirac pour, théoriquement, libérer ce dernier de la charge du gouvernement — cela avait été l'une des causes de son échec de 1988 — et lui laisser les coudées franches. Pendant des mois, E. Balladur a connu une exceptionnelle popularité. Peu à peu, ses ambitions se sont dessinées et nombre de dirigeants des partis de droite se sont placés dans son sillage, notamment les démocrates-chrétiens et la plupart des libéraux, mais aussi, après hésitation, beaucoup de responsables du RPR, au premier rang desquels le ministre de l'Intérieur, Charles Pasqua. Allait-on assister à un scrutin fratricide ?

Le nouveau Chirac

A l'automne, la rumeur se répandit que Jacques Delors, le président de la Commission européenne, socialiste, se portait candidat. Les enquêtes d'opinion le placèrent aussitôt en vainqueur putatif. Le 11 novembre, il renonçait pourtant à se présenter. Le candidat du Parti socialiste —

Lionel Jospin, ancien ministre de l'Éducation (1988-1993) —, fut finalement désigné par un vote des militants. Contre toute attente, après la cuisante défaite du PS aux élections législatives de 1993, ce dernier arriva en tête au premier tour, avec 23,3 % des suffrages exprimés, tandis que J. Chirac coiffait de peu É. Balladur pour la deuxième place (20,8 % contre 18,6 %). Jean-Marie Le Pen (Front national, extrême droite) recueillit quant à lui 15,0 % des voix, et Robert Hue (Parti communiste), 8,6 %. Au second tour, J. Chirac l'emporta avec 52,6 %, contre 47,4 % à Lionel Jospin.

Outre la confirmation de l'enracinement inquiétant de l'extrême droite, pour une large part expression d'une anxiété diffuse devant un avenir incertain porteur de possibles déclassements sociaux, l'élection présidentielle aura apporté au moins deux enseignements majeurs. D'une part, le score honorable enregistré par le candidat socialiste a montré que le rejet du « socialisme de gouvernement » tel qu'il a été pratiqué sous les septennats Mitterrand ne signifiait pas, pour une fraction significative de l'opinion, renoncement à certaines valeurs sociales et citoyennes traditionnellement associées à l'identité de gauche. L. Jospin s'est posé en candidat à la rénovation de ce courant, souhaitant procéder à l'inventaire de l'héritage mitterrandien.

D'autre part, après douze ans d'orthodoxie financière au nom de laquelle les Français ont été priés d'intérioriser les contraintes gestionnaires de l'État, il est apparu que l'esprit d'utopie restait vivace. En a témoigné le « miracle Chirac ». Cet homme qui s'était, selon les périodes, réclamé de l'héritage gaulliste traditionnel, ou d'un « travaillisme à la française », ou encore du néolibéralisme à la Reagan, aura en quelques semaines réussi à convaincre nombre d'électeurs qu'il avait radicalement changé et entendait rompre avec le conservatisme et le conformisme politiques.

A contrario des orientations qu'il avait défendues ou soutenues en tant que chef du gouvernement (1974-1976, puis 1986-1988) ou leader du principal parti de la droite, il défendait désormais et subitement, avec une conviction certaine, l'absolue nécessité d'une rupture avec la «pensée unique» et d'une priorité au «social». Ce virage a été largement inspiré par le président de l'Assemblée nationale, Philippe Séguin (RPR lui aussi mais ayant, à la différence de J. Chirac, appelé à voter «non» au référendum de ratification du traité de Maastricht sur l'Union européenne, en 1992).

Réduire la fracture sociale

La défense du franc et la réduction des déficits publics ont été au cœur de cette «pensée unique» qui aurait été imposée par la «technocratie» (entendre la haute administration et les conseillers ministériels). Bien qu'issu lui aussi de cette technocratie politique puisque sorti de son moule, l'ENA (École nationale d'administration), tout comme la plupart des dirigeants de la droite ou du Parti socialiste, J. Chirac a placé au centre de ses discours la nécessité de «réduire la fracture sociale». Ce faisant, il mettait l'accent sur le principal problème de la société française. En effet, avec la persistance d'un chômage de masse, le développement de la précarité et les phénomènes d'exclusion sociale n'ont fait que s'aggraver au fil des ans, accréditant l'idée d'une France à deux vitesses.

Ces phénomènes, conjugués à la perte d'influence des corps intermédiaires (recul du militantisme traditionnel, fonctions syndicales en panne, effacement de certains repères idéologiques, décalage entre partis et opinion) n'ont pas peu joué dans la montée en puissance d'une extrême droite désignant les immigrés comme boucs émissaires et vouant les partis de gouvernement aux gémonies.

Cette France en panne, cette France sans repères, J. Chirac a pro-

▼
FRANCE

République française.
Capitale : Paris.
Superficie : 547 026 km².
Monnaie : franc (1 écu = 6,44 FF et 1 dollar des États-Unis = 4,87 FF au 11.7.95).
Langues : français (officielle), breton, catalan, corse, occitan, basque, alsacien, flamand.
Chef de l'État : Jacques Chirac, président de la République, qui a remplacé François Mitterrand le 17.5.95 (mandat de 7 ans).
Premier ministre : Alain Juppé, qui a remplacé Edouard Balladur le 18.5.95.
Échéances électorales : législatives (1998).
Nature de l'État : république.
Nature du régime : démocratie parlementaire combinée à un pouvoir présidentiel.
Principaux partis politiques : *Gouvernement* : Rassemblement pour la République (RPR, droite); Union pour la démocratie française (UDF, droite), comprenant notamment le Parti républicain (PR) et le Centre des démocrates sociaux (CDS, démocrate-chrétien). *Oppositions* : Parti socialiste (PS, social-démocrate); Parti communiste français (PCF); Radical; Front national (FN, extrême droite). *Écologistes* : Les Verts; Génération Écologie.
DOM, TOM et CT : *Départements d'outre-mer* (DOM) : Guadeloupe, Martinique, Guyane [Amérique], Réunion [océan Indien]. *Territoires d'outre-mer* (TOM) : Nouvelle-Calédonie, Wallis et Futuna, Polynésie française [Océanie], Terres australes et antarctiques françaises (TAAF). *Collectivités territoriales* (CT) : Saint-Pierre-et-Miquelon [Amérique], Mayotte [océan Indien].
Carte : p. 593.
Statistiques : voir aussi p. 594-595.

France _(Voir aussi tableau p. 594)_

DÉMOGRAPHIE, CULTURE, ARMÉE

INDICATEUR	UNITÉ	1970	1980	1994
Démographie				
Population	million	50,8	53,9	58,0 e
Densité	hab./km²	92,8	100,9	106,0 e
Croissance annuelle	%	0,8 a	0,5 b	0,4 c
Indice de fécondité (ISF)		2,5 a	1,9 b	1,7 c
Mortalité infantile	%₀	18,2	10,0	7 c
Espérance de vie	année	71,9	74,8	77 c
Population urbaine	%	71,0	73,3	72,7
Culture				
Nombre de médecins	%₀ hab.	1,34	2,00	2,9
Scolarisation 2e degré f	%	74	85	102 d
Scolarisation 3e degré	%	19,5	25,5	45,6 d
Téléviseurs	%₀	236	353	408 d
Livres publiés	titre	22 935	32 318	45 379 d
Armée				
Marine	millier d'h.	72	69,9	64,2
Aviation	millier d'h.	106	103,5	89,8
Armée de terre	millier d'h.	328	321,0	241,4

a. 1965-75; b. 1975-85; c. 1990-95; d. 1992; e. 1995; f. 11-17 ans.

COMMERCE EXTÉRIEUR a

INDICATEUR	UNITÉ	1970	1980	1994
Commerce extérieur	% PIB	13,2	18,8	17,5
Total imports	milliard $	19,1	134,9	228,6
Produits agricoles	%	21,6	14,0	12,2 b
Produits énergétiques	%	12,1	26,6	8,9 b
Minerais et métaux	%	8,0	5,0	2,9 b
Total exports	milliard $	18,1	116,0	233,5
Produits agricoles	%	18,9	18,2	17,0 b
Minerais et métaux	%	4,3	3,8	2,3 b
Produits manufacturés	%	73,7	73,1	77,4 b
Principaux fournisseurs	% imports			
CEE / UE		56,0	48,1	63,7
PVD		20,8	26,7	18,1
États-Unis		9,9	7,7	8,5
Principaux clients	% exports			
CEE / UE		57,0	53,3	62,0
Afrique		10,9	11,0	6,2
Autres PVD		9,4	13,7	15,9

a. Marchandises; b. 1993.

France

INDICATEUR	UNITÉ	1970	1980	1994
ÉCONOMIE				
PIB	milliard $	151,8	639,2	1 318,9
Croissance annuelle	%	4,7 a	2,5 b	2,7
Par habitant g	$	3 491	9 808	19 403
Structure du PIB				
Agriculture	% ⎫	6,3	4,2	2,5 c
Industrie	% ⎬ 100 %	38,1	33,7	30,1 c
Services	% ⎭	55,5	62,0	67,4 c
Taux d'inflation	%	5,9	13,3	1,6
Population active	million	21,4	23,4	25,4
Agriculture	% ⎫	13,5	8,7	4,8
Industrie	% ⎬ 100 %	39,2	35,9	26,9
Services	% ⎭	47,2	55,4	68,3
Chômage	%	2,4	6,3	12,4 e
Dépenses publiques				
Éducation	% PIB	4,9	5,0	5,7 d
Défense	% PIB	4,2	4,0	2,7
Recherche et Développement	% PIB	1,9	1,8	2,41 c
Aide au développement	% PIB	0,68	0,67	0,63 c
Administrations publiques				
Solde f	% PIB	0,9	0,0	− 5,6
Dette brute	% PIB			48,1
Énergie				
Consommation par habitant	kg	3 829	4 403	5 434 d
Taux de couverture	%	31,3	21,2	49,0 d

a. 1965-75; b. 1975-85; c. 1993; d. 1992; e. En décembre; f. Capacité ou besoin de financement; g. A parité de pouvoir d'achat (voir p. 673).

mis de la remettre en mouvement, de lui redonner des convictions, de la fierté nationale en proclamant tout au long de sa campagne que la priorité des priorités devait être la lutte contre le chômage, avec des politiques plus actives et plus interventionnistes.

Pour gouverner, le nouveau président allait pouvoir disposer de conditions exceptionnelles : une majorité sans partage à l'Assemblée nationale et un gouvernement dirigé par un homme de confiance, Alain Juppé. De plus, la droite contrôlait largement le Sénat, la plupart des collectivités territoriales. A ce contexte politique s'ajoutait un climat économique favorable : après la récession en 1993, la France avait en effet renoué avec la croissance (2,7 % en 1994) et la

reprise permettait une embellie pour l'emploi et un relatif recul du chômage (12,4 % fin décembre 1994). Cela suffirait-il cependant à réduire la fracture sociale ? Le niveau de la dette publique (48,1 % du PIB) et celui des déficits publics (− 5,6 % du PIB en 1994) limitaient considérablement la marge de manœuvre budgétaire. Le candidat Chirac ayant promis à la fois de diminuer les déficits publics et d'alléger les impôts et charges, le gouvernement allait devoir jongler avec d'un côté les prélèvements, les recettes des privatisations et les économies budgétaires, et de l'autre, les allocations publiques — primes aux entreprises en faveur de l'embauche, notamment des jeunes, et exonérations de charges dans le

BIBLIOGRAPHIE

R. AVRILLIER, P. DESCAMPS, *Le Système Carignon*, La Découverte, Paris, 1995.

P. BOURDIEU (sous la dir. de), *La Misère du monde*, Seuil, Paris, 1993.

R. CASTEL, *Les Métamorphoses de la question sociale*, Fayard, Paris, 1995.

J.-M. COLOMBANI, H. PORTELLI, *Le Double Septennat de Mitterrand : dernier inventaire*, Grasset, Paris, 1995.

L'état de la France 95-96, La Découverte (en collab. avec le CRÉDOC), coll. « L'état du monde », Paris, 1995.

« Démocratie et géopolitique en France », *Hérodote*, n° 69, La Découverte, Paris, 2e et 3e trim. 1993.

A. GELEDAN (sous la dir. de), *Le Bilan économique des années Mitterrand (1981-1994)*, Le Monde-Éditions, Paris, 1993.

A. GLASER, S. SMITH, *Ces messieurs Afrique*, Calmann-Lévy, Paris, 1992.

F. SUBILEAU, M.-F. TOINET, *Les Chemins de l'abstention : une comparaison franco-américaine*, La Découverte, Paris, 1993.

M. TRIBALAT, *Faire France. Une enquête sur les immigrés et leurs enfants*, La Découverte, Paris, 1995.

cadre du « contrat-initiative-emploi » —, au risque d'aggraver certaines inégalités pour en compenser d'autres. La TVA, impôt inégalitaire s'il en est, a ainsi été augmentée de deux points le 1er août 1995.

Rapidement, il est apparu que les engagements pro-européens de la France allaient être maintenus et qu'il n'était pas question de rompre avec l'orthodoxie monétaire.

Outre la question sociale, la multiplication des affaires politico-financières a marqué l'année. De grand élus, de grands patrons et nombre de responsables politiques (de droite comme de gauche) ont été mis en cause par la justice et, pour certains, incarcérés. Pas moins de trois ministres du gouvernement Balladur avaient ainsi dû démissionner. L'un d'eux, Alain Carignon, maire de Grenoble (RPR), a été écroué pour corruption passive et recel d'abus sociaux. Contre l'ancien ministre de gauche et affairiste Bernard Tapie, la prison ferme a été requise pour tentative de corruption.

La maladroite affaire des essais nucléaires

Dans l'ensemble, malgré la récente victoire de J. Chirac, les élections municipales de juin 1995 n'ont pas bouleversé les équilibres droite-gauche, mais, fait nouveau, elles ont vu la victoire de candidats de l'extrême droite dans trois villes importantes, dont une de plus de 100 000 habitants, Toulon.

En matière d'institutions, une révision de la Constitution, le 31 juillet 1995, a notamment étendu le recours au référendum au bénéfice du chef de l'État. J. Chirac a par ailleurs marqué sa différence avec son prédecesseur en reconnaissant la responsabilité de l'État français — complice des nazis dans la déportation des Juifs — sous le régime de Vichy.

Concernant la guerre en Bosnie, après que des « casques bleus » (dont des Français) eurent été pris en otage (26 mai), le chef de l'État a tenu un langage très ferme à l'endroit des séparatistes serbes de Bosnie et obtenu la création d'une Force de réaction rapide (FRR). Les Serbes de Bosnie n'en ont pas moins conquis quelques jours plus tard les enclaves de Srebrenica et Zepa. Par ailleurs, la décision, le 13 juin, à quelques jours du cinquantième anniversaire d'Hiroshima, de reprendre les essais nucléaires en Polynésie française avec l'engagement de ne plus y recourir après 1996 aura suscité de très nombreuses réprobations en France et à l'étranger, notamment dans le Pacifique. La tension diplomatique est ainsi devenue très vive avec l'Australie.

Enfin, l'été 1995 a été marqué par des actes de terrorisme aveugle. A Paris, le 25 juillet une première bombe a explosé dans une rame du RER (Réseau-express-régional), faisant sept morts et de nombreux blessés. A ce sujet, diverses sources ont évoqué une possible piste algérienne et les risques de retombées de la crise ensanglantant l'Algérie, de l'autre côté de la Méditerranée.

Serge Cordellier

Royaume-Uni
Un pays en perte de repères

Tandis que les cérémonies du cinquantième anniversaire de la victoire du 8 mai 1945 rappelaient au souvenir des Britanniques l'héroïsme des anciens et la grandeur de la reine mère Elizabeth, une nouvelle génération de souverains et d'hommes politiques, confrontée à un monde en mutation, n'en finissait pas de se déchirer.

La reprise de l'activité économique s'est pourtant confirmée, même si un peu moins forte que prévu (3,8 % en 1994). Les exportations ont souffert du ralentissement de la croissance dans l'Union européenne et aux États-Unis et le secteur tertiaire est demeuré atone. Les grandes banques d'affaires britanniques ont connu des difficultés, subissant de plus en plus l'assaut des banques d'Europe continentale. Juste avant S.G. Warburg, rachetée par la très dynamique SBS (Société de banque suisse), la Barings a été reprise par le groupe d'assurances néerlandais ING, en mars 1995, après avoir subi à Singapour des pertes colossales sur les marchés de produits dérivés. Ainsi la City a-t-elle commencé de s'internationaliser, mais elle n'en est pas moins demeurée la deuxième place financière et le premier marché des changes dans le monde. On a également vu là le signe d'une fragilisation des institutions britanniques les plus prestigieuses au sein du système financier.

Affirmant ne vouloir s'intéresser qu'à l'économie réelle, le chancelier de l'Échiquier (des Finances), Kenneth Clarke, a résisté autant qu'il l'a pu aux partisans d'un relèvement des taux d'intérêt à court terme. A partir du début 1995, la livre sterling a, en effet, paru victime d'une véritable crise de confiance de la part des marchés financiers. L'inflation a été contenue en raison de tendances contradictoires, notamment la stagnation de la consommation des ménages et la relative bonne tenue de la monnaie britannique face au dollar. Mais, avec la dépréciation de la livre face au mark, les craintes d'un dérapage inflationniste sont restées grandes et les taux d'intérêt à long terme très élevés (les bons du Trésor à dix ans étaient, à la mi-1995, de 8,29 % au Royaume-Uni, contre 7,45 % en France et 6,83 % en Allemagne). La désaffection des grands investisseurs pour la livre s'expliquait, enfin, en partie par le fait que Londres n'arrivait toujours pas à décider de sa politique européenne.

Un royaume en passe de rétrécir

Cette indécision a tenu pour une large part à un environnement inter-

Cessez-le-feu généralisé en Irlande du Nord

■ Les premiers pourparlers directs entre le Sinn Féin (aile politique de l'Armée républicaine irlandaise — IRA) et le gouvernement britannique en la personne du ministre délégué au Bureau de l'Irlande du Nord Michael Ancram ont eu lieu à Stormont, le 10 mai 1995, marquant ainsi la levée d'une interdiction décidée par Londres vingt-trois ans auparavant. Cette rencontre a constitué un nouveau pas dans une évolution décisive pour la paix en Irlande du Nord, commencée en 1993.

Le coup de pouce décisif avait, en effet, été donné le 15 décembre 1993 avec la «déclaration du Downing Street» où le Premier ministre britannique John Major et son homologue irlandais d'alors Albert Reynolds acceptaient que l'avenir de l'Irlande du Nord relève de l'autodétermination, avec un appel à se prononcer aux Irlandais de toute l'île.

Le cessez-le-feu total et inconditionnel décidé par l'IRA le 31 août 1994 est intervenu après vingt-cinq ans de violences et quelque 3 000 morts. Il est le résultat de deux ans de pourparlers entre le leader du Sinn Féin, Gerry Adams, et celui du SDLP (Parti social-démocrate et travailliste), John Hume.

Le cessez-le-feu de l'IRA a été suivi, le 13 octobre 1994, par celui des groupes paramilitaires loyalistes. En réponse, l'armée britannique a progressivement réduit ses patrouilles et rappelé 800 de ses 18 500 soldats en mars-avril 1995. Le gouvernement de Dublin a, de son côté, libéré 14 militants de l'IRA entre décembre 1994 et février 1995 et a pressé ses homologues britanniques pour qu'ils fassent de même avec leurs détenus irlandais. Le processus de paix

a été fragilisé lorsque, le 3 juillet 1995, Londres n'a libéré que l'un de ses propres soldats qui avait tué, à Belfast, une jeune fille fuyant dans la voiture qu'elle avait volée. La situation est devenue très tendue avec des protestations violentes de la part des nationalistes et le désir des royalistes de maintenir leurs défilés traditionnels jusque dans les quartiers catholiques.

Le Sinn Féin a continué à réclamer du gouvernement de J. Major d'être reconnu comme partie aux négociations sur le même plan que les autres formations politiques d'Irlande du Nord, et il a demandé la libération des prisonniers de l'IRA détenus pour actes de guerre, ainsi que la démilitarisation de la province. Pour sa part, le gouvernement britannique a continué d'exiger que l'IRA rende les armes.

Le président du Sinn Féin, G. Adams, s'est rendu à plusieurs reprises à Washington, et a finalement pu serrer la main de Bill Clinton, lors d'une célébration de la Saint-Patrick, à la Maison-Blanche le 17 mars 1995. Parallèlement, le 22 février 1995, J. Major et le nouveau Premier ministre irlandais John Bruton ont présenté conjointement à Belfast un document de travail.

Condamné par les unionistes, ce document propose des négociations politiques pour aboutir à un strict équilibre entre les aspirations des deux communautés, la création d'une autorité politique commune entre Belfast et Dublin, ainsi que l'acceptation par Dublin du principe de «consentement» de la majorité unioniste à toute solution de paix.

Kathryn Hone

national changeant dans lequel le Royaume-Uni a du mal à se replacer. En Irlande du Nord, le processus de paix est devenu inévitable, mais il a été ponctué de tensions entre Londres et Washington et demeurait très difficile à mettre en œuvre. Certes, l'Armée républicaine irlandaise (IRA) s'est engagée, le 31 août 1994, à respecter un cessez-le-feu inconditionnel, que les milices loyalistes protestantes d'Irlande du Nord ont à leur tour accepté le 13 octobre suivant. Des entretiens exploratoires, commencés en décembre 1994, ont abouti en février 1995 à l'établissement d'un document anglo-irlandais, traçant les grands axes des négociations à venir entre toutes les parties concernées. Mais de nombreuses résistances ont perduré, le clivage entre nationalistes et unionistes demeurant, les premiers militant toujours pour une Irlande réunifiée, les seconds pour le maintien du *statu quo*.

En recevant à la mi-mars 1995 Gerry Adams, le chef politique du Sinn Fein (dont l'IRA est le bras armé), encore considéré à Londres comme une organisation terroriste, l'administration Clinton a donné une nouvelle preuve de l'affaiblissement de la « relation spéciale » entre Londres et Washington, terriblement mise à mal depuis que l'Allemagne unifiée a ravi au Royaume-Uni la position d'interlocuteur privilégié des États-Unis en Europe. Ce relâchement s'est vérifié dans bien d'autres domaines diplomatiques, notamment quant à l'attitude à adopter à propos de la guerre en Bosnie-Herzégovine, sujet sur lequel les deux États sont restés en total désaccord.

A Hong Kong (colonie britannique qui redeviendra chinoise le 1ᵉʳ juillet 1997), le profil couronné d'Elizabeth II a disparu de la monnaie mise en circulation début 1995, laissant la place à une fleur qui symbolise le territoire. Le rapport de forces entre le Royaume-Uni et la Chine est devenu très défavorable à Londres qui, après une période de négligence, a tenté à partir de 1992 de négocier un avenir démocratique

pour l'enclave. Mais les pourparlers, dans lesquels on évoque de façon récurrente l'histoire de la guerre de l'opium (qui avait opposé le Royaume-Uni à la Chine au XIXᵉ siècle, et avait contraint cette dernière à ouvrir une partie de son territoire au commerce fait par les Européens, et en particulier à celui

▼

ROYAUME-UNI

Royaume-Uni de Grande-Bretagne et d'Irlande du Nord.

Capitale : Londres.

Superficie : 244 046 km² (0,45 fois la France).

Monnaie : livre sterling (1 livre = 1,20 écu ou 7,74 FF au 11.7.95).

Langues : anglais (officielle); gallois.

Chef de l'État : reine Elizabeth II.

Premier ministre : John Major (depuis le 28.11.90).

Échéances électorales : législatives (1997 au plus tard).

Nature de l'État : royaume.

Nature du régime : démocratie parlementaire.

Principaux partis politiques : *Gouvernement :* Partis conservateur et unioniste. *Opposition :* Parti travailliste; Parti des démocrates sociaux et libéraux (SLD); Parti unioniste (Irlande du Nord); Parti démocrate unioniste (Irlande du Nord); Parti social-démocrate et travailliste (Irlande du Nord); Sinn Féin officiel (Irlande du Nord); Sinn Féin provisoire (Irlande du Nord); Parti communiste de Grande-Bretagne; Parti socialiste des travailleurs (SWP); Front national (extrême droite); les Verts.

Possessions, territoires, et États associés : Gibraltar [Europe], îles Bermudes [Atlantique nord], îles Falkland, Sainte-Hélène [Atlantique sud], Anguilla, Cayman, Montserrat, Turks et Caïcos, îles Vierges britanniques [Caraïbes], Hong Kong [Asie], Pitcairn [Océanie].

Carte : p. 589.

Statistiques : voir aussi p. 588.

Royaume-Uni *(Voir aussi tableau p. 588)*

DÉMOGRAPHIE, CULTURE, ARMÉE

INDICATEUR	UNITÉ	1970	1980	1994
Démographie				
Population	million	55,63	56,33	58,3 f
Densité	hab./km²	227,9	230,8	238,7 f
Croissance annuelle	%	0,3 a	0,1 b	0,3 c
Indice de fécondité (ISF)		2,3 a	1,8 b	1,8 c
Mortalité infantile	%₀	18,5	12,1	7 c
Espérance de vie	année	71,7	73,8	76 c
Population urbaine	%	88,5	88,8	89,4
Culture				
Nombre de médecins	%₀ hab.	1,3	1,3	1,6 g
Scolarisation 2e degré h	%	73	83	86 d
Scolarisation 3e degré	%	14,1	20,1	27,8 d
Téléviseurs	%₀	324	401	435 e
Livres publiés	titre	33 441	48 069	86 573 e
Armée				
Marine	millier d'h.	87	72,2	55,6
Aviation	millier d'h.	113	89,7	75,7
Armée de terre	millier d'h.	190	167,3	123

a. 1965-75; b. 1975-85; c. 1990-95; d. 1990; e. 1992; f. 1995; g. 1991; h. 11-17 ans.

COMMERCE EXTÉRIEUR a

INDICATEUR	UNITÉ	1970	1980	1994
Commerce extérieur	% PIB	16,7	21,1	21,2
Total imports	milliard $	21,9	115,5	226,6
Produits agricoles	%	33,2	10,7	12,6
Produits énergétiques	%	10,4	7,7	4,0
Minerais et métaux	%	11,3	7,3	3,4 b
Total exports	milliard $	19,4	110,2	203,9
Produits agricoles	%	8,7	8,0	8,5
Produits énergétiques	%	2,6	13,0	6,7
Minerais et métaux	%	5,3	5,0	2,5 b
Principaux fournisseurs	% imports			
CEE / UE		29,5	43,7	55,3
PVD		23,5	21,6	17,5
États-Unis		13,0	12,1	12,0
Principaux clients	% exports			
CEE / UE		32,8	46,7	56,6
PVD		22,1	26,0	20,3
États-Unis		11,7	9,6	13,0

a. Marchandises; b. 1993.

ÉCONOMIE

INDICATEUR	UNITÉ		1970	1980	1994
PIB	milliard $		124,9	447,5	1 013,6
Croissance annuelle	%		2,3 [a]	1,8 [b]	3,8
Par habitant [h]	$		3 097	8 110	18 036
Structure du PIB					
Agriculture	%	⎫	2,9	2,2	1,8 [d]
Industrie	%	⎬ 100 %	44,8	42,8	33,1 [d]
Services	%	⎭	52,4	55,0	65,1 [d]
Taux d'inflation	%		6,4	18,0	2,9
Population active	million		25,3	26,8	27,89
Agriculture	%	⎫	3,2	2,6	2,2
Industrie	%	⎬ 100 %	44,8	37,7	25,9
Services	%	⎭	52,0	59,7	71,9
Chômage	%		2,2	6,4	8,9 [f]
Dépenses publiques					
Éducation	% PIB		5,3	5,6	5,2 [c]
Défense	% PIB		4,7	5,0	3,4
Recherche et Développement	% PIB		2,0	2,1	2,12 [d]
Aide au développement	% PIB		0,42	0,39	0,31 [e]
Administrations publiques					
Solde [g]	% PIB			– 3,4	– 6,0
Dette brute	% PIB				50,4
Énergie					
Consommation par habitant	kg		4 877	4 811	5 400 [d]
Taux de couverture	%		53,3	103,4	98,4 [d]

a. 1965-75; b. 1975-85; c. 1991; d. 1992; e. 1993; f. En décembre; g. Capacité ou besoin de financement; h. A parité de pouvoir d'achat (voir p. 673).

de cette drogue), étaient dans l'impasse, la Chine semblant prendre sa revanche. Décidée à n'accepter des concessions que de pure forme, elle a déjà pris ses quartiers à Hong Kong et a engagé une campagne de promotion de la cause « patriotique » [*voir article « Hong Kong », p. 492.*].

Une classe politique de plus en plus déchirée

La polémique sur la monarchie dont on a commencé à réclamer ouvertement l'abolition a également touché le pays dans l'image qu'il a de lui-même. C'est « une idée qui a fait son temps », écrivait l'hebdomadaire *The Economist* en octobre 1994. Ce débat, comme la médiatisation des « affaires sexuelles » de la famille royale ou des hommes politiques, est devenu l'instrument d'une guerre interne à la classe dominante. Selon l'historien Theodore Zeldin, celle-ci se situe dans le prolongement du thatchérisme et a pour objet de « détruire la classe aristocratique jadis gouvernante, de détruire l'*establishment* ». Cette guerre se déchaîne presque quotidiennement sur le champ de bataille privilégié des conservateurs, l'Europe, dont l'enjeu est, selon eux, l'avenir de l'identité britannique.

Dans leur guérilla permanente contre le Premier ministre John Major, les « eurosceptiques » ont ouvert plusieurs fronts, dont deux

BIBLIOGRAPHIE

N. Burgi, *L'État britannique contre les syndicats*, Kimé, Paris, 1992.

C. Hargrove, *La Reine, le mythe et la réalité*, Perrin, Paris, 1994.

D. Lapeyronnie, *L'Individu et les minorités. La France et la Grande-Bretagne face à leurs immigrés*, PUF, Paris, 1993.

J. Leruez (sous la dir. de), *La Grande-Bretagne à la fin du xxᵉ siècle. L'héritage du thatchérisme*, Les études de la Documentation française, Paris, 1994.

J. Leruez, *Le Système politique britannique depuis 1945*, Armand Colin, Paris, 1994.

V. Riches, *L'Économie britannique depuis 1945*, La Découverte, «Repères», Paris, 1992.

J. Solomos, «L'imaginaire public et la peur identitaire en Grande-Bretagne», *in* N. Burgi (sous la dir. de), *Fractures de l'État-nation*, Kimé, Paris, 1994. Voir aussi, *ibid.*, N. Burgi, «Au Royaume-Uni, quelle mémoire nouvelle après l'Empire?».

M. Thatcher, *10 Downing Street*, Mémoires, Albin Michel, Paris, 1993.

particulièrement significatifs. Une offensive a été menée par quelques députés rebelles à l'occasion du vote, le 28 novembre 1994, portant sur l'augmentation de la contribution britannique au budget communautaire. J. Major en avait fait une «question de confiance» et avait obtenu de tous ses ministres un «pacte suicide», en vertu duquel le gouvernement aurait présenté sa démission en cas de défaite à la Chambre des communes. Ce scénario catastrophe a finalement conduit J. Major à mettre en jeu son mandat à la tête du Parti conservateur, pari qui s'est soldé par une victoire, le 4 juillet 1995 : il a été réélu avec 218 voix, contre 89 à son challenger, John Redwood, un proche de l'ancien Premier ministre Margaret Thatcher, jusque-là peu connu. Le second front a été la polémique sur les directives européennes en matière d'abrogation des contrôles aux frontières des Quinze. Elle a ravivé les peurs de flux incontrôlés d'immigrants et a amené le secrétaire d'État au Commerce, Charles Wardle, à essayer de conjurer ce risque en démissionnant avec fracas. Toute une série de mesures préventives avaient cependant déjà permis d'éviter l'escalade tant redoutée du nombre d'immigrés : traque de plus en plus impitoyable aux mariages blancs, vérification tatillonne des étrangers n'appartenant pas à l'Union européenne par les agents du service de l'immigration, procédures d'expulsion expéditives, etc.

Face aux déchirements de la classe politique, la société, de plus en plus désorientée, souffre de graves problèmes structurels que la baisse régulière du taux de chômage (8,3 % de la population active en avril 1995) ne résout pas. Tandis que se multipliaient les affaires de corruption politico-financières et que les médias révélaient à grand bruit les revenus «téléphoniques» (à huit chiffres) de dirigeants de grandes sociétés, des personnes se déclaraient prêtes à accepter un travail précaire payé une livre de l'heure. Selon une étude du *Low Pay Unit*, le nombre de personnes vivant au-dessous du seuil de pauvreté est passé de 5 millions (9 % de la population) en 1979 à 13,9 millions (25 %). De plus en plus, les défavorisés font les frais d'un système où la vie n'a de valeur que pécuniaire.

La meilleure illustration en ont été les conséquences de la réforme, bien engagée, du Système national de santé (NHS). Début 1995, la commission médicale de Cambridge a refusé de traiter une fillette britannique atteinte de leucémie parce que ses chances de survie étaient infimes et que « l'argent serait mieux utilisé auprès d'autres patients ». La cour d'appel de Londres a qualifié ce choix de « juste et rationnel ».

La chance des travaillistes

S'étonnera-t-on que les conservateurs aient subi une série de défaites électorales retentissantes ? Au lendemain du scrutin local qui s'est déroulé le 4 mai 1995 en Angleterre et au pays de Galles, ils n'ont recueilli que le quart des suffrages exprimés et ont perdu plus de la moitié des 4 000 sièges en jeu. A cette date, ils ne représentaient plus que la troisième force politique du pays, après les travaillistes et les démocrates libéraux.

L'atmosphère a semblé être à l'alternance et Tony Blair, qui a succédé à John Smith, décédé le 12 mai 1994, à la tête du Labour (Parti travailliste), entendait bien saisir sa chance. Il a réussi à faire accepter par une majorité de 65 % des délégués réunis en congrès extraordinaire (25 avril 1995) la révision de l'article 4 des statuts de son parti qui proclamait globalement l'objectif de la « propriété commune des moyens de production, de distribution et d'échanges ». Ce toilettage a peut-être été bénéfique au Labour, mais il lui manquait toujours un véritable programme.

Noëlle Burgi

(Sur les négociations de paix en Irlande du Nord, voir aussi, dans l'édition précédente, p. 559.)

Italie
Nouvelles mutations politiques

En 1994-1995, l'instabilité politique est demeurée la caractéristique dominante de la IIe République italienne, venant parfois à ressembler à la Ire, marquée par l'hégémonie de la Démocratie chrétienne de la fin de la Seconde Guerre mondiale à 1993. L'effondrement des partis traditionnels, rayés du paysage politique par les enquêtes judiciaires portant sur les affaires politico-financières, et l'introduction du scrutin majoritaire n'ont pas suffi à faire de l'Italie un pays « comme les autres ». La faillite politique de l'expérience du gouvernement Berlusconi, qui n'aura même pas duré un an, marquée par la rupture entre le président du Conseil et le leader de la Ligue Nord, Umberto Bossi, a mené à la mise en place, à la mi-janvier 1995, d'un gouvernement de techniciens, tous non parlementaires, conduit par l'ancien directeur général de la Banque d'Italie et ancien ministre du Trésor, Lamberto Dini. Ainsi le président de

la République, Oscar Luigi Scarfaro, a-t-il dû une nouvelle fois faire appel à un grand commis de l'État, comme cela avait été le cas le 26 avril 1993, quand le gouverneur de la Banque centrale, Carlo Azeglio Ciampi, avait été appelé au Palais Chigi (siège de la présidence du Conseil), après l'effondrement de l'ancien « régime ». Une fois réglés les problèmes plus urgents, L. Dini devrait quitter le pouvoir pour permettre la dissolution du Parlement et la tenue de nouvelles élections législatives anticipées à l'automne 1995 ou, au plus tard, au printemps 1996.

Avènement et chute de Berlusconi

L'année 1994 a été marquée par l'ascension et la chute du président du Conseil Silvio Berlusconi. Arrivé au pouvoir après les législatives du 27 mars 1994, le patron du groupe Fininvest n'a pas réussi son pari, l'entrepreneur n'a pas su endosser les

Italie *(Voir aussi tableau p. 595)*

DÉMOGRAPHIE, CULTURE, ARMÉE

INDICATEUR	UNITÉ	1970	1980	1994
Démographie				
Population	*million*	53,82	56,4	57,2 [e]
Densité	*hab./km²*	178,7	187,3	189,8 [e]
Croissance annuelle	°/₀	0,6 [a]	0,3 [b]	0,1 [c]
Indice de fécondité (ISF)		2,4 [a]	1,7 [b]	1,3 [c]
Mortalité infantile	°/₀₀	29,6	14,3	8 [c]
Espérance de vie	*année*	71,6	74,5	77 [c]
Population urbaine	°/₀	64,3	66,6	66,6
Culture				
Nombre de médecins	°/₀₀ *hab.*	1,81	2,90	4,75 [f]
Scolarisation 2e degré [g]	°/₀	61	72	77 [d]
Scolarisation 3e degré	°/₀	16,7	27,6	33,7 [d]
Téléviseurs	°/₀₀	223	390	421 [d]
Livres publiés	*titre*	8 615	12 029	29 351 [d]
Armée				
Marine	*millier d'h.*	45	42	44
Aviation	*millier d'h.*	73	71	73,3
Armée de terre	*millier d'h.*	295	253	205

a. 1965-75; b. 1975-85; c. 1990-95; d. 1992; e. 1995; f. 1989; g. 11-18 ans.

COMMERCE EXTÉRIEUR [a]

INDICATEUR	UNITÉ	1970	1980	1994
Commerce extérieur	°/₀ *PIB*	14,0	19,6	17,4
Total imports	*milliard $*	15,0	100,7	166,2
Produits agricoles	°/₀	29,2	19,6	17,8 [b]
Produits énergétiques	°/₀	14,0	27,6	9,3 [b]
Minerais et métaux	°/₀	10,5	6,3	4,1 [b]
Total exports	*milliard $*	13,2	77,9	188,5
Produits agricoles	°/₀	10,1	8,0	7,8 [b]
Minerais et métaux	°/₀	1,7	1,7	0,9 [b]
Produits manufacturés	°/₀	82,6	83,7	88,1 [b]
Principaux fournisseurs	°/₀ *imports*			
CEE		47,3	46,2	55,4 [b]
PVD		22,9	31,6	25,3 [b]
États-Unis		10,3	7,0	5,3 [b]
Principaux clients	°/₀ *exports*			
CEE		51,6	51,8	53,3 [b]
PVD		14,0	28,0	26,9 [b]
États-Unis		10,3	5,3	7,7 [b]

a. Marchandises; b. 1993.

Italie

ÉCONOMIE				
INDICATEUR	**UNITÉ**	**1970**	**1980**	**1994**
PIB	milliard $	107,3	422,0	1 020,2
Croissance annuelle	%	4,5 a	2,7 b	2,5
Par habitant g	$	2 710	8 196	18 520
Structure du PIB				
Agriculture	%	6,1	3,7	2,2 d
Industrie	% } 100 %	46,7	41,9	41,1 d
Services	%	47,2	54,4	56,7 d
Taux d'inflation	%	5,0	21,3	3,8
Population active	million	20,9	22,6	22,5
Agriculture	%	20,2	14,3	6,9
Industrie	% } 100 %	39,5	37,9	32,8
Services	%	40,3	47,8	60,3
Chômage	%	5,3	7,5	11,8 e
Dépenses publiques				
Éducation	% PIB	4,0	5,0	5,4 d
Défense	% PIB	2,5	2,4	1,6
Recherche et Développement	% PIB	0,9	0,9	1,22
Aide au développement	% PIB	0,17	0,16	0,31 c
Administrations publiques				
Solde f	% PIB	− 3,3	− 8,6	− 9,5
Dette brute	% PIB			123,3
Énergie				
Consommation par habitant	kg	2 638	3 101	4 019 d
Taux de couverture	%	18,2	15,0	17,2 d

a. 1965-75; b. 1975-85; c. 1993; d. 1992; e. 4e trimestre; f. Capacité ou besoin de financement; g. A parité de pouvoir d'achat (voir p. 673).

responsabilités de l'homme d'État. Propriétaire de trois chaînes de télévision et du troisième groupe industriel du pays, S. Berlusconi a été incapable de mettre un terme au conflit d'intérêts né de son accession au pouvoir. Les accusations de la magistrature à l'encontre du patron de Fininvest et de son frère Paolo, soupçonnés d'avoir versé des pots-de-vin et d'avoir constitué des caisses noires, ont terni l'image du président du Conseil. Après avoir soulevé une véritable tempête avec la reprise en main de la RAI, la télévision d'État (nomination de nouveaux administrateurs et de nouveaux responsables des journaux télévisés), il n'a jamais réussi à sortir d'un certain amateurisme. Son gouvernement n'a pas fait preuve de l'envergure requise pour affronter les nombreux problèmes du pays, affligé par une dette publique considérable, un chômage croissant, un système fiscal déliquescent. Profondément divisé entre ses différentes composantes — il réunissait, entre autres, les trois principaux mouvements de la majorité (Forza Italia, la formation du président du Conseil ; Ligue Nord et Alliance nationale/MSI, Mouvement social italien, néo-fasciste) —, le gouvernement Berlusconi a dû faire face à la méfiance des principaux partenaires européens, peu enclins à nouer des rapports chaleureux avec un exécutif guidé par un magnat des médias et marqué par la présence des héritiers du fascisme.

Après l'approbation d'une loi de finances sévère — qui a dû être corrigée par L. Dini au moyen d'un collectif budgétaire —, S. Berlusconi a été contraint de démissionner. U. Bossi, le bouillant chef de la Ligue Nord qui, pendant les six mois de vie du gouvernement Berlusconi, n'avait cessé de harceler le président du Conseil, a retiré sa confiance au gouvernement auquel il était allié, selon des méthodes calquées sur celles prévalant sous la Ire République tant décriée. Il a ainsi provoqué la chute du gouvernement, quitte à accepter la scission de son regroupement, dont une partie des membres était restée fidèle au patron de Fininvest. U. Bossi s'est acquis la sympathie de la gauche pour avoir dénoncé le « tout-pouvoir » de S. Berlusconi et surtout le refus de ce dernier de couper les liens avec la Fininvest. Mais la rupture avait aussi un autre motif : U. Bossi craignait que Forza Italia lui soustraie son électorat.

La chute du gouvernement de droite a ouvert une période de grave incertitude. Après une longue crise, L. Dini, qui a été désigné pour succéder à S. Berlusconi le 13 janvier 1995 et dont le nom avait été proposé au chef de l'État par les partis de droite, a pu former un gouvernement qui a accueilli des techniciens proches plutôt du centre droit. Paradoxalement, son exécutif est arrivé à tenir tant bien que mal la route grâce à l'appui de la gauche et de ce qui restait de la Ligue Nord.

Repositionnement des principaux partis

Cette nouvelle configuration du pouvoir a provoqué de nombreux remous dans la plupart des partis politiques. Plusieurs députés de la Ligue Nord, fidèles à S. Berlusconi, ont quitté le mouvement ; certains parlementaires de Refondation communiste (mouvement « orthodoxe » issu du Parti communiste italien) ont préféré voter, contre l'avis de leur parti, certaines mesures du gouvernement Dini, afin d'éviter sa chute et la dissolution immédiate du Parlement.

La crise la plus grave a cependant éclaté au sein du Parti populaire italien (PPI), héritier de la Démocratie chrétienne : écartelée entre les partisans d'une alliance électorale avec Forza Italia et ceux d'un accord avec la gauche, le PPI s'est scindé en deux au printemps 1995, signe de l'impossibilité de rester ancré exclusivement au centre de l'échiquier politique.

La période devait accoucher d'autres nouveautés. A gauche, le Parti démocratique de la gauche (PDS, social-démocrate, héritier du Parti communiste italien) a accentué son caractère social-démocrate ; il a soutenu le gouvernement Dini, a accepté comme chef de la coalition progressiste Romano Prodi, un catholique de gauche, professeur d'économie et ancien président de l'IRI, le principal holding d'État. A droite, le MSI (Mouvement social italien) a définitivement tourné le dos à ses racines néo-fascistes avec le congrès de Fiuggi, en février 1995, au cours duquel son leader, Gianfranco Fini, a imposé la dissolution du parti et sa reconstitution sous le nom d'Alliance nationale (AN). Les nostalgiques du fascisme ont quitté le mouvement. Cependant, G. Fini a peiné à se faire accepter au sein de la droite démocratique européenne, comme en a témoigné son isolement au Parlement de Strasbourg. Toutefois, M. Fini s'est présenté de plus en plus comme le véritable leader du rassemblement de centre droit, et apparaissant destiné, tôt ou tard, à remplacer S. Berlusconi.

L'affrontement droite-gauche a semblé devoir être la clé des prochaines législatives. Après la victoire de mars 1994, le centre droit a connu un coup d'arrêt aux élections régionales du 23 avril 1995, en conquérant la majorité dans six régions seulement sur quinze. Avec 40,6 % des voix, les partis modérés ont réalisé un score inférieur aux prévisions des instituts de sondages. Forza Italia, avec l'aile droite du PPI, n'a recueilli que 22,4 % des suffrages, AN n'a gagné qu'un demi-point (14 %), quant au Centre des chrétiens démocrates (CCD), il a obtenu le score honorable de 3,9 % des voix.

La gauche, en gagnant neuf régions et 40,7 % des voix, auxquelles il faut ajouter les 8,4 % recueillis par Refondation communiste, a abouti à un résultat inespéré : le PDS est devenu le premier parti du pays (25,1 %), l'aile du PPI qui a choisi la gauche a, elle, obtenu 5,8 % des suffrages. Le centre gauche a aussi emporté 21 des 24 mairies de grandes villes et 48 conseils provinciaux sur 54.

L'extrême confusion politique régnant a nui à la lire, qui s'est effondrée sur les marchés des changes. Ce mouvement a mécaniquement dopé les exportations italiennes et agacé les concurrents européens, qui n'ont pas hésité à parler de dévaluation compétitive. En réalité, le mouvement à la baisse a surtout été illustré par la méfiance des investisseurs internationaux, inquiets de l'instabilité politique du pays, qui a entrepris d'exploiter au maximum le retour de la croissance. Le gouvernement a misé sur une croissance de 3 %. L'inflation semblait devoir rester maîtrisée, même si la dévaluation a provoqué quelques tensions sur les prix.

Mais le véritable problème se situait toujours au niveau du déficit public. Le gouvernement Dini, en faisant adopter un collectif budgétaire pour corriger les déséquilibres observés après l'approbation de la loi de finances, a fixé le déficit pour 1995 à 134 000 milliards de lires (7,63 % du PIB), en baisse par rapport aux 154 000 milliards de l'année précédente. L'excédent primaire a été de 58 000 milliards, mais le budget a dû supporter le poids de la dette représentant 123 % du PIB.

Adoption de la réforme du système des retraites

L. Dini, dont le programme était limité à quelques grands dossiers urgents, a pu faire approuver une importante réforme du système des retraites. A l'automne 1994, pendant le débat parlementaire sur la loi de finances, les grandes villes italiennes avaient été le théâtre des plus grandes manifestations syndicales des vingt dernières années. Face aux grèves, S. Berlusconi avait été contraint de renoncer à ses projets en matière de réforme des retraites.

M. Dini a réussi là où son prédécesseur avait échoué, en négociant avec les organisations syndicales un accord assez classique (élévation de l'âge de la retraite, méthode de calcul moins favorable, etc.). Ce projet, soumis à l'approbation du

▼

ITALIE

République italienne.

Capitale : Rome.

Superficie : 301 225 km² (0,55 fois la France).

Monnaie : lire (1 000 lires = 0,47 écu ou 3,00 FF au 11.7.95).

Langues : italien (officielle) ; allemand, slovène, ladin, français, albanais, occitan.

Chef de l'État : Oscar Luigi Scalfaro, qui a remplacé Francesco Cossiga le 25.5.92.

Chef du gouvernement : Lamberto Dini, qui a remplacé Silvio Berlusconi (investi le 25.1.95).

Échéances électorales : législatives en 1999, probablement anticipées.

Nature de l'État : république accordant une certaine autonomie aux régions.

Nature du régime : démocratie parlementaire.

Principaux partis politiques : *Majorité :* Forza Italia ; Ligue Nord ; Alliance nationale (AN) ; Centre des chrétiens démocrates (CCD). *Opposition :* Rete ; Parti populaire italien (PPI, ex-Démocratie chrétienne) ; Parti démocratique de la gauche (PDS) ; Parti socialiste italien (PSI) ; Refondation communiste ; Verts ; Südtiroler Volkspartei (SVP) ; Parti sarde d'action ; Union valdotaine.

Carte : p. 593.

Statistiques : voir aussi p. 594-595.

BIBLIOGRAPHIE

A. BAGNOSCO, C. TRIGILIA, *La Construction sociale du marché, le défi de la troisième Italie*, ENS Cachan, Cachan, 1990.

G. BALCET, *L'Économie de l'Italie*, La Découverte, « Repères », Paris, 1995.

G. BOCA, *L'Enfer : enquête au pays de la mafia*, Payot, Paris, 1993.

E. COMARIN, *Rupture à l'italienne*, Hachette, Paris, 1994.

G. FALCONE, M. PADOVANI, *Cosa Nostra*, Éditions n° 1, Paris, 1991.

M. GAMBINO, B. VITO, *Berlusconi, enquête sur l'homme de tous les pouvoirs*, Sauret, Monaco, 1994.

B. GAUDILLÈRE (sous la dir. de), *Les Institutions de l'Italie*, La Documentation française, « Documents d'études », Paris, 1994.

C. GUIMBARD, *Où va l'Italie ?*, Presse de l'Université de Paris-Sorbonne, Paris, 1994.

Italie, précis de décomposition politique, Hazan, Paris, 1994.

M. KORINMAN, L. CARACCIOLO, *A quoi sert l'Italie*, La Découverte/LiMes, Paris-Rome, 1995.

F. MAIELLO, *Révolution à l'italienne*, Éd. de l'Aube, La Tour-d'Aigues, 1993.

E. SACCOMANO, *Berlusconi : le dossier vérité*, Éditions n° 1, Paris, 1994.

Statto del'Italia, il Saggiatore - Bruno Mondadori, Milan, 1994.

A. VOGELWIRTH, M. VAUDANO, *Mains propres, mains liées. France-Italie, la leçon des affaires*, Austral, Paris, 1995.

Parlement et contesté par le patronat, devrait permettre d'épargner au cours des dix prochaines années 100 000 milliards de lires.

Le gouvernement Dini a aussi adopté, malgré les polémiques, une nouvelle loi de parité d'accès des forces politiques aux émissions de télévision, une mesure réclamée par la gauche pour contrer le pouvoir de S. Berlusconi et de ses trois chaînes. Enfin, le débat sur le vote d'une nouvelle loi antitrust, problème très délicat né du conflit d'intérêts soulevé par l'accession au pouvoir de S. Berlusconi, est demeuré ouvert.

Les problèmes liés à la loi Mammi sur l'audiovisuel ont d'ailleurs été l'objet de plusieurs référendums, qui se sont déroulés le 11 juin 1995 et qui ont été un succès pour S. Berlusconi : les électeurs ont en effet repoussé les propositions restrictives en matière de coupures publicitaires des films télévisés et aussi l'hypothèse de réduire à une seule chaîne l'empire de Fininvest. Fort de cette victoire, S. Berlusconi a annoncé vouloir vendre ses chaînes de télévision pour se consacrer à la politique, avec le but affiché de conduire les listes de centre droit aux élections législatives, inévitablement anticipées.

Enfin, au plan extérieur, la communauté religieuse de Sant'Egidio, à Rome, a accueilli une conférence des partis de l'opposition algérienne favorables à une issue politique à la grave crise qui oppose pouvoir et islamistes (janvier 1995). Pour sa part, l'État italien a prôné le dialogue entre le régime et l'opposition. Il a été plus discret dans le conflit bosniaque : le pays a certes mis à la disposition des alliés occidentaux ses bases militaires, mais l'absence d'Italiens parmi les « casques bleus » sur le territoire bosniaque et surtout l'exclusion du pays du « groupe de contact » ont sensiblement réduit son influence.

Giampiero Martinotti

Mexique
Au cœur de la tourmente

L'année 1994 a été mouvementée. Elle a commencé avec la naissance dans le Chiapas de la «première guérilla post-moderne» (Carlos Fuentes). Les insurgés de l'Armée zapatiste de libération nationale (AZLN) avaient lancé une offensive contre quelques cités de l'État du Chiapas, dénonçant notamment la corruption politique et les mauvaises conditions de vie des paysans. Elle s'est conclue avec un effondrement économique d'une gravité extrême. Le 1er décembre 1994, Ernesto Zedillo, premier président dans l'histoire du pays à être élu sans que le Parti révolutionnaire institutionnel (PRI, au pouvoir) ait recours à la fraude, avait pourtant pris ses fonctions dans le calme. Les élections du 21 août s'étaient déroulées de manière satisfaisante, en présence de près de 3 000 observateurs étrangers et avec un taux de participation exceptionnel de 77,7 % (contre 50,7 % en 1988). E. Zedillo, avec 50,18 % des voix, l'avait aisément emporté face à ses deux principaux adversaires, Diego Fernandez (26,9 %) pour le Parti d'action nationale (PAN, droite) et Cuauhtémoc Cárdenas (17,08 %) pour le Parti de la révolution démocratique (PRD, gauche). Pour montrer sa volonté d'ouverture et de dialogue, il avait nommé un membre du PAN au poste clé de ministre de la Justice. Il avait, par ailleurs, annoncé une reprise du dialogue avec la guérilla du Chiapas.

Chute du peso et décomposition du régime

Las! Le 20 décembre 1994, une légère dévaluation (15 %) du peso, trop longtemps retardée, allait déclencher une tempête monétaire sur tous les marchés mondiaux et mettre le Mexique au bord du gouffre [*voir p. 137*].

La fuite des capitaux, commencée dès le 27 mars 1994, après l'assassinat du candidat du PRI à la présidence (Luis Donaldo Colosio), s'est accélérée en novembre et décembre. Au total, 23,4 milliards de dollars se sont ainsi «évaporés» en 1994. Le flottement de la monnaie s'est traduit par une chute vertigineuse de sa valeur (près de 60 % en quelques jours). Un plan de soutien inter-

▼
MEXIQUE

États unis du Mexique.
Capitale : Mexico.
Superficie : 1 967 183 km² (3,6 fois la France).
Monnaie : nouveau peso (au taux officiel, 1 peso = 0,85 FF au 30.4.95).
Langues : espagnol (officielle), 19 langues indiennes (nahuatl, otomi, maya, zapotèque, mixtèque, etc.).
Chef de l'État et du gouvernement : Ernesto Zedillo, qui a succédé à Carlos Salinas de Gortari le 1.12.94 (mandat de six ans s'achevant le 30.11.2000).
Échéances électorales : législatives (1997).
Nature de l'État : république fédérale (31 États et un district fédéral, la ville de Mexico).
Nature du régime : présidentiel.
Principaux partis politiques :
Gouvernement : Parti révolutionnaire institutionnel (PRI, au pouvoir, sous différents noms, depuis 1929). *Opposition* : Parti d'action nationale (PAN, droite libérale); Parti de la révolution démocratique (PRD, gauche nationaliste); Parti des travailleurs (PT, extrême gauche).
Territoires outre-mer : îles Gigedos [Pacifique].
Carte : p. 533.
Statistiques : voir aussi p. 516.

Mexique *(Voir aussi tableau p. 516)*

DÉMOGRAPHIE, CULTURE, ARMÉE

INDICATEUR	UNITÉ	1970	1980	1994
Démographie				
Population	million	52,8	70,4	93,7 f
Densité	hab./km²	26,8	35,8	47,6 f
Croissance annuelle	°/₀	3,3 a	2,5 b	2,1 c
Indice de fécondité (ISF)		6,5 a	4,5 b	3,2 c
Mortalité infantile	°/₀₀	73,0	55,8	36 c
Espérance de vie	année	61,3	64,9	71 c
Population urbaine	°/₀	59,0	66,4	74,8
Culture				
Analphabétisme	°/₀	25,8	17,0	10,4 f
Nombre de médecins	°/₀₀ hab.	0,67	0,92	1,15 h
Scolarisation 12-17 ans	°/₀	46,2	67,4	59,6 h
Scolarisation 3e degré	°/₀	6,1	15,4	14,0 d
Téléviseurs	°/₀₀	34	54	149 d
Livres publiés	titre	4 812	1 629	2 608 e
Armée				
Marine	millier d'h.	7,6	20	37
Aviation	millier d'h.	6	4	8
Armée de terre	millier d'h.	54	72	130

a. 1965-75; b. 1975-85; c. 1990-95; d. 1992; e. 1990; f. 1995; g. 1988; h. 1991.

COMMERCE EXTÉRIEUR [a]

INDICATEUR	UNITÉ	1970	1980	1994
Commerce extérieur	°/₀ PIB	5,4	9,4	5,7
Total imports	milliard $	2,5	19,5	24,6
Produits agricoles	°/₀	12,0	19,1	4,5 b
Minerais et métaux c	°/₀	4,2	4,0	1,9 b
Produits manufacturés	°/₀	80,6	74,9	84,9 b
Total exports	milliard $	1,4	15,6	17,9
Produits agricoles	°/₀	48,8	14,7	8,6 b
Produits énergétiques	°/₀	3,2	66,8	14,1 b
Minerais et métaux c	°/₀	15,5	6,5	2,5 b
Principaux fournisseurs	°/₀ imports			
États-Unis		63,6	61,6	68,2 b
CEE / UE		20,0	14,9	12,5 b
Japon		3,5	5,1	6,5 b
Principaux clients	°/₀ exports			
États-Unis		59,8	64,7	78,4 b
CEE / UE		6,9	15,3	5,8 b
PVD		10,5	12,6	7,0 b

a. Marchandises; b. 1993; c. Non compris produits énergétiques.

INDICATEUR	UNITÉ		1970	1980	1994
ÉCONOMIE					
PIB	milliard $		37,5	163,4	373,6
Croissance annuelle	%		6,7 a	4,1 b	3,5
Par habitant e	$		1 538	4 463	7 019 e
Structure du PIB					
Agriculture	%	⎫	11,7	8,2	8,5 d
Industrie	%	⎬ 100 %	29,4	32,8	28,4 d
Services	%	⎭	58,9	59,0	63,2 d
Dette extérieure totale	milliard $		5,97	57,4	118,0 d
Service de la dette/Exportations	%		44,3	49,5	32,7 d
Taux d'inflation	%		5,2	26,4	7,1
Population active	million		14,5	22,25	33,4 d
Agriculture	%	⎫	41,6 f	36,5	26,3 d
Industrie	%	⎬ 100 %	25,8 f	29,0	21,5 d
Services	%	⎭	32,6 f	34,5	52,2 d
Dépenses publiques					
Éducation	% PIB		2,4	4,7	5,2 c
Défense	% PIB		0,6	0,6	0,4
Énergie					
Consommation par habitant	kg		1 006	1 685	1 891
Taux de couverture	%		101,3	167,0	162,6

a. 1965-75; b. 1975-85; c. 1992; d. 1993; e. A parité de pouvoir d'achat (voir p. 673);
f. 1973.

national tout à fait exceptionnel de 50 milliards de dollars a très rapidement été mis en place sous l'impulsion des États-Unis. Cette somme correspondait à peu de chose près au montant de la dette publique arrivant à échéance en 1995 et ne permettait que d'éviter l'effondrement du système bancaire.

Le gouvernement a donc annoncé à la population en mars 1995 le lancement d'un énième plan d'austérité draconien : augmentation de la TVA (passant de 10 % à 15 %), de l'électricité (20 %), de l'essence (35 %), des transports en commun (100 %), mais augmentation de 10 % seulement du salaire minimum (de 65 à 71 dollars par mois), croissance négative du PIB (− 2 %), liberté de négociation des salaires... Ces mesures ont redonné confiance aux marchés financiers. Ainsi en mai le peso avait-il récupéré quelque 20 % de sa valeur, les indices boursiers 30 %, et les capitaux commençaient à revenir, encouragés par le redressement spectaculaire de la balance commerciale. Il n'en demeure pas moins qu'après quelques années d'euphorie économique, le Mexique est à nouveau entré en récession en 1995.

Comment en est-on arrivé là ? Le pays, avec l'entrée en vigueur de l'ALENA (Accord de libre-échange nord-américain) en janvier 1994, et son admission à l'OCDE trois mois plus tard, semblait désormais faire partie du club des pays développés. Les nombreux accords de libre-échange passés avec des États d'Amérique ont, en effet, connu des développements spectaculaires : augmentation de 28,5 % des exportations de produits manufacturés en direction des pays signataires de l'ALENA (Accord de libre-échange nord-américain), États-Unis et

BIBLIOGRAPHIE

C. BATAILLON, L. PANABIÈRE, *Mexico aujourd'hui, la plus grande ville du monde*, Publisud, Paris, 1988.

V. BRACHET MARQUEZ, «Repenser la démocratie au Mexique», *Cahiers des Amériques latines*, n° 16, Paris, 1994.

G. COUFFIGNAL, «La fin de l'exception mexicaine : le PRI dans l'après-guerre froide», *Revue internationale et stratégique*, n° 14, Paris, 1994.

G. COUFFIGNAL, «Mexique : le cheminement convulsif vers le pluralisme politique», *Problèmes d'Amérique latine*, n° 15, La Documentation française, Paris, 1994.

S. LOAEZA, «Mexique : construire le pluralisme», *in* G. COUFFIGNAL (sous la dir. de), *Réinventer la démocratie : le défi latino-américain*, Presses de la FNSP, Paris, 1992.

A. MUSSET, *Le Mexique*, Masson, «Géographie», Paris, 1992.

M.-F. SCHAPIRA, J. REVEL MOUROZ (coord.), *Le Mexique à l'aube du 3ᵉ millénaire*, IHEAL, Paris, 1993.

Voir aussi la bibliographie sélective «Amérique centrale et du Sud» dans la section «38 ensembles géopolitiques».

Canada, doublement en deux ans des échanges avec le Chili, débuts prometteurs du Groupe des Trois (Colombie, Vénézuéla, Mexique). Enfin, de nouveaux accords ont été signés avec la Bolivie et le Costa Rica. La crise a donc surpris.

Son ampleur a tout d'abord montré le caractère artificiel de la politique économique du président sortant, Carlos Salinas de Gortari. Attaché au principe d'un peso fort, il avait refusé de procéder au réajustement monétaire qui s'imposait depuis un an. Il tenait à terminer son mandat sans vagues afin d'accroître ses chances d'être élu, avec le soutien déclaré des États-Unis, président de l'OMC (Organisation mondiale du commerce). Début 1995, il était contraint de retirer sa candidature.

La cause essentielle était pourtant moins d'ordre économique que politique. Les mouvements de capitaux fonctionnent avant tout sur le principe de la confiance. Or, l'année 1994 a progressivement fait douter de la stabilité du système en place depuis plus d'un demi-siècle. Le conflit du Chiapas, avec l'écho rencontré dans de nombreuses couches de la société par les propos du charismatique sous-commandant Marcos, leader du mouvement zapatiste, a montré que des pans entiers de la société refusaient la «modernisation» menée tambour battant depuis quelques années.

La gestion de ce conflit aura d'ailleurs été erratique : après avoir annoncé sa volonté de reprendre les négociations engagées par son prédécesseur, E. Zedillo a ordonné à l'armée, en février 1995, de reprendre les zones contrôlées par l'AZLN pour faire cesser l'offensive quinze jours plus tard. Fin avril 1995, les nouvelles négociations avaient bien mal débuté.

C'est cependant surtout la décomposition interne du système politique qui a inquiété. Après L.D. Colosio, c'était au tour du secrétaire général du PRI, José Francisco Ruiz Massieu, d'être assassiné, en septembre 1994. Son frère Mario Ruiz Massieu, vice-ministre de la Justice, laissait entendre que des personnalités politiques liées aux cartels mexicains de la drogue auraient été à l'origine de ces deux crimes, perpétrés contre des hommes qui avaient annoncé leur volonté de lutter contre le trafic de drogue. Cette hypothèse a depuis été amplement corroborée. Raúl Salinas, frère de l'ancien président, a été arrêté en février 1995 sous la présomption d'avoir commandité l'assassinat du secrétaire général du PRI. M. Ruiz Massieu, a été appréhendé quelques jours plus tard aux États-Unis, accusé d'avoir partie liée avec le puissant «cartel du golfe». Quant à Carlos Salinas, le gouvernement mexicain lui a demandé de partir à New York et d'y rester...

Nécessaire démocratisation

Cette décomposition du régime a eu pour effet de renforcer le processus de démocratisation. Toutes les forces politiques ont ainsi été associées à l'organisation des élections d'août 1994. Le 17 janvier 1995, elles ont signé un accord, qualifié d'historique, pour engager une réforme politique garantissant de matière définitive la légalité, l'équité et la transparence des processus électoraux. Ayant à faire accepter à la population une nouvelle cure d'austérité avec un parti et des relais syndicaux très affaiblis, E. Zedillo a cherché du côté de l'opposition les soutiens qui lui faisaient défaut dans son camp.

La population en est venue à douter de son système politique, du parti au pouvoir, de ses syndicats. Si l'acte d'autorité du président, contraignant son prédécesseur à quitter précipitamment le pays, l'a rendu populaire et si les premiers résultats des plans de redressement semblaient positifs, le niveau de vie a néanmoins brutalement chuté et le chômage s'est considérablement aggravé (750 000 chômeurs de plus à la mi-1995). E. Zedillo, bénéficiant beaucoup moins que ses prédécesseurs de la force d'encadrement du PRI, n'avait donc pas droit à l'erreur...

Georges Couffignal

(Voir aussi l'article p. 135.)

Espagne
Succès électoraux pour la droite

Le Parti populaire (PP) a gagné les deux scrutins du 28 mai 1995. Dans le cadre de l'élection des assemblées législatives de treize communautés autonomes sur dix-sept — soit toutes les communautés moins le Pays basque, la Catalogne, la Galice et l'Andalousie —, le PP l'a emporté avec 44,61 % des voix, contre 31,52 % pour le Parti socialiste ouvrier espagnol (PSOE, au pouvoir depuis 1982). Le PP est devenu majoritaire dans six nouvelles communautés (Madrid, Asturies, Cantabria, Rioja, Aragon, Valence, Murcie) et a maintenu son avance en Galice, Castille et Léon, Navarre et Baléares. Aux élections municipales, le PP a obtenu 35,2 % des voix, et le PSOE 30,8 %. Au cours des deux scrutins, la Gauche unie (IU) a dépassé 11 %. Si le PSOE s'est félicité de son maintien au-dessus de la barre des 30 % — contrairement à ce que les sondages semblaient annoncer — et de l'écart de voix limité, la victoire du PP n'en était pas moins incontestable.

La carte politique de l'Espagne s'est ainsi redessinée : le PP a acquis le contrôle de la plupart des grandes villes et des autonomies. Il a emporté la quasi-totalité des capitales de province, même dans les communautés encore dirigées par les socialistes, tandis que le PSOE dominait surtout dans les villes de taille intermédiaire (entre 5 000 et 50 000 habitants). De plus, le PP a obtenu la majorité simple au Sénat et la majorité au Conseil de politique fiscale et financière, qui débat du financement des autonomies.

Espagne *(Voir aussi tableau p. 594)*

DÉMOGRAPHIE, CULTURE, ARMÉE

INDICATEUR	UNITÉ	1970	1980	1994
Démographie				
Population	million	33,8	37,5	39,6 e
Densité	hab./km²	66,9	74,4	78,5 e
Croissance annuelle	%	1,1 a	0,8 b	0,2 c
Indice de fécondité (ISF)		2,9 a	2,2 b	1,2 c
Mortalité infantile	‰	28,1	11,1	7 c
Espérance de vie	année	72,2	74,5	78 c
Population urbaine	%	66,0	72,8	76,2
Culture				
Analphabétisme	%	9,8	6,8	4,6 f
Nombre de médecins	‰ hab.	1,34	2,30	3,9 g
Scolarisation 2e degré h	%	56	87	109 d
Scolarisation 3e degré	%	8,9	24,2	39,5 d
Téléviseurs	‰	122	254	402 d
Livres publiés	titre	19 717	28 195	41 816 d
Armée				
Marine	millier d'h.	39,4	49	33,1
Aviation	millier d'h.	32,6	38	28,4
Armée de terre	millier d'h.	210	255	145

a. 1965-75;   b. 1975-85;   c. 1990-95;   d. 1992;   e. 1995;   f. 1988;   g. 1991;
h. 11-17 ans.

COMMERCE EXTÉRIEUR [a]

INDICATEUR	UNITÉ	1970	1980	1994
Commerce extérieur	% PIB	9,7	13,0	15,2
Total imports	milliard $	4,7	34,1	83,0
Produits agricoles	%	23,6	21,3	15,9 b
Produits énergétiques	%	13,3	38,5	10,6 b
Minerais et métaux	%	8,9	5,8	3,2 b
Total exports	milliard $	2,4	20,7	63,0
Produits agricoles	%	37,0	19,9	17,3 b
Minerais et métaux	%	4,0	4,5	2,5 b
Produits manufacturés	%	53,3	71,4	68,2 b
Principaux fournisseurs	% imports			
CEE / UE		41,3	31,4	64,3
Moyen-Orient		9,6	26,0	2,7
États-Unis		18,9	13,1	6,8
Principaux clients	% exports			
CEE / UE		49,6	52,4	70,7
Afrique		5,9	8,4	4,9
Amérique latine		11,6	9,5	6,1

a. Marchandises;   b. 1993.

ÉCONOMIE

INDICATEUR	UNITÉ		1970	1980	1994
PIB	milliard $		37,2	198,1	480,3
Croissance annuelle	%		5,9 a	1,7 b	2,0
Par habitant f	$		2 303	6 115	13 791
Structure du PIB					
Agriculture	%	⎫	11,3	7,1	3,5 c
Industrie	%	⎬ 100 %	39,9	38,6	31,8 c
Services	%	⎭	48,8	54,3	64,7 c
Taux d'inflation	%		5,7	15,6	4,3
Population active	million		13,0	13,3	15,7
Agriculture	%	⎫	29,5	18,9	9,8
Industrie	%	⎬ 100 %	37,2	36,1	30,1
Services	%	⎭	33,3	45,1	60,1
Chômage	%		2,5	11,2	23,5
Dépenses publiques					
Éducation	% PIB		2,1	2,3	4,6 c
Défense	% PIB		1,6	2,3	1,2
Aide au développement	% PIB		0,01	0,11	0,25 d
Administrations publiques					
Solde g	% PIB		0,7	− 2,6	− 7,2
Dette brute	% PIB				61,4
Recherche et Développement	% PIB		0,2	0,4	0,85 d
Énergie					
Consommation par habitant	kg		1 467	2 357	3 109 c
Taux de couverture	%		28,4	24,0	35,1 c

a. 1965-75;   b. 1975-85;   c. 1992;   d. 1993;   e. 4ᵉ trim.;   f. A parité de pouvoir d'achat (voir p. 673);   g. Capacité ou besoin de financement.

ESPAGNE

263

●

Entre scandales et attentats

Pour comprendre ces résultats, il faut prendre en considération les suites des élections européennes du 12 juin 1994. La sanction donnée par l'électorat espagnol à la gestion socialiste (30,67 % des suffrages, contre 40,21 % au PP) n'a été suivie d'aucun changement. Or les appels à un remaniement ministériel, à des élections anticipées, voire à la démission du chef du gouvernement Felipe González n'ont cessé de s'amplifier au cours d'une année riche en scandales de toutes sortes. Alors que la monarchie, toujours plus populaire et respectée, a célébré le 18 mars 1995, à Séville, les noces de la fille aînée du roi Juan Carlos,

Elena, avec Jaime de Marichalar Saenz de Tejada, cadre de banque à Paris — premier mariage royal en Espagne depuis 1906 —, l'image de F. González n'a cessé de se dégrader.

La corruption est devenue la préoccupation centrale des Espagnols à partir de 1993 et la situation n'a fait qu'empirer en 1994-1995. De nombreuses affaires — souvent reliées entre elles — ont mis en cause le financement du PSOE et l'utilisation pour le moins discutable que le gouvernement a faite des fonds réservés du ministère de l'Intérieur. Le seul succès apparent a été la spectaculaire interpellation au Laos, le 27 février 1995, de Luis Roldán, ancien chef de la Garde civile inculpé de très nombreux délits et en fuite

BIBLIOGRAPHIE

A. Angoustures, *Histoire de l'Espagne au xxᵉ siècle*, Complexe, Bruxelles, 1993.

P. Cernuda, *El Presidente*, Temas de Hoy, Madrid, 1994.

G. Couffinal, *Le Régime politique de l'Espagne*, Montchrestien, Paris, 1993.

P. Graciano, *El Túnel. La larga marcha de José Maria Aznar, y la derecha española hasta el poder*, Temas de Hoy, Madrid, 1993.

J.M. Irujo, R. Arques, *Eta. La derrota de las armás*, Plaza y Janès/Cambio 16, Barcelone, 1993.

K. Maxwell, S. Spiegel, *The New Spain. From Isolation to Influence*, Council on Foreign Relations Press, New York, 1994.

F. Moderne, P. Bon (sous la dir. de), «L'Espagne aujourd'hui. Dix années de gouvernement socialiste (1982-1992)», *Notes et études documentaires*, n° 4973, La Documentation française, Paris, 1994.

J.-L. Vilallonga, *Le Roi*, Fixot, Paris, 1993.

305 jours durant. Elle n'a cependant pas levé les soupçons sur des arrangements conclus entre le fugitif et le sommet de l'État. Les conditions mêmes de l'arrestation — qui n'aurait peut-être pas eu lieu au Laos — ont donné lieu à une enquête judiciaire.

C'est toutefois en décembre 1994 qu'a éclaté le pire scandale pour le gouvernement socialiste. Deux anciens policiers de la brigade d'information de Bilbao condamnés comme instigateurs d'attentats des Groupes antiterroristes de libération (GAL), mouvement clandestin de contre-terrorisme, responsable de la mort de 27 personnes de la mouvance du mouvement terroriste ETA (Euskadi ta Askatasuna, le Pays basque et sa liberté) de 1983 à 1987, ont révélé dans le quotidien *El Mundo* avoir agi sur ordre de responsables des gouvernements socialistes de l'époque. Leurs déclarations ont également porté sur leur paiement par des fonds secrets de l'État et sur les méthodes des GAL. Elles ont conduit à l'inculpation, à la mi-avril 1995, de quatorze personnes, dont Rafael Vera, ancien secrétaire d'État à la Sécurité, et à l'identification tardive et macabre, en mars 1995, des cadavres de deux membres de l'ETA, torturés et liquidés par les GAL à l'époque où les responsables socialistes mis en cause étaient en poste.

F. González, personnellement attaqué sur ce point, n'a cessé de nier toute implication de lui-même comme du gouvernement dans la création et dans les actions des GAL. Il a répondu aux attaques dénonçant la négligence des enquêtes en précisant que la priorité de ces années était la prévention des attentats de l'ETA et non les activités des GAL. Or, en écho à ces déclarations, l'ETA a commis un certain nombre d'attentats et, surtout, pour la première fois depuis onze ans, s'est attaqué à des hommes politiques, en visant le PP, qualifié d'«héritier» du franquisme. Le 23 janvier 1995 a été ainsi assassiné Gregorio Ordoñez (trente-sept ans), président du PP de la province de Guipuzcoa, député au parlement basque, conseiller municipal de San Sebastian et candidat à la mairie de la ville. A la stupeur de tous, le 19 avril 1995 c'est le dirigeant du même parti, José-María Aznar, qui a échappé de très peu à un attentat à la voiture piégée en plein Madrid. Cette tentative de remise en cause du principe démocratique d'alternance a provoqué une vive émotion et a été comparée au coup de force avorté perpétré par un groupe de militaires en 1981.

Le coût du felipisme

L'obstination de F. González à rester au pouvoir jusqu'à la fin de son mandat, en comptant profiter électoralement de la présidence espagnole de l'Union européenne (UE) de juillet à décembre 1995 et de la reprise économique engagée sur le continent, a fortement contribué à empoisonner le débat politique et à radicaliser les oppositions et les exaspérations. Si le dirigeant d'IU (Gauche unie) Julio Anguita est apparu très virulent, le gouvernement n'a pas été en reste. Des déclarations pour le moins contestables ont été faites : attribution des scandales à une « conspiration » menée par la presse et le juge Baltasar Garzón (chargé notamment de l'instruction du dossier des GAL), critiques faites contre celui-ci, notamment par l'un des inculpés lors d'une interview donnée à la télévision depuis la prison, ou mise en cause du caractère démocratique du PP.

L'attitude du chef du gouvernement a aussi eu des répercussions sur les objectifs économiques dont dépendait en dernière analyse son calcul politique. Le but principal du gouvernement a été, à partir de 1994, de placer l'Espagne dans le peloton de tête des États membres de l'UE dans la perspective de l'Union monétaire projetée. Pour ce faire, le ministre de l'Économie Pedro Solbes a présenté durant l'été 1994 un programme économique de « convergence » vers les critères arrêtés pour cette union. Les objectifs principaux en ont été, pour 1995, la réduction du déficit public à 5,9 % du PIB et celle de l'inflation à 3,5 %. La croissance pour 1995 s'étant annoncée forte (+ 2,9 % selon l'OCDE), le gouvernement a envisagé de relancer la consommation et de créer un million d'emplois pour 1997. Résultat positif, le chômage a semblé se stabiliser autour de 23 % de la population active (23,9 % à la fin 1994, soit 3,7 millions de personnes).

Espagne.

Capitale : Madrid.

Superficie : 504 782 km² (0,92 fois la France).

Monnaie : peseta (100 pesetas = 0,63 écu ou 4,04 FF au 11.7.95).

Langues : officielle nationale : espagnol (ou castillan) ; officielles régionales : basque (euskera) ; catalan ; galicien ; valencien.

Chef de l'État : Juan Carlos Iᵉʳ de Bourbon (roi), depuis le 27.11.75.

Chef du gouvernement : Felipe González (depuis déc. 1982).

Échéances électorales : législatives en mars 96, autonomiques catalanes (initialement fixées à 1996).

Nature de l'État : royaume. 17 communautés autonomes dans une Espagne « unie et indissoluble ».

Nature du régime : monarchie constitutionnelle.

Principaux partis politiques : *Audience nationale :* Parti socialiste ouvrier espagnol (PSOE, gauche, au pouvoir) ; Parti populaire (PP, droite), Gauche unie (IU, coalition à majorité communiste) ; Centre démocratique et social (CDS, populiste). *Audience régionale :* Parti nationaliste basque (PNV, droite) ; Eusko-Alkartasuna (dissident du PNV) ; Herri Batasuna (HB, coalition séparatiste basque, proche de l'ETA) ; Convergence et Union (CiU, droite, au pouvoir en Catalogne) ; Esquerra Republicana de Catalunya (séparatistes catalans) ; Bloque Nacionalista Galego (gauche galicienne) ; Poder Andaluz (PA, ex-Partido Andalucista, nationaliste) ; Union Valenciana (UV, centre droit) ; Union del Pueblo Navarro (UPN) ; Centro Democratico Navarro (CDN).

Territoires outre-mer : Ceuta, Melilla [Afrique du Nord].

Territoire contesté : Gibraltar, dépendant du Royaume-Uni.

Carte : p. 593.

Statistiques : voir aussi p. 594-595.

Cependant, au lendemain de l'intervention de F. González au Congrès à propos des GAL, la peseta a été vivement attaquée sur les marchés financiers et a dû finalement être dévaluée à 7 % le 5 mars 1995 (c'était là la quatrième dévaluation depuis l'entrée dans le SME — Système monétaire européen —, le 16 juin 1989). De plus, l'inflation a connu une aggravation début 1995 (5,1 % en rythme annuel au 31 mars), ainsi que le déficit public (26 % d'augmentation). Le budget proposé pour 1996 aura été le plus « restrictif » des treize années de gouvernement socialiste. Le gouvernement a, par ailleurs, eu à gérer deux conflits avec ses partenaires européens à propos de la pêche, l'un avec la France à l'été 1994 et l'autre à propos du Canada en mars 1995.

Enfin, c'est à l'intérieur même du PSOE et dans le cadre de l'alliance nouée en 1993 avec CiU (Convergence et Union, au pouvoir en Catalogne) que les répercussions de l'attitude de F. Gonzáles ont été les plus fortes. L'analyse optimiste faite au lendemain du scrutin du 28 mai par l'exécutif du PSOE a fait l'objet de débats internes virulents, à un moment où le rapport de forces entre « barons » a été modifié. Des changements ont été demandés, allant du remplacement du Premier ministre à un changement de gouvernement, en passant par la tenue d'élections anticipées en 1996. La formation catalane a enregistré une baisse de trois points dans sa région, ce qui pouvait l'amener à reconsidérer sa politique. Ce fut chose faite, le 17 juillet 1995, avec la rupture du pacte de gouvernement par la CiU de Jordi Pujol, après un nouveau scandale portant sur des écoutes téléphoniques illégales et des divergences politiques. F. González a annoncé la tenue d'élections générales anticipées en mars 1996, pour lesquelles il renoncerait à être tête de liste du PSOE.

Aline Angoustures

Corée du Sud
A l'ère de la globalisation

L'année 1994-1995 a été essentiellement marquée par la campagne de « globalisation » lancée par le président Kim Young Sam et présentée comme le nouvel objectif national. Le but était de mobiliser la population pour répondre au double défi de l'aiguisement de la compétitivité internationale et de la crise de la société. Dès lors, la vie politique comme la vie économique et sociale a été ordonnée et réglée par ce nouvel objectif.

Depuis son avènement en février 1993, le président Kim s'est trouvé aux prises avec le lourd héritage de trente ans de régime militaire. Ainsi a-t-il, dès la première année de son quinquennat, imposé à la satisfaction générale une remise en ordre de l'armée et de la classe politique. Dès le début de la deuxième année, son ardeur réformiste a cependant donné des signes d'essoufflement comme en ont témoigné ses rencontres publiques, en janvier 1994, avec ses prédécesseurs, Chun Doo Hwan (1980-1987) et Roh Tae Woo (1988-1992) ; le limogeage, pour apaiser les éléments conservateurs du Parti démocratique libéral (PDL), de son Premier ministre Lee Hoi Chang, jugé trop zélé dans les réformes, en avril ; enfin, l'étouffement, en juin, du scandale financier de Sang Mu Dae dans lequel le PDL avait été impliqué.

En vérité, les forces les plus hostiles à sa politique se trouvaient au sein même du parti du président. Il a, en effet, été élu grâce au Parti de la justice et de la démocratie de ses prédécesseurs, et au Parti républicain de Kim Jong Pil, tous deux conservateurs et avec lesquels sa propre formation, le Parti démocrate, a fusionné en 1990 pour former le PDL.

Or, à la suite de multiples affaires de corruption impliquant les fonctionnaires des impôts dans la plupart des grandes villes, et d'une série de désastres dus à des collusions entre entreprises, hommes politiques et fonctionnaires (effondrement du pont Songsu à Séoul, explosion au gaz dans le centre de la capitale, mais aussi dans un chantier du métro à Taegu), la population attendait des réformes structurelles. Si l'on reconnaissait volontiers que la responsabilité revenait aux régimes précédents, le président s'est vu reproché de n'avoir pas prévenu ces désastres majeurs.

Les enjeux de l'ouverture

C'est dans ce contexte de crise que Kim Young Sam a lancé en novembre 1994 sa campagne de globalisation en appelant à un effort d'adaptation aux changements internes et externes provoqués par la disparition progressive des frontières économiques et exposant l'économie du pays à une concurrence directe avec celle des États industriels les plus développés. Une mise à niveau urgente de la Corée du Sud est ainsi devenue impérative.

Kim Young Sam a jugé l'impact de sa campagne suffisamment important pour procéder aussitôt à une restructuration des ministères par la dissolution ou la fusion des appareils d'État. C'est aussi au nom de la nécessaire modernisation du Parti qu'il a évincé Kim Jong Pil, chef de file des conservateurs. Ces deux réformes administrative et partisane ont été bien accueillies par l'opinion, mais le président demeurait critiqué pour son habitude de lancer des projets de réforme sans jamais les mener à terme. Sa crédibilité même a semblé atteinte après la défaite de son parti aux élections locales du 27 juin 1995, et l'effondre-

ment, le lendemain, d'un grand magasin à Séoul, quatrième désastre du genre depuis le début de son quinquennat.

Après la récession de 1992-1993, l'activité économique a repris et les prévisionnistes tablaient sur une croissance de 8 % en 1995. L'investissement a été relancé (+ 10,6 % en 1994 contre 3,6 % en 1993) et la consommation privée est restée soutenue. Après avoir ralenti en 1993, la progression des salaires a repris un rythme à deux chiffres en 1994 (+ 12,8 %, contre + 8,9 % en 1993). La montée du chômage intervenue en 1993 a paru maîtrisée.

La dépréciation du won de 20 % face au yen entre 1992 et 1995 a entraîné une considérable amélioration de la compétitivité des produits

▼
CORÉE DU SUD

République de Corée.
Capitale : Séoul.
Superficie : 99 484 km² (0,18 fois la France).
Monnaie : won (100 wons = 0,65 FF au 31.5.95).
Langue : coréen.
Chef de l'État : Kim Young Sam, président, qui a succédé à Roh Tae Woo le 25.2.93.
Premier ministre : Lee Hong Koo, qui a succédé à Lee Young Duk le 17.12.94.
Nature de l'État : république.
Nature du régime : présidentiel.
Principaux partis politiques :
Gouvernement : Parti démocrate libéral (PDL), né en février 1990 d'une fusion du Parti de la justice et de la démocratie (parti de Roh Tae Woo), du Parti pour la démocratie et la réunification (dit Parti démocrate, de Kim Young Sam) et du Parti républicain (de Kim Jong Pil). *Opposition :* Nouveau parti démocrate (de Lee Ki Taek).
Carte : p. 489.
Statistiques : voir aussi p. 490-491.

Corée du Sud *(Voir aussi tableau p. 491)*

DÉMOGRAPHIE, CULTURE, ARMÉE

INDICATEUR	UNITÉ	1970	1980	1994
Démographie				
Population	*million*	31,9	38,1	45,0 f
Densité	*hab./km²*	320,7	383,2	452,3 f
Croissance annuelle	°/₀	2,1 a	1,5 b	1,0 c
Indice de fécondité (ISF)		4,3 a	2,6 b	1,7 c
Mortalité infantile	°/₀₀	51,4	32,0	11 c
Espérance de vie	*année*	59,5	66,6	71 c
Population urbaine	°/₀	44,7	56,9	80,0
Culture				
Analphabétisme	°/₀	12,4	6,2	2,0 f
Nombre de médecins	°/₀₀ *hab.*	0,45	0,59	0,83 g
Scolarisation 12-17 ans	°/₀	48,8	74,2	84,0 e
Scolarisation 3e degré	°/₀	7,9	15,8	46,4 d
Téléviseurs	°/₀₀	19	165	211 e
Livres publiés	*titre*	4 207	20 978	27 889 e
Armée				
Marine	*millier d'h.*	13	48	60
Aviation	*millier d'h.*	30	32,6	53
Armée de terre	*millier d'h.*	570	520	520

a. 1965-75; b. 1975-85; c. 1990-95; d. 1993; e. 1992; f. 1995; g. 1989.

COMMERCE EXTÉRIEUR [a]

INDICATEUR	UNITÉ	1970	1980	1994
Commerce extérieur	°/₀ *PIB*	16,1	31,9	29,3
Total imports	*milliard $*	2,0	22,3	101,5
Produits agricoles	°/₀	32,6	24,3	12,2 c
Produits énergétiques	°/₀	6,9	29,9	18,1 c
Minerais et métaux [h]	°/₀	5,7	5,8	6,3 c
Total exports	*milliard $*	0,8	17,5	96,3
Produits agricoles	°/₀	16,6	8,9	3,9 c
Minerais et métaux [b]	°/₀	5,7	1,0	0,6 c
Produits manufacturés	°/₀	76,5	89,5	92,8 c
Principaux fournisseurs	°/₀ *imports*			
Japon		40,8	26,6	23,7 c
États-Unis		29,5	22,2	21,3 c
PVD		15,4	34,4	33,7 c
Principaux clients	°/₀ *exports*			
États-Unis		47,3	26,5	21,7 c
Japon		28,1	17,4	13,8 c
PVD		10,0	31,2	48,9 c

a. Marchandises; b. Produits énergétiques non compris; c. 1993.

ÉCONOMIE

INDICATEUR	UNITÉ	1970	1980	1994
PIB	milliard $	8,62	62,14	338,1 c
Croissance annuelle	%	10,6 a	7,7 b	8,0
Par habitant e	$	..	..	9810 c
Structure du PIB				
Agriculture	% ⎫	25,4	14,5	7,1 c
Industrie	% ⎬ 100 %	28,7	40,4	43,4 c
Services	% ⎭	45,9	45,1	49,6 c
Dette extérieure totale	milliard $	2,6	29,5	47,2 c
Service de la dette/Exportations	%	20,4	19,7	9,2 c
Taux d'inflation	%	16,1	28,7	5,6
Population active	million	11,41	14,73	19,78 c
Agriculture	% ⎫	50,4	36,4	14,4 c
Industrie	% ⎬ 100 %	21,8	26,8	32,3 c
Services	% ⎭	27,8	36,8	53,3 c
Dépenses publiques				
Éducation	% PIB	3,5	3,7	4,4 d
Défense	% PIB	3,7	4,3	4,2
Administrations publiques centrales				
Solde	% PIB	0,8	2,2	0,9 d
Dette brute	% PIB	10,3	14,0	7,7 f
Recherche et Développement	% PIB	0,48	0,57	2,2 d
Énergie				
Consommation par habitant	kg	655	1 373	3 188 d
Taux de couverture	%	45,5	24,7	20,8 d

a. 1965-75; b. 1975-85; c. 1993; d. 1992; e. A parité de pouvoir d'achat (voir p. 673); f. 1991.

coréens. La Corée du Sud a renforcé sa position sur le marché de l'électronique, Samsung étant le premier fabricant mondial de mémoires et trois autres grands groupes étant classés parmi les dix premiers mondiaux. Phénomène nouveau, à partir du second semestre 1994, les grands groupes ont fait preuve d'un dynamisme sans précédent dans leurs investissements en Europe. Jusqu'en novembre 1994, l'Europe absorbait moins de 10 % des exportations sud-coréennes et 1,3 milliard de dollars d'investissements directs sur un total de 9,7 milliards. Or, le géant industriel Daewoo a annoncé de nouveaux engagements qui feront passer ses investissements directs en Europe de 300 millions à 1,3 milliard de dollars. Samsung a annoncé de son côté la création de 3 000 emplois au Royaume-Uni *via* l'ouverture de filiales.

Par ailleurs, la Corée du Sud a posé sa candidature à l'OCDE (Organisation de coopération et de développement économiques) pour mai 1996. Dans l'intervalle, il lui fallait poursuivre ses efforts de libéralisation, notamment en matière commerciale et financière.

Séoul et l'accord de Genève

Les relations avec la Corée du Nord se sont nettement détériorées depuis que l'espoir d'un « sommet » intercoréen — né du voyage de l'ancien président américain Jimmy Carter à

BIBLIOGRAPHIE

N. Eberstadt, « Can the two Koreas be one ? », *Foreign Affairs*, New York, hiv. 1992-1993.

F. Godement, *La Renaissance de l'Asie*, Odile Jacob, Paris, 1993.

R.L. Janelli, *Making Capitalism*, Stanford University Press, Stanford (Calif.), 1993.

Korea Focus (bi-mensuel), Korea Foundation, Séoul.

Lee Chong Shik, « South Korea in 1994 », *Asian Survey*, University of California, Berkeley, 1995.

Revue de Corée (semestriel), Commission nationale coréenne pour l'UNESCO.

Voir aussi la bibliographie sélective « Asie », ainsi que la bibliographie « Asie du Nord-Est ».

Pyongyang, en juin 1994 — a été emporté par la mort du président nord-coréen Kim Il Sung, le 8 juillet suivant. Pyongyang a accusé Kim Young Sam d'avoir non seulement refusé d'exprimer des condoléances, mais rendu Kim Il Sung responsable de la division nationale et de la guerre de Corée (1950-1953). A propos des négociations nucléaires américano-nord-coréennes, le président Kim a, avec une franchise inhabituelle, mis en garde Washington, en octobre 1994, contre les risques de manipulation de Pyongyang. Cela n'a pas empêché les États-Unis de signer, avec la Corée du Nord, le 21 octobre 1994, à Genève, un accord nucléaire prévoyant le remplacement des réacteurs nord-coréens existants par des réacteurs à eau légère, la reprise du dialogue entre les deux Corées ainsi que la mise en place de bureaux de liaison nord-coréen à Washington et américain à Pyongyang.

Séoul a fait à l'accord de Genève un accueil réservé. Le président Kim a déclaré qu'il espérait qu'il contribuerait à la paix dans la péninsule, mais que Séoul devrait assumer l'essentiel du coût de construction des nouveaux réacteurs, estimé à 4 milliards de dollars, après avoir été écarté des négociations dès le début. Le comble était que la Corée du Nord faisait traîner la mise en œuvre de l'accord, en refusant de recevoir des réacteurs nucléaires de fabrica-

tion sud-coréenne. Elle a cependant fini par accepter, le 13 juin 1995, au terme d'un mois de négociations avec les États-Unis, mais à condition qu'aucune mention explicite de l'origine sud-coréenne ne figure sur les réacteurs.

Pour leur part, les relations avec la Chine ont connu un développement rapide. Les échanges commerciaux sont passés de 4,4 milliards de dollars en 1991 à 9 milliards en 1993, puis à 12 milliards en 1994. Les investissements directs en Chine se sont élevés à 1,7 milliard de dollars en 1994, soit 17 % du total des investissements sud-coréens à l'étranger. Les deux pays ont signé de nouveaux accords économiques lors de la visite à Séoul du Premier ministre chinois Li Peng en novembre 1994. De troisième partenaire commercial de la Corée du Sud après les États-Unis et le Japon, la Chine semblait pouvoir passer en première position dans un proche avenir.

Avec le Japon, les relations sont restées stables. Le cinquantenaire de la Libération a toutefois ranimé le souvenir du passé colonial (la Corée a été colonie japonaise de 1910 à 1945) et les Coréens ont constaté sans étonnement que certains dirigeants japonais éprouvaient toujours le besoin de renier toute responsabilité du Japon dans la guerre. Séoul a accepté le remboursement par la Russie d'une partie de sa dette de

1,47 milliard de dollars en avions de combat et en missiles.

Enfin, le président Kim a effectué une tournée européenne en mars 1995, se rendant successivement en France, en République tchèque, en Allemagne, au Royaume-Uni et en Belgique.

Bertrand Chung

Australie
Consolidation du redressement

En visite en Australie, le 19 janvier 1995, le pape Jean-Paul II a béatifié une religieuse de la fin du XIXe siècle, Mary MacKillop, devenue ainsi le premier saint des Antipodes. Cette reconnaissance a suscité un réflexe de fierté nationaliste au-delà de la part de la population (27 %) se déclarant catholique. Au niveau politique, sans échéance majeure, 1994-1995 été une année de consolidation et de poursuite à une cadence modérée du redressement économique du pays.

Dans l'État de Nouvelle-Galles du Sud, le plus peuplé de la Fédération australienne, contrôlé par la coalition conservatrice Parti libéral - Parti national, la grande victoire escomptée par les travaillistes, aux élections législatives du 25 mars 1995, s'est conclue par un petit succès. Certes, les conservateurs, dont le gouvernement avait été victime de scandales à répétition et dont la survie dépendait des voix de quelques parlementaires indépendants, y ont été battus par les travaillistes. Mais ceux-ci, menés par l'austère Bob Carr, ne détenaient en 1995 qu'une majorité d'une voix au Parlement.

Cette victoire conditionnelle a été perçue comme un avertissement pour les travaillistes au pouvoir à Canberra depuis 1983. Le signal s'est amplifié lors de l'élection partielle dans la capitale qui, le même jour, a vu le Labor (Parti travailliste) perdre 22 % des voix par rapport à 1993 et l'élection d'un conservateur. La distance entre le Premier ministre Paul Keating et sa base électorale s'est accrue alors même que sa préoccupation de grandes réformes s'amplifiait.

▼
AUSTRALIE

Commonwealth d'Australie.
Capitale : Canberra.
Superficie : 7 682 300 km² (14 fois la France).
Monnaie : dollar australien (1 dollar australien = 3,59 FF au 30.4.95).
Langue : anglais (officielle).
Chef de l'État : William (Bill) Hayden, gouverneur général représentant la reine Elizabeth II.
Chef du gouvernement : Paul Keating, Premier ministre (depuis le 19.12.91).
Échéances électorales : Chambre des représentants (mars 1996 au plus tard).
Nature de l'État : fédération de 6 États et 2 territoires.
Nature du régime : démocratie parlementaire de type britannique.
Principaux partis politiques :
Gouvernement : Parti travailliste australien (ALP). *Opposition :* Parti libéral d'Australie ; Parti national d'Australie ; Parti des démocrates australiens ; Parti des Verts australiens. *Parti extraparlementaire :* Parti pour le désarmement nucléaire (NDP).
Territoires externes et sous administration : île de Norfolk, Territoire de la mer de Corail, Lord Howe [Océanie] ; îles Cocos, îles Christmas [océan Indien] ; îles Heard et MacDonald ; île Macquarie [Antarctique].
Carte : p. 502-503.
Statistiques : voir aussi p. 501.

Australie *(Voir aussi tableau p. 501)*

DÉMOGRAPHIE, CULTURE, ARMÉE

INDICATEUR	UNITÉ	1970	1980	1994
Démographie				
Population	*million*	12,6	14,7	18,1 e
Densité	*hab./km²*	1,6	1,9	2,4 e
Croissance annuelle	*%*	1,8 a	1,5 b	1,4 c
Indice de fécondité (ISF)		2,7 a	2,0 b	1,9 c
Mortalité infantile	*%₀₀*	17,9	10,7	7 c
Espérance de vie	*année*	71,3	74,6	78 c
Population urbaine	*%*	85,2	85,8	84,7
Culture				
Nombre de médecins	*%₀₀ hab.*	1,20	1,80	2,25 f
Scolarisation 2e degré h	*%*	..	71	83 d
Scolarisation 3e degré	*%*	16,6	25,4	39,6 d
Téléviseurs	*%₀₀*	220	381	482 d
Livres publiés	*titre*	4 935	9 386	10 723 g
Armée				
Marine	*millier d'h.*	17,4	16,9	14,8
Aviation	*millier d'h.*	22,7	22,1	18,2
Armée de terre	*millier d'h.*	45	32	28,6

a. 1965-75 ;   b. 1975-85 ;   c. 1990-95 ;   d. 1992 ;   e. 1995 ;   f. 1988 ;   g. 1989 ;
h. 12-17 ans.

COMMERCE EXTÉRIEUR a

INDICATEUR	UNITÉ	1970	1980	1994
Commerce extérieur	*% PIB*	11,5	15,0	15,3
Total imports	*milliard $*	5,06	22,40	50,0
Produits agricoles	*%*	9,9	8,0	6,6 b
Produits énergétiques	*%*	5,5	13,8	6,1 b
Minerais et métaux	*%*	2,3	2,1	1,0 b
Total exports	*milliard $*	4,77	22,03	47,4
Produits agricoles	*%*	56,3	45,1	26,8 b
Minerais et métaux	*%*	22,6	22,6	13,9 b
Produits manufacturés	*%*	17,6	15,1	15,5 b
Principaux fournisseurs	*% imports*			
PVD		12,0	24,7	28,1
Japon		12,7	17,1	17,8
CEE / UE		37,3	22,7	20,7
Principaux clients	*% exports*			
PVD		22,0	31,4	45,4
Japon		26,2	26,6	24,5
CEE / UE		21,7	13,9	10,6

a. Marchandises ;   b. 1993.

Australie

ÉCONOMIE

INDICATEUR	UNITÉ		1970	1980	1994
PIB	milliard $		37,1	143,0	318,4
Croissance annuelle	%		4,3 a	2,9 b	4,7
Par habitant f	$		3 651	10 836	18 029
Structure du PIB					
Agriculture	%		5,8	5,2	3,2 d
Industrie	%	} 100 %	39,0	36,4	29,4 d
Services	%		55,1	58,3	67,4 d
Taux d'inflation	%		3,9	10,1	2,5
Population active	million		5,6	6,7	8,8
Agriculture	%		8,0	6,5	5,1
Industrie	%	} 100 %	36,4	30,9	23,6
Services	%		55,6	62,6	71,3
Chômage	%		1,6	6,0	8,8
Dépenses publiques					
Éducation	% PIB		4,2	5,5	5,5 e
Défense	% PIB		3,4	2,8	2,3
Recherche et Développement	% PIB		1,3	1,1	1,35 e
Aide au développement	% PIB		0,59	0,46	0,35 c
Administrations publiques					
Solde g	% PIB		2,8	− 0,5	− 2,6
Dette brute	% PIB		40,1	25,1	34,9
Énergie					
Consommation par habitant	kg		4 810	6 204	7 376 d
Taux de couverture	%		98,3	123,9	176,0 d

a. 1965-75; b. 1975-85; c. 1993; d. 1992; e. 1991; f. A parité de pouvoir d'achat (voir p. 673); g. Capacité ou besoin de financement.

L'opposition conservatrice a, pour sa part, encore changé de leader : après avoir sollicité, le 24 mai 1994, un quadragénaire, Alexander Downer, le Parti libéral a rappelé huit mois plus tard, le 30 janvier 1995, John Howard (cinquante-cinq ans) au poste qu'il avait déjà occupé entre 1985 et 1989. Le désarroi des conservateurs a reflété la domination des travaillistes dans le paysage politique australien.

Douze années de réformes et de mutations

Le pays a profondément changé en douze ans de pouvoir travailliste. Comme l'a déclaré le journaliste Paul Kelly, cette période a représenté la « fin des certitudes », une « décennie de destruction créatrice » au cours de laquelle le clivage traditionnel entre libéraux-conservateurs et travaillistes a cédé la place à une opposition entre « réalistes » (ceux qui se tournent vers l'Asie-Pacifique) et « sentimentaux » (ceux qui gardent des attaches avec un Royaume-Uni en plein déclin). Pendant cette période, les cinq piliers du consensus social, définis lors de la création de la Fédération érigée en dominion du Royaume-Uni, en 1901, à savoir une Australie « blanche », un système protectionniste, l'arbitrage de l'État dans les conflits sociaux, un paternalisme étatique et la sécurité accordée par un protecteur impérial, ont progressivement disparu.

BIBLIOGRAPHIE

P. Beilharz, *Transforming Labor : Labour Tradition and the Labor Decade in Australia*, Cambridge University Press, Melbourne, 1994.

D. Camroux, «L'Australie inscrit son destin en Asie-Pacifique», *Le Monde diplomatique*, n° 472, Paris, juil. 1993.

F. Castles (sous la dir. de), *Australia Compared : People, Policies and Politics*, Allen & Unwin, Sydney, 1991.

P. Kelly, *The End of Certainty : The story of the 1980s*, Allen & Unwin, Sydney, 1992.

F. Mediansky (sous la dir. de), *Australia in a Changing World*, Maxwell Macmillan, Sydney, 1992.

X. Pons, *A Sheltered Land*, Allen & Unwin, Sydney, 1994.

J.-C. Redonnet, *L'Australie*, PUF, «Que sais-je ?», Paris, 1994.

G. Turner, *Making it National : Nationalism and Australian Popular Culture*, Allen & Unwin, Sydney, 1994.

D. Walmsley, A. Sorenson, *Contemporary Australia*, Longmar Cheshire, Melbourne, 1993.

Sous l'impulsion des technocrates monétaristes qui ont monopolisé les postes clés à la tête de l'État fédéral — comme en Nouvelle-Zélande —, l'Australie, après avoir été l'un des pays les plus réglementés de l'OCDE (Organisation de coopération et de développement économiques), est devenue l'un des plus libéraux. Dès 1983, P. Keating, alors ministre des Finances, a fait flotter le dollar australien, a déréglementé le système financier et permis aux banques étrangères de s'installer dans le pays.

Quant à la restructuration industrielle, que certains économistes estimaient devoir être entamée parallèlement, elle n'a été engagée qu'à partir de 1987. Dans l'intervalle, le processus de désindustrialisation s'est accéléré. Les plans macroéconomiques dans les différents secteurs industriels — tant ceux qui avaient le plus grand potentiel de compétitivité (automobile, sidérurgie, génie civil et mécanique) que ceux qui étaient les plus menacés par la concurrence asiatique (textile et chaussures) — n'ont vu le jour que progressivement, dirigés par l'ancien ministre de l'Industrie John Button. Dans tous les cas, ils ont entraîné des licenciements : la proportion de la population active dans l'industrie est passée de 30,9 % en 1980 à 23,8 % en 1992.

Une fois le processus de réformes macroéconomiques engagé, le Labor s'est concentré sur les réajustements microéconomiques. Une large déréglementation a touché de nombreuses entreprises du secteur public. Les travaillistes se sont ensuite attelés à la réorganisation du marché du travail, tâche amorcée avec l'abandon du système centralisé de fixation de salaires.

Par ailleurs, la réorganisation radicale du mouvement syndical (37,6 % de la population active en 1994) a vu dès 1994 l'émergence après fusions d'une vingtaine de «mégasyndicats», organisés par secteur économique et plus aptes à se défendre dans le climat de déréglementation voulu par les travaillistes.

L'Australie a été l'un des premiers pays de l'OCDE à sortir de la crise, en 1993. Le taux de croissance a été de 4,8 % pour 1994-1995 et les prévisions pour 1995-1996 étaient de 3,8 %. Avec la création de 550 000 emplois supplémentaires, le chômage est tombé à 8,3 % de la population active en avril 1995, contre 10,1 % un an plus tôt. La croissance n'a pourtant pas atteint les prévisions, à cause de l'impact d'une sécheresse exceptionnelle et des difficultés économiques rencontrées par le premier partenaire commercial du pays, le Japon.

Une telle croissance a engendré, de manière structurelle, une demande accrue de biens de consommation ainsi que de biens d'équipement. Le déficit des comptes courants a atteint 18 milliards de dollars australiens (6 % du PIB) au cours de l'année fiscale. Le budget du cinquième gouvernement travailliste consécutif, présenté le 9 mai 1995 par le ministre des Finances Ralph Willis, a tenté de répondre à ces dérives tout en préparant le terrain à d'éventuelles élections anticipées. Avec un dosage habile d'augmentation des impôts sur les sociétés — ils sont passés de 33 % à 36 % — et surtout la poursuite du programme de privatisations, concernant notamment la compagnie aérienne nationale Qantas et les 50,4 % de la Commonwealth Bank détenus par l'État, il a tablé sur des excédents budgétaires au niveau fédéral en 1996. Sur le plan des dépenses, le gouvernement a instauré une allocation de maternité de 800 dollars et une rallonge au budget de la santé des Aborigènes.

Un acteur régional de plus en plus intégré

Le « livre blanc » sur la défense publié en décembre 1994 a clairement mis en relief l'importance accordée aux relations avec l'Indonésie, avec laquelle l'Australie a des intérêts stratégiques communs. Sans être explicitement nommée, la Chine s'est vue qualifiée de « menace potentielle », conformément à la vision prévalant en Asie du Sud-Est en général. Les rapports avec l'Indonésie n'ont cependant pas été sans difficultés, surtout en ce qui concerne Timor oriental [*voir p. 218*] : en février 1995, le Portugal, ancienne puissance tutélaire, a entamé un procès devant la Cour internationale de La Haye contre Canberra, au sujet des accords pétroliers australo-indonésiens de 1989 concernant la mer de Timor.

Un Forum de dialogue sur les questions de sécurité, soutenu par l'Australie, l'ANSEA Regional Forum, a vu le jour à Bangkok, le 25 juillet 1994. Au deuxième « sommet » de l'APC (Coopération économique de la zone Asie-Pacifique) à Bogor (Indonésie), le 15 novembre 1994, les dix-huit pays membres ont adopté un projet de zone de libre-échange à mettre en place avant 2020 (2010 pour les pays les plus développés). Rallié, dans cette instance, aux positions plus maximalistes des États-Unis, les dirigeants australiens ont eu du mal à faire entendre leurs positions libre-échangistes modérées à propos du différend commercial américano-japonais, en avril-mai 1995, portant sur l'industrie automobile, où, en revanche, ils se sont trouvés alliés à Tokyo. Conséquence du yen fort, il a été décidé que Toyota et Mitsubishi fabriqueraient, à partir de 1996, des voitures pour l'exportation dans leurs usines australiennes ! Le 20 mars 1995, le ministre des Affaires étrangères Gareth Evans a exhorté son pays à s'identifier à l'Asie de l'Est, et le 15 mai 1995 le Premier ministre malaisien, Datuk Seri Mahathir Mohamad, a levé son veto à une participation australienne à son projet d'une organisation régionale purement asiatique, l'EAEC (East Asia Economic Caucus, « Consultation économique d'Asie de l'Est »).

L'annonce, le 13 juin 1995, par le président français Jacques Chirac de la reprise des essais nucléaires français dans le Pacifique a provoqué une levée de boucliers dans la région. Sous la pression du mouvement écologiste, de l'opposition conservatrice, de médias et de l'opinion publique en général, le gouvernement s'est dû de réagir. Dans un premier temps, malgré quelques menaces spontanées de boycottage des produits français, il a rappelé l'ambassadeur australien en poste à Paris et a décidé un gel des relations militaires. En juillet 1995, la participation française à quelques grands contrats, surtout dans le domaine de l'armement, se trouvait cependant bel et bien menacée.

David Camroux

Afrique du Sud
Un régime consociatif

L'Afrique du Sud a pris en 1994-1995 un nouveau visage en adoptant un nouveau type de gouvernement et de nouvelles institutions et en se dotant d'une équipe gouvernementale non raciale. Engagée depuis la fin des années quatre-vingt dans un processus actif et irrémédiable de démantèlement de l'apartheid, le pays a entrepris une véritable refondation, cherchant de nouveaux repères et de nouvelles pratiques en matière sociale, politique et économique.

La période 1994-1995 restera dans l'histoire comme celle de l'établissement d'un nouveau régime, désormais fondé sur une légitimité démocratique sur la base du principe « un homme, une voix » et sur une pratique politique inédite.

Un an après les élections historiques des 27-29 avril 1994 et la victoire de l'ANC (Congrès national africain), le nouveau régime s'est progressivement institutionnalisé selon des principes et des procédures assez éloignés de ceux prévalant dans les régimes majoritaires. La nouvelle organisation du pouvoir telle que négociée depuis la fin des années quatre-vingt a permis de constituer un régime consociatif, associant à la fois le principe numérique de la règle démocratique « un homme, une voix » et la participation des minorités, généralement privées de l'exercice du pouvoir. Dans le contexte très spécifique de ce pays, a ainsi vu le jour un système politique permettant à l'ANC de gouverner pleinement, tout en faisant participer les autres formations au processus de décision politique.

De nouvelles pratiques politiques

L'ANC dirige incontestablement le pays comme le montrent son contrôle de l'essentiel des postes clés du pays (présidence de la République,

charge de premier vice-président, présidence de l'Assemblée) et sa majorité au Parlement, mais dans le cadre d'une règle du jeu imposant, pour la survie même du régime, la coopération des autres forces politiques et des secteurs sociaux qu'elles contrôlent ou influencent. Le gouvernement formé en mai 1994 a ainsi fait une large place aux représentants des partis adverses, issus notamment du NP (Parti national) de l'Inkatha. L'accord de domination et de coopération apparaît très nettement dans les relations établies entre les leaders du NP et de l'ANC. Le rôle dirigeant de l'ANC et notamment du président Nelson Mandela est reconnu par tous ; dans le même temps, toutes les décisions font l'objet d'âpres négociations au Parlement, mais aussi à tous les niveaux de l'administration et des organisations partisanes. Les forces militaires et la sécurité sont ainsi de fait cogérées par les deux partis ANC et NP, N. Mandela ayant personnellement nommé son deuxième vice-président, Frederik De Klerk (NP), à la tête du très influent comité à la défense et aux services secrets. Cette nomination, comme celle de hauts gradés de l'armée sud-africaine aux fonctions les plus importantes de l'armée, et de ministres du NP aux postes économiques clés, ont illustré les pratiques politiques du nouveau régime. La présentation par le gouvernement, après plusieurs consultations publiques, du livre blanc sur le Plan de reconstruction et de développement (RDP) relevait d'une initiative de l'ANC, mais dans le cadre d'un long processus de négociation sociale. De même, la loi sur la restitution des terres ouvrant le droit à d'éventuelles réparations pour les dépossessions réalisées au détriment des Noirs pendant la période d'apartheid, domaine éminemment sensible, a été votée conjointement par l'ANC et le NP le 11 novembre 1994. Enfin, et de manière encore plus significative, la future Constitution devait être rédigée sur la base de principes longuement négociés par tous les mouvements politiques jusqu'aux derniers jours d'avril 1995.

Par ailleurs, tout l'échiquier politique s'est lentement réorganisé. Les partis non dominants n'ont cessé de se restructurer comme l'ont montré aussi bien le rajeunissement du DP (Parti démocratique), avec la nomination de Tony Leon à sa présidence, que la fusion de l'AZAPO (Organisation du peuple d'Azanie) et du BCM (Mouvement de la conscience noire), deux organisations radicales. Restait l'épineuse question de l'Inkatha de plus en plus enfermé dans une politique de marginalisation tant vis-à-vis de tous ses partenaires politiques que de la royauté zoulou elle-même. A l'automne 1994, la nomination du prince Mewayizeni Zulu, membre de l'ANC, comme conseiller du roi Goodwill Zwelithini en remplacement de Mangusuthu Buthelezi et la prise de contrôle par celui-ci d'un conseil des anciens créé de toutes pièces n'ont fait que confirmer cette tendance à la marginalisation active du chef de l'IFP. Le résultat des élections locales d'octobre 1995 semblait devoir être décisif quant au rapport effectif des forces au KwaZulu-Natal et à l'audience d'un leader ayant fait de cette province son bastion.

Le souhait d'une légitimation par le peuple

L'année 1994 aura été marquée pour le régime, et plus précisément pour la cogestion démocratique NP-ANC, par la recherche d'une légitimité nouvelle. Dans le quotidien, le pays n'a cessé de se persuader qu'il avait définitivement rompu avec l'apartheid. Le changement de drapeau en 1994, l'identification de nouveaux jours fériés ou le changement de nom des anciens jours fériés, le nouveau baptême des bâtiments publics et des infrastructures les plus importantes, les discours et les gestes d'hommes politiques en faveur de la réconciliation, les débats publics sur la nouvelle Constitution et les hymnes nationaux contribuent à façonner le nouveau régime et la citoyenneté sud-africaine en proposant de nouveaux mythes politiques.

Ce besoin de légitimation par la population explique en grande partie l'influence des structures associatives et religieuses sur le fonctionnement du pouvoir. Les dérapages « affairistes » des premiers mois du nouveau régime, sévèrement condamnés notamment par l'archevêque Des-

▼

AFRIQUE DU SUD

République sud-africaine.
Capitale : Prétoria.
Superficie : 1 221 037 km² (2,2 fois la France).
Monnaie : rand (1 rand = 1,36 FF au 30.4.95).
Langues : afrikaans, anglais, xhosa, zoulou, sotho, etc.
Chef de l'État : Nelson Mandela, élu président de la République, qui a remplacé Frederik De Klerk le 9.5.94.
Nature de l'État : république décentralisée. Réintégration à l'administration de Prétoria des quatre bantoustans indépendants (Bophuthatswana, Ciskei, Transkei, Venda).
Nature du régime : parlementaire intérimaire.
Principaux partis politiques : Congrès national africain (ANC, au pouvoir) ; Parti national (NP) ; Parti démocratique (libéral) ; Parti conservateur (extrême droite) ; Alliance pour la liberté (FP, conservateur) ; Inkatha Yenkululeko Yesizwe (zoulou) ; Congrès panafricaniste (PAC) ; Organisation du peuple d'Azanie (AZAPO, Conscience noire) ; Parti communiste sud-africain (SACP).
Carte : p. 429.
Statistiques : voir aussi p. 426-427.

Afrique du Sud *(Voir aussi tableau p. 426)*

DÉMOGRAPHIE, CULTURE, ARMÉE

INDICATEUR	UNITÉ	1970	1980	1994
Population	*million*	22,5	28,3	41,5 e
Densité	*hab./km²*	18,4	23,2	34,0 e
Croissance annuelle	*%*	2,4 a	2,2 b	2,2 c
Indice de fécondité (ISF)		5,7 a	4,9 b	4,1 c
Mortalité infantile	*‰*	114,0	87,8	53 c
Espérance de vie	*année*	48,5	52,5	63 c
Population urbaine	*%*	47,9	50,0	50,4
Analphabétisme	*%*	..	24,3	18,2 e
Nombre de médecins	*‰ hab.*	0,6 i	0,52 g	0,61 f
Scolarisation 2e degré k	*%*	24,8	32,4	71
Scolarisation 3e degré	*%*	5,5	7,3	13,9 d
Téléviseurs	*‰*	3,1	71	98 d
Livres publiés	*titre*	2 649 h	3 849 i	4 738 d
Marine	*millier d'h.*	3,5	4,7	4,5
Aviation	*millier d'h.*	8	10,3	10
Armée de terre	*millier d'h.*	32,3	71	58

a. 1965-75; b. 1975-85; c. 1990-95; d. 1992; e. 1995; f. 1990; g. 1978; h. 1971; i. 1975; j. 1981; k. 13-17 ans.

COMMERCE EXTÉRIEUR a

INDICATEUR	UNITÉ	1970	1980	1994
Commerce extérieur	*% PIB*	19,9	28,1	20,5
Total imports	*milliard $*	3,8	19,2	23,4
Produits agricoles	*%*	9,2	5,4	10,0 b
Produits énergétiques	*%*	5,0	0,4	0,5 f
Produits manufacturés	*%*	83,1	62,3	76,0 f
Total exports e	*milliard $*	3,4	25,7	24,9
Or	*%*	34,3	50,7	25,5
Minerais et métaux	*%*	22,0	25,9	9,5 f
Produits agricoles	*%*	31,9	27,9	9,7 b
Principaux fournisseurs	*% imports*			
Japon		8,7	9,1	10,4 b
Europe occidentale		54,4	40,0	37,2 b
États-Unis		16,6	13,8	11,3 b
Confidentiel d		1,3	28,6	26,2 b
Principaux clients c	*% exports*			
Europe occidentale		50,8	48,4	43,1 b
États-Unis		5,4	15,8	11,2 b
Japon		7,6	11,5	11,0 b
Afrique		17,0	10,5	16,0 b

a. Marchandises; b. 1993; c. Or non compris; d. Origine gardée secrète à cause du boy-cottage international motivé par le régime d'apartheid (lequel a été levé de fait au cours de 1992); e. Y compris production d'or; f. 1992.

Afrique du Sud

ÉCONOMIE

INDICATEUR	UNITÉ	1970	1980	1994
PIB	milliard $	17,1	61,4	118,1 d
Croissance annuelle	%	4,7 a	1,9 b	2,3
Par habitant g	$	1 655	4 177	3 885 h
Structure du PIB				
Agriculture	% ⎫	7,9	6,8	4,6 d
Industrie	% ⎬ 100 %	39,8	50,0	39,4 d
Services	% ⎭	52,3	43,2	56,0 d
Dette extérieure totale	milliard $	13,8 e	15,6	16,4 d
Taux d'inflation	%	4,2	13,8	9,9
Population active	million	8,33	9,45	13,48 d
Agriculture	% ⎫	30,6	15,0	12,8 d
Industrie	% ⎬ 100 %	27,5	32,4	25,1 d
Services	% ⎭	41,9	52,6	62,1 d
Dépenses publiques				
Éducation	% PIB	0,4 f	••	6,8 c
Défense	% PIB	2,0	3,3	3,3
Administrations publiques centrales				
Solde	% PIB	3,2	2,0	9,0 i
Dette brute	% PIB	43,1	33,1	42,4 i
Énergie				
Consommation par habitant	kg	2 529	3 187	2 488 i
Taux de couverture	%	85,2	103,7	119,2 i

a. 1965-75; b. 1975-85; c. 1990; d. 1993; e. 1975; f. 1968; g. A parité de pouvoir d'achat (voir p. 673); h. 1991; i. 1992.

mond Tutu et la presse, le 21 août 1994, ont rapidement été redressés.

La normalisation des relations avec les pays voisins, consacrée par la rétrocession du port de Walvis Bay à la Namibie, le rôle de Prétoria dans la gestion de la crise du Lésotho, la (ré-)insertion du pays au sein du Commonwealth, le 1er juin 1994, de l'OUA (Organisation de l'unité africaine), le 23 mai 1994, de l'UNESCO (Organisation des Nations unies pour l'éducation, la science et la culture), le 25 décembre 1994, du Groupe des non-alignés, le 31 mai 1994, ont confirmé le mouvement de refondation du pays.

Dans l'attente de la Coupe du monde de rugby de mai-juin 1995 (qu'elle devait remporter, symbole fort de la nouvelle unité du pays) et des élections locales d'octobre 1995, l'Afrique du Sud est apparue connaître une période d'espoirs. Les attentes sociales, toujours aussi fortes, et la criminalité, toujours aussi élevée, laissant planer un doute quant à la capacité à plus long terme du régime à éviter non seulement la marginalisation croissante d'une forte minorité de la population, mais aussi sa radicalisation au profit d'organisations politiques plus révolutionnaires. Le redémarrage de l'économie et l'optimisme des hommes d'affaires, qui ont paru commencer à sentir les bienfaits de la normalisation politique, laissaient entrevoir des possibilités de réussite politique et, pour le pouvoir, la perspective de disposer de plus de ressources, utilisables notamment dans le cadre du RDP (plan de reconstruction et de développement). En tentant d'organiser le ré-

BIBLIOGRAPHIE

C. Cuddumbey, « South Africa. The Elections 1994 », in CEAN, *L'Afrique politique 1995*, Karthala, Paris, 1995.

D. Darbon (sous la dir. de), *Afrique du Sud, état des lieux*, Karthala, Paris, 1993.

D. Darbon (sous la dir. de), *Ethnicité et nation en Afrique du Sud*, Karthala, Paris, 1995.

J. Guiloineau, *Nelson Mandela*, Plon, Paris, 1990.

R. Malan, *Mon cœur de traître*, Plon, Paris, 1992.

S. Mallaby, *After Apartheid*, Faber and Faber, Londres, 1993.

D.-C. Martin (sous la dir. de), *Sortir de l'apartheid*, Complexe, coll. « CERI », Bruxelles, 1992.

F. Melin, *Une histoire de l'ANC*, L'Harmattan, Paris, 1991.

J. Rigault, E. Sandor, *Le Démantèlement de l'apartheid*, L'Harmattan, Paris, 1992.

équilibrage social des structures du pays, ce plan porte à son tour la lourde responsabilité d'inscrire au niveau du territoire et de la vie quotidienne la création de la nation sud-africaine.

Dominique Darbon

Iran
Recomposition politique du régime

L'année 1994-1995 a été dominée par la mort de quelques figures éminentes du régime, du clergé et de l'élite intellectuelle. Ces disparitions ont été autant d'opportunités d'une recomposition implicite des équilibres constitutifs de l'État, seize ans après la révolution islamique.

Le 29 novembre 1994, est décédé l'ayatollah Mohammad Ali Araki, dernière grande « source d'imitation » (*mardja*), reconnue par la haute hiérarchie chiite iranienne. Le « guide de la Révolution », Ali Khamenei, a été désigné comme l'un de ses successeurs mais cette promotion n'a pas pour autant assuré sa primauté absolue sur le champ religieux ; sur la scène officielle il est flanqué de six autres sources d'imitation, toutes sont issues de courants cléricaux ne participant pas aux jeux du pouvoir. A. Khamenei n'a d'ailleurs pas accédé au rang le plus éminent de la dignité théologique, celui d'*aslah*, et sa désignation visait surtout à garantir la prééminence de l'Iran sur la communauté des croyants chiites à l'étranger.

Ce renouvellement de la haute hiérarchie cléricale avait ainsi été au rôle international de la République islamique, mais également à son évolution interne. D'une part, les modalités de la désignation d'Ali Khamenei ont consacré la dissociation des champs du religieux et du politique, d'autre part, elles ont eu pour enjeu — non négligeable — le contrôle des flux financiers que canalisent les principales autorités religieuses et les grands sanctuaires.

Ces péripéties n'ont pas confirmé l'hypothèse souvent avancée d'une rivalité impitoyable entre A. Khamenei et Hashemi Rafsandjani, le président de la République, ou celle de la perte d'influence de ce dernier. En réalité, le pouvoir demeure partagé entre plusieurs réseaux potentiellement concurrents, notamment dans le domaine économique, mais qui sont profondément solidaires. La diversité des centres de pouvoir s'est trouvée illustrée par le vote, le 25 décembre 1994, d'une loi interdisant les antennes paraboliques à l'initiative d'Ali Becharati, le ministre de l'Intérieur. Cette mesure, jugée anticonstitutionnelle, a été dans un premier temps annulée par le Conseil de la surveillance, avant d'être finalement approuvée, le 11 janvier 1995. Mais son application promettait d'être délicate du fait, entre autres, de l'inviolabilité des domiciles privés dans la société iranienne. La polémique qui s'en est ensuivie dans les journaux a montré les contradictions et les limites du contrôle social qu'implique la lutte contre l'« agression culturelle » de l'Occident.

La recomposition progressive du régime s'est vue accélérée par la mort, le 20 janvier 1995, du leader du Mouvement national de libération (fondé en 1961), Mehdi Bazargan, dont les funérailles ont donné lieu à des manifestations en faveur d'une plus grande liberté. De même, la condamnation de l'écrivain Saidi Sirdjani a incité 134 intellectuels à défendre les droits de leur profession sous la forme d'une lettre ouverte (Saidi Sirdjani mourra en résidence surveillée le 27 novembre 1994). Et en septembre 1994, le général Amir Amir-Rahimi, condamnant les exécutions sommaires, a demandé la constitution d'« un gouvernement d'union nationale ». Ces revendications rejoignaient de nombreuses initiatives du même ordre, mais plus discrètes, dont rend compte régulièrement une presse passablement diversifiée. Face à ce bouillonnement intellectuel et culturel, le pouvoir est apparu hésiter entre dialogue et répression.

En revanche, la mort, en mars 1995, d'Ahmad Khomeyni, le fils de l'imam Ruhollah Khomeyni — lui-même décédé en 1989 —, qui pouvait se targuer d'un certain monopole de l'interprétation de la pensée de celui-ci, a semblé avoir tourné une

▼

IRAN

République islamique d'Iran.
Capitale : Téhéran.
Superficie : 1 648 000 km² (3 fois la France).
Monnaie : rial (au taux officiel, 100 rials = 0,3 FF au 30.4.95).
Langues : persan (officielle), kurde, turc azéri, baloutche, arabe, arménien...
Chef de l'État : Ali Khameneï, guide de la Révolution (depuis juin 89).
Président de la République, chef du gouvernement : Ali Akbar Hashemi Rafsandjani, depuis le 28.7.89 (réélu le 11.6.93).
Échéances électorales : présidentielles (1996).
Nature de l'État : république islamique.
Nature du régime : fondé sur les principes et l'éthique de l'islam, combiné à quelques éléments de démocratie parlementaire.
Partis politiques : il n'y a pas de parti à proprement parler, depuis l'interdiction, en 1981, du Mouvement pour la liberté en Iran (libéral, fondé par Mehdi Bazargan) et l'auto-dissolution du Parti de la république islamique (PRI) en 1987. Le parti Toudeh (communiste) et les Moudjahidin du peuple (islamistes de gauche) n'existent qu'à l'étranger. Il existe deux groupements politiques officiels : l'Association du clergé militant (qui soutient le président Hashemi Rafsandjani) et l'Association des clercs militants (radicaux, Seyyed Ali Akbar Mohtashami, Mehdi Karroubi).
Carte : p. 461.
Statistiques : voir aussi p. 460.

Iran *(Voir aussi tableau p. 460)*

DÉMOGRAPHIE, CULTURE, ARMÉE

INDICATEUR	UNITÉ	1970	1980	1994
Démographie				
Population	*million*	28,4	38,9	67,3 f
Densité	*hab./km²*	17,4	23,8	40,8 f
Croissance annuelle	°/₀	3,0 a	3,6 b	2,6 c
Indice de fécondité (ISF)		6,8 a	5,8 b	5,0 c
Mortalité infantile	°/₀₀	133,5	89,0	36 c
Espérance de vie	*année*	54,5	59,6	67 c
Population urbaine	°/₀	41,0	49,6	58,5
Analphabétisme	°/₀	71,0	51,0	31,4 f
Nombre de médecins	°/₀₀ hab.	0,30	0,17	0,32 g
Scolarisation 12-17 ans	°/₀	35,9	47,3	59,8 d
Scolarisation 3e degré	°/₀	3,1	4,9	12,2 d
Téléviseurs	°/₀₀	19	51	63 e
Livres publiés	*titre*	3353 i	3027	5018 d
Armée				
Marine	*millier d'h.*	9	22	18
Aviation	*millier d'h.*	17	100	30
Armée de terre	*millier d'h.*	135	220	345 h

a. 1965-75;   b. 1975-85;   c. 1990-95;   d. 1991;   e. 1992;   f. 1995;   g. 1990;   h. Gardes révolutionnaires (pasdarans) non compris;   i. 1973.

COMMERCE EXTÉRIEUR a

INDICATEUR	UNITÉ	1970	1980	1993
Commerce extérieur	°/₀ PIB	21,1	15,6	11,7
Total imports	*milliard $*	1,7	12,2	15,6
Produits agricoles	°/₀	12,2	15,4	20,7
Minerais et métaux	°/₀	2,6	2,0	••
Produits manufacturés	°/₀	85,0	82,4	83,3 b
Total exports	*milliard $*	2,6	14,1	14,9
Produits agricoles	°/₀	6,2	2,2	3,6
Produits énergétiques	°/₀	88,6	92,8	89,8 b
Produits manufacturés	°/₀	4,0	4,4	3,5 b
Principaux fournisseurs	°/₀ imports			
CEE / UE		41,6	42,0	43,7
États-Unis		17,6	0,2	4,3
Japon		10,5	13,2	10,3
Principaux clients	°/₀ exports			
CEE / UE		32,2	32,1	44,3
États-Unis		2,4	3,1	••
Japon		36,0	26,5	14,8

a. Marchandises;   b. 1992.

ÉCONOMIE

INDICATEUR	UNITÉ	1970	1980	1994
P I B	milliard $	10,18	84,2	130,9 c
Croissance annuelle	%	9,8 a	− 12,0 b	1,9
Par habitant e	$	862	3 228	4 670 g
Structure du P I B				
Agriculture	%	11,9 h	18,0	20,7 d
Industrie	% } 100 %	59,6 h	32,5	36,4 d
Services	%	28,5 h	49,5	42,9 d
Dette extérieure totale	milliard $	3,5 f	4,5	20,6 d
Service de la dette/Exportations	%	..	5,4 i	7,2 d
Taux d'inflation	%	1,6	27,2	34,2
Population active	million	8,11	11,07	16,82 d
Agriculture	%	43,8	36,4	25,4 d
Industrie	% } 100 %	29,2	32,8	38,5 d
Services	%	27,0	30,8	36,1 d
Dépenses publiques				
Éducation	% PIB	2,9	7,5	4,6 c
Défense	% PIB	7,6	9,5	7,9 c
Énergie				
Consommation par habitant	kg	958	1 175	1 161 c
Taux de couverture	%	3 576,2	254,0	279,3 c

a. 1965-75;   b. 1975-85;   c. 1992;   d. 1993;   e. A parité de pouvoir d'achat (voir p. 673);
f. 1972;   g. 1991;   h. 1974;   i. 1982.

page de l'histoire de la République islamique en privant le courant populiste de son principal symbole. La ferveur populaire qui a entouré ses funérailles a montré que le souvenir de la Révolution ne s'était pas complètement évanoui. Mais l'opinion publique semblait se préoccuper davantage de la dégradation des conditions de vie. Dès lors, il est apparu que la préparation des élections présidentielles de 1996, auxquelles Hashemi Rafsandjani ne pourra pas se représenter, serait vraisemblablement dominée par la rivalité entre les conservateurs, menés par le président du Parlement, Ahmad Nategh Nouri, et les « gestionnaires », dont Gholam-Hossein Karbastchi, le maire de Téhéran, Ali Akbar Velayati, le ministre des Affaires étrangères, Hassan Rohani, le responsable de la Sécurité nationale, ou encore Mostafa Mir-Salim,

le ministre de la Culture et de la Guidance islamique, pourraient être le porte-parole.

Les équilibres factionnels ne peuvent être séparés d'évolutions sociales plus profondes. Le régime traverse une vraie crise de légitimité en raison des difficultés économiques, de la montée de la corruption et de ses propres hésitations, mais il continue d'être le principal distributeur de ressources, incarnant plus que jamais l'identité nationale dans un contexte où le clivage entre religieux et laïcs tend à s'estomper, et bénéficie de l'absence de toute alternative sérieuse — l'opposition armée des Moudjaheddin du peuple restant discréditée par son alliance avec l'Irak. Les vrais défis demeurent la forte pression démographique, la présence de 2,5 millions de réfugiés et l'urbanisation : les émeutes sanglantes d'Akbar Abad et d'Eslam

BIBLIOGRAPHIE

F. ADELKHAH, J.-F. BAYART, O. ROY, *Thermidor en Iran*, Complexe, coll. «CERI», Bruxelles, 1993.

F. ADELKHAH, «Quand les impôts fleurissent à Téhéran. Taxes municipales et formation de l'espace public», *Les Cahiers du CERI*, n° 12, Paris, 1995.

C. ADLE, B. HOURCADE (sous la dir. de), *Téhéran capitale bicentenaire*, Institut français de recherche en Iran, Paris, 1992.

A. BAYAT, «Squatters and the State. Back Street Politics in the Islamic Republic», *Middle East Report*, n° 191, *ibid.*, nov.-déc. 1994. Voir aussi l'article «Iran's Revolutionary Impasse».

P. CLAWSON (sous la dir. de), *Iran's Strategic Intentions and Capabilities*, National Defense University, Washington (DC), 1994.

«Iran : vers un nouveau rôle régional?» (dossier constitué par M.-R. DJALILI), *Problèmes politiques et sociaux*, n° 720, La Documentation française, Paris, 1994.

F. KHOSROKHAVAR, *L'Utopie sacrifiée. Sociologie de la révolution iranienne*, Presses de la FNSP, Paris, 1993.

Y. RICHARD, *L'Islam chi'ite*, Fayard, Paris, 1991.

S. VANER, *Modernisation autoritaire en Iran et en Turquie*, L'Harmattan, Paris, 1992.

Voir aussi la bibliographie «Moyen-Orient» dans la section «38 ensembles géopolitiques», ainsi que la bibliographie consacrée à la question kurde, p. 104.

Shahr, dans la périphérie de Téhéran, en avril 1995, ont traduit la difficulté à gérer et à contrôler des villes champignons pouvant compter jusqu'à un million d'habitants.

Le spectre de la récession

La situation économique et surtout financière de l'Iran est, par ailleurs, devenue franchement préoccupante. Certes, le tissu productif du pays s'est diversifié grâce à un début de privatisation dont ont semblé profiter au premier chef les cadres des administrations et des fondations du régime — la croissance des exportations non pétrolières a exprimé cette mutation encore timide d'une économie rentière. Cependant, il semble qu'il sera difficile pour Téhéran d'honorer le service de la dette externe dont l'encours s'élevait, fin 1994, selon les experts, à 36 milliards de dollars, soit l'équivalent de trois ans d'exportations pétrolières. A partir de mars 1994 un contrôle draconien des importations et des opérations en

devises a permis de rétablir de façon spectaculaire la balance des paiements courants qui est redevenue excédentaire de 4 milliards de dollars environ.

La compression drastique des importations a mis en difficulté l'industrie, qui en dépend, et a provoqué une flambée de l'inflation, qui a atteint 50 % par an. Cette hausse de prix a suscité à son tour un effondrement du rial sur le marché parallèle à la fin de l'année 1994 et a partiellement annulé l'unification des taux de change tentée en mars 1993 : le cours parallèle du rial est devenu inférieur de 60 % au taux « flottant » de la Banque centrale et de 40 % au taux « libre ».

Cet ajustement de l'économie iranienne devait se poursuivre dans un contexte international défavorable. Si le « dialogue critique » avec l'Europe a continué, dans des conditions somme toute satisfaisantes, malgré l'affaire Salman Rushdie et le procès en France des assassins du dernier Premier ministre du chah, Chapour Bakhtiar (6 août 1991), si les Émirats arabes unis ne sont pas apparus s'inquiéter outre mesure du déploiement militaire iranien dans le détroit d'Ormuz et si la coopération économique avec les républiques musulmanes d'Asie centrale, l'Inde et le Pakistan se développe, la pression américaine est restée très forte. Après avoir empêché le rééchelonnement de la dette iranienne au Club de Paris en 1994, Washington a dénoncé avec fermeté les projets nucléaires de Téhéran à l'approche du renouvellement du TNP (Traité de non-prolifération nucléaire), a interdit à la société pétrolière américaine Conoco d'opérer en Iran et a finalement décrété un embargo commercial le 8 mai 1995. Les États-Unis ont par ailleurs contribué, en avril 1995, à l'éviction de la NIOC (Compagnie nationale du pétrole) de l'exploitation des gisements d'Azerbaïdjan au profit de la société turque TPAO et de la multinationale américaine Exxon.

Paria international aux yeux de la première puissance mondiale et acteur de mieux en mieux inséré dans son environnement régional, telle est la position paradoxale de la République islamique.

Fariba Adelkhah

Bosnie-Herzégovine
Quatrième année de conflit

Entré dans sa quatrième année en avril 1995, le conflit bosniaque aurait, à cette date, déjà provoqué 50 000 à 150 000 morts et été à l'origine de près de deux millions de réfugiés ou personnes déplacées, sur une population de 4 350 000 personnes en 1991. Sur le plan militaire, l'armée de la «république serbe» autoproclamée sur une partie du territoire (avril 1992) compensait toujours son infériorité numérique (60 000 hommes contre 100 000 pour l'armée bosniaque et 15 000 pour le Conseil de défense croate-HVO) par une supériorité persistante dans les armements lourds.

En novembre 1994, l'échec de l'offensive lancée par l'armée bosniaque à partir de Bihac, puis l'incapacité de l'armée serbe à s'emparer de cette enclave lors de sa contre-offensive ont illustré cet équilibre des forces et la stabilisation territoriale qui s'en est ensuivie. L'armée bosniaque et le HVO ont certes pu mettre à profit leur supériorité numérique et réussir quelques offensives limitées (mont Ozren en juin 1994, plateau de Livno et mont Vlasic en mars 1995), mais l'armée serbe a continué de contrôler plus de 60 % du territoire bosniaque, de menacer les différentes enclaves musulmanes et les principales voies de communication, et de resserrer le siège de Sarajevo — commencé en avril 1992 — à chaque fois que la situation militaire ou diplomatique l'exigeait. Le brutal écrasement de l'enclave de Srebrenica, en juin 1995, a rappelé cette réalité de façon tragique.

Logiques communautaires

Cet enlisement militaire a contrasté avec les importants bouleversements institutionnels et politiques survenus. En mars 1994 ont cessé les affrontements croato-musulmans commencés un an plus tôt, puis a été constituée entre les deux communautés une Fédération croato-musulmane (accords de Washington du 18 mars 1994). Pour la communauté serbe, l'événement le plus significatif aura été la rupture entre la Serbie et la «république serbe», avec l'instauration d'un embargo économique par la première à l'encontre de la seconde, le 4 août 1994.

La mise en œuvre de la Fédération croato-musulmane s'est en fait limitée à la constitution de quelques institutions fédérales communes (Présidence fédérale, gouvernement et Parlement) et à l'établissement

▼
BOSNIE-HERZÉGOVINE

République de Bosnie-Herzégovine.
Capitale : Sarajevo.
Superficie : 51 129 km² (0,09 fois la France).
Monnaie : dinar bosniaque (dinar yougoslave en «république serbe» et kuna croate en «Herceg-Bosna»).
Langues : bosniaque, serbe et croate (triple dénomination pour une même langue).
Chef de l'État : Alija Izetbegovic, président de la Présidence collégiale de la République (depuis déc. 90), Kresimir Zubac étant président de la Fédération croato-musulmane depuis mai 1994.
Premier ministre (de la République et de la Fédération) : Haris Silajdzic (depuis nov. 93).
Nature de l'État : ancienne république fédérée de la Yougoslavie, reconnue indépendante le 5.4.92, puis déchirée par la guerre. Depuis la création de la Fédération croato-musulmane le 18.3.94, institutions républicaines et fédérales se superposent. La Fédération croato-musulmane est théoriquement composée de huit cantons (quatre musulmans, deux croates, deux mixtes).
Principaux partis (Parlement rép. et féd.) : Parti de l'action démocratique (SDA, gouv.), Communauté démocratique croate (HDZ, gouv.), Union des sociaux-démocrates bosniaques (UBSD, opp.), Parti social-démocrate (SDP, opp.), Parti libéral (LS, opp.), Organisation musulmane bosniaque (MBO, opp.), Parti paysan croate (HSS, opp.).
Contestations territoriales : deux «républiques» ont été autoproclamées : la «république serbe» (proclamée le 7.4.92) et la «république croate d'Herceg-Bosna» (proclamée le 24.8.93).
Carte : p. 603.
Statistiques : voir aussi p. 606-607.

d'une coopération militaire limitée entre armée bosniaque et HVO. La création d'administrations municipales et cantonales communes ou la réinstallation des populations déplacées sont, en effet, largement restées lettre morte. Mostar, ville placée sous la tutelle de l'Union européenne, est restée divisée en une municipalité croate (Mostar-Ouest) et une municipalité musulmane (Mostar-Est).

Se superposant aux institutions républicaines d'avant guerre, entérinant la territorialisation des communautés issue de la guerre, la Fédération croato-musulmane a conduit à un contrôle renforcé et mutuellement reconnu des partis nationalistes musulman (SDA, Parti de l'action démocratique, dirigé par le président de la Bosnie Alija Izetbegovic) et croate (HDZ, Communauté démocratique croate) sur leurs territoires respectifs. Ainsi la constitution à Tuzla, en août 1994, d'un premier canton sur les huit que la Fédération doit compter s'est-elle soldée par la marginalisation de la municipalité gérée par les partis «citoyens» (non nationalistes), par la mainmise du SDA sur ce canton à majorité musulmane et par la dégradation des relations avec la minorité croate locale.

Malgré sa mainmise sur l'armée, la police, les médias et les grandes entreprises, le SDA a continué de se heurter aux partis «citoyens», comme l'ont montré en février 1995 les vives polémiques, au sein de la Présidence collégiale, sur l'islamisation de l'armée bosniaque. Le HDZ, lui, a continué de régner sans partage sur des territoires croates de Bosnie toujours rassemblés dans une «république croate d'Herceg-Bosna» autoproclamée depuis août 1992.

L'«Herceg-Bosna» représente également un espace monétaire et douanier distinct. Elle fonde sa relative prospérité économique sur son intégration à l'économie de la Croatie et sur la taxation des échanges légaux ou illégaux vers les territoires musulmans. Malgré le rétablissement des circuits commerciaux et monétaires, ces territoires apparaissaient par

Le conflit en Bosnie-Herzégovine

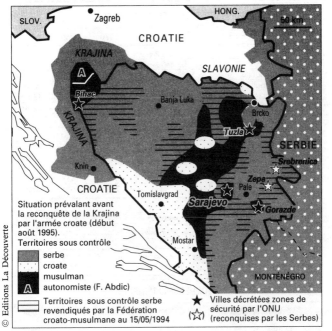

Situation prévalant avant la reconquête de la Krajina par l'armée croate (début août 1995).
Territoires sous contrôle
- serbe
- croate
- musulman
- A autonomiste (F. Abdic)

☰ Territoires sous contrôle serbe revendiqués par la Fédération croato-musulmane au 15/05/1994

★ Villes décrétées zones de sécurité par l'ONU
☆ (reconquises par les Serbes)

287

contraste extrêmement démunis, la majorité de la population continuant à dépendre de l'aide humanitaire. La relance de l'activité économique, annoncée par le Premier ministre de la République de Bosnie-Herzégovine Haris Silajdzic en 1993, s'est heurtée à la dégradation des infrastructures et à la fuite des cadres, ainsi qu'à une incurie et une corruption généralisées. Elle a semblé finalement limitée au seul secteur de l'industrie d'armement.

La rupture entre la Serbie et la « république serbe » autoproclamée en Bosnie après le refus de cette dernière d'accepter le plan de paix proposé en juillet 1994 par le « groupe de contact » (États-Unis, Russie, France, Royaume-Uni, Allemagne), a eu, quant à elle, des répercussions importantes au sein de la « république serbe ».

Sur le plan économique, l'embargo décrété par la Serbie, bien qu'imparfaitement appliqué, a provoqué une dégradation sensible des conditions de vie de la population civile, une chute de l'activité économique et l'apparition de certains problèmes de logistique pour l'armée. Sur le plan politique, la contestation par le régime serbe de Radovan Karadzic, président de la « république serbe » et du SDS (Parti démocratique serbe), a eu pour écho la création par des dissidents du SDS d'un groupe parlementaire indépendant, mais aussi la montée des tensions au sein même de ce parti et une aggravation du découragement dans la population.

Bosnie *(Voir aussi tableau p. 606)*

DÉMOGRAPHIE, CULTURE, ARMÉE

INDICATEUR	UNITÉ	1970	1980	1994
Population	*million*	3,56	3,91	3,46 c
Densité	*hab./km²*	69,6	76,5	67,6 c
Croissance annuelle	%	0,98 a	0,95 b	− 4,39 d
Indice de fécondité (ISF)		2,9 a	2,1 b	1,6 d
Mortalité infantile	‰	61,5 a	31,5 b	15,0 d
Espérance de vie	*année*	66,1 a	70,3 b	72,4 d
Population urbaine	%	••	35,4	47,9
Analphabétisme	%	23,2 e	14,5 f	••
Nombre de médecins i	‰ *hab.*	0,69	1,23	1,85 g
Scolarisation 7-10 ans	%	••	98,2 f	••
Scolarisation 11-14 ans	%	••	85,8 f	••
Téléviseurs	‰	72 m	141 k	139 g
Livres publiés	*titre*	700 n	698 l	1 008 g
Armée				
Marine	*millier d'h.*	••	••	••
Aviation	*millier d'h.*	••	••	••
Armée de terre	*millier d'h.*	••	••	110

a. 1965-75 ;   b. 1975-85 ;   c. 1995 ;   d. 1990-95 ;   e. 1971 ;   f. 1981 ;   g. 1989 ;
h. 1990 ;   i. Y compris dentistes ;   j. 1948 ;   k. 1984 ;   l. 1978 ;   m. 1972 ;   n. 1971.

COMMERCE EXTÉRIEUR a

INDICATEUR	UNITÉ	1994
Total imports	*milliard $*	158
Produits énergétiques	%	31,9 b
Produits agricoles	%	13,7 b
Produits manufacturés	%	54,1 b
Total exports	*milliard $*	45
Produits agricoles	%	20,0 b
Produits énergétiques	%	1,4 b
Produits manufacturés	%	78,6 b
Principaux fournisseurs	% *imports*	
P C D		93,7
R F		24,4
Moyen-Orient		5,7
Principaux clients	% *exports*	
P C D		86,7
R F A		30,2
P V D		11,1

a. Marchandises ;   b. 1990.

Ces multiples difficultés ont ébranlé la cohésion interne de la « république serbe » et contribué à l'érosion progressive de sa supériorité militaire. L'aggravation des tensions internes s'est donc logiquement

ÉCONOMIE

INDICATEUR	UNITÉ	1970	1981	1993
Produit social global [l]	milliard $	..	..	1,8 [k]
Croissance annuelle	%	5,3 [a]	3,8 [b]	..
Par habitant	$	..	..	520 [k]
Structure du PIB				
Agriculture	% ⎫	19,1 [c]	13,6 [f]	13,3 [d]
Industrie	% ⎬ 100 %	35,4 [c]	41,7 [f]	50,4 [d]
Services	% ⎭	45,5 [c]	44,7 [f]	36,3 [d]
Dette extérieure totale	milliard $	..	..	2,9 [e]
Taux d'inflation	%	26,0 [h]	..	675 [e]
Population active	millier	1 344	1 486	..
Agriculture	% ⎫	47,2 [g]	22,9	..
Industrie	% ⎬ 100 %	25,3 [g]	..	..
Services	% ⎭	27,5 [g]	..	..
Dépenses publiques				
Éducation	% PIB	..	..	..
Défense	% PIB	..	..	47,2 [k]
Recherche et Développement	% PIB	..	..	..
Énergie				
Consommation par habitant	kg	..	..	1 444 [k]
Taux de couverture	%	..	..	56,3 [k]

a. 1965-75;   b. 1975-85;   c. 1969;   d. 1989;   e. 1990;   f. 1984;   g. 1971;   h. 1975; i. 1979;   j. 1985;   k. 1992;   l. Voir définition p. 27.

traduite, en mars 1995, après la perte du mont Vlasic, par un affrontement ouvert entre une élite politique rejetée par le régime serbe, persistant dans son intransigeance et intimement liée à l'économie milicienne qui ronge la « république serbe », et une hiérarchie militaire dirigée par le général Radko Mladic encore liée à la Serbie et insistant sur la nécessité urgente d'accepter un compromis territorial ou de mettre en place une économie militarisée, seule capable de soutenir les confrontations armées à venir.

Les différents plans de paix (plan Vance-Owen de janvier 1993, plan Owen-Stoltenberg d'août 1993, plan du « groupe de contact » de juillet 1994), fondés sur le principe d'une partition territoriale de la Bosnie-Herzégovine, n'ont pas mis fin à la guerre. Mais ils ont immanquablement accompagné, sinon provoqué, des recompositions radicales de la configuration du conflit (affrontements croato-musulmans en mars 1993, combats inter-musulmans à Bihac en octobre 1993, rupture entre la Serbie et la « république serbe » en août 1994). L'impulsion américaine pour la création de la Fédération croato-musulmane en mars 1994 est restée le seul cas d'action internationale délibérée sur cette configuration.

Les différents protagonistes du conflit ont, en revanche, su agir sur les équilibres internationaux. Ainsi la contre-offensive serbe sur Bihac, en novembre 1994, a-t-elle eu comme résultat, sinon comme objectif principal, une modification des stratégies militaires (abandon par l'OTAN — Organisation du traité de l'Atlantique nord — des politiques de frappes aériennes) et diplomatiques internationales (proposition franco-britannique de lien confédéral entre la Serbie et la « république serbe »).

BIBLIOGRAPHIE

X. BOUGAREL, « État et communautarisme en Bosnie-Herzégovine »,
Culture et conflits, n° 15/16, Paris, 1994.

C. CHICLET (sous la dir. de), « Bosnie », *Confluences Méditerranée*, n° 13,
Paris, 1994.

Diagonales Est-Ouest, (mensuel), Lyon.

J. HATZFELD, *L'Air de la guerre*, Éd. de l'Olivier, Paris, 1994.

M. ROUX, « Bosnie », *in* Y. LACOSTE (sous la dir. de), *Dictionnaire de
géopolitique*, Flammarion, Paris, 1993.

Voir aussi la bibliographie « Balkans », p. 612.

Dans les premiers mois de 1995, la configuration du conflit s'est modifiée dans le sens d'un rapprochement politique et militaire entre Serbes bosniaques et Serbes de Croatie, d'un renforcement de la coopération militaire entre les États de Bosnie-Herzégovine et de Croatie, de l'établissement de contacts diplomatiques directs entre la Bosnie-Herzégovine et la Serbie autour du plan de paix du « groupe de contact ». Mais la prise en otages de plusieurs centaines de « casques bleus » par les forces serbes en juin 1995 est venue rappeler le caractère imprévisible du conflit bosniaque. Accompagnée de menaces de retrait des « casques bleus » et d'un durcissement du siège de Sarajevo, elle s'est finalement soldée par l'envoi d'une Force de réaction rapide (FRR) européenne, et par la première offensive sérieuse de l'armée bosniaque pour desserrer ce siège.

Le 28 juillet, une offensive croate concertée avec les autorités bosniaques desserrait l'étau serbe autour de Bihac. Début août, une vaste offensive de reconquête de l'armée régulière croate contre les forces serbes de la Krajina de Knin allait modifier profondément la situation du conflit.

Xavier Bougarel

Turquie
Tensions et effervescence

Depuis 1993, la Turquie était dirigée par une coalition formée par le DYP (Parti de la juste voie, centre droit), du président Süleyman Demirel et du Premier ministre Tansu Çiller, et le SHP (Parti social-démocrate populaire, fondu en mars 1995 dans le CHP, Parti républicain du peuple, centre gauche). La montée du parti islamiste Refah Partisi (RP, Parti de la prospérité) aux élections municipales du 27 mars 1994 avait provoqué un choc ; un an plus tard, il semblait estompé : la vie des Stambouliotes n'en a guère été affectée. Le Refah semblait toutefois craint par le gouvernement, qui a ajourné par deux fois des élections partielles dans le Sud-Est. Certains cercles du pouvoir n'en ont pas moins montré de l'indulgence à l'égard des islamistes : en décembre 1994, la Cour de sûreté de l'État a condamné à des peines modérées les auteurs du massacre de Sivas qui, le 2 juillet 1993, avait provoqué la mort de trente-sept intellectuels de gauche. Le 15 mars 1995, la police n'a pas hésité à tirer sur une foule de manifestants alévis (obédience spécifiquement anatolienne de l'islam chiite, laïque et progressiste), faisant plus de vingt morts.

La fragilité de la coalition gouvernementale a continué de bloquer la vie politique turque en 1994-1995 : le conservatisme de la majorité parlementaire a fait obstacle aux réformes, pourtant périodiquement annoncées. La Constitution de 1982 a encore joué activement son rôle répressif (début 1995, plus de cent personnes étaient emprisonnées pour délit d'opinion). De célèbres écrivains comme Aziz Nesin et Yachar Kemal ont fait l'objet de poursuites judiciaires. Le YDH (Mouvement pour une nouvelle démocratie), constitué en parti en décembre 1994, et préconisant une solution politique au problème kurde, une libéralisation complète de l'économie ainsi qu'un renforcement de la séparation entre l'État et la religion, est resté en marge.

Violente répression contre les insurgés kurdes

La prise en charge du problème kurde est restée confiée aux seuls militaires. Le conflit opposant l'armée aux insurgés du PKK (Parti des travailleurs du Kurdistan) a fait 13 000 victimes entre 1984 et 1995 (3 700 en 1994) ; selon la Ligue turque des droits de l'homme, 1 400 villages auraient été évacués ou brûlés, et des centaines de milliers de personnes déplacées ; il y aurait eu en 1993 et 1994 des centaines d'assassinats ou exécutions extra-judiciaires dans le Sud-Est. La violence exercée par le PKK, notamment les assassinats d'instituteurs, a elle aussi fortement choqué la population.

En 1994, le gouvernement a cru pouvoir réduire définitivement la guérilla kurde par de vastes offensives militaires dans le Sud-Est. Les opérations de ratissage, très meurtrières, se sont étendues géographiquement ; la violence des moyens employés a provoqué des protestations jusqu'au sein du gouvernement, dont on a pu se demander s'il contrôlait encore l'armée. Un appel au cessez-le-feu du dirigeant du PKK Abdullah Öcalan en décembre, assorti d'une déclaration de renon-

République de Turquie.
Capitale : Ankara.
Superficie : 780 576 km² (1,4 fois la France).
Monnaie : livre (au taux officiel, 100 livres = 0,01 FF au 30.4.95).
Langues : turc (officielle), kurde (usage privé autorisé depuis avril 1991).
Chef de l'État : Süleyman Demirel, président de la République, élu le 16.5.93, qui a succédé à Turgut Özal (décédé).
Chef du gouvernement : Mme Tansu Çiller, qui a remplacé Süleyman Demirel le 13.6.93.
Échéances électorales : législatives (oct. 96).
Nature de l'État : république centralisée.
Nature du régime : système parlementaire.
Principaux partis politiques :
Représentés au Parlement : Parti de la juste voie (DYP, conservateur) ; Parti de la mère patrie (ANAP, conservateur) ; Parti républicain du peuple (CHP, centre gauche, qui a fusionné avec le Parti social-démocrate populaire [SHP] en mars 1995) ; Parti de la prospérité (RP, islamiste) ; Parti de la gauche démocratique (DSP, centre gauche) ; Parti du mouvement nationaliste (MHP, extrême droite) ; Parti républicain du peuple (CHP, centre gauche). *Non représenté au Parlement :* Parti de la nouvelle démocratie (YDP, libéral, anti-kémaliste, pro-européen). *Partis interdits :* Parti démocratique travailliste (DEP, pro-kurde), Parti socialiste (communiste). *Mouvements activistes clandestins :* Gauche révolutionnaire (Dev-Sol), Parti des travailleurs du Kurdistan (PKK, marxiste-léniniste), Front islamique des combattants du Grand-Orient (IBDA-C, islamiste).
Carte : p. 599.
Statistiques : voir aussi p. 598.

Turquie *(Voir aussi tableau p. 598)*

DÉMOGRAPHIE, CULTURE, ARMÉE

INDICATEUR	UNITÉ	1970	1980	1994
Démographie				
Population	million	35,3	44,4	61,9 f
Densité	hab./km²	45,2	56,9	79,4 f
Croissance annuelle	°/₀	2,5 a	2,3 b	2,0 c
Indice de fécondité (ISF)		5,3 a	4,3 b	3,3 c
Mortalité infantile	°/₀₀	133,6	111,0	65 c
Espérance de vie	année	55,9	61,7	66 c
Population urbaine	°/₀	38,4	43,8	67,3
Culture				
Analphabétisme	°/₀	48,7	34,4	17,7 f
Nombre de médecins	°/₀₀ hab.	0,45	0,7	0,9 g
Scolarisation 12-17 ans	°/₀	32,6	38,4	43,1 g
Scolarisation 3e degré	°/₀	6,0	6,1	14,8 d
Téléviseurs	°/₀₀	11	79	176 e
Livres publiés	titre	5 854	3 396	6 549 e
Armée				
Marine	millier d'h.	37,5	45	54
Aviation	millier d'h.	50	52	56,8
Armée de terre	millier d'h.	390	470	393

a. 1965-75; b. 1975-85; c. 1990-95; d. 1991; e. 1992; f. 1995; g. 1990.

COMMERCE EXTÉRIEUR [a]

INDICATEUR	UNITÉ	1970	1980	1994
Commerce extérieur	°/₀ PIB	5,8	9,6	14,9
Total imports	milliard $	0,9	7,9	17,7
Produits énergétiques	°/₀	7,5	48,4	13,6 c
Produits miniers et métaux [b]	°/₀	3,4	3,3	4,7 c
Produits agricoles	°/₀	13,0	3,8	10,5 c
Total exports	milliard $	0,6	2,9	22,6
Produits agricoles	°/₀	82,8	64,7	24,4 c
Produits manufacturés	°/₀	8,9	26,9	71,8 c
Minerais et métaux [b]	°/₀	7,6	7,0	2,6 c
Principaux fournisseurs	°/₀ imports			
CEE / UE		45,4	30,8	45,2 c
États-Unis		19,4	5,8	11,4 c
Moyen-Orient		6,3	38,1	11,4 c
Principaux clients	°/₀ exports			
CEE / UE		50,0	44,6	44,2 c
Moyen-Orient		9,1	21,5	14,1 c
États-Unis		9,6	4,4	7,1 c

a. Marchandises; b. Produits énergétiques non compris; c. 1993.

ÉCONOMIE

INDICATEUR	UNITÉ		1970	1980	1994
P N B	milliard $		14,1	62,3	134,6
Croissance annuelle	%		7,2 a	3,8 b	− 5,6
Par habitant e	$		910	2 317	5 206
Structure du P I B					
Agriculture	%	} 100 %	29,5	22,6	15,1 c
Industrie	%		27,3	30,2	30,4 c
Services	%		43,2	47,2	54,5 c
Dette extérieure totale	milliard $		1,96	19,1	67,9 c
Service de la dette/Exportations	%		16,8	28,0	28,3 c
Taux d'inflation	%		6,9	110,2	125,5
Population active	million		16,1	19,1	25,1 c
Agriculture	%	} 100 %	67,6	54,9	40,2 c
Industrie	%		14,5	18,9	21,2 c
Services	%		17,9	26,2	38,6 c
Chômage	%		12,0	11,2	12,6
Dépenses publiques					
Éducation	% PIB		2,9	2,8	4,0 d
Défense	% PIB		4,4	4,7	2,4
Recherche et développement	% PIB		..	..	0,50 d
Énergie					
Consommation par habitant	kg		476	718	1 045 d
Taux de couverture	%		71,4	45,1	41,5 d

a. 1965-75;   b. 1975-85;   c. 1993;   d. 1992;   e. A parité de pouvoir d'achat (voir p. 673).

TURQUIE

293

ciation à créer un État kurde, n'a pas entamé la détermination de l'armée.

Faisant suite à des raids de l'aviation turque sur le nord de l'Irak (peuplé de Kurdes et échappant au contrôle de Bagdad depuis la guerre du Golfe de 1991), l'armée turque a déclenché dans cette région, le 20 mars 1995, une offensive mobilisant 35 000 hommes, la plus vaste opération hors frontières réalisée depuis 1974. L'Union européenne a condamné cette attaque, contribuant peut-être à accélérer le retrait des troupes turques, intervenu le 4 mai 1995.

La formation pro-kurde DEP (Parti travailliste démocratique) a été dissoute et huit de ses députés ont été arrêtés entre mars et juin 1994. Cinq d'entre eux ont été condamnés à de lourdes peines de prison en décembre 1994, accusés d'« assistance à un groupe armé ».

La situation économique, grevée par la guerre menée dans le Sud-Est, est restée préoccupante. Début 1994, la livre a été dévaluée deux fois, et son érosion a été constante. Le taux de croissance, qui s'élevait à 7 % en 1993, est devenu négatif en 1994 (− 5,6 %); l'inflation a dépassé 125 % par an et les salaires sont restés gelés de mars 1994 à février 1995. L'année 1994 a donc été difficile pour la population. Le gouvernement et le FMI attendaient beaucoup du programme de privatisations au coût social élevé, approuvé par le Parlement en novembre 1994.

Le chômage s'est aggravé sans que la faible couverture sociale n'ait été améliorée. En 1994, 40 % de la population des quatre plus grandes

BIBLIOGRAPHIE

Cahiers d'études sur la Méditerranée orientale et le monde turco-iranien (CEMOTI). Voir notamment : «La zone de coopération économique des pays riverains de la mer Noire», n° 15, 1993 ; «Istanbul-Oulan-Bator, autonomisation, mouvements identitaires, construction du politique», n° 16, 1993 ; «Laïcité(s) en France et en Turquie», n° 19, 1995.

V. CAUCHE, «Turquie. Héritage kémaliste et réislamisation de la société», in *L'Islamisme*, La Découverte, «Les Dossiers de L'état du monde», Paris, 1994.

N. GÖLE, *Musulmanes et modernes. Voile et civilisation en Turquie*, La Découverte, Paris, 1993.

R. MANTRAN (sous la dir. de), *Histoire de l'Empire ottoman*, Fayard, Paris, 1989.

S. VANER (sous la dir. de), *Modernisation autoritaire en Turquie et en Iran*, L'Harmattan, Paris, 1992.

S. YÉRASIMOS, *Les Turcs*, Autrement, Paris, 1994.

M. ZANA, *La Prison n° 5 : onze ans dans les geôles turques*, Arléa, Paris, 1995.

Voir aussi la bibliographie consacrée à la question kurde, p. 104.

villes du pays connaissait des conditions d'habitat précaire.

Le pays a pourtant continué de rembourser ses emprunts. L'achèvement, sans aide extérieure, d'un des plus importants programmes hydrauliques du monde, le GAP (Projet pour le sud-est de l'Anatolie), sur le coups supérieur de l'Euphrate, a été un succès pour le régime. En septembre 1994, l'Azerbaïdjan a signé un contrat avec un consortium occidental pour un projet pétrolier, auquel la Turquie a décidé de participer à hauteur de 6,75 %. L'acheminement du pétrole des pays de la CEI (Communauté d'États indépendants) pose toutefois problème. Ankara a manifesté l'intention de limiter le trafic des tankers par le Bosphore et de relier la mer Caspienne à la Méditerranée par un pipeline traversant son territoire ; mais ce projet était lié à une stabilisation dans le Sud-Est.

La Turquie, membre de l'OTAN (Organisation du traité de l'Atlantique nord) et puissance régionale, se veut un carrefour entre l'Europe, les pays de la mer Noire, le Moyen-Orient et l'Asie intérieure ; sa diplomatie est active dans chacune de ces directions ; les relations sont cordiales avec Israël ; mais les retenues d'eau sur l'Euphrate ont provoqué des tensions avec la Syrie.

En ce qui concerne l'Irak, la Turquie a continué d'accueillir sur son territoire la force multinationale de l'opération *Provide Comfort* mise en place en avril 1991 pour venir en aide aux Kurdes d'Irak qui s'étaient insurgés contre le régime de Saddam Hussein, mais elle a réclamé, avec la Jordanie, la levée du blocus. En outre, le chef de l'État a manifesté clairement son désir d'une redéfinition de la frontière avec l'Irak, de manière à annexer la région turcophone de Kirkouk.

Les relations avec la Grèce, toujours turbulentes à cause de la question chypriote, ont été compliquées par le soutien d'Ankara à la République de Macédoine (dont la Grèce conteste le nom, considérant qu'il appartient au patrimoine hellénique), et l'entrée en vigueur en novembre 1994 de la Convention sur le droit de la mer (non signée par la Turquie), accordant formellement à la Grèce le droit d'étendre ses eaux territoriales.

Bien des espoirs concernant le monde turcophone ont été déçus, et les résultats du deuxième « sommet » des pays turcophones (Istanbul, octobre 1994) ont été timides. Les initiatives de la Turquie ont agacé en Asie centrale, notamment en Ouzbékistan, ainsi qu'en Russie. Les liens économiques et culturels se sont cependant renforcés.

En direction du Caucase, la Turquie est restée très prudente. La guerre arméno-azerbaïdjanaise (les Azéris sont turcophones), qui s'est renforcée au début de 1994, puis la brutale intervention russe en Tchétchénie à l'hiver 1994-1995 n'ont guère provoqué plus de protestations officielles que dans d'autres pays.

Aux portes de l'Europe

Ankara, le plus ancien associé de la CEE — Communauté économique européenne — (1963), a continué, en 1994-1995, d'attendre à la porte de l'Europe. Le pays exporte pourtant la moitié de sa production vers l'Union européenne (UE), et sa forte population est un marché convoité. L'année 1994 a été particulièrement importante, puisqu'elle devait préparer la mise en place, dès 1995, d'une union douanière, étape considérée comme préparatoire à l'adhésion.

Mais la lenteur de la démocratisation, la violence croissante de la répression dans le Sud-Est et l'intransigeance manifestée par la Grèce ont freiné le processus. L'accord obtenu à l'arraché, en mars 1995, a aussitôt été remis en question par l'intervention massive de l'armée turque, le 20 mars, au nord de l'Irak. En outre, la suppression des articles les plus répressifs de la Constitution a été posée comme condition *sine qua non* à la ratification de l'accord. Le 23 juillet 1995, la révision de la Constitution a été engagée pour de bon.

Les réticences de l'Europe pour admettre la Turquie en son sein et les sévères critiques du Conseil de l'Europe ont encore renforcé le nationalisme. L'opinion publique était depuis longtemps incitée à l'anti-hellénisme, et la population, prompte à voir l'étranger à l'origine de tous ses problèmes, semblait, au printemps 1995, globalement soutenir son armée. Néanmoins, on observait dans les milieux intellectuels et dans les médias un débat d'idées d'une très grande richesse, ferment possible de nouvelles évolutions.

Antoine Huver

(Voir aussi l'article p. 102 et, dans l'édition 1994, l'article p. 536.)

Vietnam
Poursuite de l'intégration régionale

L'année 1994-1995 fut celle de l'insertion confirmée du Vietnam dans son environnement géopolitique. Ce processus s'est traduit par le renforcement des liens économiques, diplomatiques avec ses voisins, mais, de ce fait même, par une plus grande implication dans le jeu des rapprochements et des rivalités régionales.

Autre évolution importante, la levée de l'embargo américain, le 4 février 1994, a été suivie, début juillet 1995, de l'annonce par Wa-

shington de l'établissement de relations diplomatiques complètes entre les deux pays. Cette décision avait été précédée d'une intense activité diplomatique : voyages officiels, rencontres de haut niveau et signature d'accords bilatéraux. De février 1994 à mars 1995, les Premiers ministres du Japon, de Corée du Sud, de Singapour, de Thaïlande, d'Inde, d'Australie, du Canada et de Suède ainsi que les présidents chinois, sud-coréen et philippin se sont rendus en visite au Vietnam. De leur côté, les

Vietnam *(Voir aussi tableau p. 475)*

DÉMOGRAPHIE, CULTURE, ARMÉE

INDICATEUR	UNITÉ	1970	1980	1994
Démographie				
Population	*million*	42,7	53,7	74,6 e
Densité	*hab./km²*	129,6	162,9	226,5 e
Croissance annuelle	%	2,3 a	2,2 b	2,2 c
Indice de fécondité (ISF)		5,9 a	5,2 b	3,9 c
Mortalité infantile	‰	104,0	56,5	42 c
Espérance de vie	*année*	49,1 a	57,3 b	65 c
Population urbaine	%	18,3	19,3	20,5
Culture				
Analphabétisme	%	..	16,6	6,3 e
Nombre de médecins	‰ *hab.*	0,18 h	0,24	0,41 f
Scolarisation 12-17 ans	%	21,0	44,7	47,0 d
Scolarisation 3e degré	%	0,9 i	2,3	1,6 d
Téléviseurs	‰	..	..	42 d
Livres publiés	*titre*	1 974 h	1 524	1 930 g
Armée				
Marine	*millier d'h.*	3,25 i	4	42
Aviation	*millier d'h.*	4,5 i	25	15
Armée de terre	*millier d'h.*	425 i	1 000	500

a. 1965-75; b. 1975-85; c. 1990-95; d. 1992; e. 1995; f. 1991; g. 1988; h. 1976; i. 1960.

COMMERCE EXTÉRIEUR [a]

INDICATEUR	UNITÉ	1976	1980	1993
Total imports	*million $*	826	1 577	3 630
Produits agricoles	%	53,0	18,5 b	5,3
Dont prod. alimentaires c	%	..	14,8 b	3,3
Machines et instruments	%	..	..	27,4 e
Total exports	*million $*	215	399	3 000
Produits agricoles	%	37,7	28,0 b	31,2
Dont prod. alimentaires c	%	..	10,0 b	18,0
Produits manufacturés	%	..	..	32,2 e
Principaux fournisseurs	% *imports*			
Ex-URSS		37,3	44,4	67,1 d
PCD		41,4	29,1	19,9 d
PVD		15,9	25,4	11,8 d
Principaux clients	% *exports*			
Ex-URSS		39,3	60,8	45,9 d
PCD		26,9	15,6	29,0 d
PVD		27,4	20,3	23,5 d

a. Marchandises; b. 1981; c. Poisson non compris; d. 1990; e. 1992.

ÉCONOMIE

INDICATEUR	UNITÉ		1970	1980	1994
P I B	million $		4 590	4 891	11 997 c
Croissance annuelle	%		..	7,3 e	8,7
Par habitant g	$		..	..	1 040 c
Structure du P I B					
Agriculture	%	⎫	..	36,1 f	29,3 c
Industrie	%	⎬ 100 %	..	35,3 f	28,4 c
Services	%	⎭	..	28,6 f	42,3 c
Dette extérieure totale	milliard $		..	2,6	24,2
Service de la dette/Exportations	%		..	..	13,6 c
Taux d'inflation	%		..	205,3	14,4
Population active	million		20,27	24,93	35,70 c
Agriculture	%	⎫	76,6	67,5	58,5 c
Industrie	%	⎬ 100 %	6,5	11,8	15,2 c
Services	%	⎭	16,9	20,7	26,3 c
Dépenses publiques					
Éducation	% PMN h		..	..	..
Défense	% PMN h		..	..	11,0 d
Énergie					
Consommation par habitant	kg		295	122	120 d
Taux de couverture	%		24,4	81,6	159,5 d

a. 1975-80; b. 1980-85; c. 1993; d. 1992; e. 1985-93; f. 1986; g. A parité de pouvoir d'achat (voir p. 673).

gouvernants vietnamiens : président de l'État, secrétaire général du Parti communiste et Premier ministre, ont parcouru trois continents.

Les relations avec la Chine populaire ont pris une tournure plus paisible (développement des échanges commerciaux, recours à la négociation pour résoudre les contentieux), même si le litige sur la possession de l'archipel des Spratly (en mer de Chine méridionale), notamment, et sur les zones de pêche est demeuré, le cercle des protagonistes s'étant élargi aux Philippines et à Taïwan. Mais, en dépit du consensus avec Pékin sur la nécessité de tenir tête au capitalisme international, la crainte d'une Chine renforçant sa puissance navale l'a emporté chez les dirigeants vietnamiens. Ces derniers ont multiplié les démarches pour que leur pays soit admis à l'ANSEA, avec succès, puisque l'adhésion du Viet-

nam a été effective en juillet 1995. Toutefois, être membre de l'ANSEA n'offre qu'une garantie politique ; l'association n'ayant pas d'appareil militaire contrairement à l'OTAN (Organisation du traité de l'Atlantique nord), ou de l'ex-pacte de Varsovie, elle ne peut guère prodiguer qu'un soutien moral et diplomatique.

Dans un tel contexte, le litige vietnamo-russe à propos de la base navale de Cam Ranh ne se réduit pas à un simple contentieux financier : les Russes désirent continuer à disposer de cette base en versant un loyer qui serait soustrait de la dette vietnamienne envers Moscou. Certes, la créance de 10 milliards de roubles a été réduite à 3,15 millions de dollars E-U par l'effet de la dépréciation du rouble, mais la Russie s'est refusée à en tenir compte dans le calcul des montants du remboursement. De leur côté, les Vietnamiens ont

BIBLIOGRAPHIE

Bao Ninh, *Le Chagrin de la guerre*, Picquier, Arles, 1994.

P. Brocheux, « Le Vietnam, une sortie à petits pas », in J.-L. Domenach, F. Godement (sous la dir. de), *Communismes d'Asie : mort ou résurection ?*, Complexe, coll. « CERI » Bruxelles, 1994.

P. Brocheux, *The Mekong Delta. Ecology, Economy and Revolution, 1860, 1960*, Center for South-East Asian Studies, University of Wisconsin, Madison, 1995.

P. Brocheux, D. Hémery, *Indochine, la colonisation ambiguë, 1858-1954*, La Découverte, Paris, 1994.

D. Hémery, *Ho Chi Minh. De l'Indochine au Vietnam*, Gallimard, « Découvertes », Paris, 1991.

J.-C. Pomonti, H. Tertrais, *Viêt-nam, communistes et dragons*, Le Monde-Éditions, Paris, 1994.

Saigon Eco, Ho Chi Minh-ville (bimensuel, en français).

M.S. de Vienne, *L'Économie du Vietnam (1955-1995). Bilan et perspectives*, CHEAM, Paris, 1994.

« Vietnam aujourd'hui : regards sur un demi-siècle » (dossier, établi par P. Brocheux et F. Cayrac-Blanchard), in *Approche Asie 12*, Économica, Paris, 1994.

Vietnam coopération investissement, Hanoi (bimensuel, en français).

Voir aussi la bibliographie « Indochine » dans la section « 38 ensembles géopolitiques ».

paru ne pas exclure la possibilité d'un recours à la force navale des Russes contre les Chinois. Les Russes demeurent les principaux fournisseurs d'armes et de pièces détachées pour le matériel militaire du Vietnam.

Des financements prioritairement asiatiques

Les relations financières et commerciales avec l'étranger ont continué de se renforcer. Ne demandant pas de garantie concernant les droits de l'homme, les pays asiatiques restent les premiers partenaires du Vietnam, même si, le plus souvent, les remontrances occidentales ne sont que des clauses de style. En janvier 1995, le gouvernement allemand a négocié le rapatriement en 1995-1996 de 40 000 ressortissants vietnamiens « illégaux » ou indésirables, contre l'octroi d'une aide financière de 60 millions de dollars — 20 % de cette somme devant servir à la réinsertion des rapatriés.

Réagissant comme le gouvernement chinois, mais aussi singapourien et malaisien, Hanoi a rejeté les accusations de violation des droits de l'homme et affirmé vouloir rester maître en sa demeure, notamment en réglant à sa manière les conflits, latents ou ouverts, avec les dissidents, comme les bouddhistes du Centre et du Sud ainsi que la haute hiérarchie catholique. Par ailleurs, des protestations ont commencé de s'exprimer à l'intérieur du Parti communiste, aussitôt réprimées : Hoang Minh Chinh et Do Trung Hieu ont ainsi été arrêtés, en 1995, pour délit d'opinion. Ainsi, en juillet 1994, la visite de parlementaires australiens, dont certains avaient critiqué le traitement de l'opposition antigouvernementale, a-t-elle été annulée. Les autorités vietnamiennes ont adopté des positions d'autant plus défensives qu'elles apparaissent de moins en moins capables de contrôler le flux d'informations venu de l'extérieur du pays : après le téléphone et le fax, Internet a fait son entrée dans le pays début 1995.

A la fin de 1994, Taïwan et Hong Kong totalisaient un tiers des investissements étrangers au Vietnam (292 projets d'un montant de 2,215 milliards de dollars), suivis par la Corée du Sud (79 projets de 755 millions de dollars) et les pays de l'ANSEA, essentiellement Singapour et la Fédération de Malaisie. En mai 1995, cependant, le Japon est passé du septième au troisième rang des investisseurs, avec 1,4 milliard de dollars placés dans le pays.

La croissance économique s'est poursuivie, le taux de croissance atteignant 8,7 % en 1994, contre 8 % en 1993. Le taux d'inflation a enregistré, quant à lui, une hausse sensible : 14,4 % en 1994, contre 5,2 % en 1993. C'est dans l'industrie et la construction que la progression a été la plus nette (26 % du PIB) même si les services (38 %) figuraient en tête avec avoir dépassé la production agricole — laquelle s'est maintenue malgré les inondations dans le delta du Mékong en août-septembre 1994 — et sylvicole (36 %). Les investissements industriels, notamment dans le pétrole et le gaz, ont fait l'objet d'importants encouragements. Le pays a, en effet, énormément besoin d'énergie et l'État, en exportant des hydrocarbures (27 % des revenus à l'exportation en 1994) et en les imposant, peut espérer accroître ses revenus. La poussée des industries lourdes (ciment, pétrochimie et métallurgie) était également à l'ordre du jour en 1995.

Les « laissés-pour-compte » de la croissance

L'autre objectif de cette politique industrielle est l'édification d'un État qui ne se confonde plus avec le Parti communiste. Ces objectifs ont placé au centre d'un débat devenu public le rôle de l'État en matière d'économie. Dans cette perspective, le Parti communiste vietnamien se trouve contraint d'entrer en affaires afin de disposer de ses propres ressources financières.

Après cinq ans d'ouverture sur l'extérieur et d'engagement résolu dans la voie de l'économie de marché, le moment a été jugé opportun de tenter un bilan social des transformations économiques. La question se pose en effet avec la plus grande actualité, lorsqu'on constate l'importance des disparités de revenus et de niveaux de vie, en dépit d'une croissance économique remarquable mais à propos de laquelle il faut tenir compte de l'effet de rattrapage — le PIB par habitant reste l'un des plus bas (170 dollars en 1994). D'après un rapport de la Banque mondiale datant du 23 janvier 1995, 51 % de la population entre dans la catégorie des « pauvres ». La moitié d'entre eux est incapable de satisfaire le minimum calorique en matière de besoins alimentaires (2 100 calories par jour). Ce sont à

▼

VIETNAM

République socialiste du Vietnam.
Capitale : Hanoi.
Superficie : 333 000 km² (0,6 fois la France).
Monnaie : dong (au taux officiel, 1 000 dongs = 0,4 FF au 30.6.95).
Langues : vietnamien (langue nationale), langues des ethnies minoritaires (khmer, cham, thai, sedang, miao-yao, chinois), anglais, français.
Chef de l'État : général Le Duc Anh, président de l'État, qui a remplacé Vo Chi Cong le 23.9.92.
Premier ministre : Vo Van Kiet depuis août 91.
Secrétaire général du Parti : Do Muoi, depuis le 26.6.91.
Nature de l'État : socialiste, fondé le 2.7.76.
Nature du régime : communiste, parti unique (Parti communiste vietnamien, PCV).
Revendications territoriales : Spratly, Paracels, Macclesfield, Pratas (mer de Chine méridionale), revendiquées aussi par d'autres États (Chine, Taïwan...)
Carte : p. 473.
Statistiques : voir aussi p. 474-475.

90 % des ruraux. Le taux de pauvreté le plus élevé se situe dans le Centre-Nord (71 %) et dans les hautes régions septentrionales (59 %). Le pourcentage le plus bas (33 %) est celui du Sud-Est, où se trouve le pôle économique de Hô Chi Minh-Ville. Exception faite des Chinois, c'est au sein des minorités ethniques (15 % de la population totale) que la pauvreté est le plus endémique, respectivement 66 % et 100 % chez les Tay et les Hmong.

Le taux d'illettrisme demeure cependant peu élevé : parmi les 20 % des plus pauvres, 79 % sont alphabétisés. Il n'en reste pas moins que la durée de la scolarisation est plus courte chez les pauvres que chez les riches, chez les femmes que chez les hommes.

Le vingtième anniversaire de la victoire du Nord-Vietnam sur le Sud-Vietnam a donné lieu en 1995 à des commentaires contradictoires. Pour les uns, il ne fallait pas que les sacrifices des héros de la libération-réunification nationale aient été vains avec l'ouverture économique du pays et le retour en force des tenants de l'ancien régime sudiste. Pour d'autres, vingt années se sont écoulées et la démocratie, qui était aussi l'un des idéaux du combat libérateur, n'a guère progressé.

Pierre Brocheux

Autriche
Des bouleversements anxiogènes

L'Autriche était habituée, depuis 1945, à une stabilité exemplaire. La scène politique était dominée par deux grands partis : les « rouges » (sociaux-démocrates) du Parti socialiste d'Autriche (SPÖ) et les « noirs » (chrétiens-démocrates) du Parti populaire d'Autriche (ÖVP) qui se partageaient l'essentiel des suffrages (encore 90 % au début des années quatre-vingt). Un « partenariat social », érigé en modèle durant de nombreuses années, permettait aux principaux groupes d'intérêt (patronat, organisations de salariés, d'agriculteurs...) de passer des accords essentiels. L'Église catholique, en position stable, conservait une audience importante auprès d'une bonne partie des Autrichiens. Enfin, la neutralité, dogme officiel, donnait à la population un sentiment de sécurité.

Or, toutes ces bases ont commencé de se lézarder. Au début de l'été 1994, l'Autriche pouvait encore offrir l'image de la stabilité. Les deux grands partis, SPÖ et ÖVP, gouvernant de concert, depuis 1986, dans le cadre d'une « grande coalition » avaient appelé à voter en faveur de l'adhésion à l'Union européenne (référendum du 12 juin 1994) et la population les avait suivis (deux tiers de « oui »). Les adversaires de l'Europe, de gauche comme les Verts ou de droite comme les partisans de Jörg Haider (populiste de droite, chef du Parti libéral d'Autriche, FPÖ), avaient dû reconnaître leur défaite avec l'entrée effective, le 1er janvier 1995, de l'Autriche dans l'UE.

Montée confirmée de l'extrême droite

A l'automne 1994, cependant, les électeurs, qui, quelques mois auparavant, avaient massivement voté en faveur de l'intégration européenne, et s'étaient donc résolument manifestés en faveur d'une politique de plus grande ouverture du pays au monde, ont créé la surprise : leur choix a été de plus en plus volatile lors des législatives du 9 octobre qui ont été un échec cuisant pour le SPÖ et l'ÖVP. Les deux grands partis n'ont obtenu que 63 % des voix lors de ce scrutin, le SPÖ perdant huit points (34,9 % contre 42,8 % en 1990)

et l'ÖVP plus de quatre (27,7 %
contre 32 %). A l'inverse, le FPÖ,
grand vainqueur de la consultation, est passé de 16 %, en 1990 à
22,5 % des voix, l'Autriche devenant l'État européen à la droite radicale la mieux représentée au niveau
parlementaire.

Les Verts, écologistes de gauche,
qui ne siègent au Parlement que
depuis 1986, ont gagné en audience,
passant de 4,8 % à 7,3 % des suffrages ; de la même façon, les libéraux de Heide Schmidt, séparés du
FPÖ depuis 1993, ont fait une percée remarquée avec 6 % des voix.

Si cette évolution a correspondu à
une réorganisation de la scène politique, phénomène banal en Europe,
elle n'en a pas moins choqué la classe
politique autrichienne. J. Haider,
apôtre d'un « changement de
système » allant dans le sens d'un
régime présidentiel autoritaire à forte
composante plébiscitaire, a bénéficié
d'une montée en puissance spectaculaire.

Sortie de la récession en 1994, le
pays ne va pourtant pas si mal économiquement. Le taux de croissance
avoisinait 2,8 % en 1994-1995, et le
taux de chômage se situait à 4,4 %,
largement au-dessous de la moyenne
de l'Union européenne. L'inflation
est descendue à 2,6 % en 1994, avec
un taux de 2,7 % prévu pour 1995.

Les perspectives semblaient assez
bonnes pour les années à venir,
l'intégration à l'UE devant apporter
une nouvelle dynamique à l'économie nationale. De même, la croissance dans les pays du groupe de
Visegrad (République tchèque, Slovaquie, Pologne, Hongrie) et en Slovénie, où les entreprises autrichiennes
ont contracté des *joint ventures* et
avec lesquels les échanges commerciaux sont florissants, était de bon
augure à moyen terme, même si la
valeur d'un schilling évoluant sous
l'influence du mark pouvait susciter
des difficultés structurelles en
matière d'exportation et de tourisme.

Autre élément positif, le pays a
continué à bénéficier d'un système
social comparativement bien développé, tandis que le taux de criminalité restait l'un des plus bas
d'Europe. Depuis l'imposition de
plus grandes restrictions à l'entrée
des étrangers, les deux années précédentes, l'afflux d'immigrés a considérablement diminué. Les discours
xénophobes de J. Haider n'en ont
pas moins eu un écho croissant.

Des piliers ébranlés

Ce sont donc vraisemblablement les
grands bouleversements que vit le
pays qui provoquent angoisse et
panique. Les Autrichiens ont seulement commencé à réaliser que leur

▼

Autriche

République d'Autriche.
Capitale : Vienne.
Superficie : 83 850 km² (0,15 fois la
France).
Monnaie : schilling (100 schillings =
7,68 écus ou 49,5 FF au 19.7.95).
Langues : allemand (off.), hongrois,
slovène, croate.
Chef de l'État : Thomas Klestil,
président de la République (depuis
le 8.7.92).
Chef du gouvernement : Franz
Vranitzky (chancelier fédéral depuis
le 16.6.86, réélu le 9.10.94).
Échéances électorales : parlementaires
à l'automne 98 ; présidentielle
en 98.
Nature de l'État : fédéral depuis
1945 ; la Constitution est fondée sur
celle de 1920 avec les amendements
de 1929.
Nature du régime : démocratie
parlementaire.
Principaux partis politiques : Parti
social-démocrate d'Autriche (SPÖ,
socialiste) ; Parti populaire
autrichien (ÖVP, centre droit
chrétien) ; Parti libéral d'Autriche
(FPÖ, extrême droite
pangermanique) ; Forum libéral
(LIF, libéral centriste) ; les Verts
(Die Grünen, écologiste de gauche).
Carte : p. 573.
Statistiques : voir aussi p. 572.

Autriche *(Voir aussi tableau p. 572)*

DÉMOGRAPHIE, CULTURE, ARMÉE

INDICATEUR	UNITÉ	1970	1980	1994
Démographie				
Population	*million*	7,47	7,55	7,97 [f]
Densité	*hab./km²*	89,1	90,0	95,0 [f]
Croissance annuelle	%	0,4 [a]	0,0 [b]	0,7 [c]
Indice de fécondité (ISF)		2,3 [a]	1,6	1,5 [c]
Mortalité infantile	‰	26 [a]	15 [b]	7 [c]
Espérance de vie	*année*	70 [a]	73 [b]	76 [c]
Population urbaine	%	51,7	54,8	55,5
Nombre de médecins	‰ *hab.*	1,85	2,52	2,10 [g]
Scolarisation 2e degré	%	72	93	106 [d]
Scolarisation 3e degré	%	11,8	23,2	36,5 [d]
Téléviseurs	‰	254	391	480 [d]
Livres publiés	*titre*	5 342	7 098	3 786 [e]
Armée				
Marine	*millier d'h.*	—	—	—
Aviation	*millier d'h.*	4,4	4,3	7,3
Armée de terre	*millier d'h.*	44	46	44

a. 1965-75;   b. 1975-85;   c. 1990-95;   d. 1992;   e. 1991;   f. 1995;   g. 1990.

COMMERCE EXTÉRIEUR [a]

INDICATEUR	UNITÉ	1970	1980	1994
Commerce extérieur	% *PIB*	22,1	29,5	25,6
Total imports	*milliard $*	3,5	24,4	55,2
Produits énergétiques	%	8,3	15,5	4,5
Produits agricoles	%	9,5	6,4	8,5
Produits manufacturés	%	69,8	68,9	83,9
Total exports	*milliard $*	2,9	17,5	44,9
Produits agricoles	%	4,6	4,2	7,2
Produits manufacturés	%	80,2	83,1	88,8
Machines et mat. de transport	%	24,1	27,7	39,0
Principaux fournisseurs	% *imports*			
CEE		65,4	63,1	66,1
RFA		41,2	40,8	40,1
PVD		17,6	21,5	16,9
Principaux clients	% *exports*			
CEE		50,6	56,2	63,1
RFA		23,4	30,8	38,2
PVD		24,3	21,8	21,2

a. Marchandises.

ÉCONOMIE

INDICATEUR	UNITÉ	1970	1980	1994
PIB	milliard $	14,5	76,9	195,6
Croissance annuelle	%	4,6 [a]	2,3 [b]	2,8
Par habitant [i]	$	2832	8216	19756
Structure du PIB				
Agriculture	% ⎫	6,9	4,5	2,4 [d]
Industrie	% ⎬ 100 %	45,4	39,5	35,5 [d]
Services	% ⎭	47,7	56,0	62,1 [d]
Taux d'inflation	%	5,3 [a]	5,1 [b]	2,6
Population active	million	3,11	3,36	3,72 [c]
Agriculture	% ⎫	14,8	9,0	6,9 [c]
Industrie	% ⎬ 100 %	43,1	41,1	35,0 [c]
Services	% ⎭	42,1	49,9	58,1 [c]
Taux de chômage	%	1,5	1,9	6,3 [g]
Dépenses publiques				
Éducation	% PIB	4,6	5,6	5,8 [d]
Défense	% PIB	1,2 [a]	1,2 [f]	0,8
Recherche et Développement	% PIB	0,6	1,2	1,64
Aide au développement	% PIB	0,07	0,28	0,30 [c]
Administrations publiques				
Solde [h]	% PIB	1,2	− 1,7	− 4,0 [c]
Dette brute	% PIB	••	••	62,8 [c]
Énergie				
Consommation par habitant	kg	3266	4132	4171 [d]
Taux de couverture	%	45,5	30,8	26,9 [d]

a. 1965-75; b. 1975-85; c. 1993; d. 1992; e. 1971; f. 1981; g. En fin d'année;
h. Capacité ou besoin de financement; i. À parité de pouvoir d'achat (voir p. 673).

pays, naguère marginalisé, se retrouve désormais au centre du continent européen, à la suite de la chute du « rideau de fer » et de son entrée dans l'UE.

Si les violences exercées à l'encontre d'étrangers sont restées très limitées jusqu'en 1994, en février 1995 une bombe posée dans un quartier tsigane de la province orientale du Burgenland et qui a tué quatre jeunes a choqué le pays. Par ailleurs, s'il n'existe pas en Autriche, de mouvements skinheads actifs, une mouvance pro-nazie marginale, mais bien structurée, a commencé à prendre de l'importance. Des dizaines de lettres piégées ont été envoyées à des personnalités de premier plan qui s'étaient prononcées pour une politique libérale envers les étrangers.

Les grands partis, qui ont reconstitué la « grande coalition » après la débâcle des élections d'octobre 1994, ont tardé à comprendre que le rapport des Autrichiens à la politique traversait une crise grave. Le gouvernement a vu reconduits les mêmes ministres qu'avant. Il a pris une série de mesures budgétaires drastiques, tenant compte des critères de convergence des politiques économiques prévus par le traité de Maastricht pour la future union monétaire. Le crédit des dirigeants en a pâti d'autant.

Dans les premiers mois de 1995, la société autrichienne a connu des perturbations d'une tout autre nature.

BIBLIOGRAPHIE

G. BAUMGARTNER, *6 Mal Österreich. Geschichte und aktuelle Situation der Volkstruppen*, Drava-Verlag, Klagenfurt, 1995.

S. BREUSS, *Inszenierungen - Stichwörter zu Österreich*, Sonderzahl, Vienne, 1995.

H. DACHS et al., *Ilandbuch des politischen Systems Österreichs*, Manz, Vienne, 1992.

W. KLEINDEL, *Österreich - Daten zur Geschichte und Kultur*, Überreuter, Vienne, 1995.

W. KOS, *Eigenheim Österreich. Zu Politik, Kultur und Alltag nach 1945*, Sonderzahl, Vienne, 1995.

O. MILZA, *Histoire de l'Autriche*, Hatier, Paris, 1995.

OCDE, *Études économiques : Autriche*, Paris, 1994.

P. PELINKA, A. THURNHER, *Österreich neu. Der Kanzlerreport*, Kremayer & Scheriau, Vienne, 1994.

E. TALOS, K. WÖRISTER, *Soziale Sicherung im Sozialstaat Österreich*, Nomos Verlagsanstalt, Baden-Baden, 1994.

L'un des piliers du pays, l'Église catholique, a été fortement ébranlée, fin mars : un ancien élève de l'archevêque de Vienne, le cardinal Hans Hermann Grœr, a accusé le prélat de lui avoir fait subir des violences sexuelles, vingt ans plus tôt. Le cardinal a estimé ne pas devoir répondre à cette accusation et le haut clergé a fait bloc autour de lui. La masse des fidèles, de son côté, s'est rebellée contre le conservatisme sclérosé des « princes » de l'Église ; un mouvement, reposant sur un plébiscite interne, appelant à une réforme catholique est né, s'opposant à la hiérarchie ; il semblait donc y avoir du schisme dans l'air. Une vague sans précédent de désaffection religieuse a frappé l'Église catholique.

L'« aile gauche du pays » n'a pas été épargnée par les crises. Le charisme du chancelier et chef du SPÖ, Franz Vranitzky, a pâli. La classe ouvrière urbaine, naguère réserve électorale des sociaux-démocrates, est apparue de plus en plus voter pour J. Haider. A cela s'ajoute le fait que la Konsum, société coopérative de consommation et plus grande chaîne de magasins alimentaires du pays, très liée au syndicat social-démocrate, a fait faillite en avril 1995.

Enfin, le véritable patrimoine du pays, la neutralité, longtemps considérée comme symbole de l'indépendance nationale et élément clé de la conscience collective, a été remis en question par l'entrée dans l'UE. Les attaques de J. Haider sur la question, auxquelles les dirigeants gouvernementaux n'ont répondu que mollement, y ont gagné en crédibilité.

Le SPÖ et l'ÖVP n'ont commencé à tirer les conséquences de leur défaite électorale d'octobre 1994 qu'en avril 1995. Les deux formations ont alors remplacé certains de leurs dirigeants. Le ministre des Affaires étrangères Aloïs Mock, vieux routier dans le domaine des relations internationales qui avait fait sensation au début des années quatre-vingt-dix avec ses prises de position pro-croates, et qui n'avait pas écarté la possibilité d'une entente avec J. Haider, a été remplacé par un homme plus jeune et plus pragmatique, Wolfgang Schüssel, qui a également été nommé à la tête de l'ÖVP. De même, des changements sont intervenus chez les sociaux-démocrates, le ministre de l'Intérieur Franz Löschnak, partisan d'une politique très restrictive à l'égard des étrangers, ayant notamment été remplacé par un intellectuel de gauche libéral, Caspar Einem.

Dans ce contexte de rupture et d'instabilité politique, le parlementarisme, traditionnellement peu développé en Autriche, s'est trouvé renforcé. La Chambre des députés — où les partis de la coalition gouvernementale ne disposent plus, comme auparavant, de la majorité des deux tiers — est revenu au centre de la vie politique et de nouvelles configurations de gouvernement semblent pouvoir s'esquisser. Le système politique autrichien paraissait donc en passe de devenir plus animé et plus ouvert.

Georg Hoffmann-Ostenhof

Israël
Une paix cher payée

Le désenchantement des Israéliens vis-à-vis du processus de paix avec les Palestiniens (accord d'autonomie de septembre 1993) est allé croissant en 1995, en raison de la poursuite de sanglants attentats islamistes sur leur territoire. Ce sentiment de doute, que n'ont pas compensé la paix conclue avec la Jordanie, le 26 octobre 1994, et les ouvertures enregistrées avec une partie du monde arabe, a entraîné un affaiblissement de la coalition de gauche dirigée par le Premier ministre Itzhak Rabin à l'approche des élections de 1996.

Plusieurs attentats commis par des « kamikazes » palestiniens appartenant au Mouvement de la résistance islamique (Hamas) ou au Jihad islamique ont ébranlé l'opinion : en octobre 1994 à Tel-Aviv, puis en janvier 1995 à Netanya, ou encore en juillet 1995 à Ramat Gan, près de Tel Aviv, des militants islamistes se sont fait sauter avec leur charge explosive, faisant de nombreuses victimes israéliennes, civiles et militaires.

Ces attentats à répétition ont eu des conséquences importantes en Israël. Ils ont contraint le gouvernement à durcir le ton vis-à-vis du président de l'Autorité palestinienne et chef de l'OLP (Organisation de libération de la Palestine), Yasser Arafat, accusé de ne pas assez contrôler les activités des islamistes dans les zones autonomes. Israël a « gelé », de fait, tout progrès dans la mise en œuvre des accords d'autonomie, qu'il s'agisse de la libération des prisonniers ou de l'ouverture des « couloirs protégés » entre Gaza et Jéricho, et surtout, il a conditionné la suite du processus, notamment l'extension de l'autonomie en Cisjordanie à l'arrêt de la violence à partir des zones autonomes. Le 25 juillet 1995, date initialement considérée comme échéance-butoir, les négociations concernant l'extension de l'autonomie n'avaient pas encore abouti.

Rabin en difficulté

La violence islamiste a également renforcé l'idée d'une « séparation » entre Israéliens et Palestiniens, avec un « blocage » de plus en plus sévère des Territoires occupés. La majeure partie des Palestiniens employés en Israël était d'ores et déjà remplacée par des immigrés venus de Roumanie, de Thaïlande ou même de Chine : plus de 70 000 d'entre eux étaient employés sur les chantiers et les établissements agricoles d'Israël en 1995, laissant à peine plus de 20 000 permis de travail à des Palestiniens, un manque à gagner considérable pour l'économie des Territoires occupés et autonomes. Le gouvernement envisageait également de renforcer la séparation physique entre Israël et les Territoires occupés, avec une limitation des points de passage et une surveillance électronique.

Ces difficultés ont accentué les débats au sein de la coalition gouvernementale sur la marche à suivre.

Israël *(Voir aussi tableau p. 448)*

DÉMOGRAPHIE, CULTURE, ARMÉE

INDICATEUR	UNITÉ	1970	1980	1994
Population	*million*	3,0	3,9	5,6 f
Densité	*hab./km²*	146,1	190,4	271,0 f
Croissance annuelle	*%*	3,0 a	2,0 b	3,8 c
Indice de fécondité (ISF)		3,8 a	3,3 b	2,9 c
Mortalité infantile	*%o*	25,3	24,3	9 c
Espérance de vie	*année*	71,3	72,8	76 c
Population urbaine	*%*	84,2	88,6	90,5
Analphabétisme	*%*	12,1 i	8,2 h	5,0 e
Nombre de médecins	*%o hab.*	2,5	2,50	2,90 g
Scolarisation 2e degré j	*%*	57	73	86 e
Scolarisation 3e degré	*%*	20	29,3	34,4 d
Téléviseurs	*%o*	179	232	271 e
Livres publiés	*titre*	2 072	2 397	2 214 h
Marine	*millier d'h.*	8	6,6	6,5
Aviation	*millier d'h.*	17	28	32
Armée de terre	*millier d'h.*	275	135	134

a. 1965-75; b. 1975-85; c. 1990-95; d. 1990; e. 1992; f. 1995; g. 1983; h. 1985; i. 1972; j. 14-17 ans.

COMMERCE EXTÉRIEUR a

INDICATEUR	UNITÉ	1970	1980	1994
Commerce extérieur	*% PIB*	26,9	35,1	25,1
Total imports	*milliard $*	2,12	9,69	24,9
Produits agricoles	*%*	18,7	13,3	8,4 b
Produits énergétiques	*%*	4,9	26,5	7,4 b
Produits manufacturés	*%*	71,9	56,5	81,7 b
Total exports	*milliard $*	0,78	5,54	16,4
Produits agricoles	*%*	27,1	15,6	7,4 b
Minérais et métaux	*%*	3,6	2,2	1,1 b
Produits manufacturés	*%*	69,6	81,9	90,6 b
Principaux fournisseurs	*% imports*			
États-Unis		15,5	16,0	17,4 b
CEE/UE		33,1	28,5	49,2 b
PVD		3,1	4,8	10,0 b
Confidentiel c		35,5	39,7	7,4 b
Principaux clients	*% exports*			
États-Unis		19,1	16,0	31,3 b
CEE/UE		41,7	41,0	29,6 b
PVD		15,9	14,7	20,5 b
Confidentiel		3,1	13,1	8,7 b

a. Marchandises; b. 1993; c. Origine gardée secrète à cause des consignes de boycottage des pays arabes.

Israël

ÉCONOMIE				
INDICATEUR	**UNITÉ**	**1970**	**1980**	**1994**
PIB	*milliard $*	5,4	20,6	72,7 d
Croissance annuelle	%		7,2 a	2,5 b	6,8
Par habitant f	$	2 481	6 512	14 890 d
Structure du PIB				
Agriculture	% ⎫	7,6	5,7	2,6 e
Industrie	% ⎬ 100 %	43,7	41,0	32,1 e
Services	% ⎭	48,7	53,3	65,3 e
Dette extérieure totale	*milliard $*	2,6	17,5	16,4 d
Taux d'inflation	%	6,1	131,0	14,4
Population active	*million*	1,09	1,45	1,92 d
Agriculture	% ⎫	9,7	6,2	3,4 d
Industrie	% ⎬ 100 %	35,6	32,0	27,8 d
Services	% ⎭	54,7	61,8	68,8 d
Dépenses publiques				
Éducation	% PIB	5,5	7,9	5,8 c
Défense	% PIB	19,9	19,6	10,9
Administration publique centrale				
Solde	% PIB	20,4	16,3	3,9 e
Dette brute	% PIB	133,4 g	267,7	140,6 h
Recherche et Développement	% PIB	1,2	2,5	2,2 c
Énergie				
Consommation par habitant	kg	2 133	2 256	3 268 e
Taux de couverture	%	117,2	2,3	—

a. 1965-75; b. 1975-85; c. 1990; d. 1993; e. 1992; f. A parité de pouvoir d'achat (voir p. 673); g. 1972; h. 1991.

Après l'attentat de Netanya, le président israélien Ezer Weizmann (travailliste) a appelé à l'arrêt des négociations avec l'OLP, une demande appuyée par plusieurs ministres « faucons », mais ignorée par le Premier ministre. En revanche, I. Rabin n'a pas plus écouté ceux de ses ministres qui souhaitaient l'évacuation de certaines colonies juives isolées ou l'accélération des négociations sur le statut final des Territoires. Il a toutefois accepté de fixer une date butoir au 1er juillet 1995 pour la fin des négociations sur la deuxième phase de l'autonomie, à condition que l'Autorité palestinienne se montre plus efficace dans le contrôle des islamistes à Gaza.

La question de Jérusalem, censée n'apparaître sur la table des négociations qu'à partir de mai 1996, est également venue empoisonner l'atmosphère avec la poursuite de la politique israélienne de confiscation de terres palestiniennes à Jérusalem-Est, et les pressions accrues du gouvernement sur les institutions de l'OLP dans la capitale contestée. I. Rabin a toutefois dû renoncer à confisquer en mai 1995 quelque 53 hectares à Jérusalem-Est, face à un tollé de protestations internationales et des remous politiques intérieurs. C'est la première fois que le gouvernement recule sur cette question, alors que le maintien de Jérusalem comme capitale réunifiée d'Israël fait l'objet d'un large consensus dans le pays.

Le Premier ministre a eu plus de succès dans ses relations avec la Jor-

BIBLIOGRAPHIE

M. ABBAS, *Le Chemin d'Oslo*, Edifra, Paris, 1995.

M. COHEN, *Du rêve sioniste à la réalité israélienne*, La Découverte, Paris, 1990.

A. DIECKHOFF, *L'Invention d'une nation. Israël et la modernité politique*, Gallimard, Paris, 1993.

A. GRESH, D. VIDAL, *Palestine 47 : un partage avorté*, Presses de la FNSP, Paris, 1989.

A. KAPELIOUK, *Hebron, un massacre annoncé*, Arléa/Seuil, Paris, 1995.

G. KHATIB, « La paix menacée par la colonisation », *Revue d'études palestiniennes*, n° 3, Paris, print. 1995.

Y. LEIBOVITZ, *La Mauvaise Conscience d'Israël* (entretiens avec J. Algazy), Le Monde-Éditions, Paris, 1994.

Y. LEIBOVITZ, *Peuple, Terre, État*, Plon, Paris, 1995.

A. LEVALLOIS, S. POMMIER, *Jérusalem : de la division au partage ?*, Éd. Michalon, Paris, 1995.

LIGUE INTERNATIONALE POUR LE DROIT ET LA LIBÉRATION DES PEUPLES, *Le Dossier Palestine. La question palestinienne et le droit international*, La Découverte, Paris, 1991.

S. PERES, *Combat pour la paix*, Fayard, Paris, 1995.

Voir aussi les bibliographies p. 441 et 452.

danie, avec la signature d'un traité de paix le 26 octobre 1994, en présence du président américain Bill Clinton. Une paix beaucoup plus chaleureuse qu'avec les Palestiniens, et qui, contrairement à l'accord « Gaza-Jéricho d'abord », a fait l'objet d'un large consensus en Israël, malgré la restitution à la Jordanie de plus de 300 km² qu'elle revendiquait. Les deux pays ont rapidement échangé des ambassades et ouvert leurs frontières. Les Israéliens — dont I. Rabin lui-même en avril 1995... — se sont précipités en grand nombre pour visiter les ruines nabatéennes de Pétra.

En revanche, malgré la multiplication des déclarations d'intention du gouvernement israélien sur l'éventualité de restituer à la Syrie le plateau du Golan (territoire occupé depuis 1967, et annexé en 1981), la paix avec Damas paraissait encore incertaine avant la fin du mandat du gouvernement travailliste. Le Premier ministre s'est engagé à faire approuver par référendum toute concession territoriale importante à la Syrie, un exercice hasardeux au vu de l'opposition majoritaire exprimée dans les sondages.

Ces hésitations du processus de paix, sur lequel le Parti travailliste avait centré son programme électoral de 1992, ont profité à l'opposition de droite, le Likoud, dont le leader, Benyamin Netanyahou, a dépassé I. Rabin dans les sondages d'opinion. Or, pour la première fois aux élections de 1996, les Israéliens éliront leur Premier ministre au suffrage universel, parallèlement au choix des députés, et, selon toute vraisemblance, le chef du gouvernement devrait se représenter. B. Netanyahou a, pour sa part, exprimé son opposition à la restitution du Golan à la Syrie ou à l'extension de l'autonomie palestinienne, estimant que les Palestiniens se contenteraient d'une autonomie municipale.

B. Netanyahou a toutefois été affaibli par la scission survenue en juin 1995 au sein du Likoud, marquée par le départ de David

Levy, chef de file des Juifs orientaux dont le soutien est vital pour l'emporter.

Les difficultés du Premier ministre ne se sont pas arrêtées là. Sa coalition a été rendue plus fragile par la rupture consommée avec le parti ultra-orthodoxe Shas, en février 1995. Plusieurs députés travaillistes « faucons » ont, d'autre part, menacé de faire défection au profit d'un nouveau mouvement centriste, la troisième voie. Enfin, l'image du Parti travailliste a été ternie par la découverte de scandales financiers. Élément d'incertitude supplémentaire, un parti « russe » a été fondé en juin 1995 par l'ancien « refuznik » Anatoli Chtcharanski pour exprimer le mécontentement des immigrants d'ex-URSS (500 000) qui avaient été l'un des facteurs de la victoire travailliste en 1992.

Un bilan économique presque sans nuages

Le gouvernement aurait pu recueillir les bénéfices politiques d'une croissance économique restée forte ($+ 6,8$ % en 1994 et un rythme similaire en 1995), de résultats positifs dans la lutte contre le chômage (7,5 % de la population active, malgré l'arrivée de quelque 80 000 immigrants d'ex-URSS par an) et, dans une moindre mesure, contre l'inflation (14,4 % en 1994, moins de 10 % prévus en 1995). Des tergiversations gouvernementales autour d'une taxation des plus-values boursières, fin 1994, ont cependant provoqué un effondrement de la Bourse de Tel-Aviv, tandis que se creusait début 1995 un déficit commercial inquiétant (évalué pour l'ensemble de l'année à 11 milliards de dollars) et que persistaient des taux d'intérêt jugés trop élevés par les milieux d'affaires.

Israël a néanmoins continué à recevoir des capitaux étrangers, attirés par les privatisations et par les perspectives ouvertes par le processus de paix régional. Sous la ges-

ISRAËL

État d'Israël.

Capitale : Jérusalem (état de fait, contesté au plan international).

Superficie : 20 325 km² (0,04 fois la France) ; Territoires occupés : Golan (1 150 km², annexé en 1981), Cisjordanie (5 879 km², dont 52 km² pour l'enclave autonome de Jéricho), Gaza (378 km², dont 336 pour la zone autonome palestinienne et 42 km² pour les colonies juives). Jérusalem-Est a été annexée en 1967.

Monnaie : nouveau shekel (1 nouveau shekel = 1,66 FF au 30.4.95).

Langues : hébreu et arabe (off.) ; anglais, français, russe.

Chef de l'État : Ezer Weizmann (président depuis le 24.3.93).

Premier ministre : Itzhak Rabin (depuis le 13.7.92).

Nature de l'État : Israël dispose de « lois constitutionnelles » devant évoluer vers une Constitution. Le pays est divisé en six districts administratifs.

Nature du régime : démocratie parlementaire combinée à une administration militaire dans les Territoires occupés (Cisjordanie, bande de Gaza).

Principaux partis politiques :
Gouvernement : Parti travailliste (social-démocrate, sioniste), Merets (bloc parlementaire comprenant trois partis sionistes de gauche : le Mouvement pour les droits civiques, le Mapam, Shinoui). Le Parti communiste israélien (Hadash) et le Parti démocratique arabe soutiennent le gouvernement sans y participer. Le Shas (orthodoxe sépharade, non sioniste) a quitté la coalition, négociant son soutien au coup par coup. *Opposition :* Likoud (droite nationaliste), Tsomet (extrême droite), Moledet (extrême droite), Parti national religieux (droite sioniste), Parti unifié de la Thora (orthodoxe ashkénaze non sioniste). *Mouvements extra-parlementaires :* Shalom Akhshav (La Paix maintenant) ; Goush Emounim (Bloc de la foi, extrémiste-nationaliste religieux) ; Kakh (raciste, banni en mars 1994).

Carte : p. 442 et 444-445.

Statistiques : voir aussi p. 448-449.

tion travailliste, les inégalités se sont toutefois accrues, provoquant le mécontentement de la base électorale du parti, malgré des mesures sociales comme l'extension de la couverture médicale des Israéliens. Ce « front intérieur », quelque peu négligé par le Premier ministre, pourrait peser lourd lors des prochaines élections.

Pierre Haski

(Voir aussi p. 447-448 et voir éditions précédentes : 1995, p. 42 et p. 551; 1994, p. 538; 1993, p. 534.)

Égypte
L'enjeu de la nouvelle donne régionale

En 1994-1995, le rôle géopolitique de l'Égypte a été largement affecté par les mutations régionales. Avec l'épuisement de la rente politico-économique qu'avait permise son engagement dans la coalition anti-irakienne, durant la guerre du Golfe (1991), et plus encore avec l'accord d'autonomie palestinienne signé entre l'OLP et Israël le 13 septembre 1993 et le traité de paix scellé entre la Jordanie et Israël (26 octobre 1994), sa place dans la région s'est trouvée modifiée. Par ailleurs, le premier signataire d'un traité de paix avec Israël (Camp David, en 1979) s'est vu « doublé » par ses voisins, qui, du Maroc à la Jordanie, ont engagé la normalisation de leurs rapports avec Israël. La « déclaration de Damas » paraphée par l'Égypte, la Syrie et les États du Golfe, en mars 1991, en vue de définir les bases d'une sécurité collective, et dont les signataires se sont réunis en janvier 1994, est restée lettre morte pour ce qui est du soutien à l'Égypte.

Forte du succès de la Conférence internationale sur la population et le développement qui s'est tenue au Caire du 5 au 13 septembre 1994 [*voir p. 67*], la diplomatie égyptienne a diversifié ses interlocuteurs tout en privilégiant les enjeux économiques : partenariats économiques avec le Japon, les États-Unis et participation à divers forums. Par ailleurs, de la réunion des ministres des Affaires étrangères des pays méditerranéens (juillet 1994), à la Conférence économique internationale sur le Proche-Orient (Casablanca août 1994), en passant par l'accueil au Caire de la conférence de l'Union européenne sur les PME (petites et moyennes entreprises) en décembre 1994, et le statut d'observateur alloué au sein de l'Union du Maghreb arabe (novembre 1994), l'Égypte a montré qu'elle entendait garder sa place dans la nouvelle donne moyen-orientale.

A la diplomatie des « sommets », réunissant les chefs d'États égyptien, syrien, saoudien, censée renforcer la solidarité arabe, a répondu la rencontre des signataires de la paix, le président égyptien Hosni Moubarak, le Premier ministre israélien Itzhak Rabin, le roi Hussein de Jordanie et Yasser Arafat, chef de l'Organisation de libération de la Palestine (OLP), le 3 février 1995.

Nouvelles tensions avec les États-Unis

Sur un autre front, l'attentat manqué contre H. Moubarak, le 27 juin 1995 à Addis-Abéba, a eu pour effet de raviver les tensions entre l'Égypte et le Soudan, ce dernier ayant été accusé par Le Caire d'abriter des activistes islamistes. Faisant taire pour un temps les critiques contre le régime, cet attentat n'en posait par moins la question de la succession de H. Moubarak, qui, depuis son accession au pouvoir en 1981, s'est abstenu de nommer un vice-président.

Les relations égypto-américaines sont à nouveau entrées en crise, les raisons avancées par Washington étant la violation par les fils de certains hauts responsables égyptiens de l'embargo imposé à la Libye. Au même moment, la presse officieuse reprochait aux États-Unis d'être ouverts à une possibilité d'alternative islamiste au régime. A cela s'ajoutaient les pressions des créanciers internationaux. Le tout a été perçu comme un montage américain visant à mettre l'Égypte au pas à l'approche de la reconduction du TNP (Traité de non-prolifération nucléaire) ; Washington n'admettait pas que la résistance du Caire fût liée au refus de signer d'Israël. La reconduction, en mai 1995, du TNP pour une durée illimitée et sans qu'Israël n'y soit intégré, a constitué un échec pour la diplomatie égyptienne. De plus, la motion relative au Proche-Orient vers laquelle a poussé l'Égypte ne mentionnait pas le principal programme militaire nucléaire de la région, celui d'Israël.

En dépit de la visite du président israélien Ezer Weizmann en Égypte, en décembre 1994, la «tension verbale» entre les deux pays a atteint son apogée avec une campagne israélienne contre le ministre des Affaires étrangères Amr Moussa qui, au cours de sa première visite officielle en Israël (août 1994), avait ouvert le dossier du TNP et s'était abstenu de visiter le mémorial des victimes du génocide. Enfin, il a été perçu par les Israéliens comme tiède, sinon hostile vis-à-vis des efforts de normalisation.

Engagée sur le plan économique — l'Égypte est le premier fournisseur de pétrole à Israël —, la tentative de normalisation des relations dans d'autres domaines s'est heurtée à un refus de la part de la population : des manifestations anti-israéliennes ont été suivies d'arrestations, suscitant une inquiétude de plus pour le régime. Celui-ci a laissé s'exprimer les protestations internes mais les a sanctionnées dès lors qu'elles avaient dépassé la marge autorisée, laquelle a été réduite.

Bien qu'elle n'ait pas eu raison de la violence, la loi d'urgence, en vigueur depuis 1981, a été une fois de plus reconduite pour trois ans,

alors que son abrogation était l'une des principales revendications de l'opposition. Celle-ci a été invitée, en juin 1994, à un «dialogue national», que les optimistes ont perçu comme un signe de réforme politique. Les personnalités cooptées pour ce dialogue appartenaient majoritairement

▼

ÉGYPTE

République arabe d'Égypte.
Capitale : Le Caire.
Superficie : 1 001 449 km² (1,8 fois la France).
Monnaie : livre (au taux officiel, 1 livre = 1,45 FF au 30.4.95).
Langue : arabe.
Chef de l'État : Hosni Moubarak, président de la République (depuis le 6.10.81).
Premier ministre : Atef Sidqi (depuis le 11.11.87).
Échéances électorales : législatives (nov. 1995).
Nature de l'État : république.
Nature du régime : présidentiel.
Principaux partis politiques : *Gouvernement :* Parti national démocratique. *Opposition légale :* Néo-Wafd (libéral) ; Parti socialiste du travail (populiste) ; Rassemblement progressiste unioniste (marxistes et nassériens de gauche) ; Parti des verts égyptiens ; Parti de la Jeune Égypte ; Parti démocratique unioniste ; Parti nassérien. *Tolérés :* les Frères musulmans, non autorisés à constituer un parti politique, ni à se reconstituer comme association, participent à la vie politique formelle sous le couvert du Parti du travail. Néanmoins, à partir de 1994, certains de ses dirigeants ont fait l'objet de poursuites judiciaires et ont été accusés de complicité avec les groupes islamistes clandestins. *Illégaux :* Parti communiste égyptien ; al-Jihad ; al-Jama'a al-islamya (islamistes).
Carte : p. 415.
Statistiques : voir aussi p. 416.

Égypte *(Voir aussi tableau p. 416)*

DÉMOGRAPHIE, CULTURE, ARMÉE

INDICATEUR	UNITÉ	1970	1980	1994
Population	million	33,0	40,9	62,9 [f]
Densité	hab./km²	33,0	40,8	62,8 [f]
Croissance annuelle	%	2,1 [a]	2,5 [b]	2,2 [c]
Indice de fécondité (ISF)		6,0 [a]	5,2 [b]	3,9 [c]
Mortalité infantile	‰	158	108	67 [c]
Espérance de vie	année	50,9	56,9	64 [c]
Population urbaine	%	42,2	43,8	44,5
Analphabétisme	%	65,0	60,3	48,6 [f]
Nombre de médecins	‰ hab.	0,52	..	0,76 [g]
Scolarisation 12-17 ans	%	32,7	44,2	60,9 [d]
Scolarisation 3e degré	%	11,0	17,7	19,2 [d]
Téléviseurs	‰	16	34	119 [e]
Livres publiés	titre	2 142	1 680	1 451 [h]
Armée				
Marine	millier d'h.	14	20	20
Aviation	millier d'h.	20	27	30
Armée de terre	millier d'h.	250	320	310

a. 1965-75; b. 1975-85; c. 1990-95; d. 1991; e. 1992; f. 1995; g. 1989; h. 1988.

COMMERCE EXTÉRIEUR [a]

INDICATEUR	UNITÉ	1970	1980	1994
Commerce extérieur	% PIB	11,0	17,9	14,2
Total imports	milliard $	0,8	4,9	11,8
Produits agricoles	%	31,5	38,6	26,0 [b]
Métaux et produits miniers [d]	%	3,3	1,3	7,4 [b]
Produits manufacturés	%	55,8	58,9	64,9 [b]
Total exports	milliard $	0,8	3,0	2,2
Énergie	%	4,8	64,2	49,8 [b]
Coton	%	44,7	13,9	1,4 [b]
Autres produits agricoles	%	22,9	8,5	10,8 [b]
Principaux fournisseurs	% imports			
États-Unis		5,8	19,3	21,4 [b]
Japon		1,5	4,7	5,8 [b]
CEE/UE		32,9	42,0	39,0 [b]
Ex-CAEM [e]		29,4	8,9	3,5 [b]
Principaux clients	% exports			
États-Unis		0,8	7,7	12,9 [b]
Japon		3,2	2,4	2,0 [b]
CEE/UE		14,0	47,4	45,8 [b]
Ex-CAEM [e]		57,0	11,2	6,0 [b]

a. Marchandises; b. 1993; c. 1990; d. Non compris produits énergétiques; e. Conseil d'assistance économique mutuelle (COMECON).

ÉCONOMIE

INDICATEUR	UNITÉ		1970	1980	1994
PNB	milliard $		7,60	20,72	36,68 d
Croissance annuelle	%		4,9 a	6,9 b	1,5
Par habitant e	$		378	882	3 530 d
Structure du PIB					
Agriculture	%		29,4	18,2	17,9 d
Industrie	%	100 %	28,2	36,8	22,4 d
Services	%		42,4	44,9	59,7 d
Dette extérieure totale	milliard $		1,7	21,0	40,8
Service de la dette/Exportations	%		36,9	20,8	18,9
Taux d'inflation	%		3,8	20,7	12,0
Population active	million		9,17	11,30	15,79 d
Agriculture	%		46,6 g	45,7	39,0 c
Industrie	%	100 %	17,1 g	20,3	19,4 c
Services	%		36,2 g	34,1	41,6 c
Dépenses publiques					
Éducation	% PIB		4,8	5,7 h	5,0 c
Défense	% PIB		18,1	7,2	5,0
Énergie					
Consommation par habitant	kg		264	491	704 f
Taux de couverture	%		281,6	228,8	209,6 f

a. 1965-75;   b. 1975-85;   c. 1991;   d. 1993;   e. A parité de pouvoir d'achat (voir p. 673);
f. 1992;   g. 1974;   h. 1981.

au Parti national démocratique (PND, au pouvoir), alors qu'en étaient exclus les Frères musulmans, force politique non autorisée. Ce dialogue, dont se sont retirés aussi bien le Néo-Wafd (libéral) que le Parti nassérien (gauche), s'est limité à un forum qui laissait inchangées les règles du jeu politique. En dépit du battage médiatique qui a entouré la relaxe d'une centaine d'islamistes « repentis », le régime semblait aussi peu disposé qu'auparavant à envisager une issue politique à la violence.

Les formes les plus spectaculaires de celle-ci (tentative d'assassinat, en octobre 1994, de Naguib Mahfouz, prix Nobel de littérature) n'ont pas été les plus meurtrières. Alors que l'on comptait 272 victimes des opérations de violence début 1994, leur nombre approchait 700 fin mars 1995, dont quelque 200 policiers et autant d'islamistes.

Si l'État a pu réussir à territorialiser les dysfonctionnements occasionnés par la violence, ce fut souvent au prix de mesures punitives touchant les populations. Le « ratissage » de la province d'Assiout, principal foyer de la violence, a déplacé les troubles vers Minya, mettant fin au *modus vivendi* qui y prévalait entre islamistes et autorités locales. Tout en dénonçant la violence des islamistes, l'Organisation égyptienne des droits de l'homme (OEDH) a condamné les méthodes du pouvoir, tout particulièrement les exécutions extrajudiciaires. Avec l'arrestation de dirigeants des Frères musulmans, dont le médecin Issam Al-Aryan, figure médiatique du mouvement, soupçonnés de complicité avec les groupes ayant recours à la violence, l'année 1994 a vu l'exacerbation de la tension entre le pouvoir et la composante participative du mouvement

BIBLIOGRAPHIE

R. BECKER, *Sadate and After : Struggle for Egypt's Political Soul*, Cambridge University Press, Cambridge, 1989.

L. BLIN (sous la dir. de), *L'Économie égyptienne : libération et insertion dans le marché mondial*, L'Harmattan, Paris, 1993.

F. BURGAT, *L'Islamisme en face*, La Découverte, Paris, 1995.

«Egypt. Hostage Taking and Intimidation by Security Forces», *Human Rights Watch Middle East*, vol. VII/2, Washington, 1995.

Égypte-Monde arabe, CEDEJ, Le Caire (trimestriel). Voir notamment le n° 20, «L'Égypte en débat».

H. HANDOUSSA, G. POTTER (sous la dir. de), *Employment and Structural Adjustment : Egypt in the 1990s*, The American University Press, Le Caire, 1991.

A. ROUSSILLON, *Changer la société par le «jihad»*, in «Le phénomène de la violence politique, *Dossiers du CEDEJ*, Le Caire, 1994.

A. ROUSSILLON, «Égypte. Plus d'un demi-siècle d'activisme islamique», *in L'Islamisme*, La Découverte, «Les Dossiers de L'état du monde», Paris, 1994.

R. SPRINGBORG, *Mubarak's Egypt : Fragmentations of the Social Order*, Westview Press, Boulder, Londres, 1989.

islamique. La criminalisation des Frères musulmans et la mise sous contrôle judiciaire des syndicats professionnels au sein desquels ils sont majoritaires ont semblé préparer leur éviction des élections législatives de novembre 1995.

La confrontation s'est également étendue au Parti du travail, dont le secrétaire général Adel Hussein et plusieurs membres ont fait l'objet d'arrestations.

Un ajustement économique difficile

La politique de privatisation n'a guère progressé : en 1994, trois entreprises seulement ont été rachetées. Pour en accélérer le processus, le gouvernement a proposé, pour environ 300 entreprises publiques, la vente au public de 10 % de leur capital et autant aux salariés de chaque entreprise concernée, justifiant ainsi l'euphémisme «élargir la base de la propriété» et reportant la question des suppressions d'emplois, d'autant plus sensible avec un taux de chômage de près de 20 % et un revenu moyen de 650 dollars par habitant.

Au cours de l'année fiscale 1993-1994, le PIB s'est élevé à 139 milliards de dollars, contre 134 en 1992-1993, soit une croissance de 1,9 %. Si la balance globale des paiements a été légèrement bénéficiaire (1,7 milliard de dollars), le déficit de la balance commerciale pour l'année 1993-1994 est ressorti à 6,1 milliards de dollars, contre 5,3 en 1992-1993, à cause principalement de la baisse des exportations d'hydrocarbures et de produits textiles.

Ce déficit a été compensé par un solde positif des services et des mouvements de capitaux (3,2 milliards de dollars), auxquels se sont ajoutés les transferts financiers des expatriés (5 milliards de dollars).

D'importantes divergences ont opposé Le Caire et le FMI ; alors qu'en janvier 1994 les bailleurs de fonds avaient accordé à l'Égypte 6 milliards de dollars de crédits civils sur deux ans et se déclaraient satisfaits de la réduction de l'inflation (9,7 %) et du déficit budgétaire (2,5 % du PIB, contre 4,7 en 1992-1993), en juin de la même année le FMI refusait de donner son aval pour l'effacement de 20 % des dettes égyptiennes au Club de Paris qui avait été programmé pour fin 1994. En 1993-1994 la dette extérieure était de 31 milliards de dollars, contre 40,4 en 1992-1993. Éminemment politique, la question de la dévaluation de la livre égyptienne, estimée par le FMI surévaluée de 20 % à 45 %, a constitué la principale source de conflit. Nécessaire pour relancer les exportations selon le Fonds monétaire, cette mesure entraînerait d'après Le Caire une hausse des prix sur les marchés internes. L'aide américaine s'est maintenue à 2,1 milliards de dollars.

Iman Farag

Algérie
Une « guerre sans chiffre »

L'année 1994-1995 n'a laissé aucun répit à l'Algérie dont la population s'est trouvée confrontée à la montée en puissance du « terrorisme islamiste » et à la répression accrue et « sans états d'âme » des forces militaires et paramilitaires. A la mi-1995, le nombre des victimes de cette double violence dépassait, sans que l'on puisse toutefois en donner un bilan précis, le chiffre de 30 000 morts, avancé fin 1994 par le département d'État américain. La « guerre sans image » dans laquelle s'est trouvé plongé le pays après l'arrêt du processus électoral et l'instauration de l'état d'urgence en janvier 1992 est aussi apparue comme une « guerre sans chiffre », puisque le gouvernement contrôlait totalement l'information en s'assurant de la docilité des médias.

La plate-forme de Sant' Egidio

■ Outre la Ligue algérienne pour la défense des droits de l'homme (LADDH), sept formations politiques, à l'instigation de la communauté catholique Sant'Egidio, ont participé à Rome, en janvier 1995, à la rencontre qui a débouché sur la signature d'un programme de « consensus minimum » pour trouver une solution « politique et pacifique » à la crise. Ces partis signataires ont été le Front de libération nationale (FLN), le Front des forces socialistes (FFS), le Front islamique du salut (FIS), le Mouvement pour la démocratie en Algérie (MDA), le Parti des travailleurs (PT), le Mouvement de la Nahda islamique (MNI), et El Jazaïr musulmane (JMC).

Le texte stipule notamment « [...] le rejet de la violence pour accéder ou se maintenir au pouvoir », « le respect de l'alternance politique à travers le suffrage universel », « la consécration du multipartisme ».

Dans le cadre des mesures devant précéder les négociations avec le pouvoir, il demande également « la libération effective des responsables du FIS et de tous les détenus politiques » ; « l'annulation de la décision de dissolution du FIS ».

Anouar Haddam, président de la délégation parlementaire du FIS à l'étranger, a signé la plate-forme au nom de dirigeants islamistes emprisonnés.

A. H.

Algérie *(Voir aussi tableau p. 364)*

DÉMOGRAPHIE, CULTURE, ARMÉE

INDICATEUR	UNITÉ	1970	1980	1994
Démographie				
Population	million	13,7	18,7	27,9 [f]
Densité	hab./km²	5,8	7,9	11,7 [f]
Croissance annuelle	%	3,0 [a]	3,1 [b]	2,3 [c]
Indice de fécondité (ISF)		7,4 [a]	6,8 [b]	3,8 [c]
Mortalité infantile	%₀	139,2	97,6	55 [c]
Espérance de vie	année	52,4	58,0	67 [c]
Population urbaine	%	39,5	43,4	55,0
Culture				
Analphabétisme	%	75	60,9	38,4 [f]
Nombre de médecins	%₀ hab.	0,13	0,36	0,94 [g]
Scolarisation 12-17 ans	%	30,8	47,7	59,3 [g]
Scolarisation 3ᵉ degré	%	1,9	6,2	11,8 [d]
Téléviseurs	%₀	29,1	52	76 [e]
Livres publiés	titre	289 [h]	275	506 [d]
Armée				
Marine	millier d'h.	2	4	6,7
Aviation	millier d'h.	2	7	10
Armée de terre	millier d'h.	53	90	105

a. 1965-75; b. 1975-85; c. 1990-95; d. 1991; e. 1992; f. 1995; g. 1990; h. 1968.

COMMERCE EXTÉRIEUR [a]

INDICATEUR	UNITÉ	1970	1980	1994
Commerce extérieur	% PIB	24,4	29,1	20,3
Total imports	milliard $	1,3	10,8	10,8
Produits agricoles	%	16,6	24,2	37,4 [b]
Produits miniers et métaux	%	1,9	1,7	2,2 [c]
Produits manufacturés	%	79,3	71,7	64,9 [c]
Total exports	milliard $	1,0	13,9	10,9
Produits agricoles	%	20,5	0,9	0,7 [b]
Pétrole et gaz	%	70,5	98,5	96,6 [c]
Produits miniers et métaux	%	2,5	0,5	0,3 [c]
Principaux fournisseurs	% imports			
CEE / UE		72,0	67,9	65,7 [b]
dont France		42,4	23,2	29,1 [b]
États-Unis		8,0	7,1	12,4 [b]
Principaux clients	% exports			
CEE / UE		80,2	43,4	67,7 [b]
dont France		53,5	13,4	12,5 [b]
États-Unis		0,8	48,1	15,7 [b]

a. Marchandises; b. 1993; c. 1992.

Algérie

ÉCONOMIE				
INDICATEUR	UNITÉ	1970	1980	1994
PIB	milliard $	4,9	36,2	44,3 e
Croissance annuelle	%	4,4 a	6,2 b	− 0,2
Par habitant f	$	505	2 001	4 390 e
Structure du PIB				
Agriculture	% ⎫	10,8	10,0	15,2 e
Industrie	% ⎬ 100 %	41,3	53,7	45,0 e
Services	% ⎭	47,8	36,3	39,8 e
Dette extérieure totale	milliard $	0,9	19,4	27,5
Service de la dette/Exportations	%	3,4	27,2	39,3
Taux d'inflation	%	6,6	9,5	38,5
Population active	million	2,95	4,05	6,50 e
Agriculture	% ⎫	40,0 c	30,7	22,8 e
Industrie	% ⎬ 100 %	20,0 c	28,5	30,2 e
Services	% ⎭	39,9 c	40,8	47,0 e
Dépenses publiques				
Éducation	% PIB	7,8	7,8	5,7 d
Défense	% PIB	7,0	2,8	2,7 e
Énergie				
Consommation par habitant	kg	372	1 326	1 594 d
Taux de couverture	%	1 421,6	411,7	375,7 d

a. 1965-75;   b. 1975-85;   c. 1973;   d. 1992;   e. 1993;   f. A parité de pouvoir d'achat (voir p. 673).

Les deux parties en lutte, pouvoir et islamistes, ont cherché, au travers d'attentats spectaculaires et d'opérations «coup de poing», à faire basculer le rapport de forces, chacune en sa faveur, ne réussissant toutefois à obtenir qu'un relatif équilibre, remis quotidiennement en cause par les actions des uns et des autres. Selon certaines sources, à cette date, un tiers du «pays utile» (nord de l'Algérie) échappait totalement ou en partie au contrôle des militaires. Ces derniers, en revanche, avaient encore bien en main la majorité des villes et en particulier la capitale, Alger, mais les quartiers populaires restaient le vivier où venaient puiser les groupes islamistes armés circulant en toute impunité dans de larges zones suburbaines.

Sur le terrain, les bilans disponibles, officiels mais partiels, ont confirmé la recrudescence des accrochages et l'âpreté des combats entre les troupes d'élite de l'armée et les groupes armés islamistes, les plus radicaux se rangeant sous la bannière du Groupe islamique armé (GIA). Ce dernier, aux structures et aux effectifs peu connus — 2 000 à 3 000 militants selon les sources les plus fiables —, «éclatés» en petites cellules ayant chacune un «émir» à sa tête, et qui se serait surtout implanté à l'Est et dans le Centre, a revendiqué la plupart des attentats qui ont ensanglanté le pays et les assassinats d'étrangers.

L'extension des violences

Le 30 janvier 1995, un attentat à la voiture piégée, contre le commissariat central de la capitale, a fait 42 morts et 286 blessés, pour la plupart des civils. Cette spectaculaire attaque suicide à la voiture piégée, revendiquée par le GIA, a donné le coup d'envoi à une série d'attentats

BIBLIOGRAPHIE

L. Addi, *L'Algérie et la Démocratie*, La Découverte, Paris, 1994.

« Algérie. La guerre des frères », *Les Temps modernes*, n° 850, Paris, janv.-févr. 1995.

« Avec l'Algérie », *Esprit*, Paris, janv. 1995.

R. Baduel (sous la dir. de), « L'Algérie incertaine », *Revue du monde méditerranéen et musulman*, n° 65, Édisud, Aix-en-Provence, mai 1993.

F. Burgat, *L'Islamisme en face*, La Découverte, Paris, 1995.

O. Carlier, *Entre nation et jihad. Histoire sociale des radicalismes algériens*, Presses de la FNSP, Paris, 1995.

S. Goumeziane, *Le Mal algérien*, Fayard, Paris, 1994.

G. Hidouci, *Algérie. La libération inachevée*, La Découverte, Paris, 1995.

G. Ignasse, E. Wallon, *Demain l'Algérie*, Syros éditeur, Paris, 1995.

R. Leveau (sous la dir. de), *L'Algérie dans la guerre*, Complexe, coll. « CERI », Bruxelles, 1995.

Reporters sans frontières, *Le Drame algérien. Un peuple en otage*, La Découverte, Paris, 1995 (nouv. éd. mise à jour).

B. Stora, *Histoire de l'Algérie depuis l'indépendance*, La Découverte, « Repères », Paris, 1995 (nouv. éd. mise à jour).

B. Stora, *La Gangrène et l'Oubli. La mémoire de la guerre d'Algérie*, La Découverte, Paris, 1991.

Voir aussi la bibliographie « Maghreb » dans la section « 38 ensembles géopolitiques ».

à l'explosif visant des édifices publics, des immeubles abritant des familles de policiers, des infrastructures routières, etc. Au total et selon le ministre de l'Intérieur d'alors, Abderrahmane Meziane-Cherif (« homme fort » du cabinet Sifi, limogé le 2 juillet), 2 725 actes de sabotage ont été commis en 1994 contre « des secteurs touchant à la vie quotidienne des citoyens ». Les groupes armés ont ainsi incendié plus de 600 écoles, 224 mairies ou sous-préfectures, 1 218 camions, 356 autocars et minibus, 7 locomotives...

Par ailleurs, la violence a gagné des régions jusque-là épargnées. Ainsi en est-il allé de la Kabylie, aux portes d'Alger, qui s'enorgueillissait d'être une « petite Suisse » algérienne, et des régions sahariennes du Sud, où se trouvent concentrés les champs pétrolifères et gaziers, principales sources de recettes en devises du pays. Le relief montagneux de la Kabylie favorise l'implantation de maquis ou, du moins, de zones de repli provisoire. Assassinats, coups de main contre les villages pour récupérer des fusils de chasse, affrontements entre islamistes armés et forces de sécurité ont attesté que la situation dans cette région s'est dégradée d'une manière inquiétante. Au sud, le 5 mai 1995, un commando armé a mené une attaque contre les locaux d'une filiale algérienne de la compagnie américaine Bechtel à Ghardaïa, à 600 km d'Alger. Cinq étrangers y ont été tués. Dès lors, les milieux pétroliers internationaux n'ont plus caché leurs inquiétudes de voir les islamistes s'attaquer à un secteur jusque-là épargné par les attentats.

L'armée, qui a eu à gérer deux périodes d'état de siège, en octobre 1988 — après la sanglante répression d'émeutes populaires — et en juin 1991, ainsi que l'état d'urgence en vigueur à compter de février 1992, s'est trouvée en première ligne pour tenter de circonscrire les maquis islamistes, contre lesquels elle a lancé, au cours du printemps 1995, notamment à Aïn Defla (Centre-Ouest) et Jijel (Est), des opérations militaires d'envergure aux résultats apparemment peu probants. Elle a aussi prêté main-forte, grâce à son soutien logistique, aux nombreuses opérations de « ratissage » menées par la police en milieu urbain. Ses corps d'élite et notamment ses fameux « ninjas » en cagoule ont continué d'assurer dans les faits le plus gros de la besogne sécuritaire, étant plus redoutés par la population que les groupes armés islamistes. Leurs multiples exactions et leur grande brutalité ont elles aussi alimenté la spirale d'une violence qu'ils avaient pourtant mission de combattre.

Une situation politique bloquée

Sur le plan politique, à la mi-juillet 1995, la situation apparaissait toujours bloquée. D'autant que la deuxième phase des pourparlers secrets entre la Présidence et les chefs emprisonnés du FIS s'était soldée, trois semaines auparavant, par un retentissant constat d'échec. Le pouvoir militaire, arc-bouté sur la certitude que le temps jouerait en sa faveur et que son option du « tout sécuritaire » assurerait sa survie, est resté imperméable aux multiples demandes de l'opposition d'une réelle réouverture du champ démocratique. Devant l'échec patent du « dialogue national » que les autorités avaient tenté de mettre sur pied, selon leurs conditions, l'opposition et les islamistes ont frappé un grand coup et repris, pour la première fois, l'initiative politique. Par l'entremise de la communauté catholique de Sant' Egidio, à Rome, les principaux partis de l'opposition légale, dont le Front de libération nationale (FLN — ex-parti unique), le Front des forces socialistes (FFS, dirigé par Hocine Aït Ahmed) et l'ex-Front islamique du salut (FIS, interdit), se sont réunis à Rome, à la mi-janvier 1995, pour signer « la plate-forme pour une solution politique et pacifique de la crise algérienne ». Ce « contrat natio-

▼

ALGÉRIE

République algérienne démocratique et populaire.

Capitale : Alger.

Superficie : 2 381 741 km² (4,4 fois la France).

Monnaie : dinar (au taux officiel, 1 dinar = 0,10 FF au 19.5.95).

Langues : arabe (officielle), berbère, français.

Chef de l'État : Liamine Zéroual, depuis le 31.1.94, succédant au Haut Comité d'État (HCE), présidence collégiale qui était dirigée par Ali Kafi, depuis le 2.7.92. Il avait remplacé Mohamed Boudiaf (intronisé le 16.1.92, assassiné le 29.6.92) qui, lui-même, avait succédé à Chadli Bendjedid, démis le 11.1.92.

Premier ministre : Mokdad Sifi, qui a succédé le 11.4.94 à Rédha Malek, lequel avait lui-même succédé le 21.8.93 à Belaïd Abdesselam.

Nature de l'État : république ; l'islam est religion d'État.

Nature du régime : présidentiel. La nouvelle Constitution adoptée le 4.2.89 a instauré le multipartisme et supprimé toute référence au socialisme.

Principaux partis politiques : Front de libération nationale (FLN, parti unique de 1962 à 1989) ; Front islamique du salut (FIS, dissous et interdit par le pouvoir le 4.3.92) ; Front des forces socialistes (FFS), animé par H. Aït-Ahmed ; Mouvement pour la démocratie en Algérie (MDA), animé par A. Ben Bella ; Rassemblement pour la culture et la démocratie (RCD) ; Ettahadi (ex-PAGS, communiste) ; Parti national de la solidarité et de développement (PNSD) ; Parti du renouveau algérien (PRA), Hamas (Cheikh Nahnah).

Carte : p. 363.

Statistiques : voir aussi p. 364-365.

ALGÉRIE

319

nal » a été sèchement rejeté « en bloc et en détail » par le pouvoir qui a qualifié la réunion romaine de « tentative d'ingérence dans les affaires intérieures de l'Algérie ». Le document a proposé une issue politique à la crise, et a demandé notamment au président de l'État, le général Liamine Zéroual, d'ouvrir des négociations sans conditions avec l'opposition, y compris les islamistes ; il s'est opposé, par ailleurs, à la tenue de l'élection présidentielle que ce dernier entendait organiser avant la fin 1995.

Si elle a reçu le soutien officieux d'une bonne partie de la population, l'initiative des principales forces de l'opposition a été vilipendée par ceux qui se sont autobaptisés « républicains » en Algérie (RCD — Rassemblement pour la culture et la démocratie, Ettahadi) et prônent une solution militaire. Ils y ont vu une tentative pour remettre en selle les islamistes. La réunion de Rome n'a par ailleurs reçu qu'un soutien très timide des principales capitales occidentales, en particulier de la France — ancienne puissance tutélaire — qui a, à maintes reprises, appelé « tous les acteurs de la vie politique algérienne au dialogue », et qui s'est contentée de marquer son « intérêt » pour la plate-forme de Sant' Egidio. Principaux partenaires commerciaux des Algériens avec qui ils entretiennent des rapports « passionnels », les dirigeants français ont été accusés par les islamistes de soutenir la « junte » au pouvoir en lui accordant une aide « militaire, politique et économique ». Washington, Londres,

Rome et Madrid ont adopté des positions plus nuancées par rapport à la situation en Algérie, renvoyant dos à dos militaires et islamistes.

La France, en fait, a montré qu'elle craignait d'être davantage impliquée dans le conflit algérien. Cependant, le dénouement sanglant, le 24 décembre 1994, sur l'aéroport de Marignane, du détournement d'un Airbus d'Air France (les preneurs d'otages ont été abattus par le groupe d'intervention de la gendarmerie nationale) et l'assassinat, le 11 juillet, à Paris, d'un imam fondateur du FIS, *cheikh* Abdelbaki Sahraoui, ont attesté la dérive de la violence sur le sol français. Même si Paris n'a plus voulu apparaître comme un allié inconditionnel du régime en place à Alger, et si son enveloppe devait passer de six milliards à cinq milliards de francs, son soutien esst demeuré réel. Preuve en a été son appui sans faille au gouvernement algérien dans ses difficiles négociations avec le FMI. L'institution internationale a accordé à l'Algérie, en mai 1995, un crédit de 1,16 milliard de droits de tirage spéciaux (DTS), soit environ 1,79 milliard de dollars, pour tenir le programme de réformes économiques à moyen terme mis en œuvre par le gouvernement. Cela a représenté une véritable bouffée d'oxygène pour une économie exsangue, mais servira aussi à l'effort du « tout sécuritaire », privilégié par les militaires algériens.

Ali Habib

(Voir aussi article p. 104.)

Irak
Poursuite du marchandage

Cinq ans après le vote de sanctions internationales à l'ONU à la suite de l'invasion du Koweït, en 1990, le régime de Saddam Hussein était toujours en place, de même que l'embargo qui était censé faciliter sa chute. Le grand marchandage s'est

poursuivi entre Bagdad et les États-Unis. La levée progressive de l'embargo ne dépendait, selon la *résolution 687* du Conseil de sécurité des Nations unies (3 avril 1991), que de la destruction des armes nucléaires, chimiques et bactériologiques, ainsi que des missiles à longue portée. Les États-Unis y ont cependant rapidement ajouté la reconnaissance du Koweït, insistant, par ailleurs, sur l'observation de l'ensemble des résolutions de l'ONU : libération des Koweïtiens portés disparus, facilitation des efforts humanitaires de l'ONU, respect des droits de l'homme.

Le système très complet et draconien de surveillance de l'industrie d'armement irakien, dans le cadre de la *résolution 715* du Conseil de sécurité (11 octobre 1991), acceptée par Bagdad le 26 novembre 1993, est devenu opérationnel le 8 octobre 1994. Mais le gel du dossier irakien, illustré par la reconduction régulière des sanctions au Conseil de sécurité sous la pression américaine, a conduit Bagdad à se lancer dans une série de gesticulations militaires.

Le 6 octobre 1994, l'opposition irakienne basée dans la région autonome kurde, au nord, affirmait que des mouvements de troupes irakiennes étaient en cours près de la frontière du Koweït. Le 9 octobre, des sources koweïtiennes estimaient les forces irakiennes à « 83 000 hommes, stationnées à 12 km de la frontière ». La veille, les États-Unis avaient annoncé l'envoi de 1 000 hommes dans le Golfe et, le 10 octobre, 500 soldats américains arrivaient au Koweït, tandis que l'Irak annonçait son retrait.

Reconnaissance du Koweït

Bien que constaté par les États-Unis, le retrait irakien n'a pas mis un terme à la dramatisation de la situation par Washington qui concédait seulement, le 13 octobre 1994, une éventuelle réduction du déploiement militaire américain de 40 000 à 30 000 soldats.

Ces événements ont précédé la reconnaissance officielle du Koweït par l'Irak. Le 10 novembre 1994, le Conseil de commandement de la révolution a annoncé sa décision de « reconnaître la souveraineté du Koweït, son intégrité territoriale et son indépendance politique », ainsi

▼
IRAK

République irakienne.
Capitale : Bagdad.
Superficie : 434 924 km² (0,80 fois la France).
Monnaie : dinar (1 dinar = 15,81 FF au 30.4.95).
Langues : arabe, kurde (off.), syriaque.
Chef de l'État : Saddam Hussein, président de la République, commandant en chef des forces armées, Premier ministre, président du Conseil de commandement de la Révolution, secrétaire général du parti Baas.
Nature de l'État : « État arabe », avec statut d'autonomie pour une partie du Kurdistan accordée en 1974. La zone au nord des anciennes lignes de front de 1991 vit une situation de quasi-indépendance, depuis la création d'une « zone de protection » pour les Kurdes, selon les termes de la résolution 688 du Conseil de sécurité de l'ONU votée le 5 avril 1991. Le 4 octobre 1992, les partis kurdes ont proclamé l'État fédéral. Entre 3,5 et 4 millions d'habitants vivent dans la partie autonome du Kurdistan (environ 74 000 km², dont une partie seulement au nord du 36e parallèle).
Nature du régime : autoritaire, dominé par le parti Baas et le clan des Takriti.
Principaux partis politiques : Baas (seul parti légal), parti Da'wa (religieux chiite), Assemblée supérieure de la Révolution islamique en Irak (religieux chiite), Parti communiste, Parti démocratique kurde, Union patriotique du Kurdistan, Congrès national irakien.
Territoires contestés : la nouvelle frontière entre le Koweït et l'Irak n'a été acceptée par Bagdad que le 10.11.94 ; une partie de l'opposition continuant à la refuser.
Carte : p. 103 et 443.
Statistiques : voir aussi p. 448-449.

Irak *(Voir aussi tableau p. 448)*

DÉMOGRAPHIE, CULTURE, ARMÉE

INDICATEUR	UNITÉ	1970	1980	1994
Population	*million*	9,36	13,29	20,45 [f]
Densité	*hab./km²*	21,5	30,6	47,0 [f]
Croissance annuelle	%	3,2 [a]	3,7 [b]	2,5 [c]
Indice de fécondité (ISF)		7,1 [a]	6,8 [b]	5,7 [c]
Mortalité infantile	%o	103,5	80,0	58 [c]
Espérance de vie	*année*	55,0	61,9	66 [c]
Population urbaine	%	56,2	66,2	74,1
Analphabétisme	%	••	59,6	42,0 [f]
Nombre de médecins	%o *hab.*	0,31	0,56	0,60 [g]
Scolarisation 12-17 ans	%	36,1	65,4	55,4 [h]
Scolarisation 3e degré	%	••	9,3	13,8 [d]
Téléviseurs	%o	37	49	73 [e]
Livres publiés	*titre*	135 [i]	182 [j]	••
Armée				
Marine	*millier d'h.*	2	4,25	2
Aviation	*millier d'h.*	7,5	38	30
Armée de terre	*millier d'h.*	85	200	350

a. 1965-75; b. 1975-85; c. 1990-95; d. 1988; e. 1992; f. 1995; g. 1991; h. 1990;
i. 1973; j. 1981.

COMMERCE EXTÉRIEUR [a,b]

INDICATEUR	UNITÉ	1970	1980	1990
Commerce extérieur	% *PIB*	29,1	38,1	25,3 [b]
Total imports	*milliard $*	0,51	13,94	6,52
Produits agricoles	%	21,6	13,8	37,9 [b]
Métaux et produits miniers [d]	%	1,4	1,5	••
Produits manufacturés	%	75,3	84,4	••
Total exports	*milliard $*	1,53	26,28	10,38
Produits agricoles	%	4,2	0,6	0,8
Produits énergétiques	%	94,6	99,1	96,8
Produits manufacturés	%	1,0	0,3	1,7
Principaux fournisseurs	% *imports*			
PCD		52,6	75,1	66,9 [b]
CEE / UE		35,7	40,3	37,2 [b]
PVD		47,4	24,7	33,0 [b]
Principaux clients	% *exports*			
PCD		77,8	72,8	70,9
CEE / UE		70,3	38,9	26,6
PVD		22,2	27,0	28,9

a. A compter d'août 1990, l'Irak a été en situation de guerre et soumis à embargo international;
b. Marchandises; c. 1989.

Irak

ÉCONOMIE				
INDICATEUR	**UNITÉ**	**1970**	**1980**	**1994**
PIB	*million $*	3 505	52 749	17 000 e
Croissance annuelle	%	10,8 a	− 7,7 b	1,0
Par habitant f	$	838	6 272	3 500 g
Structure du PIB				
Agriculture	%	16,0	5,0	16,1 j
Industrie	% } 100 %	43,0	73,0	42,8 j
Services	%	41,0	22,0	41,1 j
Dette extérieure g	*million $*	..	2,5	86,0 e
Taux d'inflation	%	7,5 h	16,2	60,0
Population active	*million*	2,39	3,55	5,77 e
Agriculture	%	47,1	30,4	18,4 e
Industrie	% } 100 %	21,8	22,1	17,2 e
Services	%	31,1	47,5	64,4 e
Dépenses publiques				
Éducation	% PIB	6,1	3,0	5,1 c
Défense	% PIB	12,1	6,9 i	..
Énergie				
Consommation par habitant	*kg*	609	805	1 247 d
Taux de couverture	%	5 178,9	1 099,1	170,8 d

a. 1970-80; b. 1980-87; c. 1988; d. 1992; e. 1993; f. A parité de pouvoir d'achat (voir p. 673); g. 1991; h. 1971; i. 1979; j. 1989.

que « ses frontières internationales, conformément à la *résolution 833* de l'ONU ». Le nouveau tracé de la frontière irako-koweïtienne, fixé par l'ONU, a permis au Koweït de récupérer 600 mètres de territoire, de prendre le contrôle entier du champ de pétrole de Rumayla et d'une partie du port irakien d'Um Qasr.

Littéralement « accouchée » par la Russie, cette décision irakienne a simplement été saluée par Washington comme un « progrès » et, le 14 novembre 1994, les sanctions contre l'Irak ont été reconduites, malgré l'aggravation à ce sujet des divergences au sein du Conseil de sécurité. La *résolution 988* (14 avril 1995), autorisant l'Irak à commercialiser une quantité limitée de son pétrole pour des besoins humanitaires sous le contrôle de l'ONU, a été rejetée par Bagdad, qui y a vu un obstacle de plus à une levée rapide de l'embargo.

Pour des raisons politiques et commerciales, la France, la Russie et la Chine se sont montrées favorables à la levée rapide des sanctions. Paris s'est appuyé pour cela sur une lecture « juridique » de la *résolution 687* sur le désarmement de l'Irak, à laquelle s'est soumis Bagdad. Au cours de la crise d'octobre, tout en assurant ses alliés de la solidarité de son pays face aux « menaces » irakiennes, Alain Juppé, alors ministre des Affaires étrangères français, a invité la communauté internationale à ne pas « surréagir », et s'est dit opposé à la création d'une zone d'exclusion terrestre dans le Sud. Ce projet était soutenu par les États-Unis et le Royaume-Uni, mais fut rapidement abandonné à cause de la crainte de voir l'Iran en tirer profit. Une section d'intérêt français a été ouverte à Bagdad, le 6 janvier 1995, initiative dénoncée par Washington et Londres.

BIBLIOGRAPHIE

S. AL-KHALIL, *Republic of Fear*, Hutchinson Radius, Londres, 1989.

COLLECTIF, *Crise du Golfe et ordre politique au Moyen-Orient*, CNRS-Éditions, Paris, 1994.

P.-J. LUIZARD, *La Formation de l'Irak contemporain*, CNRS Éditions, Paris, 1991.

P.-J. LUIZARD, «Les Irakiens à la recherche d'un nouveau contrat de coexistence», *in* R. BOCCO et M.-R. DJALILI (sous la dir. de), *Moyen-Orient : migrations, démocratisation, médiations*, PUF, Paris, 1994.

P.-J. LUIZARD, *The Iraqi Question from the Inside, in* «Intervention and Responsability, The Iraq Sanctions Dilemna», *MERIP*, n° 193, Washington, mars-avr. 1995.

Voir aussi la bibliographie consacrée à la question kurde, p. 104.

Le gel du dossier irakien jusqu'à l'aboutissement du processus de paix au Moyen-Orient a semblé être l'option retenue par les États-Unis, le maintien en l'état des sanctions satisfaisant les alliés de Washington, notamment les pays pétroliers. La survie du régime de Bagdad est ainsi apparue servir de prétexte à la mise en tutelle de l'Irak, où les conditions de vie ont encore empiré, du fait de l'embargo.

Sur le plan intérieur, Saddam Hussein a signé un décret prévoyant l'amputation des membres pour les voleurs (5 juin 1994) et celle de l'oreille pour les déserteurs (4 septembre 1994), les médecins étant menacés d'exécution en cas de refus. L'opposition irakienne a annoncé que le général Wafiq Samarra'i, ancien chef des services du contre-espionnage, s'était réfugié au Kurdistan autonome le 2 décembre 1994, d'où il a appelé à renverser S. Hussein. Début mars 1995, circulaient de nouvelles rumeurs de coup d'État manqué. De violents combats dans les marais du Sud ont opposé des combattants chiites à l'armée, tandis qu'au nord les partisans de l'Union patriotique du Kurdistan (UPK) et le Congrès national irakien (CNI), le rassemblement le plus important de l'opposition irakienne, attaquaient l'armée à Kirkouk, en février-mars 1995.

Bien plus grave pour le régime fut le soulèvement de la ville de Ramadi, à l'ouest du pays, rapidement généralisé à toute la province d'Al-Anbar (17-19 mai 1995), fief de la puissante tribu arabe sunnite des Dulaym et bastion traditionnel du régime. Suivis d'une mutinerie militaire dans la base d'Abou Ghrayb, à l'ouest de Bagdad, le 14 juin 1995, et d'une répression sanglante contre les Dulaym, ces événements ont été représentatifs d'une rapide dégradation de la base arabe sunnite du régime. Début août, deux gendres de Saddam Hussein occupant de hauts postes se sont, par ailleurs, réfugiés en Jordanie.

Aggravation des violences au Kurdistan autonome

Au Kurdistan autonome, institué en 1991, après que le Conseil de sécurité eut décidé de faire de cette région une zone de protection, les affrontements entre partis kurdes rivaux ont dégénéré en guerre ouverte, faisant des centaines de morts. L'aggravation, sensible depuis mai 1994, du conflit armé entre le Parti démocratique du Kurdistan (PDK) de Massoud Barzani et l'UPK de Jalal Talabani, ce dernier s'opposant également au Mouvement islamique du Kurdistan (MIK), s'est poursuivie, malgré une réunion de conciliation tenue à Paris, les 16-24 juillet 1994, sous le patronage de personnalités françaises.

Un accord interkurde signé le 24 novembre 1994 par M. Barzani et J. Talabani a proclamé « la fin définitive des hostilités et la formation d'un gouvernement plus représentatif que l'actuel », formé en juin 1992. Mais, le 25 décembre 1994, le contrôle par l'un des partis kurdes de la perception des droits de douane à la frontière turque, l'une des rares ressources du Kurdistan autonome, a déclenché une nouvelle vague d'hostilités entre UPK et PDK. M. Barzani a reconnu l'échec de l'autonomie kurde et réclamé la mise en place d'un protectorat de l'ONU sur le Kurdistan. Un cessez-le-feu sous l'égide du CNI, signé le 8 janvier 1995, prévoyait l'interposition des troupes de cette formation. Les affrontements ont pourtant repris et, le 28 février 1995, un attentat à Zakho a fait 73 morts, tandis qu'en mars UPK et PDK continuaient de s'affronter dans de violents combats au nord d'Erbil.

La situation chaotique au Kurdistan a favorisé les interventions de l'armée iranienne et surtout de l'armée turque. Tout en ayant donné son accord, le 28 décembre 1994, pour une prolongation de six mois de la présence de la force multinationale sur son territoire, dans le cadre de l'opération *Provide Comfort*, mise en place en avril 1991 pour porter secours à la population kurde persécutée par S. Hussein et réfugiée en Turquie, Ankara a déclenché, le 20 mars 1995, l'opération *Acier*. 35 000 soldats turcs ont ainsi fait la chasse aux militants du Parti des travailleurs du Kurdistan (PKK) réfugiés au Kurdistan d'Irak, dont plus de 500 membres ont été tués.

Bien que la Turquie ait continué de rechercher une solution kurde irakienne au problème du contrôle de la frontière, il apparaissait clairement qu'elle souhaitait le rétablissement de l'autorité de Bagdad sur le Kurdistan d'Irak. Le 4 mai 1995, Ankara a annoncé le départ de ses troupes du nord de l'Irak.

Pierre-Jean Luizard

Mozambique
Premières élections libres

Une nouvelle période de l'histoire du pays s'est ouverte. A la suite des élections législatives et présidentielles des 27-29 octobre 1994, le président Joaquim Chissano a nommé, le 16 décembre 1994, le premier gouvernement issu du suffrage universel. La tenue d'élections « libres et justes » dans un pays déchiré par une guerre civile commencée en 1977 est apparue comme un succès pour l'ONU — qui avait mis en place en décembre 1992 l'Onumoz (Opération des Nations unies pour le Mozambique) après l'échec de ses missions en Somalie, au Rwanda et en Angola.

L'« accord général de paix », signé par le Frelimo (Front de libération du Mozambique, ex-parti unique au pouvoir à partir de 1975) et la Renamo (Résistance nationale du Mozambique), à Rome, le 4 octobre 1992, a ainsi été respecté. Forte d'un effectif de huit mille civils et militaires, chargés d'un contrôle réel du processus électoral, l'Onumoz a réussi, sous la houlette d'Aldo Ajello, envoyé spécial du secrétaire général des Nations unies, à devenir un véritable acteur politique sur la scène mozambicaine.

Issue en 1977 d'un groupe militaire soutenu par les régimes raciaux de Rhodésie du Sud (actuel Zimbabwé) et d'Afrique du Sud, la Renamo avait réussi à s'immiscer dans la crise que la politique de développement technocratique accéléré du Frelimo avait provoquée. Ce faisant, elle devint, malgré ses violences, porteuse

Mozambique *(Voir aussi tableau p. 420)*

DÉMOGRAPHIE, CULTURE, ARMÉE

INDICATEUR	UNITÉ	1970	1980	1994
Démographie				
Population	million	9,4	12,1	16,0[f]
Densité	hab./km²	12,0	15,5	20,4[f]
Croissance annuelle	°/₀	2,3[a]	2,5[b]	2,4[c]
Indice de fécondité (ISF)		6,5[a]	6,5[b]	6,5[c]
Mortalité infantile	°/₀₀	171[a]	158[b]	148[c]
Espérance de vie	année	42[a]	44[b]	46[c]
Population urbaine	°/₀	5,7	13,1	32,8
Analphabétisme	°/₀	..	72,8	59,9[f]
Nombre de médecins	°/₀₀ hab.	0,07	0,03	0,03[g]
Scolarisation 12-17 ans	°/₀	10,1	33,7	28,3[e]
Scolarisation 3ᵉ degré	°/₀	0,3	..	0,3[e]
Téléviseurs	°/₀₀	—	0,2	2,9[e]
Livres publiés	titre	..	101	66[h]
Armée				
Marine	millier d'h.	—	0,7	0,75
Aviation	millier d'h.	—	1	4,0
Armée de terre	millier d'h.	19[d]	25	30

a. 1965-75; b. 1975-85; c. 1990-95; d. 1977; e. 1992; f. 1995; g. 1991; h. 1984.

COMMERCE EXTÉRIEUR [a]

INDICATEUR	UNITÉ	1970	1980	1994
Commerce extérieur	°/₀ PIB	22,5	22,5	39,5[b]
Total imports	million $	32,6	800	955
Produits énergétiques	°/₀	8,1	20,9	9,9[d]
Produits agricoles	°/₀	12,3	17,0	20,3[b]
Produits manufacturés	°/₀	79,4	34,4	..
Total exports	million $	156	281	125
Produits agricoles	°/₀	80,3	86,6	72,4[b]
Minerais et métaux [b]	°/₀	2,1	6,0	13,0[c]
Produits manufacturés	°/₀	9,5	1,4	19,1[c]
Principaux fournisseurs	°/₀ imports			
États-Unis		9,8	3,7	5,7[b]
CEE / UE		45,9	20,5	33,4[b]
PVD		9,6	26,0	47,5[b]
Principaux clients	°/₀ exports			
États-Unis		9,2	23,6	3,7[b]
CEE / UE		52,5	22,3	40,1[b]
PVD		19,2	9,8	40,6[b]

a. Marchandises; b. 1993; c. 1991; d. 1989.

Mozambique

INDICATEUR	UNITÉ	1970	1980	1994
ÉCONOMIE				
PIB	million $	1 072	2 407	1 375 d
Croissance annuelle	%	− 5,0 a	4,5 b	5,4
Par habitant g	$	273	354	380 d
Structure du PIB				
Agriculture	% ⎫	..	36,9	33,1 d
Industrie	% ⎬ 100 %	..	30,9	12,0 d
Services	% ⎭	..	32,3	54,9 d
Dette extérieure totale	milliard $	..	3,3 e	5,26 d
Service de la dette/Exportations	%	..	42,2 e	20,6 d
Taux d'inflation	%	..	13,3 h	57,9
Population active	million	4,74	6,9	8,96 d
Agriculture	% ⎫	86,4	84,5	80,7 d
Industrie	% ⎬ 100 %	6,2	7,4	9,2 d
Services	% ⎭	7,4	8,1	10,1 d
Dépenses publiques				
Éducation	% PIB	..	3,8	6,2 c
Défense	% PIB	..	6,0	8,9 d
Énergie				
Consommation par habitant	kg	118	150	33 f
Taux de couverture	%	34,0	102,7	—

a. 1980-85; b. 1985-93; c. 1990; d. 1993; e. 1986; f. 1992; g. A parité de pouvoir d'achat (voir p. 673); h. 1977-86.

des aspirations de segments de population marginalisés par l'État moderne : ethnies sous-représentées, jeunes chassés des villes par l'« opération production » en 1983, chefs traditionnels humiliés, religieux réprimés, ruraux mécontents face à la villagisation contrainte et à une politique des prix favorable à la ville, victimes des camps de rééducation. Un désir de dissidence existait, insuffisant toutefois pour produire une révolte populaire. L'introduction d'une guérilla venue de l'extérieur militarisa ce désir et unifia des ressentiments au départ fort divers, voire antagoniques.

S'appuyant sur ce mécontentement, la Renamo, corps social formé de combattants pour partie enrôlés de force à des âges de plus en plus bas, devenait peu à peu une organisation aux buts politiques.

Au moment du cessez-le-feu, elle contrôlait totalement environ 20 % du territoire et agissait bien au-delà, mais avait déjà obtenu satisfaction sur l'essentiel : pluralisme, libéralisme économique. La chute de l'apartheid en Afrique du Sud rendait par ailleurs le contexte international plus difficile pour ce mouvement.

Pourtant, après 1992, elle réussit à être active politiquement dans des zones qu'elle n'avait jamais contrôlées militairement. L'intelligence de la situation que manifesta sa direction et la décomposition rapide et profonde de sa structure militaire achevèrent de la « démilitariser ». Au moment où s'ouvrit la campagne électorale, l'écrasante majorité des adhérents et cadres de la Renamo étaient des civils.

Il est à noter que le fort sentiment anti-urbain qu'exprimait la Renamo durant la guerre n'a pas empêché des cadres citadins de la rejoindre.

BIBLIOGRAPHIE

M. CAHEN, Mozambique, analyse politique de conjoncture 1990, Indigo Publications, Paris, 1990.

M. CAHEN, « *Dhlakama é manigue nice!* Une guerilla atypique dans la campagne électorale au Mozambique » in CEAN, *L'Afrique politique 1995*, Karthala, Paris, 1995.

A. ENDERS, *Histoire de l'Afrique lusophone*, Chandeigne, Paris, 1994.

C. GEFFRAY, *La Cause des armes au Mozambique*. Anthropologie d'une guerre civile, CREDU/Karthala, Paris, 1990.

J.-C. LEGRAND, « Logiques de guerre et dynamique de violence en Zambezia 1976-1991 », *Politique africaine*, n° 50, Karthala, Paris, juil. 1995.

Lusotopie/Enjeux contemporains dans les espaces lusophones (périodique), L'Harmattan, Paris. Voir notamment : M. CAHEN, « Mozambique : histoire politique d'un pays sans nation » (n° 1-2, juin 1994); M. CAHEN (sous la dir. de) « Transitions libérales en Afrique lusophone », n° 3, juil. 1995 [articles de J.-C. LEGRAND (« Passé et présent dans la guerre du Mozambique : les enlèvements pratiques par la Renamo), H. VALOT (« La démobilisation ou la fin des machines de guerre au Mozambique)].

Le nouvel équilibre politique

Malgré des dissensions en son sein, le Frelimo souhaitait la paix. Comme la Renamo, il dut faire face, courant 1994, à d'incessantes émeutes de ses soldats voulant être démobilisés. A la tête d'un État pratiquement détruit par la guerre, par la politique d'ajustement structurel et par l'arrivée d'une nuée d'ONG (organisations non gouvernementales), le dépouillant d'une partie de ses fonctions, le Frelimo avait besoin d'élections assurant sa légitimité internationale. Mais il n'était pas prêt pour autant à partager le pouvoir. De 1990 (fin du parti unique) aux élections de 1994, il maintint inchangé un gouvernement sans prestige, ne fit aucun effort d'ouverture ethnique, garda totale la fusion du parti et de l'État — tandis que l'élite politique s'adonnait de plus en plus à l'affairisme. N'ayant pas connu de corruption jusque vers 1988, le Mozambique est devenu le terrain de très importants trafics mafieux.

Le Frelimo a abordé la période électorale avec des moyens très supérieurs à ceux de ses rivaux et sans concevoir la possibilité de perdre.

Mais son immobilisme politique a beaucoup aidé la Renamo à sauvegarder en temps de paix la « coalition des marginalités » qu'elle avait construite en temps de guerre. Le Frelimo anciennement « marxiste-léniniste » apparut à bien des égards comme le parti des secteurs les plus modernes et capitalistes de la bourgeoisie mozambicaine, alors que la Renamo se revendiquait de la plèbe...

A l'issue d'une campagne spectaculaire, le Frelimo a gagné les élections par 44,3 % des voix contre 37,8 % à la Renamo, et le président Chissano a devancé avec 53,3 % des suffrages le *líder* de la Renamo, Afonso Dhlakama (33,7 %). Grâce à la présence de onze petits partis d'opposition n'ayant pas atteint la barre des 5 %, le Frelimo a pu avoir la majorité absolue au Parlement.

Cette victoire du Frelimo avait cependant des aspects de défaite. Si une domination écrasante dans le Sud et légère dans les deux provinces de l'Extrême Nord lui a assuré la majorité à l'échelle nationale, les « bandits armés soutenus par l'apartheid » n'en ont pas moins obtenu près de 40 % des voix et la majorité absolue dans cinq des onze régions du pays (Centre, Ouest et Nord). La Renamo ainsi a remporté une formidable victoire de légitimation rendant possible sa stabilisation comme parti politique.

Sur le plan ethnique, il est apparu que le Frelimo, ex-parti de «tout le peuple» et inventeur de la «nation mozambicaine», à l'anti-tribalisme radical, devrait lutter durement pour ne pas devenir un simple parti du Sud. Le facteur ethnique semblait moins important pour la Renamo, dont l'électorat est plus composite.

La représentation des provinces à l'Assemblée dessine une géopolitique qui renoue avec le passé historique du pays : le centre de gravité du Mozambique n'est plus Maputo, capitale créée en 1903 par les Portugais à l'extrême sud, mais la vieille et riche Zambezia (centre nord).

Une démocratie viable?

Le Frelimo a conservé tout le pouvoir : la présidence de l'Assemblée, tous les postes de gouverneur de province, tous les ministères. Aucun financement public n'avait encore été prévu pour assurer la survie des partis et des députés de l'opposition ont été agressés par les forces de police.

La tâche prioritaire du Premier ministre Pascoal Mocumbi a été, en 1995, d'obtenir des donateurs internationaux la reconduction des flux financiers des années passées. Afonso Dhlakama, chef de la Renamo, a fait une tournée européenne au cours de laquelle il a appuyé ces efforts, créant ainsi l'image d'un chef d'opposition responsable. La Renamo a même voté au Parlement le programme gouvernemental, ce qui ne l'empêchait pas de préparer activement les municipales de 1996.

Des poches de famine sont réapparues. La réintégration dans la société de tous les anciens soldats n'était pas achevée, une masse de kalachnikovs circulent dans le pays, le banditisme urbain ou de grand chemin est devenu une donnée majeure de la situation. La vie associative et syndicale n'a pratiquement pas profité de la transition,

République du Mozambique.
Capitale : Maputo.
Superficie : 786 380 km² (1,44 fois la France, sans compter 13 000 km² du lac Nyassa).
Monnaie : metical (100 meticais = 7 FF au 28.2.95).
Langues : portugais (off.), macualómué, maconde, chona, tonga, chicheua...
Chef de l'État : Joachim Alberto Chissano (depuis le 4.1.87, élu le 29.10.94 et investi le 9.12.94).
Premier ministre : Pascoal Mocumbi, qui a remplacé Mário da Graça Machungo le 16.12.94.
Échéances électorales : municipales dans les Onze villes en 1996.
Nature de l'État : unitaire.
Nature du régime : présidentiel pluraliste depuis décembre 1990 (ayant inclus la rébellion après le cessez-le-feu du 4.10.92).
Principaux partis politiques.
Représentés au Parlement : Frelimo (Front de libération du Mozambique, au pouvoir depuis 1975), Renamo (Résistance nationale du Mozambique), Union démocratique. *Extra-parlementaires* : PCN (Parti de la Convention nationale) et onze autres formations.
Carte : p. 419.
Statistiques : voir aussi p. 420-421.

la presse seule faisant preuve d'une vitalité certaine.

Épuisé, le Mozambique regarde vers l'Afrique du Sud, malgré des frictions entre les deux gouvernements (sur le contrôle de la frontière, les réfugiés, l'émigration, etc.). Cette dernière ne peut, pourtant, résoudre ses problèmes internes et servir en même temps de «métropole» régionale. L'avenir semble donc résider dans l'extraordinaire vitalité d'une population qui n'a pas voté pour un parti ou un autre, mais d'abord pour installer la paix et procéder à la réconciliation nationale.

Michel Cahen

Sri Lanka
Une nouvelle donne ?

Les données de la crise politique qui déstabilise Sri Lanka depuis le début des années quatre-vingt ont été sensiblement modifiées par un sursaut démocratique, marqué par le succès de l'Alliance populaire aux élections législatives du 16 août 1994, puis par la victoire de son leader Chandrika Kumaratunga aux élections présidentielles du 9 novembre. Mais si dans le Sud, à majorité cingalaise, les conditions d'un règlement négocié du conflit séparatiste semblaient réunies, il n'en est pas allé de même dans l'Extrême Nord tamoul, où le processus électoral n'a pu se dérouler. Enfin, la situation est restée tendue dans l'Est multicommunautaire. L'intransigeance de Velupillai Prabhakaran, chef de guerre des Tigres de libération de l'Eelam tamoul (LTTE, revendiquant, depuis le début des années quatre-vingt, la séparation du nord et de l'est de l'île à majorité tamoule), qui contrôle l'essentiel de la péninsule de Jaffna et de son arrière-pays, a compromis les pourparlers amorcés à partir d'août 1994 : la trêve conclue en janvier 1995, peu avant la visite du pape Jean-Paul II, a été rompue à l'initiative des LTTE à la mi-avril, en dépit de nombreuses concessions gouvernementales (levée du blocus et financement de la reconstruction du Nord).

Les victoires électorales
de Chandrika Kumaratunga

Contesté par ses rivaux qui l'accusaient de corruption et d'avoir institutionnalisé le règne de la terreur dans sa lutte contre l'insurrection menée entre 1988 et 1990 par le Front de libération du peuple (JVP, revendiquant la défense de la communauté cingalaise contre l'alliance du gouvernement de Colombo avec l'Inde), le président Ranasinghe Premadasa (élu de justesse en 1988 dans une

atmosphère de violence) avait été assassiné le 1er mai 1993, certainement par les LTTE. Ces derniers cherchaient, en effet, à déstabiliser le régime. Son successeur, Dingiri Banda Wijetunga, s'est révélé incapable de rassembler les factions du Parti national uni (UNP), usé par dix-sept ans de pouvoir. Ce parti a ainsi perdu les élections législatives puis présidentielles, remportées avec plus de 62 % des suffrages par Chandrika Kumaratunga (fille de Sirimavo Bandaranaïke, chef du gouvernement jusqu'en 1977), qui avait regroupé autour du Parti de la liberté de Sri Lanka (SLFP) les partisans d'un retour à la paix et à la démocratie, d'un assainissement des mœurs politiques et d'une redistribution des fruits de la croissance. En faisant campagne pour une solution négociée du conflit séparatiste et pour l'abandon du système présidentiel, elle a suscité un réveil démocratique porteur d'espoir pour une société meurtrie par des années de violence quotidienne.

Les élections ont été marquées par une forte participation dans le Sud et le Centre à majorité cingalaise et chez les minorités musulmane et tamoule qui ont pu s'exprimer librement dans la province orientale, le Centre et la région urbaine de Colombo, en dépit de l'appel au boycottage lancé par les LTTE. La déroute des candidats défendant des positions « communalistes », chez les Cingalais comme chez les Tamouls, la faiblesse du score du JVP ont été autant de signes d'une lassitude idéologique et d'une volonté de mettre fin aux violences. Lors des présidentielles, Chandrika Kumaratunga a recueilli la majorité des suffrages au sein de toutes les communautés et dans toutes les régions. L'assassinat de son principal rival, Gamini Dissanayake (UNP), probablement par les LTTE, a accentué l'ampleur de cette victoire, due pourtant surtout au charisme personnel de la candidate, à l'honnêteté qu'on lui prête, à l'action militante des jeunes Cingalais qui l'ont soutenue, et au ralliement des représentants des minorités (Muhammad Ashraff, fondateur du Congrès musulman de Sri Lanka, Lakshman Kadirgamar, membre de l'intelligentsia tamoule de Colombo, nommé ministre des Affaires étrangères, et Saumyamoorthi Thondaman, leader de longue date du CWC, syndicat des travailleurs tamouls des plantations).

Les bonnes relations du nouveau pouvoir avec l'Inde ont été renforcées à l'occasion de la visite officielle de Chandrika Kumaratunga en mars 1995. Aux liens anciens entre les familles Nehru (dont faisaient partie Indira et Rajiv Gandhi) et Bandaranaïke s'est ajoutée la convergence d'intérêts entre Colombo et New Delhi : le gouvernement sri-lankais n'est pas suspecté comme ses prédécesseurs de sympathies américaines ou pakistanaises, et la suspension des négociations avec les LTTE le disculpait de toute compromission avec les assassins de Rajiv Gandhi. Ce sont d'ailleurs ces liens qui ont poussé V. Prabhakaran, dont l'Inde réclame l'extradition, à rompre la trêve en visant la marine et l'aviation adverses. Enfin, l'image internationale du régime de Colombo s'est améliorée, avec la levée des mesures d'exception et les initiatives de négociations tandis que s'est ternie celle des LTTE, suivant une stratégie purement militaire et impliqués dans des assassinats politiques et des trafics d'armes et de drogue.

Il apparaissait toutefois que Chandrika Kumaratunga devrait affronter de multiples défis politiques et économiques. En outre, si elle abolissait le système présidentiel en vertu de ses engagements électoraux, elle prendrait le risque de se priver d'un atout. Une reprise durable du conflit ferait s'évanouir les dividendes de la paix, indispensables pour soutenir le taux de croissance et financer la politique sociale dont le gouvernement a promis la restauration ; elle renfor-

cerait l'influence de l'armée qui ne s'est jamais ralliée à une solution négociée, supporte mal les accusations de corruption portées contre ses chefs, et reste liée à l'UNP. Enfin, elle porterait inévitablement atteinte aux libertés et au prestige du régime, dont les relations avec la presse se sont tendues au début de 1995 ; et il

▼

SRI LANKA

République démocratique socialiste de Sri Lanka.

Capitale : Colombo (Sri Jayawardhanapura étant siège du Parlement).

Superficie : 65 610 km² (0,12 fois la France).

Monnaie : roupie sri-lankaise (100 roupies = 9,9 FF au 30.4.95).

Langues : cinghalais et tamoul (off.), anglais (semi-off.).

Chef de l'État : Mme Chandrika Kumaratunga, président de la République, qui a remplacé Dinjiri Banda Wijetunga le 12.11.94.

Premier ministre : Mme Sirimavo Bandaranaïke, qui a remplacé Chandrika Kumaratunga le 12.11.94, laquelle avait succédé à Ranil Wickramasinghe le 19.8.94.

Nature de l'État : république unitaire (système fédéral ou à régions autonomes envisagé).

Nature du régime : présidentiel démocratique (retour au régime parlementaire envisagé — 1995).

Principaux partis politiques : UNP (Parti national unifié), PA (Alliance populaire, dont le noyau est formé par le SLFP — Parti de la liberté de Sri Lanka), TULF (Front de libération tamoul unifié), LTTE (Tigres de libération de l'Eelam tamoul, organisation armée séparatiste), CWC (Congrès des travailleurs ceylanais), JVP (Janata Vimukthi Peramuna), SLMC (Congrès musulman de Sri Lanka).

Carte : p. 188-189.

Statistiques : voir aussi p. 470-471.

Sri Lanka *(Voir aussi tableau p. 471)*

DÉMOGRAPHIE, CULTURE, ARMÉE

INDICATEUR	UNITÉ	1970	1980	1994
Démographie				
Population	*million*	12,51	14,82	18,35 g
Densité	*hab./km²*	190,7	225,9	279,7 g
Croissance annuelle	*%*	2,0 a	1,7 b	1,3 c
Indice de fécondité (ISF)		4,3 a	3,9 b	2,5 c
Mortalité infantile	*‰*	58 a	39 b	18 c
Espérance de vie	*année*	65 a	68 b	72 c
Population urbaine	*%*	21,9	21,6	22,1
Culture				
Analphabétisme	*%*	22,7	14,7	9,8 g
Nombre de médecins	*‰ hab.*	0,17	0,14	0,14 h
Scolarisation 12-17 ans	*%*	45,0	48,0	62,3 e
Scolarisation 3e degré	*%*	1,2	2,8	5,5 e
Téléviseurs	*‰*	—	2,4	49 f
Livres publiés	*titre*	1502	1875	4225 f
Armée				
Marine	*millier d'h.*	2,4	2,7	10,3
Aviation	*millier d'h.*	2,3	2,1	10,7
Armée de terre	*millier d'h.*	8,9	10	105

a. 1965-75; b. 1975-85; c. 1990-95; d. 1974; e. 1991; f. 1992; g. 1995; h. 1989.

COMMERCE EXTÉRIEUR [a]

INDICATEUR	UNITÉ	1970	1980	1994
Commerce extérieur	*% PIB*	16,2	38,7	16,5
Total imports	*million $*	387	2037	4695
Produits énergétiques	*%*	2,7	24,3	8,9 d
Produits agricoles	*%*	49,1	21,5	13,9 b
Produits manufacturés	*%*	46,8	52,3	71,6 d
Total exports	*million $*	332	1067	3049
Produits agricoles	*%*	97,9	65,1	16,1 d
Produits manufacturés	*%*	1,4	16,0	70,5 d
Textiles	*%*	2,9	12,9	52,2 d
Principaux fournisseurs	*% imports*			
Japon		8,8	12,8	10,0 c
Asie c		37,7	45,4	54,0 c
CEE/UE		26,5	22,0	15,8 c
Principaux clients	*% exports*			
États-Unis		7,3	11,1	34,4 c
CEE/UE		33,0	20,8	31,9 c
PVD		43,5	45,0	20,0 c

a. Marchandises; b. 1993; c. Japon non compris; d. 1992.

ÉCONOMIE

INDICATEUR	UNITÉ	1970	1980	1994
PIB	million $	2 379	4 133	10 658 c
Croissance annuelle	%	4,1 a	3,0 b	5,4
Par habitant g	$	533	1 192	3 030 c
Structure du PIB				
Agriculture	% ⎫	28,3	27,6	24,6 c
Industrie	% ⎬ 100 %	23,8	29,6	25,6 c
Services	% ⎭	47,9	42,8	49,8 c
Dette extérieure totale	milliard $	0,3 e	1,8	6,8 c
Service de la dette/Exportations	%	..	12,0	9,9 c
Taux d'inflation	%	5,8 a	11,0 b	4,2
Population active	million	4,35	5,46	6,67 c
Agriculture	% ⎫	55,2	53,4	33,2 c
Industrie	% ⎬ 100 %	14,4	13,9	18,0 c
Services	% ⎭	30,3	32,7	48,8 c
Dépenses publiques				
Éducation	% PIB	4,0	2,7	3,3 d
Défense	% PIB	1,2	1,5	5,3 c
Énergie				
Consommation par habitant	kg	119	108	150 d
Taux de couverture	%	6,7	6,3	14,8 d

a. 1965-75; b. 1975-85; c. 1993; d. 1992; e. Long terme seulement; f. 1974; g. A parité de pouvoir d'achat (voir p. 673).

est peu probable qu'elle aboutirait à un succès décisif.

Les négociations avec les LTTE au point zéro

La stratégie de V. Prabhakaran, cherchant avant tout à affaiblir ses adversaires en faisant planer des menaces d'attentat contre eux, semblait rendre difficile une relance des négociations. La population de Jaffna, qui supporte mal le régime dictatorial imposé par les LTTE (conscription forcée, impôt, justice expéditive, absence de liberté d'expression et camps d'internement), avait pourtant fêté l'annonce d'un cessez-le-feu, le 6 janvier 1995.

Il paraissait difficile de trouver un terrain d'entente entre le gouvernement et les séparatistes, qui revendiquent la fusion des provinces Nord et Est pour constituer un foyer natio-

nal qu'ils appellent l'Eelam tamoul (Tamil Eelam). Dans la province Est, dont les forces de Colombo avaient presque repris le contrôle, les Tamouls ne forment pas la majorité absolue : les Musulmans, qui parlent le tamoul mais privilégient leur identité religieuse, y sont localement majoritaires, de même que des Cingalais installés depuis plus d'une génération dans les colonies agricoles de l'intérieur. Les uns et les autres demandent qu'en cas de fusion des deux provinces, les régions qu'ils occupent en soient détachées. Le port de Trincomalee, seule rade naturelle de la région sûre en toutes saisons, constitue un enjeu majeur auquel s'intéresse la marine indienne.

Les offres gouvernementales ne vont pas au-delà d'un système fédéral à l'indienne, transférant aux autorités régionales les responsabilités et les budgets en matière de

BIBLIOGRAPHIE

AMNESTY INTERNATIONAL, *Sri Lanka, un pays déchiré*, EFAI, Paris, 1990.

C.A. CHANDRAPREMA, *Sri Lanka : the Years of Terror, the JVP Insurrection 1987-1989*, Lake House, Colombo, 1991.

R. GOMBRICH, G. OBEYESEKERE, *Buddhism Transformed : Religious Change in Sri Lanka*, University Press, Princeton, 1988.

R. HOOLE *et al.*, *The Broken Palmyra : the Tamil Crisis in Sri Lanka, an Inside Account*, Claremont (Calif.), 2e éd., 1990.

E. MÉYER, *Ceylan, Sri Lanka*, PUF, Paris, 3e éd., 1994.

J. SPENCER (sous la dir. de), *Sri Lanka, History and the Roots of Conflict*, Routledge, Londres, 1990.

S.J. TAMBIAH, *Sri Lanka, Ethnic Fratricide and the Dismantling of Democracy*, Tauris, Chicago, 1986.

police, de justice, de gestion des terres, d'implantations industrielles, d'éducation et de services sociaux, mais préservant la prépondérance et le droit de veto du pouvoir central, ce que refusent les séparatistes.

Enfin, la dynamique issue des élections présentait le risque de s'enliser si la montée des conflits sociaux et la méfiance des investisseurs ralentissent la croissance, qui a atteint 5,4 % en 1994. Le déclenchement, après les élections, d'une vague de grèves avec séquestration de cadres, touchant particulièrement les entreprises étrangères qui ont profité de la répression des droits syndicaux, a suscité les inquiétudes des milieux d'affaires, qui ont pu craindre le retour des violences du JVP et les tendances dirigistes du SLFP en dépit des assurances du gouvernement, soucieux de préserver les chances de décollage du pays sur le modèle de la Fédération de Malaisie.

Les équilibres financiers sont restés fragiles, l'essor des industries de la confection se heurtant à la concurrence, le secteur des plantations étant sinistré après des années de mauvaise gestion, tandis que les apports de devises du tourisme et du travail des émigrés pourraient se tarir en raison de la situation politique.

Éric Meyer

Afghanistan
La guerre éclair des « taliban »

L'année 1994 a vu un changement brutal dans l'équilibre des forces en Afghanistan, avec l'arrivée de nouveaux protagonistes, les *taliban*, et l'affaiblissement de la coalition opposée au dirigeant Ahmed Shah Massoud et au président Burhanuddin Rabbani.

Quatre forces, essentiellement fondées sur des divisions ethniques, se battaient pour Kaboul depuis sa prise par les *mudjaheddin* en avril 1992.

Les Tadjiks, regroupés dans le Jamiat-i Islami (islamistes modérés) du président Rabbani et du commandant A. Massoud ; les Hazaras chiites, unifiés dans le Hizb-i Wahdat dirigé par Cheikh Ali Mazari et soutenu par l'Iran ; les Ouzbeks, regroupés autour du général Rashid Dustom, avec l'appui de l'Ouzbékistan, et enfin Gulbuddin Hekmatyar, chef du très radical Hizb-i Islami, composé essentiellement de Pachtou et soutenu depuis vingt ans par les services secrets pakistanais.

Le Jamiat tenait la Présidence depuis fin 1992, s'appuyant sur les Ouzbeks de R. Dustom et la neutralité des chiites pour contrer G. Hekmatyar, qui, quoique officiellement Premier ministre, s'efforçait de chasser les troupes gouvernementales de Kaboul. En janvier 1994, un renversement d'alliances unit le Hizb-i Islami, R. Dustom et le Hizb-i Wahdat contre le gouvernement. Cette coalition échoua encore à renverser le président.

De durs combats se déroulaient également au nord, ayant pour enjeu la ville de Kunduz, passant régulièrement des mains des forces gouvernementales à celles de R. Dustom. Quant au reste du pays, il restait divisé entre une multitude de petits commandants locaux, d'où a émergé l'« émirat de l'Ouest », dirigé par Ismaïl Khan, membre du Jamiat-i Islami, mais qui restait à l'écart de la bataille de Kaboul.

L'impasse militaire était totale jusqu'à l'automne 1994. Le représentant spécial du secrétaire général de l'ONU, Mahmoud Mestiri, s'efforçait de mettre sur pied une formule politique prévoyant le remplacement du président Rabbani par un conseil de personnalités apolitiques représentant les différentes provinces de l'Afghanistan, assisté d'une force d'interposition composée de troupes venues de tout le pays. A peine accepté par les différents acteurs en janvier 1995, ce plan devenait caduc du fait de l'émergence des taliban.

La politique afghane du Pakistan

Le mouvement des taliban est apparu en août 1994 dans la région de Kandahar. Il réunit des « étudiants en théologie » provenant de la ceinture tribale pachtou, plus particulièrement des confédérations pachtou Dourrani et Ghilzay (sud de l'Afghanistan). Ils ont été formés dans les *madrasa* (écoles religieuses), installées de part et d'autre de la frontière avec le Pakistan, sous l'influence de l'école dite déobandie (fondée à Deoband), représentée au Pakistan par le parti Jamiat-i Ulama Islami (Rassemblement des oulémas de l'islam, JIU), dirigé par Maulana Fazlur Rehman. Ce parti est plutôt fondamentaliste, mais opposé, au Pakistan, à l'islamisme politique du Jamaat-i Islami (Rassemblement islamique, JI) et au wahhabisme saoudien. Adversaire du général Mohammad Zia-ul Haq — qui avait renversé Ali Bhutto en 1977 —, il a soutenu la fille de ce dernier, Benazir Bhutto, redevenue Premier ministre du Pakistan en 1993.

Durant la guerre contre l'URSS (1979-1989), les taliban, dépourvus d'organisation propre, adhéraient globalement au parti Harakat-i Enqelab Islami de Nabi Mohammedi. Leur brusque transformation en un mouvement politico-militaire

▼

AFGHANISTAN

(Une situation institutionnelle confuse prévaut depuis la chute du régime mis en place par l'URSS, le 27.4.92. S'est ouverte alors une période de pouvoir de transition et de guerre civile entre factions.)

Nature de l'État : république islamique.

Capitale : Kaboul.

Superficie : 647 497 km² (1,18 fois la France).

Monnaie : afghani (100 afghanis = 9,7 FF au 30.4.95).

Langues : pachtou, dari, ouzbek, etc.

Chef de l'État et du gouvernement : Burhanuddin Rabbani a été nommé le 28.6.92 pour quatre mois et régulièrement confirmé jusqu'à la fin de son mandat, en juin 1994. Il est ensuite resté en place.

Principaux partis : Jamiat-i Islami (tadjik, islamiste modéré) ; Hizb-i Wahdat (hazara chiite) ; Hizb-i Islami (pachtou, islamiste) ; les taliban (pachtou, islamiste) ; Front national (pachtou, laïque).

Carte : p. 461.

Statistiques : voir aussi p. 460.

Afghanistan *(Voir aussi tableau p. 460)*

DÉMOGRAPHIE, CULTURE, ARMÉE

INDICATEUR	UNITÉ	1970	1980	1994
Population	*million*	13,62	16,06	20,14 [e]
Densité	*hab./km²*	21,03	24,8	31,1 [e]
Croissance annuelle	*%*	2,42 [a]	−0,9 [b]	5,83 [f]
Indice de fécondité (ISF)		7,13 [a]	7,05 [b]	6,90 [f]
Mortalité infantile	*%₀*	198 [a]	183 [b]	163 [f]
Espérance de vie	*année*	37,0 [a]	40,2 [b]	43,5 [f]
Population urbaine	*%*	11	16	20
Analphabétisme	*%*	••	80,5	68,5
Nombre de médecins	*%₀ hab.*	0,05	••	0,13 [d]
Scolarisation 12-17 ans	*%*	15,8	20,1	15,5 [d]
Scolarisation 3e degré	*%*	0,7	1,5	1,5 [d]
Téléviseurs	*%₀*	••	2,8	8,4 [h]
Livres publiés	*titre*	33 [c]	273	2 795 [d]
Armée				
Marine	*millier d'h.*	—	—	—
Aviation	*millier d'h.*	6	8	••
Armée de terre	*millier d'h.*	78	32	[g]

a. 1965-75; b. 1975-85; c. 1973; d. 1990; e. 1995; f. 1990-95; g. Milices diverses;
h. 1992.

COMMERCE EXTÉRIEUR [a]

INDICATEUR	UNITÉ	1970	1980	1994
Commerce extérieur	*% PIB*	7,2	19,6	5,7 [g]
Total imports	*million $*	114	841	800 [e]
Produits agricoles	*%*	22,0	20,3	19,0 [e]
Produits énergétiques	*%*	6,1	18,0	••
Produits manufacturés	*%*	54,3	46,8	••
Total exports	*million $*	86	670	250 [e]
Produits agricoles	*%*	71,9	46,1	29,8 [e]
Produits énergétiques	*%*	16,9	33,1	47,6 [b]
Produits manufacturés	*%*	10,9	20,9	23,7 [b]
Principaux fournisseurs	*% imports*			
Ex-CAEM		35,1	59,1 [d]	••
CEE / UE		15,4	4,8 [d]	••
Japon		17,4	12,6 [d]	••
Principaux clients	*% exports*			
Ex-CAEM		39,7	61,9	55,9 [b]
CEE / UE		24,9	14,7	19,4 [b]
PVD [c]		27,1	15,2	12,3 [b]

a. Marchandises; b. 1990; c. Ex-pays socialistes non compris; d. 1981; e. 1993;
f. 1992; g. 1989.

ÉCONOMIE

INDICATEUR	UNITÉ	1970	1980	1994
PIB	million $	1 389	3 852	9 233 g
Croissance annuelle	%	3,0 a	− 1,8 b	− 3,0
Par habitant f	$	257	677	700 j
Structure du PIB				
Agriculture	% ⎫	..	..	..
Industrie	% ⎬ 100 %	..	..	..
Services	% ⎭	..	..	..
Dette extérieure totale	milliard $	..	..	..
Service de la dette/Exportations	%	..	..	..
Taux d'inflation	%	..	0,9	20,0
Population active	million	4,12	4,80	6,64 c
Agriculture	% ⎫	66,1	61,0	52,7 c
Industrie	% ⎬ 100 %	12,1	14,0	17,0 c
Services	% ⎭	21,8	25,0	30,3 c
Dépenses publiques				
Éducation	% PIB	1,2	2,0	1,1 i
Défense	% PIB	1,9 d	2,0 e	4,7 i
Énergie				
Consommation par habitant	kg	50	52	41 h
Taux de couverture	%	554,4	484,7	40,8 h

a. 1965-80; b. 1980-90; c. 1993; d. 1971; e. 1977; f. A parité de pouvoir d'achat (voir p. 673); g. 1989; h. 1992; i. 1990; j. 1991.

lors de l'été 1994 a résulté de plusieurs facteurs :
— l'impasse politique et la lassitude de la population,
— le fait que les Pachtou, qui ont toujours détenu le pouvoir central depuis la création de l'Afghanistan, refusaient d'être représentés par G. Hekmatyar ;
— et, surtout, un changement de la stratégie pakistanaise.

Jusque-là, la politique afghane avait été définie par les services secrets (ISI) et par le parti islamiste Jamaat-i Islami, deux piliers du pouvoir du défunt général Zia-ul Haq. A l'été 1994, les milieux proches de B. Bhutto voulurent limiter le rôle de l'ISI et entrer dans le jeu afghan. A l'axe ISI-Jamaat se substitua un axe ministère de l'Intérieur-Jamiat-i Ulema Islami. Leur candidat commun fut le mouvement des taliban, qui reçut argent, armes lourdes et blindés. A la veille de sa visite officielle aux États-Unis (début avril 1995), B. Bhutto souhaitait, en effet, montrer sa détermination à lutter contre le trafic de drogue et le terrorisme islamique avec lequel il est avéré que G. Hekmatyar était en liaison. De plus, il est probable que l'Arabie saoudite, fâchée avec lui depuis son soutien à Saddam Hussein lors de la guerre du Golfe (1991), a suivi le mouvement.

Par ailleurs, le général Naseerullah Babar, ministre de l'Intérieur pakistanais, souhaitait que son pays joue un rôle plus important en Asie centrale. Ainsi fit-il ouvrir par les taliban une route passant par l'ouest de l'Afghanistan. En octobre 1994, il pouvait donc emmener les ambassadeurs occidentaux à Herat.

Cette opération militaire a marqué l'entrée en scène des taliban. Si leur nombre est vraisemblablement infé-

BIBLIOGRAPHIE

Afghanistan Info, n° 36 (c/o Centilivres, 2, rue de la Serre, 2000 Neuchâtel, Suisse).

E. BACHELIER, *L'Afghanistan en guerre, la fin du grand jeu soviétique*, PUL, Lyon, 1992.

J.-P. DIGARD, *Le Fait ethnique en Iran et en Afghanistan*, CNRS-Éditions, Paris, 1988.

G. DORRONSORO, « Du "jihad" à la guerre civile », in *L'Islamisme*, La Découverte, « Les Dossiers de L'état du monde », Paris, 1994.

P. FRISON, *L'Afghanistan post-communiste*, La Documentation française, Paris, 1993.

Les Nouvelles d'Afghanistan, n° 67 et 68, AFRANE, 1995 (BP 254, 75524 Paris Cedex 11).

F. NAHAVANDI, *L'Asie du Sud-Ouest : Afghanistan, Iran, Pakistan*, L'Harmattan, Paris, 1991.

O. ROY, *The Lessons of the Soviet-Afghan War*, Adelphi Paper, IISS, Londres, 1991.

rieur aux 25 000 hommes annoncés, leur armement (une dizaine de MIG 21, autant d'hélicoptères et une centaine de blindés) prouve qu'ils ont bénéficié d'un soutien, sinon en matériel, du moins en techniciens.

Après la prise de Kandahar, le 13 novembre 1994, et de Ghazni, le 24 janvier suivant, les taliban lancèrent une offensive éclair sur Kaboul, qu'ils atteignirent en février 1995. Le 13, ils s'emparèrent du quartier général de G. Hekmatyar, qui, contraint à la fuite, se réfugia à Sarobi, près de la frontière pakistanaise. Les taliban refusèrent de signer le compromis élaboré par l'ONU et exigèrent le désarmement des troupes gouvernementales. Le président Rabbani refusa et ajourna sa démission. Appelés par le Hizb-i Wahdat à pénétrer dans Kaboul, les taliban furent battus par les troupes gouvernementales de A. Massoud et contraints, en mars, à se retirer des environs de la capitale. Le chef du parti Wahdat, Cheikh Mazari, mourut alors qu'il était aux mains des taliban.

Bloqués devant Kaboul, ces derniers se tournèrent vers l'ouest et attaquèrent l'émirat d'Ismaïl Khan, l'enjeu de la bataille étant la base aérienne de Shindand aux mains de celui-ci et située à la frontière entre les zones persanophones et celles à peuplement pachtou. Mais leur offensive échoua.

La guerre éclair des taliban leur a permis d'occuper la presque totalité du territoire pachtou. Mais ils ont buté devant les autres groupes ethniques, Tadjiks et Hazaras, qui virent en eux non des libérateurs, mais des partisans du rétablissement de l'hégémonie pachtou.

La guerre d'Afghanistan demeurait ainsi plus ethnique que jamais. Si les « nordistes » (Tadjiks, Hazaras, Ouzbeks) se sont montrés encore désunis, ils ont tous en commun de vouloir et de pouvoir s'opposer au retour des Pachtou, le clivage dominant étant donc : « sudistes » pachtou contre « nordistes ».

Statisme des positions à l'étranger

La défaite des taliban a entraîné de lourdes tensions entre Islamabad et le gouvernement de Kaboul, lequel ne dispose d'aucun soutien extérieurs. L'Iran et l'Ouzbékistan soutiennent chacun le groupe ethnique qui leur est proche, tout en se résignant au rôle dominant joué par le Pakistan. Les Russes se satisfont de l'instabilité qui justifie leur protectorat sur le Tadjikistan. Quant à la mission de l'ONU, elle souffre des mêmes défauts qu'ailleurs : un envoyé spécial doté d'un mandat de court terme, peu au courant des réalités du pays et qui cherche avant tout à amener les principaux acteurs à signer un document, même si sa mise en œuvre se révèle impossible. M. Mestiri a rejeté la responsabilité de l'échec sur le président Rabbani, au moment où le gouvernement américain décidait de « dé-certifier » l'Afghanistan, accusé de mauvaise volonté dans la lutte contre le trafic de drogue. Washington a ainsi refusé de cautionner toute aide économique ou financière à l'Afghanistan. Vainqueur sur le terrain, le gouvernement du président Rabbani s'est retrouvé bien isolé.

Olivier Roy

Arabie saoudite
Un régime toujours opportuniste

Quatre ans après la fin de la guerre du Golfe (1991), l'Arabie saoudite était loin d'avoir surmonté les difficultés nées de l'occupation du Koweït par l'Irak et de l'opération *Tempête du désert* (bombardements intensifs entrepris par la coalition anti-irakienne).

Pour échapper au reproche d'avoir appuyé un régime guère plus démocratique que celui de Bagdad dans le seul but de préserver leurs intérêts économiques dans la région, les grandes puissances occidentales, têtes de file de la coalition anti-irakienne, avaient réclamé de Riyad un geste et obtenu formellement satisfaction avec la création, le 1er mars 1992, d'un Majlis al-Shoura. Mis en place le 28 décembre 1993 seulement, ce Conseil consultatif, réunissant 60 membres nommés, a rapidement montré ses limites : dépourvu d'initiative, il s'est contenté de donner son avis sur les seuls sujets soumis à sa réflexion par le gouvernement. Considéré cependant par les religieux comme un « premier pas vers un système démocratique inconnu de l'Islam », il a fourni un sujet supplémentaire d'acrimonie aux islamistes radicaux. L'arrestation d'un prédicateur contestataire, Safar Al-Hawali, a suscité, le 26 septembre 1994, dans la province centrale du Qassim (berceau du wahhabisme), un violent mouvement de protestation, dirigé par un autre activiste

▼
ARABIE SAOUDITE

Royaume d'Arabie saoudite.

Capitale : Riyad.

Superficie : 2 149 690 km² (3,93 fois la France).

Monnaie : riyal saoudien (1 riyal = 1,31 FF au 30.4.95).

Langue : arabe.

Chef de l'État et du gouvernement : roi Fahd Ben Abdul-Aziz al-Saoud (depuis juin 1982).

Échéances électorales : inexistantes, le pays ne connaissant aucune élection.

Nature de l'État : État arabe islamique.

Nature du régime : monarchie absolue héréditaire fondée sur les principes de l'islam.

Partis politiques : les partis étant interdits, l'opposition, très minoritaire, est soit diffuse soit réfugiée à l'étranger. L'Organisation révolutionnaire islamique (chiite) a mis fin à ses activités après l'accord intervenu avec le roi en 1993 et ses principaux dirigeants ont regagné le pays.

Territoires contestés : la souveraineté de fait exercée par le royaume sur trois provinces du Sud-Ouest (Assir, Najran et Jizan) conquises en 1934 est une source récurrente de contestation avec le Yémen.

Carte : p. 457.

Statistiques : voir aussi p. 454-455.

Arabie saoudite *(Voir aussi tableau p. 454)*

DÉMOGRAPHIE, CULTURE, ARMÉE

INDICATEUR	UNITÉ	1970	1980	1994
Démographie				
Population	million	5,75	9,37	17,88[f]
Densité	hab./km²	2,7	4,4	8,3[f]
Croissance annuelle	%	4,1[a]	5,3[b]	2,2[c]
Indice de fécondité (ISF)		7,3[a]	7,3[b]	6,4[c]
Mortalité infantile	‰	123[a]	67[b]	29[c]
Espérance de vie	année	52[a]	61[b]	70[c]
Population urbaine	%	48,7	66,8	79,7
Analphabétisme	%	..	52,1	37,2[f]
Nombre de médecins	‰ hab.	0,1	0,4	1,42[d]
Scolarisation 12-17 ans	%	22,9	59,4	59,8[d]
Scolarisation 3e degré	%	1,6	7,3	13,7[d]
Téléviseurs	‰	87	224	268[e]
Livres publiés	titre	82	218	..
Armée				
Marine	millier d'h.	1	2,2	12
Aviation	millier d'h.	5	14,5	18
Armée de terre	millier d'h.	35	35	70

a. 1965-75; b. 1975-85; c. 1990-95; d. 1991; e. 1992; f. 1995.

COMMERCE EXTÉRIEUR [a]

INDICATEUR	UNITÉ	1970	1980	1994
Commerce extérieur	% PIB	39,6	47,2	36,8[b]
Total imports	milliard $	0,69	30,2	22,9
Minerais et métaux	%	0,5	1,1	2,0[d]
Produits agricoles	%	32,9	14,1	16,9[b]
Produits manufacturés	%	63,2	82,4	75,7[d]
Total exports	milliard $	2,37	109,1	41,5
Produits agricoles	%	0,1	0,1	1,3[b]
Produits énergétiques	%	99,7	99,2	89,2[c]
Produits manufacturés	%	0,1	0,6	8,0[c]
Principaux fournisseurs	% imports			
États-Unis		18,3	20,1	20,6[b]
Japon		10,1	18,1	12,7[b]
CEE / UE		30,4	36,4	33,6[b]
Principaux clients	% exports			
États-Unis		0,9	15,5	16,2[b]
CEE / UE		46,1	36,2	21,8[b]
Japon		21,3	17,4	17,1[b]

a. Marchandises; b. 1993; c. 1992; d. 1990.

INDICATEUR	UNITÉ		1970	1980	1994
PIB	milliard $		3,87	115,96	113 [d]
Croissance annuelle	%		13,6 [a]	2,8 [b]	0,3
Par habitant [e]	$		978	10 931	10 850 [f]
Structure du PIB					
Agriculture	%	⎫	4,4	1,1	6,4 [g]
Industrie	%	⎬ 100 %	69,3	80,5	50,3 [g]
Services	%	⎭	26,2	18,4	43,3 [g]
Dette extérieure totale	milliard $		••	••	••
Service de la dette/Exportations	%		••	••	••
Taux d'inflation	%		8,6 [a]	4,2 [a]	0,5
Population active	million		1,59	2,75	4,52
Agriculture	%	⎫	64,2	48,5	36,6 [d]
Industrie	%	⎬ 100 %	12,1	14,4	17,7 [d]
Services	%	⎭	23,7	37,2	45,7 [d]
Dépenses publiques					
Éducation	% PIB		4,8	5,5	6,8 [c]
Défense	% PIB		9,9	17,9	16,9 [d]
Énergie					
Consommation par habitant	kg		466	2 700	6 097 [c]
Taux de couverture	%		10 336	2 879	694 [c]

ÉCONOMIE

a. 1965-75; b. 1975-85; c. 1992; d. 1993; e. A parité de pouvoir d'achat (voir p. 673); f. 1991; g. 1990.

ARABIE SAOUDITE

341

notoire, Cheikh Salman Al-Awda, qui n'a pu être réduit que par une action résolue de la Garde nationale et par des arrestations massives.

Intervenant après les pétitions des milieux ultra-orthodoxes contre la présence de soldats non musulmans dans le pays (1991) et après la publication d'un «mémorandum de conseil» signé de plus de cent religieux pour réclamer des «réformes profondes» (1992), cette affaire a contraint le roi Fahd à sortir de son attentisme. A quelques jours d'intervalle ont été créés un Haut Conseil pour les affaires religieuses (5 octobre 1994), chargé de contrôler l'affectation des sommes collectées par les associations caritatives auprès des particuliers, et un Haut Conseil pour l'orientation islamique (9 octobre), ayant pour mission d'encadrer de manière plus stricte la formation et l'activité des prédicateurs. De Lon-

dres et Khartoum, deux organisations islamistes interdites, le Comité de défense des droits légitimes du Dr al-Massari (créé le 7 mai 1993) et l'Organisation pour le conseil et la défense des droits légitimes (créée le 25 avril 1994) d'Oussama ben Laden, l'un des principaux financiers des «Afghans arabes», ont inondé le royaume de tracts dénonçant la gestion calamiteuse de la famille royale. Privée de liberté d'expression et d'organisation politique, la population a trouvé un exutoire dans la diffusion sous le manteau de cette littérature condamnée par les autorités religieuses.

Une situation économique plus fragile

Gravement affecté par le coût de la guerre du Golfe (entre 55 et 60 milliards de dollars) et par les dépenses

BIBLIOGRAPHIE

S.K. ABURISH, *The Rise, Corruption and Comin Fall of the House of Saud*, Bloomsburry, Londres, 1994.

A. AL-YASSINI, *Religion and State in the Kingdom of Saudi Arabia*, Westview Press, Boulder, 1985.

P. BONNENFANT (sous la dir. de), *La péninsule Arabique aujourd'hui* (2 vol.), CNRS-Éditions, Paris, 1982.

J.-M. FOULQUIER, *Arabie saoudite, la dictature protégée*, Albin-Michel, Paris, 1995.

A. GRESH, « Fin de règne en Arabie saoudite », *Le Monde diplomatique*, août 1995.

N. JEANDET, *Un Golfe pour trois rêves, le triangle de crise Iran, Irak, Arabie*, l'Harmattan, Paris, 1993.

B. KODMANI-DARWISH, M. CHARTOUNI-DUBARRY, *Golfe et Moyen-Orient, les conflits*, Dunod, Paris, 1991.

M.-T.-B. SADIRA, *Ainsi l'Arabie est devenue saoudite : les fondements de l'État saoudien*, L'Harmattan, Paris, 1989.

d'armement et de sécurité engagées par le pays pour remercier ses alliés (30 milliards de dollars pour les seuls États-Unis), l'économie a connu en 1994 un début d'amélioration : de 10,1 % en 1993, le déficit budgétaire a été ramené à 5,6 % du PIB. Ce résultat aurait pu être meilleur si une gesticulation militaire irakienne en direction du sud, début octobre 1994, n'avait fourni aux États-Unis le prétexte d'une dramatisation et d'un déploiement de troupes auxquels Riyad a dû apporter son appui politique et son soutien financier (330 millions de dollars).

Si le royaume a décidé de poursuivre en 1995 sa politique de déflation des dépenses publiques, pour les ramener de 42,6 à 40 milliards de dollars (3 % du PIB), il a également entrepris d'acquitter les factures des prestataires de services de l'État, dont la suspension, parfois durant dix-huit mois, avait contribué à l'embellie des résultats, mais avait aussi mis en péril ses entreprises à l'intérieur du pays et sa réputation à l'extérieur. Afin de porter dans le même temps ses recettes de 32 à 36 milliards de dollars, et à défaut d'entamer la privatisation ou d'instaurer la fiscalité directe réclamée par le FMI, mais rejetée par les religieux,

le royaume a relevé certains tarifs et créé quelques taxes, espérant retirer 3,2 milliards de dollars de ces diverses mesures.

C'est cependant bien entendu d'abord sur le maintien de l'Irak de Saddam Hussein au banc des nations que le pays a tablé, en 1994 et 1995, pour surmonter ses difficultés de trésorerie. Il a été conforté dans son intransigeance à l'égard de Bagdad par celle des États-Unis qui redoutaient qu'en restituant les 2,5 millions de barils par jour du quota pétrolier de l'Irak qui lui étaient échus, il ne soit placé dans l'incapacité de financer les énormes contrats civils et militaires conclus entre les deux parties.

La pression exercée par Washington sur Téhéran, qui s'est traduite, le 30 avril 1995, par l'imposition d'un embargo américain unilatéral sur l'Iran, a également fait les bonnes affaires de Riyad puisque le baril a atteint à cette occasion un prix qu'il n'avait plus connu depuis 1993.

Vis-à-vis de son environnement immédiat, le royaume a tenté, au sein du CCG (Conseil de coopération du Golfe), le 28 novembre 1994, de faire adopter un accord de sécurité et de faire progresser la réalisation d'une force de défense commune (11 avril 1995). Il s'est cependant heurté à des réticences, en particulier de la part de Qatar (échauffourées du 27 novembre 1994), et à la crainte des émirats du Golfe d'être entraînés dans une escalade de tension vis-à-vis de l'Iran, avec lequel ils sont plutôt en quête d'un *modus vivendi*.

S'agissant des anciens « alliés de Saddam », Riyad a refusé de « passer l'éponge » : si Yasser Arafat, chef de l'OLP (Organisation de libération de la Palestine), a été reçu à contrecœur, le 24 janvier 1994, le roi Hussein de Jordanie a subi un camouflet, le 9 mars 1994 — le roi Fahd a refusé de l'accueillir —, avant d'essuyer des critiques pour l'accord de paix conclu avec Israël à Washington, le 25 septembre 1994. Quant au Yémen, Riyad n'a pas caché sa satisfaction quant à l'échec de la médiation jordanienne (20 février 1994) dans son conflit interne, et a apporté son appui au Sud lors de l'affrontement armé entre les deux parties en mai-juillet 1994 [*voir édition précédente, p. 240*]. Sanaa ayant rétabli l'unité du Yémen à son profit, l'Arabie s'est livrée, en décembre 1994, à un harcèlement militaire aux frontières qui a finalement contraint le Yémen, en situation économique catastrophique, à accepter, le 16 février 1995, la prorogation de l'accord de Taef — conclu en 1934 pour une durée de vingt ans reconductibles, il concédait à Riyad la gestion des trois provinces dont l'Arabie s'était emparée par la force autour des années trente —, reconnaissant ainsi la souveraineté de fait de Riyad sur les trois provinces contestées.

Fidélité aux États-Unis et défense des intérêts nationaux

Si le royaume s'est montré docile à certaines injonctions américaines, appuyant officiellement le processus de paix dans la région, légitimant, le 21 décembre 1994, par une *fatwa* (avis juridique) de son Grand Mufti la réconciliation avec Tel-Aviv et condamnant la violence d'origine islamiste (2 novembre 1994), il a aussi plus d'une fois pris le risque de fâcher son protecteur et allié : le 28 décembre 1994, il s'est rangé derrière la Syrie dans le camp des opposants aux traités de paix séparés arabo-israéliens ; il a soutenu, le 2 mars 1995, l'Égypte dans sa tentative de faire adhérer Israël au TNP (Traité de non-prolifération nucléaire) ; il s'est abstenu de lever totalement le boycottage de l'État hébreu ; enfin, il a refusé de collaborer à l'arrestation sur son sol d'un terroriste libanais Imad Moughniyem.

Ce faisant, il a montré quelle place il accordait dans ses relations extérieures aux États-Unis : la première, indubitablement, mais en veillant à ce que cette relation privilégiée ne contribue pas à alimenter la contestation islamiste intérieure et ne mette pas en péril l'ambition du Serviteur des deux Lieux saints d'asseoir son *leadership* sur le monde islamique, face à l'Iran en particulier, et d'imposer universellement son modèle religieux, le wahhabisme.

Ignace Leverrier

Pérou
Le triomphe de Fujimori

La pression des États-Unis et de l'Organisation des États américains (OEA) aura contraint le président Alberto Fujimori à faire marche arrière après qu'il eut annoncé, le 5 avril 1992, la suspension de la Constitution de 1979 et la dissolution du Parlement, de manière à avoir les coudées franches pour mener sa politique de réforme et de restructuration de l'État en accord avec les exigences et les recettes du FMI et de la Banque mondiale, et également pour renforcer son alliance avec les mili-

Pérou *(Voir aussi tableau p. 554)*

DÉMOGRAPHIE, CULTURE, ARMÉE

INDICATEUR	UNITÉ	1970	1980	1994
Démographie				
Population	million	13,2	17,3	23,8 g
Densité	hab./km²	10,3	13,5	18,5 g
Croissance annuelle	%	2,8 a	2,5 b	1,9 c
Indice de fécondité (ISF)		6,3 a	5,0 b	3,4 c
Mortalité infantile	%₀	118 a	102 b	64 c
Espérance de vie	année	54 a	58 b	66 c
Population urbaine	%	57,4	64,6	71,7
Analphabétisme	%	27,4	20,1	11,3 g
Nombre de médecins	%₀ hab.	0,52	0,72	0,73 f
Scolarisation 12-17 ans	%	59,4	71,9	74,6 h
Scolarisation 3e degré	%	11,1	19,4	39,4 e
Téléviseurs	%₀	30	52	98 f
Livres publiés	titre	943	766	1 063 e
Armée				
Marine	millier d'h.	8	15	25
Aviation	millier d'h.	7	40	15
Armée de terre	millier d'h.	39	75	75

a. 1965-75;   b. 1975-85;   c. 1990-95;   d. 1974;   e. 1991;   f. 1992;   g. 1995;   h. 1990.

COMMERCE EXTÉRIEUR [a]

INDICATEUR	UNITÉ	1970	1980	1994
Commerce extérieur	% PIB	12,3	16,0	16,5
Total imports	million $	622	2 499	6 716
Produits énergétiques	%	2,3	2,4	8,1 b
Produits agricoles	%	24,9	22,6	21,6 b
Produits manufacturés	%	72,3	72,6	69,6 b
Total exports	million $	1 044	3 898	4 502
Produits agricoles	%	49,4	19,2	31,4 b
Minerais et métaux b	%	48,4	42,3	40,2 b
Produits manufacturés	%	1,4	16,7	15,9 b
Principaux fournisseurs	% imports			
États-Unis		31,9	36,7	30,1 b
Amérique latine		18,1	14,9	39,4 b
CEE / UE		27,7	23,1	14,3 b
Principaux clients	% exports			
États-Unis		33,1	32,4	21,2 b
CEE / UE		38,5	21,6	29,1 b
Amérique latine		6,5	22,6	17,8 b

a. Marchandises;   b. 1993.

ÉCONOMIE

INDICATEUR	UNITÉ	1970	1980	1994
PIB	milliard $	6,80	20,02	34,03 d
Croissance annuelle	%	4,2 a	0,9 b	12,9
Par habitant g	$	1 090	2 442	3 130 d
Structure du PIB				
Agriculture	%	18,7	10,2	11,0 d
Industrie	% | 100 %	31,6	41,7	43,2 d
Services	%	49,8	48,1	45,8 d
Dette extérieure totale	milliard $	2,7 e	9,4	20,3 d
Service de la dette/Exportations	%	..	44,5	63,7 d
Taux d'inflation	%	11,2 a	73,5 b	15,4
Population active	million	3,86	5,37	7,76 d
Agriculture	%	47,1	40,1	33,1 d
Industrie	% | 100 %	17,6	18,3	20,3 d
Services	%	35,3	41,6	46,6 d
Dépenses publiques				
Éducation	% PIB	3,3	3,1	1,5 c
Défense	% PIB	3,4	3,9	1,9 d
Énergie				
Consommation par habitant	kg	606	636	484 h
Taux de couverture	%	80,0	141,8	99,1 h

a. 1965-75;　b. 1975-85;　c. 1990;　d. 1993;　e. Long terme seulement;　f. 1974;
g. A parité de pouvoir d'achat (voir p. 673);　h. 1992.

taires en accroissant leur autonomie politique dans la lutte antiterroriste contre les insurgés du Sentier lumineux. La normalisation démocratique fut formellement amorcée avec l'élection, en 1992, d'une Assemblée constituante, dotée de fonctions législatives, à laquelle refusèrent de participer les principaux partis politiques, et avec l'approbation par référendum, le 31 octobre 1993, d'une nouvelle Constitution supprimant le bicaméralisme et autorisant la réélection du président de la République au suffrage universel.

Plébiscite électoral et succès économiques

Au terme d'une campagne présidentielle sans débats et où le chef de l'État a inauguré des milliers de petites infrastructures dans les lieux les plus abandonnés du monde rural et suburbain, les élections du 9 avril 1995 ont permis à A. Fujimori d'affirmer à nouveau et avec éclat sa légitimité démocratique. En lice avec treize autres candidats, il a été réélu dès le premier tour, obtenant le triple des voix de son challenger, l'ambassadeur Javier Perez de Cuellar, secrétaire général de l'ONU de 1982 à 1991, et disposant de surcroît de la majorité absolue au Parlement. Le système des partis qui a prévalu de 1980 à 1995 s'est trouvé laminé : ses représentants n'occupant plus que 15 % des sièges dans le nouveau Congrès dominé par les mouvements indépendants, composés de personnalités cooptées par leur tête de liste. Mercedes Cabanillas, la candidate du Parti apriste péruvien (APRA) discrédité par la gestion désastreuse d'Alan Garcia (au pouvoir de 1985 à 1990), est arrivée en troisième position avec seulement 4,1 % des voix.

BIBLIOGRAPHIE

M. BEY, « La continuité entre villes et campagnes au Pérou. Le rôle des associations urbaines », *Revue Tiers-Monde*, n° 141, Paris, janv.-mars 1995.

C.-I. DEGREGORY, « Pérou : l'effondrement surprenant du Sentier lumineux », *Problèmes d'Amérique latine*, n° 13, La Documentation française, Paris, avr.-juin 1994.

J.-P. DELER, « Le Pérou entre deux mondes », *in* C. Bataillon, J.-P. Deler, H. Théry, *Amérique latine*, Géographie universelle-Reclus, Hachette, Paris, 1991.

P. PAREDES, « Misérable conflit entre le Pérou et l'Équateur », *Le Monde diplomatique*, n° 492, Paris, mars 1995.

B. REVESZ, « Vingt ans après la réforme de la périphérie agraire, les impuissances de l'État péruvien », *Revue française de science politique*, n° 6, Presses de la FNSP, Paris, déc. 1991.

F. ROSPIGLIOSI, « Pérou : discrédit des partis et autoritarisme dans les années 1990 », *Problèmes d'Amérique latine*, n° 15, La Documentation française, Paris, oct.-déc. 1994.

M. VARGAS LLOSA, *Le Poisson dans l'eau*, Gallimard, Paris, 1995.

N'ayant pu franchir la barre des 5 % des suffrages, tous les partis politiques se trouvent dans la quasi-impossibilité de participer à de nouvelles élections, la nouvelle loi imposée par A. Fujimori les obligeant à rassembler plus de 500 000 signatures chacun pour faire acte de candidature.

A. Fujimori bénéficiait déjà de l'appui de l'armée, des technocrates des grandes institutions financières internationales, du monde des affaires et des principaux médias. Indifférents aux critiques de l'opposition et de la classe politique qui ont dénoncé les privilèges dont bénéficiait le candidat-président, ce sont les milieux populaires très métissés — aspirant à la stabilité et se reconnaissant mieux en ce descendant d'immigré japonais que dans les représentants de la grande bourgeoisie d'ascendance européenne ayant jusque-là toujours monopolisé la représentation politique — qui l'ont plébiscité. Ce faisant, ils lui ont accordé toute liberté pour poursuivre ses politiques néo-libérales de déréglementation de l'économie.

En 1994 et au début de 1995, des pas importants avaient déjà été faits dans ce sens : levée des restrictions aux investissements étrangers, réduction drastique des tarifs douaniers, possibilité d'hypothèques sur les terres que la réforme agraire — décrétée en 1969 par le général Juan Velasco Alvarado — avait redistribuées à la paysannerie et, surtout, privatisation d'entreprises publiques dans les secteurs financier, minier et industriel et dans les transports et communications. L'opération la plus spectaculaire aura été la vente, en 1994, du réseau téléphonique péruvien à Telefonica Espanola pour 10 milliards FF, l'équivalent de la moitié de la valeur des exportations du pays.

Les résultats macroéconomiques du plan d'austérité et de redressement ont été remarqués : le taux de croissance est devenu, en 1994, l'un des plus forts du monde (12,9 %) tandis qu'était jugulée la spirale de l'hyperinflation, les prix ayant véritablement flambé (10 millions % entre 1980 et 1990). Le taux d'inflation qui était de 7 500 % en 1990 (l'année où l'ingénieur Fujimori — outsider pratiquement inconnu — remporta les présidentielles face à l'écrivain Mario Vargas Llosa, porte-étendard de la droite) est descendu à 15,4 % en 1994. L'énergique réorganisation du service des impôts a fait passer les recettes fiscales, qui ne dépassaient pas 5 % du PNB en 1990, à 15 %.

Tout reste à faire, cependant, concernant le sous-emploi (75 % de la population active) et la pauvreté, situation dans laquelle se trouvait 49,6 % de la population en 1995. Par ailleurs, le modèle économique est encore fragile : la vente du patrimoine public et l'afflux des capitaux à court terme, attirés par les forts taux d'intérêt, ne pourront indéfiniment compenser le déficit croissant de la balance commerciale des biens et des services, qui représentait en 1994 51,2 % de la valeur des exportations. La dette s'est, quant à elle, accrue de 16 % depuis 1990, atteignant en 1995 près de 26 milliards de dollars.

Sur le plan militaire, l'effondrement du Sentier lumineux, mouvement maoïste ayant pris les armes à partir de 1980, a permis, à l'automne 1994, de mettre un terme à la loi des repentis qui graciait les anciens insurgés dénonçant leurs camarades. En 1994 et 1995, ces derniers ont été condamnés par milliers à la réclusion perpétuelle par des tribunaux spéciaux. En 1994, le nombre des actions terroristes et des victimes de la violence politique n'était plus que le sixième de celui de 1990. En revanche, aucune action judiciaire n'a été ouverte contre les officiers supérieurs en poste dans les zones de culture de coca et soupçonnés de protéger certains trafiquants de drogue.

La guerre du Condor

Au début de 1995, une guerre non déclarée et dont le coût a été estimé à près de 208 millions de dollars a éclaté aux abords de la cordillière du Condor, zone inhospitalière et inhabitée, sauf par les Indiens jivaros, à partir d'un différend frontalier entre le Pérou et l'Équateur. L'Équateur, à l'origine du conflit, considérait, en effet, que le « protocole de paix, amitié et limites entre le Pérou et l'Équateur », signé à Rio de Janeiro le 29 janvier 1942, ne serait pas applicable parce que 78 km de la frontière commune n'ont pas été démarqués sur le terrain. De violents combats ont opposé les troupes des deux pays du 26 janvier ou 28 février, occasionnant au Pérou la perte de nombreuses vies humaines, principalement dans des champs de mines, et celle de plusieurs avions à réaction et héli-

▼ **PÉROU**

République du Pérou.
Capitale : Lima.
Superficie : 1 285 216 km² (1,34 fois la France).
Monnaie : nuevo sol (1 nuevo sol = 2,4 FF au 21.4.95).
Langues : espagnol (off.), quechua, aymara.
Chef de l'État : Alberto Fujimori, président depuis 1990 (réélu le 9.4.95 pour un mandat s'achevant le 28.7.2000).
Premier ministre : Efrain Goldenberg (depuis le 18.2.94).
Échéances électorales : municipales (nov. 1995).
Nature de l'État : république.
Nature du régime : présidentiel.
Principaux mouvements et partis politiques : *Gouvernement :* Changement 90-Nouvelle Majorité (C90-NM, personnalités indépendantes cooptées par Alberto Fujimori dans sa liste parlementaire). *Opposition :* Union pour le Pérou (UPP, personnalités indépendantes cooptées par Javier Perez de Cuellar dans sa liste parlementaire) ; Parti apriste péruvien (APRA, fondé en 1930 par Victor Raul Haya de la Torre).
Frontière contestée : 78 km de frontière commune avec l'Équateur n'ayant pas été démarqués sur le terrain, ce pays considère que le protocole de Rio de Janeiro de 1942 entre les deux pays n'est pas applicable. Après les combats du début 1995, l'accord de paix d'Itamaraty (17 février 1995) ratifié dans la déclaration de Montevideo (1er mars) engage à démilitariser la zone du conflit.
Carte : p. 553.
Statistiques : voir aussi p. 554-555.

coptères. La guerre de guérilla, livrée au milieu de la jungle pour repousser les infiltrations équatoriennes, n'a pas assuré des succès décisifs face à des adversaires mieux préparés et outillés. En mars 1995, les pays garants du «protocole de Rio» (États-Unis, Brésil, Argentine, Chili) ont envoyé une mission d'observateurs militaires pour veiller au respect de l'accord de paix d'Itamaraty (Brésil), signé le 17 février 1995, ratifié le 1er mars suivant dans la déclaration de Montevideo et qui prévoit la séparation des forces et la démilitarisation de la zone.

Un conflit du même type avait déjà eu lieu en 1981, mais le Pérou avait alors rapidement reconquis ses positions. Les difficultés rencontrées en 1995 pour se défendre militairement et diplomatiquement devaient être attribuées, selon l'opposition, aux limogeages au sein du ministère des Affaires étrangères et de celui de la Défense nationale, décrétés au cours des années précédentes par le président Fujimori, sans égards pour les mérites, la hiérarchie ou l'ancienneté. Quoi qu'il en soit, le Pérou n'est nullement apparu disposé, en cédant aux revendications de l'Équateur, à lui donner l'accès qu'il convoite à l'Amazonie péruvienne. Le danger n'était pas écarté que des deux côtés se déclenche une course aux armements, risquant de donner aux militaires un rôle démesuré face au pouvoir civil.

A côté des succès enregistrés par A. Fujimori, l'ampleur de son triomphe a encore renforcé un centralisme qui était déjà trop accusé au détriment du pouvoir local et régional, des organisations civiques indépendantes et surtout des institutions politiques autonomes — Parlement, magistrature, partis politiques — très affaiblies sous l'effet, notamment, des actions de harcèlement du pouvoir exécutif.

Bruno Revesz

Azerbaïdjan
Le grand enjeu du pétrole de la Caspienne

Le 20 septembre 1994, avait été signé le «contrat du siècle», marquant l'engagement des plus importantes compagnies pétrolières internationales (British Petroleum et six firmes américaines) dans l'exploitation des gisements *offshore* de Chirag et d'Azeri. Deux semaines plus tard, le 5 octobre, le président Heidar Aliev — qui avait lui-même accédé au pouvoir après un coup de force contre le président Aboulfaz Eltchibey en juin 1993 — a accusé, dans un appel télévisé, le Premier ministre Souret Gousséinov de «complot contre l'État», tandis qu'il appelait la population à protéger le palais présidentiel. Quelques heures plus tôt, des unités du ministère de l'Intérieur s'étaient mutinées après avoir refusé de livrer les assassins de deux proches du président : le vice-président du Parlement Afiyaddian Djalilov et le chef de la sécurité présidentielle Chamchi Raguimov, abattus le 30 septembre. Gandja, la deuxième ville du pays, était occupée pendant que H. Aliev accusait des «groupes de l'extérieur» de vouloir organiser un «coup d'État». Quant au ministre de l'Intérieur Rochvan Abbassov, il a prétendu que le Premier ministre et Ayaz Moutalibov (ancien président chassé en 1992), tous deux réfugiés dans la capitale russe, étaient des «agents de Moscou». Le 6 février 1995, le ministre de la Défense, le général Mamedrafi Mamedov, a été démis de ses fonctions.

Répression d'une nouvelle mutinerie

Un mois plus tard, le 15 mars, Bakou a été le théâtre d'une nouvelle tentative de coup d'État dans laquelle étaient impliquées des unités du ministère de l'Intérieur. Leur chef, le vice-ministre de l'Intérieur Ramil Djavadov, exigeait la démission de H. Aliev et de Rassoul Gouliev, le président du Parlement. Les événements se sont rapidement enchaînés. Le 16, les troupes fidèles au président ont lancé une attaque contre la caserne où s'étaient retranchés les rebelles. Le 17, la Présidence a annoncé la défaite de la mutinerie dont S. Gousséinov et A. Moutalibov étaient accusés d'être les instigateurs. On comptait 38 morts, dont R. Djavadov. Plusieurs centaines de personnes, dont de nombreuses personnalités de l'opposition, ont été interpellées, en particulier les dirigeants des Loups gris, un groupe ultra-nationaliste entretenant des liens étroits avec son homologue turc.

Le Front populaire (opposition nationaliste) a vu son organe central interdit tandis que la tenue de son congrès était reportée à une date ultérieure. Pendant que les responsables de l'opposition dénonçaient la mise en place d'un « État policier » et l'incapacité des autorités à en finir avec le conflit du Haut-Karabakh, quatorze journaux suspendaient leur publication afin de protester contre la censure.

Alors qu'un cinquième du territoire azerbaïdjanais restait occupé par les combattants arméniens, qui réclament le rattachement du Haut-Karabakh, sous administration azerbaïdjanaise, à l'Arménie, et que le sort du million de réfugiés qui en sont originaires était jugé « désespéré » par de nombreux observateurs, H. Aliev a paru décidé à mener à leur terme les négociations engagées avec Erevan. L'ouverture, en accord avec la Turquie, de corridors (aérien et ferroviaire) permettant d'alléger le blocus contre l'Arménie a pu sembler un signe de bonne volonté de la part de Bakou. Malgré les nombreuses violations du cessez-le-feu entré en vigueur au printemps 1994, H. Aliev, qui a privilégié les contacts personnels avec

le président arménien Levon Ter Petrossian, a été soupçonné par une partie de l'opinion de pencher vers la capitulation. Celui qui fut le « patron » incontesté de la république d'Azerbaïdjan à l'époque brejnévienne a entrepris de consolider son pouvoir en organisant simultanément, à l'automne 1995, un référendum sur un projet de nouvelle Constitution et des élections législatives.

La grande affaire est cependant restée la fièvre de l'or noir qui s'est emparée du pays. Après s'être longtemps résignés à une baisse inéluc-

▼

Azerbaïdjan

République d'Azerbaïdjan.

Capitale : Bakou.

Superficie : 86 600 km² (0,16 fois la France).

Monnaie : mannat.

Langues : turc (off.), russe, arménien.

Chef de l'État : Heidar Aliev, élu pour succéder à Aboulfaz Eltchibey le 3.10.93.

Nature de l'État : ancienne république soviétique devenue indépendante le 29.8.91.

Nature du régime : présidentiel autoritaire, H. Aliev gouvernant « au-dessus des partis ».

Principaux partis politiques : Front populaire d'Azerbaïdjan (dont était issu l'ex-président Eltchibey), nationaliste à sensibilité kémaliste ; Parti démocratique de l'indépendance (centre gauche) ; Parti social-démocrate (centre gauche) ; Alliance [parti] nationale-démocrate (regroupement de groupes ultra-nationalistes, dont les Loups gris), Moussavat (nationaliste), Parti communiste (en cours de reconstitution).

Territoires contestés : le Haut-Karabakh, peuplé en majorité d'Arméniens revendiquant son rattachement à l'Arménie.

Carte : p. 352 et 639.

Statistiques : voir aussi p. 638.

Azerbaïdjan [1] *(Voir aussi tableau p. 638)*

DÉMOGRAPHIE, CULTURE, ARMÉE

INDICATEUR	UNITÉ	1980	1987	1994
Démographie				
Population	million	6,16	6,86	7,56 d
Densité	hab./km²	76,3	79,2	87,3 d
Croissance annuelle	%	1,6 a	1,3 b	1,2 c
Indice de fécondité (ISF)		3,04	2,82	2,5 c
Mortalité infantile	%₀	33	31	28 c
Espérance de vie	année	68	69	71 c
Population urbaine	%	52,8	53,9	55,5
Armée				
Marine	millier d'h.	..	..	3
Aviation	millier d'h.	..	..	2
Armée de terre	millier d'h.	..	..	49

a. 1975-85;   b. 1985-90;   c. 1990-95;   d. 1995;   e. 1992.

COMMERCE EXTÉRIEUR a

INDICATEUR	UNITÉ	1987	1994
Total imports	million $	1 413 c	841
Produits énergétiques	%	8,6	5,1 b
Produits agricoles	%	22,2	21,7 b
Produits manufacturés	%	60,4	51,3 b
Total exports	million $	723 c	672
Produits agricoles	%	27,3	15,7 b
Produits énergétiques	%	15,9	8,7 b
Produits manufacturés	%	53,4	68,4 b
Principaux fournisseurs	% imports		
PCD		..	26,2 b
PVD		..	38,6 b
CEI		76,5	35,2
Principaux clients	% exports		
PCD		..	20,0 b
PVD		..	34,5 b
CEI		93,0	45,5

a. Marchandises;   b. 1992;   c. 1990.

1. L'Union soviétique a cessé d'exister en tant qu'État en décembre 1991. Les statistiques portant sur les 15 républiques qui étaient «fédérées» au sein de l'URSS — dont l'Azerbaïdjan — présentaient des cohérences variables et l'information était loin d'être transparente. Il en découle une difficulté méthodologique pour reconstituer les séries de données pour les années antérieures à la dislocation de l'Union.

Azerbaïdjan

ÉCONOMIE				
INDICATEUR	UNITÉ	1980	1987	1994
PIB	milliard $	··	··	5 424 c
Croissance annuelle	%	··	− 8,1 b	− 22,0
Par habitant h	$	··	··	2 230 c
Structure du PIB				
Agriculture	% ⎫	··	26,4 e	26,2 c
Industrie	% ⎬ 100 %	··	30,4 e	41,7 c
Services	% ⎭	··	43,2 e	23,9 c
Production (croiss. annuelle)				
industrielle	%	··	− 1,7 f	− 24,8
agricole	%	··	2,9 f	− 13,0
Dette extérieure totale	million $	··	··	35,5 c
Taux d'inflation	%	0,9 a	2,4 b	2 174,9
Emploi	million	2,30	2,75	2,61
Agriculture	% ⎫	33,1	33,6	33,4 c
Industrie	% ⎬ 100 %	26,1	26,0	24,6 c
Services	% ⎭	40,8	40,4	42,0 c
Taux de chômage	%	··	··	0,9
Dépenses publiques				
Éducation	% PIB	··	··	7,7 g
Énergie				
Consommation par habitant	kg	··	··	2 199 d
Taux de couverture	%	··	··	163,2 d

a. 1980-85;   b. 1985-93;   c. 1993;   d. 1992;   e. 1990;   f. 1980-87;   g. 1991;   h. A parité de pouvoir d'achat (voir p. 673).

table d'une production pétrolière qui stagnait à environ 11 millions de tonnes à la fin des années quatre-vingt, les Azerbaïdjanais ont vécu au rythme des nombreux rebondissements qui ont accompagné la concrétisation du « contrat du siècle », signé le 20 septembre 1994. Pour des raisons autant financières que techniques, celui-ci a fait la part belle aux sociétés étrangères : l'Azerbaïdjan a vu sa participation tomber à 19 %. Des sociétés russe (10 %), iranienne (5 %) et turque (5 %) ont été associées au consortium chargé d'extraire 500 millions de tonnes en trente ans sur des gisements *offshore* situés à 70-80 milles des côtes azerbaïdjanaises.

La perspective de l'exploitation des réserves *offshore* de la mer Caspienne, dont les réserves en pétrole et en gaz dépasseraient celles de la mer du Nord, a provoqué de vives tensions dans une région où deux interprétations du droit international se font face : l'Azerbaïdjan et le Kazakhstan considèrent chacun que les gisements *offshore* situés au large de leurs côtes dépendent de leur souveraineté ; la Russie, s'appuyant sur des traités signés avec l'Iran en 1921 et 1940, estime que la Caspienne ne relève pas du droit maritime. Pour Moscou, cette étendue d'eau salée s'apparenterait à un lac, propriété commune des cinq États riverains.

Les revendications russes dans l'affaire pétrolière

Malgré la cession d'une participation de 10 % à la compagnie étatique russe Lukoil, Moscou a rapidement marqué son hostilité à l'existence d'un consortium international chargé de l'exploitation du pétrole de la Caspienne. Le Kremlin, dont la position semblait hésitante, a considéré l'idée, début novembre 1994, de prendre des sanctions économiques contre Bakou. Quelques jours plus tard, un « sommet » Eltsine-Aliev semblait avoir aplani les divergences. Fin mai 1995, alors que les États-Unis exprimaient le vœu de voir l'Azerbaïdjan « établir des bases légales inattaquables afin de mener à bien ses projets en mer Caspienne », H. Aliev a réaffirmé la position azerbaïdjanaise : « La mer Caspienne n'est pas un lac,

ses ressources n'ont pas à être partagées entre ses riverains. »

Moscou a pour sa part observé avec inquiétude les projets d'oléoducs chargés d'assurer l'exportation du pétrole vers les marchés occidentaux. La Turquie et les grandes compagnies occidentales ont semblé privilégier la filière turque : un oléoduc transiterait par la Géorgie (voire l'Arménie) pour aboutir en Méditerranée sur la côte turque, tandis que l'Iran proposait son important réseau d'oléoducs. La Russie considérait de son côté que les oléoducs existants (Bakou-Grozny-Tikhoretsk-Novorossisk/Touapse)

© Éditions La Découverte

Source : Compagnie pétrolière Chevron.

BIBLIOGRAPHIE

M.-R. DJALILI, *Le Caucase post-soviétique : la transition dans le conflit*, Bruylant-Bruxelles/LGDJ, Paris, 1995.

« Le Caucase des indépendances » (dossier constitué par C. Mouradian), *Problèmes politiques et sociaux*, n° 718, La Documentation française, Paris, déc. 1993.

J. et A. SELLIER, *Atlas des peuples d'Orient. Moyen-Orient, Caucase, Asie centrale*, La Découverte, Paris, 1993.

C. URJEWICZ, M. KAHN, « Azerbaïdjan », *in* M. FERRO (sous la dir. de), *L'état de toutes les Russies. États et nations de l'ex-URSS*, La Découverte, « L'état du monde », Paris, 1993.

C. URJEWICZ, « Azerbaïdjan » *in* Y. LACOSTE (sous la dir. de), *Dictionnaire de géopolitique*, Flammarion, Paris, 1993.

C. URJEWICZ, « Transcaucasie », *in* R. BERTON-HOGGE, M.-A. CROSNIER (sous la dir. de), *Annuaire de l'ex-URSS 1995*, La Documentation française, Paris (à paraître).

Voir aussi la bibliographie consacrée au Caucase, p. 640.

seraient, après quelques modifications, en état de répondre aux besoins. L'intervention russe en Tchétchénie, dès l'hiver 1994, a par ailleurs levé l'hypothèque de l'insécurité régnant dans la région. Devant le refus persistant d'Ankara d'autoriser le passage des pétroliers par le Bosphore, Moscou a semblé s'orienter vers une solution bulgare qui permettrait, à partir du port de Burgas, de faire transiter le pétrole brut par la Grèce en direction de Brindisi.

Bakou est apparu tenté de tirer parti de la lutte d'influence que se livrent les puissances régionales. Si les relations avec Ankara sont restées cordiales, Téhéran a marqué son irritation en interrompant l'approvisionnement en électricité du Nakhitchévan, territoire azerbaïdjanais enclavé entre l'Arménie et la Turquie. Mais les autorités de Bakou, qui ont persévéré dans leur refus d'accepter la présence de troupes russes sur leur territoire, devaient néanmoins ménager Moscou. Confronté aux revendications des 200 000 Lezguiens d'Azerbaïdjan, dont certaines organisations exigent l'unification avec leurs frères du Daghestan, et aux exigences des autonomistes talyches (persophones du sud de l'Azerbaïdjan), le gouvernement azerbaïdjanais, soupçonnant Moscou d'attiser ces tensions, a multiplié les déclarations de bonne volonté à l'égard de son grand voisin du Nord.

Charles Urjewicz

Tous les pays du monde

38 ensembles géopolitiques

Afrique

Les premières élections au suffrage universel en Afrique du Sud, les 27-29 avril 1994, ont constitué le point d'orgue de la démocratisation en Afrique, tout en soulignant, outre la fragilité du processus, le nouveau découpage du continent. Alors qu'en Guinée, au Togo, au Zaïre et au Gabon les « secondes indépendances », proclamées dans l'euphorie de l'immédiat après-« guerre froide », ont abouti, en 1993, à la restauration autoritaire des anciens régimes, la transition démocratique formelle a été menée à son terme à la pointe de l'Afrique. Depuis lors, nonobstant ses nombreux problèmes, l'Afrique du Sud « nouvelle » est apparue comme le cap de Bonne-Espérance, seul pôle d'une renaissance possible du continent.

Celui-ci, géopolitiquement, se divise désormais en trois zones distinctes : la zone d'influence du géant sud-africain, à savoir l'hémisphère austral jusqu'au Shaba du Zaïre méridional, le « ventre creux » de l'Afrique subsaharienne et, enfin, le Maghreb, isolé par le Sahel et stratégiquement orienté vers le continent européen.

Fin du « pré carré » français ?

En 1993-1994, l'Afrique noire a connu des ruptures historiques à différents niveaux : la fin de la tutelle politique et commerciale de la France sur la partie francophone du continent qui, avec la mort, le 9 décembre 1993, du chef d'État ivoirien Félix Houphouët-Boigny, a perdu son « doyen » et, avec la dévaluation du franc CFA, le 12 janvier 1994, sa confiance en un avenir commun et « garanti » avec l'ancienne métropole coloniale ; le génocide des Tutsi et des opposants hutu au Rwanda, déclenché en avril 1994 ; la déconnexion d'une grande partie de l'Afrique jugée « inutile » pour l'économie-monde ; le décloisonnement des marchés et potentialités — notamment pétrolières — de l'Afrique « utile », désormais champ ouvert à toutes les rivalités commerciales, en particulier franco-américaines ; l'avortement d'un « nouvel ordre mondial » qui a voulu s'affirmer à travers un droit d'ingérence agressif expérimenté sous forme d'opération « militaro-humanitaire » en Somalie ; enfin, la disparition, en tant qu'État paria, de l'« Afrique blanche » et l'émergence d'une nouvelle puissance régionale, l'Afrique du Sud, affranchie des sanctions internationales et de ses entraves raciales.

Le 12 janvier 1994, le « pré carré » de la France en Afrique

a été enterré, sur le fond et dans la forme. Dans la capitale séné-
galaise Dakar, « à l'instigation de la France », les représentants
de quatorze pays africains, pour la plupart chefs d'État, ont
décidé la première dévaluation du franc CFA, dont la parité fixe
et inchangée vis-à-vis de la devise française avait, depuis 1948,
été garantie par la direction du Trésor du ministère des Finan-
ces à Paris. Mis devant le fait accompli par le ministre français
de la Coopération d'alors, Michel Roussin, les partenaires afri-
cains de la France ont dû acquiescer, celle-ci ayant renoncé à
son rôle de bailleur de fonds des régimes en faillite et en rup-
ture avec la Banque mondiale et le FMI. De hauts représen-
tants de ces organismes avaient d'ailleurs été conviés au huis
clos du « sommet » monétaire franco-africain. Leur présence
a pris valeur de symbole. Longtemps parrain exclusif de l'Afri-
que francophone, Paris a fini par appeler la communauté inter-
nationale au chevet de son impécunieuse clientèle, en échange
de concessions : dans un premier temps, le « réajustement
monétaire » [voir édition précédente, p. 583] ; à terme, l'inter-
nationalisation de ce qui, longtemps et de façon presque patri-
moniale, avait été son « domaine ».

L'attrait perdu du continent

Les obsèques du « Vieux », F. Houphouët-Boigny, le 9 février
1994, deux mois après sa mort, ont également illustré la fin
d'une époque. Ayant perdu l'un des pères des indépendances,
l'Afrique francophone « dévaluée » s'est retrouvée, une dernière
fois, en tête à tête avec la France. Si l'ensemble de la classe poli-
tique française — trois générations toutes allégeances partisa-
nes confondues — s'est en effet rendu à Yamoussoukro, ni les
États-Unis ni d'autres États — même d'Afrique anglophone
— ne se sont fait représenter à un niveau élevé. En 1984, pour
l'enterrement du dictateur guinéen Sékou Touré, le vice-
président américain d'alors, George Bush, s'était déplacé à
Conakry. Dix ans plus tard, le requiem de F. Houphouët-
Boigny ne valait plus, pour la première puissance mondiale,
que le déplacement d'un ministre de l'Énergie.
   Tant qu'avait duré la rivalité bipolaire à l'échelle mondiale,
l'Afrique constituait l'un des grands enjeux internationaux. Par
l'intervention des superpuissances dans la Corne de l'Afrique
ou en Angola, ou, plus généralement, par l'action du « gen-
darme de l'Afrique » qu'était alors, par sous-traitance géopo-
litique, la France, la stabilité du continent s'était trouvée
assurée. Après la « guerre froide », une bonne partie de l'Afrique
— sahélienne, mais aussi équatoriale, incluant même le Zaïre —
a été stratégiquement « déclassée » et, de facto, abandonnée.

Dans l'« Afrique utile », en revanche, la France a perdu sa rente de situation. Dès lors, la compétition commerciale — notamment dans les domaines du pétrole, du cacao et des télécommunications — a joué à plein. En ce sens, une nouvelle rivalité franco-américaine a vu le jour, même si, au regard d'intérêts primordiaux — l'accès collectif aux ressources du continent, la maîtrise de son pouvoir de nuisance écologique, de ses grandes épidémies, comme le sida, et de ses flux de migration —, la solidarité occidentale l'emporte sur des enjeux mercantiles limités.

Le départ sans honneur des troupes américaines de Somalie, fin mars 1994, a sanctionné l'échec d'une restauration étatique. Au lendemain d'une famine combattue par de grands moyens, la dernière superpuissance mondiale et ses alliés occidentaux ont délaissé le pays, sans espoir d'y voir naître une démocratie. Restées en charge de la Somalie, les Nations unies devaient y négocier une sortie avec les « seigneurs de la guerre ». Le signal a ainsi été donné et, à travers le continent, entendu : ni les élections, souvent truquées, ni la démocratie formelle ne constituent une exigence de l'étranger, qui réclame, en revanche, une « bonne gouvernance », une gestion rigoureuse de la pénurie s'accompagnant du respect des droits de l'homme fondamentaux.

Entre ouverture et repli

Dans une Afrique noire largement « abandonnée », à l'exception de ses îlots de modernité, s'affirment désormais deux tendances lourdes contradictoires : celle de l'intégration régionale, par souci d'économie d'échelle et de dépassement de la « balkanisation », et celle du repli ethnico-nationaliste, la tendance vers l'atomisation.

La première s'est affirmée, comme volonté, le 12 janvier 1994, jour de la dévaluation du franc CFA, par le lancement de la Communauté économique et monétaire de l'Afrique de l'Ouest, censée devenir le modèle d'autres regroupements régionaux. Depuis lors, seuls de petits progrès ont été accomplis. La seconde est, hélas, devenue réalité, illustrée par le « suicide national » de pays comme le Libéria ou la Somalie et — première en Afrique francophone — le Rwanda, mais aussi par la revendication persistante d'un « État zoulou » ou d'un « Volkstaat », un homeland blanc, en Afrique du Sud.

Dans ce continent globalement « sous-peuplé », la pression foncière — due à la rareté des terres fertiles — a, par ailleurs, sensiblement augmenté. En témoignent de multiples conflits dans le Sahel, entre pasteurs nomades et agriculteurs sédentaires, et surtout dans l'Afrique des Grands Lacs et même au Kénya, en Namibie et au Zimbabwé.

Stephen Smith

Afrique / Journal de l'année

— 1994 —

Juin. **Égypte**. Le gouvernement lance une campagne systématique de recherche et d'arrestation des membres de la Confrérie des Frères musulmans.

1er juin. **Afrique du Sud**. La RSA devient le 51e État membre du Commonwealth après une absence de trente-trois ans. Le 23 mai, le pays était devenu le 53e membre de l'OUA, et le 31 mai il avait rejoint le mouvement des non alignés.

5 juin-17 juillet. **Éthiopie**. Les élections pour la formation d'une Assemblée constituante, opposant 39 mouvements politiques et de nombreux candidats indépendants, sont gagnées par le Front démocratique révolutionnaire du peuple éthiopien (FDRPE) en l'absence de la principale force d'opposition, l'Organisation de tout le peuple amhara.

8 juin. **Lésotho-Afrique australe**. Les pays d'Afrique australe décident d'envoyer une force spéciale au Lésotho pour « faire entendre raison aux soldats ».

11 juin. **Ouganda**. Le royaume de Bunyoro est restauré après ceux de Toro et de Buganda et avant celui d'Ankore, annulant ainsi la décision prise par Milton Obote, vingt-sept ans plus tôt, de les supprimer.

11-12 juin. **Sierra Leone**. Les rebelles du Front révolutionnaire unifié (FRU) lancent plusieurs attaques contre le centre du pays.

23 juin. **France-Rwanda**. Avec l'aval de l'ONU (donné le 22), intervention française au Rwanda (opération militaire *Turquoise*) et création d'une « zone humanitaire sûre » à l'est du pays pour protéger les réfugiés. Les milices extrémistes hutu auraient tué — selon un plan systématique mis en œuvre après l'assassinat du chef de l'État Juvénal Habyarimana, le 6 avril précédent, plus de 500 000 personnes. Plus de 2 millions de réfugiés auraient fui vers les pays voisins. L'ONU qualifiera ces massacres de génocide.

Juillet. **Kénya-Soudan**. La population turkana, à la frontière des deux pays, est systématiquement dépouillée de ses terres et de son bétail par des actions soutenues par les deux gouvernements.

3 juillet. **Guinée-Bissau**. Les premières élections multipartisanes de l'histoire du pays donnent la victoire à l'ancien parti unique (PAIGC) et permettent, le 7 août, à João Bernardo Vieira de rester à la tête du pouvoir.

8 juillet. **Maroc**. Le roi Hassan II lance un appel à tous les partis d'opposition pour qu'ils participent à un gouvernement d'unité nationale qu'il entend constituer à la fin 1994.

19 juillet. **Rwanda**. Après la victoire militaire du Front patriotique rwandais (FPR), création d'un gouvernement d'« unité nationale », dirigé par le président Pasteur Bizimungu et le Premier ministre Faustin Twagiramungu.

23 juillet. **Gambie**. Un coup d'État renverse le président Dawda Jawara. Un gouvernement rassemblant civils et militaires s'installe, dirigé par le lieutenant Yayah Jammeh, responsable du putsch.

17 août. **Lésotho**. Tentative de coup d'État de la part du roi Letsie III. Il annonce qu'il dissout le Parlement et le gouvernement et organise des élections législatives. Après de nombreuses pressions, le pouvoir retourne aux autorités élues, tandis que le 14 septembre, Letsie III laisse sa place à son père (déchu en 1990) Moshoeshoe II.

24 août. **Sahel**. Conférence des ministres des Affaires étrangères du Mali, du Burkina Faso, du Niger, de la Libye, de l'Algérie et de la Mauritanie pour coordonner leurs politiques vis-à-vis des populations touareg.

24 août. **Maroc**. Deux touristes espagnols sont tués lors de l'attaque d'un hôtel par des islamistes, dont des jeunes issus de l'immigration en France.

Septembre. **Mauritanie**. Arrestation de nombreux islamistes intervenant notamment dans des organisations caritatives et culturelles et accusés de fomenter des troubles politiques.

10-17 septembre. **Burundi**. Les principales organisations politiques du pays concluent un accord de répartition du pouvoir et établissent les conditions d'élection du président de la République.

14 septembre. **Algérie**. Les deux principaux leaders emprisonnés du Front islamique du salut (FIS), Abassi Madani et

AFRIQUE/BIBLIOGRAPHIE SÉLECTIVE

Afrique contemporaine (bimestriel), La Documentation française, Paris.

G. BALANDIER, *Afrique ambiguë*, Pocket, Paris, 1983.

J.-F. BAYART, A. MBEMBE, C. TOULABOR, *La Politique par le bas en Afrique noire. Contributions à une problématique de la démocratie*, Karthala, Paris, 1992.

J.-F. BAYART, *L'État en Afrique, la politique du ventre*, Fayard, Paris, 1989.

CEAN, *L'Afrique politique 1995 : le meilleur, le pire et l'incertain*, Karthala, Paris, 1994.

J. COPANS, *La Longue Marche de la modernité africaine, savoirs intellectuels, démocratie*, Karthala, Paris, 1990.

C. COULON, D.-C. MARTIN (sous la dir. de), *Les Afriques politiques*, La Découverte, Paris, 1991.

A. GLASER, S. SMITH, *L'Afrique sans Africains. Le rêve blanc du continent noir*, Stock, Paris, 1994.

E. M'BOKOLO, *L'Afrique au XX*e *siècle, le continent convoité*, Seuil, Paris, 1985.

J.-F. MÉDARD, *États d'Afrique noire. Formations, mécanismes et crises*, Karthala, Paris, 1991.

« Mutations africaines » (dossier constitué par S. Bessis), *Problèmes politiques et sociaux*, La Documentation française, n° 733, Paris, 1994.

P. PÉAN, *L'Argent noir. Corruption et sous-développement*, Fayard, Paris, 1988.

Politique africaine (trimestriel), Karthala, Paris.

Ali Benhadj sont placés en résidence surveillée, dans le cadre d'un processus de discussion politique avec les autorités. Ce processus échouera. Les affrontements armés vont se poursuivre de plus belle. A l'été 1995, le nombre de victimes sera souvent estimé à plus de 30 000.

15 septembre. **Libéria**. La Force ouest-africaine d'interposition (Ecomog) fait échec à une tentative de coup d'État organisée par des partisans de feu le président Samuel K. Doe et membres des Forces armées du Libéria.

30 septembre. **Burundi**. Sylvestre Ntibantunganya, élu président de la République par l'Assemblée nationale, nomme Anatole Kanyeniko Premier ministre.

3 octobre. **São Tomé et Principe**. Les élections législatives permettent à Carlos Da Graça de constituer un gouvernement d'unité nationale.

9 octobre. **Niger**. Un accord de paix est signé entre les Touareg et le gouvernement, sous l'égide d'un comité de média-tion comprenant le Burkina Faso, l'Algérie et la France. Un accord « définitif de paix » sera signé le 15 avril 1995.

12 octobre. **Tchad**. Signature d'un accord de paix entre le gouvernement et le Front national du Tchad, actif notamment dans la région du Ouaddaï.

13 octobre. **Gabon**. Paulin Obame-Nguéma est nommé Premier ministre et chargé de constituer le premier gouvernement comprenant des membres de la majorité et de l'opposition.

14 octobre. **Égypte**. Le prix Nobel de littérature Naguib Mahfouz est blessé par un militant islamiste.

15 octobre. **Botswana**. Victorieux en dépit de gains politiques très sensibles de l'opposition, Quett Masire, réélu président de la République, forme un nouveau gouvernement.

27-28 octobre. **Mozambique**. Les premières élections législatives et présidentielles pluralistes du pays mettent fin à dix-sept ans de guerre civile et maintiennent au pouvoir Joachim Chissano et l'ancien parti unique, le Frelimo.

20 novembre. **Angola.** La conclusion d'un accord de paix entre l'UNITA et le gouvernement, prévoyant notamment les conditions d'un partage du pouvoir, n'empêche pas les affrontements armés de se poursuivre sur le terrain.

Décembre. **Éthiopie.** Approbation fortement contestée par l'opposition de la nouvelle Constitution fédérale divisant le pays en neuf provinces ethniques susceptibles de demander l'indépendance et garantissant dans tous les cas le pouvoir du régime en place.

8 décembre. **Namibie.** La SWAPO remporte à nouveau les élections législatives, dans une consultation marquée par une forte ethnicisation du vote et la confirmation de Sam Nujoma à la Présidence.

26 décembre. **Algérie-France.** Le détournement d'un avion d'Air France mené par des islamistes algériens est arrêté par un groupe d'intervention de la gendarmerie française, qui abat les preneurs d'otage.

26 décembre. **Djibouti.** La signature d'un accord de paix et de coopération au pouvoir entre le gouvernement et une fraction du Front pour la restauration de l'unité et de la démocratie (FRUD) ne convainc pas une partie importante de l'opposition au régime.

28 décembre. **Libéria.** Signature par les sept factions en lutte d'un accord de cessez-le-feu et de normalisation à terme.

28 décembre. **République centrafricaine.** Approbation d'une nouvelle Constitution par référendum, avec un taux d'abstention de 55 %.

— 1995 —

Janvier-février. **Ouganda.** Les tensions croissantes à la frontière avec le Soudan — au régime militaro-islamiste — se traduisent, le 23 avril, par la rupture des relations diplomatiques entre les deux pays.

12 janvier. **Niger.** L'opposition remporte les élections législatives, ce qui entraîne la démission du Premier ministre Soulay Abdoulaye et une délicate cohabitation avec le président Mahamane Ousmane.

13 janvier. **Algérie.** Signature à Rome, à l'issue d'une conférence tenue par les principaux partis d'opposition dont le FIS, le FLN et le FFS, sous l'égide de la communauté Sant' Egidio, d'un programme pour une solution pacifique à la crise algérienne. Rejet total de ce document par le gouvernement [*voir article p. 315*].

8 février. **Angola.** Le Conseil de sécurité des Nations unies vote l'envoi d'une force de maintien de la paix de 7 000 hommes.

2-3 mars. **Somalie.** Les derniers contingents de «casques bleus» de l'Onusom quittent le pays, en situation de complet échec politique. Ils étaient intervenus à la suite de *marines* américains débarqués fin 1992 (opération *Restore Hope*).

28 mars. **Bénin.** L'opposition remporte les élections législatives, l'éclatement politique imposant la constitution d'alliances de gouvernement.

Fin mars. **Burundi.** Des Tutsi en armes massacrent 400 personnes.

Avril. **Zaïre.** Début d'une épidémie de fièvre Ebola dans la région de Kikwit.

8-9 avril. **Zimbabwé.** Victoire, pour la quatrième fois consécutive, de la ZANU-PF aux législatives (118 des 120 sièges à pourvoir).

12 avril. **Tunisie.** Signature avec l'Union européenne d'un accord d'association supposant la création à moyen terme d'une zone de libre-échange entre les deux partenaires.

28 avril. **Princípe.** A la suite des élections de mars, le statut d'autonomie de l'île entre en vigueur.

Mai. **Malawi.** Adoption par le Parlement d'une nouvelle Constitution, démocratique, mettant fin à trente ans de pouvoir personnel de Kamuzu Banda.

7 mai. **Éthiopie.** Les élections législatives organisées par le pouvoir, concernant le Parlement fédéral et sept des sept parlements régionaux, sont à nouveau boycottées par les principales forces d'opposition, ce qui débouche sur une victoire écrasante du FDRPE.

Dominique Darbon

Maghreb

Algérie, Libye, Maroc, Mauritanie, Tunisie
(L'Algérie est traitée p. 315.)

Libye

Le 15 avril 1995, la Libye est entrée dans sa quatrième année de vie sous embargo. Accusé par les États-Unis, le Royaume-Uni et la France d'être impliqué dans les attentats de Lockerbie (décembre 1988) et du Ténéré (septembre 1989) qui ont fait exploser deux avions de ligne en vol, le régime de Tripoli s'est vu imposer par le Conseil de sécurité de l'ONU une série de sanctions que son refus de coopérer avec les justices de ces trois États a prorogées d'année en année.

▼

Jamahirya arabe libyenne populaire et socialiste

Nature du régime : militaire.
Chef de l'État : colonel Mouammar Kadhafi (depuis 1.9.69).
Monnaie : dinar libyen (1 dinar = 14 FF ou 30.4.95).
Langue : arabe.
Contestation territoriale : un arrêt de la Cour internationale de justice de La Haye, rendu le 3.2.94, a attribué définitivement au Tchad la bande d'Aozou, occupée par la Libye depuis vingt ans.

Beaucoup moins drastique que celui qui a été décrété à l'encontre de l'Irak, l'embargo vis-à-vis de la Libye ne touche pas le cœur de l'économie, à savoir les exportations pétrolières qui lui ont rapporté huit milliards de dollars en 1994. Cette manne, certes divisée par trois par rapport à dix ans plus tôt, a ainsi permis à Tripoli de contourner certains effets de l'embargo et de continuer à subventionner la consommation des denrées de base. Mais les conséquences des sanctions sur la vie quotidienne des Libyens n'en sont pas moins demeurées significatives : inflation continue, marché noir, dégradation des services de santé et d'éducation et, surtout, apparition d'une société à deux vitesses dominée par la *nomenklatura* tripolitaine.

L'embargo a également privé le pays d'accès à la technologie moderne et bloqué le plan de développement triennal 1992-1995, faisant perdre plus de 180 000 emplois. En première ligne, les quelque deux millions de travailleurs immigrés (Égyptiens et Soudanais en majorité, mais aussi Tunisiens, Tchadiens et Maliens) que compte le pays apparaissaient, au printemps 1995, directement menacés par les déclarations de plus en plus xénophobes des autorités.

Isolé et inquiet, même s'il ne semblait guère menacé de l'intérieur, le colonel Mouammar Kadhafi s'est montré soucieux de faire comprendre à ses voisins arabes — qui, tout en condamnant officiellement l'embargo, l'appliquent, voire en profitent économiquement — qu'ils ne pourraient indéfiniment jouer sans risques ce « double jeu ». Prenant le relais du président égyptien Hosni Moubarak, le roi du Maroc Hassan II avait pourtant, lors de sa visite officielle aux États-Unis en mars 1995, tenté de fléchir Washington. L'embargo n'en a pas moins été reconduit en l'état pour six mois et la CIA continuait d'apporter un discret appui aux opposants du Front national pour le salut de la Libye de Mohamed Magarieff, de sensibilité islamiste.

Comme au billard, Kadhafi manifestait donc, à la mi-1995, l'intention de frapper la boule arabe, pour faire bouger la boule américaine, *via* l'expulsion d'étrangers et le viol de l'embargo aérien en convoyant direc-

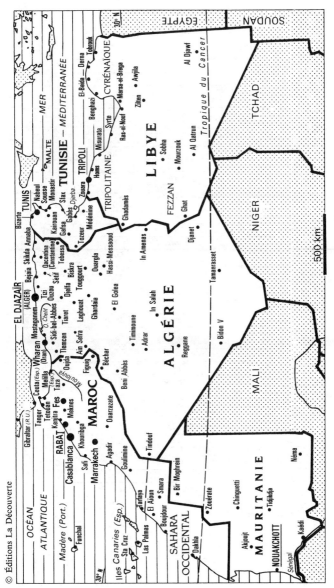

© Éditions La Découverte

363
•

500 km

Maghreb

	INDICATEUR	UNITÉ	ALGÉRIE	LIBYE
	Capitale		Alger	Tripoli
	Superficie	km²	2 381 741	1 759 540
	Développement humain (IDH) [b]		0,553	0,703
DÉMOGRAPHIE	Population (*) [e]	million	27,94	5,41
	Densité [e]	hab./km²	11,7	3,1
	Croissance annuelle [f]	%	2,3	3,5
	Indice de fécondité (ISF) [f]		3,8	6,4
	Mortalité infantile [f]	‰	55	68
	Espérance de vie [f]	année	67	63
	Population urbaine	%	55	85,4
CULTURE	Analphabétisme [e]	%	38,4	23,8
	Scolarisation 12-17 ans	%	59,3 [d]	79,1 [c]
	Scolarisation 3e degré	%	11,8 [c]	18,0 [c]
	Téléviseurs [b]	‰ hab.	76	100
	Livres publiés	titre	506 [c]	121 [i]
	Nombre de médecins	‰ hab.	0,94 [d]	1,04 [d]
ARMÉE	Armée de terre	millier d'h.	105	40
	Marine	millier d'h.	6,7	8
	Aviation	millier d'h.	10	22
ÉCONOMIE	PIB	milliard $	44,3 [a]	29,24 [b]
	Croissance annuelle 1985-93	%	0,3	0,5
	1994	%	− 0,2	− 3,0
	Par habitant [g]	$	4 390 [a]	7 000 [c]
	Dette extérieure totale	milliard $	27,5	5,4 [j]
	Service de la dette/Export.	%	39,3	..
	Taux d'inflation	%	35,0	30,0
	Dépenses de l'État Éducation	% PIB	5,7 [b]	9,6 [h]
	Défense	% PIB	2,7 [a]	6,3 [c]
	Énergie [b] Consommation par habitant	kg	1 594	3 458
	Taux de couverture	%	375,7	649,7
COMMERCE	Importations	million $	10 835	6 908
	Exportations	million $	10 950	7 340
	Principaux fournis. [a]	%	UE 65,7	PCD 75,3
		%	Fra 29,1	Ita 23,2
		%	E-U 12,4	PVD 24,0
	Principaux clients [a]	%	UE 67,7	Ita 37,7
		%	Fra 12,5	RFA 17,9
		%	E-U 12,4	PVD 15,0

tement par avion des pèlerins libyens pour le pèlerinage à La Mecque.

François Soudan

	MAROC	MAURI-TANIE	TUNISIE
	Rabat	Nouakchott	Tunis
	450 000	1 030 700	163 610
	0,549	0,254	0,690
	27,03	2,27	8,90
	60,1	2,2	54,4
	2,1	2,5	1,9
	3,8	5,4	3,1
	68	101	43
	63	51	68
	47,9	52,5	56,8
	56,3	62,3	33,3
	38,2 [c]	28,1 [c]	65,8 [c]
	10,2 [d]	3,3 [c]	10,7 [b]
	74	23	80
	..	..	1 165 [b]
	0,21 [d]	0,06 [d]	0,54 [c]
	175	15	27
	7	0,5	5
	13,5	0,15	3,5
	27,64 [a]	1,09 [a]	15,33
	3,3	2,6	4,4
	11,0	4,2	4,4
	3 270 [a]	1 590 [a]	5 070 [a]
	21,9	2,28	9,4
	30,7 [a]	26,6	19,8
	5,7	5,3	5,3
	5,8 [b]	..	5,9 [b]
	3,4	3,6	3,5
	405	621	733
	6,5	—	124,2
	7 169	406	6 581
	3 967	394	4 657
	PCD 71,6	PCD 71,2	PCD 84,9
	Fra 25,5	Fra 26,8	Fra 26,3
	PVD 28,2	PVD 24,7	Ita 17,8
	PCD 82,5	UE 59,5	PCD 81,9
	Fra 34,7	Jap 25,2	Fra 28,5
	PVD 16,7	PVD 12,9	RFA 16,4

Chiffres 1994, sauf notes : a. 1993; b. 1992; c. 1991; d. 1990; e. 1995; f. 1990-95; g. A parité de pouvoir d'achat (voir p. 673); h. 1986; i. 1988; j. 1989. (*) Dernier recensement utilisable : Algérie, 1987; Libye, 1984; Maroc, 1982; Mauritanie, 1988; Tunisie, 1984.

Maroc

Modèle de stabilité politique et de réussite économique, par contraste notamment avec l'Algérie, le Maroc n'est pas parvenu en 1994-1995 à tirer pleinement profit de sa situation exceptionnelle dans un Maghreb tourmenté. Sur le plan extérieur, le contrat d'association avec l'Union européenne n'a toujours pas été signé et, au Sahara occidental, le référendum d'autodétermination devant statuer sur la « marocanité » de l'ancienne colonie espagnole ne semblait pas près d'avoir lieu. Sur le plan intérieur, une décennie d'« ajustement structurel » ayant produit des résultats inégalés dans le continent africain n'a pas encore débouché sur une croissance susceptible d'absorber les 250 000 nouveaux demandeurs d'emplois arrivant sur le marché du travail chaque année. Il en résulte un malaise social, aggravé sur le plan politique par l'échec de l'« alternance » : la formation d'un gouvernement issu de l'opposition, le premier depuis trente ans, aurait dû couronner le processus de démocratisation engagé en 1991 par le roi Hassan II.

Ayant jugé, le 11 janvier 1995, que les conditions posées par l'opposition à l'acceptation de son « offre royale » d'entrer au gouvernement — une révision constitutionnelle, de nouvelles élections et le départ du ministre de l'Intérieur, Driss Basri — risquaient de « nuire gravement au bon fonctionnement des institutions sacrées du pays », Hassan II a dû se résigner à la formation d'un gouvernement composé des « partis du palais », conduit par Abdellatif Filali. La formation, le 27 février, de ce cabinet a été marquée, outre le maintien de technocrates, par le départ du ministre — juif — du Tourisme, Serge Berdugo, et, surtout, par celui du ministre des Droits de l'homme, Omar Azziman, remplacé par Me Mohamed Ziane. Cette nomination a été controversée car ce dernier avait été l'avocat du gouvernement dans des affaires politiquement sensibles, comme celles concernant l'ex-prisonnier politique, Abraham Serfaty, les frères Bourequat, séquestrés pendant dix-huit ans dans le bagne de Tazmamart, ou encore le dirigeant syndical Noubir Amaoui.

L'ÉTAT DU MONDE 1996

366
•

▼

Royaume du Maroc

Nature du régime : monarchie constitutionnelle.
Chef de l'État : Hassan II (roi depuis le 10.2.61), également « commandeur des croyants ».
Chef du gouvernement : Abdellatif Filali, qui a succédé à Mohamed Karim Lamrani le 25.5.94 et a été reconduit le 11.1.95.
Monnaie : dirham (au taux officiel, 1 dirham = 0,59 FF au 30.4.95).
Langues : arabe (off.) et berbère (trois dialectes différents), le français restant de pratique courante.
Territoire revendiqué : Sahara occidental.

Après la « grâce royale », aux allures d'amnistie générale, de juillet 1994, et, en juin 1995, le retour après vingt-neuf ans d'exil de l'opposant Mohamed « Fqih » Basri, nul ne contestait les avancées réalisées en matière de droits de l'homme. Cependant, le « mauvais signal » qu'a été, selon l'opposition, la nomination de M. Ziane a fait douter du règlement des derniers « dossiers » : les Sahraouis indépendantistes « disparus », l'indemnisation des rescapés du bagne de Tazmamart où furent enfermés nombre de prisonniers politiques, la délivrance de passeports à la « famille Oufkir » — l'épouse et les six enfants du général félon, martyrisés dix-huit ans durant. L'interdiction de se produire en public de l'humoriste Ahmed Sanoussi, dit « Bziz » (le grillon), et l'envoi, pour siéger au Comité contre la torture des Nations unies, en novembre 1994, du directeur de la Sûreté nationale, Youssfi Kaddour, acccusé de graves sévices depuis les années soixante-dix, ont également entaché la respectabilité du régime. L'expéditif « procès de Fès » — condamnant à mort trois jeunes, issus de l'immigration de la région parisienne pour leur participation à l'attaque meurtrière d'un hôtel à Marrakech, le 24 août 1994 — n'aura pas été pour le rétablir. Cependant, cette affaire, ayant également entraîné la fermeture de la frontière avec l'Algérie dont la sécurité militaire a été mise en cause par Rabat, a révélé les ramifications d'un réseau islamiste armé en France.

Le danger islamiste, réel dans les universités marocaines, n'apparaissait pas toutefois comme la principale menace pour la stabilité du régime. Dans un pays désormais composé de citadins à 50 % et de jeunes de moins de trente ans à 70 %, le spectaculaire rétablissement des grands équilibres de l'économie ne pouvait suffire à satisfaire des attentes sociales que le budget 1995 n'a pu que frustrer. En diminution de près d'un milliard de francs par rapport à l'année précédente, ses dépenses auront été consacrées à hauteur de 30 % au service de la dette, les investissements publics ne pesant plus que pour 20 %, enfin l'embauche de fonctionnaires — 25 000 en 1994 — a été réduite de moitié. Dans ce contexte de course de vitesse entre grogne sociale, subversion islamiste et aspiration à la modernité, l'ancrage à l'Europe — toujours pas institutionnalisé — est apparu revêtir une importance stratégique pour le Maroc : 54 % de ses importations et 64 % de ses exportations se sont faites avec le Vieux Continent en 1994.

Stephen Smith

Mauritanie

Deux ans après les émeutes qui, fin 1992, avaient suivi la dévaluation de l'ouguiya, la Mauritanie a connu, en janvier 1995, la répétition d'un scénario devenu classique. L'imposition de la TVA (taxe à la valeur ajoutée) sur quelques produits de première nécessité, jointe au manque de civisme de certains commerçants qui ont répercuté, en la multipliant par cinq, la hausse du prix de la farine, a une nouvelle fois déclenché des troubles à Nouakchott et dans plusieurs villes de l'intérieur. Pillages de boutiques et incendies de véhicules ont conduit le pouvoir à imposer l'état d'urgence au cours de la dernière semaine de janvier.

▼

République islamique de Mauritanie

Nature du régime : officiellement civil depuis la dissolution du Comité militaire de salut national (CMSN) et l'organisation d'élections présidentielles (janv. 92).

Chef de l'État : colonel Maaouya Ould Sid'Ahmed Taya (depuis le 12.12.84).

Chef du gouvernement : Sidi Mohamed Ould Boubacar (depuis le 17.4.92).

Monnaie : ouguiya (100 ouguiyas = 3,9 FF au 30.4.95).

Langues : arabe, français (off.), hassaniya, pular, soninké, ouolof.

L'opposition légale, qui avait tenté de structurer et d'exploiter un mécontentement populaire à l'origine spontané, a fait les frais des réflexes répressifs du régime du colonel Maaouya Ould Taya : ses deux principaux leaders, Ahmed Ould Daddah (Union des forces démocratiques) et Hamdi Ould Moukness (Union pour la démocratie et le progrès), ont été arrêtés avec une dizaine des leurs et placés pour quelques semaines en résidence surveillée à l'intérieur du pays.

Ces incidents ont provoqué la réapparition médiatique, après dix-sept années de silence, de l'ancien président Mokhtar Ould Daddah, renversé en juillet 1978. Depuis son exil de Nice, en France, « Si Mokhtar » a lancé, le 25 janvier 1995, un appel à l'unité nationale très critique à l'encontre du pouvoir. Le « père de l'indépendance » mauritanienne (1960) n'a cessé par la suite d'alimenter les rumeurs à Nouakchott. A 76 ans, le demi-frère d'Ahmed Ould Daddah semblait, en fait, chercher avant tout à ressouder les rangs d'une opposition divisée et qui a perdu l'essentiel de sa composante négro-mauritanienne et *harratin* (descendants d'esclaves affranchis).

Son âge, sa longue absence du pays et les résultats économiques encourageants du pays, félicité par le FMI pour son taux de croissance du PIB réel (4,2 % en 1994) et la modestie de son inflation (moins de 4 %), lui laissaient une marge de manœuvre limitée. Quant aux Négro-Mauritaniens, quelques milliers d'entre eux, sur les 200 000 expulsés d'avril 1989, sont rentrés du Sénégal où ils s'étaient réfugiés, après qu'eurent lieu de sanglants affrontements intercommunautaires, d'abord dans la région du fleuve Sénégal, puis à Nouakchott. [*Voir édition 1991, p. 485.*]

François Soudan

Tunisie

Le remaniement ministériel du 24 janvier 1995 a fait croire aux optimistes que l'année commençait sous le signe d'une libéralisation de la vie politique, avec le départ du ministre de l'Intérieur Abdallah Kallal, qui avait mené d'une main de fer la répression anti-islamiste et s'était distingué par sa volonté de mettre au pas la Ligue tunisienne des droits de l'homme (LTDH). D'autant que ce départ a été suivi de quelques mesures d'apaisement comme la restitution de leurs passeports à des opposants et l'autorisation d'être à nouveau diffusés pour deux quotidiens français, *Le Monde* et *Libération*, interdits depuis mars 1994.

BIBLIOGRAPHIE

Annuaire de l'Afrique du Nord, IREMAM/CNRS-Éditions, Aix-en-Provence, Paris.

AMNESTY INTERNATIONAL, *Tunisie. Du discours à la réalité*, EFAI, Paris, 1993.

P. BALTA, *Le Grand Maghreb. Des indépendances à l'an 2000*, La Découverte, Paris, 1990.

P. BALTA (sous la dir. de), *La Méditerranée réinventée. Réalités et espoirs de la coopération*, La Découverte/Fondation René-Seydoux, Paris, 1992.

M. BENNANI-CHRAÏBI, *Soumis et rebelles. Les jeunes au Maroc*, CNRS-Éditions, Paris, 1994.

G. BROOK, *Les Femmes dans l'islam. Un monde caché*, Belfond, Paris, 1995.

M. CAMAU (sous la dir. de), *Changements politiques au Maghreb*, Éd. du CNRS, Paris, 1991.

J.-F. CLEMENT (sous la dir. de), *Maroc. Les signes de l'invisible*, Autrement, Paris, 1990.

C. DAURE-SERFATY, *La Mauritanie*, L'Harmattan, Paris, 1993.

C. DAURE-SERFATY, *Rencontres avec le Maroc*, La Découverte, Paris, 1993.

A. KRICHEN, *Le Syndrome Bourguiba*, Cérès-Productions, Tunis, 1992.

C. et Y. LACOSTE (sous la dir. de), *L'état du Maghreb*, La Découverte, coll. « L'état du monde », Paris, 1991. Éd. tunisienne : Cérès-Productions, Tunis, 1991 ; éd. marocaine : Éditions du Fennec, Casablanca, 1991.

C. et Y. LACOSTE (sous la dir. de), *Maghreb. Peuples et civilisations*, La Découverte, « Les Dossiers de L'état du monde », Paris, 1995.

R. LEVEAU, *Le Sabre et le Turban. L'avenir du Maghreb*, François Bourin, Paris, 1993.

Maghreb-Machrek (trimestriel), La Documentation française.

A. MANAÏ, *Supplice tunisien. Le jardin secret du général Ben Ali*, La Découverte, Paris, 1995.

P. MARCHESIN, *Tribus, ethnies et pouvoir en Mauritanie*, Karthala, Paris, 1992.

REMMM (*Revue du monde musulman et de la Méditerranée*, semestrielle), Édisud, Aix-en-Provence (voir notamment n° 54, sur la Mauritanie, n° 57, sur les Touaregs, et n° 65, sur l'Algérie).

H. SETHOM, *Pouvoir urbain et paysannerie en Tunisie*, Cérès-Productions, Tunis, 1992.

C. SILBEZAHN, *Au cœur du secret*, Fayard, Paris, 1995.

F. SOUDAN, *Le Marabout et le Colonel : la Mauritanie de Ould Daddah à Ould Taya*, Jeune Afrique Livres, Paris, 1992.

Voir aussi la bibliographie « Algérie » dans la section « 34 États ».

Le remplacement d'A. Kallal par Mohamed Jegham — un proche du chef de l'État, Zine el-Abidine Ben Ali — n'a toutefois guère contribué à faire changer la ligne que s'est fixée le régime tunisien depuis plusieurs années : maintenir la stabilité du pays, quitte à multiplier les restrictions aux libertés. La presse est donc demeurée sous contrôle, plusieurs dirigeants de l'opposition illégale non islamiste restent sous les verrous et une modification du Code pénal a élargi les possibilités de poursuites judiciaires pour délit d'opinion.

Il est vrai que le président Ben Ali a pu invoquer la menace pesant sur la Tunisie du fait du chaos algérien pour faire accepter sa politique sécuritaire. En février 1995, l'incident frontalier au cours duquel plusieurs gendarmes tunisiens ont été assassinés par un commando venu d'Algérie n'a fait que renforcer l'adhésion au régime d'une large partie de l'opinion, avant tout attachée à sa tranquillité.

▼

République tunisienne

Nature du régime : à pouvoir présidentiel fort.
Chef de l'État : Zine el-Abidine Ben Ali (depuis le 7.11.87).
Premier ministre : Hamed Karoui (depuis le 27.9.89).
Monnaie : dinar (1 dinar = 5,34 FF au 30.4.95).
Langue : arabe (off.).

La poursuite de la croissance, malgré une année médiocre pour l'agriculture, a également permis au pouvoir de renforcer son image sociale. Avec un taux de croissance annuel moyen de 5,5 % depuis 1990, une inflation ne dépassant pas 5 % par an, un déficit budgétaire réduit à 1,5 % du PIB selon les prévisions du budget 1995, une dette ne dépassant pas la moitié du PIB, un service de la dette ramené à 18 % de la valeur des exportations de biens et services, et 60 000 créations d'emplois en 1994, la Tunisie a continué de recevoir les félicitations de ses partenaires. D'autant qu'elle a franchi un nouveau cap dans la libéralisation de son économie avec la signature, le 12 avril 1995, d'un accord de libre-échange avec l'Union européenne. Si ses exportations ont augmenté à un rythme plus lent que celui prévu par le huitième plan, l'accroissement des recettes tirées des hydrocarbures lui a permis, en 1995, de ne pas creuser davantage son déficit commercial.

La Tunisie a, par ailleurs, tenté, avec un certain succès, d'améliorer son image, ternie par l'autoritarisme du régime et les résultats aux allures de plébiscite de l'élection présidentielle du 20 mars 1994. Elle a accueilli, en juin 1994, pour la première fois de son histoire, un « sommet » de l'Organisation de l'unité africaine (OUA), ce qui a fait du chef d'État tunisien le président en exercice de cette organisation durant un an. Voyant dans la Tunisie un havre de stabilité à l'est d'une Algérie plongée dans la guerre civile, l'Union européenne semble ne rien vouloir faire qui risque de fragiliser l'un des régimes les plus modernistes du monde arabe. Le déroulement en France, en 1995, d'une « saison tunisienne » destinée à faire connaître son patrimoine culturel a fait partie de cette entreprise de séduction.

Les résultats des élections municipales du 21 mai 1995, remportées à une écrasante majorité par le RCD (Rassemblement constitutionnel démocratique, au pouvoir) — 6 membres de l'opposition élus sur plus de 4 000 sièges à pourvoir —, ont toutefois montré que, plus que jamais, le régime tunisien était soucieux de concilier l'ouverture économique et la fermeture politique.

Sophie Bessis

Afrique sahélienne

Burkina Faso, Mali, Niger, Tchad

Burkina Faso

Les élections municipales du 12 février 1995 ont achevé le cycle des consultations électorales définies par les institutions de la IVe République dont l'avènement, en 1991, a mis fin à douze ans de régime d'exception. Ces scrutins locaux, concernant moins de 600 000 électeurs inscrits, ont donné la majorité absolue dans 26 communes sur 33 à l'Organisation pour la démocratie populaire - Mouvement du travail (ODP-MT), dirigée par le président de l'Assemblée des députés du peuple Arsène Bongnessan Yé. Le Parti pour la démocratie et le progrès (PDP) du professeur Joseph Ki-Zerbo, membre de l'Internationale socialiste, a confirmé sa place de première force d'opposition (11 % des conseils municipaux), à bonne distance cependant de la toute-puissante ODP-MT. Cette dernière a toutefois été agitée par quelques dissensions lors du choix des maires.

▼

République du Burkina Faso

Nature du régime : présidentiel.
Chef de l'État : Blaise Compaoré (depuis le 15.10.87).
Chef du gouvernement : Marc Christian Roch Kaboré, qui a succédé à Youssouf Ouédraogo (démissionnaire) le 22.3.94.
Monnaie : franc CFA (1 FCFA = 0,01 FF).
Langues : français (off.), moré, dioula, gourmantché, foulfouldé.

Le président Blaise Compaoré a continué de jouer un rôle diplomatique actif dans la sous-région. Il a accueilli, de septembre 1994 à avril 1995, les négociations, couronnées de succès, entre le gouvernement et les mouvements touarègues du Niger.

De leur côté, les Touarègues du Mali n'ont cessé d'affluer, à partir de juin 1994 : dans la région de Dori, ils étaient, au printemps 1995, quelque 50 000 à bénéficier d'une aide internationale modeste. Les autorités ghanéennes et nigérianes ont régulièrement consulté le président burkinabé dans le cadre de la recherche d'une solution à la crise du Libéria ; B. Compaoré ayant, en effet, longtemps armé l'une des trois principales forces belligérantes, le Front national patriotique du Libéria de Charles Taylor.

Reçu à l'Académie des sciences d'outre-mer, intervenu à l'UNESCO en février 1995, remarqué au « sommet » de Copenhague contre la pauvreté en mars, B. Compaoré, en recevant en 1996 le prochain « sommet » franco-africain, comptait bien faire oublier les tragiques soubresauts de la « révolution démocratique et populaire » qu'il avait initiée en 1983 avec son prédécesseur, Thomas Sankara, assassiné quatre ans plus tard. De plus en plus présent dans son palais présidentiel de Ziniaré, son village d'origine au cœur du plateau mossi, il a restauré l'autorité de la chefferie de son ethnie d'origine, majoritaire dans le pays.

Converti au libéralisme et devenu bon élève du FMI, après avoir été le champion de l'économie étatisée, le Burkina Faso a apuré certains arriérés de sa dette et mieux recouvert les recettes publiques. En 1994-1995, le climat économique a toutefois été morose, marqué par l'aggravation du déficit commercial (206 milliards de francs CFA, contre 192 milliards en 1993) et l'absence de relance après la dévaluation du franc CFA, le 12 janvier 1994. Malgré une inflation maîtrisée à 29,3 % en 1994 et un essor des exportations (coton, bétail, or), la deuxième vague de privatisations, dénoncée par l'opposition parlementaire, et le coût social de la dévalua-

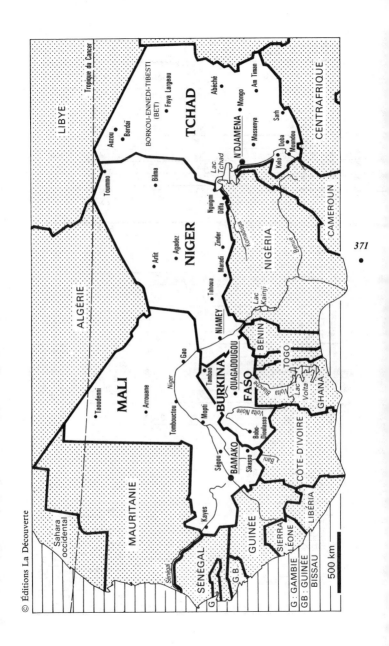

371

Afrique sahélienne

	INDICATEUR	BURKINA FASO	MALI	NIGER	TCHAD
	Capitale	Ouagadougou	Bamako	Niamey	N'Djamena
	Superficie *(km²)*	274 200	1 240 000	1 267 000	1 284 000
	Développement humain (IDH) [b]	0,203	0,214	0,209	0,212
DÉMOGRAPHIE	Population (*) [g] *(million)*	10,32	10,80	9,15	6,36
	Densité [g] *(hab./km²)*	37,6	8,7	7,2	5,0
	Croissance annuelle [i] *(%)*	2,8	3,2	3,4	2,7
	Indice de fécondité (ISF) [i]	6,5	7,1	7,4	5,9
	Mortalité infantile [i] *(‰)*	130	159	124	122
	Espérance de vie [i] *(année)*	47	46	47	47
	Population urbaine *(%)*	25,2	26,3	16,6	21,2
CULTURE	Analphabétisme [g] *(%)*	80,8	69,0	86,4	51,9
	Scolarisation 12-17 ans *(%)*	17,2 [c]	12,8 [c]	13,2 [d]	26,4 [c]
	Scolarisation 3e degré *(%)*	0,7 [d]	0,8 [d]	0,7 [e]	0,8 [f]
	Téléviseurs [b] *(‰ hab.)*	5,3	1,1	4,6	1,3
	Livres publiés *(titre)*	4 [j]	6 [k]	5 [c]	..
	Nombre de médecins [d] *(‰ hab.)*	0,03	0,05	0,02	0,03
ARMÉE	Armée de terre *(millier d'h.)*	5,6	6,9	2,5	25
	Marine *(millier d'h.)*	—	0,05	—	—
	Aviation *(millier d'h.)*	0,2	0,4	0,1	0,35
ÉCONOMIE	PIB *(million $)* [a]	2 928	2 744	2 313	1 248
	Croissance annuelle 1985-93 *(%)*	2,8	– 1,6	1,0	3,0
	1994 *(%)*	1,2	2,5	4,0	4,1
	Par habitant *($)* [ha]	800	530	810	710
	Dette extérieure totale [a] *(million $)*	1 140 [a]	2 680	1 704 [a]	757 [a]
	Service de la dette/Export. *(%)* [a]	7,0	6,1	31,4	7,5
	Taux d'inflation *(%)*	29,3	32,0	44,7	41,3
	Dépenses de l'État Éducation *(% PIB)*	1,6 [b]	3,2 [i]	3,1 [c]	2,3 [c]
	Défense *(% PIB)*	4,0 [a]	1,9	1,4 [a]	5,9 [a]
	Énergie [b] Consommation par hab. *(kg)*	28	23	59	21
	Taux de couverture *(%)*	—	10,0	34,9	—
COMMERCE	Importations *(million $)*	707	476	268	201 [a]
	Exportations *(million $)*	276	345	238	132 [a]
	Principaux fournis. [a] *(%)*	PCD 41,9	PCD 33,3	PCD 43,7	PCD 66,2
	(%)	Fra 21,8	Zim 22,5	Fra 22,1	Fra 43,9
	(%)	PVD 56,9	Cdl 22,2	PVD 29,4	Cam 20,9
	Principaux clients [a] *(%)*	PCD 13,7	Bel 9,7	Fra 54,2	PCD 78,4
	(%)	Fra 4,8	Irl 9,7	Inde 14,6	RFA 17,6
	(%)	Pol 69,9	Bre 19,1	Chil 12,1	PVD 20,3

tion ont, en mai 1995, mis en éveil les syndicats, divisés mais actifs en milieu urbain.

Mali

Dans un contexte délicat né de la dévaluation du franc CFA, le 12 janvier 1994, le président Alpha Oumar Konaré et le gouvernement d'Ibrahima Boubacar Keita ont dû faire face, d'une part, à la dégradation de la situation politique au Nord, liée au retard de l'application du pacte national conclu avec les Touarègues en avril 1992, et, d'autre part, au malaise de l'armée et de la jeunesse scolarisée.

▼

République du Mali

Nature du régime : présidentiel.
Chef de l'État : Alpha Oumar Konaré (depuis le 26.4.92).
Chef du gouvernement : Ibrahima Boubacar Keïta, qui a succédé le 4.2.94 à Abdoulaye Sékou Sow (démissionnaire le 2.2.94), qui a remplacé Youmoussi Touré.
Monnaie : franc CFA (1 FCFA = 0,01 FF).
Langues : français (off.), bambara, senoufo, sarakolé, dogon, touareg, arabe.

Traduisant la volonté de dialogue du pouvoir, l'organisation, en août 1994, de concertations régionales sur les problèmes du pays a permis une première trêve sociale : entre octobre et décembre, écoles, lycées et Université ont été rouverts. La décentralisation, fixée à 1996, devrait achever la démocratisation engagée en 1992, malgré une paix sociale fragile.

Chiffres 1994, sauf notes : a. 1993; b. 1992; c. 1991; d. 1990; e. 1989; f. 1988; g. 1995; h. A parité de pouvoir d'achat (voir p. 673); i. 1987; j. 1985; k. 1978; l. 1990-95.
(*) Dernier recensement utilisable : Burkina Faso, 1985; Mali, 1987; Niger, 1988; Tchad, 1993.

Nommé, le 26 octobre 1994, ministre des Forces armées dans un gouvernement dominé par l'Alliance pour la démocratie au Mali (Adema, dirigée par I. Keita), Sada Sy avait opté pour une politique de fermeté, avant de mourir dans un accident en février 1995. Ainsi avait-il dissous, dès la fin de 1994, la Commission des sous-officiers et des hommes de troupe, à l'origine de grèves dans l'armée et la gendarmerie, et engagé, en novembre 1994, une offensive contre les bases du Front islamique armé de l'Azawad (FIAA) de Zahabi, en rupture avec les autres mouvements touarègues. Les autorités ont, par ailleurs, mis fin aux actions des milices du mouvement Ganda Koy (songhaï) contre les populations touarègues et maures, dans le nord du pays. En 1994, les affrontements dans le Nord ont fait des centaines de morts ; la situation est donc restée précaire. L'Assemblée nationale a adopté en février 1995 un Code de justice militaire et défini une nouvelle organisation de l'armée.

En maintenant l'inflation peu au-dessous de 30 % en 1994 et en réduisant les déficits des finances publiques (de plus d'un tiers pour le budget 1995), le Mali a bien absorbé le choc de la dévaluation. L'aggravation des conditions de vie a cependant encouragé la population des villes en particulier à rejoindre les nostalgiques de l'ancien parti unique, regroupés depuis janvier 1995 dans le Mouvement patriotique pour le renouveau.

Un excédent céréalier de 400 000 tonnes en 1994-1995 lié à une bonne pluviométrie, une récolte de coton exceptionnelle et la bonne tenue des cours, enfin l'essor des exportations de bétail ont amélioré les conditions de vie des ruraux (80 % de la population). Les entreprises agropastorales de transformation ont redémarré.

Niger

Critiquant l'absence de rigueur du président Mahamane Ousmane dans la gestion du pays, le Parti nigérien pour la démocratie et le socialisme

BIBLIOGRAPHIE

AMNESTY INTERNATIONAL, *Tchad. Le cauchemar continue*, EFAI, Paris, 1993.

J.-P. AZAM, C. BONJEAN, G. CHAMBAS, J. MATHONNAT, *Le Niger, la pauvreté en période d'ajustement*, L'Harmattan, Paris, 1993.

D. C. BACH, A. KIRK-GREENE (sous la dir. de), *États et sociétés en Afrique francophone*, Économica, Paris, 1993.

E. BERNUS, P. BOILLY, J. CLAUZEL, J.-L. TRIAUD (sous la dir. de), *Nomades et commandants. Administration et société dans l'ancienne AOF*, Karthala, Paris, 1993.

C. COQUERY-VIDROVITCH (sour la dir. de), *L'Afrique occidentale au temps des Français*, La Découverte, Paris, 1992.

M. DAYAK, *Touareg. La tragédie d'un peuple*, Lattès, Paris, 1992.

«Le Mali, la transition», *Politique africaine*, n° 47, Paris, oct. 1992.

«Le Niger : chronique d'un État», *Politique africaine*, n° 38, Karthala, Paris, juin 1990.

A.-M.-G. LOADA, «Burkina Faso, les rentes de la légitimation démocratique», *in* CEAN, *L'Afrique politique* 1995, Karthala, Paris, 1995.

A. SALIFOU, *La Question touarègue*, Karthala, Paris, 1993.

«Spécial Burkina Faso», *Marchés tropicaux et méditerranéens*, n° 2568, Paris, janv. 1995.

«Spécial Mali», *Marchés tropicaux et méditerranéens*, n° 2573, Paris, mars 1995.

(PNDS-Tarraya) de Mahamadou Issoufou, Premier ministre démissionnaire, s'est retiré, le 28 septembre 1994, de l'Alliance des forces pour le changement, laquelle avait écarté du pouvoir, en 1993, le Mouvement nigérien pour la société de développement (MNSD), ancien parti unique.

▼

République du Niger

Nature du régime : présidentiel.

Chef de l'État : Mahamane Ousmane, élu le 27.3.93, investi le 6.4.93, qui a remplacé le général Ali Saïbou le 27.3.93.

Chef du gouvernement : Hama Amadou, qui a succédé le 21.2.95 à Amadou Cissé, qui a remplacé, le 7.2.95, Abdoulaye Soulay, qui avait succédé le 28.9.94 à Mahamadou Issoufou (démissionnaire).

Monnaie : franc CFA (1 FCFA = 0,01 FF).

Langues : français (off.), haoussa, peul, zarma, kanuri, touareg.

Après le vote d'une motion de censure, le chef de l'État a choisi, le 17 octobre, de dissoudre l'Assemblée où il ne disposait plus d'une majorité, Abdoulaye Soulay, nommé le 28 septembre 1994, restant Premier ministre d'un gouvernement dominé par la Convention démocratique et sociale (CDS-Rahama, parti présidentiel), jusqu'aux législatives anticipées du 12 janvier 1995. Ce scrutin a donné la majorité (43 des 83 sièges) à la nouvelle alliance scellée entre les anciens adversaires que sont le MNSD et le PNDS, entraînant des remous au sein de ce dernier. M. Issoufou a été élu président de l'Assemblée le 8 février.

Contraint à la cohabitation, le chef de l'État a accepté, le 21 février, de nommer Premier ministre Hama Amadou, secrétaire général du MNSD et dignitaire des régimes militaires d'avant 1992, après avoir voulu imposer contre l'avis du MNSD, qui l'a alors exclu, Amadou Lissé, haut cadre de la Banque mondiale.

Après de longues négociations tenues à Ouagadougou et soutenues par le Burkina Faso, la France et l'Algérie, le gouvernement nigérien a signé à Niamey, le 24 avril 1995, un accord de paix avec l'Organisation de la résistance armée (ORA, regroupant les différents mouvements touarègues), qui a mis un terme à un conflit meurtrier engagé en 1990 contre le pouvoir central. Les Touarègues ont par ailleurs conquis 5 sièges au Parlement *via* deux partis de la mouvance présidentielle.

Le front social a connu une accalmie avec la conclusion, en mars 1995, d'un accord, entre le gouvernement et la très active Union des syndicats des travailleurs du Niger (USTN) défendant les intérêts des 39 000 fonctionnaires subissant un retard de cinq mois dans le versement de leurs traitements. Cette trêve était importante au moment où Niamey cherchait à conclure un nouvel accord avec le FMI. La dévaluation du franc CFA, le 12 janvier 1994, a mis à mal les systèmes d'éducation et de santé — la méningite a fait des milliers de victimes dans le pays en 1994-1995. Elle a entraîné une inflation de 44,7 % en 1994, mais a aussi relancé les exportations (uranium, bétail), malgré les réajustements monétaires et la contrebande persistante au Nigéria voisin.

Tchad

La période de transition engagée au Tchad en avril 1993, à l'issue de la Conférence nationale, a été prolongée d'un an pour la deuxième fois, en avril 1995, par le Conseil supérieur de la transition (CST), confirmant les difficultés du processus de démocratisation. Le contrôle par des pratiques de corruption du Parlement provisoire — le CST — a permis au président Idriss Déby, promu général d'une armée pléthorique, d'écarter de la direction du CST, en octobre 1994, Lol Mahamat Choua que ses ambitions présidentielles avaient rendu très critique.

Le deuxième Premier ministre de la transition, Delwa Kassiré Kouma-

koye, aspirant aux responsabilités suprêmes, a été contraint de renoncer à ses fonctions en avril 1995, le CST ayant voté un article qui interdit au Premier ministre d'être présidentiable. Il a été remplacé par Djimasta Koïbla, le 10 avril. Seules l'adoption par le CST d'un code électoral et d'un projet de Constitution et l'installation du Haut Conseil de la communication et de la Commission électorale nationale indépendante, après de laborieuses tractations avec les 52 partis légalisés, pouvaient figurer au bilan de deux ans de transition. La tenue du référendum constitutionnel a été fixée à novembre 1995, la présidentielle devant précéder les législatives début 1996.

▼

République du Tchad

Nature du régime : présidentiel.
Chef de l'État : colonel Idriss Déby (depuis le 4.12.90), président du Mouvement patriotique du salut (MPS).
Chef du gouvernement : Djimasta Koïbla, qui a succédé à Delwa Kassiré Koumakoye (démissionnaire) le 10.4.95.
Monnaie : franc CFA (1 FCFA = 0,01 FF).
Langues : français (off.), arabe (off.), sara, baguirmi, boulala, etc.
Contestation territoriale : un arrêt de la Cour internationale de justice de La Haye, rendu le 3.2.94, a attribué définitivement au Tchad la bande d'Aozou, occupée par la Libye depuis vingt ans.

Malgré quelques avancées, le Tchad est resté un État de non-droit, comme l'ont montré les exactions de l'omniprésente et mono-ethnique Garde républicaine du président, formée par des conseillers français. Les guérillas encore actives dans les régions du Lac, du Logone (sud) et du Ouaddaï (est) sont apparues comme une menace pour le processus électoral et l'économie du pays, notamment dans la zone de production du coton, première source d'exportation.

Longtemps indulgente, à la différence des autres bailleurs de fonds, la France a marqué, en décembre 1994, quelques réserves au vu des lenteurs de la transition et de l'échec cuisant de ses tentatives de restructuration de l'armée, des services du Trésor et des douanes.

Les désordres économiques et administratifs tolérés ou encouragés par des proches de la Présidence ont accentué le choc de la dévaluation du franc CFA (12 janvier 1994), alimen-

tant l'action de l'Union des syndicats du Tchad (UST). Mais ce mécontentement n'a pas été capitalisé par une opposition divisée et versatile, présente dans le gouvernement du 15 avril 1995.

Réconcilié avec la Libye depuis la restitution en mai 1994 de la bande d'Aozou, le Tchad entretient de bonnes relations avec le Soudan dont les réseaux islamistes ont trouvé quelques premiers relais dans sa capitale, à l'est mais aussi au sud du pays.

Guy Labertit

Afrique extrême-occidentale

Cap-Vert, Gambie, Guinée, Guinée-Bissau, Libéria, Sénégal, Sierra Léone

Cap-Vert

Premier pays d'Afrique où l'alternance est sortie du verdict des urnes, en 1991, le Cap-Vert a perdu de son exemplarité. Les luttes intestines qui minent le Mouvement pour la démocratie (MPD, au pouvoir depuis les élections législatives du 13 janvier 1991) ont en effet provoqué, en décembre 1994, un nouveau remaniement ministériel — le sixième en quatre ans. Une dissidence du MPD est même entrée en opposition, en fondant, en mai 1994, le Parti pour la convergence démocratique (PCD).

▼

République du Cap-Vert

Nature du régime : parlementaire.
Chef de l'État : Antonio Mascarenhas Montero (depuis le 17.2.91).
Chef du gouvernement : Carlos Veiga (depuis le 15.1.91).
Échéances institutionnelles : élections générales prévues pour 1996.
Monnaie : escudo cap-verdien (100 escudos = 6,6 FF au 30.1.95).
Langues : portugais (off.), créole.

La campagne électorale a bel et bien commencé, deux ans avant les élections générales prévues pour 1996, le Parti africain pour l'indépendance du Cap-Vert (PAICV, ex-parti unique) espérant bien, à cette occasion, revenir aux affaires. L'opposition a notamment critiqué l'ultra-libéralisme d'un gouvernement qui n'est pas parvenu à endiguer le chômage (25 % de la population active), à améliorer le système éducatif (28,4 % d'illettrés) et à attirer des capitaux étrangers. Très attendus pour le développement de la pêche, du tourisme et la reprise d'entreprises publiques privatisées, les rares investisseurs se limitent encore à la diaspora cap-verdienne (700 000 émigrés), deux fois plus nombreuse que la population résidant dans l'archipel.

Gambie

L'incertitude a continué à prévaloir après le putsch du 22 juillet 1994 qui a renversé Sir Dawda Jawara. A la tête du Conseil provisoire de gouvernement des forces armées (AFPRC), le capitaine Yayah Jammeh avait initialement promis de restaurer la démocratie et de remettre le pouvoir aux civils en 1998. Soumis à la pres-

Afrique extrême-occidentale

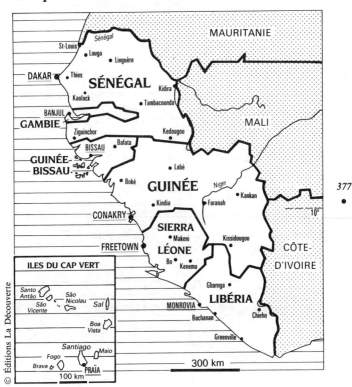

sion des bailleurs de fonds, l'AFPRC a finalement annoncé, le 3 février 1995, que des élections pluralistes seraient organisées avant le mois de juillet 1996. L'asphyxie financière menaçant le pays n'a guère laissé de marge de manœuvre aux militaires. L'aide extérieure, dont les flux se sont taris en 1995, équivalait au quart du revenu national en 1993. L'activité touristique, qui emploie 22 % de la population active, a tourné au ralenti. En novembre 1994, le Royaume-Uni et la Suède ont en effet recommandé à leurs ressortissants de ne plus se rendre en Gam-

---

▼
République de Gambie

Nature du régime : militaire. Transition engagée, censée aboutir à la mise en place, en 1996, d'un régime démocratique civil.

Chef de l'État : Yayah Jammeh, qui a remplacé Sir Dawda Jawara (renversé le 23.7.94).

Échéances institutionnelles : élections générales prévues pour juillet 1996.

Monnaie : dalasi (1 dalasi = 0,54 FF au 30.4.95).

Langues : anglais (off.), ouolof, malinké, peul, etc.

Afrique extrême-occidentale

	INDICATEUR	UNITÉ	CAP-VERT	GAMBIE	GUINÉE
	Capitale		Praïa	Banjul	Conakry
	Superficie	km²	4 030	11 300	245 860
	Développement humain (IDH) [b]		0,474	0,215	0,191
DÉMOGRAPHIE	Population (*) [g]	million	0,39	1,12	6,70
	Densité [g]	hab./km²	97,3	98,8	27,3
	Croissance annuelle [i]	%	2,8	3,8	3,0
	Indice de fécondité (ISF) [i]		4,3	5,6	7,0
	Mortalité infantile [i]	‰	50	132	134
	Espérance de vie [i]	année	65	45	44
	Population urbaine	%	52,5	24,9	28,8
CULTURE	Analphabétisme [g]	%	28,4	61,4	64,1
	Scolarisation 12-17 ans	%	45,9 [d]	40,9 [c]	18,8 [c]
	Scolarisation 3e degré	%	—	—	1,4 [e]
	Téléviseurs [b]	‰ hab.	2,6	..	7,0
	Livres publiés	titre	10 [h]	21 [c]	..
	Nombre de médecins [d]	‰ hab.	0,19	0,09	0,13
ARMÉE	Armée de terre	millier d'h.	1		8,5
	Marine	millier d'h.	0,05	0,8	0,4
	Aviation	millier d'h.	0,1		0,8
ÉCONOMIE	PIB [a]	million $	347	372	3 170
	Croissance annuelle 1985-93	%	4,8	4,7	4,2
	1994	%	4,6	0,0	3,5
	Par habitant [i]	$	1 830 [a]	1 280 [a]	500 [c]
	Dette extérieure totale	million $	158 [a]	386 [a]	2 864 [a]
	Service de la dette/Export.	%	4,7 [a]	12,5 [b]	12,7 [a]
	Taux d'inflation	%	4,2	5,0	10,0
	Dépenses de l'État Éducation	% PIB	4,1 [c]	2,7 [c]	2,2 [a]
	Défense [a]	% PIB	1,0	3,4	2,8
	Énergie [b] Consommation par hab.	kg	133	104	83
	Taux de couverture	%	—	—	4,5
COMMERCE	Importations	million $	189 [a]	209	750
	Exportations	million $	6	35	630
	Principaux fournis. [a]	%	UE 69,8	UE 41,3	PCD 57,4
		%	Por 39,7	R-U 10,3	Fra 19,4
		%	PVD 17,5	Chi 20,3	PVD 42,6
	Principaux clients [a]	%	UE 66,7	Jap 22,0	UE 40,2
		%	Por 50,0	Bel 50,9	Bel 15,2
		%	Afr 16,7	PVD 13,8	Sin 32,5

GUINÉE-BISSAU	LIBÉRIA	SÉNÉGAL	SIERRA LÉONE
Bissau	Monrovia	Dakar	Freetown
36 120	111 370	196 200	71 740
0,224	0,317	0,322	0,209
1,07	3,04	8,31	4,51
29,7	27,3	42,4	62,9
2,1	3,3	2,5	2,4
5,8	6,8	6,1	6,5
140	126	68	166
44	55	49	39
21,7	44,4	41,7	35,4
45,1	61,7	66,9	68,6
25,2 d	27,6 j	30,0 d	26,6 d
0,3 d	2,5 f	3,1 c	1,3 d
..	18	37	10
..	..	42 k	16 k
0,14	0,11	0,06	0,07
6,8	⎫	12	6
0,35	⎬ 4,0	0,7	0,15
0,1	⎭	0,65	—
233	..	5 867	647
3,7	..	2,7	2,0
6,3	2,2	1,5	3,5
790 a	850 c	1 640 a	770 a
692 a	1 926	3 700	1 388 a
10,0 a	..	15,0	11,9 a
9,7	80	37,5	17,7
2,8 f	..	..	1,4 h
3,7		2,5	2,2
98	55	151	40
—	13,2	—	—
61	5 863	1 226	150
29	615	798	115
UE 43,8	UE 21,0	UE 56,9	UE 46,1
Por 24,0	Jap 45,2	Fra 36,9	R-U 13,5
Thaï 32,2	Cor 16,1	PVD 28,0	PVD 33,1
UE 52,9	UE 71,1	UE 39,4	UE 51,5
Esp 35,3	Bel 46,0	Fra 22,0	Bel 22,0
PVD 41,2	Sin 15,4	PVD 41,3	E-U 20,7

Chiffres 1994, sauf notes : a. 1993; b. 1992; c. 1991; d. 1990; e. 1988; f. 1987; g. 1995; h. 1989; i. A parité de pouvoir d'achat (voir p. 673); j. 1986; k. 1984; l. 1990-95.
(*) Dernier recensement utilisable : Cap-Vert, 1980; Gambie, 1993; Guinée, 1983; Guinée-Bissau, 1979; Libéria, 1984; Sénégal, 1988; Sierra Léone, 1985.

bie. Quant à la dévaluation du franc CFA (janvier 1994), elle a réduit de moitié le trafic de réexportation et de contrebande, deux autres piliers de l'économie nationale.

Guinée

Devenu le premier président élu du pays, le 19 décembre 1993, le général Lansana Conté a continué de gérer, à son rythme, l'après-Sékou Touré (mort en 1984 après vingt-six ans de dictature). Faisant suite à bien des spéculations sur la création d'un poste de Premier ministre et sur

▼

République de Guinée
Nature du régime : présidentiel.
Chef de l'État : Lansana Conté (depuis le 5.4.84, élu le 19.12.93).
Échéances électorales : présidentielle en 1998.
Monnaie : franc guinéen (100 francs = 0,5 FF au 30.4.95).
Langues : français (off.), malinké, peul, soussou, etc.

l'ouverture du nouveau gouvernement à l'opposition, le chef de l'État a finalement procédé, le 23 août 1994 — huit mois après son élection —, à un remaniement ministériel sans grande innovation. Les élections législatives, censées se dérouler dans un délai de soixante jours après la proclamation des résultats de l'élection présidentielle de décembre 1993, n'ont finalement été organisées que le 11 juin 1995. Sous réserve de confirmation par la Cour suprême, l'opposition a remporté 43 sièges et le parti au pouvoir 71 sur les 114 en jeu. Tout en redoutant la réédition des fraudes qui les avaient amenés à contester le scrutin présidentiel, les partis d'opposition ont passé des alliances préélectorales — sans se faire trop d'illusions sur leurs chances de voir, en cas de victoire, les caciques du Parti de l'unité et du progrès (PUP, au pouvoir) accepter une quelconque cohabitation. La plus importante de ces alliances a réuni, en février 1995, les deux principales formations de l'opposition : le Rassemblement du peuple guinéen (RPG) d'Alpha Condé et le Parti du renouveau et du progrès (PRP) de Siradiou Diallo.

Le scrutin s'est déroulé dans un contexte économique marqué par l'intransigeance des bailleurs de fonds. Certes, la Guinée a obtenu, en janvier 1995, lors de son passage au Club de Paris, le rééchelonnement de la dette extérieure bilatérale (une partie seulement d'une dette extérieure dont le total a été évalué, fin 1993, à 2,6 milliards de dollars). Certes, les efforts d'ajustement structurel, commencés en 1986, ont permis de maintenir, en 1994, la croissance à 3,5 % et de maîtriser l'inflation (passée de 25 % en 1990 à 10 % en 1994). Mais la négociation d'un nouvel accord a achoppé, en 1995, sur la question de la fonction publique. Alors que ses effectifs avaient été réduits de moitié depuis 1986, les recrutements ont repris. Les traitements des 55 000 fonctionnaires guinéens — un seuil de 53 000 agents avait été fixé aux institutions de Bretton Woods — ont continué de mobiliser la moitié du budget de l'État.

Dix ans après l'ouverture du pays à l'économie de marché, l'environnement fiscal et juridique demeurait pour le moins dissuasif. Les investisseurs ne se sont pas bousculé et les deux millions de Guinéens qui avaient fui le régime de Sékou Touré sont restés à l'étranger. Pratiquée partout, jusqu'aux niveaux élevés de l'État, la corruption, dénoncée par les experts de la Banque mondiale, a été ouvertement critiquée par le patronat guinéen, en octobre 1995, pour la première fois. Fraude et contrebande se sont étendues à tous les marchés : de l'or au diamant, en passant par les cigarettes et les hydrocarbures. Aussi le FMI a-t-il vivement recommandé, en septembre 1994, la mise en chantier d'une réforme judiciaire susceptible de garantir les droits des opérateurs privés.

Guinée-Bissau

João Bernardo Vieira, le président sortant, a remporté, le 7 août 1994, les premières élections pluralistes organisées dans le pays, avec 52 % des voix. Cela n'a pas empêché sa formation, le Parti africain pour l'indépendance de la Guinée-Bissau et du Cap-Vert (PAIGC, ex-parti unique), de se déchirer de plus belle entre « anciens » et « modernes ». Le gouvernement finalement formé, le 18 novembre 1994, priorité est enfin revenue à l'économie.

▼

République de Guinée-Bissau

Nature du régime : parlementaire.
Chef de l'État : João Bernardo Vieira (depuis le 14.11.80, élu le 7.8.94).
Chef du gouvernement : Manuel Saturnino da Costa.
Échéances électorales : présidentielle en 1999.
Monnaie : peso guinéen (100 pesos = 0,03 FF au 30.4.95).
Langues : portugais (off.), créole, mandé, etc.

Bissau a renoué sans grande difficulté avec les institutions financières internationales. L'impossible remboursement d'une dette de 742 millions de dollars avait, entre septembre 1991 et juillet 1993, privé le pays des décaissements de la Banque mondiale. Un deuxième programme d'ajustement structurel a été négocié, visant à prendre d'urgentes mesures sociales, dans un pays où le chômage frappe 40 % de la population active. Bissau a posé de nouveaux jalons en vue de son entrée dans la Zone franc, demandée depuis 1990, mais refusée en raison de l'état des finances publiques du pays. Une participation a ainsi été prise en janvier 1994 dans le capital d'Air Afrique.

Libéria

Depuis décembre 1989, le pays était ravagé par un sanglant conflit, des factions rebelles ayant engagé une lutte farouche contre la dictature de Samuel K. Doe pour ensuite se disputer le pouvoir. L'enlisement du processus de désarmement prévu par les accords de paix de Cotonou, signés le 25 juillet 1993, a tourné à la catastrophe. En juin 1994, à peine 3 000 des 60 000 combattants officiellement recensés avaient déposé les armes. Les élections générales prévues pour septembre 1994 ont donc été reportées. Confrontée à la mauvaise volonté des factions rivales, l'Ecomog, la force d'interposition déployée en août 1990 par la Communauté économique des États de l'Afrique de l'Ouest (CEDEAO), n'a pu mener à bien sa mission de désarmement. Impuissante, elle a même menacé de se retirer.

▼

République du Libéria

La guerre civile commencée en déc. 89 a ouvert une période de chaos institutionnel. A la suite de l'accord de paix conclu le 25.7.93 à Cotonou, le Conseil d'État libérien (LCS), organe exécutif collégial de transition, a été mis en place.
Président du Conseil d'État : David Kpomakpor (depuis le 7.3.94).
Monnaie : dollar libérien (1 dollar = 4,91 FF au 30.4.95).
Langues : anglais (off.), bassa, kpellé, kru, etc.

Afin de sortir de l'impasse, Jerry Rawlings, chef de l'État ghanéen et président en exercice de la CEDEAO, a réuni les chefs de guerre libériens. Le nouvel accord qu'ils ont passé à Akosombo (Ghana), le 13 septembre 1994, prévoyait — comme celui de Cotonou — la création d'une nouvelle institution de transition, le désarmement des factions et l'organisation d'élections le 10 octobre 1995. Il n'a fait qu'envenimer le conflit.

Pis, les Forces armées libériennes (AFL, faction formée par les membres de l'ancienne garde présidentielle de Samuel Doe, le défunt dictateur) ont tenté, le 15 septembre 1994, de déloger le Conseil d'État de Mansion House (le palais présidentiel). A la suite de ce putsch manqué, les combats ont repris de plus belle entre les AFL, le Front national patriotique du Libéria (NPFL) de Charles Taylor et le Mouvement uni de libération (Ulimo) d'Alhaji Kromah, tous deux en proie à des scissions et de violents conflits internes. Le Conseil libérien de paix (LPC) de George Boley et la Force de défense du comté de Lofa (LDF) de François Massaquoi, deux autres factions apparues fin 1993, ont elles aussi repris les armes. Fuyant les massacres (200 000 morts depuis le début de la guerre), les réfugiés ont à nouveau afflué en Guinée et en Côte d'Ivoire. Toutes les médiations ensuite tentées par Jerry Rawlings ont échoué. L'accord d'Akosombo est resté lettre morte, en raison du désaccord entre les parties signataires sur la composition du futur exécutif chargé d'organiser les élections générales. Un « ultime » sommet, réuni le 17 mai à Abuja (Nigéria), s'est achevé sur le même constat d'échec. Le 26 avril 1995, les contingents tanzanien et ougandais de l'Ecomog se sont retirés, laissant sur le terrain quelque 8 500 « casques blancs » (dont 6 000 soldats nigérians). Pour éviter le retrait de cette force, qui a compté jusqu'à 20 000 hommes au plus fort de sa présence, les États-Unis ont mis à sa disposition, le 17 mai 1995, un fonds de 3 millions de dollars.

Sénégal

Abdou Diouf a pu nommer, le 15 mars 1995, le gouvernement d'ouverture qu'une série d'événements l'avaient empêché de former, depuis sa réélection à la présidence

BIBLIOGRAPHIE

D.C. BACH et A. KIRK-GREENE (sous la dir. de), *États et sociétés en Afrique francophone*, Économica, Paris, 1993.

F. BARBIER-WIESSER (sous la dir. de), *Comprendre la Casamance*, Karthala, Paris, 1994.

S. CESSOU et G.-E. FOADEY, «Gambie : un coup d'État presque populaire», *Jeune Afrique Économie*, n° 184, Paris, oct. 1994.

C. COQUERY-VIDROVITCH (sous la dir. de), *L'Afrique occidentale au temps des Français*, La Découverte, Paris, 1992.

M. C. DIOP (sous la dir. de), *Sénégal, trajectoires d'un État*, Codesria, Dakar, 1992.

M. GALY, «Le Libéria, une guerre oubliée», *Le Monde diplomatique*, n° 486, Paris, sept. 1994.

M. GAUD, «Guinée 1994 : au-delà de Conakry», *Afrique contemporaine*, n° 173, Paris, 1er trim. 1995.

«Guinée : l'après-Sékou Touré», *Politique africaine*, n° 36, Karthala, Paris, 1989.

«Le Sénégal», *Politique africaine*, n° 45, Karthala, Paris, 1992.

de la République, le 21 février 1993. Me Abdoulaye Wade, son principal rival, leader du Parti démocratique sénégalais (PDS), avait en effet été arrêté après l'assassinat, le 15 mai 1993, de Me Babacar Seye, vice-président du Conseil constitutionnel, en charge du «contentieux électoral». Le leader PDS a également

▼

République du Sénégal

Nature du régime : présidentiel.

Chef de l'État : Abdou Diouf (depuis le 1.1.81, réélu le 21.2.93).

Échéances électorales : présidentielle en 1998.

Monnaie : franc CFA (1 FCFA = 0,01 FF).

Langues : français (off.), ouolof, peul, sérère, dioula, etc.

passé six mois en prison, au lendemain des violentes émeutes du 16 février 1994, à Dakar. Ayant bénéficié d'un non-lieu pour les deux affaires, Me Wade a longuement et âprement négocié le retour de sa formation au gouvernement. Finalement, quatre portefeuilles ministériels ont été confiés à ses lieutenants,

et Me Wade a été nommé ministre d'État sans portefeuille, rattaché à la Présidence.

Cette nouvelle cohabitation entre le Parti socialiste (PS, au pouvoir, majoritaire à l'Assemblée nationale) et le PDS allait ressembler à s'y méprendre à l'expérience s'étant déjà déroulée entre avril 1991 et août 1992. Bien que sollicité, Landing Savané, le leader de And Jef-Parti africain pour la démocratie et le socialisme (AJ-PADS), a préféré rester dans l'opposition.

La situation en Casamance s'est à nouveau aggravée. De nouveaux accrochages ont opposé, en janvier 1995, indépendantistes et armée, rompant la trêve précaire qui avait succédé au cessez-le-feu signé le 8 juillet 1993 par le gouvernement et les insurgés du Mouvement des forces démocratiques de la Casamance (MFCD). A Dakar, ces accrochages ont été imputés à l'apparition, en décembre 1994, d'une aile dissidente du MFDC, qui ne répondrait plus aux consignes du secrétaire général du mouvement, l'abbé Augustin Diamacoune Senghor. Le MFDC, lui, a accusé l'armée d'être passée à l'attaque, en janvier 1995, sans raison. L'armée sénégalaise, à la recherche de quatre touristes français disparus le 6 avril 1995, a semblé avoir éradiqué la rébellion, sur le terrain. Assigné à résidence, l'abbé Diamacoune, quant à lui, a accusé, le 21 avril 1995, la France et le Sénégal d'avoir dissimulé les quatre Français.

Après quatorze années de politique économique d'ajustement structurel et plusieurs programmes d'austérité, la dévaluation du franc CFA, le 12 janvier 1994, a eu l'effet d'un électrochoc. Elle a certes stimulé certains secteurs, mais des pans entiers de l'économie ont accusé le coup. L'inflation s'est élevée à 37,5 % en 1994. Le secteur informel, essentiellement commerçant, a vu fondre ses bénéfices. La dévaluation a cependant permis au Sénégal de renouer avec les bailleurs de fonds. Une facilité d'ajustement structurel renforcée (FASR), octroyée en mars 1994 par le FMI et la Banque mondiale, a notamment permis d'engager les réformes réclamées depuis des lustres par le secteur privé : libéralisation des prix et du commerce extérieur et fin des fameuses « conventions spéciales » qui ont permis à plusieurs entreprises de détenir le monopole de certains marchés (dont ceux du riz, du sucre, du ciment, du textile et du coton), sous la protection de l'État.

Sierra Léone

Une action armée diffuse et insaisissable, active depuis mai 1991, frappe le poumon économique du pays, dans les régions agricoles et minières de l'est. Les efforts d'ajustement structurel entrepris par le régime militaire du capitaine Valentine Strasser — arrivé au pouvoir à la faveur d'un coup d'État, le 29 avril 1992 — s'en sont trouvés largement compromis. Les combats ont provoqué le déplacement de 15 % à 20 % de la population et l'exode de 50 000 réfugiés en Guinée. Les hostilités ont par ailleurs entraîné la chute d'environ un tiers de la production de riz, de café et de cacao, et stimulé la contrebande d'or et de diamant. Les dépenses militaires ont représenté, en 1994, au moins 17 % du budget de l'État. De 1992 à 1995, les effectifs de l'armée ont doublé, passant de 7 000 à 13 000 hommes, mais la troupe s'est révélée de moins en moins contrôlable. Accusés d'avoir collaboré avec la rébellion, douze *sobels* — à la fois soldats et rebelles — ont été exécutés, en novembre 1994.

République de Sierra Léone

Nature du régime : militaire.
Transition en cours devant aboutir à la mise en place, en 1996, d'un régime civil démocratique.

Chef de l'État : capitaine Valentine Strasser (depuis le 29.4.92).

Échéances institutionnelles : élections générales en 1996.

Monnaie : leone (100 leones = 0,8 FF au 30.4.95).

Langues : anglais (off.), krio, mende, temne, etc.

Après avoir tout misé, en vain, sur l'option militaire, la junte a tenté de nouer le dialogue. En janvier 1995, un plan de paix en six points a été proposé à Foday Sankoh, leader du Front révolutionnaire unifié (RUF), le principal mouvement rebelle, soutenu par Charles Taylor, leader du Front national patriotique du Libéria (NPFL). Peine perdue : le conflit est allé en s'aggravant, menaçant de plonger tout le pays dans le chaos libérien. Les investisseurs étrangers se sont faits d'autant plus rares que les prises d'otage auxquelles se livre la rébellion ont touché, en mai 1994, des expatriés. L'insécurité a empêché l'« importation » du modèle de développement ghanéen en territoire sierra-léonais.

Sur le plan politique, une Commission nationale électorale a certes été instituée en décembre 1993, pour préparer les élections générales et l'avènement d'une démocratie. Mais le scrutin, prévu pour 1995, a été reporté à... 1996.

Sabine Cessou

Golfe de Guinée

Bénin, Côte d'Ivoire, Ghana, Nigéria, Togo

(Le Nigéria est traité p. 223.)

Bénin

A partir d'août 1994, l'exercice du budget a réouvert les hostilités entre le chef de l'État Nicéphore Soglo, ancien haut responsable de la Banque mondiale, soucieux d'appliquer les conditions du FMI, et l'Assemblée nationale, dont la loi de finances amendée (plus dispendieuse) voulait satisfaire les revendications des salariés et étudiants, frappés par une inflation non maîtrisée (38,6 %) au lendemain de la dévaluation du franc CFA, intervenue le 12 janvier 1994. Ne disposant, depuis la nouvelle alliance passée entre les partis représentés au Parlement (octobre 1993), que de l'appui d'un quart des députés, le président a voulu recourir à la procédure des ordonnances que la Cour constitutionnelle a annulées.

▼

République du Bénin

Nature du régime : présidentiel.
Chef de l'État et du gouvernement : Nicéphore Soglo (depuis le 24.3.91).
Monnaie : franc CFA (1 FCFA = 0,01 FF).
Langues : français (off.), fon (largement majoritaire dans le centre et le sud), yoruba (est), mina (ouest), somka (nord), dendi, bariba, goun, adja, pila-pila.

Cette cohabitation conflictuelle semblait devoir se poursuivre à l'issue des législatives du 28 mars 1995, qui ont été un succès pour l'opposition. Sa principale force, le Parti pour le renouveau démocratique (PRD) du libéral conservateur Adrien Houngbédji, a presque fait jeu égal avec le parti présidentiel Renaissance du Bénin (RB). Les nostalgiques du régime «marxiste-léniniste» du général Mathieu Kérékou (au pouvoir pendant dix-sept ans), implantés au nord, ont «soufflé» la troisième place au Parti social-démocrate (PSD) de Bruno Amoussou. Notre cause commune (NCC), la formation d'Albert Tévœdjré, candidat potentiel à la présidentielle de 1996, a subi un spectaculaire revers. B. Amoussou a toutefois été élu, en juin 1995, président de l'Assemblée nationale avec l'appui de la mouvance présidentielle.

Considéré dès 1990 comme le modèle de la démocratisation en Afrique et choyé à ce titre par les bailleurs de fonds, le Bénin, malgré le retour de la croissance (4,2 %) et l'essor des recettes d'exportations lié à une remarquable récolte de coton (près de 300 000 tonnes en 1994-1995), confortée par la tenue des cours, n'a pas tenu certains objectifs fixés par le FMI sans pour autant apaiser le mécontentement populaire. Son économie est restée tributaire d'une situation de pays de transit entre le Sahel et le grand voisin nigérian.

Ayant achevé en août 1994 son deuxième mandat à la tête de la CEDAO (Communauté économique des États de l'Afrique de l'Ouest), N. Soglo devait accueillir, en décembre 1995, le sixième «sommet» de la Francophonie.

Côte d'Ivoire

Achevant le mandat de Félix Houphouët-Boigny, officiellement disparu le 7 décembre 1993, l'ancien président de l'Assemblée nationale, Henri Konan Bédié, à la tête de l'ancien parti unique, le Parti démocratique de Côte d'Ivoire - Rassemblement démocratique africain

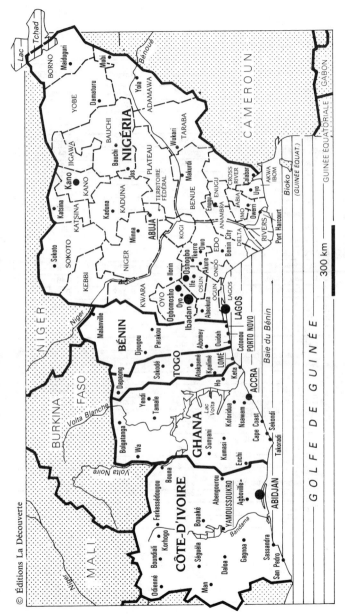

© Éditions La Découverte

Golfe de Guinée

	INDICATEUR	UNITÉ	BÉNIN	CÔTE D'IVOIRE
	Capitale		Porto Novo	Yamoussoukro
	Superficie	km²	112 622	322 462
	Développement humain (IDH) [b]		0,261	0,370
DÉMOGRAPHIE	Population (*) [h]	million	5,41	14,25
	Densité [h]	hab./km²	48,0	44,2
	Croissance annuelle [g]	%	3,1	3,5
	Indice de fécondité (ISF) [g]		7,1	7,4
	Mortalité infantile [g]	‰	86	92
	Espérance de vie [g]	année	48	51
	Population urbaine	%	30,8	42,9
CULTURE	Analphabétisme [h]	%	63,0	59,9
	Scolarisation 12-17 ans	%	21,9 [c]	45,7 [c]
	Scolarisation 3e degré	%	2,8 [d]	2,5 [e]
	Téléviseurs [b]	‰ hab.	5,1	59
	Livres publiés	titre	647	46 [j]
	Nombre de médecins	‰ hab.	0,07 [d]	0,09 [d]
ARMÉE	Armée de terre	millier d'h.	4,5	6,8
	Marine	millier d'h.	0,15	0,9
	Aviation	millier d'h.	0,15	0,7
ÉCONOMIE	PIB [a]	milliard $	2,19	8,40
	Croissance annuelle 1985-93	%	2,1	− 1,6
	1994	%	4,2	1,5
	Par habitant [ai]	$	1 630	1 420
	Dette extérieure totale [a]	million $	1 487	19 146
	Service de la dette/Export. [a]	%	7,2	30,0
	Taux d'inflation	%	38,6	25,8
	Dépenses de l'État Éducation	% PIB	..	..
	Défense	% PIB	1,5 [a]	1,5 [a]
	Énergie [b] Consommation par habitant	kg	47	209
	Taux de couverture	%	186,9	22,2
COMMERCE	Importations	million $	605	1 815
	Exportations	million $	366	3 140
	Principaux fournis. [a]	%	UE 42,5	PCD 59,1
		%	Fra 19,8	Fra 30,7
		%	PVD 49,4	Afr 32,4
	Principaux clients [a]	%	UE 31,0	UE 51,3
		%	Por 13,8	Fra 15,8
		%	PVD 54,5	Afr 33,9

(PDCI-RDA), s'est engagé, dès 1994, dans la bataille des élections générales fixées à octobre-décembre 1995. En mal de légitimité, il a suscité la création de sections du Cercle national Bédié (CNB), ressuscitant ainsi un culte maladroit de la personnalité, et a voulu se réconcilier avec les victimes de son prédécesseur, notamment les Guébié de la région de Gagnoa, où des massacres firent quelque 4 000 morts en 1970.

▼

République de Côte d'Ivoire

Nature du régime : présidentiel.
Chef de l'État : Henri Konan Bédié (depuis le 7.12.93), qui a succédé à Félix Houphouët-Boigny, décédé.
Premier ministre : Daniel Kablan Duncan (depuis le 15.12.93).
Monnaie : franc CFA (1 FCFA = 0,01 FF).
Langues : français (off.) ; baoulé, bété, dioula, sénoufo (nationales).

Le président Bédié a cependant dû compter avec la défection de l'ancien courant rénovateur du PDCI de Djény Kobéna, qui s'est constitué en parti en juin 1994, le Rassemblement des républicains (RDR). Cette formation a disposé, à partir de novembre 1994, d'un groupe parlementaire et a bénéficié de la sympathie du rival malheureux — la été écarté du pouvoir à la mort de F. Houphouët-Boigny — de H.K. Bédié, l'ancien Premier ministre Alassane Ouattara, devenu directeur adjoint du FMI et candidat possible à la magistrature suprême.
Secrétaire général du Front populaire ivoirien (FPI, opposition), le député Laurent Gbagbo, candidat à la présidentielle de 1995 comme il le fut à celle de 1990 face à

GHANA	NIGÉRIA	TOGO
Accra	Abuja	Lomé
238 537	923 768	56 000
0,382	0,348	0,311
17,45	111,72	4,14
73,2	120,9	73,9
3,0	3,0	3,2
6,0	6,4	6,6
81	84	85
56	50	55
35,8	38,5	30,3
55,5	42,9	48,3
53,0 [d]	32,0 [c]	57,9 [d]
1,5 [d]	3,7 [f]	2,6 [f]
16	33	6,2
350 [j]	1 562 [b]	..
0,04 [d]	0,17 [f]	0,09 [c]
5	62	6,5
0,85	5	0,2
1,0	9,5	0,25
7,04	32,99	1,32
4,5	6,2	0,1
3,8	0,6	10,7
2 160	1 480	1 040
4 590	32 500	1 292
22,8	29,4	8,5
34,2	60,2	35,9
3,1 [d]	1,7 [b]	5,6 [d]
2,3	0,5 [a]	3,9 [a]
140	207	78
33,5	576,6	—
1 793	7 463	389
1 219	11 558	272
UE 41,7	UE 50,1	UE 26,4
R-U 18,1	R-U 14,0	Fra 11,4
PVD 36,3	PVD 24,3	Chi 21,1
UE 49,4	E-U 44,1	UE 18,7
E-U 19,3	UE 29,7	Can 11,6
PVD 17,8	R-U 1,3	PVD 64,6

Chiffres 1994, sauf notes : a. 1993 ; b. 1992 ; c. 1991 ; d. 1990 ; e. 1988 ; f. 1989 ; g. 1990-95 ; h. 1995 ; i. A parité de pouvoir d'achat (voir p. 673) ; j. 1984. (*) Dernier recensement utilisable : Bénin, 1992 ; Côte d'Ivoire, 1988 ; Ghana, 1984 ; Nigéria, 1991 ; Togo, 1981.

F. Houphouët-Boigny, a proposé, dès novembre 1994, la constitution d'un Front républicain (FR). Ce dernier a été fondé le 5 avril 1995 pour exiger des élections transparentes et réaliser l'alternance au pouvoir, réunissant le FPI, membre de l'Internationale socialiste, le RDR (centriste) et l'Union des forces démocratiques (UFD, regroupant six petites formations). Cette union a été favorisée par l'autoritarisme du régime de H. K. Bédié, lequel a entrepris d'assurer sa reconduction par un recensement et un code électoral contestables, par une répression maladroite des journalistes et par l'exclusion de l'opposition des médias officiels. La marche du FR, organisée le 4 mai 1995, pour le retrait du code électoral voté en décembre par une Assemblée qui ne reflète plus la réalité politique du pays, a connu un grand succès.

Vivement contesté, le président Bédié a bénéficié d'un contexte économique favorable. Après sept années de récession, le pays a renoué avec la croissance dont le taux (1,5 % en 1994) aura toutefois été inférieur à celui de la croissance démographique. La dévaluation du franc CFA (12 janvier 1994) et la flambée des cours du café ont amélioré la situation des finances publiques, profitant plus en 1994 à l'État (250 milliards FCFA) qu'aux planteurs de cacao et de café (50 milliards). Le rapatriement de capitaux, l'afflux d'aides financières de la France, de l'Allemagne et surtout du FMI (94,6 milliards FCFA en 1994 et 92,4 en 1995) n'ont pas vaincu l'attentisme des investisseurs, encore sensibles, selon la Banque mondiale, à une participation excessive de l'État dans les secteurs productifs.

Cette relative aisance financière de l'État a permis une augmentation modulée (3 % à 15 %) des salaires des fonctionnaires en mai 1995, tandis que l'inflation (25,8 % en 1994), qui a durement affecté la vie quotidienne des populations, n'entraînait qu'une mobilisation syndicale modeste.

La Côte d'Ivoire, dont le rayon-nement diplomatique s'est réduit, a accueilli 300 000 réfugiés du Libéria voisin et certains de ses villages ont subi les attaques des forces de l'un des trois principaux belligérants, le Front national patriotique du Libéria de Charles Taylor. Malgré les efforts du Ghana et du Nigéria, l'échec des négociations entre factions libériennes, qui se sont affrontées en juin 1995 en territoire ivoirien, est demeuré préoccupant pour Abidjan.

Ghana

Dans le cadre des institutions de la IVe République mises en place en janvier 1993, le chef de l'État élu, Jerry Rawlings, n'a pas renoncé aux méthodes dures qui ont marqué plus de dix ans du régime d'exception qu'il a présidé en capitaine d'aviation fougueux mais pragmatique. Acceptant dès 1985 les conditions du FMI, à la différence du capitaine Thomas Sankara son *alter ego* révolutionnaire du Burkina Faso (au pouvoir de 1983 à 1987), il a engagé le Ghana dans un libéralisme économique dont les vertus (excédents budgétaires, reprise de l'investissement et de la croissance) n'ont pu faire oublier les laissés-pour-compte, notamment les victimes des privatisations comme celle de la Cocobod (Office national de commercialisation du cacao) dont les effectifs ont été réduits de 100 000 à 55 000 entre 1985 et 1995.

▼

République du Ghana

Nature du régime : présidentiel.
Chef de l'État et du gouvernement : Jerry Rawlings (depuis déc. 81, élu le 3.11.92).
Monnaie : cedi (100 cedis = 0,03 FF au 30.4.95).
Langues : anglais (off.), ewe, gaadanghe, akan, dagbandi, mamprusi.

A la forte inflation (34,2 % en 1994) s'est ajoutée, le 1er mars 1995, l'instauration d'une TVA (taxe à la valeur ajoutée) de 17,5 %, qui a entraîné en avril et mai des manifestations de fonctionnaires réclamant 70 % d'augmentation. L'une d'elles, le 11 mai, a fait cinq morts et une cinquantaine de blessés à l'issue de heurts avec des partisans du régime, lequel a dû reculer. L'opposition, encore faible, regroupée dans l'Alliance pour le changement, n'a pu exploiter ce mécontentement.

Les affrontements entre Namumba et Konkomba, qui avaient fait plus d'un millier de morts, en février 1994, dans le nord-est du pays, se sont apaisés et l'état d'urgence y a été levé en août 1994. Au plan économique, l'extension de l'Ashanti Goldfields Company privatisée en mars 1994 — l'État conservant 30 % des parts — a confirmé la prééminence de l'or dans les exportations, devant le cacao, en baisse de 8 % en 1994-1995 mais dont le Ghana restait le troisième exportateur mondial, et le bois.

Succédant en août 1994 au président du Bénin Nicéphore Soglo à la tête de la CEDEAO (Communauté économique des États de l'Afrique de l'Ouest), J. Rawlings a tenté de ramener la paix au Libéria. Les accords signés au Ghana (Akossombo en septembre et Accra en décembre 1994) entre les factions libériennes sont restés lettre morte après la suspension *sine die* des discussions engagées en janvier 1995 dans la capitale ghanéenne pour leur mise en application. La crise libérienne a été le premier sujet abordé par le président américain Bill Clinton, lors de la première visite officielle de J. Rawlings à Washington, les 8 et 9 mars 1995.

Dans la sous-région, les relations avec le Burkina Faso, qui étaient tendues depuis l'assassinat de T. Sankara en 1987, se sont normalisées en 1994. Malgré la réouverture des frontières en décembre 1994, la méfiance persistait avec le Togo, ce dernier accusant le Ghana, refuge de nombreux exilés togolais, d'accueillir des militaires hostiles au général Étienne Gnassingbé Eyadéma.

Togo

Pendant la mise en place des institutions de la IVe République (1992-1994), la pression des forces armées a été telle que, en 1995, la normalisation de la vie politique et économique du Togo n'était pas encore intervenue. A la tête du pays depuis 1967, le général Étienne Gnassingbé Eyadéma a restauré son pouvoir absolu, lequel avait été ébranlé par la « conférence nationale » de 1991. Issu de l'opposition, le Premier ministre Edem Kodjo, dirigeant l'Union togolaise pour la démocratie (UTD), n'a obtenu en 1994 la confiance du Parlement — où son parti occupe 6 des 81 sièges — qu'avec l'appui des 38 élus de la « mouvance présidentielle », dont 35 de l'ancien parti unique, le Rassemblement du peuple togolais (RPT). En désaccord sur les conditions d'organisation de trois élections partielles, le Comité d'action pour le renouveau (CAR) de Yawovi Agboyibo, principale force d'opposition parlementaire (34 sièges), n'a plus siégé à l'Assemblée à partir de novembre 1994, mais les contacts ont ensuite repris avec la Présidence.

▼

République du Togo

Nature du régime : présidentiel.
Chef de l'État : Étienne Gnassingbé Eyadéma (depuis le 13.1.67, élection contestée le 25.8.93).
Chef du gouvernement : Edem Kodjo, nommé le 22.4.94 après la démission de Joseph Kokou Koffigoh (21.3.94).
Monnaie : franc CFA (1 FCFA = 0,01 FF).
Langues : français (off.), ewe, mina, kabié.

En visite officielle au Togo, en septembre 1994, le Français Michel Roussin, alors ministre de la Coopération, a confirmé la reprise de la coopération civile et militaire entre Paris et Lomé, suspendue en 1992. La France a « effacé » 400 millions FF

BIBLIOGRAPHIE

D. A. ADAMON, *Le Renouveau démocratique au Bénin*, L'Harmattan, Paris, 1994.

D. BAILLY, *La Réinstauration du multipartisme en Côte d'Ivoire*, L'Harmattan, Paris, 1995.

C. COQUERY-VIDROVITCH (sous la dir. de), *L'Afrique occidentale au temps des Français*, La Découverte, Paris, 1992.

L. GBAGBO, *Agir pour les libertés*, L'Harmattan, Paris, 1991.

« Ghana 1993 », *Marchés tropicaux et méditerranéens*, Paris, sept. 1993.

J.O. IGUE et B.G. SOULE, *L'État entrepôt au Bénin*, Karthala, Paris, 1992.

P. A. KROL, *Avoir 20 ans en Afrique*, L'Harmattan, Paris, 1994.

P. NANDJUI, *Houphouët-Boigny, l'homme de la France en Afrique*, L'Harmattan, Paris, 1995.

P. PUY DENIS, *Le Ghana*, Karthala, Paris, 1994.

C. VIDA, « Côte d'Ivoire. Funérailles présidentielles et dévaluation », *in* CEAN, *L'Afrique politique 1995*, Karthala, Paris, 1995.

Voir aussi les bibliographies « Nigéria » et « Côte d'Ivoire » dans la section « 34 États ».

de dette publique et en a débloqué 260 dès 1994, le FMI s'étant engagé a en décaisser conditionnellement 430 en 1994-1995. L'Union européenne et l'Allemagne, qui a repris son aide humanitaire, ont marqué plus de réserves, estimant que la loi d'amnistie de décembre 1994 n'autorisait pas de franches retrouvailles politiques...

Craignant l'insécurité — le 6 septembre 1994, David Bruce, directeur de cabinet du président du Parlement de transition (1991-1994), avait disparu —, de nombreux cadres, dont Léopold Gnininvi, ancien dirigeant du COD 2 (Collectif de l'opposition démocratique), ont choisi l'exil au Ghana, au Bénin et en Europe. Le malaise dans l'armée, né de purges successives à l'encontre d'hommes jugés peu sûrs, a pris un tour nouveau avec la disgrâce, en octobre 1994, du lieutenant-colonel Yoma Djoua, l'omnipotent « bras droit » du président.

Malgré les tournées diplomatiques en Europe, le climat de violence et l'incertitude ont paralysé l'économie du pays dont le PIB a fortement chuté entre 1991 et 1993. Le mécontentement provoqué par les conséquences de la forte inflation (35,9 %) qui a suivi la dévaluation du franc CFA (12 janvier 1994), ainsi que par les retards dans le versement des traitements et les difficultés quotidiennes croissantes n'a pas déclenché de mouvement de la part d'une population encore marquée par l'échec de la grève générale de neuf mois, qui avait été lancée en novembre 1992 par la Confédération des syndicats indépendants.

Guy Labertit

Afrique centrale

Cameroun, Centrafrique, Congo, Gabon, Guinée équatoriale, São Tomé et Principe, Zaïre

(Voir aussi article p. 92.)

Cameroun

Doté de l'économie la plus diversifiée d'Afrique centrale — elle représente près des deux tiers de la masse monétaire et du PNB de la région —, le Cameroun a manqué « couler » la Zone franc au cours de l'année qui a suivi la dévaluation du franc CFA, le 12 janvier 1994. Record mondial, un programme post-dévaluation conclu avec le FMI (Fonds monétaire international) a périclité six semaines seulement après sa conclusion et, record africain, le taux de recouvrement fiscal est tombé à 10 % de l'impôt dû.

▼

République du Cameroun

Nature du régime : présidentiel.
Chef de l'État : Paul Biya (depuis le 6.11.82).
Chef du gouvernement : Achidu Achu (depuis le 10.4.92).
Monnaie : franc CFA (1 FCFA = 0,01 FF).
Langues : français, anglais (off.), langues du groupe bantou.

Si, en janvier 1995, les recettes de l'État camerounais s'étaient spectaculairement redressées, passant de 250 millions en août 1994 à 450 millions, aucune des grandes réformes structurelles n'avait été menée à bien. Formellement acquise, la libéralisation des filières agricoles, notamment celles du café, du cacao et du coton, s'est trouvée contrecarrée par de lourdes taxes à l'exportation. Par ailleurs, le train des privatisations s'est essoufflé et la réduction drastique des effectifs de la fonction publique — 180 000 agents — n'était même pas encore amorcée.

Politiquement, cette contre-performance s'explique par une dangereuse « vacance du pouvoir », le président Paul Biya, régnant plutôt que gouvernant, séjourne un tiers de l'année à l'étranger et, quand il est au pays, se retire quatre jours par semaine dans son village natal. Ainsi le chef de l'État a-t-il tenu, en tout et pour tout, quatre conseils des ministres en 1994 — quatre de plus, il est vrai, que l'année précédente... A la veille du « sommet » franco-africain de Biarritz en novembre 1994, pour honorer une vieille promesse faite au président français François Mitterrand, il a convoqué des assises nationales en vue d'une révision constitutionnelle. Elles ont été boycottées non seulement par l'opposition, mais aussi par le cardinal Tumi de Douala. Au final, les partisans du président ont proposé au Parlement une copie conforme de la Constitution fédérale de 1972.

Dans ce climat de délitement général qui a favorisé l'aggravation des tensions ethniques et, dans l'extrême nord, l'apparition de « bandits de grands chemins », deux décisions concernant le secteur pétrolier ont fait événement : la « décision de principe », en février 1995, du consortium Chevron-ELF exploitant le pétrole dans le Sud tchadien de construire un oléoduc d'évacuation à travers le Cameroun jusqu'au port de Kribi, assurant au pays des royalties ; puis, le 16 mars 1995, le dépôt du dossier camerounais auprès de la Cour internationale de justice de La Haye pour trancher un différend frontalier opposant le Cameroun et le Nigéria au sujet de la presqu'île de Bakassi. Véritable « éponge à pétrole », ce territoire pourrait sauver la production pétrolière camerounaise (120 000 barils par jour, soit seize fois moins que celle du Nigéria) de l'épuisement prévu à l'horizon de l'an 2005.

Stephen Smith

Centrafrique

Un an et demi après son accession à la présidence de la République à l'issue d'élections libres, Ange-Félix Patassé a pu profiter du référendum constitutionnel du 28 décembre 1994 pour mesurer sa popularité face à une opposition qui préconisait le « non » (82 % de votes favorables). Dans ce nouveau cadre constitutionnel, où l'actuel président pourrait théoriquement demeurer en poste jusqu'à dix-huit ans, un régime semi-présidentiel a été instauré en même temps qu'ont été prescrites une refonte des instances judiciaires et une large décentralisation.

▼
République centrafricaine

Nature du régime : présidentiel, multipartisme autorisé à partir d'août 91.
Chef de l'État : Ange-Félix Patassé (depuis le 20.10.93).
Premier ministre : Jean-Luc Mandaba (depuis le 24.8.93).
Monnaie : franc CFA (1 FCFA = 0,01 FF).
Langues : français, sango.

Après les longues grèves qui avaient marqué la fin du régime Kolingba (1982-1993), les services publics ont repris leurs activités bien que de nouveaux retards dans le versement des salaires, de même que la hausse des prix à la consommation consécutive à la dévaluation du franc CFA, le 12 janvier 1994, aient maintenu des risques de tensions sociales. Pourtant, certains secteurs de la production, tels le coton, le café ou le bois, auparavant déficitaires ou apparemment voués à la disparition, ont semblé tirer parti de la nouvelle situation monétaire en donnant des signes de reprise.

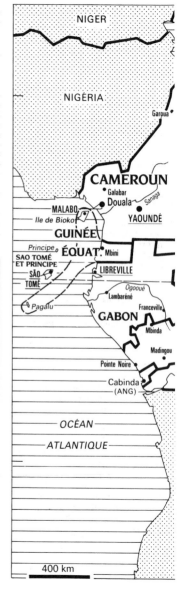

Lac Tchad

TCHAD

SOUDAN

Maroua

10°

Birao

Ndélé

Ouadda

Bossangoa

CENTRAFRIQUE

Bouar

Bambari

Obo

Berberati

Sanga

BANGUI

Mobayi

ÉQUATEUR

Buta

Moto

Bangala

Zaïre

HAUT-ZAÏRE

Lac Mobutu

Ouesso

CONGO

ZAÏRE

Kisangani

OUGANDA

Owendo

Liranga

Mbandaka

Équateur

Ikela

KIVU

RWANDA

BANDUNDU

KASAI ORIENTAL

Kindu

BURUNDI

BRAZZAVILLE

Kasai

Kasango

KINSHASA

BAS-ZAÏRE

Kikwit

KASAI OCCIDENTAL

TANZANIE

Lac Tanganyika

Kananga

Mbuji-Mayi

Moba

Manono

ANGOLA

SHABA

Lac Mweru

10°

Likassi

Lubumbashi

ZAMBIE

393

Afrique centrale

INDICATEUR		CAMEROUN	CENTR-AFRIQUE	CONGO	GABON
	Capitale	Yaoundé	Bangui	Brazzaville	Libreville
	Superficie (km²)	475 440	622 980	342 000	267 670
	Développement humain (IDH) [b]	0,447	0,249	0,461	0,525
DÉMOGRAPHIE	Population* (million) [f]	13,23	3,31	2,59	1,32
	Densité (hab./km²) [f]	27,8	5,3	7,6	4,9
	Croissance annuelle [m] (%)	2,8	2,5	3,0	2,8
	Indice de fécondité (ISF) [m]	5,7	5,7	6,3	5,3
	Mortalité infantile (‰) [m]	63	102	84	94
	Espérance de vie (année) [m]	56	49	51	54
	Population urbaine (%)	44,0	38,9	57,8	49,2
CULTURE	Analphabétisme (%) [f]	36,6	40,0	25,1	36,8
	Scolarisation 12-17 ans (%)	50,3 [d]	25,0 [d]	..	..
	Scolarisation 3e degré (%)	3,4 [d]	1,8 [c]	6,0 [c]	3,3 [c]
	Téléviseurs [b] (‰ hab.)	24	4,5	6,0	37
	Livres publiés (titre)	22 [k]	..	..	..
	Nbre de médecins (‰ hab.) [d]	0,08	0,04	0,28	0,40
ARMÉE	Armée de terre (millier d'h.)	13	2,5	8	3,2
	Marine (millier d'h.)	1,3	—	0,8	0,5
	Aviation (millier d'h.)	0,3	0,15	1,2	1,0
ÉCONOMIE	P I B (million $) [a]	9 663	1 263	2 318	5 004
	Croissance annuelle 1985-93 (%)	4,5	− 0,4	1,3	1,0
	1994 (%)	3,8	5,8	− 1,5	0,3
	Par habitant ($) [g]	2 060 [a]	1 060 [a]	2 430 [a]	4 050 [a]
	Dette extérieure totale (million $) [a]	6 601	904	5 071	3 818
	Service de la dette/Export. (%) [a]	21,8	4,8	10,6	6,0
	Taux d'inflation (%)	12,7	24,6	40,3	30,0
	Dépenses de l'État Éducation (% P I B)	3,1 [c]	2,8 [d]	5,7 [c]	2,9 [b]
	Défense (% P I B)	1,3 [a]	2,5 [a]	3,9 [a]	2,8 [a]
	Énergie [b] Consommation par hab. (kg)	99	35	336	855
	Taux de couverture (%)	854,7	8,9	1 561,9	1 984,3
COMMERCE	Importations (million $)	1 617	283 [a]	518 [a]	880
	Exportations (million $)	1 844	136 [a]	1 121 [a]	2 120
	Principaux fournis. [a] (%)	PCD 80,5	PCD 44,4	PCD 67,6	PCD 68,4
		Fra 33,7	Fra 27,0	Fra 37,1	Fra 41,4
		PVD 38,7	PVD 60,7	PVD 23,3	PVD 31,5
	Principaux clients [a] (%)	PCD 77,7	UE 72,1	E-U 37,6	Jap 15,6
		Fra 19,4	Bel 58,8	UE 52,9	Fra 18,2
		PVD 22,3	Taï 16,2	Bel 24,7	E-U 41,6

La confirmation de ces résultats n'a cependant pas eu d'effets immédiats sur les finances publiques dont le déficit a dû être couvert par l'aide internationale. Les mesures d'ajustement structurel exigées par le FMI (Fonds monétaire international), la Banque mondiale et la CFD (Caisse française de développement) concernaient les domaines sensibles du statut de la fonction publique et de la réforme douanière dans le cadre de l'UDEAC (Union douanière et économique d'Afrique centrale).

La France, ancienne métropole coloniale, a joué un rôle central dans la mise en place de cette politique. Soucieuse de défendre ses intérêts stratégiques dans le pays et dans la région, elle s'est efforcée de sortir de la situation de face à face dangereux où l'avait placée le soutien au régime Kolingba. Ce pari a été gagné avec le retour de l'aide multilatérale ainsi que celle des États-Unis et de l'Allemagne. L'instabilité persistante aux frontières du pays, particulièrement à l'est, a contribué à donner du poids aux arguments militaires.

Congo

Après les embrasements de violence qui avaient fait des centaines de morts et des milliers de déplacés, entre novembre 1993 et février 1994, le Congo s'est installé dans une situation de tension persistante. L'ordre public a en partie échappé au contrôle de l'État avec l'émergence de milices partisanes composées de jeunes et encadrées par des militaires. Les tentatives de ramassage des armes, tout comme les projets d'enrôlement des miliciens dans l'armée ou la police se sont révélés des solutions inapplicables. Dans ce

GUINÉE ÉQUATOR.	SÃO TOMÉ & PRINCIPE	ZAÏRE
Malabo	São Tomé	Kinshasa
28 050	960	2 345 410
0,276	0,409	0,341
0,40	0,13	43,90
14,3	138,5	18,7
2,6	2,2	3,2
5,9	5,4 [d]	6,7
117	72 [e]	93
48	65,5 [d]	52
40,9	45,8	28,8
21,5	40,0 [b]	22,7
45,1 [j]	..	37,9 [d]
5,2 [j]	..	2,1 [e]
9,5	..	1,4
17 [i]	..	..
..	0,52	0,07
1,1	—	25
0,12	—	1,3
0,1	—	1,8
161	41	8 123 [c]
3,8	1,6	2,5
2,5	1,5	− 11,0
700 [c]	600 [c]	469 [c]
268	254	11 280
2,0	21,8	..
40,6	37,7	9 797
1,7 [i]	4,3 [h]	1,0 [i]
1,5 [a]	1,6 [l]	2,9 [b]
152	290	64
—	2,8	111,7
60	40	179
62	8	369
Esp 22,4	PCD 92,5	UE 49,6
Fra 12,9	Por 37,5	Bel 23,0
Cam 36,5	R-U 15,0	PVD 41,0
Jap 22,9	PCD 75,0	Bel 45,6
UE 68,6	P-B 25,0	E-U 22,2
Esp 34,3	PVD 12,5	PVD 7,9

Chiffres 1994, sauf notes : a. 1993; b. 1992; c. 1991; d. 1990; e. 1989; f. 1995; g. A parité de pouvoir d'achat (voir p. 673); h. 1986; i. 1988; j. 1983; k. 1979; l. 1980; m. 1990-95.
(*) Dernier recensement utilisable : Cameroun, 1987; Centrafrique, 1988; Congo, 1984; Gabon, 1981; Guinée équatoriale, 1983; São Tomé et Principe, 1981; Zaïre, 1984.

contexte, le gouvernement a dû, avec une marge de manœuvre extrêmement étroite, commencer la mise en œuvre d'un nouveau programme d'ajustement structurel de l'économie afin de retrouver l'accès au crédit international.

▼
République du Congo

Nature du régime : semi-présidentiel, multipartisme.
Chef de l'État : Pascal Lissouba (depuis août 92).
Premier ministre : général Jacques-Joachim Yhombi Opango (depuis le 23.6.93).
Monnaie : franc CFA (1 FCFA = 0,01 FF).
Langues : français (off.), lingala et kikongo (nationales), autres langues du groupe bantou.

Au début de 1995, l'annonce du renforcement des mesures d'austérité exigées par le FMI (Fonds monétaire international) et visant essentiellement les fonctionnaires a contribué à la dégradation du climat social. La principale centrale syndicale, la Confédération syndicale des travailleurs du Congo (CSTC, proche de l'opposition) a appelé à la grève générale. Outre le refus des privatisations, le mot d'ordre récurrent était le paiement des arriérés de salaires des fonctionnaires. Pourtant, 1994 a été marqué par la reprise des attributions de prêts et par de nombreuses remises de dettes. Mais l'État, face à la contrainte écrasante du service de sa dette extérieure, n'est pas parvenu à faire fonctionner son système fiscalo-douanier.

La formation d'un nouveau gouvernement par le général Jacques-Joachim Yhombi Opango, reconduit dans ses fonctions de Premier ministre le 23 janvier 1995, n'a pas été perçue comme un changement très significatif, malgré la nomination de quatre membres de la branche la plus puissante de l'opposition, celle dirigée par Bernard Kolélas.

Gabon

En raison des « rigidités structurelles » de l'économie nationale et de l'accroissement de la dette, la dévaluation du franc CFA, intervenue le 12 janvier 1994, n'a pas amené toutes les améliorations attendues. La situation économique et financière est demeurée difficile et l'embellie qu'a connue la filière du bois n'a pas suffi à compenser la baisse persistante des recettes pétrolières. La compression des dépenses publiques et les projets de privatisation n'ont que lentement progressé dans une ambiance peu propice à l'investissement privé dans les secteurs autres que le pétrole.

▼
République gabonaise

Nature du régime : présidentiel, multipartisme.
Chef de l'État : Omar Bongo (depuis le 28.11.67).
Premier ministre : Paulin Obame Nguéma, qui a remplacé Casimir Oyé Mba le 13.10.94.
Monnaie : franc CFA (1 FCFA = 0,01 FF).
Langues : français (off.), langues du groupe bantou.

Des tensions sociales ont accompagné cette lente dégradation de l'« exception gabonaise ». L'agitation étudiante, puis la fermeture de l'Université, ainsi que l'expulsion d'environ 40 000 immigrés « clandestins », en février 1995, en ont été les signes les plus marquants.

Refusant pour un temps de se laisser davantage décimer par les tentatives de « débauchage » de la Présidence, l'opposition s'est regroupée au sein d'un Haut comité de résistance (HCR). Le contentieux lié à la réélection peu convaincante du président Omar Bongo, en décembre 1993, ainsi que la répression qui suivit jusqu'en février 1994, sur fond de dévaluation, l'avait conduite à exiger des négociations globales avec l'exécutif.

Les accords, longuement négociés à Paris, puis signés à Libreville le 7 octobre 1994, ont prévu la création d'une commission électorale indépendante, chargée d'organiser les élections législatives de 1996. Ils stipulaient également l'entrée de l'opposition dans le nouveau « gouvernement de la démocratie », formé le 31 octobre 1994 par le nouveau Premier ministre nommé par le président, Paulin Obame Nguéma. L'opposition s'est engagée, en contrepartie, à reconnaître sinon la légitimité, du moins la « légalité » du président.

Guinée équatoriale

La démocratisation n'a guère progressé et les atteintes aux droits de l'homme n'ont pas cessé. A la fin d'octobre 1994, le président et le vice-président de l'Assemblée nationale,

▼

République de Guinée équatoriale

Nature du régime : présidentiel, parti unique de fait (Parti démocratique de Guinée équatoriale, PDGE).

Chef de l'État : Teodoro Obiang Nguema Mbasogo (depuis le 3.8.79).

Premier ministre : Silvestre Siale Bileka (reconduit le 22.12.93).

Monnaie : franc CFA (1 FCFA = 0,01 FF).

Langues : espagnol (off.), langues du groupe bantou, créole.

pourtant issus du parti du président Teodoro Obiang Nguema, ont démissionné en signe de protestation. Les relations diplomatiques avec l'Espagne, ancienne métropole coloniale et principal pourvoyeur d'aide bilatérale — avec les États-Unis —, se sont améliorées, tout en demeurant tendues. La production pétrolière, contrôlée par des sociétés américaines, a continué d'augmenter.

São Tomé et Principe

Malgré d'importantes difficultés économiques et les tensions sociales en découlant, l'archipel est parvenu à régler ses conflits politiques par la voie électorale et parlementaire. La crise opposant le président Miguel Trovoada au Parti de la convergence

▼

République démocratique de São Tomé et Principe

Nature du régime : parlementaire, multipartisme.

Chef de l'État : Miguel Trovoada (depuis le 3.3.91).

Premier ministre : Carlos Da Graça, qui a succédé, le 25.10.94, à Evaristo de Carvalho, lequel avait remplacé, le 4.7.94, Norberto Da Costa Alegre.

Monnaie : dobra (100 dobras = 0,4 FF au 30.12.94).

Langues : portugais (off.), créole, ngola.

nationale s'est soldée par le renvoi du Premier ministre Norberto Da Costa Alegre et la dissolution de l'Assemblée nationale, les 4 et 11 juillet 1994. Les élections législatives du 2 octobre 1994 ont finalement ramené au pouvoir les dignitaires du Mouvement de libération de São Tomé et Principe (MLSTP, ancien parti unique), avec à la tête du gouvernement Carlos Da Graça.

Patrick Quantin

Zaïre

En juin 1994, a été inauguré ce que l'on a appelé la « troisième voie », c'est-à-dire une voie médiane entre la mouvance du président Mobutu Sese Seko (au pouvoir depuis 1965) et celle de l'opposition radicale, menée principalement par l'opposant Étienne Tshisekedi. Ainsi s'est trouvé remis en selle l'ancien Premier commissaire d'État (Premier ministre en fonction de 1982 à 1986, puis de 1988 à 1990) Kengo wa Dondo, souvent considéré comme l'interlocuteur privilégié des institutions financières internationales et des coopérations bilatérales, et formellement appa-

BIBLIOGRAPHIE

J. BAILLIF, *Congo*, Karthala, Paris, 1993.

M. BETI, *La France contre l'Afrique. Retour au Cameroun*, La Découverte, Paris, 1993.

C. BRAECKMAN, *Le Dinosaure. Le Zaïre de Mobutu*, Fayard, Paris, 1991.

CEAN, *L'Afrique politique 1995*, Karthala, Paris, 1995. Voir notamment les articles consacrés à la Centrafrique (M. KOYT, M. F. M'BRINGA TAKAMA, P.M. DECOURAS) et au Cameroun (M. E. OWONA NGUINI).

P. DECRAENE, *L'Afrique centrale*, CHEAM, Paris, 1993 (nouv. éd.).

S. EBOUA, *Une décennie avec le président Ahidjo*, L'Harmattan, Paris, 1995.

R. FEGLEY, *Equatorial Guinea : an African Tragedy*, Peter Lang Verlag, Berne, 1990.

B. JEWSIEWICKI, *Naître et mourir au Zaïre. Un demi-siècle d'histoire au quotidien*, Karthala, Paris, 1993.

F. GAULME, *Le Gabon et son ombre*, Karthala, Paris, 1988.

M. LINIGER-GOUMAZ, *Who's who de la dictature de Guinée équatoriale. Les Nguemistes*, Éd. du Temps, Genève, 1993.

C. MONGA, *Anthropologie de la colère. Société civile et démocratie en Afrique noire*, L'Harmattan, Paris, 1994.

L. NZUZI, « Zaïre. Quatre années de transition », bilan provisoire, *in* CEAN, *L'Afrique politique 1995*, Karthala, Paris, 1995.

« Spécial Gabon », *Marchés tropicaux et méditerranéens* n° 2506, Paris, nov. 1993.

« Spécial São Tomé et Principe », *Marchés tropicaux et méditerranéens*, n° 2477, Paris, avr. 1993.

F. WEISSMAN, *Élection présidentielle de 1992 du Congo : entreprise politique et mobilisation électorale*, CEAN, Bordeaux, 1994.

J.-C. WILLAME, « Gouvernance et pouvoir. Essai sur trois trajectoires africaines (Madagascar, Somalie, Zaïre) », *Cahiers africains*, n° 7-8, L'Harmattan / Institut africain, Paris / Bruxelles, 1994.

J.-C. WILLAME, *L'Automne d'un despotisme. Pouvoir, argent et obéissance dans le Zaïre des années quatre-vingt*, Karthala, Paris, 1992.

renté à l'« union sacrée » de l'opposition, avec laquelle son parti, l'UDI (Union des démocrates indépendants), avait pris ses distances depuis le début de l'année 1994.

Le label de « troisième voie » est toutefois sujet à caution. Tout d'abord, le mode de désignation de Kengo Wa Dondo à la tête de l'exécutif zaïrois a été entaché d'irrégularités. Par ailleurs, la composition même de la nouvelle équipe dirigeante, forte de 44 membres — chiffre qui rappelle les gouvernements « mammouth » de la IIᵉ République —, a laissé apparaître une forte prépondérance des membres de la nomenclature politique des années quatre-vingt, aux principaux postes économiques et financiers de l'État (Finances, Économie, Plan, Coopération internationale). Par ailleurs, 9 des 28 titulaires de postes ministériels sont mentionnés dans la liste des 149 « barons », établie fin 1991 par la Conférence nationale souveraine (CNS) : ils sont suspectés d'enrichissement personnel suite à leur participation à la gestion de l'État.

Profitant de sa réputation de gestionnaire, le nouveau Premier ministre a entrepris de restaurer la crédibilité de l'État zaïrois. Il a été décidé de geler toutes les transactions de la Banque centrale, de saisir un avion transportant 30 tonnes de nouveaux billets de banque imprimés en Argentine sur décision du précédent gouverneur de la Banque, d'expulser en février 1995 plusieurs centaines de Libanais accusés de saboter l'économie zaïroise. Enfin, en mars 1995, le licenciement de 300 000 employés de l'État, fictifs pour la plupart, a été annoncé.

République du Zaïre

Nature du régime : partage du pouvoir entre le président de la République et le Premier ministre désigné par le HCR-PT (Haut Conseil de la République-Parlement de transition), nouvelle institution législative transitoire.

Chef de l'État (au 15.7.94) : Mobutu Sese Seko (depuis le 24.11.65).

Premier ministre : Joseph Kengo Wa Dondo, qui a remplacé Faustin Birindwa (« démissionné » le 14.1.94).

Monnaie : nouveau zaïre (1 NZ = 0,001 FF au 30.3.95).

Langues : français (off.), lingala, swahili...

Pendant que Kengo Wa Dondo s'évertuait, parfois théâtralement, à faire montre d'autorité sur un État qui a implosé, le président Mobutu continuait à arbitrer des jeux de cour entre clans rivaux (« clan » Bemba Saolona, « clan » Seti, « clan » Kengo...) à partir de ses quartiers de Kawele et Gbadolite, dans sa région d'origine. Il escomptait sans doute ainsi rester « incontournable » — surtout grâce à sa division présidentielle —, dans un pays en voie d'éclatement régional virtuel et où certaines dynamiques peuvent cependant voir le jour à l'abri des lieux institutionnels du pouvoir.

L'année 1995 a cependant commencé sous le signe de l'accalmie, même si on ne pouvait encore affirmer qu'elle perdurerait. Le président Mobutu a insensiblement renoué des liens à l'extérieur, notamment avec

le gouvernement français d'Edouard Balladur : on l'a même revu au « sommet » social de Stockholm. La diplomatie de la Belgique (ancienne métropole coloniale) a, quant à elle, continué à le bouder.

Sur le plan intérieur, l'opposition radicale ne s'est plus manifestée, sauf pour tenter de trouver un appui auprès des forces politiques opposées au Premier ministre, y compris auprès de certains éléments de la mouvance présidentielle.

A l'est, la situation s'est aggravée depuis la fin 1994 par la présence de près de 1,5 million de réfugiés rwandais (400 000 dans les environs de Bukavu, 800 000 à 900 000 à la périphérie de Goma). Bien que les retours de Rwandais aient été nombreux dans le nord-ouest de leur pays, la plupart des réfugiés regroupés autour de leurs bourgmestres ont persisté dans leur refus de retourner au pays consécutivement aux rumeurs, souvent vérifiées, d'exécutions sommaires perpétrées par l'Armée patriotique rwandaise. Beaucoup de ces réfugiés ont formé des bandes de pillards armés, semant le désordre dans la région, tandis que d'autres occupaient *manu militari* des terres appartenant à des villages zaïrois. Une situation d'exception a été décrétée dans le Kivu où les militaires zaïrois (parachutistes et gardes civils), sans solde depuis plusieurs mois, sont apparus constituer un facteur d'insécurité supplémentaire.

Les mesures prises par le gouvernement Kengo (rappel d'unités zaïroises peu « sûres »), déclarations médiatisées sur l'obligation des réfugiés de rentrer chez eux) n'ont été que théoriques. L'ancien gouvernement rwandais en exil, dont les membres, accusés d'avoir incité au génocide de 1994, se sont dispersés au Kivu et à Kinshasa, d'où il n'a continué à diffuser des communiqués réclamant le retour sans conditions de leurs compatriotes, n'a jamais été sérieusement inquiété. Certains observateurs estimaient que le président Mobutu pourrait considérer les réfugiés rwandais comme une « masse de manœuvre » électorale intéressante.

Enfin, le Zaïre a encore fait la «une» de la presse internationale avec la réapparition, en avril 1995, du virus Ebola dans la région de Kikwit. Cette épidémie, déjà surgie en 1972, a cependant été rapidement maîtrisée. Bien que surmédiatisée, elle n'en a pas moins démontré la précarité du système de santé.

Jean-Claude Willame

Afrique de l'Est

Burundi, Kénya, Ouganda, Rwanda, Tanzanie
(Voir aussi l'article p. 92.)

Burundi

Encore traumatisé par l'assassinat de son premier président démocratiquement élu, Melchior Ndadaye, lors du putsch militaire d'octobre 1993, et par les massacres interethniques qui s'ensuivirent (faisant des dizaines de milliers de victimes et plus d'un million de réfugiés et déplacés), le Burundi s'est vu à nouveau confronté à une grave crise politique avec la mort de son successeur, Cyprien Ntaryamira, deux mois après son arrivée au pouvoir, le 6 avril 1994, dans l'attentat qui coûta également la vie au président rwandais Juvénal Habyarimana, à Kigali.

De la même façon que le putsch burundais avait radicalisé les clivages politiques au Rwanda, le génocide anti-tutsi puis la victoire du FPR (Front patriotique rwandais) à Kigali ont fortement pesé sur le fragile rapport de forces burundais. De plus en plus ouvertement, les partis de l'opposition tutsi, appuyés par certains secteurs de l'armée, ont remis en cause la légitimité même du processus électoral de 1993, qui a dépossédé cette dernière d'un pouvoir exercé sans partage depuis 1965, et la «tyrannie du nombre» avantageant arithmétiquement les formations à dominante hutu.

Après plusieurs épisodes de forte tension, une première étape vers le retour à un cadre institutionnel normal a été franchie le 30 septembre 1994 avec l'installation d'un nouveau président de la République, issu du parti majoritaire Frodébu (Front pour la démocratie au Burundi) à dominante hutu, Sylvestre Ntibantunganya. Privé d'une large part de ses pouvoirs constitutionnels par une «convention de gouvernement» âprement négociée, il a confirmé aussitôt dans ses fonctions de Premier ministre Anatole Kanyenkiko, issu de l'opposition et nommé par son prédécesseur, qui jouissait d'une réputation d'homme de compromis.

▼

République du Burundi

Nature du régime : présidentiel. Parti unique jusqu'en mai 92.

Chef de l'État : Sylvestre Ntibantunganya, nommé président intérimaire après que Cyprien Ntaryamira a été assassiné le 6.4.94.
Il est ensuite élu président de la République par l'Assemblée nationale, le 30.9.94.

Premier ministre d'« opposition » : Antoine Nduwayo (Uprona), qui a succédé le 23.2.95 à Anatole Kanyenkiko (exclu de l'Uprona), lequel était entré en fonction le 7.2.94.

Monnaie : franc burundais (100 francs = 2,1 FF au 30.3.95).

Langues : kirundi, français, swahili.

Celui-ci est très vite devenu la cible des éléments extrémistes tutsi qui, après s'être assuré le contrôle de

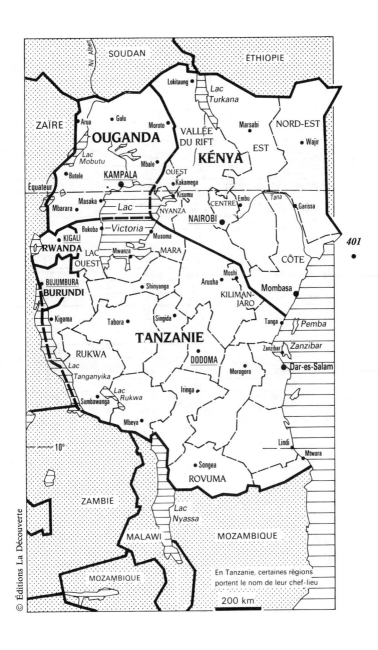

401

Afrique de l'Est

INDICATEUR	UNITÉ	BURUNDI	KÉNYA	OUGANDA
Capitale		Bujumbura	Nairobi	Kampala
Superficie	km²	27 830	582 640	236 040
Développement humain (IDH) [b]		0,276	0,434	0,272
DÉMOGRAPHIE				
Population (*) [f]	million	6,39	28,26	21,30
Densité [f]	hab./km²	229,7	48,5	90,2
Croissance annuelle [j]	%	3,0	3,6	3,4
Indice de fécondité (ISF) [j]		6,8	6,3	7,3
Mortalité infantile [j]	‰	102	69	115
Espérance de vie [j]	année	50	56	45
Population urbaine	%	7,2	26,8	12,2
CULTURE				
Analphabétisme [f]	%	64,7	21,9	38,2
Scolarisation 12-17 ans	%	29,1 [c]	62,6 [d]	45,5 [d]
Scolarisation 3e degré	%	0,8 [c]	2,2 [d]	1,3 [b]
Téléviseurs [b]	‰ hab.	0,9	9,7	10
Livres publiés	titre	54 [h]	239 [c]	..
Nombre de médecins [d]	‰ hab.	0,06	0,05	0,04
ARMÉE				
Armée de terre	millier d'h.	12,5	20,5	
Marine	millier d'h.	—	1,2	50
Aviation	millier d'h.	0,1	2,5	
ÉCONOMIE				
PIB [a]	million $	1 102	6 743	3 486
Croissance annuelle 1985-93	%	3,5	3,3	5,2
1994	%	− 12,0	3,0	7,0
Par habitant [ag]	$	660	1 310	840
Dette extérieure totale [a]	million $	1 063	6 994	3 056
Service de la dette/Export. [a]	%	41,0	28,0	121,3
Taux d'inflation	%	13,6	6,6	6,7
Dépenses de l'État Éducation	% PIB	3,7 [b]	7,0 [d]	1,7 [c]
Défense	% PIB	2,7 [a]	3,2	2,6 [a]
Énergie [b] Consommation par habitant	kg	18	113	28
Taux de couverture	%	17,9	23,7	18,2
COMMERCE				
Importations	million $	224	1 938	853
Exportations	million $	104	1 380	391
Principaux fournis. [a]	%	PCD 51,8	PCD 47,4	PCD 58,9
	%	Bel 15,0	R-U 9,7	R-U 13,2
	%	PVD 44,5	PVD 37,8	PVD 41,3
Principaux clients [a]	%	PCD 60,0	PCD 60,4	PCD 85,1
	%	RFA 26,8	R-U 18,6	UE 68,7
	%	PVD 36,8	PVD 41,4	PVD 14,9

RWANDA	TANZANIE
Kigali	Dodoma
26 340	945 090
0,274	0,306
7,95	29,70
301,9	31,4
2,6	3,0
6,5	5,9
110	85
47	52
6,0	23,6
39,5	32,2
36,4 [d]	52,7 [c]
0,6 [e]	0,2 [e]
..	1,6
207 [i]	172 [d]
0,04	0,03
5 [k]	45
—	1
0,2	3,6
1 499	2 521
0,7	4,8
−50,0	5,0
640	570 [c]
910	7 522
5,0	25,1
64,0	25,1
3,8 [e]	5,0 [d]
9,1 [a]	3,5
30	35
9,8	8,4
286 [a]	1 449
94 [a]	349
PCD 59,8	PCD 55,9
Bel 14,7	R-U 13,8
PVD 31,1	PVD 44,1
PCD 74,5	PCD 60,1
RFA 33,0	RFA 10,6
PVD 13,8	PVD 39,9

l'Uprona (Unité pour le progrès national, ex-parti unique à dominante tutsi), l'ont exclu et ont obtenu sa démission en février 1995. Le nouveau gouvernement, formé le 1er mars par Antoine Nduwayo, n'a ensuite pas réussi à faire cesser la surenchère entre extrémistes de divers bords. Ainsi, à la fin du mois de mars 1995, sous la pression des milices tutsi bénéficiant du soutien de militaires, plusieurs quartiers hutu de Bujumbura ont été vidés de leur population, enfuie au Zaïre. En réaction, l'affaiblissement manifeste du Frodébu et du président Ntibantunganya a libéré un espace politique aux extrémistes hutu partisans de la lutte armée contre la «reconquête tutsi». Coups de main, attentats, assassinats politiques, opérations de «pacification» des forces armées, ces formes banalisées de violence politique se sont imposées, déclenchant épisodiquement des flux massifs vers les frontières de populations en proie à la panique.

Malgré une configuration politique moins tranchée qu'au Rwanda (le Frodébu détient toujours des positions majoritaires dans les institutions exécutive et législative et dispose d'une base rurale forte), la bipolarisation ethnique n'a donc cessé de gagner du terrain, les forces armées n'osant guère s'aventurer dans les campagnes largement monoethniques et les populations tutsi déplacées de l'intérieur (environ 500 000 personnes) demeurant regroupées dans les camps à proximité des villes protégées par l'armée. De même, la partition ethnique de Bujumbura est apparue désormais bien établie, la plupart des personnalités hutu n'osant plus guère y résider.

Chiffres 1994, sauf notes : a. 1993;
b. 1992; c. 1991; d. 1990; e. 1989;
f. 1995; g. A parité de pouvoir d'achat (voir
p. 673); h. 1986; i. 1987; j. 1990-95;
k. A la veille de la guerre civile.
(*) Dernier recensement utilisable :
Burundi, 1990; Kénya, 1989; Ouganda,
1991; Rwanda, 1991; Tanzanie, 1988.

Le 27 juin 1995, le Parlement, à majorité Frodébu, a refusé de donner au président de la République (pourtant issu du même parti) les pouvoirs spéciaux que celui-ci demandait, estimant que l'état d'exception prévalait déjà *de facto*. Pour tenter de désamorcer l'engrenage de la radicalisation, le secrétaire général des Nations unies, Boutros Boutros-Ghali, s'est rendu le 17 juillet 1995 à Bujumbura pour y lancer un pathétique «message à l'Afrique et au monde sur les problèmes actuels du continent».

Pour l'avenir, l'attitude des forces armées, à la fois partisanes et garantes d'un ordre minimal, apparaissait décisive. Une chose semblait cependant sûre : le miracle financier de l'année 1994, qui a assuré au pays de confortables recettes du fait de la conjonction d'une récolte record de café et de cours très favorables, ne se renouvellera pas en 1995, des disettes localisées n'étant pas exclues.

André Guichaoua

Kénya

L'hémorragie de parlementaires de l'opposition rejoignant les forces de la majorité ne s'est toujours pas tarie : cinq d'entre eux ont rallié la KANU (Union nationale africaine du Kénya), l'ancien parti unique. Le parti dominant, qui n'a cessé de consolider son pouvoir, pouvait donc jouir d'une confortable majorité au Parlement, ce qui a permis à certains députés de proposer une réforme constitutionnelle accordant davantage de pouvoirs aux régions. Jusque-là, le gouvernement n'a pas donné suite à ces projets, l'élite en place étant assurée de rester à la tête de l'État et du Parlement pour une longue période. L'opposition s'est, en effet, révélée toujours aussi divisée. Ford (Forum pour la restauration de la démocratie)-Asili n'a pas mis fin à sa guerre des chefs et Ford-Kénya, qui s'est donné en janvier 1994 un nouveau président par intérim, Michael Kijana Wamalwa, a manifesté des difficultés à sauvegar-

der son unité. En effet, le premier vice-président du parti, Paul Muite, a fondé le 5 septembre 1994 une nouvelle organisation, le Mwangaza Trust, dont le projet très vague est de travailler avec les partis politiques et les ONG (organisations non gouvernementales) à la mise en place d'un nouvel ordre constitutionnel.

▼

République du Kénya

Nature du régime : présidentiel. Parti unique jusqu'en déc. 91.
Chef de l'État et du gouvernement : Daniel Arap Moi (depuis le 22.8.78).
Monnaie : shilling kényan (1 shilling = 0,11 FF au 30.4.95).
Langues : swahili (off.), anglais (off.), kikuyu, luo.

Les gesticulations des leaders de l'opposition cachaient, en fait, mal leurs difficultés à agir, notamment parce que la presse a eu de plus en plus de mal à sauvegarder sa liberté de manœuvre, le pouvoir arrêtant ou expulsant les journalistes les plus volontaires. En dépit de la grève des universitaires et des médecins du secteur public à l'automne 1994, les syndicats ont hésité à s'exprimer et les organisations chrétiennes, qui ont joué un rôle important durant la démocratisation, sont restées muettes tout au long de l'année.

Dans ces conditions, le pouvoir a pu continuer de capitaliser les «nettoyages ethniques», amorcés dès 1991. En mars et avril 1994, certaines zones de la Rift Valley ont à nouveau connu des violences et plusieurs milliers de Kikuyu ont rejoint les camps de réfugiés. Au mois de mai suivant, huit Luo ont été tués à Mtondia (district de Kilifi, sur la côte) et quelques centaines de fermiers ont dû quitter la région.

Enfin, le gouvernement a bénéficié d'une certaine embellie de l'économie : l'inflation a considérablement baissé, certains agriculteurs ont profité de l'augmentation du prix du café et le tourisme a semblé surmonter une crise de fréquentation notable depuis la guerre du Golfe (1991). De plus, le Kénya a semblé pouvoir tirer profit de la reprise économique en Afrique de l'Est et australe en exportant les produits de son secteur industriel, plus développé que celui de ses voisins, et ce d'autant plus que la diplomatie kényane s'est livrée à une politique prudente vis-à-vis des pays de la région.

Ainsi, le Kénya n'entretient plus des relations crispées qu'avec l'Ouganda, accusé en février 1995 d'héberger le brigadier John Odongo, un exilé kényan qui aurait tenté de fomenter un coup d'État. En fait, il a semblé que le pouvoir utilisait ces péripéties internationales dans l'espoir de discréditer un peu plus l'opposition interne.

Hervé Maupeu

Ouganda

En mars 1994, une Assemblée constituante a été élue au suffrage universel pour mettre sur pied un texte chargé de remplacer la Constitution républicaine de 1967, théoriquement toujours en vigueur. Cette élection a vu la réapparition de la séparation politique opposant l'Ouganda du Sud et de l'Ouest — acquis au nouveau régime du Mouvement de résistance nationale (MRN) — au Nord et à l'Est du pays, selon le clivage Ouganda bantou-Ouganda nilotique et soudanique. Idéologiquement, ce clivage oppose les tenants du multipartisme au Nord et les partisans du régime du « broad base government » (gouvernement d'unité nationale) mis en place par le MRN depuis 1986.

La rédaction de la Constitution a ranimé la lancinante querelle sur la nature de l'État : unitaire ou fédéral ? Les plus fervents partisans du fédéralisme, les ultra-conservateurs baganda, confortés par le couronnement en juillet 1993 du roi Mutebi II et la création d'un groupe parlementaire baganda, ont fait glisser le débat du terrain politique au terrain militaire, puisque, au cours de l'année

1994, un certain nombre d'incidents ont suscité une remontée de la violence et de l'insécurité dans la partie la plus riche et la plus stable du pays, le Buganda, pourtant acquise au régime.

▼

République d'Ouganda

Nature du régime : présidentiel, populiste.
Chef de l'État : Yoweri Museveni (depuis le 29.1.86).
Chef du gouvernement : Kintu Musoke, qui a succédé à George Adyebo en décembre 95.
Monnaie : shilling ougandais (100 shillings = 0,6 FF au 30.4.95).
Langues : kiganda, anglais, swahili (off.).

Cette reprise de l'insécurité au centre ne laissait pas d'être inquiétante au moment même où la région nord se trouvait à nouveau soumise aux activités meurtrières de guérillas — la Lord Resistance Army (Armée de la résistance du seigneur) de Joseph Kony ou le groupe de Peter Otai —, armées et soutenues par le gouvernement soudanais, ce dernier cherchant ainsi à répondre au soutien de Kampala au Sudan Peoples Liberation Army (Armée de libération populaire du Soudan). Les relations diplomatiques entre Khartoum et Kampala ont ainsi été interrompues en avril 1995.

La reprise exactement contemporaine des relations avec Israël après vingt-trois ans de divorce soulignait bien le rôle joué par l'Ouganda dans la géostratégie des relations entre le monde occidental et le monde islamique et arabe et le traitement de faveur dont il fait l'objet de la part du premier. L'économie a ainsi continué à bénéficier d'un afflux d'aides occidentales et multilatérales.

La stabilité politique, les succès économiques (taux de croissance de 7 % en 1994), la bonne volonté gouvernementale à appliquer les politiques d'ajustement structurel

BIBLIOGRAPHIE

AFRICA WATCH, *Divide and Rule : State-Sponsored Violence in Kenya*, Londres, nov. 1993.

BANQUE MONDIALE, *Burundi. Note de stratégie économique et évaluation de la pauvreté*, Bujumbura, 1995.

C. BRAECKMAN, *Rwanda. Histoire d'un génocide*, Fayard, Paris, 1994.

J.-P. CHRÉTIEN, *Burundi : l'histoire retrouvée*, Karthala, Paris, 1993.

A. DESTEXHE, *Rwanda. Essai sur le génocide*, Complexe, Bruxelles, 1994.

R. LEMARCHAND, *Burundi. Ethnocide as Discourse and Practice*, W. Wilson Center Press/Cambridge University Press, Cambridge 1994 (nouv. éd. à paraître).

R. OOMAR, A. WAAL (sous la dir. de), *Rwanda, Death, Despair and Defiance*, African Rights, Londres, 1994.

G. PRUNIER, B. CALAS (sous la dir. de), *L'Ouganda contemporain*, Karthala, Paris, 1994.

REPORTERS SANS FRONTIÈRES, *Burundi : le venin de la haine*, Paris, 1995.

REPORTERS SANS FRONTIÈRES, *Rwanda. Les médias de la haine*, La Découverte, Paris, 1995.

« Rwanda-Burundi 1994-1995. Les politiques de la haine », *Les Temps modernes*, n° 583, Paris, juil.-août 1995.

WORLD BANK, *Uganda : Growing out of Poverty*, Washington, 1993.

WORLD BANK, *Kenya. Re-investing in Stabilization and Growth*, Washington, 1992.

Voir aussi la bibliographie p. 94.

de l'économie (avec notamment la démobilisation de la moitié de l'armée) ont poussé les donateurs à la générosité (820 millions de dollars pour 1995).

Cette confiance a été renouvelée malgré le rôle ambigu que certains observateurs n'ont pas manqué de voir jouer par l'Ouganda dans le conflit rwandais. En effet, de 1990 à 1994, le territoire ougandais a servi de sanctuaire (base retranchée protégée par la frontière) au FPR (Front patriotique rwandais) et bénéficiant en cela de la bienveillante neutralité de Kampala. L'attitude ougandaise dans le conflit rwandais a momentanément affaibli la position internationale du président Yoweri Museveni.

L'avertissement lancé le 15 mai 1995 par les États-Unis à Y. Museveni sur la question du multipartisme a d'autant plus inquiété le pouvoir qu'il semblait signifier la fin du soutien occidental sans condition.

Bernard Calas

Rwanda

L'attentat du 6 avril 1994 (toujours non élucidé) qui coûta la vie aux deux présidents du Burundi (Cyprien Ntaryamira) et du Rwanda (Juvénal Habyarimana) est advenu dans un climat d'extrême tension politique. Il a mis fin au processus de retour à la paix défini par les accords d'Arusha d'août 1993, signés entre les représentants de la « mouvance présidentielle » (de plus en plus radicalisée sur une ligne d'exclusive ethnique pro-hutu), les partis de l'« opposition démocratique » interne et le Front patriotique rwandais (FPR, composé pour l'essentiel de réfugiés tutsi chassés du pays lors de l'accession du pays à l'indépendance).

Au cours des semaines qui ont suivi, la Garde présidentielle, les diverses milices du *Hutu Power*, puis les Forces armées rwandaises (FAR) ont entrepris de décimer physiquement l'opposition interne et, plus globalement, la population tutsi. Face à cette extermination programmée, la non-intervention, puis le départ, le 22 avril 1994, des forces des Nations unies ont traduit l'impuissance et les contradictions de la communauté internationale. La tragédie consommée, il a fallu attendre le 23 juin pour que l'opération humanitaire multinationale (dite *Turquoise*), sous commandement français, soulage la mauvaise conscience internationale.

▼

République rwandaise

Nature du régime : présidentiel (avec une forte composante militaire).
Parti unique jusqu'en juin 1991.
Multipartisme reconnu ensuite.

Chef de l'État : Pasteur Bizimungu, désigné président en juillet 1994, après la victoire militaire du FPR.
Vice-président et ministre de la Défense : Paul Kagame. Juvénal Habyarimana, chef de l'État depuis 1973, avait été assassiné le 6.4.94.

Premier ministre : Faustin Twagiramungu (depuis juil. 1994).

Monnaie : franc rwandais (100 francs = 4,0 FF au 28.2.94).

Langues : kinyarwanda, français, anglais, swahili.

Au terme de cette guerre totale qui s'est achevée à la fin juillet 1994 par la victoire des troupes du FPR, les pertes civiles dépassaient le demi-million de victimes (tutsi dans leur très grande majorité). On décomptait, par ailleurs, au moins deux millions de réfugiés (principalement au Zaïre et en Tanzanie) et trois millions de déplacés à l'intérieur du pays.

Un gouvernement s'inspirant des accords d'Arusha, d'où les représentants de l'ex-parti présidentiel MRND (Mouvement républicain national pour la démocratie et le développement) ont été exclus du fait de leur responsabilité dans le génocide — qualification donnée par les Nations unies aux crimes commis —, a été mis en place le 19 juillet 1994

par le FPR dans un pays dévasté. Les tâches qui lui ont incombé relevaient de la quadrature du cercle : rétablir la sécurité pour tous dans un climat exacerbé par la monstruosité des violences, rompre avec la tradition d'impunité sans céder à l'esprit de vengeance, restaurer les infrastructures collectives vitales (eau, soins aux victimes, habitat) sans moyens logistiques propres, réinstaller une administration compétente et légitime... aux yeux des nouveaux vainqueurs et des populations traumatisées de l'intérieur... A la fin de l'année 1994, grâce au sens aigu de l'organisation des nouvelles autorités et à un effort décisif de la communauté internationale sur le plan humanitaire (650 millions de dollars en 1995), la reconstruction est apparue relativement bien engagée.

Soumises à de fortes pressions internationales pour favoriser un retour rapide des deux millions de nouveaux réfugiés (hutu), les autorités de Kigali ont progressivement durci leurs positions. S'agissait, pour les éléments radicaux, civils et militaires, contrôlant les centres de décision et, dans les faits, le pays, de consolider au plus vite des acquis quasi irréversibles : marginalisation de l'ex-opposition politique associée au pouvoir et occupation spatiale des villes et des régions désertées par leurs anciens habitants avec le retour massif des populations tutsi chassées à l'indépendance ou l'installation de ressortissants étrangers favorables au nouveau régime.

Cette dérive sécuritaire s'est illustrée fin avril 1995 par l'évacuation brutale des camps de déplacés installés au sud du pays dans l'ex-« zone humanitaire sûre » française où des partisans de l'ancien régime restaient très actifs politiquement (dans celui de Kibeho des centaines de personnes ont été tuées par l'armée). Estimant alors le « Rwanda pacifié », les autorités de Kigali imposeront au Conseil de sécurité, le 9 juin 1995, une réduction drastique du mandat et des effectifs de la Mission des Nations unies pour l'assistance au Rwanda (Minuar) renouvelée, probablement pour la dernière fois, pour une durée de six mois. Pour les responsables du génocide et leurs partisans — Hutu extrémistes militaires et civils — en exil et toujours très actifs, en particulier à la frontière zaïroise, cette radicalisation a conforté leur stratégie de revanche.

André Guichaoua

Tanzanie

Les élections législatives et présidentielles du 29 octobre 1995 se sont présentées comme l'enjeu de la vie politique en 1994-1995. Jusque-là, les tentatives de l'opposition pour offrir un front uni face au pouvoir ont toutes échoué et le CCM (Chama Cha Mapinduzi, ancien parti unique) a remporté les quatre élections partielles de 1994 ainsi que les élections locales organisées sur le continent. Dès lors, le seul enjeu des élections présidentielles restait l'investiture d'un candidat par le CCM. Le remaniement ministériel de décembre 1994 a quelque peu invalidé les chances de John Malecela, l'ancien Premier ministre (1990-1994). Ce dernier s'est en effet heurté à l'hostilité de Julius Nyerere, le «père de l'indépendance», qui s'est livré, dans un ouvrage publié en novembre, à une violente diatribe contre le chef du gouvernement et le secrétaire général du CCM, Horace Kolimba.

République unie de Tanzanie

Nature du régime : présidentiel, multipartisme depuis le 19.2.92.
Chef de l'État : Ali Hassan Mwinyi (depuis le 27.10.85).
Chef du gouvernement : Cleopa Msuya, qui a succédé à John Malecela en déc. 94.
Monnaie : shilling tanzanien (100 shillings = 0,9 FF au 30.4.95).
Langues officielles : swahili, anglais.

Ces attaques ont sonné le glas d'un gouvernement qui a subi des échecs graves tant au niveau diplomatique

— après les accords d'Arusha de 1993, les diverses tentatives pour faire s'entendre les factions rwandaises n'ont pu empêcher un génocide —, qu'au niveau interne où la *motion G55* (du nom des 55 parlementaires ayant proposé la mise en place d'un gouvernement spécifique pour la partie continentale du pays) a été définitivement rejetée. De plus, des révélations sur la corruption administrative et sur des abus dans les exemptions d'impôts ont profondément discrédité le ministre des Finances Kighoma Ali Malima auprès des donateurs internationaux. Le président Ali Hassan Mwinyi a donc nommé à la tête du nouveau gouvernement Cleopa Msuya, qui avait déjà occupé ce poste au début des années quatre-vingt et qui apparaissait comme un postulant sérieux au poste de président de la République. J. Malecela n'était pas pour autant exclu de la course à l'investiture, dans la mesure où il restait au sein de l'équipe gouvernementale avec un poste de ministre sans portefeuille.

Les syndicats ont organisé en mars 1994 leur première grève générale qui, même si elle n'a pas rencontré un grand succès, a incité le pouvoir à doubler le montant du salaire minimum, lequel n'avait pas été revalorisé en 1993. Les magistrats ont également fait preuve d'une certaine indépendance, n'hésitant plus à invalider certains scrutins ou à prendre la défense de certains leaders de l'opposition. L'armée, enfin, aurait eu des états d'âme, selon la presse indépendante constamment harcelée par le pouvoir.

Le clivage principal du pays est cependant demeuré celui entre le continent et les îles (Zanzibar et Pemba), et le trentième anniversaire de l'union en 1994 n'a fait qu'approfondir cette crise entre les deux régions, entre chrétiens et musulmans, entre «Arabes» et «Africains». Or, l'administration n'a jamais calmé le jeu puisqu'elle a constamment inquiété le Front civil uni, représentant les intérêts d'une partie des habitants de Zanzibar. Dès lors, certains leaders politiques n'ont plus hésité à user de discours nationalistes sinon xénophobes. Le nord-est du pays a continué d'accueillir plusieurs centaines de milliers de réfugiés rwandais.

Hervé Maupeu

Afrique du Nord-Est

Djibouti, Érythrée, Éthiopie, Somalie

Djibouti

Le Front pour la restauration de l'unité et de la démocratie (FRUD), qui s'était engagé dans une lutte armée contre le régime au pouvoir à compter de 1991, s'est divisé durant l'été 1994. Une fraction, regroupant les combattants afar du sud de Djibouti, a suivi Ougoureh Kifleh et Ali Mohamed Daoud, partisans de la négociation avec le régime. La signature d'un accord de paix, le 26 décembre 1994, n'a pas mis fin à tous les problèmes. Une part du FRUD est restée hostile au pouvoir et les postes offerts à la faction conciliatrice n'ont pas mis fin à la marginalisation politique des Afar.

▼

République de Djibouti

Nature du régime : présidentiel.
Chef de l'État (de fait chef du gouvernement) : Hassan Gouled Aptidon (depuis le 12.7.77, réélu le 6.5.93).
Premier ministre : Hamadou Barkat Gourad (depuis le 21.9.78).
Monnaie : franc Djibouti (rattaché au dollar, 100 francs = 2,8 FF au 30.4.95).
Langues : arabe, français, afar et issa.

Cependant, il restait à gérer les conséquences de la guerre, notamment l'état catastrophique des finances de l'État. Plutôt que de négocier avec le FMI (Fonds monétaire international) puis avec la France, le gouvernement a donné des gages aux pays du Golfe.

Chaque candidat à la succession du président Hassan Gouled a entrepris de tisser les alliances nécessaires pour éliminer ses concurrents. La guerre est peut-être finie mais pas l'instabilité politique.

Érythrée

Le gouvernement a adopté en août 1994 un nouveau code d'investissement très bien accueilli et constituant un pas de plus dans la reconstruction. Malgré une aide occidentale substantielle et un très net soutien américain, les difficultés restaient importantes. La démobilisation de plus de 50 000 combattants, après trente ans de combat pour l'indépendance contre l'Éthiopie, s'est révélée très coûteuse, comme le retour des réfugiés du Soudan. Les tensions économiques ont été aiguisées par une situation politique bloquée. Les discussions sur la nouvelle Constitution ont à peine débuté et la séparation entre l'unique parti autorisé, le Front pour la justice et la démocratie, et l'État est demeurée une fiction.

▼

République d'Érythrée

Nature du régime : présidentiel à parti unique.
Chef de l'État et du gouvernement : Issayas Afworki (depuis le 24.5.93).
Monnaie : berr.
Langues : tigrinya (off.), arabe (off.), tigré, afar, bilein, etc.

La situation régionale apparaissait également peser sur le nouveau régime. Certes, les relations avec les

Afrique du Nord-Est

INDICATEUR		DJIBOUTI	ÉRYTHRÉE [1]	ÉTHIOPIE	SOMALIE
	Capitale	Djibouti	Asmara	Addis-Abéba	Mogadiscio
	Superficie (km²)	23 200	121 144	1 097 900	637 660
	Développement humain (IDH) [b]	0,226	..	0,249	0,217
DÉMOGRAPHIE	Population (*) [f] (million)	0,58	3,53	55,05	9,25
	Densité [f] (hab./km²)	24,9	29,1	50,1	14,5
	Croissance annuelle [i] (%)	2,2	2,7	3,0	1,3
	Indice de fécondité (ISF) [i]	5,8	5,8	7,0	7,0
	Mortalité infantile [i] (‰)	115	105	119	122
	Espérance de vie [i] (année)	48	50	47	47
	Population urbaine (%)	82,5	16,9	13,1	25,4
CULTURE	Analphabétisme [f] (%)	53,8	80 [a]	64,5	73,0 [b]
	Scolarisation 12-17 ans (%)	23,2 [b]	..	21,1 [d]	10,3 [i]
	Scolarisation 3e degré (%)	—	—	0,8 [d]	2,3 [e]
	Téléviseurs [b] (‰ hab.)	54	..	2,7	12
	Livres publiés (titre)	..	..	240 [d]	..
	Nombre de médecins (‰ hab.)	0,24 [g]	0,02 [h]	0,03 [g]	0,07 [g]
ARMÉE	Armée de terre (millier d'h.)	8	70	120	..
	Marine (millier d'h.)	0,2			..
	Aviation (millier d'h.)	0,2			..
ÉCONOMIE	P I B (million $) [a]	448	393	5 505	835 [g]
	Croissance annuelle 1985-93 (%)	2,0	..	1,1	0,7
	1994 (%)	− 3,3	..	1,3	..
	Par habitant ($) [j]	1 000 [d]	..	380 [a]	759 [a]
	Dette extérieure totale [a] (million $)	225	..	4 729	2 501
	Service de la dette/Export. (%) [a]	2,7	..	8,9	..
	Taux d'inflation (%)	1,7	..	1,5	..
	Dépenses de l'État Éducation (% PIB)	3,6 [d]	..	4,9 [g]	0,4 [h]
	Défense (% PIB)	4,8	..	2,5	..
	Énergie [b] Consommation par hab. (kg)	1 296	..	29	51 [c]
	Taux de couverture (%)	..	..	14,4	..
COMMERCE	Importations [a] (million $)	374	..	787	226
	Exportations [a] (million $)	167	..	199	117
	Principaux fournis. [a] (%)	PCD 53,6	..	PCD 78,6	PCD 58,5
	(%)	Fra 17,0	..	Ita 16,4	Ita 14,1
	(%)	PVD 42,7	..	PVD 23,1	PVD 38,5
	Principaux clients [a] (%)	Eth 30,0	..	PCD 75,6	ArS 48,7
	(%)	Som 34,5	..	RFA 18,7	EAU 24,8
	(%)	Yem 30,0	..	PVD 23,2	Ita 6,0

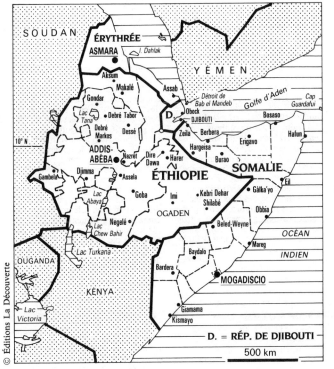

411

dirigeants éthiopiens sont restées excellentes, bien que l'administration à Addis-Abéba traîne les pieds, mais le soutien actif au général Aydiid à Mogadiscio a montré ses limites et, sans doute, contribué

1. L'Érythrée n'est indépendante que depuis 1993, ce qui explique l'absence de données disponibles pour de nombreux indicateurs.
Chiffres 1994, sauf notes : a. 1993;
b. 1992; c. 1989; d. 1991; e. 1985;
f. 1995; g. 1990; h. 1986; i. 1990-95;
j. A parité de pouvoir d'achat (voir p. 673).
(*) Dernier recensement utilisable : Djibouti, 1961; Éthiopie, 1984; Somalie, 1986-87.

au blocage du règlement somalien. La médiation entreprise avec l'Éthiopie, le Kénya et l'Ouganda pour trouver une solution à la crise du Sud-Soudan a également marqué le pas devant l'obstination de Khartoum. Surtout, la rupture des relations diplomatiques, en décembre 1994, avec le Soudan a souligné la fragilité de l'équilibre régional. L'opposition soudanaise a depuis espéré profiter d'une base arrière en Érythrée. Enfin, plusieurs incidents prouvaient que les opposants à Asmara avaient repris l'initiative militaire à l'intérieur du pays.

Éthiopie

Le gouvernement éthiopien a bénéficié d'un nouveau *satisfecit* du FMI (Fonds monétaire international) qui a approuvé le troisième accord annuel au titre de la « facilité d'ajustement structurel ». La croissance du PIB devrait atteindre 5,5 %, conséquence de la poursuite du dynamisme du secteur manufacturier et des services, ainsi que du redressement du secteur agricole après une année 1993-1994 très médiocre. Pourtant, plusieurs ombres demeurent à ce tableau. D'une part, l'inflation a repris, d'autre part, des réformes structurelles demandées par le FMI n'ont toujours pas été mises en chantier : simplification et élargissement du code d'investissement privé ; unification des taux de change ; réduction du nombre d'entreprises publiques ; renforcement du contrôle des nouveaux établissements bancaires par la Banque nationale d'Éthiopie... Autant d'injonctions qui étaient perçues comme de véritables ingérences américaines.

▼

République d'Éthiopie

Nature du régime : république.

Chef de l'État : Méles Zenawi (depuis mai 1991, élu par le Parlement le 24.7.91).

Premier ministre : Tamrat Layne.

Monnaie : berr (1 berr = 0,83 FF au 30.4.95).

Langues : amharique (off.), oromo, tigrinya, guragé, afar, somali, wälayta, etc.

En effet, si les relations avec les États-Unis sont demeurées bonnes, elles n'ont plus eu la même chaleur que deux ans auparavant, essentiellement à cause du durcissement politique du régime et de la multiplication des violations des droits de l'homme.

Techniquement, les élections de juin 1994 se sont passées dans de bonnes conditions mais le boycottage de l'opposition a conféré une supré-matie artificielle au Front démocratique révolutionnaire du peuple éthiopien (FDRPE), qui a emporté 484 des 547 sièges de l'Assemblée constituante. Celle-ci a adopté en décembre une Constitution incluant, outre les libertés formelles, le droit à l'autodétermination des régions et abandonnant la propriété de la terre à l'État.

Plus importante est apparue la question foncière. La nationalisation des terres permet certes à la paysannerie de conserver des terres qu'elle ne pourrait pas toujours acquérir mais limite aussi les investissements pour en améliorer le rendement ; en milieu urbain, elle rend délicate la restitution des maisons annoncée par le gouvernement. Elle est aussi à l'origine de fortes réticences chez les investisseurs étrangers, intéressés par des secteurs en pleine expansion comme l'agro-alimentaire.

La nouvelle Constitution a été dénoncée par l'opposition intérieure en exil, qui y a vu les risques d'un démembrement de l'Éthiopie et le refus d'une libéralisation réelle de l'économie. Mais ce texte était surtout contesté parce que les opposants n'avaient pas pu participer à son élaboration. En effet, le FDRPE semble jouer la stratégie de la tension par rapport à une opposition souvent versatile et divisée. Dans les régions mises en place à grand bruit en 1992, le pouvoir est demeuré aux mains des représentants du FDRPE. Le fait que la nouvelle armée nationale soit pour l'essentiel celle du FDRPE était aussi un bon indicateur des limites de l'ouverture politique. Les donateurs, inquiets d'une détérioration de la situation, ont tenté de convaincre l'opposition modérée de participer aux élections du 7 mai 1995. Plusieurs personnalités américaines ont organisé une médiation entre gouvernement et opposition en février 1995, sans succès. Au terme de ces scrutins, le pouvoir contrôlait à plus de 90 % le Parlement, les sept conseils régionaux élus et le Conseil fédéral.

La diplomatie éthiopienne est toujours active dans la région. Malgré certaines tensions entre Khartoum et

Addis-Abéba, elle s'efforce d'apurer les problèmes entre l'Érythrée et le Soudan, qui ont rompu leurs relations diplomatiques en décembre. Elle a fourni une aide discrète mais efficace pour briser la révolte afar à Djibouti. Elle a eu moins de succès en Somalie, où le général Aydiid n'a pas su honorer ses promesses. Elle joue enfin un rôle positif au sein des négociations au sein de l'Organisation de l'unité africaine (OUA) sur la prévention des conflits.

Somalie

Avec quelques semaines d'avance sur le calendrier officiel, les contingents et équipements de l'Opération des Nations unies pour la Somalie (Onusom III) ont quitté la Somalie, le 2 mars 1995. Entreprise pour mettre fin à une lutte pour le pouvoir ravageant le pays, à un moment où les ambitions de la communauté internationale étaient grandes, cette action avait suscité l'espoir d'une nouvelle forme de règlement des conflits ou d'un ordre mondial recomposé. L'ONU s'est cependant retrouvée très vite face à une situation complexe qui dépassait ses capacités de gestion. En effet, les États-Unis, initiateurs de l'opération *Restore Hope* (décembre 1992-mai 1993), avaient largement dicté des choix politiques qui s'étaient révélés très contestables après un attentat causant la mort de 24 « casques bleus » en juin 1993 ; par ailleurs, les autres pays participant à l'opération — à l'exception de l'Italie — avaient abandonné toutes leurs responsabilités. Lorsque le président américain Bill Clinton décida, le 7 octobre 1993, d'arrêter la chasse au dirigeant de l'Alliance nationale somalienne (SNA), le général Mohamed Farah Aydiid, il fit porter la responsabilité de l'échec sur l'ONU, laquelle dut gérer une situation devenue inextricable.

Le général Aydiid, très affaibli en mai 1993, sortait de la crise apparemment renforcé car il avait « battu » les *marines* et, le temps de la crise, redonné une unité au pays. L'Onu-

som, mais aussi les gouvernements érythréen et éthiopien ne lui ménagèrent plus leur soutien en pensant qu'il arriverait à créer un gouvernement national. La conférence de réconciliation nationale convoquée le 1er novembre 1994 par le chef de la SNA n'accueillit cependant que ses proches alliés et tourna court pendant l'hiver au point d'inciter les Éthiopiens, pourtant parmi ses soutiens les plus déterminés, à envisager une politique alternative.

Après des mois de tranquillité malgré le refus de l'ONU de lui accorder une aide conséquente, le Somaliland (partie de la Somalie qui fut colonie britannique), qui avait déclaré unilatéralement son indépendance en mai 1991, n'a pas échappé non plus à un retour de la guerre en novembre et décembre 1994, mais celle-ci s'est limitée à la capitale. Elle n'a pas eu la même intensité qu'au sud et a débouché sur des négociations qui laissaient espérer une lente normalisation, malgré de nouveaux incidents à Burao en mars 1995. Le gouvernement du président Mohamed Ibrahim Egal a semblé en sortir presque renforcé. Dans le sud de la Somalie, la situation n'est ainsi pas redevenue très stable, mais la sécurité y est suffisante pour permettre les cultures et la poursuite d'une relance économique perceptible dès la fin de l'année 1993.

De nombreuses questions demeurent posées. L'ONU peut-elle se satisfaire d'un départ en bon ordre de ce pays et ne doit-elle pas tirer un bilan très sévère sur les fautes, de la

M.-C. Aubry, *Djibouti. Bibliographie fondamentale*, L'Harmattan, Paris, 1991.

D. Compagnon, « Somalie. Les limites de l'ingérence ''humanitaire'' ». L'échec politique de l'ONU », *in* CEAN, *L'Afrique politique 1995*, Karthala, Paris, 1995.

N. Kurdi, *L'Érythrée : une identité retrouvée*, Karthala, Paris, 1994.

Fukui Katsuyoshi, J. Markakis (sous la dir. de), *Ethnicity and Conflict in the Horn of Africa*, James Currey/Eastern African Studies, Londres, 1994.

« La Corne de l'Afrique », *Politique africaine*, n° 50, Karthala, Paris, juin 1993.

I. Lewis, *A Modern History of Somalia*, Westview Press, Boulder (CO), 1988.

R. Marchal, « Somalie : les dégâts d'une improvisation », *in* M.-C. Smouts (sous la dir. de), *L'ONU et la guerre : la diplomatie en kaki*, Complexe, Bruxelles, 1994.

R. Marchal, « Djibouti et la Corne : les détours de la politique mitterrandienne », *Politique africaine*, n° 58, Karthala, Paris, juin 1995.

J. Markakis, *Conflict and the Decline of Pastoralism in the Horn of Africa*, Routledge, Londres, 1993.

G. Tereke, *Ethiopia : Power and Protest*, Cambridge University Press, Cambridge, 1991.

corruption à l'incompétence, qui ont affecté les sphères dirigeantes de l'Onusom ? Quel type de recomposition politique est possible à terme ? Quel rôle sera donné à Mogadiscio si les tendances au régionalisme politique se poursuivent. Combien de temps les ports et aéroports internationaux du sud de la Somalie fonctionneront-ils normalement ? La répétition de l'impasse de 1992, avec le risque d'une crise humanitaire, reste peut-être le scénario le plus crédible.

Roland Marchal

Vallée du Nil

Égypte, Soudan

(L'Égypte est traitée p. 310.)

Soudan

La remise aux autorités françaises, le 15 août 1994, du terroriste international Ilitch Ramirez Sanchez, *alias* Carlos, réfugié à Khartoum, a sans doute été une belle opération de politique intérieure pour le ministre de l'Intérieur français Charles Pasqua, mais elle a soulevé depuis de nombreuses questions sur la diplomatie parallèle française et la nature exacte des relations entre les deux pays : de l'aide militaire à la réorganisation des services secrets soudanais par la DST française (Direction de la surveillance du territoire), en passant par une médiation soudanaise mort-née en Algérie. Tout cela a été démenti. Khartoum est devenu

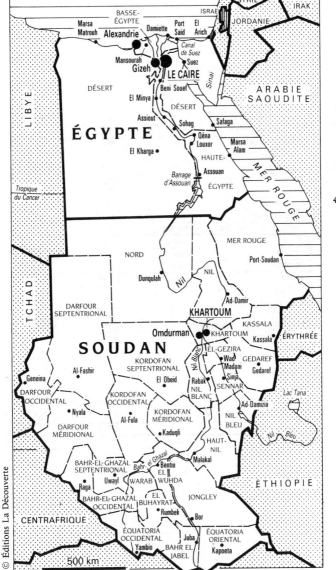

415

Vallée du Nil

	INDICATEUR	UNITÉ	ÉGYPTE	SOUDAN
	Capitale		Le Caire	Khartoum
	Superficie	km²	1 001 449	2 505 810
	Développement humain (IDH) [b]		0,551	0,276
DÉMOGRAPHIE	Population (*) [d]	million	62,9	28,10
	Densité [d]	hab./km²	62,8	11,2
	Croissance annuelle [e]	%	2,2	2,7
	Indice de fécondité (ISF) [e]		3,9	5,7
	Mortalité infantile [e]	‰	67	78
	Espérance de vie [e]	année	64	53
	Population urbaine	%	44,5	24,2
CULTURE	Analphabétisme [d]	%	48,6	53,9
	Scolarisation 12-17 ans	%	60,9 [g]	28,3 [c]
	Scolarisation 3e degré	%	19,2 [g]	3,0 [c]
	Téléviseurs [b]	‰ hab.	119	77
	Livres publiés	titre	1 451 [h]	138 [j]
	Nombre de médecins	‰ hab.	0,76 [f]	0,09 [c]
ARMÉE	Armée de terre	millier d'h.	310	115
	Marine	millier d'h.	20	0,5
	Aviation	millier d'h.	30	3,0
ÉCONOMIE	PIB [a]	milliard $	36,68	6,38 [b]
	Croissance annuelle 1985-93	%	3,0	2,6
	1994	%	1,5	5,5
	Par habitant [i]	$	3 530 [a]	1 162 [g]
	Dette extérieure totale	milliard $	40,8	16,6 [a]
	Service de la dette/Export.	%	18,9	5,4 [b]
	Taux d'inflation	%	12,0	127,7
	Dépenses de l'État Éducation	% PIB	5,0 [g]	..
	Défense	% PIB	5,0	12,0
	Énergie [b] Consommation par habitant	kg	704	61
	Taux de couverture	%	209,6	7,4
COMMERCE	Importations	million $	11 770	1 145 [a]
	Exportations	million $	2 244	350
	Principaux fournis. [a]	%	E-U 21,4	PCD 43,7
		%	Jap 5,8	UE 31,4
		%	UE 39,0	PVD 56,3
	Principaux clients [a]	%	E-U 12,9	PCD 52,0
		%	UE 45,8	UE 38,6
		%	Ex-CAEM 6,0	PVD 48,0

Chiffres 1994, sauf notes : a. 1993 ; b. 1992 ; c. 1990 ; d. 1995 ; e. 1990-95 ; f. 1989 ; g. 1991 ; h. 1988 ; i. A parité de pouvoir d'achat (voir p. 673) ; j. 1980.
(*) Dernier recensement utilisable : Égypte, 1986 ; Soudan, 1983.

BIBLIOGRAPHIE

AFRICAN RIGHTS, *Sudan's Invisible Citizens. The Policy of Abuse against Displaced People in the North*, Londres, mars 1995.

AMNESTY INTERNATIONAL, *Soudan : pas d'avenir sans droits de l'homme*, Londres/Paris, 1995.

HUMAN RIGHTS WATCH/AFRICA, *Sudan : The Lost Boys. Child Soldiers and Unaccompanied Boys in Southern Sudan*, VI/10, Washington/Londres, nov. 1994.

R. MARCHAL, « Éléments d'une sociologie du Front national islamique soudanais », *Maghreb-Machrek*, n° 149, La Documentation française, Paris, 1995.

« Le modèle soudanais en deshérence ? », *Politique internationale*, n° 64, Paris, été 1994.

G. PRUNIER, « Une nouvelle diplomatie révolutionnaire : les Frères musulmans au Soudan », *Islam et sociétés au sud du Sahara*, n° 6, Paris, 1992.

Voir aussi la bibliographie « Égypte » dans la section « 34 États ».

un lieu de passage utile pour tous les islamistes afin de nouer des contacts, prendre un repos « bien gagné » ou changer d'identité. En avril 1995, la réunion internationale de la Conférence arabe et islamique, présidée par le très médiatique Hassan Tourabi, chef du Front national islamique (FNI), a pourtant montré qu'il ne fallait pas sous-estimer les contradictions qui divisent le petit monde islamiste, tant sur l'arabisme que sur l'action terroriste.

▼

République du Soudan

Nature du régime : dictature.
Chef de l'État et du gouvernement : Omar Hassan Ahmed-el-Bechir (depuis le 30.6.89).
Monnaie : livre soudanaise (100 livres = 0,9 FF au 30.4.95).
Langues : arabe (off.), anglais, dinka, nuer, shilluck, etc.

La mainmise des islamistes sur le gouvernement est devenue encore plus apparente après les deux remaniements de juillet 1994 et février 1995 : elle s'est principalement traduite par la nomination à la tête de la diplomatie soudanaise du second de H. Tourabi, Ali Osman Mohamed Taha, et par celle d'un « ultra » au ministère de l'Intérieur, Tayeb Ibrahim Mohamed el-Kheir. Pourtant, négociation avec l'Union européenne oblige, le pouvoir a cherché à multiplier les ralliements des notables déçus des grands partis (toujours clandestins) pour prouver sa volonté d'ouverture. Il a tenté de convaincre ses interlocuteurs internationaux de la valeur du processus électoral qui s'est déroulé durant l'hiver 1994-1995 dans les 26 États fédéraux créés en février 1994, et qui devrait, selon lui, apporter la solution à la guerre au sud et à la marginalisation des zones périphériques du Soudan.

Les discussions entre Khartoum et le FMI (Fonds monétaire international) ont repris après des années de crise dues à une dette de 16 milliards de dollars et à des arriérés de paiement de plus de 1 milliard de dollars. Un premier accord sur six mois a été signé.

Une véritable normalisation n'est apparue possible qu'avec la fin des hostilités au Sud-Soudan. Convaincu de pouvoir gagner la guerre militairement, le gouvernement a bloqué la médiation régionale dès le mois de juillet 1994, provoquant l'ire de ses voisins ; malgré les pressions internationales, les réunions de septembre et de décembre sont restées formelles. Le cessez-le-feu décrété en avril 1995 paraissait devoir ne marquer qu'une pause dans ce conflit. Les différentes factions de l'insurrection sud-soudanaise n'ont pas réussi à établir entre elles un *modus vivendi* : leur division, qui peut provoquer des destructions équivalentes à celles de l'armée, a été attisée avec talent par Khartoum et ses milices locales.

La guerre a cependant peut-être changé de nature car l'implication internationale est plus visible et se traduit par un renforcement militaire de la guérilla et des contacts entre les groupes sudistes indépendants de Khartoum.

L'Érythrée a rompu les relations diplomatiques avec Khartoum en décembre 1994 à cause de l'aide apportée par le Soudan aux islamistes érythréens. Les relations avec l'Éthiopie se sont aussi dégradées, mais le discours public est resté plus mesuré. L'Ouganda a accusé l'armée soudanaise de bombarder des villages au nord et d'aider des groupes d'opposition, au point de rompre également ses relations diplomatiques avec le Soudan en avril 1995. Les rapports avec l'Égypte se sont tendus avec la mise en cause par Le Caire de Khartoum dans l'affaire de l'attentat contre le président égyptien Hosni Moubarak, à Addis-Abéba le 27 juin 1995. Les relations du Soudan avec le Tchad, le Zaïre et la Centrafrique, pays « francophones », sont, en revanche, demeurées excellentes...

Roland Marchal

Afrique sud-tropicale

Angola, Malawi, Mozambique, Zambie, Zimbabwé
(Le Mozambique est traité p. 325.)

Angola

Après un an de négociations à Lusaka, le gouvernement du MPLA (Mouvement populaire de libération de l'Angola) et l'UNITA (Union nationale pour l'indépendance totale de l'Angola) ont signé de nouveaux accords de paix en novembre 1994. A la différence de ceux signés à Bicesse en mai 1991 qui, censés mettre un terme à une guerre vieille de seize ans, avaient, après la tenue, en septembre 1992, d'élections sans démilitarisation réelle, débouché sur la reprise du conflit armé, ceux de Lusaka ont conditionné la participation de l'UNITA au pouvoir et à l'administration du pays à sa démilitarisation préalable ; ils ont en outre prévu une intervention internationale dans le processus de pacification, dotée cette fois de moyens décents (dont quelque 7 000 hommes), d'un mandat plus large, et d'une direction plus claire de l'ONU.

> **République d'Angola**
>
> **Nature du régime :** parlementaire.
> **Chef de l'État et du gouvernement :** José Eduardo dos Santos (depuis le 20.9.79).
> **Premier ministre :** Marcolino Moco (depuis novembre 92).
> **Monnaie :** nouveau kwanza (100 nouveaux kwanzas = 0,0055 FF au 30.6.93).
> **Langues :** portugais (off.), langues du groupe bantou : umbundu, kimbundu, kikongo, quioco, ganguela (nationales).
> **Souveraineté contestée :** divers mouvements séparatistes, fractions du FLEC (Front de libération de l'enclave de Cabinda), dans l'enclave de Cabinda. Les plus importantes et qui mènent la lutte armée sont le FLEC-FAC et le FLEC-Renovado.

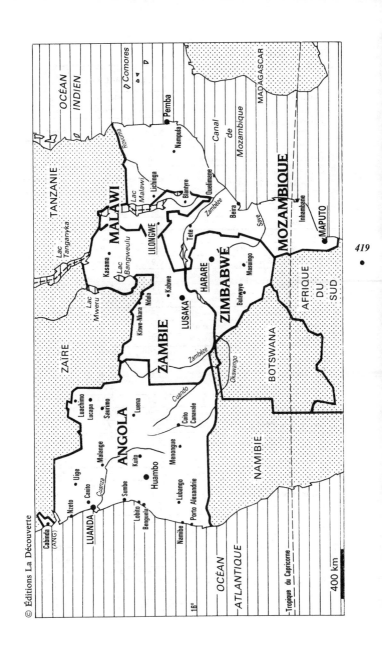

© Éditions La Découverte

419
•

Afrique sud-tropicale

	INDICATEUR	UNITÉ	ANGOLA	MALAWI	MOZAM-BIQUE
	Capitale		Luanda	Lilongwé	Maputo
	Superficie	km²	1 246 700	118 480	783 080
DÉMOGRAPHIE	Développement humain (IDH) [b]		0,271	0,260	0,252
	Population (*) [f]	million	11,07	11,13	16,00
	Densité [f]	hab./km²	8,9	93,9	20,4
	Croissance annuelle [g]	%	3,7	3,4	2,4
	Indice de fécondité (ISF) [g]		7,2	7,2	6,5
	Mortalité infantile [g]	‰	124	143	148
	Espérance de vie [g]	année	46	46	46
	Population urbaine	%	31,5	13,2	32,8
CULTURE	Analphabétisme [f]	%	57,5 [b]	43,6	59,9
	Scolarisation 12-17 ans	%	38,6 [d]	51,8 [d]	28,3 [b]
	Scolarisation 3e degré	%	0,9 [d]	0,8 [d]	0,3 [b]
	Téléviseurs [b]	‰ hab.	62	..	2,9
	Livres publiés	titre	14 [i]	141 [j]	66 [e]
	Nombre de médecins	‰ hab.	0,04 [d]	0,02 [d]	0,03 [c]
ARMÉE	Armée de terre	millier d'h.	75	10	30
	Marine	millier d'h.	1,8	0,2	0,75
	Aviation	millier d'h.	5,5	0,2	4,0
ÉCONOMIE	PIB [a]	million $	3 450 [b]	2 034	1 375
	Croissance annuelle 1985-93	%	2,0	3,7	4,5
	1994	%	2,7	− 7,9	5,8
	Par habitant [h]	$	1 000 [c]	780 [a]	380 [a]
	Dette extérieure totale [a]	million $	9 655	23 335	5 260
	Service de la dette/Export. [a]	%	5,3	7,9	20,6
	Taux d'inflation	%	950	37,2	50,0
	Dépenses de l'État Éducation	% PIB	4,4 [d]	3,4 [d]	6,2 [d]
	Défense	% PIB	23,1 [a]	1,4	8,9 [a]
	Énergie [b] Consommation par habitant	kg	91	36	33
	Taux de couverture	%	4 166,7	26,3	—
COMMERCE	Importations	million $	1 595	519 [a]	989
	Exportations	million $	2 995	350 [a]	13
	Principaux fournis. [a]	%	PCD 92,0	PCD 29,9	E-U 5,7
		%	Por 52,7	Zim 10,2	UE 33,4
		%	PVD 8,0	AfS 47,6	PVD 47,5
	Principaux clients [a]	%	UE 24,9	E-U 17,1	E-U 3,7
		%	E-U 63,9	UE 35,1	UE 40,1
		%	PVD 7,6	PVD 28,6	PVD 40,6

	ZAMBIE	ZIMBABWÉ
	Lusaka	Hararé
	752 610	390 580
	0,352	0,474
	9,46	11,26
	12,6	28,8
	3,0	2,6
	6,0	5,0
	104	67
	49	54
	42,8	31,4
	21,8	14,9
	60,7 [d]	94,9 [b]
	2,1 [d]	6,1 [b]
	26	27
	454 [e]	232 [b]
	0,09 [d]	0,13 [d]
	20	42,9
	—	—
	1,6	4,0
	3 152	5 756
	5,0	2,0
	1,5	4,5
	1 170 [a]	1 900 [a]
	6 788	4 168
	32,8	32,3
	55,0	21,1
	2,3 [d]	7,4 [b]
	1,6	5,4
	201	721
	73,6	83,6
	930	1 732
	1 075	1 775
	PCD 43,1	PCD 33,0
	PVD 56,8	R-U 7,2
	AfS 22,3	PVD 54,6
	Jap 18,4	PCD 53,1
	UE 19,1	R-U 12,1
	PVD 57,9	PVD 46,7

Si ces conditions semblaient enfin pouvoir donner une chance de réussite au processus de paix, l'héritage des deux dernières années de guerre a, en revanche, été à tous égards catastrophique. C'est sur la base d'un déséquilibre militaire inverse de celui de 1991 qu'ont pu être signés les accords et il a fallu de longs mois et de fortes pressions internationales pour que les combats cessent après la signature. L'état-major de l'armée gouvernementale, à l'offensive sur tous les fronts, ne voulait pas renoncer à la possibilité de remporter une victoire militaire ; quant à l'UNITA, en repli, et qui avait perdu presque tous ses points forts (dont la ville de Huambo), elle tentait, là où elle le pouvait, de ne pas céder de terrain. Jusqu'à la signature et au-delà, les deux camps s'étaient surarmés, l'avantage allant indiscutablement (de un à dix) au gouvernement, qui avait pu jouer de sa légitimité internationale et surtout de son pétrole.

A la mi-1995, alors que les forces de l'opération de l'ONU commençaient à se mettre en place, on entrait dans une nouvelle phase de trêve effective. Cependant, au vu des massacres et du niveau inédit de violence de l'affrontement pour le pouvoir auxquels cette guerre a donné lieu, la défiance entre les directions des deux camps est restée entière, rendant aléatoires, sauf engagement rigoureux et ferme de la communauté internationale, le succès de la démilitarisation et la réalité de l'association au pouvoir de l'UNITA, dont il dépendra que le conflit politique ne reprenne pas une forme militaire.

En outre, la guerre, la poursuite de l'accaparement des biens publics au profit d'une minorité de plus en plus étroite, la corruption au sommet de l'État et de l'armée ont nourri dans les villes de la côte, où s'étaient

Chiffres 1994, sauf notes : a. 1993 ; b. 1992 ; c. 1991 ; d. 1990 ; e. 1984 ; f. 1995 ; g. 1990-95 ; h. A parité de pouvoir d'achat (voir p. 673) ; i. 1986 ; j. 1989.
(*) Dernier recensement utilisable : Angola, 1970 ; Malawi, 1987 ; Mozambique, 1980 ; Zambie, 1990 ; Zimbabwé, 1992.

entassées des millions de personnes, une misère et une crise sociale sans précédent, une délinquance et une criminalité en plein essor. A la mi-1995, le pétrole et la richesse du pays, ainsi que l'attention portée, au niveau régional et international, à sa stabilisation et sa reconstruction ne paraissaient pas suffire à exclure d'autres scénarios plus inquiétants. En effet, le maintien de l'antagonisme politique entre les deux anciens belligérants, les crises et divisions internes dans leurs propres rangs, les perspectives économiques encadrées par les plans d'ajustement structurel et l'ancrage de pratiques de spéculation et de corruption à la tête de l'État ont fait apparaître le risque du développement d'affrontements sociaux et d'un banditisme armé, jusque-là contenus par la guerre, et d'une utilisation politique, voire militaire, de la décomposition sociale.

Christine Messiant

Malawi

Le nouveau président et chef du gouvernement Bakili Muluzi, élu le 17 juin 1994, lors des premières élections libres du pays, n'aura pas eu le temps de savourer sa victoire sur Hastings Kamuzu Banda, qui était à la tête du pays depuis trente ans. Au plan politique, il dû immédiatement faire face à l'opposition attendue de l'ancien parti unique, le Parti du congrès du Malawi (MCP), mais aussi à celle de l'Alliance pour la démocratie (AFORD), menée par Chakufwa Chihana. Celui-ci, après avoir pourfendu le précédent régime, a, en effet, fait alliance avec le MCP, pour finalement rallier le camp gouvernemental en acceptant le poste de ministre de l'Irrigation et surtout celui de second vice-président de la République créé pour l'occasion en novembre 1994.

Le président Muluzi, qui avait lui-même été secrétaire général du MCP douze ans plus tôt, avant de démissionner de ce poste, s'est attaché à tenir ses promesses de réconciliation nationale tout en prenant garde à la montée des tensions. En effet, les principaux partis tiennent leur soutien de régions et d'ethnies différentes et l'on craignait que le spectre des divisions ethniques, étouffé trente ans durant, puisse resurgir.

▼

République du Malawi

Nature du régime : multipartisme.
Chef de l'État et du gouvernement : Bakili Muluzi a succédé à Hastings Kamuzu Banda le 17.6.94.
Monnaie : kwacha (1 kwacha = 0,34 FF au 30.4.95).
Langues : anglais, chichewa.

La situation économique s'est aussi assombrie. Une forte sécheresse a diminué de 40 % la production vivrière habituelle de maïs. De son côté, le syndicat national des salariés du secteur privé a réclamé au gouvernement une augmentation des salaires de 300 %. Quant aux fonctionnaires, il aura fallu la menace de sanctions pour qu'ils cessent leur grève, en octobre 1994. Cinquième pays le plus pauvre au monde, le Malawi voyait à peine repartir les réfugiés mozambicains, qu'affluaient dès septembre 1994 des centaines de réfugiés rwandais et burundais.

La population, déjà traumatisée par les ravages du sida (130 000 morts entre 1985 et 1995, 800 000 orphelins estimés en l'an 2000), voit monter violence et corruption : des faux billets circulent en masse, délinquants et criminels sont exécutés au pneu enflammé selon une pratique venue d'Afrique du Sud, tandis que les parlementaires se votent des privilèges. Face au mécontentement, B. Muluzi a opposé son programme de lutte contre la pauvreté, de libéralisation de l'économie, de développement de la petite et moyenne production agricole, ou encore de gratuité de l'enseignement primaire, mais sans certitude quant à ses appuis.

De ce point de vue, l'événement marquant du début 1995 aura été l'arrestation de l'ancien président

Banda ainsi que de son bras droit, John Tembo, accusés d'avoir ordonné l'assassinat de quatre ministres en exercice en 1983, dont le très populaire Dick Matenje. Le procès et la condamnation de l'ancien président constitueront sans doute un problème supplémentaire pour B. Muluzi.

Philippe L'Hoiry-Labarthe

Zambie

Le gouvernement de Frederick Chiluba a connu un grand nombre de difficultés pour résoudre les problèmes socio-économiques qui bloquent l'application de la politique démocratique annoncée, et son parti, le MMD (Mouvement pour la démocratie multipartiste), s'est trouvé devoir faire face à une opposition restructurée.

▼

République de Zambie

Nature du régime : présidentiel, multipartisme autorisé depuis sept. 90.

Chef de l'État : Frederick Titus Chiluba (depuis le 1.11.91).

Vice-président : Godfrey Miyanda, vice-président, qui a remplacé, le 4.7.94, Levy Mwanawasa, démissionnaire.

Monnaie : kwacha (100 kwachas = 0,5 FF au 30.7.94).

Échéances électorales : présidentielles et législatives prévues pour octobre 1996.

Langues : anglais (off.), langues du groupe bantou.

Territoires contestés : Province de l'Ouest, ancien protectorat britannique (Barotseland), peuplé par des Lozi réclamant l'application de l'accord de 1964 visant à reconnaître des droits de représentation politique aux Lozi en échange de l'annexion.

Malgré de multiples remaniements ministériels et en dépit des menaces des donateurs internationaux de suspendre leur aide, le président s'est montré incapable de mettre fin au problème de la corruption, particulièrement développée au sein du gouvernement où des personnalités influentes sont apparues mêlées à des trafics de drogue. Son impopularité a augmenté : certaines de ses apparitions publiques, notamment dans la Province de l'Ouest, restée hostile au pouvoir, ont été marquées par de violentes manifestations de mécontentement ; ses rapports avec le ZCTU (Congrès des syndicats zambiens), dont il assura la présidence pendant plusieurs années et qui lui servit de plate-forme politique pour accéder au pouvoir, se sont encore distendus.

Le MMD a pourtant remporté, en avril 1994, six des neufs élections partielles devant un parti jusqu'alors en constante progression, le NP (Parti national). Celui-ci a connu des dissensions internes, son nouveau président, Baldwin Nkumbula, ne parvenant pas à faire l'unanimité en raison d'un discours peu original. Accusé d'être un « sous-marin » du MMD, il a subi un vote de défiance en janvier 1995 et Humphrey Mulemba, ancien candidat malheureux à la présidence du MMD, a été choisi à sa place pour représenter le NP aux prochaines présidentielles prévues pour octobre 1996.

Les projets économiques n'ont pas rencontré le soutien escompté. Le plan de réforme foncière a été unaniment rejeté. Les queues imposantes pour l'attribution de la farine de maïs, disparues depuis l'avènement de F. Chiluba en 1991, sont réapparues dans les zones urbaines, traduisant l'échec de la politique agricole. 22 000 emplois ont été perdus au cours de la seule année 1994 et, après la faillite de la Zambia Airways, la compagnie publique d'autobus a fermé en janvier 1995 pour cause d'endettement excessif.

Dans ce contexte, le retour en politique, en juillet 1994, de Kenneth Kaunda au sein de son parti de toujours, l'UNIP (Parti unifié pour l'indépendance nationale), dont il a

BIBLIOGRAPHIE

J.-L. BALANTS, M. LAFON (sous la dir. de), *Le Zimbabwé contemporain*, Karthala, Paris, 1995.

S. BAYNHAM (sous la dir. de), *Zimbabwe in Transition*, Almquist et Wiksell, Stockholm, 1992.

P. BEAUDET (sous la dir. de), *Angola. Bilan d'un socialisme de guerre*, L'Harmattan, Paris, 1992.

P. CONSTANTIN, P. QUANTIN, « Zambie : fin de parti », *Politique africaine*, n° 45, Paris, 1992.

DIA KASSEMBE, *Angola, 20 ans de guerre civile*, L'Harmattan, Paris, 1992.

J. GONÇALVES, *Angola sob fogo intenso*, Livros Cotovia, Lisbonne, 1991.

« L'Angola dans la guerre » (dossier réuni par C. MESSIANT), *Politique africaine*, n° 57, Karthala, Paris, mars 1995.

P. L'HOIRY, *Le Malawi*, Karthala/CREDU, Paris-Nairobi, 1988.

J. LAFARGUE, « Zambie : une démocratie lacunaire ? », *Politique africaine*, n° 54, Karthala, Paris, juin 1994.

J.-C. LEGRAND, « Logique de guerre et dynamique de la violence en Zambezia 1976-1981 », *Politique africaine*, n° 50, Karthala, Paris, juin 1993.

Malawi, Country Profile 1994-95, EIU, Londres, 1994.

C. MESSIANT, « Angola. Les voies de l'ethnisation et de la décomposition », *Lusotopie*, 1-2, Maison des pays Ibériques - L'Harmattan, Bordeaux-Paris, 1994.

P. NORDLUNG, *Organising Democracy. Politics and Power in Zambia*, University of Uppsala, Uppsala, 1995.

Voir aussi la bibliographie « Mozambique » dans la section « 34 États ».

fini par reconquérir la présidence fin juin 1995, a pris une importance considérable. L'ancien président (1964-1991) semblait, en effet, disposer d'une base politique plus solide que celle de son grand rival, qui a perdu la confiance de la plupart des membres du ZCTU. Déjà, le combat pour l'élection présidentielle de 1996 paraissait lancé.

Jérôme Lafargue

Zimbabwé

Les élections législatives des 8 et 9 avril 1995 ont confirmé la stabilité politique du pays. Il s'agit, à l'échelle du continent, d'une garantie assurant pour le moins la continuité de l'État, la présence d'une administration encore assez efficace et la paix civile. Ce *statu quo* n'a cependant été acquis qu'au prix d'une véritable asphyxie de la vie politique et d'une certaine pesanteur face à l'urgence de réformes économiques.

▼
République du Zimbabwé

Nature du régime : présidentiel.
Chef de l'État et du gouvernement : Robert G. Mugabe (Premier ministre depuis 1980 et président depuis le 31.12.87).
Monnaie : dollar Zimbabwé (1 dollar = 0,58 FF au 30.4.95).
Langues : anglais, shona, ndebele.

Avec un taux de participation inférieur à 60 %, les élections générales ont pourvu une nouvelle Assemblée dans laquelle l'opposition n'a obtenu que 2 sièges sur 150. L'élite politique, par sa légitimité historique et grâce à un contrôle étroit, a réduit au fil des années le multipartisme à ne plus valoir que formellement.

Le véritable lieu de la lutte pour le pouvoir s'est situé au sein du parti dominant, la ZANU-PF (Union nationale africaine du Zimbabwé-Front patriotique) hors du débat public. Les tensions y ont été fortes, ainsi qu'en ont témoigné des primaires très disputées, au cours desquelles une cinquantaine de sortants n'ont pas obtenu l'investiture. Toutefois, la vieille garde des dirigeants issus des mouvements nés à la fin des années cinquante n'a pas perdu un pouce de terrain (le Zimbabwé, ancienne Rhodésie du Sud, n'est cependant devenu véritablement indépendant qu'en 1980).

Sur le plan économique, le programme d'ajustement structurel renforcé, lancé en 1991 pour sortir le pays du dirigisme rhodésien, a été mené tant bien que mal. Avec des atouts dans l'agriculture (premier exportateur mondial de tabac), dans l'extraction minière, mais aussi dans les industries manufacturières liées à la transformation des produits primaires, l'appareil productif s'est montré capable d'efficacité ; ainsi, en 1994, la balance commerciale est redevenue positive. La réforme des politiques budgétaire et monétaire engagée a permis de ralentir l'inflation. Le paiement des charges de la dette rendait toutefois ces efforts difficiles.

La situation sociale du pays a évolué parallèlement aux contrastes que dessine le tableau économique : un fossé, loin de se combler, sépare un secteur formel compétitif et ne profitant qu'à une très étroite minorité de la population (dont l'ensemble de la petite communauté blanche, qui sert parfois de « bouc émissaire ») et la majorité du pays qui vit dans des conditions guère différentes de celles rencontrées dans des pays voisins aux économies sinistrées.

Patrick Quantin

Afrique australe

Afrique du Sud, Botswana, Lésotho, Namibie, Swaziland
(L'Afrique du Sud est traitée p. 276.)

Botswana

Le président Quett Masire espérait bien raffermir son pouvoir en ordonnant la dissolution du Parlement le

---

République du Botswana

Nature du régime : présidentiel.
Chef de l'État : Dr. Quett Ketumile Joni Masire (depuis le 18.7.80, réélu le 15.10.94).
Chef du gouvernement : P.S. Mmusi (vice-président depuis le 7.10.89).
Monnaie : pula (1 pula = 1,79 FF au 30.4.95).
Langues : anglais (off.), setswana.

---

26 août 1994. Or, les scandales de corruption, l'urbanisation rapide et les difficultés économiques du pays sont venues s'ajouter à l'usure dont souffre le pouvoir en place depuis 1966. Le Parti démocratique du Botswana a réussi à conserver la majorité parlementaire tout en perdant dix nouveaux sièges au profit du Front national du Botswana, qui bénéficie d'une forte audience dans les grandes villes et parmi les salariés et les jeunes.

Lésotho

La crise politique ouverte par l'élection du président Ntsu Mokhehle et la victoire de son parti, le Basutholand Congress Party, en mars 1993, s'est prolongée tout au long de 1994. L'incapacité de la nouvelle direction à prendre en main la direction poli-

Afrique australe

	INDICATEUR	UNITÉ	AFRIQUE DU SUD	BOTS-WANA	LÉSOTHO
	Capitale		Prétoria	Gaborone	Maseru
	Superficie	km²	1 221 037	600 372	30 350
DÉMOGRAPHIE	Développement humain (IDH) [b]		0,650	0,670	0,476
	Population (*) [e]	million	41,46	1,49	2,05
	Densité [e]	hab./km²	34,0	2,5	67,5
	Croissance annuelle [f]	%	2,2	3,1	2,7
	Indice de fécondité (ISF) [f]		4,1	4,8	5,2
	Mortalité infantile [f]	‰	53	43	79
	Espérance de vie [f]	année	63	65	60
	Population urbaine	%	50,4	27,1	22,3
CULTURE	Analphabétisme [e]	%	18,2	30,2	28,7
	Scolarisation 12-17 ans	%	..	89,8 [b]	73,8 [c]
	Scolarisation 3e degré	%	13,9 [b]	5,2 [b]	1,3 [b]
	Téléviseurs [b]	‰ hab.	98	17	6,0
	Livres publiés	titre	4 738 [b]	158 [c]	..
	Nombre de médecins	‰ hab.	0,61 [d]	0,21 [d]	0,04 [d]
ARMÉE	Armée de terre	millier d'h.	58	7,0	
	Marine	millier d'h.	4,5	—	2
	Aviation	millier d'h.	10	0,5	
ÉCONOMIE	PIB [a]	million $	118 100	3 630	1 254
	Croissance annuelle 1985-93	%	0,9	9,3	3,4
	1994	%	2,1	2,8	16,7
	Par habitant [j]	$	3 885 [c]	4 650 [a]	1 800 [a]
	Dette extérieure totale [a]	million $	16 400	674	512
	Service de la dette/Export.	%	..	..	5,5 [a]
	Taux d'inflation	%	9,9	9,8	13,9 [a]
	Dépenses de l'État Éducation	% PIB	6,8 [d]	7,5 [b]	6,4 [b]
	Défense	% PIB	3,3	4,3 [a]	3,9 [a]
	Énergie [b] Consommation par habitant	kg	2 488	[i]	[i]
	Taux de couverture	%	119,2	[i]	[i]
COMMERCE	Importations	million $	23 387	1 606	1 003 [a]
	Exportations	million $	24 987	1 800	134 [a]
	Principaux fournis. [a]	%	Jap 10,4	Eur 8,0	AfS 82,9
		%	Eur 37,2	AfS 82,0	Asie 11,5
		%	E-U 11,3	Zim 5,0	UE 2,7
	Principaux clients [a]	%	Eur 43,1	Eur 86,0	AfS 39,4
		%	E-U 11,2	AfS 9,0	AN [g] 33,4
		%	Afr 16,0	Zim 3,0	UE 22,1

NAMIBIE	SWAZILAND
Windhoek	Mbabane
824 790	17 360
0,425	0,513
1,54	0,86
1,9	49,3
2,6	2,8
5,3	4,9
60	75
59	58
36,3	30,2
60,0 [b]	23,3
83,4 [d]	73,7 [c]
3,3 [c]	4,3 [b]
21	20
193 [c]	••
0,22 [c]	0,11 [d]
8	••
0,1	••
—	••
2 594	933
5,4	7,7
3,8	3,5
3 930 [a]	1 690 [a]
370	226
••	3,8 [a]
11,3	15,4
••	6,1 [h]
2,1	••
i	i
i	i
1 239	924
1 327	684
AfS 90,0	AfS 93,9
RFA 2,0	R-U 2,6
Jap 2,0	Zim 0,6
Sui 35,0	AfS 47,0 [c]
AfS 32,0	UE 22,7 [c]
R-U 3,0	E-U 3,6 [c]

tique et administrative du pays et à gérer la restructuration des forces armées et de la police a débouché sur deux mutineries et le rapt et le meurtre de plusieurs ministres en avril et en mai 1994.

▼

Royaume du Lésotho

Nature du régime : militaire.
Chef de l'État : Moshoeshoe II, revenu au pouvoir le 25.1.95, après avoir été déposé en 1990.
Chef du gouvernement : Ntsu Mokhehle (depuis le 28.3.93).
Monnaie : loti (1 loti = 1,36 FF au 30.4.95), rand sud-africain.
Langues : sesotho, anglais.

L'Afrique du Sud, le Botswana et le Zimbabwé ont, dans un premier temps, essayé sans résultat de faire office de médiateurs dans la crise. Le 17 août 1994, soutenu par l'armée et le Basutholand National Party (minoritaire), le roi Letsie III (qui avait été renversé en 1991) organisait un coup de force en suspendant le Parlement, en renvoyant le gouvernement légitime et en formant un nouveau cabinet provisoire. Sous la pression convergente de la population et des trois États voisins, le gouvernement de Ntsu Mokhehle a été réinstallé le 14 septembre suivant, le Parlement reconvoqué et la Constitution remise en vigueur. Le roi Letsie III a abdiqué et a obtenu, le 25 janvier 1995, le retour sur le trône de son père, le roi Moshoeshoe II, déposé en 1990.

Le retour du roi légitime et la pression continue des médiateurs internationaux, qui ont imposé dans le pays ce que certains n'ont pas hésité à appeler une « solution à la haï-

Chiffres 1994, sauf notes : a. 1993 ; b. 1992 ; c. 1991 ; d. 1990 ; e. 1995 ; f. 1990-95 ; g. Amérique du Nord ; h. 1989 ; i. Compris dans les chiffres de l'Afrique du Sud ; j. A parité de pouvoir d'achat (voir p. 673).
(*) Dernier recensement utilisable : Afrique du Sud, 1991 ; Botswana, 1991 ; Lésotho, 1986 ; Namibie, 1991 ; Swaziland, 1986.

BIBLIOGRAPHIE

S. BERNARD, « Botswana : un multipartisme fragile », *Travaux et documents du CEAN*, n° 28, Bordeaux, 1990.

A. de COQUEREAUMONT-GRUGET, *Le Royaume de Swaziland*, L'Harmattan, Paris, 1992.

I. FERGUSON, *The Anti-Politics Machine : « Development », Depolitization and Bureaucratic Power in Lesotho*, Cambridge University Press, Cambridge, 1990.

J.-C. FRITZ, *La Namibie indépendante. Les coûts d'une décolonisation retardée*, L'Harmattan, Paris, 1991.

B. RADIBATI, « Swaziland Today : Law and Politics Under King Mswati II », in *L'Année africaine 1992-1993*, CEAN/CREPAO, Bordeaux, 1993.

L.-C. ROSE, *The Politics of Harmony : Land Dispute Strategies in Swaziland*, Cambridge University Press, Cambridge, 1992.

Voir aussi la bibliographie « Afrique du Sud » dans la section « 34 États ».

tienne », ont paru susceptibles de stabiliser un régime politique en pleine perdition.

Namibie

La Namibie a continué à vivre une indépendance difficile sur le plan économique. Avec un taux de chômage de près de 40 % et un revenu mensuel par tête inférieur à 21 dollars des États-Unis, le pays connaît une passe difficile que ne parviennent à retourner ni la gestion saine — en dépit de l'élévation du niveau de corruption — ni la consolidation territoriale du pays, affirmée par le recouvrement de la souveraineté sur Walvis Bay et la signature d'accords de coopération militaire avec le Brésil.

▼

République de Namibie

Nature du régime : démocratique, multipartisme constitutionnel.
Chef de l'État : Samuel Nujoma (depuis le 21.3.90, réélu le 8.10.94).
Chef du gouvernement : Hage Geingob (depuis le 21.3.90).
Monnaie : dollar (1 dollar = 1,36 FF au 30.4.95).
Langues : afrikaans et anglais (off.), khoi, ovambo.

Les élections parlementaire et présidentielle de décembre 1994 ont constitué un test pour le pouvoir. Le président en titre, Sam Nujoma, a obtenu confirmation de sa popularité en distançant largement ses opposants (76 % des voix). La SWAPO (Organisation du peuple du Sud-Ouest africain) a renforcé sa domination politique sur le pays en emportant 53 des 70 sièges. Ainsi n'a-t-il laissé à son principal adversaire, le DTA (Alliance démocratique de Turnhalle), que 15 sièges, 2 à l'UDF (Front démocratique uni) et aucun aux 5 autres partis en lice. Coopération partisane oblige, la SWAPO s'est engagée à ne modifier certaines clauses constitutionnelles protégées par des majorités qualifiées qu'en recourant au référendum.

Ce succès a cependant mal masqué la démobilisation politique de la population, dont le taux d'inscription sur les listes électorales a été assez bas et confirme que le vote s'identifie à des appartenances ethniques et régionales précises, ce qui ne peut que faire progresser les revendications différentialistes.

Swaziland

L'année 1994 a été consacrée à la dénonciation du caractère non démocratique du régime par le regroupe-

Afrique australe

Afrique australe

© Éditions La Découverte

429

300 km

▼
Royaume du Swaziland (Ngwane)

Nature du régime : monarchie en voie de constitutionnalisation.

Chef de l'État : roi Mswati III (depuis avr. 86).

Chef du gouvernement : Jameson Mbilini Dhlamani, qui a succédé à Obed Dlamini.

Monnaie : lilangeni (1 lilangeni = 1,36 FF au 30.4.95), rand sud-africain.

Langues : swazi, anglais.

ment des partis politiques interdits et des associations de défense des droits de l'homme que constitue la Confédération pour une démocratie totale au Swaziland. De son côté, le pouvoir traditionnel a poursuivi ses réformes à petits pas, soutenues par l'extérieur et destinées à démocratiser le régime tout en le maintenant sous le contrôle des leaders traditionnels et du roi.

Dominique Darbon

Océan Indien

Comores, Madagascar, Maurice, Réunion, Seychelles

Comores

Une tentative pour privatiser la compagnie Air Comores avec l'aide du financier mauricien Rowland Ashley à la réputation sulfureuse, en juin 1994, a précipité une crise gouvernementale. Contesté par l'opposition, par les députés du Rassemblement pour le renouveau démocratique (RDR, au pouvoir) et par le président de l'Assemblée nationale, Mohamed M'Changama, ce projet avait reçu le soutien du président Saïd Mohamed Djohar et du Premier ministre Mohamed Abdou Madi. Mais, soumis à de fortes pressions, le chef de l'État a finalement ordonné l'expulsion du financier et le limogeage du Premier ministre, remplacé par Halifa Houmadi, le 13 octobre 1994.

L'annonce d'élections de conseillers des îles pour le 23 avril 1995 a relancé l'agitation politique : face à la menace de boycottage de l'opposition, le scrutin a été repoussé une première fois à juillet 1995, puis a été une nouvelle fois reporté. Une nouvelle crise politique a cependant amené le président Djohar à limoger le Premier ministre pour le remplacer par un ex-ministre des Finances, Mohamed Caabi El Yachroutu, le 28 avril 1995. Par ailleurs, les enseignants et le personnel des professions

de santé ont fait grève pendant plusieurs mois, au second semestre 1994.

▼
République fédérale islamique des Comores

Nature du régime : présidentiel.

Chef de l'État : Saïd Mohamed Djohar (depuis le 11.3.90).

Chef du gouvernement : Mohamed Caabi El Yachroutu, qui a remplacé, le 28.4.95, Halifa Houmadi, lequel avait succédé, le 13.10.94, à Mohamed Abdou Madi.

Monnaie : franc comorien (1 franc = 0,013 FF).

Langues : comorien (voisin du swahili), français.

Les relations des Comores avec Paris se sont dégradées après la décision du Premier ministre français d'alors, Edouard Balladur, de réintroduire, à partir du 20 janvier 1995, les visas pour les Comoriens se rendant à Mayotte (île restée française alors que le reste de l'archipel accédait à l'indépendance en 1975). Une manifestation officielle de protestation a dégénéré à Moroni, le 20 janvier 1995, en agitation anti-française, à telle enseigne que Paris a dépêché une mission de haut niveau, début mars 1995, pour rassurer les autorités comoriennes.

Madagascar

Après de longues transactions, le Premier ministre Francisque Ravony a présenté, le 19 août 1994, le deuxième gouvernement de sa première législature. Au nombre des ministres par-tants figurait celui de la Promotion industrielle et du Tourisme (par ailleurs dirigeant du groupe Leader), Herizo Razafimahaleo. Ce remaniement n'a pas mis fin aux sourdes luttes d'influence s'exerçant entre les trois pôles du pouvoir malgache (le président Albert Zafy, le Premier ministre et le président de l'Assemblée nationale, Richard Andriamanjato).

Océan Indien

INDICATEUR	UNITÉ	COMORES	MADA-GASCAR	MAURICE
Capitale		Moroni	Antananarivo	Port-Louis
Superficie	km²	2 170	587 040	2 045
Développement humain (IDH) [b]		0,331	0,396	0,778
DÉMOGRAPHIE				
Population (*) [e]	million	0,65	14,76	1,12
Densité [e]	hab./km²	300,9	25,1	546,2
Croissance annuelle [j]	%	3,7	3,2	1,1
Indice de fécondité (ISF) [j]		7,0	6,1	2,3
Mortalité infantile [j]	‰	89	93	18
Espérance de vie [j]	année	56	56	70
Population urbaine	%	30,1	26,4	40,5
CULTURE				
Analphabétisme [e]	%	42,7	28,6 [b]	17,1
Scolarisation 12-17 ans	%	41,3 [d]	34,4 [d]	57,9 [c]
Scolarisation 3e degré	%	—	3,9 [a]	2,1 [d]
Téléviseurs [b]	‰ hab.	0,4	20	218
Livres publiés	titre	..	85 [b]	80 [b]
Nombre de médecins	‰ hab.	0,10 [d]	0,12 [d]	0,85 [d]
ARMÉE				
Armée de terre	millier d'h.	..	2,0	
Marine	millier d'h.	..	0,5	1,3
Aviation	millier d'h.	..	0,5	
ÉCONOMIE				
PIB [a]	million $	272	3 039	3 309
Croissance annuelle 1985-93	%	1,4	1,3	7,0
1994	%	0,7	3,3	5,0
Par habitant [f]	$	1 320 [a]	700 [a]	12 450 [a]
Dette extérieure totale [a]	million $	184	4 594	999
Service de la dette/Export. [a]	%	5,9	14,3	6,0
Taux d'inflation	%	25,0	61,2	6,0
Dépenses de l'État Éducation	% PIB	4,1 [b]	1,5 [d]	3,7 [d]
Défense	% PIB	..	2,4	0,4
Énergie [b] Consommation par habitant	kg	53	38	583
Taux de couverture	%	—	8,0	2,2
COMMERCE				
Importations	million $	80	295	1 606
Exportations	million $	24	280	1 134
Principaux fournis. [a]	%	PCD 82,2	PCD 63,3	PCD 48,3
	%	Fra 67,8	Fra 28,1	PVD 51,0
	%	PVD 17,8	PVD 36,5	AfS 14,2
Principaux clients [a]	%	Col 59,3	PCD 76,7	E-U 17,9
	%	E-U 16,7	Fra 33,2	Fra 20,5
	%	Fra 18,5	PVD 22,9	R-U 32,4

RÉUNION	SEYCHELLES
Saint-Denis	Victoria
2 520	280
..	0,685
0,65	0,07
259,1	260,7
1,6	1,1
2,3	2,8 [d]
8	11,9 [b]
74	70 [c]
67,0	53,6
21,2 [g]	23,0 [b]
..	..
..	..
164	85
73 [h]	..
1,6 [d]	1,0 [c]
—	0,8
—	—
—	—
6 264 [b]	444
4,2	4,9
..	− 1,1
..	3 683 [c]
..	163
..	6,5
..	2,7
14,6 [b]	7,2 [b]
—	3,9 [a]
1 005	986
13,6	..
2 076 [a]	194
175 [a]	42
PCD 82,9	PCD 43,6
Fra 69,5	PVD 52,6
PVD 16,2	Sin 16,2
PCD 85,7	PCD 32,0
Fra 69,7	R-U 13,3
PVD 14,3	Thaï 22,7

▼

République démocratique de Madagascar

Nature du régime : présidentiel.
Chef de l'État : Albert Zafy, qui a remplacé l'amiral Didier Ratsiraka le 27.3.93.
Chef du gouvernement : Francisque Ravony (depuis août 1993).
Monnaie : franc malgache (100 FMG = 0,125 FF au 1.5.95).
Langues : malgache, français.

Alors que le Premier ministre (et des bailleurs de fonds internationaux) s'opposait au maintien à son poste du gouverneur de la Banque centrale, Raoul Ravelomanana, ce dernier bénéficiait du soutien de R. Andriamanjato, avec lequel il avait participé à plusieurs opérations financières destinées à rechercher des « financements parallèles ». De son côté, le président de l'Assemblée nationale ne cachait pas son opposition au ministre des Finances, José Yvon Raserijaona. R. Ravelomanana a finalement été limogé, début janvier 1995, après le scandale de l'« affaire Flamco » du nom d'une société commerciale présidée par le prince Constantin du Lietchtenstein qui a accumulé une dette de plusieurs millions de dollars auprès d'une banque étatique malgache.

Un autre sujet de discorde résidait dans le choix de l'attitude à adopter vis-à-vis des institutions de Bretton Woods : le Premier ministre souhaitait un accord avec le FMI et la Banque mondiale, alors que le président de l'Assemblée nationale, fidèle à son discours populiste, estimait qu'on pouvait éviter d'avoir recours à leurs financements. Un nouveau round de négociations a finalement

Chiffres 1994, sauf notes : a. 1993; b. 1992; c. 1991; d. 1990; e. 1995; f. A parité de pouvoir d'achat (voir p. 673); g. 1982; h. 1985; i. 1975-82; j. 1990-95. (*) Dernier recensement utilisable : Comores, 1980; Madagascar, 1975; Maurice, 1990; Réunion, 1990; Seychelles, 1987.

BIBLIOGRAPHIE

Annuaire des pays de l'océan Indien XII. 1990-1991, Presses du CNRS, Paris, 1992.

G. BELORGEY, G. BERTRAND, *Les DOM-TOM*, La Découverte, « Repères », Paris, 1994.

J.-L. GUEBOURG, *La Grande Comore*, L'Harmattan, Paris, 1994.

La Lettre de l'océan Indien (hebdomadaire), Indigo Publications, Paris.

J.-C. LAU THI KENG, *Inter-ethnicité et politique à l'île Maurice*, L'Harmattan, Paris, 1991.

« Madagascar », *Politique africaine*, n° 52, Éd. Ambozontany/Karthala, Paris, déc. 1993.

P. PERRI, *Comores : les nouveaux mercenaires*, L'Harmattan, Paris, 1994.

J. RAVALOSON, *Transition démocratique à Madagascar*, L'Harmattan, Paris, 1994.

Y. SALESSE, *Mayotte, l'illusion de la France. Propositions pour une décolonisation*, L'Harmattan, Paris, 1995.

« Tableau économique de la Réunion 1994-1995 », supplément de *L'Économie de la Réunion*, Saint-Denis de la Réunion, déc. 1994.

P. VÉRIN, *Les Comores*, Karthala, Paris, 1994.

P. VÉRIN, *Madagascar*, Karthala, Paris, 1990.

débouché sur la signature à Antananarivo, en février 1995, d'une lettre d'intention entre les autorités malgaches et le FMI en vue de l'octroi d'une « facilité d'ajustement structurel renforcée » (FASR). Les négociations avec la Banque mondiale sont cependant demeurées dans l'impasse. Le Premier ministre malgache a accepté les conditions du FMI parce qu'elles étaient essentiellement d'ordre fiscal, tandis que les conditionnalités de la Banque mondiale portaient sur un large éventail de réformes pour libéraliser plusieurs secteurs de l'économie (vanille, transport aérien, système bancaire...). Après que, le 3 mai 1995, les ministres du Tourisme, Alphonse Ralison, et de l'Aménagement du territoire, Henri Rakotonirainy, ainsi que le commissaire général au Sport, Ahmad, tous trois membres du groupe Leader, avaient démissionné pour protester contre la lenteur de ces négociations, les nouvelles discussions avec la Banque mondiale ont finalement eu lieu en juin.

Durant les premiers mois de l'année 1995, Madagascar a reçu plusieurs délégations commerciales étrangères (Israël, Corée du Sud, Taïwan...) illustrant ses nouvelles options diplomatiques. La Grande Île s'est également inscrite dans le projet d'Indian Ocean Rim Association (qui doit réunir les pays riverains de l'océan Indien) et une délégation malgache a assisté, en juin 1995, en Australie à une réunion régionale à ce sujet. En outre, à l'issue d'une visite du ministre malgache des Affaires étrangères, Jacques Sylla, à Maurice, fin avril 1995 (laquelle avait été précédée d'une visite du président Zafy dans l'île sœur, fin août 1994), des mesures ont été décidées pour renforcer le commerce et les contrôles douaniers (trafic d'or) entre les deux États.

Maurice

Les ministres du Mouvement militant mauricien (MMM, opposition) qui n'avaient pas quitté le gouvernement en novembre 1993, ont fondé le Rassemblement militant mauricien (RMM, membre de la coalition gouvernementale), le 26 juin 1994. Ce nouveau parti a enregistré une sévère défaite lors d'une législative partielle, le 29 janvier 1995. Le secrétaire général du RMM, Jean-Claude de l'Estrac, a perdu son siège de député face au leader du MMM, Paul Bérenger, et a dû abandonner son portefeuille de ministre de l'Industrie.

Maurice

Nature du régime : parlementaire. Un statut de «république à l'indienne» a été adopté par le Parlement le 12.3.92.

Chef de l'État : Cassam Uteem (depuis le 30.6.92).

Chef du gouvernement : Aneerood Jugnauth (depuis le 11.6.82).

Monnaie : roupie mauricienne (1 roupie = 0,29 FF au 30.4.95).

Langues : anglais, créole, français, langues indiennes.

Après cette déconvenue de taille pour le RMM, le Premier ministre Aneerood Jugnauth a cherché à reprendre l'initiative politique en s'alliant avc le Parti mauricien social-démocrate (PMSD) de Gaétan et Xavier-Luc Duval. Mais deux mois plus tard, les premiers tiraillements apparaissaient et des voix s'élevaient au sein du PMSD pour rompre avec le gouvernement.

Ces événements politiques ont eu quelques incidences économiques : les conditions d'attribution de certains gros contrats publics ont été contestées par l'opposition. La Banque européenne d'investissements a même refusé de ce fait un prêt à Maurice pour l'achat du moteur diesel d'une centrale électrique.

Au plan diplomatique, une première réunion pour définir la coopération régionale dans le cadre d'un Indian Ocean Rim Association a eu lieu à Port-Louis, en mars 1995. Elle a été suivie d'un séminaire sur le même thème à Perth (Australie), en juin 1995.

Réunion

Le nouveau président français Jacques Chirac (élu le 7 mai 1995) a donné l'impression d'avoir séduit jusqu'au Parti communiste de ce département d'outre-mer (DOM), en arrivant en tête au premier tour de la présidentielle du 23 avril (35,18 % des voix contre 30,36 % au candidat socialiste Lionel Jospin). Il a cependant été précédé par L. Jospin au second tour (56 % des suffrages contre 44 % à J. Chirac). Margie Sudre, présidente de l'Assemblée régionale et épouse du leader du mouvement Free Dom, est entrée comme secrétaire d'État à la francophonie, le 18 mai 1995, dans le nouveau gouvernement d'Alain Juppé. Cette ambiance électorale a estompé le climat d'enquête sur des affaires de détournement de fonds publics qui avait prévalu en 1993 et au premier semestre 1994.

La situation de l'emploi s'est encore dégradée, fin décembre 1994 (le taux de chômage annuel s'établissant à 31,7 % contre 30,5 %, en décembre 1993), les résultats de la campagne sucrière se sont affichés en baisse (la production de sucre pour 1994-1995 étant bien en deçà de la moyenne décennale). Seule une réduction sensible du nombre des entreprises en liquidation judiciaire, au cours de l'année 1994, est venue adoucir un peu ce bilan économique.

Seychelles

L'Assemblée nationale issue du scrutin multipartiste du 23 juillet 1993 a trouvé, en 1994, son rythme de croisière. Au plan diplomatique, le président France-Albert René s'est

---

République des Seychelles

Nature du régime : présidentiel.

Chef de l'État et du gouvernement : France-Albert René (depuis le 5.6.77, réélu le 23.7.93).

Monnaie : roupie seychelloise (1 roupie = 1,07 FF au 30.4.95).

Langues : créole, anglais, français.

---

rendu en visite officielle en Israël, le 20 juillet 1994, et y a signé un accord de coopération.

Le déficit commercial de l'archipel a été sensiblement réduit pour les neuf premiers mois de 1994, et le gouvernement devait s'attaquer, en 1995, à la privatisation des Conserveries de l'Océan Indien. Le manque de devises étrangères est toutefois demeuré un facteur d'inquiétude, alimentant la dépréciation de la roupie seychelloise au marché noir.

Francis Soler

◼ Proche et Moyen-Orient

Jusqu'au XIXᵉ siècle, on parlait de l'«Orient» pour désigner les territoires sous domination ottomane. La pénétration européenne en Chine, à la fin du XIXᵉ siècle, conduisit à inventer la notion d'«Extrême-Orient», ce qui a abouti par réaction à faire naître l'expression «Proche-Orient». Entre le Proche et l'Extrême-Orient, les Anglo-Saxons ont introduit au début du XXᵉ siècle la notion de «Moyen-Orient», pour qualifier les régions allant de la mer Rouge à l'empire britannique des Indes. Après la Première Guerre mondiale et la chute de l'Empire ottoman, ils ont étendu cette notion de Moyen-Orient à l'ensemble des pays arabes, évacuant ainsi le terme de Proche-Orient. C'est ainsi qu'aux États-Unis de nombreux auteurs appellent aujourd'hui Moyen-Orient un vaste domaine régional s'étendant du Maroc au Pakistan.

Dans la terminologie française, on emploie en général indistinctement les notions de Proche et de Moyen-Orient, mais l'Afrique du Nord (ou Maghreb) en est toujours exclue ; seul le domaine géographique s'étirant de la vallée du Nil à la vallée de l'Indus en fait partie. Le Proche et Moyen-Orient comprend l'Orient arabe (ou Machrek), le monde turco-iranien (Turquie, Iran, Afghanistan) et Israël. L'Orient arabe englobe la péninsule Arabique (Arabie saoudite, Yémen, Oman, les Émirats arabes unis, Qatar, Bahreïn et Koweït), les pays du Croissant fertile (Liban, Syrie, Jordanie, Irak, et l'ancienne Palestine [Israël et les Territoires occupés]), mais aussi les pays arabes de la vallée du Nil (Égypte et Soudan).

Certains auteurs classent plutôt l'Égypte et le Soudan avec l'Afrique et rattachent la Turquie à l'Europe méditerranéenne. C'est l'option adoptée dans cet ouvrage. Le rattachement du Pakistan au Moyen-Orient est contesté par certains, qui préfèrent étudier ce pays avec les États de l'espace indien, car il faisait partie de l'ancien «empire des Indes» des Britanniques. Cependant, son rattachement au Moyen-Orient se justifie également : les mêmes groupes ethno-linguistiques (Pachtou, Baloutches) se retrouvent de part et d'autre de la frontière pakistano-afghane imposée par les Anglais au XIXᵉ siècle.

Le Proche et Moyen-Orient, dans le cadre des limites adoptées dans cet ouvrage, regroupe donc quinze États, situés en Asie, mais au carrefour de trois continents (Europe, Afrique, Asie). Cette situation géographique exceptionnelle, qui, au cours de l'histoire, a toujours suscité des convoitises et des conflits, est aujourd'hui valorisée par la richesse pétrolière.

Les pays du Golfe (Iran, Irak, Arabie saoudite, Koweït, Bahreïn, Qatar, Émirats arabes unis et Oman) ont assuré en 1993 30 % de la production mondiale de pétrole. Les principaux producteurs ont été l'Arabie saoudite (425 millions de tonnes, premier rang mondial), l'Iran (180 millions), le Koweït (97 millions), Abou Dhabi (95 millions). L'importance des réserves (65,7 % des réserves mondiales en 1990) donne aux pays du Golfe une valeur géopolitique sans rapport avec la faible population de la plupart d'entre eux (Arabie saoudite et émirats). En 1990, 25,3 % des réserves mondiales se trouvaient en Arabie saoudite, 9,9 % en Irak, 9,8 % dans les Émirats arabes unis, 9,4 % au Koweït, 9,2 % en Iran, etc.

Une mosaïque de minorités

La diversité humaine du Proche et Moyen-Orient est d'abord confessionnelle. La région a été le berceau des trois grandes religions monothéistes : judaïsme, christianisme et islam. L'islam sunnite est le plus répandu, mais les chiites ont une importance grandissante. Ils sont majoritaires en Iran, en Irak, à Bahreïn. Au Liban, ils constituent la première communauté, et forment d'actives minorités au Koweït, en Arabie saoudite, en Afghanistan, etc. Sont issus du chiisme les ismaéliens (Syrie et Yémen), les druzes (Liban et Syrie), les alaouites au pouvoir en Syrie, ou encore les zaïdites, majoritaires au Yémen. Les chrétiens ont un rôle majeur au Liban (maronites), non négligeable en Égypte (coptes), en Syrie (les grecs-orthodoxes), en Irak (les chaldéens) et parmi les Palestiniens. Enfin, la religion juive est aujourd'hui essentiellement pratiquée en Israël.

Il existe aussi des minorités ethno-linguistiques. En Afghanistan s'opposent persanophones (Pachtou, Tadjiks, Hazaras) et turcophones (Ouzbeks, Turkmènes), mais aussi des groupes particuliers (Nouristanis, Pachaïs). Les bouleversements politiques du XXe siècle ont fait de ces minorités ethno-linguistiques des « peuples sans État ». Ainsi, les 23 millions de Kurdes : 12 millions en Turquie (20 % de la population turque), 6 millions en Iran (12 % de la population), 4,5 millions en Irak (25 % de la population), 1 million en Syrie (9 % de la population), sans oublier l'existence d'une diaspora kurde au Liban. Il existe aussi une diaspora arménienne au Liban et en Syrie. Enfin, les Palestiniens constituent aussi un « peuple sans État » depuis le partage de la Palestine et la création de l'État d'Israël en 1948. Ils sont 5 millions en 1990, répartis entre Israël (700 000), la Cisjordanie (1 200 000), la bande de Gaza (750 000), la Jordanie (1 500 000), le Liban (400 000), la Syrie (250 000), le Koweït (50 000 en 1994, contre 400 000 avant la guerre du Golfe en 1991).

Une région conflictuelle

Les travailleurs étrangers dans les pays arabes du Golfe riches en pétrole forment aussi des minorités : ils étaient 3 millions en Arabie saoudite, 2,4 millions dans les émirats, et 1,5 million en Irak avant les bouleversements consécutifs à l'invasion du Koweït par l'Irak en août 1990. Ces travailleurs étrangers sont pour une part croissante originaires de pays asiatiques non arabes (Pakistanais, Indiens, Thaïlandais, Sri-Lankais, Philippins, Sud-Coréens, etc.). Ces Asiatiques en viennent même à constituer la majorité de la population dans certains émirats.

Les États les plus fragiles de la région sont ceux du Croissant fertile, où le puzzle confessionnel est le plus complexe, et où le pouvoir n'est pas aux mains de la communauté la plus importante. Dans les monarchies du Golfe, les forts contingents d'étrangers ne représentent pas une menace politique, mais beaucoup plus une dépendance économique et une menace pour l'identité culturelle de ces pays arabes du Golfe. La présence de ces diverses minorités a toujours facilité les interventions étrangères.

Le tracé des frontières, lors du dépeçage de l'Empire ottoman, après la Première Guerre mondiale, a été essentiellement conçu selon les intérêts des puissances européennes, et est à l'origine de nombre de litiges régionaux des dernières décennies.

La permanence des tensions internes et le développement des conflits armés — conflit israélo-palestinien et guerres israélo-arabes, guerres libanaises à partir de 1975, guerre Iran-Irak (1980-1988), guerre d'Afghanistan à partir de 1979, second conflit du Golfe en 1990-1991 — font que le Proche et Moyen-Orient est la région du monde qui dépense le plus d'argent pour son armement.

En dépit de l'évolution très importante qu'ont constituée l'accord passé le 13 septembre 1993 entre Israël et l'Organisation de libération de la Palestine (OLP) et le traité de paix entre Israël et la Jordanie du 25 octobre 1994, le Proche et Moyen-Orient est resté sujet à de fortes tensions. L'Afghanistan est demeuré déchiré par des luttes fratricides. Le blocus à l'encontre de l'Irak a été maintenu, même si le Conseil de sécurité de l'ONU a autorisé Bagdad à procéder à des ventes limitées de pétrole. En même temps, la question kurde s'est de plus en plus internationalisée : au printemps 1995, l'armée turque est intervenue massivement contre les bases arrière du PKK (Parti des travailleurs du Kurdistan). Enfin, à Gaza, en Cisjordanie et en Israël, les attentats revendiqués par les mouvements islamistes se sont multipliés.

André Bourgey

Proche et Moyen-Orient / Journal de l'année

— 1994 —

20 juin. **Iran.** Attentat à la bombe contre le très prestigieux mausolée de l'Imam Reza, à Machad.

7 juillet. **Yémen.** Chute d'Aden, qui marque l'issue du conflit sécessionniste qui a embrasé le pays depuis que le 21 mai, Ali Salem al-Bid a proclamé la création, au sud du Pays, de la République démocratique du Yémen (sécessionniste). Cette grave crise politique est intervenue quatre ans après la réunification du Yémen-Sud et du Yémen-Nord.

12 juillet. **Palestine.** Yasser Arafat s'installe à Gaza. A l'automne, l'Autorité palestinienne affirme peu à peu son pouvoir sur les Territoires autonomes.

5-13 septembre. **Le Caire.** Réunion de la Conférence internationale sur la population et le développement. [*Voir article p. 67.*]

28 septembre. **Yémen.** Adoption d'amendements constitutionnels faisant de la *charia* la seule source légale.

14 octobre. **Israël-Palestine.** Yasser Arafat, Itzhak Rabin et Shimon Pérès se voient attribuer conjointement le prix Nobel de la paix. L'un des cinq membres du jury démissionne en protestation de la désignation de Y. Arafat.

26 octobre. **Israël-Jordanie.** Signature, en présence du président américain Bill Clinton, d'un traité de paix entre les deux États qui échangeront bientôt des ambassades et ouvriront leurs frontières. Cet accord de paix succède à ceux — valant reconnaissance de l'État hébreu — déjà signés par l'Égypte (« Camp David ») et l'OLP (« Gaza-Jéricho d'abord »).

27 octobre. **États-Unis-Syrie.** Visite de Bill Clinton à Damas, ce qui ne suffit pas à débloquer le processus de négociation avec Israël, sans cesse retardé, malgré diverses navettes du secrétaire d'État américain Warren Christopher et de son adjoint Dennis Ross.

10 novembre. **Irak-Koweït.** Reconnaissance officielle par Bagdad de la souveraineté et de l'intégrité territoriale du Koweït, ainsi que de ses « frontières internationales », conformément à la *résolution 833* de l'ONU. Le Koweït récupère le contrôle entier du champ de pétrole de Rumayla qui était chevauché par la frontière et dont l'exploitation avait été l'un

des motifs de l'invasion de l'émirat par l'Irak en août 1990.

13 novembre. **Afghanistan.** La ville de Kandahar est prise par les *taliban* (« étudiants en théologie »), dont le mouvement, apparu en août précédent, a conduit une guerre éclair. Ghazni sera conquise le 24 janvier, Kaboul atteinte en février 1995 et le quartier général de Gulbuddin Hekmatyar tombera. Une offensive des troupes gouvernementales les contraindra cependant à se retirer des environs de la capitale. [*Voir article consacré à ce pays, p. 334.*]

18 novembre. **Gaza.** Heurts sanglants interpalestiniens (la police tire sur une manifestation), faisant 15 morts et 200 blessés.

27 novembre. **Iran.** Mort en résidence surveillée de l'écrivain Saidi Sirdani. Sa condamnation avait suscité un élan de solidarité : 134 intellectuels avaient publié une lettre ouverte.

2 décembre. **Irak.** Le général Wafiq Samarra'i, ancien chef des services secrets, se réfugie au Kurdistan autonome, d'où il appelle à renverser le chef de l'État Saddam Hussein.

26 décembre. **Jérusalem.** Le Parlement israélien (Knesset) adopte une loi interdisant à l'Autorité palestinienne d'exercer des activités officielles dans Jérusalem.

5 janvier. **Jordanie.** Zayd Ben Chaker remplace Abdessalam el-Majali au poste de Premier ministre. Ce dernier a conduit le processus ayant mené à l'accord de paix du 26 octobre malgré des oppositions exprimées au sein du gouvernement.

— 1995 —

8 janvier. **Kurdistan d'Irak.** Accord de cessez-le-feu entre les factions kurdes. Les affrontements n'en reprendront pas moins.

20 janvier. **Iran.** Mort de Mehdi Bazargan, leader du Mouvement national de libération, fondé en 1961. Ses funérailles donnent lieu à des manifestations en faveur d'une plus grande liberté.

22 janvier. **Israël.** « Attentat-suicide » du Jihad islamique à Netanya. D'autres opérations « kamikazes » ont marqué la période, à l'initiative de cette organisation islamiste palestinienne ou du Mouvement de la résistance islamique (Hamas).

5 février. **Pakistan.** Plus de dix militants

PROCHE ET MOYEN-ORIENT / BIBLIOGRAPHIE SÉLECTIVE

P. Bocco, M.-R. Djalili (sous la dir. de), *Moyen-Orient : migrations, démocratisation, médiations*, PUF, Paris, 1994.

Les Cahiers de l'Orient (trim.), Paris.

G. Corm, *Le Proche-Orient éclaté*, La Découverte, Paris, 1986.

G. Corm, *L'Europe et l'Orient*, La Découverte, Paris, 1989.

Crise du Golfe et ordre politique au Moyen-Orient, CNRS-Éditions, Paris, 1994.

M. Flory, B. Korany, R. Mantran, M. Camau, P. Agate, *Les Régimes politiques arabes*, PUF, Paris, 1990.

B. Ghalioun, *Le Malaise arabe*, La Découverte/ENAG, Paris/Alger, 1991.

A. Gresh, D. Vidal, *Golfe. Clefs pour une guerre annoncée*, Le Monde - Éditions, Paris, 1991.

H. Laurens, *Le Grand Jeu : Orient arabe et rivalités internationales*, Armand Colin, Paris, 1991.

Ligue internationale pour le droit et la libération des peuples, *Le Dossier Palestine. La question palestinienne et le droit international*, La Découverte, Paris, 1991.

Monde arabe-Maghreb-Machrek (trim.), La Documentation française, Paris.

Revue d'études palestiniennes (trim), diff. Éd. de Minuit, Paris.

G. Salamé (sous la dir. de), *Démocraties sans démocrates. Politiques d'ouverture dans le monde arabe et islamique*, Fayard, Paris, 1994.

J. et A. Sellier, *L'Atlas des peuples d'Orient. Moyen-Orient, Caucase, Asie centrale*, La Découverte, Paris, 1993.

A. Sfeir, P. Vallaud (sous la dir. de), «Les nouvelles questions d'Orient», *Les Cahiers de l'Orient/Pluriel*, Paris, 1991.

S. Yérasimos. *Questions d'Orient. Frontières et minorités des Balkans au Caucase*, La Découverte/«Livres Hérodote», Paris, 1993.

Voir aussi les bibliographies «Égypte» et «Turquie» dans la section «34 États», ainsi que la bibliographie consacrée à la question kurde, p. 104.

d'une organisation cachemirie sont abattus à Karachi. Les autorités accusent l'Inde d'être responsable de ces homicides et des troubles qui ensanglantent la région. Fin décembre, elles fermeront le consulat indien de Karachi. [*Sur la situation au Cachemire, voir article p. 96.*]

16 février. **Yémen-Arabie saoudite.** Sanaa accepte la prorogation de l'accord de Taëf, conclu en 1934, reconnaissant la souveraineté de Riyad sur les trois provinces contestées (Assir, Najran, Jizan).

20 mars. **Kurdistan.** L'armée turque engage, avec 35 000 hommes, l'opération *Acier*, pourchassant hors frontières les militants armés du Parti des travailleurs kurdes (PKK, séparatiste) réfugiés au Kurdistan d'Irak. Le conflit opposant l'armée aux insurgés du PKK a déjà fait 13 000 victimes en dix ans.

Avril. **Iran.** Sanglantes émeutes à Akbar Abad et Eslam Shahr, dans la banlieue de Téhéran.

14 avril. **ONU-Irak.** La *résolution 988* du Conseil de sécurité autorise Bagdad à commercialiser une quantité limitée de son pétrole pour des besoins humanitaires.

8 mai. **États-Unis-Iran.** Washington decrète un embargo commercial à l'encontre de Téhéran, dénonçant ses projets nucléaires. [*Sur la question de la prolifération nucléaire, voir article p. 51.*]

17-19 mai. **Irak.** Le soulèvement de la ville de Ramadi se généralise à la province d'Al-Anbar, fief de la tribu arabe sunnite des Dulaym et jusqu'alors bastion du régime. Le 14 juin, interviendra une mutinerie dans la base d'Abou Ghrayb. Début août, deux des gendres de Saddam Hussein occupant des postes élevés feront défection, se réfugiant en Jordanie.

EDM

Croissant fertile

Irak, Israël, Cisjordanie-Gaza, Jordanie, Liban, Syrie

(L'Irak est traité p. 320 et Israël p. 305.)

Cisjordanie-Gaza

La mise en œuvre, en 1994 et 1995, de la « déclaration de principes sur

Territoires occupés par Israël depuis 1967

Territoires sous autonomie palestinienne depuis 1994

50 km

© Éditions La Découverte

des arrangements intérimaires d'autonomie » signée à Washington le 13 septembre 1993 par Israël et l'Organisation de libération de la Palestine (OLP) sous le parrainage des États-Unis et nominalement de la Russie, et de l'accord du Caire (4 mai 1994), dit « Gaza-Jéricho d'abord », n'a pas réussi à instaurer un climat de confiance favorable à l'ouverture, officiellement fixée à mai 1996, de la seconde phase de négociations sur les questions de souveraineté, de Jérusalem et des réfugiés.

À partir de l'automne 1993, promesses trahies et méfiances mutuelles ont conduit à la mort de quelque trois cents personnes (un tiers d'Israéliens, deux tiers de Palestiniens). Résultante de la politique immobiliste et colonisatrice israélienne ou politique délibérée de sabotage du processus par les islamistes, les opérations suicides menées par les Phalanges Ezzeddin al-Qassam du Mouvement de la résistance islamique-Hamas et par le Mouvement du Jihad islamique au cœur même d'Israël comme dans les Territoires autonomes, contre les colons y demeurant, ont contribué à la fois au raidissement d'Israël (abandon du calendrier des accords, bouclage des Territoires autonomes et occupés) et à la militarisation croissante du nouveau pouvoir palestinien (augmentation à 15 000 ou 20 000 du nombre de policiers, création d'une Cour de sûreté de l'État).

En dépit d'arrestations massives menées dans leurs rangs et malgré les heurts sanglants du 18 novembre 1994 à Gaza qui ont fait 15 morts et 200 blessés (la police palestinienne a tiré dans la foule d'une manifestation organisée au sortir de la prière du vendredi), les islamistes ont manifesté une retenue certaine face à la nouvelle autorité, excluant de faire

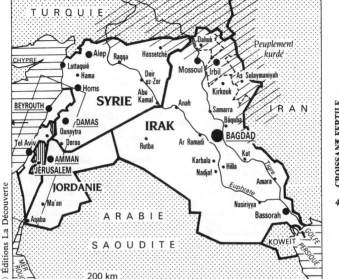

© Éditions La Découverte

200 km

de la violence un moyen d'expression de leur contestation.

Le bouclage quasi permanent des Territoires autonomes et occupés par Israël et le remplacement massif des ouvriers palestiniens autorisés à travailler en Israël (140 000 avant le soulèvement de 1987, une dizaine de milliers en 1995) par une main-d'œuvre en provenance d'Europe de l'Est et d'Asie, l'incapacité de Yasser Arafat, chef de l'OLP et président de l'Autorité palestinienne, à rompre avec des pratiques de clientélisme, le manque d'enthousiasme de la communauté internationale à tenir ses promesses (sur les quelque 720 millions de dollars d'aide économique annoncés pour 1994, 275 millions environ seulement ont été versés, dont 200 pour les seules dépenses courantes de l'administration) ont empêché l'amélioration des conditions économiques tant attendue : le chômage toucherait dorénavant 60 % des populations de la bande de Gaza, dont le niveau de vie aurait baissé de moitié en un an.

Devant ces difficultés croissantes et en dépit d'un transfert partiel aux Palestiniens de responsabilités jusque-là assumées en Cisjordanie par l'administration israélienne, rares étaient ceux qui, à l'été 1995, croyaient encore à court terme au redéploiement de l'armée israélienne en Cisjordanie et à l'organisation d'élections d'un Conseil de l'autonomie, initialement prévus pour juillet 1994. Personne ne semblait envisager pour autant un retour de l'armée israélienne dans les zones de Gaza maintenant autonomes.

Les nouvelles orientations politiques annoncées en janvier 1995 par le Premier ministre israélien Itzhak Rabin ont tourné autour du mot d'ordre de « séparation » totale entre les deux peuples israélien et palestinien, gageure surprenante au moment où la même administration encourageait, par l'intensification des saisies de terres et de programmes de construction de nouveaux logements et d'infrastructures, l'accroissement du nombre de colons mêlés aux Palestiniens (plus de 300 000, Jérusalem-Est comprise).

Jean-François Legrain

Jordanie

La paix signée entre la Jordanie et Israël le 26 octobre a été l'événement majeur de l'année 1994, marquant les orientations politiques et économiques du royaume. Préparée de longue date, elle a été précipitée par la signature, à Washington, de l'accord d'autonomie palestinienne entre Israël et l'OLP, en septembre 1993. D'abord heurté de n'avoir pas été consulté, le roi Hussein s'est engagé seul dans un processus de paix qui a laissé les Jordaniens frustrés. Le

▼
Royaume hachémite de Jordanie

Nature du régime : monarchie parlementaire.

Chef de l'État : roi Hussein (depuis 1952).

Chef du gouvernement : maréchal Sharif Zayd Ben Chaker, qui a remplacé Abdessalam el-Majali le 8.1.95.

Échéances électorales : législatives en novembre 97.

Monnaie : dinar (1 dinar = 7,11 FF au 30.4.95).

Langues : arabe, anglais.

Premier ministre Abdessalam el-Majali a conduit ces accords, malgré l'opposition croissante de son gouvernement, le vice-Premier ministre Touqan Hindawi ayant été jusqu'à démissionner pour marquer son

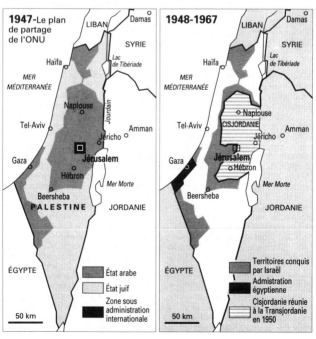

1947-Le plan de partage de l'ONU

LIBAN · Damas
SYRIE
Haïfa · *Lac de Tibériade*
MER MÉDITERRANÉE
Naplouse
Jourdain
Tel-Aviv · Amman
Jéricho
Gaza · **Jérusalem**
Hébron
Mer Morte
Beersheba
PALESTINE · JORDANIE
ÉGYPTE
État arabe
État juif
Zone sous administration internationale
50 km

1948-1967

LIBAN · Damas
SYRIE
Haïfa · *Lac de Tibériade*
MER MÉDITERRANÉE
Naplouse
CISJORDANIE
Tel-Aviv · Amman
Jéricho
Gaza · **Jérusalem**
Hébron
Mer Morte
Beersheba
JORDANIE
ÉGYPTE
Territoires conquis par Israël
Administration égyptienne
Cisjordanie réunie à la Transjordanie en 1950
50 km

mécontentement. Le roi a remplacé A. el-Majali par son cousin Zayd Ben Chaker, le 5 janvier 1995, avec la mission royale de faire cesser la controverse sur la paix, la population restant très réfractaire à la « normalisation » des relations avec Israël.

C'est la promesse des États-Unis d'alléger la dette extérieure (5,5 milliards de dollars en 1994) qui a fortement motivé le processus de paix. La balance des paiements affichait pourtant un relatif équilibre en 1994, grâce au tourisme, pour lequel la paix constituait un enjeu crucial ; l'ouverture des frontières est, en effet, intervenue le 12 novembre 1994. La croissance a été estimée à 5,7 % pour 1994.

Les relations avec l'Autorité palestinienne sont restées difficiles sur la question de Jérusalem et de l'autorité sur les Lieux saints, le traité conclu avec Israël reconnaissant à la Jordanie un rôle « historique » dans leur administration. Un compromis a été trouvé début 1995, Amman assurant à Y. Arafat que le parrainage jordanien ne contredisait pas les ambitions de souveraineté palestinienne sur Jérusalem-Est. Le 27 janvier 1995, a été conclu un « accord général de coopération et de coordination ».

L'extension attendue le 1er juillet 1995, et sans cesse repoussée par les Israéliens, de l'autonomie palestinienne à certaines villes de Cisjordanie a semblé devoir influer sur le cours des relations jordano-palestiniennes, ne serait-ce que pour l'attribution d'une ou plusieurs nationalités (palestinienne et/ou jordanienne).

Le contrôle des mouvement islamistes, principaux opposants au processus de paix, s'est poursuivi. Ainsi, les responsables de plusieurs mouve-

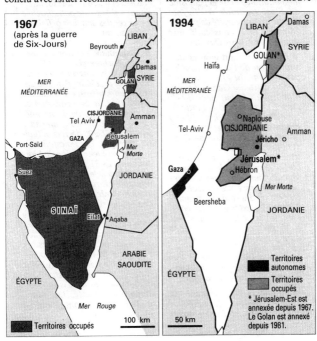

Les Territoires autonomes et occupés

■ *Au terme de la guerre des Six Jours (juin 1967), l'État hébreu s'est retrouvé en situation d'occupant de l'ensemble des régions palestiniennes, achevant ainsi son appropriation des terres promises par le plan de partage de l'ONU de 1947 à devenir un État arabe palestinien (bande de Gaza sous administration militaire égyptienne depuis 1949; Cisjordanie annexée par le royaume hachémite de Jordanie en 1950), mais également du Golan syrien (annexé le 14 décembre 1981; 15 000 Syriens, druzes pour la plupart; 13 000 colons juifs répartis dans 36 implantations) et de la péninsule du Sinaï (restituée à l'Égypte dans le cadre du traité de paix du 26 mars 1979 consécutif aux accords de Camp David).*

♦ **Territoires autonomes** *(en application de l'accord israélo-palestinien du 13 septembre 1993, dit «Gaza-Jéricho d'abord»). Début mai 1994, l'armée israélienne a quitté la zone de Jéricho (52 km², 14 000 habitants environ) et s'est redéployée dans la bande de Gaza (378 km², 850 000 habitants palestiniens environ, 5 000 à 6 000 colons dans 16 implantations), y abandonnant les zones habitées pour se conserver le contrôle des colonies et des routes y menant. La sécurité extérieure, les colonies, les Israéliens — résidents ou de passage —, et les relations étrangères demeurant domaine réservé d'Israël. Des «laissez-passer» palestiniens seront édités. L'administration palestinienne centrale siège à Gaza.*

♦ **Jérusalem-Est occupée et annexée.** *Dès le 27 juin 1967, le gouvernement israélien a étendu les limites municipales de 607 ha à 7 285 ha et déclaré que «la loi, la juridiction et l'administration de l'État» s'y exerçaient. La «Loi fondamentale» du 30 juillet 1980 a fait de Jérusalem «la capitale éternelle d'Israël». Dotés d'une carte d'identité israélienne, les Palestiniens y ont cependant conservé leur nationalité et leur passeport jordaniens en refus de l'annexion. Ils sont dorénavant minoritaires (155 000 pour 168 000 Israéliens répartis dans une dizaine de nouveaux quartiers). La liberté d'accès aux lieux saints y est en principe garantie. Le 26 décembre 1994, la Knesset a adopté une loi interdisant à l'Autorité palestinienne d'exercer des activités officielles à Jérusalem.*

♦ **Cisjordanie occupée** *(Jérusalem et Jéricho exclus; de 115 000 à 136 000 colons juifs répartis dans près de 150 implantations). Sous administration militaire depuis 1967, la région est soumise à la législation jordanienne antérieure à l'occupation, amendée par plus de 1 200 décrets militaires israéliens. Les Palestiniens y ont conservé leur nationalité jordanienne. Le 31 juillet 1988, date de l'annonce de la rupture de ses liens administratifs et légaux avec la Cisjordanie, la Jordanie abandonne la supervision de son ancienne fonction publique (hôpitaux, écoles, municipalités, etc.) et ne conserve que la gestion des lieux saints islamiques. A l'automne 1994, l'Autorité palestinienne parvient à prendre le contrôle de cette gestion sur l'ensemble de la Cisjordanie, Jérusalem exceptée. Les passeports jordaniens sont délivrés à titre provisoire.*

Dans le cadre de l'accord de Washington du 13 septembre 1993, Israël remet à l'Autorité palestinienne les pouvoirs qu'il exerçait en Cisjordanie (Jérusalem excepté), dans les domaines de l'éducation (août 1994), du tourisme et des affaires sociales (novembre 1994), du fisc et de la santé (décembre 1994) ; les douanes, les transports publics et les communications demeurent sous le contrôle d'Israël qui maintient son administration militaire.

Le calendrier des accords

♦ **9 septembre 1993.** *L'OLP (Organisation de libération de la Palestine), à travers son président, Yasser Arafat, reconnaît Israël et son droit à l'existence ; le lendemain, Israël, à travers son Premier ministre, Itzhak Rabin, reconnaît l'OLP comme « le représentant du peuple palestinien ».*

♦ **13 septembre.** *Négociée à Oslo depuis plusieurs mois dans le plus grand secret, la « déclaration de principes sur des arrangements intérimaires d'autonomie » est solennellement signée à Washington par Shimon Pérès, ministre des Affaires étrangères d'Israël, et Mahmoud Abbas (Abou Mazen), membre du Comité exécutif de l'OLP, sous le parrainage des États-Unis et de la Russie. L'accord dit « Gaza et Jéricho d'abord », qui entre en vigueur le 13 octobre, définit les grandes lignes d'une autonomie de cinq ans dans les territoires occupés en 1967, commençant dans la bande de Gaza et dans la zone de Jéricho en Cisjordanie.*

♦ **9 février 1994.** *Au terme de négociations houleuses au Caire et à Taba (Égypte), la « déclaration de principes » connaît sa première application concrète avec la signature, au Caire, d'un accord sur la sécurité. Le texte porte essentiellement sur les points de passage entre les territoires autonomes et les pays voisins.*

♦ **29 avril.** *Le « protocole sur les relations économiques » entre Israël et l'OLP est signé à Paris.*

♦ **4 mai.** *L'accord sur les modalités de l'autonomie palestinienne est signé au Caire avec cinq mois de retard. Il est quasi immédiatement suivi du redéploiement de l'armée israélienne à Gaza et à Jéricho et de l'entrée de policiers palestiniens. Y. Arafat s'installe à Gaza le 12 juillet 1994.*

Des élections directes pour un Conseil palestinien de l'autonomie auraient dû se tenir neuf mois au plus tard après l'entrée en vigueur de la « déclaration de principes », soit le 13 juillet 1994 ; élu par l'ensemble des Palestiniens des Territoires occupés en 1967, ce Conseil serait cependant appelé à n'exercer ses prérogatives ni sur Jérusalem ni sur les Israéliens résidents ou de passage dans les zones autonomes. A la veille de cette date, l'armée israélienne est censée s'être redéployée hors des zones peuplées de l'ensemble de la Cisjordanie hors Jérusalem. Au printemps 1995, Israël se refusait encore à mener à bien ce processus. La « date cible » du 1er juillet, puis du 25 juillet 1995, avait cependant été fixée par les deux parties, qui s'étaient engagées à « essayer » d'y conclure la négociation de cette seconde phase de l'autonomie.

Les pourparlers sur le statut définitif des Territoires occupés (dont Jérusalem-Est) devaient commencer « le plus tôt possible » et au plus tard au début de la troisième année de la période intérimaire.

J.-F. L.

Croissant fertile *(Voir notes p. 450)*

	INDICATEUR	UNITÉ	IRAK	ISRAËL
	Capitale		Bagdad	Jérusalem [2]
	Superficie	km²	434 924	20 770 [4]
	Développement humain (IDH) [b]		0,614	0,900
DÉMOGRAPHIE	Population (*) [d]	million	20,45	5,63
	Densité [d]	hab./km²	47,0	271,0
	Croissance annuelle [j]	%	2,5	3,8
	Indice de fécondité (ISF) [j]		5,7	2,9
	Mortalité infantile [j]	‰	58	9
	Espérance de vie [j]	année	66	76
	Population urbaine	%	74,1	90,5
CULTURE	Analphabétisme [d]	%	42,0	5,0
	Scolarisation 12-17 ans	%	55,4 [f]	••
	Scolarisation 3e degré	%	13,8 [g]	34,4 [f]
	Téléviseurs [b]	‰ hab.	73	271
	Livres publiés	titre	••	2 214 [i]
	Nombre de médecins	‰ hab.	0,60 [c]	2,90 [h]
ARMÉE	Armée de terre	millier d'h.	350	134
	Marine	millier d'h.	2	6,5
	Aviation	millier d'h.	30	32
ÉCONOMIE	PIB	milliard $	17,0 [a]	72,7 [a]
	Croissance annuelle 1985-93	%	− 11,4	5,3
	1994	%	1,0	6,3
	Par habitant [e]	$	3 500 [c]	14 890 [a]
	Dette extérieure totale	milliard $	86,0	16,4 [a]
	Service de la dette/Export. [a]	%	••	••
	Taux d'inflation	%	60,0	14,4
	Dépenses de l'État Éducation	% PIB	5,1 [g]	5,8 [f]
	Défense	% PIB	••	10,9
	Énergie [b] Consommation par habitant	kg	1 247 [m]	3 268
	Taux de couverture	%	170,8 [m]	—
COMMERCE	Importations	million $	6 520 [fm]	24 918
	Exportations	million $	10 383 [fm]	16 437
	Principaux fournis.	%	PCD 66,9 [f]	E-U 17,4 [a]
		%	UE 37,2 [f]	UE 49,2 [a]
		%	PVD 33,0 [f]	PVD 10,0 [a]
	Principaux clients	%	PCD 70,9 [f]	E-U 31,3 [a]
		%	UE 26,6 [f]	UE 29,6 [a]
		%	PVD 28,9 [f]	PVD 20,5 [a]

CISJORDANIE [1]	GAZA [1]	JORDANIE	LIBAN	SYRIE
3	3	Amman	Beyrouth	Damas
5879 [5]	378 [5]	89000	10400	185180
..	..	0,628	0,600	0,727
1,08 [a]	0,79	5,44	3,01	14,66
184,4 [a]	2097	61,1	289,3	79,2
4,2 [k]	4,8	4,9	3,3	3,4
5,45	6,46	5,6	3,1	5,9
44	48	36	34	39
67,4	64,9	68	69	67
..	94,3	70,8	86,6	51,9
..	..	13,4	7,6	29,2
..	..	..	72,8 [f]	54,8 [c]
..	..	19,4 [b]	27,8 [c]	18,7 [b]
..	..	82	324	61
..	..	790 [b]	..	598 [b]
..	..	1,54 [c]	2,42 [c]	0,82 [c]
—	—	90	43	300
—	—	0,6	0,5	8
—	—	8	0,8	40
1,91 [b]	0,67 [b]	4,89 [a]	2,82 [b]	15,8 [b]
8,1 [l]	6,0 [l]	0,0	..	1,1
..	..	5,7	8,5	5,5
..	..	4010 [a]	2500 [c]	5220 [c]
..	..	5,55	1,36 [a]	19,96 [a]
..	..	14,6	6,5	5,3
6,8 [a]	5,7 [a]	4,9	10,6	15,0
..	..	4,0 [c]	2,0 [b]	4,2 [c]
..	..	8,0	4,0	16,6 [c]
..	..	1130	1778	1291
..	..	—	—	238,0
777 [c]	353 [a]	3501	5800	4290
173 [c]	63 [a]	1448	1160	3370
Isr 90,9 [f]	Isr 88,2 [a]	E-U 11,7	UE 51,1	PCD 55,5
Jord 1,5 [f]	Jord —	UE 34,8	E-U 9,5	UE 37,8
..	..	PVD 41,8	PVD 31,0	PVD 33,1
Isr 70,3 [f]	Isr 76,7 [a]	PCD 11,7	PCD 32,1	PCD 62,5
Jord 29,1 [f]	Jord 23,0 [a]	PVD 67,5	PVD 67,9	Ita 27,2
..	..	NS [n] 20,8	Syr 18,3	PVD 34,0

ments accusés de déstabiliser le royaume ont été jugés au cours de l'année 1994 et le roi a lancé des avertissements contre la politisation de l'islam et l'opposition au processus de paix. Ainsi le gouvernement formé par Z. Ben Chaker le 8 janvier 1995 ne comportait-il aucun islamiste. Les élections municipales du printemps 1995 ont été remportées par les indépendants proches du pouvoir grâce à un contrôle très fort.

Les mouvements islamistes ont cependant conservé une audience réelle dans la population, comme en a témoigné le succès remporté lors des élections syndicales, et ce d'autant plus que, sur le plan social, le taux de chômage est resté préoccupant (15 % de la population active en 1995). L'acceptation publique de la paix avec Israël semblait ainsi devoir dépendre des bénéfices économiques que la population pourrait en tirer.

Brigitte Curmi

Liban

Cinq ans après la fin de la guerre, la reconstruction du Liban a pris une vitesse de croisière. Le Plan 2000, par

---

[Notes du tableau des p. 448-449]

1. Aux termes de l'accord dit «Gaza-Jéricho d'abord» du 13.9.1993, une zone d'autonomie a été érigée à Gaza et dans la zone de Jéricho (Cisjordanie); 2. Le choix de Jérusalem comme capitale d'Israël est contesté au plan international; 3. Jéricho tient lieu de capitale de la zone d'autonomie palestinienne; 4. A l'exclusion de la bande de Gaza et de la Cisjordanie, mais en comptant les territoires annexés (Golan, Jérusalem-Est); 5. La superficie de la zone d'autonomie palestinienne (Gaza + enclave de Jéricho) est de 388 km².

Chiffres 1994, sauf notes : a. 1993; b. 1992; c. 1991; d. 1995; e. A parité de pouvoir d'achat (voir p. 673); f. 1990; g. 1988; h. 1983; i. 1985; j. 1990-95; k. 1990-93; l. 1987-92; m. Après l'invasion du Koweït par l'Irak, en 1990, un embargo a été appliqué à l'encontre de ce dernier; n. Non spécifié.
(*) Dernier recensement utilisable : Irak, 1987; Israël, 1983; Jordanie, 1979; Liban, 1970; Syrie, 1981; Gaza, 1967.

---

lequel le gouvernement prévoyait 12 milliards de dollars d'investissement en infrastructures, a été adopté avec quelques modifications le 5 mai 1994. Pour éviter une augmentation plus alarmante de la dette publique et drainer une partie des 40 milliards de dollars détenus à l'étranger par des Libanais, l'État a émis un emprunt en euro-obligations qui a rapporté plus de 300 millions de dollars fin 1994.

▼

République libanaise

Nature du régime : démocratie parlementaire à base communautaire. Les accords de Taef (oct. 89) prévoient la déconfessionnalisation des institutions.

Chef de l'État : Elias Hraoui (depuis le 24.10.89).

Premier ministre : Rafiq Hariri (depuis le 30.10.92).

Échéances électorales : présidentielles (nov. 95).

Monnaie : livre libanaise (1 000 livres = 3 FF au 30.4.95).

Langues : arabe, français.

Le Premier ministre (sunnite) Rafiq Hariri, dont l'immense fortune et la clientèle politique n'avaient pas été étrangères à la reprise économique, s'est par là même trouvé au cœur d'une controverse politique. Par trois fois, le 7 mai et le 1er décembre 1994, puis le 19 mai 1995, il a offert sa démission. Chaque fois, les dirigeants syriens ont su le convaincre de rester à la tête du gouvernement, au moins jusqu'aux présidentielles fixées à novembre 1995. Mais sa mésentente avec Nabih Berri, le président (chiite) du Parlement, est apparue au grand jour lorsque ce dernier a obtenu des députés, le 14 juillet 1994, la levée de l'interdiction de radiodiffuser des informations politiques, en vigueur depuis le 23 mars 1994. Tout au long du procès de Samir Geagea (inculpé, le 16 juin 1994, pour l'assassinat du président du Parti national libéral

Dany Chamoun, le 21 octobre 1990) et de membres de sa milice dissoute, les Forces libanaises jusqu'à sa condamnation à perpétuité le 25 juin 1995, les tensions, les accusations de corruption et les scandales financiers se sont multipliés au sein de la classe politique. Maintenu «sous perfusion» par la volonté de la Syrie qui exerce une tutelle sur le pays, le gouvernement ne masquait plus ses dissensions politiques internes.

Ainsi, à la demande des États-Unis, le président Elias Hraoui a répondu positivement, le 29 octobre 1994, à une offre israélienne de paix séparée, pour être démenti cinq jours plus tard par le ministre des Affaires étrangères, son gendre Farès Bouez...

Avec le refus de l'installation définitive des réfugiés palestiniens, l'intensification de la guérilla anti-israélienne par des militants palestiniens opposés à l'accord de paix et par des chiites de Résistance islamique a fait ressortir la fragilité du pays sur le plan régional : du 3 avril au 24 octobre 1994, et à nouveau à partir du 31 mars 1995, le Liban-Sud a vécu au rythme d'une guerre d'usure et de bombardements, dont les victimes étaient surtout civiles.

Syrie

A force de retarder les négociations de paix avec Israël, la Syrie a piétiné sur la voie de l'ouverture politique et économique. Contrairement à ses interlocuteurs israélien et américain pressés de signer avant d'importantes échéances électorales, le président Hafez el-Assad a voulu s'assurer d'un contexte arabe favorable et tester la mise en œuvre du volet israélo-palestinien du processus régional de paix. Le rôle central de Damas étant désormais reconnu, il a également cherché à faire monter les enchères dans la négociation.

Le principe de la reconnaissance d'Israël en échange du retrait total des troupes israéliennes du plateau du Golan, occupé en 1967 et annexé le 14 décembre 1981, a été réaffirmé le 14 février 1995 par le secrétaire adjoint du parti Baas au pouvoir, Abdallah al-Ahmar, qui confirmait que «la paix juste et complète [était] un choix stratégique». Pourtant, ni la visite à Damas du président américain Bill Clinton le 27 octobre 1994 ni les navettes du secrétaire d'État américain Warren Christopher et de son adjoint Dennis Ross n'ont débloqué la situation. A partir du 27 juin 1995, les chefs d'état-major syrien et israélien reprenaient la négociation pour de futurs arrangements de sécurité.

▼

République arabe syrienne

Nature du régime : présidentiel, appuyé sur un parti dirigeant, le Baas.

Chef de l'État : Hafez el-Assad (depuis le 12.3.71).

Chef du gouvernement : Mahmoud al-Zubi (depuis nov. 1987).

Monnaie : livre syrienne (1 livre = 0,44 FF au 30.4.95).

Langue : arabe.

Revendication territoriale : le Golan, occupé depuis 1967 par Israël, qui l'a annexé en 1981.

D'un autre côté, H. el-Assad a obtenu au «sommet» d'Alexandrie, qui s'est tenu le 3 mars 1995, le soutien du président égyptien Hosni Moubarak et du roi Fahd d'Arabie vis-vis de sa politique attentiste. Il a maintenu son aide logistique au Hezbollah libanais, en guerre avec Israël, tandis que les attentats du Jihad islamique, comme celui du 22 janvier 1995 à Netanya, recevaient son aval. En outre, H. el-Assad a réitéré sa demande d'une normalisation des relations avec les États-Unis et d'un appui financier à la politique de libéralisation économique menée à partir de 1990.

Du côté européen, pourtant, la Syrie a fait une percée remarquable en obtenant, le 28 novembre 1994, la levée de l'embargo sur les ventes d'armes imposé par l'Union européenne depuis 1986. Le quatrième protocole européen a été débloqué ;

BIBLIOGRAPHIE

M. ABBAS (Abou Mazen), *Le Chemin d'Oslo*, Édifra, Paris, 1995.

M.R. AL MADFAI, *Jordan, the United States and the Middle East Peace Process, 1974-1991*, Cambridge University Press, 1993.

J. BAHOUT, « Les entrepreneurs syriens. Économie, affaires et politique », *Cahiers du CERMOC*, Beyrouth, 1994.

A. BEYDOUN, *Le Liban. Itinéraires dans une guerre incivile*, Karthala-CERMOC, Paris, 1993.

A. GRESH, D. VIDAL, *Palestine 47 : un partage avorté*, Complexe, Bruxelles, 1991 (nouv. éd.).

« Israéliens et Palestiniens. Les défis de la paix » (dossier constitué par A. Dieckhoff), *Problèmes politiques et sociaux*, n° 738-739, La Documentation française, Paris, 1994.

E. KIENLE (sous la dir. de), *Contemporary Syria. Liberalization between Cold War and Cold Peace*, British Academic Press, Londres, 1994.

F. KIWAN (sous la dir. de), *Le Liban aujourd'hui*, CNRS-Éditions, Paris, 1994.

É. PICARD, *Liban. État de discorde*, Flammarion, Paris, 1988.

X. de PLANHOL, *Les Nations du Prophète, manuel géographique de politique musulmane*, Fayard, Paris, 1993.

E. ROGAN, T. TELL, *Village, Steppe and State : the Social Origins of Modern Jordan*, British Academy Press, Londres, 1994.

S. ROY, *The Gaza Strip. The Political Economy of de-development*, Institute for Palestinian Studies, Washington, 1995.

E.W. SAID, « Symbols versus substance : a year after the declaration of principles », *Journal of Palestinian Studies*, XXIV/2, hiv. 1995.

G. SALAMÉ (sous la dir. de), *Proche-Orient, les exigences de la paix*, Complexe, coll. « CERI », Bruxelles, 1994.

J. SARKIS, *Histoire de la guerre du Liban*, PUF, Paris, 1994.

Voir aussi les bibliographies « Israël » et « Irak » p. 308 et 324 ; la bibliographie sélective « Proche et Moyen-Orient », p. 441 ; ainsi que la bibliographie consacrée à la question kurde, p. 104.

une partie des arriérés de sa dette commerciale (qui se montait à 600 millions de dollars en décembre 1994) a été réglée, et plusieurs accords de coopération ont été signés lors de la visite de la troïka européenne emmenée par le ministre des Affaires étrangères français d'alors, Alain Juppé, le 7 février 1995. Les faiblesses structurelles au niveau économique demeuraient, pourtant, dans un pays dont le président Assad vantait, dans un discours au Parlement le 10 septembre 1994, la « solidité du modèle de démocratie populaire ».

Le véritable décollage économique du pays ne pourrait être lié qu'à une détente politique, en particulier à des perspectives de paix. Ni le limogeage du général Ali Haydar, commandant des Forces spéciales, et son remplacement par le général Ali Habib (un autre Alaouite), le 15 août 1994, ni l'élection sous surveillance de 167 membres du Front national progressiste (dont 100 baasistes) et 83 indépendants aux législatives du 24 août 1994 ne constituaient des innovations pour un régime alliant autoritarisme et pragmatisme.

Maître du Liban, protecteur du PKK (Parti des travailleurs du Kurdistan) turc, chef de file des déçus de la négociation de paix, Hafez el-Assad cultivait l'art d'attendre.

Élizabeth Picard

Péninsule Arabique

Arabie saoudite, Bahreïn, Émirats arabes unis, Koweït, Oman, Qatar, Yémen
(L'Arabie saoudite est traitée p. 339.)

Bahreïn

Bien que très modeste producteur de pétrole, Bahreïn a été touché par la baisse des revenus pétroliers, les riches monarchies pétrolières voisines n'investissant plus dans l'émirat. Les mouvements sociaux, apparus en juillet et août 1994, ont pris une tournure dramatique en décembre 1994 (deux manifestants tués, de nombreux blessés et des arrestations massives dans les milieux chiites). De nouvelles manifestations en 1995 ont entraîné une répression violente.

▼

Émirat du Bahreïn

Nature du régime : monarchie absolue, islamique (le Parlement est dissous depuis 1975).
Chef de l'État : Cheikh Issa Ben Salmane al-Khalifa (depuis 1961).
Chef du gouvernement : Cheikh Khalifa Ben Salmane al-Khalifa (depuis 1970).
Monnaie : dinar (1 dinar = 13,07 FF au 30.4.95).
Langue : arabe.

L'opposition a réclamé le rétablissement de la Constitution de 1973 et du Parlement, dissous en août 1975. La double contestation sociale et politique a amené la démission, le 25 juin 1995, du gouvernement de Cheikh Khalifa Ben Salmane al-Khalifa. Ce dernier a aussitôt été chargé d'en former un nouveau.

Émirats arabes unis

Le budget fédéral des Émirats arabes unis (EAU) est demeuré déficitaire en 1994, et les prévisions de recettes publiques pour 1995, étroitement liées à des cours du pétrole toujours très bas, n'étaient guère encourageantes. Le gouvernement fédéral a en conséquence augmenté les impôts indirects et les tarifs publics — celui de l'électricité, par exemple, a subi une hausse de 50 % à la fin 1994.

▼

Fédération des émirats arabes unis
(Abu Dhabi, Dubai, Sharjah, Ajman, Umm al-Qaywayn, Ras el-Khaima, Fujairah)

Nature du régime : chacun des sept cheikhs est monarque absolu dans son propre émirat.
Chef de l'État : Cheikh Zayed Ben Sultan al-Nahyan, émir d'Abu Dhabi (depuis 1971).
Chef du gouvernement : Cheikh Rachid Ben Saïd al-Maktoum, émir de Dubai (depuis 1979).
Monnaie : dirham (1 dirham = 1,34 FF au 30.4.95).
Langue : arabe.

Malgré ce déficit budgétaire, les EAU sont restés un gros client de l'armement français : ainsi, en 1994, l'émirat d'Abu Dhabi a commandé 390 chars de combat et 46 chars de dépannage Leclerc, pour 21 milliards de francs. Plus de 500 industriels venus d'une quarantaine de pays se sont rendus au Salon international militaire « Idex-95 » qui s'est tenu à Abu Dhabi du 19 au 23 mars 1995.

André Bourgey

Koweït

L'économie de l'émirat est marquée par la régression des revenus pétroliers, la place considérable qu'occupe le secteur public — qui emploie 90 % de la population active — et la faiblesse des investissements dans le sec-

Péninsule Arabique *(Voir notes p. 456)*

	INDICATEUR	UNITÉ	ARABIE SAOUDITE	BAHREÏN	ÉMIRATS ARAB. UNIS
	Capitale		Riyad	Manama	Abu Dhabi
	Superficie	km²	2 149 690	678	83 600
	Développement humain (IDH) [b]		0,742	0,791	0,771
DÉMOGRAPHIE	Population (*) [e]	million	17,88	0,56	1,90
	Densité [e]	hab./km²	8,3	831,9	22,8
	Croissance annuelle [h]	%	2,2	2,8	2,6
	Indice de fécondité (ISF) [h]		6,4	3,8	4,2
	Mortalité infantile [h]	‰	29	18	19
	Espérance de vie [h]	année	70	72	74
	Population urbaine	%	79,7	89,8	83,5
CULTURE	Analphabétisme [e]	%	37,2	14,8	20,8
	Scolarisation 12-17 ans	%	59,8 [c]	92,9 [c]	71,6 [c]
	Scolarisation 3e degré	%	13,7 [c]	19,3 [b]	10,3 [b]
	Téléviseurs [b]	‰ hab.	268	416	111
	Livres publiés	titre	28 [g]	78 [j]	302 [b]
	Nombre de médecins	‰ hab.	1,42 [c]	1,29 [c]	0,96 [c]
ARMÉE	Armée de terre	millier d'h.	70	6,8	57
	Marine	millier d'h.	12	0,6	2
	Aviation	millier d'h.	18	0,7	2,5
ÉCONOMIE	PIB [a]	milliard $	113,0	4,28	38,72
	Croissance annuelle 1985-93	%	3,5	2,1	3,7
	1994	%	0,3	5,1	1,1
	Par habitant [f]	$	10 850 [c]	13 480 [a]	23 390 [a]
	Dette extérieure totale	milliard $	••	2,67	11,55
	Service de la dette/Export.	%	••	••	••
	Taux d'inflation	%	0,5	2,0	4,6
	Dépenses de l'État Éducation	% PIB	6,8 [b]	4,4	1,9 [b]
	Défense	% PIB	16,9 [a]	5,5	5,2
	Énergie [b] Consommation par habitant	kg	6 097	14 780	26 072
	Taux de couverture	%	694,0	131,6	448,0
COMMERCE	Importations	million $	22 893	4 114	21 538
	Exportations	million $	41 500	3 250	24 330
	Principaux fournis. [a]	%	E-U 20,6	ArS 42,4	PCD 56,1
		%	Jap 12,7	UE 16,2	UE 30,1
		%	UE 33,6	E-U 15,1	Asie [e] 32,6
	Principaux clients [a]	%	E-U 16,2	PCD 10,3	Jap 34,6
		%	UE 21,8	PVD 21,2	UE 21,1
		%	Jap 17,1	NS [k] 68,2	PVD 34,5

KOWEÏT	OMAN	QATAR	YÉMEN [1]
Koweït	Mascate	Doha	Sanaa
17 811	212 457	11 000	527 968
0,809	0,654	0,795	0,323
1,55	2,16	0,55	14,5
86,9	10,2	50,1	27,5
− 6,5	4,2	2,5	5,0
3,1	7,2	4,3	7,6
18	30	20	119
75	70	71	5,0
96,8	12,7	91,1	32,7
21,4	65,0 [b]	20,6	58,9 [b]
75,9 [d]	72,3 [c]	80,1 [c]	..
13,8 [c]	6,2 [c]	31,7 [b]	..
310	730	452	28
196 [b]	24 [b]	372 [b]	—
1,45 [d]	0,94 [d]	1,89 [d]	0,23 [c]
10	25	8,5	..
2,5	4,2	0,8	..
2,5	3,5	0,8	..
34,12	9,63	7,87	6,75 [c]
− 2,0	5,1	4,6	1,6 [i]
7,8	5,0	− 0,1	6,0
13 126 [c]	10 720 [a]	22 910 [a]	1 374 [c]
17,24	2,66 [a]	2,55	5,92 [a]
..	9,0 [b]	..	7,5 [a]
1,0	0,5	3,5	75,0
6,0 [c]	3,8 [b]	3,0 [b]	..
7,1	13,6	4,2	..
7 955	2 864	39 576	328
1 025,0	1 176,6	273,2	282,9
6 600	3 876	2 244	2 156
10 800	7 251 [a]	2 750	1 001
Jap 17,5	Jap 20,8	PCD 74,8	PCD 58,5
E-U 18,1	UE 29,9	UE 43,9	UE 30,6
UE 43,6	PVD 36,4	PVD 25,2	PVD 4,5
PCD 61,5	Jap 19,5	Jap 62,4	PCD 53,9
UE 21,0	PVD 74,6	UE 1,9	UE 20,4
PVD 38,5	EAU 33,4	PVD 28,3	PVD 46,1

teur privé. Les travailleurs immigrés représentent 80 % de la population active. Ils sont pour majorité asiatiques. La population a par ailleurs fortement diminué avec 1 540 000 habitants (650 000 Koweïtiens et 890 000 étrangers) en juin 1994, contre 2 000 000 en 1990.

▼
Émirat du Koweït

Nature du régime : monarchie.
Chef de l'État : Cheikh Jaber al-Ahmed al-Sabah (depuis 1977).
Chef du gouvernement : Cheikh Saad al-Abdallah al-Salem al-Sabah (depuis 1978).
Monnaie : dinar (1 dinar = 16,82 FF au 30.4.95).
Langue : arabe.

Cette situation a contraint le gouvernement à s'engager dans une politique d'ajustement économique et à prendre, en janvier 1995, des mesures pour assurer une réforme financière et fiscale visant à diminuer le déficit budgétaire et à développer les privatisations. L'État-providence et l'esprit rentier caractérisant le système socio-politique koweïtien sont devenus des problèmes de fond que le gouvernement et le Parlement ont tenté de gérer en préparant la population aux difficultés et sacrifices à venir. Le Parlement est devenu le lieu où s'affrontent les projets de société. Le Mouvement islamique constitutionnel des Frères musulmans et le Rassemblement islamique populaire des fondamentalistes ont

[Notes du tableau des p. 454-455]
1. Un processus d'unification des deux Yémen a été engagé en 1990.
Chiffres 1994, sauf notes : a. 1993; b. 1992; c. 1991; d. 1990; e. 1995; f. A parité de pouvoir d'achat (voir p. 673); g. 1980; h. 1990-95; i. 1989-93; j. 1982; k. Non spécifié; l. Japon non compris.
(*) Dernier recensement utilisable : Arabie saoudite, 1974; Bahreïn, 1981; Émirats arabes unis, 1980; Koweit, 1985; Oman : pas de recensement; Qatar, 1986; Yémen du Nord, 1986; Yémen du Sud, 1988.

prôné la révision de l'article 2 de la Constitution pour faire de la *charia* (législation islamique) la seule source légale. Les courants libéraux, avec l'oligarchie marchande, le Forum démocratique des progressistes et les députés indépendants ainsi que la Coalition islamique nationale (chiite), y ont vu une tentative d'islamisation totale de la société et ont réclamé une société civile plus forte.

Le gouvernement a joué un rôle d'arbitre et réduit la marge de manœuvre des islamistes en procédant à un remaniement ministériel le 14 avril 1994. Assurer la stabilité politique semblait indispensable pour réussir le programme de relance économique et conforter l'intégration du pays au sein du Conseil de coopération du Golfe (CCG).

Fatiha Dazi-Heni

Oman

Selon les résultats préliminaires du recensement effectué pour la première fois à Oman, en 1994, la population du sultanat s'élèverait à 2 017 591 habitants, dont 26 % d'étrangers. Le gouvernement a d'ailleurs décidé, en octobre 1994, d'introduire un impôt sur le revenu des travailleurs étrangers.

Les difficultés financières du sultanat ont fait l'objet d'un sévère rapport de la Banque mondiale, condamnant le niveau élevé des dépenses militaires qui représentaient le tiers du budget omanais, soit 23 % du PIB.

▼
Sultanat d'Oman

Nature du régime : monarchie absolue, islamique.
Chef de l'État et du gouvernement : Sultan Qabous ben Saïd (depuis 1970).
Monnaie : riyal (1 riyal = 12,71 FF au 30.4.95).
Langue : arabe.

Le 28 août 1994, Mascate a annoncé le démantèlement d'un réseau islamiste et l'arrestation

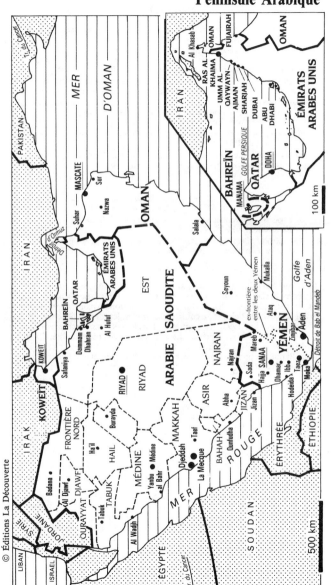

Péninsule Arabique

OMAN

ÉMIRATS ARABES UNIS

Al Khasab · RAS AL KHAIMA · OMAN · FUJAIRAH
UMM AL QAYWAYN · AJMAN · SHARJAH · DUBAI
ABU DHABI

IRAN

BAHREÏN

MANAMA · QATAR · Golfe PERSIQUE · DOHA

100 km

457
•

MER D'OMAN

PAKISTAN

IRAN

Détroit d'Ormuz

MASCATE · Suhar · Sur · Nazwa

OMAN

Salala

ÉMIRATS ARABES UNIS

BAHREÏN · QATAR

Al Hufuf

EST

ARABIE SAOUDITE

ex-frontière entre les deux Yémen

Seyoun

Mukalla

Golfe d'Aden

KOWEIT · Safaniya · Dammam · Dhahran

Ataq · YÉMEN · Aden

RIYAD · RIYAD

NAJRAN

Mareb · SANAA · Zinjibar

Sada · Hajja · Najran

IRAK

FRONTIÈRE NORD

Burayda

Ha'il

HAIL

ASIR · Abha

Dhamar · Ibb · Taez · Moka

Hodeida

JIZAN · Jizan

Détroit de Bab el Mandeb

Badana · Al Djawf

QURAYYAT DJAWF

Tabuk · TABUK

MAKKAH

MÉDINE · •Médine

Yanbu · al Bahr

Taef

Qunfudha

BAHAH

ÉRYTHRÉE

ÉTHIOPIE

Djeddah · La Mecque

MER ROUGE

Al Wadjh

SYRIE · JORDANIE

LIBAN · ISRAEL

ÉGYPTE

SOUDAN

Tr. du Cancer

500 km

© Éditions La Découverte

BIBLIOGRAPHIE

P. BONNENFANT (sous la dir. de), *La Péninsule Arabique aujourd'hui*, 2 vol., CNRS-Éditions, Paris, 1982.

F. DAZI-HENI, « Recomposition et modernisation des anciens réseaux de solidarité dans le processus de participation politique au Koweït », *Relations internationales et stratégiques*, n° 16, Paris, hiv. 1994.

R. DETALLE, « Pacte d'Amman : l'espoir déçu des Yéménites », *Monde arabe-Maghreb-Machrek*, n° 145, La Documentation française, Paris, juil.-sept. 1994.

G. GRANDGUILLAUME (sous la dir. de), *Sanaa, hors les murs*, CFEY/URBAMA, Tours, 1995.

H. ISHOW, *Le Koweït. Évolution politique, économique, sociale*, L'Harmattan, Paris, 1989.

« L'invasion du Koweït, opinions arabes », *Maghreb-Machrek*, n° 130, La Documentation française, Paris, 4e trim. 1990.

R. SCHOFIELD, *Kuwait and Iraq : Historical Claims and Territorial Disputes*, The Royal Institute of International Affairs, Londres, 1993.

« Yémen : passé et présent de l'unité », *Revue du monde musulman et méditerranéen*, n° 67, Édisud, Aix-en-Provence, 1994.

S. YÉRASIMOS, « Frontières d'Arabie », *Hérodote*, n° 58-59, La Découverte, Paris, 2e sem. 1990.

Voir aussi la bibliographie « Arabie saoudite », p. 342, et la bibliographie sélective « Proche et Moyen-Orient », p. 441.

d'environ 200 militants appartenant à la communauté sunnite. La visite du ministre iranien des Affaires étrangères, Akbar Velayati, a confirmé, en septembre 1994, les bonnes relations liant Oman et Téhéran. Le 25 décembre 1994, le sultanat a accueilli pour la première fois le Premier ministre israélien Itzhak Rabin.

Qatar

Le 27 juin 1995, l'émir de Qatar, Cheikh Khalifa Ben Hamad al-Thani, a été destitué sans violence par son fils aîné et prince héritier, Cheikh Hamad Ben Khalifa. Cette « révolution de palais », qui pourrait stimuler les désirs de changement dans les pétromonarchies voisines, a inquiété l'Arabie saoudite, d'autant plus que le nouvel émir est à l'origine de la politique de Qatar en direction de l'Irak, de l'Iran et d'Israël. Ainsi, en 1995, des négociations ont commencé sur la fourniture à l'État hébreu de gaz naturel, principale richesse de l'émirat.

André Bourgey

Émirat du Qatar

Nature du régime : monarchie absolue, islamique.

Chef de l'État : Cheikh Hamad Ben Khalifa, qui a destitué Cheikh Khalifa ben Hamad al-Thani le 27.6.95.

Monnaie : riyal (1 riyal = 1,35 FF au 30.4.95).

Langue : arabe.

Yémen

Un an après la guerre civile (mai-juillet 1994), remportée par les troupes fidèles au président Ali Abdallah Saleh sur les partisans de la sécession du Sud, l'élimination par la force de la contestation du Parti socialiste yéménite (PSY, ex-parti unique du Yémen du Sud) a ouvert une nouvelle période de crise dans ce pays qui s'était unifié en 1990. Le dialogue promis avec les séparatistes a cessé et leurs dirigeants ont été exclus de l'amnistie générale. La victoire a été suivie de pillages dans le Sud et les arrestations d'opposants, la multiplication des procès de presse et les destructions de sanctuaires ont montré quel nouvel ordre les vainqueurs entendaient imposer. La Chambre des députés a adopté, le 28 septembre 1994, une série d'amendements constitutionnels. La *charia* (législation islamique) est devenue la seule source légale et le Conseil présidentiel a été remplacé par une présidence de la République.

Sitôt réélu le 1er octobre 1994 à la tête de l'État, Ali Abdallah Saleh a reconnu le rôle primordial joué dans la victoire par les partisans de l'ex-président sudiste Ali Nasser Mohammed, en choisissant l'un d'eux comme vice-président, supposé atténuer le ressentiment des sudistes dont beaucoup ont dénoncé l'«occupation» nordiste. Le nouveau gouvernement formé début octobre a reconduit l'alliance entre le parti du président, le CPG (Congrès populaire général), et le RYR (Rassemblement yéménite pour la réforme), la seconde formation, islamiste, obtenant 9 portefeuilles sur 27.

Alors que l'inflation et le chômage s'aggravaient, la question frontalière est revenue au premier plan à partir de novembre 1994. Des avancées saoudiennes et des escarmouches entre les deux armées sur une frontière jamais définie ont dominé l'actualité. Une tournée en Europe, en janvier 1995, a permis au président d'exposer sa volonté de négocier et surtout d'annoncer la fin des revendications yéménites sur les provinces perdues, en 1934, au profit de l'Arabie saoudite. Une note signée à La Mecque, le 26 février 1995, a officialisé ce renoncement et permis la première visite en Arabie saoudite, les 5-7 juin 1995, du président du Yémen unifié.

Le gouvernement s'est finalement résigné, fin mars 1995, à annoncer

un programme d'austérité incluant des augmentations de prix et une dévaluation de 76 % du taux de change officiel, le RYR prônant une improbable moralisation des affaires. De brèves émeutes ont éclaté en réponse à ces mesures accueillies avec scepticisme. Tous les Yéménites placent désormais leurs espoirs dans la reprise de l'aide saoudienne et la réouverture des frontières à l'émigration.

Renaud Detalle

▼
République du Yémen

République du Yémen (née en mai 1990 de l'union de la République arabe du Yémen [«Yémen du Nord»] et de la République démocratique et populaire du Yémen [«Yémen du Sud»].

Chef de l'État : général Ali Abdallah Saleh, élu président de la République le 1.10.94.

Chef de gouvernement : Abdulaziz Abdulghani, président du Conseil, qui a remplacé, le 9.10.94, Muhammad Saïd al-Attar, lequel avait été nommé à titre intérimaire en mai 94.

Nature du régime : présidentiel à multipartisme restreint.

Monnaie : dinar et rial (1 dinar = 26 rials = 0,41 FF au 30.4.95).

Langue : arabe.

Territoires contestés : le Yémen et l'Arabie saoudite ont entrepris en 1992 de négocier le tracé de leur frontière. Le traité de Taëf (1934) par lequel l'Arabie annexait les provinces de l'Assir, de Najran et de Jizan est parvenu à échéance fin 1992; des négociations irrégulières ont eu lieu à ce sujet. La frontière saoudo-yéménite aux confins de Rub al-Khali n'a jamais été démarquée. L'appartenance au Yémen ou à l'Érythrée de certaines îles de la mer Rouge reste sujet de discussion.

Moyen-Orient

Afghanistan, Iran, Pakistan

(Les trois États sont traités p. 334, 280 et 228. Voir aussi l'article p. 96.)

	INDICATEUR	UNITÉ	AFGHA-NISTAN	IRAN	PAKISTAN
	Capitale		Kaboul	Téhéran	Islamabad
	Superficie	km²	647 497	1 648 000	803 943
	Développement humain (IDH) [b]		0,208	0,672	0,393
DÉMOGRAPHIE	Population (*) [e]	million	20,14	67,28	140,50
	Densité [e]	hab./km²	31,1	40,8	174,8
	Croissance annuelle [f]	%	5,8	2,6	2,8
	Indice de fécondité (ISF) [f]		6,9	5,0	6,2
	Mortalité infantile [f]	‰	163	36	91
	Espérance de vie [f]	année	43	67	62
	Population urbaine	%	19,6	58,5	34,1
CULTURE	Analphabétisme [e]	%	68,5	31,4	62,2
	Scolarisation 12-17 ans	%	15,5 [d]	59,8 [h]	17,0 [d]
	Scolarisation 3e degré	%	1,6 [c]	12,2 [h]	2,8 [c]
ARMÉE	Armée de terre	millier d'h.	••	345	520
	Marine	millier d'h.	••	18	22
	Aviation	millier d'h.	••	30	45
ÉCONOMIE	PIB [a]	milliard $	5,87 [b]	130,9	53,25
	Croissance annuelle 1985-93	%	−5,5	2,9	4,6
	1994	%	−3,0	1,9	4,1
	Par habitant [g]	$	700 [h]	4 670 [a]	2 110 [a]
	Dette extérieure totale	milliard $	1,64 [d]	20,6 [a]	26,1 [a]
	Service de la dette/Export. [a]	%	••	7,2	24,7
	Taux d'inflation	%	20,0	34,2	14,3
	Dépenses de l'État Éducation	% PIB	1,5 [d]	4,6	2,7 [h]
	Défense	% PIB	7,4 [d]	7,9 [b]	6,9 [a]
	Énergie [b] (consom./hab.)	kg	41	1 161	299
	Taux de couverture	%	41,0	279,3	70,7
COMMERCE	Importations	million $	1 984 [a]	15 617	8 731
	Exportations	million $	1 066 [a]	14 900	7 219
	Principaux fournis. [a]	%	Ex-URSS 62,7 [b]	UE 43,7	PVD 44,9
		%	Jap 5,7 [b]	PVD 31,7	UE 22,8
		%	PVD 13,4 [b]	Jap 10,3	Jap 15,7
	Principaux clients [a]	%	Ex-URSS 71,7 [b]	UE 44,3	UE 14,5
		%	PCD 5,2 [b]	Jap 14,8	UE 30,0
		%	Taïw 10,7 [b]	PVD 37,6	PVD 40,5

Chiffres 1994, sauf notes : a. 1993; b. 1992; c. 1989; d. 1990; e. 1995; f. 1990-95; g. A parité de pouvoir d'achat (voir p. 673); h. 1991.
(*) Dernier recensement utilisable : Afghanistan, 1979; Iran, 1986; Pakistan, 1981.

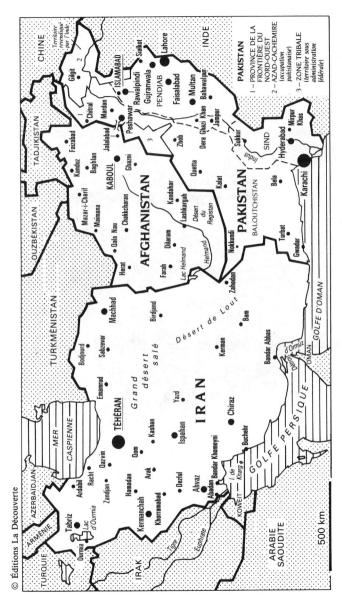

461

Asie

L'Asie représente un ensemble démographique et désormais économique sans équivalent : elle s'étend du Pakistan au détroit de Béring, des nouvelles nations d'Asie centrale aux micro-États du Pacifique sud. La moitié de la population de la planète vit en Asie ; celle-ci comprend l'économie la plus développée au monde (le Japon, avec un PNB par habitant réévalué à 21 000 dollars), et les rythmes de croissance les plus élevés : plus de 8 % par an pour la Chine à partir de 1978, tandis que huit autres pays asiatiques (Japon, Hong Kong, Singapour, Corée du Sud, Taïwan, Fédération de Malaisie, Thaïlande et Indonésie) ont enregistré, depuis 1960, une croissance représentant presque le triple en moyenne de celle des pays développés occidentaux. S'il subsiste en Asie des poches de pauvreté importantes, les économies les moins développées sont aujourd'hui entrées en phase de décollage, comme le montre l'exemple de l'Inde, dont la croissance globale atteint 5,5 % par an.

Le développement, remède aux divisions ?

Cet essor régional constitue de plus en plus un facteur d'intégration politique de l'Asie. Un héritage colonial tourné vers les métropoles, puis la constitution de jeunes États avec leurs rivalités, la « guerre froide » qui, en Asie, fut plus sanglante que partout ailleurs (conflits de Corée [1950-1953] et du Vietnam [1945-1975]) avaient jusque-là plutôt contrarié l'apparition d'un ensemble géopolitique. Monde chinois, monde malais, spécificité japonaise, ainsi que la présence de toutes les grandes religions mondiales ne favorisaient guère l'émergence d'une unité culturelle.

On pouvait ainsi identifier une Asie continentale, paysanne et marquée par la tradition bureaucratique du confucianisme d'État (Chine, Corée du Nord, Vietnam et Birmanie) ; face à elle, une Asie maritime, fondée sur l'économie capitaliste et l'État de sécurité nationale, et placée sous protection américaine (de la Corée du Sud à l'Asie du Sud-Est, en passant par Taïwan). Il existait, enfin, une Asie indo-musulmane, centrée sur l'Inde et le Pakistan, en Asie du Sud (Bangladesh, Sri Lanka, Népal, Bhoutan) et qui débordait également en Asie du Sud-Est : le socle hindouiste ou la pénétration de l'islam ont été très sensibles en Fédération de Malaisie, en Indonésie, à Brunéi et aux Philippines. Conflits ethniques ou religieux, « communalisme » comme on l'appelle en Inde, y sont très importants.

L'Asie du Nord-Est était elle-même partagée autour des deux Corées rivales et le Japon y portait le poids de son passé impérial, l'Asie du Sud opposait l'Inde et ses alliés régionaux au Pakistan.

BIBLIOGRAPHIE

Asia Yearbook 1995, Far Eastern Economic Review, Hong Kong, 1994.

D. BESSON, M. LANTÉRI, *ANSEA. La décennie prodigieuse. Essai sur le développement de l'Asie du Sud-Est*, Les Études de la Documentation française, Paris, 1994.

R. BENEDICT, *Le Chrysantyème et le Sabre*, Éd. Piquier, 1987.

N. CHANDA, *Les Frères ennemis*, Éd. du CNRS, Paris, 1987.

J.-L. DOMENACH, F. GODEMENT (sous la dir. de), *Les Communismes d'Asie : mort ou métamorphose ?*, Complexe, coll. « CERI », Bruxelles, 1993.

F. GODEMENT, *La Renaissance de l'Asie*, Odile Jacob, Paris, 1993.

P. GOUROU, *La Terre et l'Homme en Extrême-Orient*, Flammarion, Paris, 1972.

F. JOYAUX, *Géopolitique de l'Extrême-Orient* (2 vol.), Complexe, Bruxelles, 1991.

G. MYRDAL, *Asian Drama*, Pantheon Books, New York, 1968.

K. POSTEL-VINAY, *La Révolution silencieuse au Japon*, Calmann-Lévy/Fondation Saint-Simon, Paris, 1993.

L.-W. PYE, *Asian Power and Politics. The Cultural Dimension of Authority*, Harvard University Press, Cambridge, 1985.

South East Asian Affairs 1994, Institute of South East Asian Studies, Singapour, 1994.

D. F. TURQ, *L'Inévitable Partenaire japonais*, Fayard, Paris, 1993.

WORLD BANK, *The East Asian Miracle, Economic Growth, and Public Policy*, Oxford University Press, 1993.

Voir aussi les bibliographies « Chine », « Japon », « Inde », « Corée du Sud », « Indonésie », « Sri Lanka » et « Vietnam » dans la section « 34 États ».

Seule l'Asie du Sud-Est, avec la création, en 1967, de l'ANSEA (Association des nations du Sud-Est asiatique) regroupant six États, était un modèle de résolution des conflits, quoique jouant surtout sur leur oubli.

Ces divisions se sont trouvées atténuées par la vivacité du développement économique. D'une part, l'Asie orientale est l'objet, depuis la réévaluation du yen datant de 1985, d'un important mouvement de délocalisation des industries japonaises, mais aussi taïwanaises et coréennes. Les investissements des Chinois d'outre-mer affluent vers la Chine ouverte de Deng Xiaoping. La compétition pour les capitaux internationaux a gagné l'Asie du Sud, où le gouvernement indien de Narasimha P.V. Rao, après des décennies d'économie mixte dirigée par le parti du Congrès, a lui aussi ouvert le pays à l'extérieur.

D'autre part, les craintes de voir l'Union européenne ou l'Amérique du Nord former un bloc protectionniste ont laissé des traces : plusieurs schémas d'intégration régionale ont pris forme. Le premier est celui de l'APEC (Coopération économique de la zone Asie-Pacifique), lancé par l'Australie en 1989 et très marqué par l'influence des États-Unis qui veulent conserver le premier rôle dans la région Asie-Pacifique. Après deux « sommets » des chefs d'État, la décision de principe a été prise de créer à terme un espace de libre-

échange complet. Ce schéma suscite toutefois nombre d'inquiétudes, et d'abord celle des États d'Asie du Sud-Est qui redoutent de se voir dicter à l'avenir des mesures d'ouverture économique.

Face à l'APEC (qui a dû renoncer à jouer un rôle majeur dans le domaine de la sécurité régionale), le Premier ministre malaisien, Datuk Seri Mahathir, a proposé un regroupement limité à la seule Asie orientale, sans les « Blancs » du Pacifique ou d'Amérique du Nord, et également sans l'Asie du Sud, qui est pour l'instant à l'écart de tous ces schémas. Ce projet d'East Asian Economic Group (EAEG, « Groupement économique d'Asie de l'Est ») permet une position éventuelle de repli pour tous ceux qu'irriteraient les positions américaines. L'ANSEA, enfin, a ouvert un dialogue régional sur la sécurité dans le cadre de l'ARF (Forum régional de l'ANSEA) avec tous ses grands partenaires extérieurs : Japon, États-Unis, Chine, Russie et Union européenne.

Sécurité, un leadership partagé

Est-ce assez pour enterrer les conflits existant et instaurer une paix asiatique ? Si le conflit cambodgien a fourni, de 1989 à 1993, l'exemple d'un règlement international auquel a participé l'Asie, d'autres dangers menacent. En premier lieu, le déclin accéléré de la Corée du Nord et sa fuite en avant dans l'acquisition de l'arme nucléaire pour garantir son existence future. Ensuite, la résurgence de la puissance chinoise pose fatalement des problèmes dans son environnement. Bien que la Chine soit très liée par son économie ouverte à ses voisins, elle exprime un souhait de reconquête nationaliste sur des terrains aussi divers que les îles Spratly (aux parages de toute l'Asie du Sud-Est) ou Taïwan. Le conflit indo-pakistanais, accentué par la possession de l'arme nucléaire, échappe également à toute médiation extérieure et divise toujours l'Asie du Sud [voir article p. 96].

Ces tensions, et l'absence d'architecture régionale de sécurité ou de coopération politique posent la question du leadership de l'Asie. Les efforts des États-Unis pour s'imposer de façon éclatante contrastent avec le profil bas adopté par le Japon en phase de transition politique. Les États-Unis n'ont toutefois plus les moyens budgétaires de maintenir leur présence sans forte contribution du Japon et de la Corée du Sud, entre autres États. La justification de leur contribution pour la sécurité de l'Asie réside de plus en plus dans les avantages commerciaux qu'ils en retirent. Au rebours, le Japon et d'autres détenteurs asiatiques de capitaux excédentaires comme Taïwan ou les Chinois d'outre-mer n'ont guère les moyens de traduire dans l'ordre de la diplomatie leur supériorité financière. La montée de la Chine, et demain de l'Inde, fragmente encore plus l'équilibre de la puissance. Le leadership de l'Asie demeure donc partagé, et susceptible d'être contesté.

François Godement

Asie / Journal de l'année

— 1994 —

29 juin. **Japon.** Nomination par le Parlement du socialiste Murayama Tomiichi pour succéder au Premier ministre démissionnaire (après avoir été menacé d'une motion de censure), Hata Tsutomu. Le nouveau gouvernement formé est dominé par le Parti libéral démocrate (PLD).

3 juillet. **Cambodge.** Le prince Norodom Chakropong (fils du roi Norodom Sihanouk), impliqué dans une tentative de coup d'État, est expulsé du pays. Il est condamné par le tribunal militaire de Phnom Penh, le 28 octobre, à vingt ans de prison par contumace.

7 juillet. **Cambodge.** Le Parlement vote la mise hors la loi des Khmers rouges. Le 10, leur dirigeant Khieu Samphan annonce la formation d'un gouvernement provisoire, basé dans la province de Preah Vihear (Nord).

8 juillet. **Corée du Nord.** Mort du chef de l'État Kim Il Sung, à 82 ans. Il dirigeait, depuis près de cinquante ans, la Corée du Nord, sous régime communiste. Son fils Kim Jong Il, successeur désigné, reprend le pouvoir, sans toutefois avoir fait l'objet d'une nomination officielle pour certaines attributions.

26 juillet. **Cambodge.** Enlèvement de trois touristes (australien, britannique, français) par les Khmers rouges, lors de l'attaque d'un train dans la région de Kampot. Malgré les efforts déployés par le gouvernement cambodgien pour leur libération, les otages sont tués le 27 septembre suivant.

16-19 août. **Sri Lanka.** Élections législatives remportées par l'Alliance populaire (coalition de neuf partis d'opposition), qui obtient 113 sièges sur 225. Un terme est ainsi mis à la domination du Parti national unifié (94 sièges), au pouvoir depuis 1977. Formation, le 19 août, du gouvernement de Mme Chandrika Kumaratunga, qui sera élue président de la République le 9 novembre suivant.

26 août. **Fédération de Malaisie.** Interdiction de la secte islamique Al Arqam (100 000 adeptes), accusée par les autorités religieuses de dispenser des enseignements déviationnistes. Le 3 septembre, arrestation du dirigeant Muhammad Ashaari.

29 août. **Japon.** Inauguration de l'aéroport international de Kansai, bâti sur une île artificielle au large d'Osaka (huit ans de travaux, 15 milliards de dollars d'investissement).

1er septembre. **Corée.** La Chine se retire de la commission militaire d'armistice en Corée. L'accord d'armistice avait été signé à l'issue de la guerre de Corée (1950-1953) par Pyongyang et Pékin, ainsi que par les forces de l'ONU.

2-7 septembre. **Chine-Russie.** Visite officielle à Moscou du président chinois Jiang Zemin. Accord sur la délimitation de la partie occidentale de la frontière commune avec les pays d'Asie centrale.

23 septembre-13 octobre. **Inde.** Épidémie de peste.

1er octobre. **Japon-États-Unis.** Après quatorze mois de négociations, accord commercial entre les deux pays sur l'ouverture des marchés publics japonais aux entreprises américaines.

21 octobre. **Corée du Nord-États-Unis.** Accord cadre signé à Genève sur le programme nucléaire nord-coréen. Il prévoit le remplacement de la filière nucléaire nord-coréenne au graphite-gaz par celle à eau légère, avec l'aide d'un consortium international dirigé par les États-Unis.

7 novembre. **Corées.** Séoul lève l'embargo économique appliqué à la Corée du Nord.

11 novembre. **Japon.** La Diète adopte une loi autorisant les Forces d'autodéfense (armée) à assurer le sauvetage à l'étranger des ressortissants japonais pris dans des situations d'urgence.

15 novembre. **Népal.** A l'issue des élections législatives anticipées, le Parti marxiste-léniniste unifié (UML) de Man Mohan Adhikari obtient 88 sièges sur 210, contre 83 au Nepali Congress (au pouvoir depuis 1991). Il forme, le 29 novembre, le premier gouvernement communiste de l'histoire du Népal.

20-23 novembre. **Chine-Vietnam.** Pour la première fois depuis Liu Shaoqi, en 1963, un chef d'État chinois, Jiang Zemin, se rend en visite au Vietnam. Plusieurs accords économiques sont signés, dont un établissant une commission commerciale conjointe.

Décembre. **Indonésie**. Réélection de Abdurrahman Wahid à la tête du Nahdatul Ulama (organisation musulmane forte de 30 millions de membres), malgré les manœuvres du pouvoir.

8 décembre. **Thaïlande**. Rupture de la coalition qui était au pouvoir depuis les élections de septembre 1992. Le Chat pattana (Parti du développement national) remplace, le 14 décembre, le Parti des aspirations nouvelles (démissionnaire).

3 décembre. **Taïwan**. Aux élections municipales, le Parti progressiste pour la démocratie (opposition) remporte, avec 43,6 % des voix, la mairie de Taipei, devant le Kuomintang (KMT, au pouvoir depuis quarante-cinq ans).

14 décembre. **Chine**. Lancement officiel des travaux du complexe hydro-électrique des Trois Gorges du Yangzi (province du Sichuan). Sa réalisation devrait durer dix-sept ans, avec un coût de 17,1 milliards de dollars.

17 décembre. **Corée du Sud**. Nomination de Lee Hong Koo au poste de Premier ministre en remplacement de Lee Young Duk.

25 décembre. **Japon**. Entrée en vigueur du nouveau code électoral, adopté définitivement par la Diète, le 21 novembre. Les projets de réforme électorale — en suspens depuis six ans — avaient été approuvés par la Diète, le 29 janvier précédent.

— 1995 —

6 janvier. **Sri Lanka**. Accord de cessez-le-feu entre le gouvernement et les Tigres de libération de l'Eelam tamoul (LTTE), à l'issue des négociations de paix entamées le 31 août 1994. La trêve est rompue le 19 avril 1995 par un attentat des LTTE.

9 janvier. **Indonésie- États-Unis**. Accord gazier pour le développement du camp de Natuna (mer de Chine méridionale), signé à Jakarta entre la compagnie nationale indonésienne Pertamina et le groupe pétrolier américain Exxon.

17 janvier. **Japon**. Un séisme de 7,2 d'amplitude frappe le Kansai et plus particulièrement la ville de Kobe, deuxième port de l'Archipel. Il fait plus de 5 500 morts et des dégâts estimés à 400 milliards de dollars.

8 février-29 mars. **Philippines**. L'armée philippine détruit, en mer de Chine méridionale, des installations construites par les pêcheurs chinois sur des îlots des Spratly, que se disputent plusieurs États de la région.

26 février. **Chine-États-Unis**. A Pékin, accord sino-américain sur les droits de la propriété intellectuelle et sur la libéralisation des importations de produits audiovisuels et écrits.

10 mars. **Corée du Nord**. Création à New York de l'Organisation pour le développement en énergie de la péninsule coréenne (KEDO). Un consortium international, constitué par les États-Unis, la Corée du Sud, le Japon et vingt autres États, doit financer la mise en œuvre de l'accord nucléaire américano-nord-coréen du 21 octobre 1994.

20 mars. **Japon**. Attentat au gaz sarin dans le métro de Tokyo faisant plusieurs morts. La secte religieuse Aum Shinrikyo, receleuse de gaz toxique, est mise en cause par la police qui procède à de nombreuses arrestations.

29 mars. **Birmanie**. A la suite de l'offensive engagée par l'armée birmane contre eux depuis janvier, les groupes armés karen décident d'un cessez-le-feu, afin d'engager des pourparlers avec la junte au pouvoir.

24-25 avril. **Fédération de Malaisie**. Lors des élections législatives, la coalition du Front national du Premier ministre Datuk Seri Mahathir (au pouvoir depuis quatorze ans) obtient 162 des 192 sièges du Parlement fédéral. Le Parti islamiste (PAS) réussit à avoir 7 sièges.

11 mai. **Cachemire**. Destruction du lieu de culte de Charar-e-Sharief (district central du Cachemire), qui avait déjà été le théâtre d'affrontements sanglants entre l'armée indienne et des groupes armés. Les élections du 18 juillet dans l'État indien du Jammu et Cachemire sont annulées et l'administration directe par New Dehli (*President's Rule*) prolongée de six mois.

Martine Rigoir

Inde et périphérie

Bangladesh, Bhoutan, Inde, Maldives, Népal, Sri Lanka

(L'Inde est traitée p. 187, Sri Lanka p. 330. Carte de la région p. 188-189.)

Bangladesh

L'échec économique du gouvernement de la begum Khaleda Zia (veuve du chef de l'État Zia-ur Rahman, assassiné en 1981), au pouvoir depuis 1991, s'est confirmé : inaptitude à juguler un processus constant d'enrichissement des élites et d'appauvrissement des couches démunies ; incapacité à attirer les investissements étrangers, à empêcher la multiplication des grèves, à éviter les licenciements dans les entreprises publiques déficitaires (jute en particulier) et le chômage.

République populaire du Bangladesh

Nature du régime : démocratie parlementaire.

Chef de l'État : Abdur Rahman Biwas, président de la République (depuis le 8.10.91).

Chef du gouvernement : la begum Khaleda Zia, Premier ministre (depuis le 19.3.91).

Échéances électorales : renouvellement du Parlement en 1996 (mandat de 5 ans).

Monnaie : taka (1 taka = 0,12 FF au 30.4.95).

Langues : bengali (langue nationale), urdu, anglais.

Cette conjoncture économique négative a conduit les forces politiques de l'opposition à orchestrer leur contestation jusqu'à la démission, en décembre 1994, de 147 députés appartenant au Jamaat-I-Islami (fondamentaliste), au Parti Jatyo, à la Ligue Awami. Ces trois partis ont revendiqué la nomination d'un gouvernement intérimaire « neutre », la démission du Premier ministre et l'organisation d'élections législatives ancitipant celles prévues pour 1996. Le gouvernement s'est donc trouvé pris en étau entre son ex-allié, le Jamaat-I-Islami — qui avait aidé à l'accession au pouvoir de Khaleda Zia, acquérant dès lors un poids politique décisif —, et les deux autres plus importants partis nationaux, l'ensemble constituant un front uni redoutable.

L'audience internationale dont a bénéficié l'« affaire Taslima Nasrein » (cet écrivain, frappé par une *fatwa*, le 24 septembre 1993, a quitté le pays le 12 août 1994), les condamnations à mort qui ont continué à frapper les femmes travaillant dans les ONG (organisations non gouvernementales) nationales apparaissaient ainsi comme des démonstrations de pouvoir de la part du Jamaat-I-Islami vis-à-vis d'un gouvernement considérablement embarrassé et indécis, au point de repousser mois après mois le procès de l'écrivain condamné.

Le fossé existant entre la classe politique et la société civile n'a cependant cessé de s'accroître et les résistances de la population à l'islamisation des institutions et de la vie quotidienne ont semblé se radicaliser. Les petits partis d'extrême gauche réunis dans une alliance tactique, les ONG — dont le parti fondamentaliste a demandé l'interdiction — et les milieux intellectuels et artistiques ont pour leur part activement milité contre la surenchère islamiste du Jamaat-I-Islami.

Dans les rangs religieux, des mouvements ont émergé avec à leur tête des maulanas rappelant la nécessaire séparation de l'État et de l'islam, acquise à l'indépendance. Pour tous, y compris les groupes féministes, la lutte idéologique et politique contre le parti fondamentaliste s'appuie sur le rappel de son rôle de « collaborateur » durant la guerre de libération (le Bangladesh a acquis son indépendance du Pakistan au terme d'un sanglant conflit, en 1971). L'efficacité de cette stratégie semblait cependant bien aléatoire, dans une période où le Jamaat-I-Islami, après avoir tenté de s'allier les comités de mosquée locaux par des subventions en provenance d'Arabie saoudite, a ouvertement recouru à la violence et à la terreur contre des imams, des maulanas et des associations strictement religieuses, et ce sous le regard complice du gouvernement.

En outre, l'évolution de la situation est apparue dépendre largement de la conjoncture indienne, très tendue. Le succès du BJP (Bharatiya Janata Party) et de la Shivsena, tous deux hindouistes fondamentalistes, à Bombay lors des élections régionales de février-mars 1995, ainsi que les déclarations incendiaires visant la communauté musulmane, en particulier contre les immigrés bangladeshi, ont été pour le Bangladesh comme autant de provocations dangereuses, susceptibles d'entraîner des revanches redoutables, sous la houlette du Jamaat-I-Islami.

Monique Selim

Bhoutan

Thimbou et Katmandou ne sont pas parvenus à un compromis sur le rapatriement des 86 000 personnes de culture népalaise qui, à partir de 1992, ont fui le sud du Bhoutan pour

Royaume du Bhoutan

Nature du régime : monarchie constitutionnelle.
Chef de l'État et du gouvernement : Jigme Singye Wangchuck (roi depuis 1972).
Monnaie : ngultrum (1 ngultrum = 0,16 FF au 30.4.95).
Langue officielle : dzong-ka (dialecte tibétain). Autre langue : népali.

le Népal. Les districts méridionaux ont connu en 1994-1995 une drama-

tique recrudescence des attaques à main armée, que les autorités bhoutanaises ont attribuées à des exilés agissant depuis le Népal.

Au printemps 1994, la contestation jusque-là circonscrite au Sud s'est étendue aux populations de l'Est, les Sarchopa. Le Druk National Congress, parti d'opposition bhoutanais créé à Katmandou en juillet 1994, a dénoncé la mainmise sur l'État des familles de l'Ouest (Ngalong) et de l'ordre monastique Kagyu. Certains Sarchopa ont demandé le remplacement du roi Jigme Singye Wangchuck par le Shabdung, un chef religieux exilé en Inde.

Philippe Ramirez

Maldives

Des ferments de mécontentement sont apparus chez une jeunesse instruite offusquée par l'enrichissement des hommes politiques et désireuse de participer à l'exercice du pouvoir.

République des Maldives

Nature du régime : présidentiel. Il n'y a pas de parti.
Chef de l'État et du gouvernement : Maumoon Abdul Gayoom (depuis le 11.11.78).
Monnaie : rufiyaa (1 rufiyaa = 0,42 FF au 30.4.95).
Langues : divehi, anglais.

La stabilité du régime demeurait toutefois entretenue par une relative prospérité tirée des revenus du tourisme (8 700 chambres) et de la pêche (12 300 bateaux). Champion des micro-États insulaires et de la défense de leur environnement dans les instances internationales, le président Maumoon Abdul Gayoom est aussi un actif partisan de la SAARC (Association de l'Asie du Sud pour la coopération régionale).

Éric Meyer

Inde et périphérie

	INDICATEUR	UNITÉ	BANGLA-DESH	BHOUTAN	INDE
	Capitale		Dhaka	Thimbou	New Delhi
	Superficie	km²	143 998	40 077	3 287 590
DÉMOGRAPHIE	Développement humain (IDH) [b]		0,309	0,233	0,382
	Population (*) [f]	million	120,43	1,64	935,7
	Densité [f]	hab./km²	836,4	34,9	284,6
	Croissance annuelle [i]	%	2,2	1,2	1,9
	Indice de fécondité (ISF) [i]		4,4	5,9	3,7
	Mortalité infantile [i]	‰	108	124	82
	Espérance de vie [i]	année	56	51	60
	Population urbaine	%	17,7	6,2	26,5
CULTURE	Analphabétisme [f]	%	61,9	67,8	48,0
	Scolarisation 12-17 ans	%	19,9 [d]	10,7 [d]	43,8 [d]
	Scolarisation 3e degré	%	3,8 [d]	0,3 [k]	6,0 [g]
	Téléviseurs [b]	‰ hab.	4,8	35 [a]	37
	Livres publiés	titre	1 209 [j]	..	14 438 [e]
	Nombre de médecins	‰ hab.	0,08 [d]	0,09 [d]	0,41 [d]
ARMÉE	Armée de terre	millier d'h.	101	5,5 [b]	1 100
	Marine	millier d'h.	8	—	55
	Aviation	millier d'h.	6,5	—	110
ÉCONOMIE	PIB [a]	milliard $	25,88	0,253	262,8
	Croissance annuelle 1985-93	%	4,0	6,8	5,2
	1994	%	5,0	5,0	4,8
	Par habitant [h]	$	1 290 [a]	620 [c]	1 250 [a]
	Dette extérieure totale [a]	milliard $	13,88	0,09	91,8 [a]
	Service de la dette/Export.	%	13,5 [a]	6,9 [b]	28,4 [a]
	Taux d'inflation	%	3,5	8,0	10,3
	Dépenses de l'État Éducation	% PIB	2,3 [b]	3,4 [j]	3,9 [a]
	Défense	% PIB	1,7	..	2,8 [d]
	Énergie [b] Consommation par habitant	kg	84	50	350
	Taux de couverture	%	69,5	250,0	87,8
COMMERCE	Importations	million $	4 316	90 [b]	25 730
	Exportations	million $	2 497	63 [b]	24 261
	Principaux fournis. [a]	%	PCD 35,5	Inde 84,5 [b]	E-U 9,6
		%	Jap 12,5	..	UE 30,0
		%	Asie [c] 40,7	..	PVD 40,4
	Principaux clients [a]	%	UE 38,6	Inde 90,2 [b]	E-U 19,1
		%	E-U 33,6	..	UE 27,3
		%	PVD 20,4	..	PVD 38,1

MALDIVES	NÉPAL	SRI LANKA
Male	Katmandou	Colombo
298	140 797	65 610
0,511	0,289	0,665
0,25	21,92	18,35
852,3	155,7	279,7
3,3	2,6	1,3
6,8	5,4	2,5
60	99	18
62	54	72
26,6	13,1	22,1
6,8	72,5	9,8
73,0 [b]	33,4 [d]	62,3 [e]
—	6,6 [e]	5,5 [e]
25	2,2	49
..	122 [g]	4 225 [b]
0,07 [d]	0,06 [d]	0,14 [g]
..	34,8	105
..	—	10,3
..	0,2	10,7
0,194	3,17	10,66
..	4,4	3,9
5,7	5,1	5,4
1 200 [c]	1 150 [a]	3 030 [a]
0,11	2,01	6,8 [a]
3,8 [a]	11,5 [b]	9,9 [a]
3,1	9,4	4,2
10,8 [b]	2,0 [e]	3,3 [b]
..	1,2	5,3 [a]
207	31	150
—	17,5	14,8
209	1 190	4 695
45	384	3 049
PCD 22,0	PCD 37,4	Jap 10,0
PVD 77,5	Jap 13,8	Asie [c] 54,0
Sin 52,8	Asie [c] 58,3	UE 15,8
E-U 34,8	E-U 25,7	E-U 34,4
R-U 18,2	RFA 46,0	UE 31,9
Asie [c] 36,4	Asie 12,3	PVD 20,0

Népal

En juillet 1994, 32 députés dissidents du Nepali Congress, le parti majoritaire, ont provoqué la chute du gouvernement de Girija Prasad Koirala. Ce dernier est resté en fonction jusqu'à la tenue d'élections législatives anticipées, le 15 novembre 1994. Des candidatures multiples du Nepali Congress dans la plupart des circonscriptions ont largement contribué à la victoire du Parti marxiste-léniniste unifié (UML), qui a obtenu 88 des 210 sièges.

▼

Royaume du Népal

Nature du régime : monarchie parlementaire.
Chef de l'État : Birendra Shah (roi depuis 1972).
Chef du gouvernement : Man Mohan Adhikari, qui a succédé à Girija Prasad Koirala le 1.10.94.
Monnaie : roupie népalaise (100 roupies = 9,8 FF au 30.4.95).
Langues : népali (off.), maithili, bhojpuri (dialectes hindi), néwari, tamang, etc.

Man Mohan Adhikari (soixante-quinze ans), secrétaire général de l'UML, a été investi comme Premier ministre le 1er décembre 1994. De santé fragile, il a confié la direction effective du cabinet ainsi que les portefeuilles des Affaires étrangères et de la Défense à un vice-premier ministre, Madhav Kumar Nepal (quarante-trois ans). Ne disposant pas d'une majorité absolue à l'Assemblée, le gouvernement UML a dû, en vertu de la Constitution, obtenir un vote de confiance de la part de l'opposition (23 décembre).

*Chiffres 1994, sauf notes : a. 1993; b. 1992; c. Japon non compris; d. 1990; e. 1991; f. 1995; g. 1989; h. A parité de pouvoir d'achat (voir p. 673); i. 1990-95; j. 1988; k. 1980.
(*) Dernier recensement utilisable : Bangladesh, 1991; Bhoutan, 1969; Inde, 1991; Maldives, 1990; Népal, 1991; Sri Lanka, 1981.*

BIBLIOGRAPHIE

B. Hours, *Islam et développement au Bangladesh*, L'Harmattan, Paris, 1993.

« Le communalisme en Asie du Sud (dossier constitué par C. Jaffrelot) », *Problèmes politiques et sociaux*, n° 702, La documentation française, Paris, avr. 1993.

L.-E. Rose, *The Politics of Bhutan*, Cornell University Press, Ithaca (NY), 1977.

M. Selim, *L'Aventure d'une multinationale au Bangladesh*, L'Harmattan, Paris, 1991.

M. Selim, « Les nouvelles légitimités de l'islamisme politique au Bangladesh », *Le Journal des anthropologues*, n° 59, Paris, 1995.

R. Shaha, *Politics in Nepal, 1980-1990*, Manohar, New Delhi, 1990.

A. C. Sinha, *Bhutan : Ethnic Identity and National Dilemma*, Reliance Publication House, New Delhi, 1991.

Le Sous-Continent indien, coll. « Military Power Encyclopaedia », Éditions I3C, Paris, 1990.

Voir aussi les bibliographies « Inde » et « Sri Lanka » dans la section « 34 États ».

Ces anciens maoïstes radicaux ont promis de préserver la monarchie parlementaire, et ont déclaré ne pas être foncièrement hostiles à l'économie de marché. La réforme agraire, promise avant les élections, n'a été l'objet d'aucun calendrier précis. En revanche, des fonds propres (300 000 roupies népalaises) ont été attribués à chaque village, dans le cadre d'une campagne de développement baptisée *Construire son village soi-même*.

Les nouveaux dirigeants ont dû rassurer l'Inde, jusque-là cible des campagnes virulentes de la part des communistes. La première visite diplomatique de M.K. Nepal, en février 1995, a donc été pour New Delhi : il a notamment obtenu que soit renégocié le traité de 1950 qui autorise la libre circulation des marchandises entre les deux pays et que le Népal estime défavorable à son égard. Cette question avait été le prétexte d'une crise grave en 1989, provoquant la suspension des échanges et une asphyxie économique du royaume. Simultanément, M.M. Adhikari rendait visite aux fournisseurs d'aide européens.

Philippe Ramirez

Indochine

Cambodge, Laos, Myanmar (Birmanie), Thaïlande, Vietnam
(Le Vietnam est traité p. 295.)

Cambodge

A défaut d'être un pays tout à fait comme les autres, le Royaume du Cambodge vit une situation qui se banalise. La communauté internationale a néanmoins continué de lui apporter une aide économique importante, comme en a témoigné la tenue à Paris, les 14-15 mars 1995, de la 3e Conférence internationale pour la reconstruction du Cambodge (CIRC). Avant de se dissoudre et de passer le relais à la Banque mondiale,

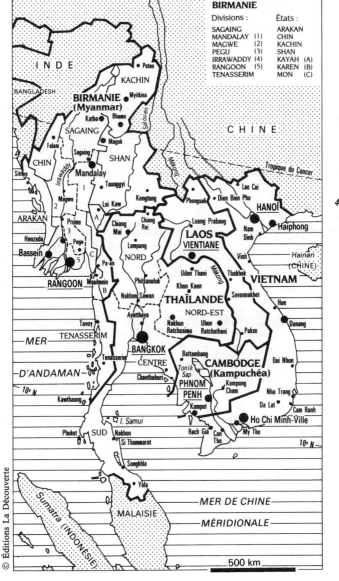

473

Indochine

	INDICATEUR	UNITÉ	CAMBODGE	LAOS	MYANMAR
	Capitale		Phnom Penh	Vientiane	Rangoon
	Superficie	km²	181 035	236 800	676 552
	Développement humain (IDH) [b]		0,307	0,385	0,406
DÉMOGRAPHIE	Population (*) [g]	million	10,25	4,88	46,53
	Densité [g]	hab./km²	56,6	20,6	68,8
	Croissance annuelle [i]	%	3,0	3,0	2,1
	Indice de fécondité (ISF) [i]		5,3	6,7	4,2
	Mortalité infantile [i]	‰	116	97	84
	Espérance de vie [i]	année	52	51	58
	Population urbaine	%	20,1	21,1	25,8
CULTURE	Analphabétisme [g]	%	62,2 [b]	43,4	16,9
	Scolarisation 12-17 ans	%	..	47,8 [c]	25,3 [d]
	Scolarisation 3e degré	%	..	1,3 [e]	5,4 [f]
	Téléviseurs [b]	‰ hab.	8,3	6,3	2,0
	Livres publiés	titre	..	109 [d]	673 [f]
	Nombre de médecins	‰ hab.	0,04 [d]	0,22 [d]	0,08 [d]
ARMÉE	Armée de terre	millier d'h.	36	33	265
	Marine	millier d'h.	2	0,5	13,5
	Aviation	millier d'h.	0,5	3,5	9,0
ÉCONOMIE	PIB [a]	milliard $	1,15 [b]	1,29	43,92 [b]
	Croissance annuelle 1985-93	%	5,8 [k]	5,1	0,6
	1994	%	5,2	8,4	6,3
	Par habitant [h]	$	1 250 [c]	1 760 [c]	650 [c]
	Dette extérieure totale [a]	million $	383	1 986	5 478
	Service de la dette/Export.	%	11,8 [a]	9,6 [a]	11,3 [c]
	Taux d'inflation	%	26,0	6,8	22,3
	Dépenses de l'État Éducation	% PIB	..	1,2 [j]	2,4 [e]
	Défense	% PIB	3,0	7,9	2,4
	Énergie [b] Consommation par habitant	kg	27	36	53
	Taux de couverture	%	—	68,8	111,7
COMMERCE	Importations	million $	864	338 [a]	865
	Exportations	million $	254	136	775
	Principaux fournis. [a]	%	PCD 15,0	Jap 12,1	PCD 20,3
		%	Thaï 10,4	Thaï 57,1	Chi 28,1
		%	Sin 47,0	Chi 12,1	Sin 28,9
	Principaux clients [a]	%	PCD 45,5	PCD 48,5	PCD 22,4
		%	Jap 30,4	Fra 12,5	PVD 76,5
		%	Thaï 31,8	Thaï 41,9	Chi 18,1

THAÏLANDE	VIETNAM
Bangkok	Hanoi
514 000	329 566
0,798	0,514
58,79	74,65
114,4	226,5
1,1	2,2
2,1	3,9
37	42
69	65
19,7	20,5
6,2	6,3
37,0 [d]	47,0 [b]
19,0 [b]	1,6 [b]
114	42
7 626 [b]	1 930 [j]
0,23 [d]	0,41 [c]
150	500
63	42
43	15
120,2	12,0
10,1	7,3
8,2	8,2
6 390 [a]	1 040 [a]
45,8	24 200
18,6 [a]	13,6 [a]
6,6	14,4
3,6 [c]	..
2,6 [a]	11,0 [a]
888	120
43,6	159,5
46 058	3 630 [a]
36 800	3 000 [a]
Jap 30,3	Ex-URSS 67,1 [d]
E-U 11,7	PCD 19,9 [d]
UE 14,9	PVD 11,8 [d]
Jap 17,0	Ex-URSS 45,9 [d]
E-U 21,6	PCD 29,0 [d]
UE 17,0	PVD 23,5 [d]

ce groupe des pays donateurs a accordé 472 millions de dollars pour l'année 1995 et 1,3 milliard supplémentaire pour 1995-1996. Cette aide est venue s'ajouter aux 773 millions de dollars que Tokyo a versés en 1994.

▼

Royaume du Cambodge

Nature du régime : monarchie constitutionnelle.
Chef de l'État : Norodom Sihanouk Varman (proclamé roi le 24.9.93).
Chef du gouvernement (depuis le 29.10.93) : Norodom Ranariddh (Premier Premier ministre du gouvernement), Hun Sen (Deuxième Premier ministre du gouvernement).
Monnaie : riel (100 riels = 0,21 FF au 26.6.95).
Langues : khmer, français, anglais, vietnamien.

A l'occasion de cette manifestation, le gouvernement bicéphale — après les élections législatives de mai 1993, Norodom Ranariddh (fils du roi Norodom Sihanouk) et Hun Sen, du PPC (Parti du peuple cambodgien) ont partagé le pouvoir — a été l'objet de critiques plus ou moins voilées sur la situation des droits de l'homme, la corruption et la transparence du processus politique. Même si les volumes financiers promis ont été comparables à ceux des années passées, la question de la gestion de l'aide était au cœur des débats et l'ancien ministre des Finances, Sam Rainsy, n'était pas le moins critique sur l'incurie du gouvernement. La sévérité de ses reproches lui ont valu en juin 1995 d'être exclu du Funcipec (Front uni national pour un

Chiffres 1994, sauf notes : a. 1993; b. 1992; c. 1991; d. 1990; e. 1989; f. 1987; g. 1995; h. A parité du pouvoir d'achat (voir p. 673); i. 1990-95; j. 1988; k. 1987-93.
(*) Dernier recensement utilisable : Myanmar, 1983; Cambodge, 1962; Laos, 1985; Thaïlande, 1990; Vietnam, 1989.

Cambodge indépendant, neutre, pacifique et coopératif ; formation pro-sihanoubiste) et de l'Assemblée nationale.

La France, deuxième donateur après le Japon avec 50 millions de dollars, a demandé de son côté que toute lumière soit faite sur l'assassinat par les Khmers rouges (au pouvoir en 1975-1978) de l'un de ses ressortissants, Jean-Michel Braquet, enlevé dans la province de Kampot avec deux autres touristes, britannique et australien, en août 1994. Acte de banditisme d'abord, cette affaire est rapidement devenue politique quand la direction khmère rouge a exigé la fin de toute aide militaire étrangère au gouvernement de Phnom Penh et l'abrogation de la loi anti-khmers rouges de juillet 1994.

Ce drame a démontré une nouvelle fois que le Cambodge restait un pays en guerre et que des connivences locales existent entre Khmers rouges et gouvernementaux. Les escarmouches étant cependant restées circonscrites à quelques portions infimes du territoire khmer, le Premier Premier ministre Norodom Ranariddh a affirmé que les Khmers rouges ne représentaient plus aucune menace pour le pays. Les statistiques officielles ont rendu compte de 2 000 défections dans les rangs khmers rouges en 1994, mais il était difficile d'en conclure pour autant à un affaiblissement réel du mouvement. En dépit d'une amélioration globale des conditions de sécurité, le nombre d'exactions (viols, pillages, tortures, exécutions sommaires...) commises par des hommes en armes est, en effet, resté très important.

En désaccord avec certaines orientations du gouvernement, le demi-frère du roi, le prince Sirivudh, ministre des Affaires étrangères et allié jusque-là de Sam Rainsy, a démissionné du gouvernement le 23 octobre 1994. Comme beaucoup, il souhaitait que le roi, bien qu'affaibli par la maladie, joue un plus grand rôle politique. À nouveau, c'est sur la question khmère rouge que les positions royales ont divergé de celles du gouvernement. Alors que le roi

a invité les Khmers rouges à reprendre leur place dans la société (avec la possibilité de créer un parti politique, des journaux, et de participer aux prochaines élections générales de 1998) à condition qu'ils renoncent à la lutte armée et que leur dirigeant Pol Pot se retire, le gouvernement a fait voter la mise hors la loi des rebelles tout en leur offrant en cas de reddition jusqu'au 15 janvier 1995 l'amnistie.

La contestation de l'ex-ministre de l'Intérieur Sin Song et de l'un des fils du roi, le prince Norodom Chakrapong, a été plus radicale : ils ont tenté, le 2 juillet 1994, un coup d'État qui a échoué. Condamnés à vingt ans de prison, le premier s'est réfugié en Thaïlande, le second en France. Dans ce climat, Phnom Penh n'a pas commémoré le vingtième anniversaire de la prise de la capitale par les Khmers rouges. Le roi a dû, lui, renoncer à son projet d'incinérer les ossements des victimes des Khmers rouges exposés dans le musée de Toul Sleng.

Les relations avec la Thaïlande sont demeurées tendues. La mort d'ouvriers thaïlandais au Cambodge, en novembre 1994, n'a pas amélioré la situation et les armées des deux États en sont même venues à des affrontements le 28 janvier 1995.

Laos

Début 1995, à l'occasion de l'extradition de Luis Roldan, directeur de la Garde civile espagnole en fuite et accusé de corruption, le Laos a retrouvé une actualité internationale. Ni la disparition de l'ancien président de la République, le prince « rouge » Souphanouvong, le 10 janvier 1995, ni celle du vice-Premier ministre, Phoun Sipaseuth, le 9 décembre 1994, deux des figures emblématiques de la génération révolutionnaire et anticolonialiste du Pathet Lao (Pays des Lao, forces pro-communistes), n'avaient eu ce retentissement. Vingt ans après l'arrivée au pouvoir du Parti populaire révolutionnaire lao, la situation s'est normalisée. Après un deuil national de cinq jours, les dirigeants suprêmes ont été incinérés selon les rites bouddhistes tandis que le quarantième anniversaire de la fondation du parti au pouvoir était célébré avec moins d'éclat que la journée mondiale de la francophonie.

▼

République démocratique populaire du Laos

Nature du régime : communiste.
Chef de l'État : Nouhak Phoumsavanh (depuis le 26.11.92).
Chef du gouvernement : général Khamtay Siphandone (depuis le 15.8.91).
Monnaie : kip (100 kips = 0,7 FF au 30.3.95).
Langues : lao, dialectes (taï, phoutheung, hmong), français, anglais.

Dans ce climat rasséréné, 5 200 réfugiés en Thaïlande sont rentrés au pays en 1994. Sur le plan économique, l'Assemblée nationale a poursuivi les réformes et a adopté une loi sur la garantie des investissements étrangers et sur les banqueroutes. Les prêts internationaux ont, eux, augmenté de 37 % dans l'année fiscale 1994-1995, atteignant 290 millions de dollars. Ainsi, depuis septembre 1988 et l'ouverture du Laos aux investissements étrangers, le gouvernement a autorisé 492 projets pour un montant de 577,15 millions de dollars. L'essentiel des investissements ont concerné le tourisme, le textile et les services et sont venus de la Thaïlande (44,3 %), des États-Unis (14,8 %) et de Taïwan (8 %).

Myanmar (Birmanie)

Au cours de sa sixième année de résidence surveillée, l'opposante Aung San Suu Kyi a rencontré, pour la première fois et à deux reprises à l'automne 1994, les dirigeants suprêmes du SLORC (Conseil d'État pour la restauration de la loi et de l'ordre public ; gouvernement militaire au pouvoir). Le 10 juillet 1995, enfin, son assignation à résidence était levée

et elle a pu entreprendre la restructuration de son parti, la Ligue nationale pour la démocratie, et engager le dialogue avec la junte pour une transition sans heurts. Quelque temps plus tôt, à l'occasion du cinquantième anniversaire de la création des forces armées, quelques dizaines de prisonniers politiques avaient déjà été libérés, dont le général U Tin Oo et U Kyi Maung, deux anciens présidents de la Ligue nationale pour la démocratie (parti de Aung San Suu Kyi), dont l'un des fondateurs, Khin Maung Shwe, était arrêté en août 1994.

▼

Union de Myanmar
(Birmanie)

Nature du régime : dictature militaire.
Chef de l'État et du gouvernement : général Than Shwe (depuis le 23.4.92).
Monnaie : kyat (1 kyat = 0,91 FF au 30.4.95).
Langues : birman, anglais, dialectes des diverses minorités ethniques.

A partir de la fin de l'année 1994, le SLORC a multiplié les succès militaires contre différents groupes armés, souvent issus de minorités ethniques, en rébellion contre le pouvoir depuis 1989. Ceux-ci ont été facilités par le ralliement des dissidents karen de l'Armée démocratique bouddhiste kachin (DKBA), voire la bienveillante neutralité de l'armée thaïlandaise. Après la perte de son quartier général de Manerplaw en janvier 1995, puis de la place forte de Kawmoora le mois suivant, le général Bo Mya, le leader de la plus importante faction politico-militaire karen, l'Union nationale karen (KNU), a appelé ses troupes à un cessez-le-feu. Encore fallait-il transformer cette victoire militaire en succès politique. La capacité militaire de la KNU est restée réelle, comme en a témoigné le coup de main meurtrier de mars 1995, organisé contre l'un des chantiers de la société pétrolière française Total, qui a entrepris

BIBLIOGRAPHIE

AUNG SAN SUU KYI, *Se libérer de la peur*, Des Femmes, Paris, 1991.

«Cambodge, de la paix à la démocratie?» (dossier constitué par C. Lechervy), *Problèmes politiques et sociaux*, La Documentation française, 1993.

D.-P. CHANDLER, *The Tragedy of Cambodian History : Politics, War and Revolution since 1945*, Yale University Press, New Haven (CT), 1991.

G. FERIER, *Les Trois Guerres d'Indochine*, PUL, Lyon, 1994.

B. KIERNAN, *Genocide and Democracy in Cambodia*, Yale University Press, New Haven, 1993.

E. KULICK, D. WILSON, *Thaïland's Turn : Profile of a New Dragon*, St. Martin's Press, New York, 1992.

C. LECHERVY (sous la dir. de), *Les Cambodgiens face à eux-mêmes*, Fondation pour le progrès de l'homme, Paris, 1993.

B. LINTNER, *Burma in Revolt : Opium and Insurgency since 1948*, Wetsview Press, Boulder, 1994.

B. LJUNGGREN (sous la dir. de), *The Challenge of Reform in Indochina*, Harvard University Press, Harvard, 1993.

R.J. MUSCAT, *The Fifth Tiger : a Study of Thai Development Policy*, M.E. Sharpe, New York, 1994.

J. NÉPOTE, M.-S. DE VIENNE, *Cambodge ; Laboratoire d'une crise. Bilan économique et prospective*, CHEAM, Paris, 1993.

M. OSBORNE, *Sihanouk, Prince of Light, Prince of Darkness*, Allen & Unwin, Sydney, 1994.

N. RÉGAUD, *Le Cambodge dans la tourmente : le troisième conflit indochinois, 1978-1991*, L'Harmattan, Paris, 1992.

C. TAILLARD, *Le Laos. Stratégie d'un État-tampon*, Reclus, Montpellier, 1989.

UNITED NATIONS (Department of Public Information), *The United Nations and Cambodia (1991-1995)*, New York, 1995.

Voir aussi la bibliographie «Vietnam» dans la section «34 États».

la construction d'un gazoduc allant de la mer d'Andaman à la Thaïlande.

Les victoires sur les Karen, alors qu'il y avait eu, à partir de 1992, formellement suspension des offensives armées contre les groupes ethniques insurgés, ont permis à l'armée birmane de concentrer toute son attention sur l'Armée Mong Tai de Khun Sa. La Thaïlande voisine, ne voulant pas être soupçonnée de complaisance à l'égard de ce célèbre trafiquant de drogue, a permis de son côté la saisie de missiles Sam-7. Isolé et décrié, Khun Sa a offert en décembre 1994 au président américain Bill Clinton l'arrêt de la production d'opium contre la reconnaissance internationale du peuple shan.

Dans ce nouveau contexte, le SLORC escomptait bien se trouver de nouveaux soutiens. C'est du côté chinois qu'ils ont été les plus spectaculaires. En 1994, pas moins d'une soixantaine de délégations se sont rendues dans le Myanmar. Un nouveau contrat d'équipement militaire de 400 millions de dollars a été signé. Cette percée chinoise, qui semblait pouvoir aboutir à l'acquisition de quelques avantages stratégiques à Ramree, Coco Island ou Zadetkyi Kyun (St Mattew's Island), n'a pas été sans inquiéter l'Inde. Cette dernière a donc entrepris de normaliser ses relations avec le Myanmar comme en a témoigné la visite du général Bipin Chandra Joshi, le chef d'état-major des armées indiennes, en mai 1994.

C'est cependant avec les pays de l'ANSEA (Association des nations du Sud-Est asiatique) que les échanges sont les plus intenses. Les ministres des Affaires étrangères des Philippines, d'Indonésie et de Thaïlande se sont rendus à Rangoon, ce ballet diplomatique se clôturant, en juillet 1994, à Bangkok, par l'invitation faite au Myanmar de participer au sommet de l'ANSEA. Ces relations ont été d'autant plus resserrées que le Myanmar a renoué avec une croissance rapide (6 % en 1993-1994) et que les investissements étrangers se sont multipliés.

Thaïlande

Pour la quinzième fois depuis 1932, le pays a changé de Constitution en janvier 1995. Même si le nombre des sénateurs, non élus, a diminué ainsi des trois quarts aux deux tiers du nombre des sièges, les prérogatives de la Chambre haute ont été maintenues. L'adoption de ce texte par le

```
              ▼
    Royaume de Thaïlande

Nature du régime : monarchie
  constitutionnelle.
Chef de l'État : roi Bhumibol
  Adulyadej (depuis le 10.6.46).
Chef du gouvernement : Banharn
  Silpa Archa, qui a succédé à Chuan
  Leekpai le 18.7.95.
Monnaie : baht (au taux officiel,
  1 baht = 0,20 FF au 30.4.94).
Langues : thaï (officielle), chinois,
  anglais.
```

Parlement a entraîné le retrait du Parti de la nouvelle espérance du ministre de l'Intérieur, le général Chavalit Yongchaiyudh, de la coalition gouvernementale. Fort de 53 députés, le Parti des aspirations nouvelles, deuxième parti de la majorité, s'est opposé aux articles 198 et 199 organisant une politique de décentralisation. Fragilisé, minoritaire même à la Chambre basse, le Premier ministre Chuan Leekpai a

convaincu le Chat Pattana (Parti du développement national), disposant de 60 députés, de se joindre à une nouvelle coalition. Avec l'appui du général Chatichai Choonhavan, Chuan Leekpai a ainsi disposé d'une majorité renforcée, avec 201 députés contre 159 pour l'opposition, pouvant ainsi espérer conduire son mandat jusqu'à son terme en septembre 1996. Une fois encore, les alliances politiques thaïlandaises sont apparues bien volatiles, voire contre-nature.

La situation était si précaire que le Premier ministre a dissous le Parlement le 19 mai 1995 et a appelé à de nouvelles élections législatives pour le 2 juillet. N'ayant obtenu que 86 sièges lors de ce scrutin, le Parti démocrate n'a pu se maintenir au pouvoir. Le Front de développement thaï, alliance de six partis (Chat Thaï — Parti de la nation thaï —, 92 sièges ; Parti des aspirations nouvelles, 57 ; Palang Dharma — Parti de la force religieuse —, 23 ; Prachakorn Thaï — Parti des citoyens thaï —, 18 ; Parti de l'action sociale, 22 et Muan Chon — Parti des masses —, 3), lui a succédé avec comme nouveau Premier ministre et ministre de l'Intérieur Banharn Silpa Archa (Chat Thaï), officiellement nommé le 18 juillet. Ce scrutin a consacré la place prépondérante des hommes d'affaires (36 % des candidats) sur la scène politique.

Même si Bangkok a accueilli en juillet 1994 le « sommet » ministériel de l'ANSEA et le premier Forum régional sur la sécurité (ARF), le calendrier diplomatique est demeuré monopolisé par les dossiers birman et cambodgien. Le « dialogue constructif » a été poursuivi avec Rangoon et un accord à long terme a été signé pour la livraison de gaz birman. A cette occasion, les pressions se sont multipliées contre les réfugiés môn et karen qui ont fui les répressions dans le Myanmar. Les voyages du Premier ministre au Japon, en septembre 1994, puis au Canada et aux États-Unis se sont inscrits dans la dynamique économique de la diplomatie thaïlandaise.

Avec Phnom Penh, et en dépit de nombreuses visites, les suspicions sont demeurées. Les discussions concernant leur conflit frontalier n'ont pas abouti. A nouveau, Bangkok a dû adopter une attitude défensive face aux accusations de Phnom Penh portant sur le soutien logistique aux Khmers rouges et les implications thaïlandaises dans une tentative avortée de coup d'État, le 2 juillet 1994. En novembre suivant, des ouvriers thaïlandais ont été tués au Cambodge tandis que, le 28 février 1995, les deux armées s'affrontaient directement. Outre le dossier khmer rouge, les discussions économiques ont été tout aussi délicates. A l'occasion de la visite du Deuxième Premier ministre cambodgien Hun Sen en Thaïlande, en mars 1995, deux accords ont été signés dans le domaine des investissements et de la coopération touristique. Si, avec les dirigeants du Parti du peuple cambodgien, une coopération a semblé s'amorcer, Bangkok a de plus en plus mal accepté les priorités malaisiennes du Premier Premier ministre Norodom Ranariddh.

Au-delà de l'Indochine, poussée par la reprise américaine et le dynamisme des pays voisins, l'augmentation des exportations thaïlandaises a une nouvelle fois été significative (+ 19 % en 1994). L'excédent dans les échanges de produits agricoles et agroalimentaires, favorisés par des cours agricoles en hausse, n'a pas pu compenser le déficit des échanges de biens manufacturés. Il est vrai que l'industrie est devenue de plus en plus capitalistique, nécessitant toujours plus de biens d'équipement. De 1990 à 1993, les investissements ont ainsi peu à peu délaissé l'agriculture (8 %) et les industries légères (12 %) pour aller vers l'électronique (33 %) et la chimie (47 %). Néanmoins, si le déficit commercial a atteint 9,2 milliards de dollars, il est resté à hauteur de 7 % du PIB.

Christian Lechervy

Asie du Sud-Est insulaire

Brunéi, Indonésie, Fédération de Malaisie, Philippines, Singapour
(L'Indonésie est traité p. 217.)

Brunéi

Dans la perspective du « sommet » historique de l'ANSEA (Association des nations du Sud-Est asiatique), en août 1995, avec la présence du Vietnam comme nouvel État membre, le sultanat de Brunéi a continué à éten-

---

Sultanat de Brunéi

Nature du régime : monarchie absolue.
Chef de l'État et du gouvernement : Sultan Haji Hassanal Bolkiah Muizzaddin Waddaulah (depuis l'indépendance, le 1.1.84).
Monnaie : dollar de Brunéi.
Langue : malais.

---

dre ses liens diplomatiques. La sécurité intérieure est restée une priorité, comme en ont témoigné la prorogation pour deux nouvelles années de l'état d'urgence et la décision du sultan de placer sous son autorité directe le Mufti d'État.

Pour faire face à la récession économique, le pays a souhaité développer un pôle de services de l'ANSEA, et s'intégrer au projet de complémentarité économique de l'East Asian Growth Area comprenant la Fédération de Malaisie (Sabah, Sarawak, Labuan), l'Indonésie (Sulawesi, Kalimantan, Maluku) et les Philippines (Mindanao).

Fédération de Malaisie

Datuk Seri Mahathir, Premier ministre depuis 1981, a annoncé le 5 avril

1995 la dissolution du Parlement (Dewan Rakyat) et la convocation d'élections législatives anticipées (24-25 avril). En lui accordant 63 % des voix et plus des deux tiers des sièges à la Chambre basse, les électeurs ont offert une importante victoire à la coalition de quatorze partis formant le Bartisan Nasional, Front national. Les partis de l'opposition n'ont obtenu en tout que 23 sièges : 9 députés (contre 20, en 1990) pour le Parti d'action démocratique (DAP), 8 pour le Parti Bersatu Sabah (PBD) et 6 pour le Semangat 46 de Tengku Razaleigh Hamzah. Si ce résultat n'a pas constitué une surprise, il a démontré que le Premier ministre a su « faire oublier » l'interdiction (26 août 1994) de la secte musulmane Al Arqam et l'arrestation de ses principaux dirigeants, comme Mohammad Ashaari. Forte de 10 000 fidèles et de moyens financiers importants, cette secte islamique soufie était devenue un enjeu de pouvoir. De la même manière, le scandale fait autour de la moralité de Tan Sri Abdul Rahim Tamby Chik, ministre en chef de l'État de Malacca et responsable des jeunesses de l'UMNO (Organisation unifiée malaise, au pouvoir), accusé d'avoir eu des relations sexuelles avec une mineure n'a pas porté préjudice à la majorité gouvernementale.

▼

Fédération de Malaisie

Nature du régime : monarchie constitutionnelle.

Chef de l'État : Tuanku Jaafar Ibni Al-Marhum Tuanku Abdul, qui a remplacé Sultan Azlan Muhibuddin Shah le 22.9.94.

Chef du gouvernement : Datuk Seri Mahathir bin Mohamad (depuis le 16.7.81).

Monnaie : ringgit (1 ringgit = 1,99 FF au 30.4.95).

Langues : malais, chinois, anglais, tamoul.

Ce succès s'est construit face à une opposition plus divisée qu'en 1990,

et grâce à la limitation des moyens d'expression de cette dernière. L'interdiction de réunions publiques a été maintenue et Datuk Seri Mahathir a menacé de faire arrêter le leader du DAP, Lim Kit Siang, pour incitation à la haine raciale. Enfin, le Premier ministre a pu capitaliser les bons résultats économiques des années précédentes. Durant la dernière décennie, le pays a pu mobiliser 10 milliards de dollars d'investissements étrangers et le Premier ministre s'est engagé pendant la campagne électorale à faire de la Fédération un pays industrialisé au cours du prochain quart de siècle. Au plan national, seul l'État du Kelantan est resté aux mains du PAS (Parti Islam Malaysia, islamiste).

Le nouveau gouvernement n'a guère changé par rapport au précédent. Anwar Ibrahim, l'« héritier » de Datuk Seri Mahathir, est resté vice-premier ministre et ministre des Finances, tandis que le ministre de la Défense, Najib Tun Razak, a accédé à la fonction très convoitée de ministre de l'Éducation. Un ajustement qui ne faisait que refléter la préparation du prochain congrès de l'UMNO, en 1996.

Sur la scène internationale, la Fédération de Malaisie a continué de se distinguer. Au sein de l'APEC (Coopération économique de la zone Asie-Pacifique), Kuala Lumpur a affirmé ne pas vouloir voir cette organisation se transformer ou en un bloc commercial ou en un forum politique. Il ne s'agissait pas pour autant de se désolidariser de l'ANSEA (Association des nations du Sud-Est asiatique), surtout avec la multiplication des incidents avec Pékin.

Philippines

En novembre 1992, en visite à Manille, l'ancien chef d'État singapourien Lee Kuyan Yew avait porté un jugement sévère sur les Philippines, « ce pays où 98 % de la population attend d'avoir une ligne téléphonique et où les 2 % restants attendent la tonalité ». Entre-temps,

Asie du Sud-Est insulaire

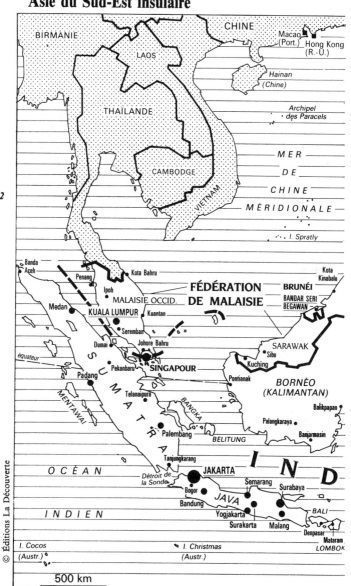

© Éditions La Découverte

500 km

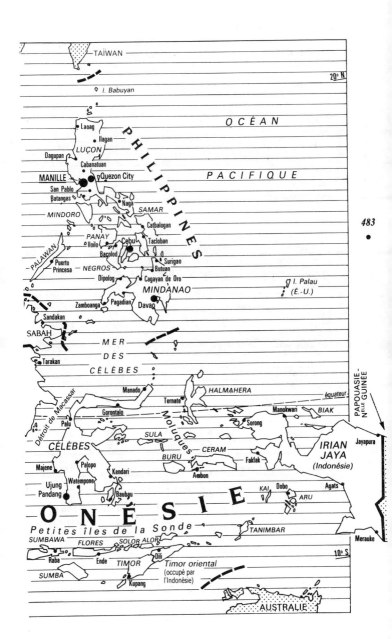

TAÏWAN

20° N

○ I. Babuyan

OCÉAN

● Laoag
● Ilagan

LUÇON

● Dagupan
● Cabanatuan

MANILLE
● Quezon City

PACIFIQUE

● San Pablo
● Batangas
● Naga

SAMAR

MINDORO

Catbalogan

PANAY
○ Iloilo
● Cebu
Tacloban

PALAWAN
● Bacolod
NEGROS
● Surigao
● Butuan

● Puerto Princesa

Dipolog
● Cagayan de Oro
MINDANAO

I. Palau
(É.-U.)

● Zamboanga
● Pagadian
● Davao

Sandakan

SABAH

MER

DES

● Tarakan

CÉLÈBES

PAPOUASIE-
NᵉˡˡᵉGUINÉE

Manado

HALMAHERA

équateur

Ternate
Manokwari
BIAK

Gorontalo

Moluques

Sorong

Détroit de Macassar

● Palu

CÉLÈBES

SULA

CERAM

IRIAN
JAYA
(Indonésie)

BURU

Faktak

Jayapura

● Majene
● Palopo
● Kendari

Ambon

● Ujung
Pandang
● Watempone

KAI
Dobo
Agats

Baubau

ARU

O N É S I E

Petites îles de la Sonde

TANIMBAR

Merauke

SUMBAWA
FLORES
SOLOR ALOR

● Raba
Ende
TIMOR
Dili

10° S

SUMBA

Timor oriental
(occupé par
l'Indonésie)

● Kupang

AUSTRALIE

483
●

Asie du Sud-Est insulaire

	INDICATEUR	UNITÉ	BRUNÉI	INDONÉSIE	FÉDÉR. DE MALAISIE
	Capitale		Bandar S.B.	Jakarta	Kuala Lumpur
	Superficie	km²	5 770	1 913 000	329 750
DÉMOGRAPHIE	Développement humain (IDH) b		0,829	0,586	0,794
	Population (*) e	million	0,29	197,6	20,14
	Densité e	hab./km²	49,4	103,3	61,1
	Croissance annuelle h	%	2,1	1,6	2,4
	Indice de fécondité (ISF) h		3,1	2,9	3,6
	Mortalité infantile h	‰	8	58	13
	Espérance de vie h	année	74	63	71
	Population urbaine	%	57,7	34,4	52,9
CULTURE	Analphabétisme e	%	11,8	16,2	16,5
	Scolarisation 12-17 ans	%	81,6 f	60,1 d	67,7 f
	Scolarisation 3e degré	%	4,5 j	10,1 b	7,3 d
	Téléviseurs b	‰ hab.	237	60	150
	Livres publiés	titre	25 d	6 303 b	3 748 f
	Nombre de médecins	‰ hab.	0,68 d	0,14 d	0,39 d
ARMÉE	Armée de terre	millier d'h.	3,4	214	90
	Marine	millier d'h.	0,7	42	12
	Aviation	millier d'h.	0,3	20	12,5
ÉCONOMIE	PIB a	milliard $	3,64 d	137,0	60,06
	Croissance annuelle 1985-93	%	− 0,5	6,7	8,2
	1994	%	..	6,5	8,4
	Par habitant g	$	14 000 f	3 140 a	8 630 a
	Dette extérieure totale	milliard $	0,147 j	89,5 a	23,34 a
	Service de la dette/Export. a	%	..	32,6	7,9
	Taux d'inflation	%	..	9,6	3,2
	Dépenses de l'État Éducation	% PIB	7,5	2,2 b	5,5 b
	Défense	% PIB	3,9 b	1,7	4,3
	Énergie b Consommation par habitant	kg	17 085	383	1 801
	Taux de couverture	%	552,2	286,9	215,4
COMMERCE	Importations	million $	2 601 a	32 381	56 980
	Exportations	million $	2 373 a	36 820	56 095
	Principaux fournis. a	%	E-U 20,2	Jap 22,1	Jap 27,5
		%	UE 27,1	E-U 18,5	E-U 17,0
		%	Sin 26,8	UE 19,9	Asie c 34,2
	Principaux clients a	%	Jap 54,2	Jap 30,3	PCD 51,3
		%	UE 17,9	E-U 14,2	E-U 20,3
		%	Asie c 22,0	UE 14,4	Sin 21,7

	PHILIPPINES	SINGAPOUR
	Manille	Singapour
	300 000	618
	0,621	0,836
	67,58	2,85
	225,3	4 608
	2,1	1,0
	3,9	1,7
	44	6
	66	75
	53,1	100,0
	5,4	8,9
	71,9 c	87,4 d
	27,8 f	••
	45	379
	825 f	1 927 k
	0,12 d	1,38 f
	68	45
	23	3
	15,5	6
	54,61	55,37
	3,9	8,1
	3,5	7,0
	2 660 a	20 470 a
	35,27 a	16,5 b
	24,9	••
	7,1	3,4
	2,9 f	3,4 i
	2,1	5,3
	12	8 503
	35,1	••
	22 392	102 684
	13 128	96 831
	E-U 19,8	E-U 16,3
	Jap 22,8	Jap 21,9
	UE 10,3	Mal 16,4
	E-U 38,3	PCD 46,6
	Jap 16,3	E-U 20,4
	UE 16,9	PVD 53,4

les réformes économiques engagées par Corazon Aquino (au pouvoir de 1986 à 1992) et son successeur, Fidel Ramos, ainsi que la stabilité politique du pays ont fait de Singapour le troisième fournisseur de l'archipel, après les États-Unis et le Japon, et le quatrième client de Manille. Preuve supplémentaire de cette embellie des relations entre les deux pays, en février 1995, le président singapourien Ong Teng Cheong a effectué sa première visite officielle à Manille et encouragé les entrepreneurs de la cité-État à investir dans ce pays.

▼

République des Philippines

Nature du régime : démocratie parlementaire.
Chef de l'État : Fidel Ramos (depuis le 30.6.92).
Vice-président : Joseph Estrada (depuis le 30.6.92).
Monnaie : peso (au taux officiel, 1 peso = 0,19 FF au 30.4.95).
Langues : tagalog, anglais.

Le 17 mars 1995, la pendaison à Singapour de Flor Contemplacion, une domestique philippine, exécutée pour un double meurtre présumé, a cependant provoqué une telle brouille entre les deux capitales que le ministre des Affaires étrangères Roberto Romulo a remis sa démission au président Ramos, qui l'a acceptée, tout comme celle du ministre du Travail Nieves Confesor. Sous la pression de l'opinion publique, les ambassadeurs ont été rappelés et des avions ont été affrétés pour rapatrier les Philippins qui voulaient rentrer au pays. La polémique était d'autant plus vive que l'on était à la veille des

Chiffres 1994, sauf notes : a. 1993; b. 1992; c. Japon non compris; d. 1990; e. 1995; f. 1991; g. A parité de pouvoir d'achat (voir p. 673); h. 1990-95; i. 1988; j. 1987; k. 1984.
(*) Dernier recensement utilisable : Brunéi, 1981; Indonésie, 1990; Malaisie, 1991; Philippines, 1990; Singapour, 1990.

BIBLIOGRAPHIE

D. Besson, M. Lantéri, *ANSEA : la décennie prodigieuse. Essai sur le développement en Asie du Sud-Est*, Les études de la Documentation française, Paris, 1994.

R. Blanadet, *L'Asie du Sud-Est : nouvelle puissance économique*, Presses universitaires de Nancy, Nancy, 1992.

H.W. Brands, *Bound to Empire : The United States and the Philippines*, Oxford University Press, New York, 1992.

F. Gipouloux (sous la dir. de), *Regional Economic Strategies in East-Asia*, Maison franco-japonaise, Tokyo, 1994.

J.-B. Goodno, *The Philippines : Land of Broken Promises*, Zed Books, Londres, 1991.

J.S. Kahn, F. Loh Kok Wah, *Fragmented Vision : Culture and Politics in Contemporary Malaysia*, Allen & Unwin, Sydney, 1992.

R. de Koninck, *L'Asie du Sud-Est*, Masson, Paris, 1994.

M. Mangin, *Les Philippines*, Karthala, Paris, 1993.

L. Metzer, *Les Sultanats de Malaisie*, L'Harmattan, Paris, 1994.

G. Saunders, *A History of Brunei*, Oxford University Press, Oxford, 1994.

South East Asian Affairs (annuel), Institue of South East Asian Studies, Singapour.

Thanh-Dam Truong, *Money and Morality, Prostitution and Tourism in South East Asia*, Zed Books, Londres, 1990.

Voir aussi la bibliographie « Indonésie » dans la section « 34 États ».

élections générales (Chambre des représentants, Sénat, pouvoirs locaux). Ce drame n'a toutefois pas empêché la coalition gouvernementale de remporter, le 8 mai 1995, une ample victoire (9 sièges sur 12 au Sénat). Mais, des deux côtés, on souhaitait revenir au plus vite à une situation apaisée. Manille sait, en effet, que le pays ne peut se passer sans risque des transferts de devises des 60 000 émigrés (8 milliards de dollars, en 1994, représentant un revenu égal à 60 % de celui des exportations nationales).

Le retentissement de cette affaire a totalement accaparé l'attention de l'opinion publique et éclipsé la deuxième tournée européenne du président de la République. De tous les chefs d'État philippins, F. Ramos s'est montré l'un des plus actifs sur la scène internationale. Avant d'accueillir le sommet de l'APEC (Coopération économique de la zone Asie-Pacifique) en 1996, ses visites au Vietnam et à Brunéi, en 1994, ou encore la venue à Manille, la même année, du président sud-coréen Kim Young Sam, du Premier ministre japonais Murayama Tomiichi et du chef du gouvernement malaisien Datuk Seri Mahathir, une première depuis 1963, ont témoigné de la priorité qu'il accordait aux relations avec les États asiatiques. La visite du pape Jean-Paul II, en janvier 1995, après celle du président américain Bill Clinton (dix-neuf ans après celle de son lointain prédécesseur Gerald Ford), en route pour le « sommet » de l'APEC à Bogor, le 15 novembre 1994, furent les autres points d'orgue de cette période. Plus délicate à assumer fut l'« escale » du président taïwanais Lee Teng-Hui, alors même que les tensions politico-militaires se multipliaient en mer de Chine méridionale [*voir édition 1995, p. 556*]. Des constructions chinoises sur l'atoll de Mischief, puis la multiplication des intrusions militaires à proximité de Palawan (Jackson Reef, Half Moon Island) ont donné un nouveau tour au contentieux des Spratly, que se disputent la Chine, Taïwan, le Vietnam, les Philippines, la Fédération de Malaisie et Brunéi. Conflits de zones de pêche, litiges de souveraineté, les incidents se sont multipliés entre la République populaire de Chine et les membres de l'ANSEA (Association des nations du Sud-Est asiatique). A Hangzhou, lors de la première rencontre entre la Chine et les États de l'ANSEA, Pékin a pu mesurer la nouvelle volonté des pays d'Asie du Sud-Est d'internationaliser ce différend. Sur le plan philippin, tandis que la marine nationale commençait la destruction des symboles de la présence chinoise (bornes, bouées...), le Sénat approuvait à l'unanimité, début 1995, un programme-cadre de modernisation des forces armées et de réduction des effectifs.

Même si la lutte anti-insurrectionnelle n'est plus apparue comme une priorité absolue, à Mindanao, les combats contre les activistes musulmans du mouvement Abu Sayyaf sont restés très meurtriers.

Christian Lechervy

Singapour

La prospérité et le dynamisme économique sont demeurés le signe distinctif de la cité-État dirigée par le Parti de l'action du peuple. La stabilité politique et un taux de croissance élevé ont continué d'assurer la popularité du Premier ministre Goh Chok Tong et de son vice-premier ministre, Lee Hsien Loong (fils de Lee Kuan Yew, père fondateur de la République). La visite du Premier ministre au Myanmar (Birmanie), en avril 1994, et l'achat d'armements américains ont souligné le désir d'indépendance de Singapour en matière de politique étrangère.

L'intervention gouvernementale directe a persisté dans plusieurs domaines de la vie politique et sociale, dont celui de la famille. Lee Kuan Yew a ainsi suggéré d'accorder le privilège d'une voix supplémentaire aux personnes de 35 à 60 ans, mariées et ayant une famille, afin de « récompenser leur contribution à la société ». Un législateur a proposé un projet de loi visant à obliger les enfants à prendre soin de leurs parents âgés. Le ministère de l'Information et des Arts a, par ailleurs, autorisé l'hebdomadaire *Far Eastern Economic Review* à vendre 2 000 exemplaires par semaine — la publication de Dow Jones y vendait 10 000 exemplaires avant la restriction imposée en 1987.

▼

Singapour

Nature du régime : république parlementaire autoritaire contrôlée par un parti dominant.
Chef de l'État : Ong Teng Cheong (depuis le 28.8.93).
Chef du gouvernement : Goh Chok Tong (depuis le 27.11.90).
Monnaie : dollar de Singapour (1 dollar = 3,53 FF au 30.4.95).
Langues : anglais, chinois, malais, tamoul.

Non sans rappeler l'affaire Michael Fay, le jeune Américain de 18 ans qui avait subi une bastonnade, en mai 1994, pour actes de vandalisme, trois autres événements ont suscité passablement d'émoi à l'étranger. Le 23 septembre 1994, Johannes Van Damme, ressortissant des Pays-Bas, a été exécuté pour trafic de drogue malgré les requêtes d'Amsterdam. Le 17 janvier 1995, l'universitaire américain Christopher Lingle, chercheur rattaché à la National University of Singapore, et l'*International Herald Tribune* ont été condamnés à de fortes amendes pour un article du 7 octobre 1994 qui parlait de « régimes intolérants » en Asie.

Enfin, une domestique philippine de 42 ans, Flor Contemplacion, mère de quatre enfants, a été accusée de la mort de deux personnes et exécutée, le 17 mars 1995. D'importantes manifestations ont eu lieu aux Philippines où des drapeaux de Singapour ont été brûlés et le président Fidel Ramos a été blâmé pour sa réaction jugée peu énergique dans cette affaire.

Jules Nadeau

Asie du Nord-Est

Corée du Nord, Corée du Sud, Hong Kong, Macao, Mongolie, Taïwan
(La Corée du Sud et le Japon sont traités p. 266 et p. 197.
Voir aussi l'article p. 132.)

Corée du Nord

Kim Il Sung est mort le 8 juillet 1994 à l'âge de 82 ans, après quarante-neuf ans de pouvoir absolu. Son fils Kim Jong Il lui a succédé comme prévu, mais le mystère a continué de planer sur la personnalité et le pouvoir réel de ce dernier. On savait, en effet, peu de chose sur cet homme sans charisme. Même son âge et son lieu de naissance n'étaient pas certains. Onze mois après la disparition de son père, il n'était toujours pas proclamé chef de l'État ni secrétaire général du Parti. Son invisibilité était généralement imputée à sa mauvaise santé (diabète, hypertension, cirrhose), si bien qu'on pouvait se demander combien de temps il pourrait diriger le pays.

▼

République populaire démocratique de Corée

Nature du régime : communiste, parti unique (Parti des travailleurs coréens).

Chef de l'État : poste officiellement vacant depuis la mort de Kim Il Sung le 8.7.94.

Premier ministre : Kang Song San (depuis le 22.12.92).

Monnaie : won (1 won = 2,26 FF au 26.6.95).

Langue : coréen.

Toujours est-il que les États-Unis ont misé sur Kim Jong Il dès la mort de son père. En fait, personne n'a contribué autant que le président Bill Clinton à sa légitimation, en l'appelant dans une lettre personnelle du 20 octobre 1994 le « leader suprême » de la République démocratique populaire de Corée. Cette lettre a été immédiatement exploitée à Pyongyang comme « la plus grande victoire diplomatique obtenue par la direction du Parti et le peuple coréen ».

L'accord de Genève, signé entre Pyongyang et Washington le 21 octobre 1994, a formellement mis un terme à la crise nucléaire déclenchée par le retrait de la Corée du Nord du Traité de non-prolifération nucléaire (TNP), le 12 mars 1993. Aux termes de l'accord, la Corée du Nord s'est engagée à démanteler trois réacteurs existants, dont deux, de 50 mégawatts et de 200 mégawatts, en construction, à accepter les inspections de l'AIEA (Agence internationale de l'énergie atomique) et à reprendre le dialogue avec la Corée du Sud. De leur côté, les États-Unis ont accepté de constituer un consortium pour financer deux réacteurs à eau légère d'une capacité totale de 2 000 mégawatts (coûts estimés à 4 milliards de dollars) avant 2003, de livrer 500 000 tonnes de pétrole brut par an pendant la période de transition et d'établir des relations diplomatiques avec Pyongyang.

Le 16 décembre 1994, les États-Unis, la Corée du Sud et le Japon ont ainsi créé à New York un consortium, le KEDO (Korea Energy Development Organization), pour la mise en œuvre de l'accord de Genève. La

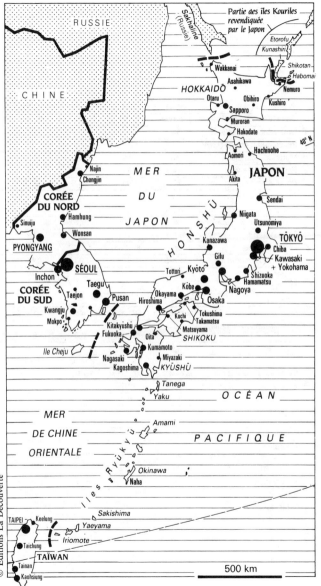

RUSSIE

CHINE

Partie des îles Kouriles
revendiquée
par le Japon

Sakhaline
(Russie)

Etorofu
Kunashiri

Wakkanai
Asahikawa
HOKKAIDŌ
Otaru   Obihiro
Sapporo
Muroran
Hakodate

Shikotan
Habomai
Nemuro
Kushiro

40° N

Hachinohe
Aomori

JAPON

Najin
Chongjin
CORÉE
DU NORD
Hamhung

Sinuiju

Wonsan

PYONGYANG

Inchon
SÉOUL
Taegu
Taejon   Pusan
CORÉE
DU SUD
Kwangju
Mokpo

Ile Cheju

MER
DU

JAPON

Akita

Sendai

Niigata
Utsunomiya
TŌKYŌ
Kanazawa   Chiba
Kawasaki
Gifu   + Yokohama
Kyōto   Shizuoka
Tottori   Kōbe   Hamamatsu
Okayama Osaka Nagoya
Hiroshima
Kochi Tokushima
Kitakyushū Takamatsu
Fukuoka Oita Matsuyama SHIKOKU
Kumamoto
Nagasaki Miyazaki
Kagoshima KYŪSHŪ

Tanega
Yaku

OCÉAN

MER

DE CHINE

ORIENTALE

Amami

PACIFIQUE

Îles Ryūkyū

Okinawa
Naha

TAIPEI Keelung   Sakishima
Yaeyama
Taichung   Iriomote
TAÏWAN
Tainan
Kaohsiung

500 km

489

Asie du Nord-Est *(Voir notes p. 492)*

	INDICATEUR	UNITÉ	CHINE [1]	HONG KONG	MACAO
	Capitale		Pékin	Hong Kong	Macao
	Superficie	km²	9 596 961	1 045	16
DÉMOGRAPHIE	Développement humain (IDH) [b]		0,644	0,875	..
	Population (*) [g]	million	1 221,5	5,87	0,41
	Densité [g]	hab./km²	127,3	5 612	25 625
	Croissance annuelle [f]	%	1,1	0,6	3,6
	Indice de fécondité (ISF) [f]		1,9	1,2	2,9
	Mortalité infantile [f]	‰	44	7	7,5 [c]
	Espérance de vie [f]	année	68	79	78 [j]
	Population urbaine	%	29,4	94,9	98,8
CULTURE	Analphabétisme [g]	%	18,5	7,8	20,6 [j]
	Scolarisation 12-17 ans	%	43,2 [c]	83,8 [h]	..
	Scolarisation 3e degré	%	1,6 [c]	19,6 [b]	..
	Téléviseurs [b]	‰ hab.	31	281	69
	Livres publiés	titre	90 156 [c]	4 851 [k]	..
	Nombre de médecins	‰ hab.	1,37 [h]	0,93 [a]	0,85 [h]
ARMÉE	Armée de terre	millier d'h.	2 200	—	—
	Marine	millier d'h.	260	—	—
	Aviation	millier d'h.	470	—	—
ÉCONOMIE	PIB	milliard $	581,1 [a]	104,7 [a]	4,158 [c]
	Croissance annuelle 1985-93	%	8,0	6,2	6,7
	1994	%	12,0	5,4	4,0
	Par habitant [i]	$	2 120 [a]	21 670 [a]	11 880 [c]
	Dette extérieure totale	milliard $	83,8 [a]	13,18 [h]	0,19 [c]
	Service de la dette/Export. [a]	%	10,7	..	..
	Taux d'inflation	%	18,7	9,5	6,0
	Dépenses de l'État Éducation	% PIB	1,7 [b]	3,0 [c]	..
	Défense	% PIB	1,4 [a]	—	—
	Énergie [b] Consommation par habitant	kg	833	2 285	1 057
	Taux de couverture	%	106,6	—	—
COMMERCE	Importations	million $	105 773	161 776	1 985 [a]
	Exportations	million $	110 957	151 394	1 768 [a]
	Principaux fournis. [a]	%	UE 13,9	PCD 37,1	PCD 36,3
		%	Jap 22,5	Jap 16,6	Jap 16,0
		%	PVD 45,8	PVD 62,9	Asie [e] 62,0
	Principaux clients [a]	%	Jap 17,2	Chi 32,4	E-U 33,4
		%	E-U 18,5	E-U 23,1	Chi 13,2
		%	PVD 46,9	UE 15,0	H-K 12,5

TAÏWAN	CORÉE DU NORD	CORÉE DU SUD	JAPON	MONGOLIE
Taipei	Pyongyang	Séoul	Tokyo	Oulan-Bator
35 980	120 538	99 484	377 750	1 565 000
..	0,609	0,859	0,929	0,607
21,42	23,92	45,0	125,1	2,41
595,2	198,4	452,3	331,2	1,5
1,1	1,9	1,0	0,3	2,0
1,7 [c]	2,4	1,7	1,5	3,6
5,1 [c]	24	11	4	60
75 [c]	71	71	79	64
74,7 [c]	60,9	80,0	77,5	60,3
5,3	5,0 [b]	2,0	1,0 [b]	17,1
86,2 [h]	..	84,0 [b]	97 [b]	85,5 [b]
29,1 [b]	..	46,4 [a]	31,5 [b]	13,6 [c]
337	18	211	614	40
..	..	27 889 [b]	36 346 [k]	717 [f]
1,08 [b]	2,70 [h]	0,83 [j]	1,6 [h]	2,57 [h]
289	1 000	520	150	20
68	46	60	43	—
68	82	53	44,5	1,3
267,8	20,8 [a]	338,1 [a]	4 651,1	0,943 [a]
6,6	1,5	9,2	4,0	2,5
6,2	− 4,3 [a]	8,0	0,6	2,5
..	1 000 [a]	9 810 [a]	21 091	2 250 [c]
—	1,6 [a]	47,2 [a]	..	0,39 [a]
—	..	9,2	..	4,4
3,8	5,0 [a]	5,6	0,7	66,3
4,3 [b]	..	4,4 [b]	4,7 [j]	8,5 [c]
5,5 [a]	[d]	4,2	1,0	3,9
2 772 [k]	4 256	3 188	4 735	1 580
29,4 [k]	90,7	20,8	18,2	78,4
77 094 [a]	1 550 [b]	101 419	274 400	223
84 953 [a]	920 [b]	96 263	395 615	324
PCD 72,1	Ex-URSS 37,2 [c]	Jap 23,7	E-U 23,0	Ex-URSS 77,5 [h]
E-U 23,2	Chi 22,7 [c]	E-U 21,3	UE 13,0	Ex-Tch 3,7 [h]
Jap 31,7	Jap 9,7 [c]	PVD 33,7	PVD 52,3	RFA 4,1 [h]
E-U 28,1	Ex-URSS 40,1 [c]	E-U 21,7	E-U 30,0	Ex-URSS 78,3 [h]
UE 13,3	Jap 20,2 [c]	Jap 13,8	UE 14,6	Ex-Tch 4,5 [h]
Asie [e] 35,5	Cor 11,7 [c]	PVD 48,9	PVD 49,3	Bul 2,5 [h]

Corée du Sud s'est déclarée prête à assumer un financement de 4 milliards de dollars pour les deux réacteurs à condition qu'ils soient de sa propre fabrication, ce que Pyongyang a refusé dans un premier temps, puis fini par accepter, le 13 juin 1995, à condition que l'origine sud-coréenne ne soit pas mentionnée explicitement.

Après la mort de Kim Il Sung, le régime nord-coréen a refusé tout contact avec le gouvernement de Séoul, redoutant une absorption par la Corée du Sud sur le modèle de l'unification allemande de 1990. Kim Jong Il n'a pas hérité de l'obsession de réunification nationale de son père. La légitimation des deux Corées par l'ONU en 1991 et celle plus récente de la Corée du Nord par Washington pourraient permettre à Pyongyang de sortir du piège de sa quête irrationnelle d'une légitimité unique et absolue pour une Corée unifiée.

Dans le domaine économique, Kim Il Sung avait fixé trois priorités sectorielles : agriculture, industrie légère et commerce extérieur. Il ne faisait ainsi que reconnaître la pénurie en produits de première nécessité et en devises étrangères. Pour éviter la faillite, l'ouverture économique est devenue impérative. Le gouvernement a pris une série de mesures dans ce sens en adoptant des lois favorisant les investissements étrangers et la désignation de la région de Najin-Songbong comme «zone économique spéciale». Le régime restait

cependant pris entre la nécessité de l'ouverture et la peur de l'invasion capitaliste. Il a donc opté pour une ouverture sélective et contrôlée, privilégiant des contrats mixtes avec des sociétés étrangères dans des régions économiques relativement isolées.

Les échanges commerciaux avec la Corée du Sud, s'effectuant toujours *via* la Chine, ont atteint 232 millions de dollars pendant les huit premiers mois de 1994.

Bertrand Chung

Hong Kong

Moins de deux ans avant que la Chine populaire ne recouvre la souveraineté sur la colonie britannique de Hong Kong, le 1er juillet 1997, les relations entre Pékin et le Royaume-Uni demeuraient difficiles. La volonté soutenue du gouverneur Chris Patten de démocratiser les institutions locales irritait toujours les dirigeants chinois.

Aux élections de district du 18 septembre 1994, deux formations pro-démocratiques (opposées à Pékin) ont remporté 103 des 346 sièges, tandis que 167 autres sont allés à des candidats indépendants et 37 aux forces de gauche (pro-Pékin). Le déroulement ordonné du scrutin et la répartition des votes ont souligné la maturité politique des Hong-Kongais. Le Parlement chinois venait juste, toutefois, de décider que les institutions politiques mises en place par les Britanniques seraient démantelées immédiatement après leur départ.

En 1994, 60 000 personnes ont quitté l'enclave britannique malgré un revenu par habitant de 19 500 dollars, soit plus qu'au Royaume-Uni, au Canada et en Australie. En novembre 1994, après trois ans d'âpres discussions, Britanniques et Chinois ont fini par s'entendre sur le financement du nouveau complexe aéroportuaire de Chek Lap Kok, le plus grand chantier public de la décennie.

Début 1995, le gouvernement chinois a suscité un malaise politique en

[Notes du tableau des p. 490-491]

1. Les données présentées ici pour la Chine permettent une comparaison avec certains de ses voisins. Les différentes Chine ont été rapprochées à cet effet.
Chiffres 1994, sauf notes : a. 1993; b. 1992; c. 1991; d. Les estimations varient entre 15 % et 25 % du PIB; e. Japon non compris; f. 1990-95 : g. 1995; h. 1990; i. A parité de pouvoir d'achat (voir p. 673); j. 1989; k. 1987.
(*) Dernier recensement utilisable : Chine, 1990; Corée du Nord, 1944; Corée du Sud, 1990; Hong Kong, 1991; Japon, 1990; Macao, 1981; Mongolie, 1989; Taïwan, 1991.

demandant l'accès aux dossiers personnels des hauts fonctionnaires, un signe que, après 1997, la « région sous administration spéciale » ne jouira pas nécessairement du « haut degré d'autonomie » promis. Des craintes existaient également pour l'avenir du *rule of law* posant la prédominance et l'indépendance des lois par rapport au politique.

A Pékin, une immense horloge a été installée sur la place Tian An Men afin de marquer le compte à rebours, seconde par seconde, jusqu'au 1er juillet 1997. Et en mars 1995, au moment où l'état de santé de l'homme fort Deng Xiaoping suscitait diverses interrogations, Lu Ping, l'un des principaux responsables chinois du dossier Hong Kong-Macao, a parcouru six villes américaines afin de rassurer les États-Unis quant à l'avenir de Hong Kong.

Macao

Les relations sont demeurées cordiales entre Lisbonne et la Chine populaire au sujet du transfert de souveraineté de l'enclave portugaise de Macao devant avoir lieu le 20 décembre 1999. Au cours de sa visite en avril 1995, le président portugais Mario Soares a déclaré que son pays demeurait « strictement fidèle » aux accords concernant le tournant historique de 1999. Il a aussi commenté favorablement les travaux de construction de l'aéroport de Macao.

Il s'est ensuite rendu pour la première fois en visite officielle à Pékin, où il a rencontré son homologue Jiang Zemin et le Premier ministre Li Peng. La délégation comprenait le gouverneur Rocha Vieira, ainsi que le milliardaire Stanley Ho, grand patron des casinos macanais. L'excellence des relations sino-portugaises avait déjà été soulignée lors du séjour de Jiang Zemin à Lisbonne, fin 1994. Les deux capitales ont toutefois été en désaccord au sujet des activités de la Fondation Orient (officiellement destinée à promouvoir les relations à différents niveaux entre le Portugal et l'Asie),

financée par les recettes du jeu, et dont les autorités chinoises aimeraient qu'elle investisse davantage à Macao.

Jules Nadeau

Mongolie

Le président mongol Punsalmaagiyn Ochirbat, dans l'interview qu'il a accordée en août 1994 à la presse japonaise, s'est montré optimiste quant à l'avenir de son pays. Depuis trois ans, pourtant, le niveau de vie a baissé et l'économie a décliné, avec un PIB en recul cumulé de 18 %, un déficit budgétaire et une inflation successivement de 250 % en 1992, 183 % en 1993 et 66,3 % en 1994.

▼

République mongole

Nature du régime : régime communiste devenu parlementaire (Constitution de 1992).
Chef de l'État : Punsalmaagiyn Ochirbat (depuis le 21.3.90, réélu le 6.6.93).
Premier ministre : Puntsagiyn Jasray (depuis le 16.7.92).
Monnaie : tugrik (100 tugriks = 1,1 FF au 26.6.95).
Langue : mongol.

Les premières données disponibles depuis 1994 laissaient prévoir le redressement effectif de l'économie. Le secteur agricole en transition et la production du cuivre — principales activités productives — ont été en progression. Le rythme de l'inflation s'est réduit à 4,4 % en moyenne mensuelle.

Le cours du tugrik s'est stabilisé. Au niveau budgétaire, le déficit global a commencé à décroître. Ces évolutions positives devraient se traduire par une croissance du PIB en volume de l'ordre de 2 % à 2,5 %.

Dans le domaine politique, l'opposition a manifesté plusieurs fois en 1994. Les membres de l'Union démocratique mongole ont accusé le gouvernement du Parti populaire

BIBLIOGRAPHIE

J.-P. Béja (sous la dir. de), *Hong Kong 1997. Fin de siècle, fin d'un monde?*, Complexe, coll. «CERI», Bruxelles, 1993.

É. Bouteiller, M. Fouquin, *Le Développement économique de l'Asie orientale*, La Découverte, «Repères», Paris (à paraître).

T.J. Cheng, S. Haggard (sous la dir. de), *Political Change in Taïwan*, YNNE Reinner Publishers, Boulder (CO), 1991.

R. Cottrel, *The End of Hong Kong : the Secret Diplomacy of Imperial Retreat*, John Murray, Londres, 1992.

R. Hirono, «Mongolia's struggle to create a market economy», *Japan Review of International Affairs*, Tokyo, été 1992.

S. Kim, «North Korea in 1994 : Brinkmanship, breakdown and breakthrough», *Asian Survey*, University of California Press, Berkeley, janv. 1995.

Mongolia. Country Report, The Economist Intelligence Unit, Londres, 1994.

Mongolie (dossier Cidic-Asie), La Documentation française, Paris, 1994-1995.

J. Nadeau, *Hong Kong 1997 : dans la gueule du Dragon rouge*, Québec/Amérique, Montréal, 1990.

J. Nadeau, *20 millions de Chinois «Made in Taïwan»*, Québec/Amérique, Montréal, 1988.

North Korea. A Country Study, Federal Research Division, Library of Congress, Washington, 1994.

P. Pillon, *Mongolie, situation économique et financière*, étude n° 404, Agence financière pour l'Asie, Tokyo, déc. 1994.

W. Wei, *Capitalism : Chinese Version Guiding a Market Economy in Taïwan*, Ohio State University, Colombus, 1992.

Voir aussi les bibliographies «Chine», «Corée du Sud» et «Japon» dans la section «34 États».

révolutionnaire mongol de corruption et d'abus de pouvoir.

Martine Rigoir

Taïwan

Le processus de démocratisation des institutions publiques s'est poursuivi avec succès lors des élections du 3 décembre 1994. Le Parti progressiste pour la démocratie (DPP, opposition) a réussi à faire élire son candidat à la mairie de Taipei. Le vétéran politicien James Soong a, en revanche, conservé, à l'avantage du Kuomintang (KMT), l'influent poste de gouverneur de la province. La mairie de Kaohsiung est, elle aussi, restée aux mains du parti au pouvoir.

Le partage des votes entre le KMT (52 %), le Parti progressiste pour la démocratie (39 %) et le Nouveau parti (7,7 %) a témoigné d'un nouveau pluralisme électoral.

▼

Taïwan
«République de Chine»

Nature du régime : démocratie semi-présidentielle.
Chef de l'État : Lee Teng-hui (président depuis janv. 1988).
Chef du gouvernement : Lien Chan (depuis le 10.2.93).
Monnaie : dollar de Taïwan (1 dollar = 0,18 FF au 26.6.95).
Langues : chinois, mandarin, taïwanais.

Malgré la fermeture de quatorze stations de radio illégales, fin juillet 1994, une « révolution de la radio » a commencé : des stations parallèles se sont mises à diffuser en dialecte taïwanais (plutôt qu'en mandarin) et, sympathisant avec l'opposition, à prôner l'indépendance de Taïwan.

Les relations avec la Chine populaire — qui avaient connu un sérieux refroidissement à la suite du meurtre de 24 touristes taïwanais sur le continent, en mars 1994 — se sont améliorées non sans difficultés. A son arrivée à Taipei pour un cycle de négociations, le 29 juillet 1994, le représentant chinois Sun Yafu a ainsi dû subir les foudres de quelques centaines de manifestants. Il y a toutefois eu accord sur les dossiers de détournements d'avions, de la pêche et des réfugiés chinois installés dans l'île. De plus, en janvier 1995, les autorités de Taïwan ont enfin manifesté leur intention d'ouvrir l'un de leurs ports, Kaohsiung, au commerce direct avec le continent.

Le même mois, le président de la Chine populaire Jiang Zemin a proposé une réunion de chefs de parti à Pékin pour discuter de la réunification. Tout en demandant aux dirigeants de Pékin de faire preuve de bonne volonté en renonçant à l'usage de la force, le chef de l'État taïwanais, Lee Teng-Hui, a répliqué en demandant une rencontre au sommet des dirigeants des deux parties dans un endroit neutre. La visite « privée » de Lee Teng-Hui aux États-Unis, le 7 juin 1995, a cependant été vivement dénoncée par Pékin. Depuis l'établissement des relations diplomatiques entre Washington et Pékin, en 1979, aucun dirigeant taïwanais n'avait, en effet, pu faire le voyage.

La Chine est devenue le deuxième partenaire commercial de Taïwan (après les États-Unis). Le commerce bilatéral a atteint 16,5 milliards de dollars EU en 1994 et on avançait le chiffre de 20 milliards pour 1995. La vitalité économique du « tigre taïwanais » s'est notamment manifestée par ses investissements massifs sur le continent chinois et aussi au Vietnam, en Indonésie, aux Philippines et en Thaïlande.

Sur le plan diplomatique, Taïwan a été absent contre son gré là où Pékin lui a barré la route, comme aux Jeux asiatiques d'Hiroshima, en octobre 1994, ou au « sommet » de l'APEC (Coopération économique de la zone Asie-Pacifique), en Indonésie le mois suivant. En guise de consolation, le gouvernement des États-Unis a décidé d'intensifier ses relations avec Taïwan, et le Premier ministre Lien Chan a fait une escale surprise au Mexique, selon une nouvelle tactique visant à remédier au grand isolement diplomatique dont souffre Taipei.

Jules Nadeau

Pacifique sud

Le Pacifique, océan qui sépare ou océan qui réunit ? Dans une perspective occidentale, l'océan Pacifique est un vide, car bien qu'il représente la moitié de la superficie de la planète, soit 178,7 millions de km², les terres émergées occupent un espace de 551 400 km² seulement si l'on exclut l'Australie et la Nouvelle-Zélande. Mis à part la Papouasie-Nouvelle-Guinée (462 840 km², soit 83 % de la totalité), la majorité des entités politiques que comprend cette région n'excède pas chacune 500 km² de superficie, et au moins trois d'entre elles — Tokelau, Tuvalu et Nauru — sont inférieures à 30 km². Pour des raisons historiques, le classement des îles qui composent le Pacifique s'établit traditionnellement selon des catégories ethno-culturelles, Mélanésie, Polynésie, Micronésie.

La Mélanésie, située dans l'hémisphère sud, comprend la Papouasie-Nouvelle-Guinée, les îles Salomon, le Vanuatu, la Nouvelle-Calédonie et les îles Fidji. On a dénombré plus de mille langues mélanésiennes. Les contacts étaient rares entre les différents peuples avant l'époque coloniale. Néanmoins, ils observent des pratiques rituelles similaires avec le sol. Le clan est également un élément commun de leur organisation sociale, au niveau culturel et sociologique, un lieu de transition entre le monde mélanésien et polynésien.

Les Polynésiens eux, forment une communauté identifiable par leur langue et leur fonds culturel, fruits de leur tradition maritime. Milieu archipélagique, la Polynésie s'étend au nord jusqu'à Hawaii, à l'est jusqu'à l'île de Pâques et à l'ouest jusqu'à la Nouvelle-Zélande. Si l'on exclut ce dernier archipel, les milliers d'îles, d'atolls et de récifs émergés ne représentent que l'équivalent de la superficie de la Belgique. Les îles Cook, Niue, le Samoa américain et le Samoa occidental, Tokelau, Tonga, Tuvalu et Wallis et Futuna appartiennent également au monde polynésien.

La Micronésie — les États fédérés de Micronésie, Kiribati, Palau, Guam, les îles Marshall, Nauru, le Commonwealth des Mariannes du Nord — est située dans le seul hémisphère nord. Principalement polynésienne, sa population est également d'origine indonésienne, mélanésienne, philippine et japonaise. La taille de ses composants varie considérablement : l'atoll de Nauru fait 22 km², tandis que les Kiribati comprennent 33 îles et atolls et représentent 719 km² de terres émergées, réparties sur plus de deux millions de km² océaniques.

D'un point de vue géopolitique la logique paraît être de regrouper ces îles selon leur niveau d'autosuffisance, qui n'est qu'en partie fonction de leur taille. On peut alors, en termes de ressources naturelles et de potentiel de développement de type occidental, distinguer quatre groupes.

Le premier se compose des territoires de superficie relativement importante : la Papouasie-Nouvelle-Guinée, les îles Fidji, les îles Salomon, la Nouvelle-Calédonie et le Vanuatu. Réunies, ces îles comptent 84 % des 6 millions d'habitants qui peuplent l'ensemble de la région. Chacun de ces pays possède une agriculture importante, des zones de pêche conséquentes, des minerais et/ou d'autres ressources naturelles et des infrastructures touristiques.

Dans le deuxième groupe d'îles, de taille moyenne, se trouvent les États fédérés de Micronésie, le Samoa occidental et Tonga. Elles possèdent des terres agricoles, des marchés intérieurs et des capacités touristiques (relativement limitées). Dans une certaine mesure, la Polynésie française appartient également à ce groupe mais se différencie par sa dispersion géographique et son PIB plus élevé, dû notamment aux subventions accordées par la France et liées à son centre d'expérimentation nucléaire.

Un certain nombre de petites îles éloignées, dont l'agriculture est pauvre, et sans autres ressources naturelles, telles que les îles Cook, Kiribati, Niue, Tokelau, Tuvalu et Wallis et Futuna forment un troisième groupe. Elles sont presque totalement dépendantes de l'aide extérieure et/ou des transferts de fonds provenant de leurs ressortissants à l'étranger.

Enfin, le quatrième groupe est formé de micro-États dont la petite taille est compensée par un atout majeur. L'économie de Nauru, par exemple, grâce à ses phosphates dont les bénéfices ont été investis à l'étranger, vit très confortablement de ses rentes, et le Samoa américain a su mettre en valeur sa localisation centrale et son port pour servir de base aux industries associées à la pêche. Les îles micronésiennes sous tutelle américaine ou associées aux États-Unis — Guam et le Commonwealth des Mariannes du Nord — par leur importance stratégique bénéficient d'importantes subventions.

Les micro-États du Pacifique se trouvent isolés, à la fois du fait de leur petite taille, et de leur héritage historique (intégration au XIXe siècle aux schémas impériaux). Ces confettis d'empires ont été parmi les dernières colonies à accéder à l'indépendance. Les archipels ayant appartenu à l'Empire britannique (à l'exception de Pitcairn, 50 habitants, toujours colonie), ont acquis la leur formellement entre 1962 et 1980. Les États-Unis et la France maintiennent toujours une autorité plus ou moins formelle sur leurs territoires du Pacifique.

Pourtant, au sein de l'océan Pacifique, les insulaires, même distants de 1 000 milles nautiques, sont « voisins ». De cette appréhension de la distance et du sentiment d'appartenance à une communauté Pacifique est née, dans la population des îles, une hostilité affirmée envers l'utilisation de l'océan commun

PACIFIQUE SUD/BIBLIOGRAPHIE SÉLECTIVE

B. ANTHEAUME, J. BONNEMAISON, *Atlas des îles et États du Pacifique Sud*, Reclus/Publisud, Paris, 1988.

Asia Yearbook 1994, Far Eastern Economic Review, Hong Kong, 1994.

«Australasie», *Hérodote*, n° 52, La Découverte, Paris, 1er trim. 1989.

A. BENSA, *Nouvelle-Calédonie, un paradis dans la tourmente*, Gallimard, Paris, 1990.

J. CHESNEAUX, *Transpacifiques*, La Découverte, Paris, 1987.

J. CHESNEAUX, N. MACLELLAN, *La France dans le Pacifique. De Bougainville à Moruroa*, La Découverte, Paris, 1992.

I. CORDONNIER, *La France dans le Pacifique sud. Approche géostratégique*, Publisud, Paris, 1995.

T. FAIRBAIRN, C. MORRISON, R. BAKER, S. GROVES, *The Pacific Islands : Politics, Economics and International Relations*, University of Hawaii Press, Honolulu, 1991.

S. HOADLEY, *The South Pacific Foreign Affairs Handbook*, Allen & Unwin, Sydney, 1992.

S. HENNINGHAM, *France and the South Pacific*, Allen & Unwin, Sydney, 1991.

K. HOWE *et alii*, *Tides of History : the Pacific Islands in the Twentieth Century*, University of Hawaii Press, Honolulu, 1994.

A. ROBILLARD (sous la dir. de), *Social Change in the South Pacific Islands*, Kegan Paul International, Londres, 1991.

R. THAKUR (sous la dir. de), *The South Pacific : Problems, Issues and Prospects*, MacMillan, Londres, 1991.

Voir aussi la bibliographie «Australie» dans la section «34 États».

pour des essais nucléaires ou comme « poubelle » (l'île Johnson) pour les produits toxiques des pays occidentaux.

Deux institutions de coopération régionale ont été créées. La Commission du Pacifique sud (1947) rassemble les territoires de la région et les puissances qui y exercent une tutelle. Le Forum du Pacifique sud (1971) regroupe pour sa part les pays indépendants, Australie et Nouvelle-Zélande inclus.

La fin de la « guerre froide », en diminuant la valeur stratégique des îles, a paradoxalement réduit la marge de manœuvre des dirigeants insulaires. Le départ du Royaume-Uni de la Commission du Pacifique sud en 1994 et l'annonce d'un prochain retrait américain ont symbolisé ce désengagement. La place de ces petits États dans l'extraordinaire essor de la région Asie-Pacifique n'est par ailleurs pas assurée : leurs contacts avec les pays de l'ANSEA (Association des nations du Sud-Est asiatique) sont très limités. La Papouasie-Nouvelle-Guinée a été admise au sein de l'APEC (Coopération économique de la zone Asie-Pacifique) en novembre 1993, mais le représentant du Forum du Pacifique sud ne bénéficie que d'un statut d'observateur.

David Camroux

Pacifique sud / Journal de l'année

— 1994 —

13 juillet. **Nouvelle-Zélande**. Retrait de Ruth Richardson, ancien ministre de l'Économie (Parti national, au pouvoir), de la vie politique. Avec son départ, la majorité se retrouve avec un nombre de sièges égal à celui de l'opposition.

29 juillet. **Kiribati**. Défaite, aux élections législatives, du Parti national progressiste (NPP), au pouvoir depuis l'indépendance.

31 juillet-2 août. **Forum du Pacifique sud**. 26ᵉ session à Brisbane (Australie). La préoccupation majeure des participants a été l'environnement, avec des débats sur la pêche, les déchets nucléaires et la surexploitation forestière.

4-5 août. **Nouvelle-Zélande-États-Unis**. Visite en Nouvelle-Zélande de Winston Lord, secrétaire d'État adjoint pour l'Asie orientale et le Pacifique. Il s'agit du plus important déplacement diplomatique effectué dans le pays par un responsable américain depuis 1985.

30 août. **Papouasie-Nouvelle-Guinée**. Désignation de Sir Julius Chan au poste de Premier ministre.

22 septembre. **Bougainville**. Création d'une force régionale de maintien de la paix de 432 hommes (fournis par Tonga, Vanuatu et Fidji), chargée de permettre la tenue des pourparlers de paix entre le gouvernement de Papouasie-Nouvelle-Guinée et les sécessionnistes de l'île de Bougainville. Cette force se retire le 19 octobre.

30 septembre. **Kiribati**. Élection de Teburoro Tito à la présidence de la République.

1ᵉʳ octobre. **Palau**. Accession formelle à l'indépendance pour cet ancien territoire non incorporé américain. En décembre, il devient le 185ᵉ membre de l'ONU.

13 octobre. **Iles Salomon**. Limogeage du Premier ministre, Francis Billy Hilly, par le gouverneur général, sous prétexte qu'il n'avait plus le soutien de la majorité au Parlement. Le 31, le Parlement le remplace par Salomon Mamaloni.

18 octobre. **Forum du Pacifique sud**. Cette organisation régionale obtient le statut d'observateur à l'ONU.

2 novembre. **Palau**. Établissement de relations diplomatiques avec le Japon, dans le but de développer la coopération dans le domaine des pêches et du tourisme.

7 novembre. **Fidji**. Établissement de relations diplomatiques avec l'Afrique du Sud. Fidji espère trouver un soutien auprès de Prétoria pour sa réintégration au sein du Commonwealth.

— 1995 —

17-20 janvier. **Papouasie-Nouvelle-Guinée**. Visite du pape Jean-Paul II, qui béatifie un martyr papou, Peter To Rot.

18 janvier. **Nouvelle-Calédonie**. Adoption par le Parlement français d'un projet de loi organique portant dispositions statutaires et préparatoires à l'auto-détermination de la Nouvelle-Calédonie en 1998. La nouvelle loi précise la répartition des compétences entre l'État et les institutions du territoire. Elle comporte quelques dispositions relatives à la Polynésie française et à Wallis et Futuna.

30 janvier. **Australie**. Élection de John Howard à la tête du Parti libéral (opposition).

21 mars. **Vanuatu**. Décès de Fred Timakata, ancien président de la République (1989-1994).

22 mars. **Australie**. Publication d'un sondage qui révèle que 47 % des Australiens sont favorables à l'instauration d'une République australienne et 34 % contre.

7 avril. **Samoa occidental**. Tremblement de terre de 7,8 sur l'échelle de Richter, le plus important qu'ait connu le pays.

21 avril. **France**. Publication d'un « état de l'environnement » des territoires d'outre-mer du Pacifique sud. Ce rapport identifie les problèmes les plus urgents de ces TOM, parmi lesquels la gestion de l'eau et des déchets, en particulier en Polynésie française et à Wallis et Futuna.

13 mai. **Nouvelle-Zélande**. Victoire, à San Diego (Californie), du navire *Team New Zealand* dans la 29ᵉ édition de la coupe de l'Amérique, la plus prestigieuse des compétitions de navigation à voile.

22 mai. **Nouvelle-Zélande**. Signature d'un accord entre le gouvernement et la plus puissante des tribus maori du pays, les Tainui. Le gouvernement s'engage à rendre aux Maori plusieurs milliers d'hectares de terres, d'une valeur d'environ 152 millions de dollars néo-zélandais, avec la jouissance des droits qui y sont attachés.

Isabelle Cordonnier

Pacifique sud

Australie, Nouvelle-Zélande, États et territoires du Pacifique
(L'Australie est traitée p. 271.)

Nouvelle-Zélande

Le gouvernement a perdu d'un siège sa majorité à la Chambre des représentants, après la démission, le 13 juillet 1994, de Ruth Richardson, ancien ministre de l'Économie et membre du Parti national. Ce dernier ne disposait plus, dès lors, que de 49 sièges, soit autant que les autres formations politiques. Le 10 novembre, Jim Anderton s'est lui aussi retiré de la vie politique et a laissé à Sandra Lee la présidence de l'Alliance, le parti qu'il avait créé en 1991 par la fusion de cinq partis de gauche. Roger Douglas, ancien ministre travailliste des Finances, a, en revanche, annoncé, en mars 1995, la création d'un nouveau parti, ACT New Zealand, dont l'objectif est d'inciter à la poursuite de la libéralisation économique dans les domaines de l'éducation et de la santé.

▼
Nouvelle-Zélande

Nature du régime : démocratie parlementaire.
Chef de l'État (nominal) : reine Elizabeth II, représentée par un gouverneur, dame Catherine Tizard (depuis déc. 1990).
Chef du gouvernement : Jim Bolger (depuis le 27.10.90).
Monnaie : dollar néo-zélandais (1 dollar = 3,31 FF au 30.4.95).
Langues : anglais, maori.
Territoires : îles Cook et Niue (libre association), Tokelau (sous administration).

Dix ans après leur arrivée au pouvoir, les travaillistes ont pu dresser un bilan, positif à leurs yeux, de la libéralisation de l'économie. Le pays apparaît comme l'un des moins réglementés et des plus ouverts de l'OCDE (Organisation de coopération et de développement économiques). Le taux de croissance de l'économie a atteint 3,3 %, tandis que l'inflation s'élevait à 2,8 %. La balance commerciale était, quant à elle, excédentaire. Mais le coût social de ces résultats a été élevé : le taux de chômage a été de 7,5 %.

En février 1995, les États-Unis ont promis de ne pas faire séjourner de navires porteurs d'armes nucléaires dans les ports de Nouvelle-Zélande, sans toutefois modifier leur politique de ne confirmer ni infirmer le caractère non nucléaire de leurs navires. Du 20 mars au 2 avril 1995, la visite aux États-Unis du Premier ministre, Jim Bolger, a concrétisé le réchauffement des relations entre les deux pays. L'annonce, le 13 juin 1995, de la reprise des essais nucléaires français (pour une durée limitée à douze mois) a conduit la Nouvelle-Zélande à suspendre sa coopération militaire avec la France.

États indépendants de Mélanésie

♦ **Fidji**. Après la dissolution du Parlement et la constitution d'un gouvernement de coalition dominé par le Parti politique fidjien (SVT),

▼
Fidji

Nature du régime : démocratie parlementaire.
Chef de l'État : Ratu Sir Kamisese Mara (depuis le 18.1.94).
Chef du gouvernement : Sitiveni Rabuka (depuis le 2.6.92).
Monnaie : dollar fidjien (1 dollar = 3,57 FF au 30.4.95).
Langues : fidjien, anglais.

Australie - Nlle-Zélande - Nlle-Calédonie

INDICATEUR	UNITÉ	AUS-TRALIE	NOUVELLE-ZÉLANDE	NOUVELLE-CALÉDONIE
Capitale		Canberra	Wellington	Nouméa
Superficie	km²	7 682 300	268 676	19 058
Développement humain (IDH) [b]		0,926	0,907	••

DÉMOGRAPHIE

INDICATEUR	UNITÉ	AUS-TRALIE	NOUVELLE-ZÉLANDE	NOUVELLE-CALÉDONIE
Population (*) [d]	million	18,06	3,57	0,18
Densité [d]	hab./km²	2,4	13,3	9,5
Croissance annuelle [e]	%	1,4	1,2	1,5
Indice de fécondité (ISF) [e]		1,9	2,2	2,7
Mortalité infantile [e]	‰	7	9	22
Population urbaine	%	84,7	85,8	61,7

CULTURE

INDICATEUR	UNITÉ	AUS-TRALIE	NOUVELLE-ZÉLANDE	NOUVELLE-CALÉDONIE
Scolarisation 2e degré	%	83 [bn]	92 [bo]	92 [jo]
Scolarisation 3e degré	%	39,6 [b]	49,7 [b]	5,2 [i]
Téléviseurs [b]	‰ hab.	482	443	269
Livres publiés	titre	10 723 [c]	2 850 [i]	14 [k]
Nombre de médecins	‰ hab.	2,25 [g]	1,92 [i]	1,29 [i]

ARMÉE

INDICATEUR	UNITÉ	AUS-TRALIE	NOUVELLE-ZÉLANDE	NOUVELLE-CALÉDONIE
Armée de terre	millier d'h.	28,6	4,5	—
Marine	millier d'h.	14,8	2,2	—
Aviation	millier d'h.	28,6	3,3	—

ÉCONOMIE

INDICATEUR	UNITÉ	AUS-TRALIE	NOUVELLE-ZÉLANDE	NOUVELLE-CALÉDONIE
PIB	milliard $	318,4	50,9	2,53 [l]
Croissance annuelle 1985-93	%	2,6	1,0	5,2 [m]
1994	%	5,4	3,3	••
Par habitant [f]	$	18 029	15 390 [a]	••
Taux de chômage [h]	%	8,8	7,5	16,0 [c]
Taux d'inflation	%	2,5	2,8	••
Dépenses de l'État Éducation	% PIB	5,5 [i]	7,2 [b]	9,9 [b]
Défense	% PIB	2,3	1,6	—
Énergie [b] Consommation par habitant	kg	7 376	5 935	4 647
Taux de couverture	%	176,0	84,9	- -

COMMERCE

INDICATEUR	UNITÉ	AUS-TRALIE	NOUVELLE-ZÉLANDE	NOUVELLE-CALÉDONIE
Importations	million $	49 952	11 937	924 [a]
Exportations	million $	47 400	12 182	409 [a]
Principaux fournis.	%	PVD 28,1	E-U 19,2	UE 52,2 [a]
	%	Jap 17,8	Aus 21,5	Fra 44,8 [a]
	%	UE 20,7	UE 17,8	Aus 12,4 [a]
Principaux clients	%	PVD 45,4	Jap 15,4	PCD 88,3 [a]
	%	Jap 24,5	UE 14,0	Jap 26,9 [a]
	%	UE 10,6	PVD 32,3	Fra 32,3 [a]

Chiffres 1994, sauf notes : a. 1993; b. 1992; c. 1989; d. 1995; e. 1990-95; f. A parité de pouvoir d'achat (voir p. 673); g. 1988; h. En fin d'année; i. 1991; j. 1984; k. 1987; l. 1990; m. 1985-92; n. 12-17 ans; o. 11-17 ans.
(*) Dernier recensement utilisable : Australie, 1991 ; Nouvelle-Zélande, 1991 ; Nouvelle-Calédonie, 1989.

Pacifique sud

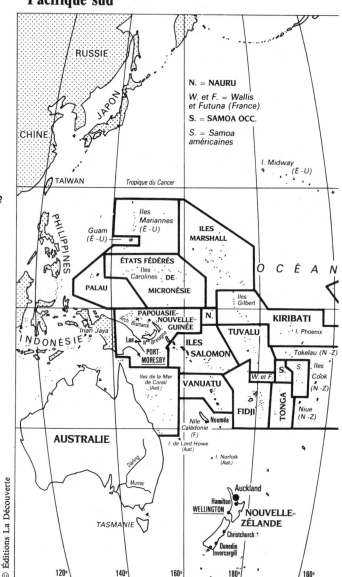

N. = NAURU

W. et F. = Wallis
et Futuna (France)

S. = SAMOA OCC.

S. = Samoa
américaines

RUSSIE

JAPON

CHINE

TAÏWAN

Tropique du Cancer

I. Midway
(É-U)

502
•

PHILIPPINES

Guam
(É-U)

Iles
Mariannes
(É-U)

ILES
MARSHALL

ÉTATS FÉDÉRÉS

Iles
Carolines

DE

PALAU

MICRONÉSIE

OCÉAN

Iles
Gilbert

PAPOUASIE-
NOUVELLE-
GUINÉE

N.

KIRIBATI

Arch. Bismarck

N.-Bretagne

TUVALU

I. Phoenix

INDONÉSIE

Irian Jaya

Lae

PORT-
MORESBY

ILES
SALOMON

Tokelau (N-Z)

Iles de la Mer
de Corail
(Aust.)

VANUATU

W. et F.

S.

S.

Iles
Cook
(N-Z)

Nlle
Calédonie
(F)

Nouméa

FIDJI

TONGA

Niue
(N-Z)

I. de Lord Howe
(Aust.)

AUSTRALIE

I. Norfolk
(Aust.)

Darling

Auckland

Murray

Hamilton

WELLINGTON

NOUVELLE-
ZÉLANDE

TASMANIE

Christchurch

Dunedin

Invercargill

120°   140°   160°   180°   160°

© Éditions La Découverte

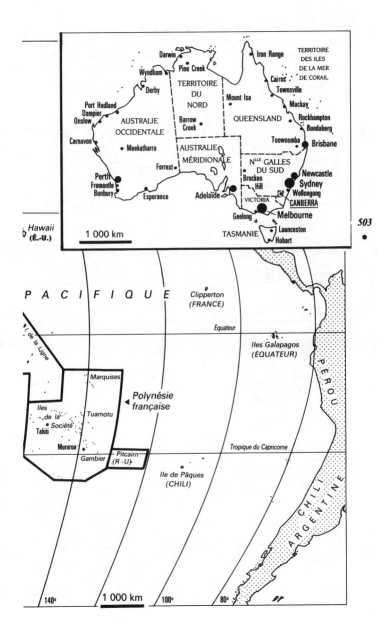

AUSTRALIE OCCIDENTALE
Darwin
Pine Creek
Wyndham
Derby
Port Hedland
Dampier
Onslow
Carnavon
Meekatharra
Barrow Creek
TERRITOIRE DU NORD
Mount Isa
Iron Range
TERRITOIRE DES ILES DE LA MER DE CORAIL
Cairns
Townsville
Mackay
QUEENSLAND
Rockhampton
Bundaberg
Toowoomba
Brisbane
AUSTRALIE MÉRIDIONALE
Forrest
Perth
Fremantle
Bunbury
Esperance
Adelaïde
Brocken Hill
N^{LLE} GALLES DU SUD
Newcastle
Sydney
Wollongong
CANBERRA
VICTORIA
Geelong
Melbourne
TASMANIE
Launceston
Hobart

1 000 km

503
•

Hawaii (É.-U.)

P A C I F I Q U E

Clipperton (FRANCE)

Équateur

Iles Galapagos (ÉQUATEUR)

I. de la Ligne

Marquises

Polynésie française

Iles de la Société
Tahiti
Tuamotu

Mururoa
Gambier
Pitcairn (R.-U.)

Tropique du Capricorne

Ile de Pâques (CHILI)

P É R O U

A R C H I L I

A R G E N T I N E

140°   100°   80°

1 000 km

Iles du Pacifique sud (Voir notes p. 506; voir aussi autre tableau p. 501)

	INDICATEUR	UNITÉ	FIDJI	KIRIBATI	NAURU
	Capitale		Suva	Bairiki	Yaren
	Superficie	km²	18 274	728	21
	Développement humain (IDH) [b]		0,787	..	..
DÉMOGRAPHIE	Population (*) [e]	millier	784	79	11
	Densité [e]	hab./km²	42,9	108,5	523,8
	Croissance annuelle [k]	%	1,5	1,7	2,6
	Indice de fécondité (ISF) [k]		3,0	3,9 [b]	2,5 [i]
	Mortalité infantile [k]	‰	23	63 [g]	41 [i]
	Espérance de vie [k]	année	71	54 [b]	66,5 [i]
	Population urbaine	%	40,4	35,5	100,0
CULTURE	Analphabétisme [e]	%	8,4	10,0 [i]	1,0 [i]
	Scolarisation 12-17 ans	%	74,0 [c]	..	..
	Scolarisation 3e degré	%	12,8 [c]	..	..
	Téléviseurs [b]	‰ hab.	16	..	..
	Livres publiés	titre	13 [j]	..	..
	Nombre de médecins	‰ hab.	0,49 [g]	0,24 [l]	..
ARMÉE	Armée de terre	millier d'h.	3,6	..	—
	Marine	millier d'h.	0,3	..	—
	Aviation	millier d'h.	..	..	—
ÉCONOMIE	PIB [a]	million $	1 626	54	81 [j]
	Croissance annuelle 1985-93	%	3,4	0,7	..
	1994	%	3,3	3,5	..
	Par habitant [f]	$	5 220 [a]	..	..
	Dette extérieure totale	million $	330 [a]	17 [g]	223 [g]
	Service de la dette/Export.	%	6,0 [a]	..	..
	Taux d'inflation	%	1,8	4,0	..
	Dépenses de l'État Éducation	% PIB	5,6 [b]	6,5 [c]	..
	Défense	% PIB	1,5	..	..
	Énergie [b] Consommation par habitant	kg	488	135	6 300
	Taux de couverture	%	13,3	—	—
COMMERCE	Importations	million $	645	91 [a]	136 [a]
	Exportations	million $	481	6 [a]	38 [a]
	Principaux fournis. [a]	%	Aus 38,5	Aus 13,3	E-U 70,4
		%	N-Z 20,4	E-U 37,5	Aus 20,2
		%	Asie [d] 21,1	UE 29,7	N-Z 4,0
	Principaux clients [a]	%	Aus 20,8	E-U 30,3	Aus 26,3
		%	E-U 13,1	UE 16,7	N-Z 57,4
		%	R-U 23,0	Asie [d] 33,3	Asie [d] 13,2

PAPOUASIE-Nlle-GUINÉE	SAMOA	ÎLES SALOMON	TONGA	TUVALU	VANUATU
Port Moresby	Apia	Honiara	Nuku'Alofa	Funafuti	Port-Vila
461 691	2 842	28 446	699	158	12 189
0,408	0,596	0,434	..	..	0,489
4 302	171	378	98	10	169
9,3	60,2	13,3	140,2	63,3	13,9
2,3	1,1	3,3	0,4	1,4	2,5
5,1	4,5	5,4	4,0 [g]	3,1 [g]	4,7
68	64	27	49 [i]	79 [g]	47
56	68	70	62,9 [g]	61,5 [g]	65
15,8	21,0	16,6	39,9	45,0	19,1
27,8	2,0 [b]	76,0 [b]	7,2 [g]	4,5 [h]	35,0 [b]
19,9 [g]	..	..	..	..	..
1,7 [h]	..	..	..	..	..
2,5	40	5,8	10	..	9,6
122 [c]	..	..	..	..	..
0,08 [g]	0,28 [g]	0,13 [g]	0,40 [d]	0,44 [g]	0,14 [g]
3,2	..	..	..	..	..
0,5	..	..	..	..	..
0,1	..	..	..	..	..
4 637	159	261	150	8,75 [g]	198
3,4	0,4	5,5	1,2	..	3,0
1,2	−5,5	3,7	..	..	3,7
2 470 [a]	1 869 [c]	2 113 [c]	..	..	1 679 [c]
3 168 [a]	193 [a]	91 [b]	43 [b]	..	40 [b]
31,6 [a]	5,3 [b]	11,3 [c]	3,0 [b]	..	1,2 [c]
2,8	13,0	12,9	−3,2	..	5,0
..	5,3 [g]	4,2 [c]	4,2 [l]	..	4,5 [c]
1,1	..	..	..	..	..
276	405	222	443	..	185
5,1	3,1	—	—	..	—
1 486	142 [a]	145 [a]	68 [a]	12 [a]	192 [a]
2 637	6 [a]	131 [a]	23 [a]	2 [a]	22 [a]
Aus 46,7	PCD 88,0	PCD 62,0	Aus 14,7	N-Z 12,8 [b]	Aus 21,9
Jap 14,5	Aus 23,9	Aus 34,7	N-Z 33,8	Jap 18,3 [b]	Jap 35,4
Sin 11,9	N-Z 38,7	Asie [d] 36,4	Asie [d] 19,1	E-U 36,7 [b]	Esp 13,0
Aus 40,8	E-U 16,7	Jap 63,4	E-U 17,4	PCD 60,0 [b]	E-U 18,2
Jap 27,4	Aus 16,7	P-B 6,1	Jap 56,5	E-U 54,5 [b]	Jap 27,3
PVD 13,5	N-Z 50,0	Asie [d] 19,1	Can 8,7	PVD 40,0	RFA 18,2

début 1994, l'année qui a suivi, sans échéance électorale, a paru paisible. Le 1er juillet 1994, la société Fiji Television Ltd a commencé à diffuser le premier service permanent de télévision. En septembre 1994 et après s'être rendu à Taïwan, le président Sitiveni Rabuka a conduit une mission économique en Chine populaire, pays qui a des investissements à Fidji.

◆ **Papouasie-Nouvelle-Guinée.** Nommé Premier ministre le 30 août 1994, Julius Chan (Parti populaire du progrès) s'est immédiatement attaqué à la recherche d'une solution au problème de l'île de Bougainville, touchée par une action armée séparatiste depuis 1989. Le 3 septembre, il a obtenu de Sam Kauona, le chef

---

▼

Papouasie-Nouvelle-Guinée

Nature du régime : démocratie parlementaire.
Chef de l'État (nominal) : reine Elizabeth II, représentée par un gouverneur, sir Ignatius Kilage (depuis le 22.2.89).
Chef du gouvernement : sir Julius Chan, qui a succédé à Paias Wingti le 30.8.94.
Monnaie : kina (1 kina = 4,49 FF au 30.12.94).
Langues : pidgin mélanésien, anglais, 700 langues locales.

---

de la BRA (Bougainville Revolution Army), qu'il signe un accord de paix, suivi d'un cessez-le-feu d'une durée illimitée, signé le 7 septembre à

[Notes du tableau des p. 504-505]

Chiffres 1994, sauf notes : a. 1993; b. 1992; c. 1991; d. Japon non compris; e. 1995; f. A parité du pouvoir d'achat (voir p. 673); g. 1990; h. 1987; i. 1989; j. 1985; k. 1990-95; l. 1986.
(*) Dernier recensement utilisable : Fidji, 1986; Kiribati, 1990; Nauru, 1977; Papouasie, 1990; Samoa, 1981; Salomon, 1986; Tonga, 1986; Tuvalu, 1979; Vanuatu, 1989.

Honiara, capitale des îles Salomon. En octobre 1994, une conférence s'est tenue à Arawa, la capitale de l'île, mais, en l'absence de représentants de la BRA, elle s'est conclue par un échec. Le 19 de ce même mois, la force régionale de maintien de la paix, à laquelle Vanuatu, Fidji et Tonga participaient, s'est retirée de Bougainville. Par ailleurs, Julius Chan a renoncé à la *Look North Policy* de Paias Wingti (diplomatie tournée vers l'Asie du Sud-Est), pour recentrer son action internationale sur le Pacifique sud.

◆ **Îles Salomon.** Après une crise politique de trois semaines, le Parlement a élu, le 7 novembre 1994, Salomon Mamaloni au poste de Premier ministre, en remplacement de Francis Billy Hilly, qui sera resté en poste moins de dix-huit mois.

▼

Îles Salomon

Nature du régime : démocratie parlementaire.
Chef de l'État (nominal) : reine Elizabeth II, représentée par un gouverneur, Moses Pitatako, qui a succédé à sir George Lepping en octobre 94.
Chef du gouvernement : Salomon Mamaloni, qui a succédé à Francis Billy Hilly le 7.11.94.
Monnaie : dollar des Salomon (1 dollar = 1,59 FF au 30.9.94).
Langues : pidgin mélanésien, anglais.

S. Mamaloni, chef du Parti progressiste des îles Salomon pour la réconciliation, se trouvait ainsi occuper cette fonction pour la troisième fois en vingt ans.

◆ **Vanuatu.** En septembre 1994, le Parlement a adopté une loi très controversée autorisant le gouvernement à emprunter jusqu'à 200 millions de vatus (2 millions de dollars E-U) pour dédommager les personnes impliquées dans la tentative de

▼
République du Vanuatu

Nature du régime : démocratie
parlementaire.
Chef de l'État : Jean-Marie Leye, qui
a remplacé Fred Timakata
le 2.3.94.
Chef du gouvernement : Maxime
Carlot (depuis déc. 91).
Monnaie : vatu (100 vatus = 4,5 FF
au 28.2.95).
Langues : bislamar, anglais, français.

sécession de l'île d'Espirito Santo en
1980.

États indépendants de Polynésie

♦ **Kiribati.** Lors des élections législatives du 29 juillet 1994, le Parti
national progressiste, au pouvoir

▼
Kiribati

Nature du régime : démocratie
parlementaire.
Chef de l'État et du gouvernement :
Teburoro Tito, qui a succédé à
Teatao Teannaki le 30.9.94.
Monnaie : dollar australien
(1 dollar = 3,59 FF au 26.6.95).
Langue : anglais.

depuis 1979, a subi une lourde
défaite, n'obtenant que 7 sièges sur
19. Un nouveau président de la
République, Teburoro Tito, a été élu
le 30 septembre 1994.

_____

♦ **Nauru.** Le pays a continué à vivre
de la rente procurée par l'exportation

▼
République de Nauru

Nature du régime : démocratie
parlementaire.
Chef de l'État et du gouvernement :
Bernard Dowiyoga (depuis le
15.12.89).
Monnaie : dollar australien
(1 dollar = 3,59 FF au 26.6.95).
Langue : anglais.

de ses phosphates, sans se lancer
dans des investissements financiers
hasardeux, comme les années précédentes. Son PNB par habitant est
resté parmi les plus élevés du Pacifique insulaire indépendant.

_____

♦ **Samoa occidental.** Par sa politique d'ouverture de nouvelles lignes
aériennes vers d'autres États du Pacifique sud et vers les États-Unis, la

▼
Samoa occidental

Nature du régime : démocratie
parlementaire (formellement
monarchie constitutionnelle).
Chef de l'État : Mallietoa Tanumafili
(roi depuis le 5.4.63).
Chef du gouvernement : Tofilau Eti
Alesana (depuis avr. 88).
Monnaie : tala (1 tala = 2,03 FF au
30.4.95).
Langues : samoan, anglais.

compagnie nationale Polynesian Air-
lines a enregistré des pertes de
40 millions de dollars, ce qui a
absorbé toutes les réserves en devises du pays.

_____

♦ **Tonga.** Une société australienne
a remporté l'appel d'offres lancé par
le Bureau australien d'assistance au
développement international pour

▼
Tonga

Nature du régime : monarchie.
Chef de l'État : roi Taufa'ahau
Tupou IV (depuis le 5.12.65).
Chef du gouvernement : baron Vaea
of Houma (depuis août 91).
Monnaie : pa'anga (1 pa'anga =
3,86 FF au 30.4.95).
Langues : tongien, anglais.

l'installation d'un système de distribution d'eau sur l'île de Tonga. Cette
mesure a illustré la dépendance de
Tonga.

_____

◆ **Tuvalu**. Tuvalu a connu sa première crise politique et, après deux élections générales, le Premier ministre Kamuta Laatsi, en fonction depuis décembre 1993, a convaincu,

▼

Tuvalu

Nature du régime : démocratie parlementaire.
Chef de l'État (nominal) : reine Elizabeth II, représentée par un gouverneur, Tulaga Manuella, qui a succédé à sir Tupua Lepena le 21.6.94.
Chef du gouvernement : Kamuta Laatsi, qui a remplacé Bikenibeu Paeniu le 10.12.93.
Monnaie : dollar australien (1 dollar = 3,59 FF au 26.6.95).
Langues : tuvalien, anglais.

en juin 1994, le Royaume-Uni de remplacer le gouverneur général, Tupua Lepena, par un candidat de son choix. Tulaga Manuella a été nommé à ce poste le 21 juin 1994.

États indépendants de Micronésie

◆ **Marshall**. En août 1994, le président Amata Kabua a présenté au Conseil des ministres le principe d'une étude de faisabilité visant à transformer un atoll de l'archipel en dépôt de déchets nucléaires. Cette initiative a soulevé de nombreuses

▼

République des îles Marshall

Nature du régime : démocratie parlementaire.
Chef de l'État : Amata Kabua.
Monnaie : dollar des États-Unis (1 dollar = 4,81 FF au 8.8.95).
Langue : anglais.

objections, dans le pays, dont certaines îles (Bikini, Rongelap) ont été par le passé le terrain d'expériences nucléaires aériennes américaines, lourdes de conséquences pour la vie et la santé de la population locale, mais aussi dans la région, traditionnellement hostile à toute introduction de facteurs nucléaires (armes, essais, déchets).

───────

◆ **États fédérés de Micronésie**. Cherchant à diversifier sur le plan international leurs relations économiques, les EFM, liés par un *compact* (contrat) de libre association

▼

États fédérés de Micronésie

Nature du régime : démocratie parlementaire.
Chef de l'État : Bailey Olter (depuis mai 91).
Vice-président : Jacob Nena
Monnaie : dollar des États-Unis (1 dollar = 4,81 au 8.8.95).
Langue : anglais.

avec les États-Unis, qui assurent leur défense, ont envoyé une mission commerciale en Australie en septembre 1994.

───────

◆ **Palau**. Après cent huit ans de tutelle étrangère, Palau est entré dans la communauté internationale en signant un *compact* (contrat) de libre

▼

Palau

Nature du régime : démocratie parlementaire.
Chef de l'État : Kumiuro Nakamura (à la tête de Palau depuis 1993).
Monnaie : dollar des États-Unis. (1 dollar = 4,81 FF au 8.8.95).
Langues : anglais, palauen.

association avec les États-Unis, le 1er octobre 1994. Il a adhéré à l'ONU le 19 décembre suivant.

Territoires sous contrôle de la France

◆ **Nouvelle-Calédonie**. Ce territoire d'outre-mer (TOM) français a connu en 1994-1995 plusieurs conflits sociaux dans le port de Nouméa, mettant en question le mode de recrutement des dockers dans les conditions actuelles d'activité du port. Les principaux partis ont annoncé leur position quant à l'avenir du territoire, à moins de quatre ans du référendum de 1998 devant statuer sur cette question. Prévue dans les accords de Matignon, signés en juin 1998 entre les représentants du gouvernement français, des partisans du maintien de la Calédonie dans la République et des indépendantistes, cette consultation doit permettre aux habitants du territoire de décider de leur avenir politique.

En septembre 1994, Jacques Lafleur, président du RPCR (Rassemblement pour la Calédonie dans la République), a proposé un pacte trentenaire de paix institutionnelle. Les élections provinciales du 9 juillet 1995 ne lui ont toutefois pas été favorables : le RPCR a perdu cinq sièges et la majorité absolue au Congrès du territoire, et le FLNKS (Front de libération nationale kanak et socialiste), deux. Lors de son vingt-cinquième congrès, en novembre 1994, l'Union calédonienne (UC, indépendantiste) s'était prononcée pour le transfert, dès 1995, d'éléments de souveraineté aux assemblées délibératives locales. En décembre, le quatorzième congrès du FLNKS (dont l'UC est la plus importante composante) a admis qu'il fallait éviter un « référendum-couperet » en 1998.

Lors des élections présidentielles françaises du 23 avril et du 7 mai 1995, le nouveau président Jacques Chirac a réalisé, au premier tour, un score de 42,97 %, contre 15,87 % au candidat du Parti socialiste Lionel Jospin, importante avance confirmée au second tour avec 74,10 % pour le premier et 25,89 % pour le second.

———

♦ **Wallis et Futuna**. Ce petit territoire d'outre-mer (TOM) français est resté à l'écart des mouvements sociaux et politiques agitant les deux autres TOM français de la région.

———

♦ **Polynésie française**. La Confédération des syndicats indépendants de Polynésie a organisé six semaines de grèves et de manifestations à Papeete, en janvier et février 1995. Ce violent conflit du travail a traduit le profond malaise de la société polynésienne, trop habituée à vivre dans une économie assistée. Elle semblait ne pas avoir encore tiré les conséquences du moratoire français sur les essais nucléaires, entré en vigueur en 1992 et qui s'est traduit par un net ralentissement des activités de ce territoire d'outre-mer (TOM) français. La loi d'orientation pour la Polynésie, adoptée par le Parlement français en janvier 1994 à titre compensateur, n'avait pas encore fait sentir ses effets à la mi-1995.

Les deux principaux candidats à la présidence de la République française (scrutins des 23 avril-7 mai 1995), Jacques Chirac (élu) et Lionel Jospin ont réalisé des scores de 51,62 % et 12,51 % au premier tour et de 60,98 % et 39,01 % au second.

L'annonce, le 13 juin 1995, par le président Chirac, de la reprise des essais nucléaires à Mururoa a suscité la plus grande réserve de la part des élus de la majorité et de l'opposition et une ferme condamnation par le président de la toute-puissante Église évangélique de Polynésie française. D'imposantes manifestations ont eu lieu, à l'initiative notamment des mouvements écologistes et indépendantistes, et le mouvement Greenpeace a pris des initiatives très médiatisées.

Territoires sous contrôle des États-Unis

Depuis qu'il est devenu majoritairement républicain (novembre 1994), le Congrès des États-Unis a manifesté sa volonté de modifier les relations avec les territoires américains du Pacifique : **Guam** (territoire non incorporé, 129 000 habitants), le **Commonwealth des Mariannes du Nord** (État associé autonome, 30 000 habitants), le **Samoa américain** (territoire non incorporé, 30 000 habitants) et même **Hawaii** (cinquantième État de l'Union), sans avoir encore pris de décision. Plusieurs groupes d'îlots sont administrés par le ministère de la Défense et confiés à une armée : Midway (marine), Wake (armée de l'air) et Johnston (armée de terre) ; quatre sont inhabités (Howland, Baker, Jarvis et Kingman Reef) ; le dernier, Palmyra, est propriété privée. Trois possessions sont en revanche devenues, il y a peu, formellement indépendantes : les États fédérés de Micronésie, les îles Marshall et Palau. Elles restent liées par un contrat de libre association [*voir plus haut*].

Territoires sous contrôle de la Nouvelle-Zélande

Les **îles Cook** (État autonome associé, 20 000 habitants) ont connu une grave crise financière à partir de janvier 1995, suite à la décision du Premier ministre, Geoffrey Hery, de ne plus utiliser que la monnaie néozélandaise. En novembre 1994, **Niue** (État autonome associé, 2 500 habitants) est entré dans une phase d'instabilité politique, avec le déclenchement d'une crise parlementaire

ouverte. Un programme d'évolution à moyen et long terme du statut de **Tokelau** (territoire d'outre-mer néozélandais, 1 700 habitants) a été soumis à l'ONU en juillet 1994.

Territoires sous administrations diverses

Ces territoires restent protégés de l'incertitude dans laquelle se trouve la région depuis la fin de la « guerre froide ». L'**île de Pâques** (Rapanui) est chilienne, les **îles Galapagos**, équatoriennes et les **îles Gigedos**, mexicaines.

L'Australie administre l'**île de Lord Howe** et deux « territoires extérieurs », le **Territoire de la mer de Corail**, où sont installées des stations météorologiques depuis 1921, et **Norfolk** (2 500 habitants).

Le Royaume-Uni a garanti aux 50 habitants de **Pitcairn**, sa dernière dépendance dans la région, qu'ils ne souffriraient pas de son retrait de la Commission du Pacifique sud.

Isabelle Cordonnier

Amérique du Nord

L'entrée en vigueur de l'Accord de libre-échange nord-américain (ALENA), le 1ᵉʳ janvier 1994, est venu élargir au Mexique la zone de libre-échange initiée par le pacte de 1989 entre les États-Unis et le Canada. D'autres pays, tels le Chili et le Vénézuela, frappent déjà aux portes de l'ALENA.

L'ALENA rapproche dans une vaste zone de libre-échange des partenaires autrement plus dissemblables que ceux de l'Union européenne. Ainsi le Mexique présente-t-il plus du quart du poids démographique de cette zone, tout en affichant un revenu par tête huit fois inférieur à celui des États-Unis et du Canada. Les facteurs de convergence ne sont toutefois pas à négliger. L'urbanisation mexicaine a presque rejoint celle de ses partenaires (72 % en 1993, contre 77 % pour le Canada et les États-Unis). Au chapitre des mœurs et des styles de vie, les villes mexicaines, sous l'effet conjugué des médias électroniques et de la culture de masse, ressemblent de plus en plus aux cités canadiennes et américaines.

L'ancien président mexicain Carlos Salinas de Gortari a fait beaucoup de sacrifices pour faire entrer son pays dans l'ALENA. Après avoir consenti au président des États-Unis George Bush à la fois un délai plus long avant l'abolition des tarifs douaniers sur les produits agricoles américains les plus menacés, une expansion graduelle des achats mexicains de maïs américain et l'ouverture partielle du secteur pétrolier mexicain aux investisseurs étrangers, il a concédé à son successeur, Bill Clinton, une réglementation plus rigoureuse en matière de sécurité au travail et de normes environnementales.

Reprenant avec un enthousiasme croissant le flambeau de G. Bush, B. Clinton s'est imposé devant un Congrès d'abord très récalcitrant. Quant au Premier ministre canadien Jean Chrétien, élu le 25 octobre 1993, il a rapidement abandonné les objections qu'il avait exprimées pendant la campagne électorale. Le réalisme l'a emporté sur la rhétorique. A l'inverse du Parti conservateur et de son ancien chef Brian Mulroney, pro-américains et partisans acharnés du libre-échange, le Parti libéral (au pouvoir) et J. Chrétien ont toutefois conservé une certaine réserve à l'égard de Washington. Le nouveau président mexicain Ernesto Zedillo n'en a pas eu les moyens. La faiblesse de l'infrastructure financière de son pays l'a obligé à consentir à une forte dévaluation du peso et à solliciter de Washington et d'ailleurs des prêts d'un montant de 50 milliards de dollars. Pour l'économie mexicaine, l'heure n'était plus à l'euphorie mais à l'observation clinique.

Le succès remporté par l'administration Clinton avec l'ALENA a eu un effet d'entraînement dans le dossier des négociations commerciales multilatérales de l'Uruguay Round

AMÉRIQUE DU NORD/BIBLIOGRAPHIE SÉLECTIVE

S.M. LIPSET, *Continental Divide, The Values and Institutions of the United States and Canada*, Routledge, New York, 1990.

J.-F. LISÉE, *Carrefours Amérique*, La Découverte, Paris, 1991.

L. MARTIN, *Pledge of Allegiance. The Americanization of Canada in the Mulroney Years*, McClelland and Stewart, Toronto, 1993.

S.K. PURCELL, «Mexico's New Economic Vitality», *Current History*, Philadelphie, fév. 1992.

B. SCHWARZ, «The Diversity Myth : America's leading export», *The Atlantic Monthly*, Boston, mai 1995.

C. TAYLOR, *Multiculturalisme. Différence et démocratie*, Aubier, Paris, 1994.

S. WEINTRAUB (sous la dir. de), *US-Mexican Industrial Integration, The Road to Free Trade*, Westview Press, San Francisco, 1991.

Voir aussi les bibliographies « Canada », « États-Unis » et « Mexique » dans la section « 34 États ».

(GATT). Personne n'a, en effet, intérêt à ce que le marché nord-américain se referme sur lui-même. La perspective de l'ALENA a aussi compté dans la mise sur pied de la Coopération économique de la zone Asie-Pacifique (APEC), qui s'est à nouveau réunie, à Jakarta en novembre 1994. Le succès de cette initiative a amené Washington à organiser un premier « sommet des Amériques », en décembre 1994 à Miami. Les trente-quatre États du continent — Cuba excepté — ont projeté de créer une vaste zone de libre-échange pour l'an 2005.

Effets pervers de l'ALENA

Imbus de rationalité économique, les dirigeants nord-américains ont oublié que le libre-échange pouvait provoquer des effets pervers sur les systèmes politiques. Influencés par l'ALENA, trois facteurs structurels ont déjà commencé à bouleverser l'équilibre régional. Au Mexique d'abord, le libre-échange a fait ressortir le déséquilibre profond entre l'économie modernisée et l'archaïsme des appareils politiques. L'insurrection zapatiste dans l'État du Chiapas, survenue au moment de l'entrée en vigueur de l'ALENA, et l'assassinat en mars 1994 de Luis Donaldo Colosio, le candidat du PRI (Parti révolutionnaire institutionnel) aux élections présidentielles, ont démontré toute la fragilité du système politique mexicain. Le pacte de libre-échange accroît l'importance du Mexique pour les États-Unis, ce qui se traduira par autre chose que de la générosité, en premier lieu des exigences sur le terrain de la démocratie. Tel est le prix d'une visibilité accrue auprès de l'opinion publique américaine.

Au Canada, l'accélération de l'intégration économique a exacerbé la crise constitutionnelle. Au Québec, à tort ou à raison, on pense que le rempart qu'offre la langue française permet de jouer sans complexes le jeu de l'intégration économique avec un partenaire aussi puissant que les États-Unis. Privées d'une telle protection, les élites politiques et intellectuelles du Canada anglais, après avoir lutté farouchement contre le libre-échange, ont investi toute leur énergie dans la protection de l'État central et des programmes qu'il administre.

Depuis plus de vingt ans est évoquée en Amérique du Nord la possibilité de la sécession du Québec. Après l'échec du référendum de 1980 sur une souveraineté québécoise en association économique avec le Canada, la question paraissait réglée. Le Canada est bel et bien parvenu à modifier sa Constitution en 1982. C'est l'échec d'un référendum constitutionnel pan-canadien en octobre 1992, conjugué à l'élection d'un important contingent de députés souverainistes au Parlement lors des élections fédérales d'octobre 1993 et à la victoire des souverainistes lors de l'élection provinciale au Québec en septembre 1994, qui a ravivé l'intérêt pour cette question. De même qu'à l'égard du Mexique, ce qui concerne le Canada et le Québec et qui pourra mettre en péril la santé économique nord-américaine sera jugé très sévèrement par Washington. Il en ira de même pour tout processus de restructuration dont les références ne seront pas parfaitement démocratiques.

L'ALENA s'inscrit également sur la longue durée de l'histoire des Amériques. L'accord de libre-échange survient au moment où les peuples autochtones du continent vivent une véritable renaissance. En 1992, on a commémoré le cinquième centenaire de la venue de Christophe Colomb. En 1993, on a célébré l'année internationale des peuples autochtones, au moment où une sous-commission de l'ONU avait entrepris un projet de déclaration des droits des autochtones. Au Chiapas (Mexique), les revendications des autochtones comptaient parmi les motifs les plus importants de la rébellion. Au Canada, une importante commission fédérale d'enquête a préparé un rapport sur la situation des peuples autochtones qui recommandera vraisemblablement, à l'automne 1995, de leur redonner leur autonomie gouvernementale. Par ailleurs, le président Clinton a innové en avril 1994 en recevant à la Maison-Blanche les dirigeants des autochtones américains.

Sur cette question, la variable démographique est très importante. Au Canada, où les Amérindiens et Inuit constituent 1,5 % de la population totale, une autonomie gouvernementale ne bouleverserait pas la société autant qu'au Mexique (29 % d'Indiens et 55 % de métis). Mais comme en Europe, l'intégration économique en Amérique du Nord provoquera des bouleversements qui amèneront les dirigeants à se poser les questions de l'élargissement et de l'approfondissement du traité. Or, il ne saurait y avoir de progrès sur ces questions sans reconsidération du traitement réservé aux peuples autochtones des Amériques.

Guy Laforest

(Le Canada, les États-Unis et le Mexique sont respectivement traités p. 233, 156 et 257.)

Amérique du Nord / Journal de l'année

— 1994 —

15 juin. **États-Unis-Corée du Nord.** L'ancien président Jimmy Carter obtient, dans l'imbroglio sur le dispositif nucléaire nord-coréen, la reprise immédiate des négociations au plus haut niveau.

30 juin. **États-Unis.** Le procureur spécial dans le scandale politico-immobilier de Whitewater, Robert Fiske, publie la première partie de son rapport, qui lave le personnel de la Maison-Blanche de tout soupçon et confirme la thèse du suicide à propos de la mort, en juillet 1993, de Vincent Foster, conseiller de la Maison-Blanche. L'affaire est devenue moins dangereuse pour le couple Clinton.

21 août. **Mexique.** Le candidat du Parti révolutionnaire institutionnel (PRI, au pouvoir), Ernesto Zedillo Ponce de León, obtient la victoire aux élections présidentielles. Le PRI s'impose également « à la régulière » (selon les observateurs étrangers) au Congrès et dans les États.

25 août. **États-Unis.** Deux jours après la Chambre des représentants, le Sénat adopte un important projet de loi pour lutter contre la criminalité. Plus de 30 milliards de dollars seront consacrés à l'engagement de 100 000 policiers, à la construction de prisons et à des programmes de prévention.

12 septembre. **Canada.** Les élections législatives au Québec sont remportées par le Parti québécois. Jacques Parizeau (64 ans) devient Premier ministre de la province le 26 septembre.

18 septembre. **États-Unis-Haïti.** Devant l'imminence d'une invasion par des troupes aéroportées américaines, la junte haïtienne cède aux pressions d'une délégation américaine menée par Jimmy Carter et accepte de remettre le pouvoir au président en exil Jean-Bertrand Aristide. Ce dernier fera sa rentrée dans son pays le 15 octobre suivant.

26 septembre. **États-Unis.** Le leader de la majorité démocrate au Sénat, George Mitchell, renonce à déposer un projet de loi sur la réforme du système de santé, dont Bill Clinton avait fait le leitmotiv de sa campagne électorale en 1992.

27 septembre. **États-Unis.** Menés par le Géorgien Newt Gingrich, nouveau prési-

dent de la Chambre des représentants et vedette montante de leur parti, plus de 300 candidats républicains aux élections législatives de novembre présentent leur programme, « Contrat avec l'Amérique ». Ils s'engagent notamment à restaurer l'équilibre budgétaire du gouvernement fédéral d'ici l'an 2002 et à lutter davantage contre la criminalité et le laxisme en matière de protection sociale.

28 septembre. **Mexique.** Assassinat à Mexico de José Francisco Ruiz Massieu, secrétaire général du PRI. Il s'apprêtait à en diriger les élus à la Chambre des députés.

1er octobre. **États-Unis-Japon.** Signature d'un accord commercial entre les deux pays. Le Japon consent à ouvrir davantage son marché national dans quatre secteurs : assurances, verre, télécommunications et équipement médical.

5 octobre. **Canada.** Le ministre fédéral des Ressources humaines, Lloyd Axworthy, annonce un grand projet de réforme du système de sécurité sociale (assurance-chômage, bien-être, éducation post-secondaire), pour lutter contre le creusement du déficit.

6 novembre. **Canada.** Dirigée par le Premier ministre fédéral Jean Chrétien, la plus importante délégation commerciale de l'histoire du pays amorce une tournée asiatique (Chine, Hong Kong, Indonésie, Vietnam).

8 novembre. **États-Unis.** Les Républicains triomphent lors des élections législatives. Pour la première fois en quarante ans, leur parti est majoritaire dans les deux chambres du Congrès.

1er décembre. **États-Unis.** Le Congrès approuve la position américaine pour la conclusion des négociations du GATT.

1er décembre. **Mexique.** Entrée en fonction du nouveau président Ernesto Zedillo et de son gouvernement : Jaime Serra Puche obtient le ministère des Finances, Jose Gurria Trevino celui des Affaires étrangères et Esteban Moctezuma Barragan celui de l'Intérieur ; ce dernier démissionnera le 28 juin 1995.

6 décembre. **Canada.** Dépôt à l'Assemblée nationale du Québec d'un avant-projet de loi sur la souveraineté, lançant une consultation dans les régions et devant se terminer par un référendum avant la fin de 1995.

9 décembre. **États-Unis.** Début à Miami du « sommet des Amériques ». Les leaders de tous les pays du continent à l'exception de Cuba, non représenté, se donnent jusqu'en 2005 pour créer une vaste zone de libre-échange.

20 décembre. **Mexique.** Une forte dévaluation du peso (15 %), annonce l'entrée du pays dans une très grave crise économique et financière [*voir article p. 137*].

— 1995 —

3 janvier. **Mexique.** Le président Ernesto Zedillo annonce un plan de redressement de l'économie. Les dépenses gouvernementales sont réduites de 7 % et les salaires contrôlés.

4 janvier. **États-Unis.** Assermentation des membres du 104e Congrès des États-Unis. Newt Gingrich (51 ans) devient l'orateur de la Chambre, et Robert Dole (71 ans) leader de la majorité au Sénat. La « révolution républicaine » prend effet immédiatement avec le licenciement de 30 % du personnel législatif et la réduction du nombre des commissions.

19 janvier. **Canada.** Début d'une grande mission commerciale en Amérique latine (Argentine, Brésil, Chili, Costa Rica) dirigée par Jean Chrétien, le Premier ministre fédéral.

24 janvier. **États-Unis.** Dans son discours sur « l'état de l'Union », le président reprend les thèmes de ses adversaires républicains — gouvernement efficace et citoyens responsables —, tout en réitérant sa volonté de coopérer avec la nouvelle majorité.

9 février. **Mexique.** A la suite de l'échec des négociations avec les insurgés zapatistes, le gouvernement lance une vaste chasse à l'homme contre les leaders du mouvement et déploie des troupes dans le Chiapas. L'opération est interrompue le 14 février. En vue d'une relance des négociations, le gouverneur du Chiapas, Eduardo Robledo Rincon, dont l'élection était contestée par les partis d'opposition, démissionne.

21 février. **Mexique.** Le pays reçoit une aide de 52 milliards de dollars pour juguler la crise financière. Le président américain Bill Clinton, a fait débloquer des crédits d'urgence de 20 milliards de dollars, contraignant en contrepartie le Mexique à accentuer encore davantage l'austérité. Le président Ernesto Zedillo s'y engage et, dès le 9 mars, rend public un nouveau plan de stabilisation, prévoyant l'augmentation des prix de l'électricité, de l'essence et du gaz.

26 février. **États-Unis-Chine.** Conclusion d'un accord entre Washington et Pékin pour mettre un terme au piratage commercial (films, cassettes, industrie électronique).

27 février. **Canada.** Le ministre des Finances Paul Martin dépose un budget d'austérité pour résoudre le problème du déficit. Dans la fonction publique, les effectifs, au niveau fédéral, sont réduits de 15 %.

28 février. **Mexique.** Arrestation, dans l'affaire du meurtre du dirigeant du PRI, Francisco Ruiz Massieu, de Raul Salinas de Gortari, frère du président sortant Carlos Salinas de Gortari. Dans les jours qui suivent, ce dernier entame une grève de la faim pour protester contre cette arrestation et s'exile aux États-Unis le 11 mars.

2 mars. **États-Unis.** La nouvelle majorité républicaine au Congrès subit son premier échec majeur, le Sénat ne parvenant pas à adopter les termes de la loi sur l'équilibre budgétaire fédéral avant 2002.

9 mars. **Canada.** L'arraisonnement d'un chalutier espagnol, l'Estal, par la garde côtière au large de Terre-Neuve, signale le début de la « guerre du turbot » entre le Canada et l'Espagne.

19 avril. **États-Unis.** L'explosion d'une bombe dans un édifice fédéral à Oklahoma City fait plus de 150 victimes et choque l'ensemble du pays. Les personnes arrêtées appartiennent à des organisations paramilitaires d'extrême droite.

16 mai. **États-Unis-Japon.** Washington menace d'imposer des droits de douane de 100 % sur 13 modèles de voitures de luxe si Tokyo n'ouvre pas davantage son marché intérieur aux pièces d'automobiles américaines. Juste avant l'échéance de l'ultimatum américain, le 28 juin suivant, le Japon accepte cependant de céder sur certains points, écartant le risque d'une crise commerciale grave entre les deux États.

Guy Laforest

Amérique du Nord [1]

INDICATEUR	UNITÉ	CANADA	ÉTATS-UNIS	MEXIQUE
Capitale		Ottawa	Washington	Mexico
Superficie	km²	9 976 139	9 363 123	1 967 183
Développement humain (IDH) [b]		0,932	0,925	0,804
DÉMOGRAPHIE Population (*) [d]	million	29,46	263,25	93,67
Densité [d]	hab./km²	3,0	28,1	47,6
Croissance annuelle [e]	%	1,2	1,0	2,1
Indice de fécondité (ISF) [e]		1,9	2,1	3,2
Mortalité infantile [e]	‰	7	9	36
Espérance de vie [e]	année	77	76	71
Population urbaine	%	76,6	76,0	74
CULTURE Scolarisation 2e degré [b]	%	107 [k]	94 [l]	56 [k]
Scolarisation 3e degré [b]	%	98,8	76,2	14,0
Téléviseurs [b]	‰ hab.	640	815	149
Livres publiés	titre	19 063 [i]	49 276 [b]	2 608 [g]
Nombre de médecins	‰ hab.	2,2 [c]	2,3 [g]	1,15 [c]
ARMÉE Armée de terre	millier d'h.	20	559,9	130
Marine	millier d'h.	12,5	482,8	37
Aviation	millier d'h.	20	433,8	8
ÉCONOMIE PIB	milliard $	541,5	6 638	373,6
Croissance annuelle 1985-93	%	1,7	2,1	2,7
1994	%	4,5	4,1	3,5
Par habitant [f]	$	20 257	25 572	7 019
Taux d'inflation	%	0,2	2,7	7,1
Taux de chômage [j]	%	9,5	5,4	..
Dépenses de l'État Éducation	% PIB	7,6 [b]	5,3 [g]	5,2 [b]
Défense	% PIB	1,5	3,9	0,4
Recherche et Dévelop.	% PIB	1,48	2,81 [b]	0,33 [c]
Énergie [b] Consommation par habitant	kg	10 965	10 737	1 891
Taux de couverture	%	138,7	83,6	162,6
COMMERCE Importations	million $	147 800	663 830	24 594
Exportations	million $	165 809	512 416	17 949
Principaux fournis.	%	E-U 67,6	UE 16,7	E-U 68,2 [a]
	%	Jap 5,6	Asie [h] 43,9	UE 12,5 [a]
	%	UE 9,7	Jap 17,9	Jap 6,5 [a]
Principaux clients	%	E-U 81,7	UE 20,1	E-U 78,4 [a]
	%	Jap 4,3	AL 18,4	UE 5,8 [a]
	%	UE 5,4	Asie [h] 31,4	PVD 7,0 [a]

1. On se reportera aussi aux tableaux statistiques présentés pour chacun des trois États de la région dans la section « 34 États ».
Chiffres 1994, sauf notes : a. 1993 ; b. 1992 ; c. 1991 ; d. 1995 ; e. 1990-95 ; f. A parité de pouvoir d'achat (voir p. 673) ; g. 1990 ; h. Moyen-Orient et Japon compris ; i. 1980 ; j. En fin d'année ; k. 12-17 ans ; l. 14-17 ans.
(*) Dernier recensement utilisable : Canada, 1991 ; États-Unis, 1990 ; Mexique, 1990.

■ Amérique centrale et du Sud

Des tropiques à l'Antarticque, cette région offre une infinité de paysages. Une succession de volcans relie les deux Amériques. La chaîne andine, qui compte quelques-uns des plus hauts sommets du monde, est parsemée de villes et de villages à plus de 4 000 mètres d'altitude. Les déserts péruvien et chilien font pendant à l'immensité de la forêt amazonienne et aux vastes espaces de la pampa argentine. Cet ensemble, modelé par une colonisation espagnole et portugaise qui a imposé langues et religion, présente des entités de taille, population, richesses, cultures très diverses.

L'Amérique centrale, hier terre d'élection des régimes militaires, est formée de petits États ayant à faire l'apprentissage de la démocratie dans des conditions économiques très difficiles. La mer des Caraïbes, «Méditerranée des Amériques», d'importance stratégique et commerciale vitale pour les États-Unis, comprend quelques grandes îles et une myriade de micro-États, qui ont parfois conservé la langue, voire le rattachement juridique à l'ancien colonisateur européen (Royaume-Uni, France, Pays-Bas). Amérique centrale et Caraïbe constituent la traditionnelle «arrière-cour» des États-Unis. Dans ce contexte, Cuba, depuis 1959, est une réalité insupportable pour Washington. Fidel Castro, véritable mythe en Amérique latine, n'a cessé de peiner, avec l'embargo imposé par les États-Unis, à implanter le modèle chinois de libéralisation de l'économie sans changement de modèle politique.

Mutations culturelles et politiques

En Amérique du Sud, le Brésil, de langue portugaise, occupe près de la moitié de la superficie du sous-continent. C'est l'État le plus peuplé et le plus riche, mais on y trouve à la fois les régions les plus développées et les plus à la traîne du continent. Les neuf États de langue espagnole ne sont pas semblables. Ceux du Cône sud (Uruguay, Paraguay, Argentine, Chili) sont culturellement très «européens», tandis que les pays andins (Bolivie, Colombie, Équateur, Pérou, Vénézuela) sont souvent plus pauvres et leurs populations sont, pour une large part, indiennes et métisses. Tous ces États connaissent des tensions multiples, fruit des mutations profondes subies ces dernières années dans les domaines politique, économique, culturel.

Si la religion demeure partout majoritairement catholique, l'audience des Églises et des sectes protestantes — principalement d'origine pentecôtiste — est croissante, en particulier en

Amérique centrale et dans les pays andins. Ces protestantis-mes ne sont pas protestataires. Ils traduisent les difficultés d'adaptation des populations à la modernité et perpétuent une culture autoritaire que le renouveau démocratique tendrait à éloigner. L'Église catholique, quant à elle, traverse une crise profonde. Dans le sillage du concile Vatican II, elle avait affirmé une « option préférentielle pour les pauvres » qui avait nourri de nombreux mouvements de lutte. La perte d'audience de la « théologie de la libération » et la très forte reprise en main des épiscopats par Rome l'ont beaucoup affaiblie.

Dictatures, coups d'État militaires, guérillas avaient pendant longtemps été la norme de la région. Hormis Cuba, tous les États du continent sont aujourd'hui dirigés par des gouverne-ments élus. Les nombreuses élections présidentielles de 1994 et 1995 se sont déroulées dans des conditions très satisfaisantes, mais elles ont souvent montré un regain d'autoritarisme (Pérou, Mexique, Argentine, Bolivie). Ce qui s'est passé au Brésil, où a été élu un président social-démocrate, est emblématique de la recomposition du paysage politique observée presque par-tout, et qui se manifeste par l'émergence de nouvelles revendi-cations (dont l'indianité, en Amérique centrale et dans les pays andins) et par la naissance de nouvelles forces politiques.

Régionalisation économique en ralentissement

Sur le plan économique, 1994 s'est soldé pour la quatrième année consécutive par des taux de croissance positifs, après la période noire de la décennie quatre-vingt. L'inflation a conti-nué à décroître dans tous les pays. Le Brésil, qui faisait excep-tion, a réussi à maîtriser la hausse vertigineuse de ses prix (2 500 % en 1993). Les investissements étrangers, en grande par-tie liés aux programmes de privatisations, ont continué à être significatifs (près de 55 milliards de dollars). L'ouverture des économies est devenue un fait durable, avec l'entrée en vigueur, le 1er janvier 1995, du Mercosur, marché commun réunissant le Brésil, l'Argentine, l'Uruguay et le Paraguay, un an jour pour jour après celle de l'ALENA, accord de libre-échange entre les États-Unis, le Mexique et le Canada.

Le succès des politiques économiques d'ajustements struc-turels impulsées par le FMI (privatisations, réduction des défi-cits budgétaires, développement fondé sur les échanges extérieurs) a semblé faire de l'Amérique latine un nouvel eldo-rado pour les investisseurs. On n'avait pas pris garde à une série d'indices de fragilité, en particulier le déséquilibre croissant des balances de paiement (le déficit de la balance commerciale a atteint, pour la région, 20 milliards de dollars en 1994). En décembre 1994, la tourmente monétaire consécutive à une légère

*dévaluation du peso mexicain a donné un coup d'arrêt brutal
à l'euphorie des marchés financiers. Tous les pays ont considérablement relevé leurs taux d'intérêt pour éviter un « effet
tequila » [voir l'article p. 135] et une fuite massive des capitaux.
Le résultat devrait être en 1995 un taux de croissance diminué
de moitié par rapport à l'année précédente.*

*Qu'en sera-t-il dans ce contexte des regroupements écono-
miques régionaux qui avaient marqué le début de la décennie ?
En décembre 1994, le président américain Bill Clinton a réuni
à Miami le premier « sommet des Amériques ». Tous les États
du continent (sauf Cuba) étaient présents. A l'issue de cette réunion, les participants se sont engagés à créer avant l'an 2005
une vaste zone de libre-échange des Amériques (AFTA). En présentant cet engagement, B. Clinton avait repris quasiment mot
pour mot les propos de son prédécesseur George Busch lorsque, en 1989, il avait lancé son « initiative pour les Amériques » :
il fallait créer un marché commun « de l'Alaska à la Terre de
feu » si l'Amérique voulait concurrencer l'Europe et l'Asie [voir
édition **1992**, p. 516]. La crise du peso mexicain a probablement ralenti les velléités d'avance à marche forcée. Aux États-
Unis, les réticences à un engagement accru en Amérique centrale et du Sud se sont amplifiées. Le Brésil a, début 1995, augmenté de 70 % certains tarifs douaniers, malgré les accords du
Mercosur. Le Chili et la Bolivie, qui avaient demandé l'ouverture de négociations pour entrer dans ce marché commun, semblaient devoir attendre. Pourtant, en dépit de ces difficultés,
il semblait peu vraisemblable qu'on fasse machine arrière.*

Le problème irrésolu de la drogue

*Quoi qu'il en soit, les énormes coûts sociaux liés à l'abandon
de l'ancien modèle de développement n'ont pas semblé près de
se résorber avec le ralentissement de la croissance prévu pour
1995. Il y avait donc fort à parier que continuerait à prospérer
la drogue. La culture de la coca, à laquelle s'est ajoutée celle
du pavot, assure des moyens de subsistance à des millions
d'Indiens. Les trafiquants contrôlent des espaces considérables
dans plusieurs pays. La Colombie, dont le président est soupçonné par les États-Unis d'avoir des complaisances à l'égard des
cartels, n'a plus le monopole du raffinage. Le Pérou a commencé
à devenir l'un des pays de fabrication de la pâte servant de base
à la cocaïne. L'argent de la drogue est recyclé partout, corrom-
pant hommes politiques, fonctionnaires et militaires. Ce problème
ne semble pas pouvoir être résolu si l'on ne s'attaque pas à la
demande dans les pays du Nord, États-Unis et Europe.*

Georges Couffignal

Amérique centrale et du Sud / Journal de l'année

— 1994 —

16-17 juin. **Sommet ibéro-américain.** A Carthagène, au 4ᵉ « sommet », les 21 chefs d'État et de gouvernement demandent l'élimination des mesures commerciales restrictives qui affectent l'Amérique latine, critiquant implicitement l'embargo appliqué à Cuba depuis trente ans.

1ᵉʳ juillet. **Brésil.** Dans le cadre du plan de stabilisation pour lutter contre l'inflation, une nouvelle monnaie, le real, est mise en circulation à parité avec le dollar.

24 juillet. **AEC.** Création à Carthagène de l'Association des États des Caraïbes.

Juillet-septembre. **Cuba-États-Unis.** Devant l'afflux massif de réfugiés cubains illégaux fuyant l'île à bord d'embarcations de fortune (*balsas*), le président américain Bill Clinton annonce, le 19 août, que ces derniers seront conduits sur la base américaine de Guantanamo située à Cuba. Le 9 septembre, un accord est passé entre la Havane et Washington pour réguler l'émigration cubaine : les États-Unis acceptent d'accueillir 20 000 Cubains par an et le gouvernement cubain interdit la construction de radeaux.

7 août. **Colombie.** Discours d'investiture d'Ernesto Samper, élu le 19 juin.

21 août. **Mexique.** Lors de l'élection présidentielle, marquée par une forte participation (77,3 %), Ernesto Zedillo Ponce de León, du Parti révolutionnaire institutionnel (PRI), l'emporte avec 50,2 % des voix. Il prend ses fonctions le 1ᵉʳ décembre suivant.

28 août. **Équateur.** Lors du référendum sur la réforme constitutionnelle, sept propositions gouvernementales sont approuvées, mais celle prévoyant l'élection des députés au second tour de la présidentielle est rejetée ; leur élection est maintenue au premier tour.

29 août. **Cuba.** Cuba adhère au traité de Tlatelolco sur la non-prolifération des armes nucléaires en Amérique latine.

18 septembre-15 octobre. **Haïti.** Après la menace américaine d'intervention d'une force multinationale, la délégation conduite par l'ancien président américain Jimmy Carter parvient à un accord prévoyant le départ des militaires à l'origine du coup d'État de 1991, après le vote d'une loi

d'amnistie. Des troupes américaines débarquent à Haïti pour assurer le retour du président en exil Jean-Bertrand Aristide et une transition pacifique. L'ONU adopte une résolution levant toutes les sanctions contre Haïti. Le 15 octobre, le président Aristide revient à Port-au-Prince où il appelle à la réconciliation.

19 septembre. **Cuba.** Fidel Castro autorise les marchés libres paysans, permettant aux agriculteurs de vendre une partie de leur production selon la loi de l'offre et de la demande.

3 octobre. **Brésil.** Le candidat du Parti social-démocrate brésilien (PSDB), Fernando Henrique Cardoso, qui a fait alliance avec le Parti du front libéral (PFL-droite), remporte l'élection présidentielle au premier tour avec 54,6 % des suffrages, contre 27 % à « Lula » (Parti des travailleurs, PT), le candidat de la gauche.

11 novembre. **Chili.** Le Chili devient le dix-huitième membre de l'APEC (Coopération économique de la zone Asie-Pacifique).

15 novembre. **Brésil.** Au second tour des élections des gouverneurs et des députés, la coalition dirigée par le président Fernando Henrique Cardoso obtient la victoire dans les États regroupant au total les deux tiers de la population brésilienne.

22 novembre. **Vénézuela.** Ouverture du procès de l'ancien président Carlos Andrès Pérez.

24 novembre. **Nicaragua.** Adoption de réformes constitutionnelles relatives à l'élection présidentielle : le président en fonction ne peut se représenter pour un second mandat et aucun membre de sa famille ne peut poser sa candidature.

27 novembre. **Uruguay.** Lors de l'élection présidentielle, le Parti colorado (libéral) remporte 31,4 % des voix, contre 30,2 % pour le Parti national et 30 % pour le Rassemblement progressiste. L'ancien président Julio Maria Sanguinetti (1985-1990) retrouve ainsi ses fonctions.

10-11 décembre. **Libre-échange.** Au premier « sommet des Amériques », à Miami, les représentants de 34 États (Cuba n'est pas représenté) s'engagent à négocier d'ici l'an 2005 la création d'une Aire de libre-échange des Amériques (AFTA).

20-29 décembre. **Mexique.** L'inquiétude des investisseurs devant la violence se développant dans l'État du Chiapas, les fuites de capitaux et la baisse des réserves en devises obligent le gouvernement à dévaluer le peso de 15 %. Le flottement de la monnaie qui s'ensuit et la méfiance des marchés financiers mexicains se traduisent par une dépréciation de 60 % du peso par rapport au dollar. Il en découle une crise financière, entraînant la démission du ministre des Finances, Jaime Serra, remplacé par Guillermo Ortiz [*voir article p. 257*].

— 1995 —

1ᵉʳ janvier. **Mercosur**. Entrée en vigueur du Marché commun de l'Amérique du Sud, en application de l'accord d'Ouro.

1ᵉʳ janvier. **Groupe des Trois**. Entrée en vigueur de l'accord de libre-échange signé le 13 juin 1994 par le Mexique, la Colombie et le Vénézuela.

1ᵉʳ janvier. **Brésil**. Lors de sa prise de fonctions, le 1ᵉʳ janvier, Fernando Henrique Cardoso promet que la justice sociale sera l'objectif prioritaire de son gouvernement. Scandalisé par la décision qui avait été prise d'augmenter de 100 % les salaires des députés et des sénateurs, le nouveau président s'oppose à un relèvement du salaire minimum en raison de l'effet d'entraînement que cette mesure aurait sur l'ensemble de la structure salariale brésilienne.

3 janvier. **Mexique**. Le président Ernesto Zedillo annonce la prise de mesures d'urgence économique, destinées à stabiliser le cours du peso et à mettre un terme à la crise financière. Washington s'engage, le 31 janvier, à apporter une aide et le FMI accorde un prêt. Au total, l'aide internationale s'élève à environ 1 398 milliards de dollars, gagés en partie sur les revenus pétroliers mexicains [*voir article p. 137*].

26 janvier-28 février. **Pérou-Équateur**. Après des affrontements armés, le 26 janvier, entre forces équatoriennes et péruviennes dans la zone frontalière — dont la délimitation est contestée depuis le protocole de Rio de 1942 —, le président équatorien Sixto Duran Ballen décrète l'état d'urgence. Le 30 janvier, le Pérou lance une offensive militaire contre les bases équatoriennes dans la zone controversée de la Cordillère du Condor. Après deux semaines d'affrontements, les pays garants du protocole de Rio (Argentine, Brésil, Chili, États-Unis) parviennent à faire accepter un cessez-le-feu et à faire

signer, le 17 février, une déclaration de paix à Brasilia. Les affrontements se poursuivent toutefois jusqu'au 28 février.

9 février. **Mexique**. Après la découverte de deux caches d'armes de la guérilla zapatiste dans l'État du Chiapas, le président Ernesto Zedillo lance des mandats d'arrêt contre les dirigeants de l'AZLN (Armée zapatiste de libération nationale). Après la prise du village de Guadalupe Tepeyac, quartier général de la guérilla, l'armée reprend sans combat le contrôle du territoire.

9 mars. **Mexique**. Pour retrouver la confiance des investisseurs, le gouvernement adopte un nouveau plan d'austérité draconien.

31 mars. **Guatémala**. La signature à Mexico d'un accord sur les droits des Indiens débloque les négociations de paix entamées en 1991 entre le gouvernement guatémaltèque et la guérilla, avec l'espoir d'une fin prochaine de la guerre civile.

Mars. **Argentine**. Un ancien officier, Adolfo Scilingo, révèle que près de 2 000 prisonniers politiques « disparus » pendant les années de dictature (1976-1983) ont été jetés vivants à la mer en 1976-1977.

9 avril. **Pérou**. Avec 64,42 % des voix dès le premier tour, Alberto Fujimori remporte pour la seconde fois l'élection présidentielle devant l'ancien secrétaire général de l'ONU Javier Perez de Cuellar (21,81 %). L'alliance gouvernementale obtient 67 des 120 sièges de la Chambre.

18 avril. **Bolivie**. Après un mois de grèves et de manifestations ayant donné lieu à de violents affrontements, 374 personnes sont arrêtées, dont les dirigeants de la Confédération ouvrière bolivienne (COB). L'état d'urgence est décrété pour 90 jours par le président Gonzalo Sanchez de Lozada.

14 mai. **Argentine**. Après une réforme de la Constitution, en 1994, fixant à quatre ans reconductibles la durée du mandat présidentiel, Carlos Saul Menem, du Parti justicialiste (péroniste), est réélu au premier tour avec 47 % des voix devant Octavio Bordon, centre gauche (34 %) et Horacio Massaccesi du Parti radical (15 %). Le renouvellement de la moitié des sièges à la Chambre assure la majorité absolue au Parti justicialiste (135 députés sur 257).

Michèle Poirrier

AMÉRIQUE CENTRALE ET DU SUD
BIBLIOGRAPHIE SÉLECTIVE

Amérique latine, démocratie et exclusion, Futur antérieur/L'Harmattan, Paris, 1994.

BANQUE INTERAMÉRICAINE DE DÉVELOPPEMENT, *Rapport annuel*, Washington/Paris (édit. en français).

J.-P. BASTIAN, *Le Protestantisme en Amérique latine*, Labor et Fides, Genève, 1994.

C. BATAILLON, J. GILARD (sous la dir. de), *La Grande Ville en Amérique latine*, Presses du CNRS, Paris, 1988.

Cahiers des Amériques latines (semestriel), CNRS-IHEAL, Paris.

Caravelle (semestriel), IPEALT, Université Toulouse - Le Mirail.

CEPAL (Commission économique des Nations unies pour l'Amérique latine), *Rapport annuel*, Santiago du Chili.

F. CHEVALLIER, *L'Amérique latine de l'indépendance à nos jours*, PUF, Paris, 1993.

G. COUFFIGNAL (sous la dir. de), *Réinventer la démocratie : le défi latino-américain*, Presses de la FNSP, Paris, 1992.

O. DABÈNE, *L'Amérique latine au xxe siècle*, Armand Colin, Paris, 1994.

DIAL (Diffusion de l'information sur l'Amérique latine), hebdomadaire, Paris.

A. GANDOLFI, J. LAMBERT, *Le Système politique de l'Amérique latine*, PUF, Paris, 1987.

Problèmes de l'Amérique latine (trimestriel), La Documentation française, Paris.

A. ROUQUIÉ, *Amérique latine. Introduction à l'Extrême-Occident*, Seuil, Paris, 1987.

A. ROUQUIÉ, *Guerres et paix en Amérique centrale*, Seuil, Paris, 1992.

H. DE SOTO, *L'Autre Sentier. La révolution informelle dans le tiers monde*, La Découverte, Paris, 1994.

A. TOURAINE, *La Parole et le Sang : politique et sociétés en Amérique latine*, Odile Jacob, Paris, 1988.

P. VAISSIÈRE, *Les Révolutions d'Amérique latine*, Seuil, Paris, 1991.

D. VAN EEUWEN (coord. par), *Transformations de l'État en Amérique latine*, Karthala, Paris, 1994.

D. VAN EEUWEN, Y. PIZETTY-VAN EEUWEN (sous la dir. de), *Élections et démocratie. Amérique latine-Caraïbes*, CREALC, Aix-en-Provence, 1995.

Amérique centrale

Bélize, Costa Rica, El Salvador, Guatémala, Honduras, Nicaragua, Panama

Bélize

La délicate question de la sécurité du pays a à nouveau dominé l'agenda politique. Le Guatémala, qui avait formellement reconnu la souveraineté du Bélize en 1991, s'est montré menaçant, à tel point que le premier ministre Manuel Esquivel l'a accusé d'être engagé dans un « processus d'invasion *de facto* », lors du « sommet » de la Caricom (Communauté et marché commun des Caraïbes), en juillet 1994. Ce différend a continué d'empêcher le Bélize de jouer un

© Éditions La Découverte

AMÉRIQUE CENTRALE

• 523

Amérique centrale

	INDICATEUR	UNITÉ	BÉLIZE	COSTA RICA	EL SALVADOR
	Capitale		Belmopan	San José	San Salvador
	Superficie	km²	22 960	50 700	21 040
	Développement humain (IDH) [b]		0,666	0,848	0,543
DÉMOGRAPHIE	Population (*) [f]	million	0,21	3,42	5,77
	Densité [f]	hab./km²	9,4	67,5	274,1
	Croissance annuelle [m]	%	2,6	2,4	2,2
	Indice de fécondité (ISF) [m]		4,2	3,1	4,0
	Mortalité infantile [m]	‰	33	14	46
	Espérance de vie [m]	année	74	76	66
	Population urbaine	%	46,9	49,2	44,8
CULTURE	Analphabétisme [f]	%	4,0 [b]	5,2	28,5
	Scolarisation 12-17 ans	%	..	52,6 [c]	56,1 [c]
	Scolarisation 3ᵉ degré	%	..	27,6 [c]	16,1 [c]
	Téléviseurs [b]	‰ hab.	166	141	93
	Livres publiés	titre	134 [c]	244 [g]	15 [i]
	Nombre de médecins	‰ hab.	0,55 [b]	0,83 [g]	0,43 [a]
ARMÉE	Armée de terre	millier d'h.	0,85		28
	Marine	millier d'h.	0,05	4,3	0,7
	Aviation	millier d'h.	0,02		2,0
ÉCONOMIE	PIB [a]	million $	499	7 041	7 233
	Croissance annuelle 1985-93	%	8,4	5,4	3,0
	1994	%	2,3	3,5	5,0
	Par habitant [h]	$	3 000 [c]	5 580 [a]	2 360 [a]
	Dette extérieure totale	million $	185 [a]	3 872 [a]	2 012 [a]
	Service de la dette/Export.	%	7,6 [a]	18,1 [a]	15,2 [a]
	Taux d'inflation	%	1,3	19,9	8,9
	Dépenses de l'État Éducation	% PIB	5,8 [c]	4,5 [b]	1,6 [b]
	Défense	% PIB	2,0	1,4	1,3
	Énergie [b] Consommation par habitant	kg	641	646	398
	Taux de couverture	%	—	21,2	30,6
COMMERCE	Importations	million $	65	3 089	2 249
	Exportations	million $	119	2 233	844
	Principaux fournis. [a]	%	E-U 48,9	E-U 53,8	E-U 42,9
		%	R-U 8,9	UE 14,8	UE 13,8
		%	AL 20,0	AL 15,4	AL 30,1
	Principaux clients [a]	%	E-U 37,1	E-U 56,3	E-U 50,4
		%	R-U 36,4	UE 19,7	UE 12,3
		%	AL 7,1	AL 14,1	AL 29,5

	GUATÉ-MALA	HONDU-RAS	NICA-RAGUA	PANAMA
	Guatémala	Tegucigalpa	Managua	Panama
	108 890	112 090	130 000	77 080
	0,564	0,524	0,583	0,816
	10,62	5,65	4,43	2,63
	97,5	50,4	34,1	34,1
	2,9	2,9	3,7	1,9
	5,4	4,9	5,0	2,9
	48	43	52	25
	65	68	67	73
	41,0	43,2	62,3	52,9
	44,4	27,3	34,3	9,2
	45,8 c	49,5 c	53,5 c	63,5 g
	8,6 e	9,1 c	9,8 c	23,6 c
	52	73	66	167
	574 j	••	41 k	22 l
	0,44 g	0,79	0,56 c	1,18 b
	42	14	13,5	
	1,5	1	0,5	11,7 d
	0,7	1,8	1,2	
	11 092	3 220	1 421	6 621
	3,7	3,0	− 3,8	1,3
	5,0	− 1,9	2,5	5,0
	3 390 a	1 890 a	2 070 a	5 940 a
	2 954 a	4 309	10 770	6 802 a
	14,7 a	34,9	63,8	9,6 a
	10,5	28,9	8,0	1,3
	1,2 c	4,0 c	4,1 b	5,5 b
	1,0	1,4	3,8	1,3
	267	272	418	861
	27,2	17,5	36,7	10,7
	2 482	1 059	763	2 359
	1 456	876	349	556
	E-U 54,5	E-U 56,0	E-U 20,1	E-U 27,1
	UE 10,6	UE 10,5	UE 8,5	Jap 25,0
	AL 30,6	AL 16,1	AL 54,0	AL 28,1
	E-U 87,9	E-U 66,6	E-U 42,5	E-U 37,2
	UE 11,1	UE 17,0	UE 22,3	UE 28,1
	AL 41,7	AL 5,1	AL 24,0	AL 21,9

▼

Bélize

Nature du régime : démocratie parlementaire.
Chef de l'État (nominal) : reine Elizabeth II, représentée par un gouverneur, dame Minita Gordon.
Premier ministre : Manuel Esquivel (depuis le 30.6.93).
Monnaie : dollar bélizéen (1 dollar = 2,46 FF au 30.4.95).
Langues : anglais (off.), espagnol, langues indiennes (ketchi, mayamopan), garifuna.

rôle de lien entre l'Amérique centrale et les Caraïbes.

Costa Rica

La première année du mandat du président social-démocrate José María Figueres, entré en fonction le 8 mai 1994, n'a pas été de tout repos.

▼

République du Costa Rica

Nature du régime : présidentiel.
Chef de l'État et du gouvernement : José María Figueres, qui a remplacé Rafael Angel Calderón Fournier le 6.2.94.
Monnaie : colón (1 colón = 0,029 FF au 30.4.95).
Langues : espagnol, anglais, créole.

Dès le mois d'août, le gouvernement devait fermer la plus ancienne banque du pays, la Banco Anglo Costarricense, qui avait accumulé des pertes de plus de 100 millions de dollars. Cela donnait des arguments aux partisans de la privatisation du système bancaire, nationalisé en 1948.

Chiffres 1994, sauf notes : a. 1993; b. 1992; c. 1991; d. Y compris police; e. 1986; f. 1995; g. 1990; h. A parité de pouvoir d'achat (voir p. 673); i. 1988; j. 1981; k. 1987; l. 1980; m. 1990-95. (*) Dernier recensement utilisable : Bélize, 1991; Costa Rica, 1988; El Salvador, 1992; Guatémala, 1981; Honduras, 1988; Nicaragua, 1971; Panama, 1990.

Le gouvernement dut ensuite s'attaquer à l'énorme déficit fiscal (8,3 % du PIB en 1994, le plus élevé d'Amérique latine) qui menaçait la stabilité économique du pays. Il procéda donc notamment à des hausses des tarifs publics et proposa au Parlement une réforme fiscale, tout en compressant le budget de l'État (limitation des salaires des fonctionnaires, diminution de 40 % du budget de la présidence, etc.).

Le gouvernement dut enfin marchander avec l'opposition pour que soit approuvé par le Parlement le troisième programme d'ajustement structurel. La Banque mondiale s'est pourtant montrée insatisfaite des performances macro-économiques du pays et a renoncé, le 2 mars 1995, à lui faire un prêt de 80 millions de dollars.

Les mesures d'austérité économique ont provoqué des tensions avec le Nicaragua lorsque le gouvernement a accéléré le rapatriement de travailleurs nicaraguayens illégaux.

Alors qu'en septembre 1994 41,9 % des Costariciens jugeaient la gestion de J.M. Figueres « bonne » ou « très bonne », en février 1995, ils n'étaient plus que 22,9 %.

El Salvador

Vainqueur incontestable du second tour de l'élection présidentielle du 24 avril 1994 avec 69,2 % des voix, Armando Calderón Sol, du parti d'extrême droite Alliance républicaine nationaliste (Arena), est entré en fonction le 1er juin 1994. Deux ans après la fin d'une guerre civile de près de quinze ans, il lui restait à mener à bien la reconstruction du pays et à mettre en œuvre les dernières mesures prévues par les accords de paix de janvier 1992.

L'Arena ne disposant que de 39 des 84 sièges au Parlement, le nouveau président pouvait légitimement s'interroger sur les moyens dont il disposait pour gouverner. Aussi, dès le 25 avril 1994, il rencontrait son adversaire de gauche aux élections pour négocier un accord de gouvernabilité portant sur une réforme élec-

torale, la distribution de terres aux anciens combattants démobilisés, la création d'une nouvelle force de police et la réforme du système judiciaire.

▼

République du Salvador

Nature du régime : présidentiel.
Chef de l'État et du gouvernement : Armando Calderón Sol, qui a remplacé Alfredo Cristiani le 24.4.94.
Monnaie : colón (1 colón = 0,56 FF au 30.4.95).
Langues : espagnol (off.), nahuatlpipil.

L'application complète du plan de paix de janvier 1992 — qui a mis un terme à quinze années d'une sanglante guerre civile — a posé d'énormes difficultés et les délais ont été une nouvelle fois repoussés, de septembre 1994 à mars 1995. Les manifestations violentes de militaires démobilisés se sont multipliées ainsi que les actes de vandalisme. Un nouvel « escadron de la mort » a même fait son apparition au mois de juin 1994, menaçant des fonctionnaires et des universitaires.

Le 28 juillet 1994, le Groupe d'observateurs des Nations unies au Salvador (Onusal) a conclu, dans un rapport public, que les « groupes armés illégaux aux motivations politiques » avaient certes diminué leurs activités au lendemain de la conclusion des accords de paix, mais n'avaient pas été démantelés et semblaient avoir été réactivés en 1994 sous couvert de délinquance.

De surcroît, le 2 février 1995, Calderón Sol a annoncé le lancement d'un programme de réformes économiques radicales. Les syndicats ont manifesté leur inquiétude au sujet du programme de privatisations qui pourrait priver 25 000 fonctionnaires de leur emploi. Le patronat a critiqué le « système de libre convertibilité » de la monnaie et le taux de change fixe. Enfin, le projet d'éliminer tous les droits de douane en deux ans a fortement déplu aux industriels et a soulevé l'indignation des voisins centraméricains du Salvador, au moment où tous négocient la mise en place d'un tarif douanier extérieur commun. Le gouvernement a ainsi dû se résoudre à une réduction plus progressive des droits de douane.

Au sein de l'opposition de gauche, la division apparue lors de l'élection à la présidence de l'Assemblée s'est accentuée. Le 19 décembre 1994, lors de sa convention, le Front Farabundo Martí de libération nationale (FMLN) — organisation de guérilla officiellement reconnue comme parti politique en décembre 1992 — s'est scindé en deux tendances (social-démocrate et marxiste).

Guatémala

La signature, le 31 mars 1995, d'un « accord sur l'identité et les droits des peuples indigènes » a relancé les négociations de paix entre le gouvernement du Guatémala et la guérilla.

▼

République du Guatémala

Nature du régime : présidentiel.
Chef de l'État et du gouvernement : Ramiro de León Carpio (depuis le 5.6.93).
Monnaie : quetzal (1 quetzal = 0,86 FF au 30.4.95).
Langues : espagnol, 23 langues indiennes (quiché, cakchiquel, mam, etc.), garifuna.

Ouvertes en 1991 pour mettre un terme à un conflit plus que trentenaire qui aurait déjà fait 100 000 morts, les négociations avaient été souvent interrompues. Paradoxalement, pour un pays dont la population compte 60 % d'Indiens, il aura fallu des années de lutte pour qu'un document officiel reconnaisse que « le Guatémala est un pays multiethnique et multilingue ». Des réformes constitutionnelles devaient être adoptées pour favoriser l'insertion des Indiens dans la société. Il reste

que la signature d'un accord de paix, prévue en août 1995, dépend toujours de l'évolution des négociations sur les autres thèmes : réforme agraire, démilitarisation, réformes institutionnelles et réinsertion de l'Union révolutionnaire nationale guatémaltèque (URNG) dans la vie politique.

Le 23 juin 1994, le gouvernement et l'URNG se sont mis d'accord pour créer une Commission pour l'éclaircissement historique des violations des droits de l'homme qui a commencé un travail courageux. Mais au début de l'année 1995, le Groupe d'appui mutuel (GAM) faisait état de 1 488 violations des droits de l'homme en 1994, soulignant la montée de la délinquance et la diminution des crimes politiques. De son côté, l'expert désigné par l'ONU Monica Pinto insistait, dans son rapport du 20 décembre 1994, sur la militarisation de la société et l'insécurité.

Le général Ríos Montt, dictateur en 1982-1983 au pire moment de la répression, a effectué un retour au premier plan. Vainqueur avec son Front républicain guatémaltèque (FRG) des élections législatives du 14 août 1994, marquées par un taux d'abstention record de 80 %, il s'est fait élire président du Parlement le 14 janvier 1995 et s'annonçait comme le favori des présidentielles de novembre 1995. En 1990, sa candidature avait été rejetée, en vertu d'un article de la Constitution interdisant aux anciens dictateurs de se présenter à des élections.

En 1994, le Guatémala a réussi à élever son taux de croissance à 5 %. Les exportations ont diminué, mais moins que les importations.

Honduras

Le président Carlos Roberto Reina, entré en fonction le 27 janvier 1994, a vite constaté qu'il était difficile de tenir certaines promesses électorales. La démilitarisation tant annoncée a valu au pays une année de tensions avec les militaires. Au moins trois problèmes se sont posés.

D'une part, le président Reina a souhaité supprimer le service militaire obligatoire, ce qui a paru inacceptable aux militaires au motif qu'ils ne pourraient plus assurer la sécurité du pays. D'autre part, il a diligenté une enquête sur la corruption et un présumé trafic de drogue dans l'armée de l'air, ce qui a été perçu comme faisant partie d'une campagne de dénigrement. Enfin, le gouvernement a procédé à des restrictions budgétaires dont ont souffert les armées. La mauvaise humeur du chef d'état-major des armées, le général Luis Alonso Discua, a été telle que son porte-parole a dû préciser le 4 août 1994 que l'armée n'avait pas l'intention de renverser le président... Le 23 janvier 1995, C. Reina remportait toutefois une première victoire en faisant passer les forces de police sous contrôle civil et en dissolvant la Direction nationale d'investigations (DNI), souvent accusée de violations des droits de l'homme.

▼

République du Honduras

Nature du régime : présidentiel.
Chef de l'État et du gouvernement : Carlos Roberto Reina (depuis le 27.1.94).
Monnaie : lempira (1 lempira = 0,54 FF au 30.4.95).
Langues : espagnol (off.), langues indiennes (miskito, sumu, paya, lenca, etc.), garifuna.

De fait, la montée de la délinquance et du vandalisme a renforcé l'argument du déficit sécuritaire du pays. Cette situation est une conséquence de la grave crise économique et sociale traversée par le pays. Aux mesures d'austérité s'est ajoutée une dramatique crise énergétique due à la sécheresse.

Le 12 octobre 1994, le Parlement a voté le troisième programme d'ajustement structurel du pays. Les mesures d'austérité prises pour lutter contre le déficit fiscal (11,2 % du PIB en 1993) comprennent notamment la création de nouvelles taxes (de 20 % sur les produits de luxe, 10 % sur les alcools, etc.), une réduction des emplois publics (7 000 emplois) et des économies budgétaires (10 %). Un programme de « compensation sociale » a aussi été approuvé, avec un blocage du prix de 20 produits alimentaires de base. Cela n'a pas rassuré les enseignants, qui, réclamant des augmentations de salaire, se sont mis en grève dans le courant du mois.

Un an après son arrivée au pouvoir, le président Reina faisait donc face à une situation économique difficile, avec une croissance négative et une inflation ayant plus que doublé (de 10,6 % en 1993 à 25,6 % en 1994).

Nicaragua

Cinq ans après son élection à la présidence, en février 1990, Violeta Chamorro n'était toujours pas parvenue à pleinement stabiliser la vie politique de son pays. Certes, elle a pu faire en sorte que le général Humberto Ortega, frère de l'ancien président Daniel Ortega, quitte en douceur le commandement des forces armées, poste qu'il occupait

▼

République du Nicaragua

Nature du régime : présidentiel.
Chef de l'État et du gouvernement : Violeta Barrios de Chamorro (depuis le 25.2.90).
Monnaie : cordoba or (1 cordoba or = 0,70 FF au 28.2.95).
Langues : espagnol (off.), anglais, créole, langues indiennes (miskito, sumu, rama), garifuna.

depuis 1979. Son remplaçant, Joaquín Cuadra, est un proche des sandinistes (au pouvoir de 1979 à 1990), mais il se retrouve à la tête d'une armée réduite de moitié et largement professionnalisée.

Sur le front économique, V. Chamorro a pu se prévaloir d'une reprise de la croissance (2,5 % en 1994 contre − 0,5 % en 1993) et d'une

relative maîtrise de l'inflation (8 %
contre 35 % en 1993). Ces résultats
ont pu apparaître remarquables dans
la mesure où le pays a souffert de la
sécheresse (et donc de coupures
d'électricité) et d'un climat politique
très incertain.

En effet, alors que les affrontements armés, relancés deux ans
auparavant par d'anciens militaires
sandinistes et d'anciens *contras* (guérilleros antisandinistes de la guerre
civile passée) pour dénoncer le non-
respect des accords de démobilisation
qui prévoyaient la distribution de terres, ont baissé d'intensité par rapport
à 1993, l'année 1994 a vu se dérouler un combat entre le pouvoir exécutif et le pouvoir législatif. Le
différend s'est focalisé sur la réforme
de la Constitution de 1987. La présidente souhaitait un simple toilettage des institutions, afin d'éliminer
l'héritage de la période sandiniste
(1979-1990), mais le Parlement
approuva, le 7 février 1995, une révision complète de la Constitution,
portant sur 65 de ses 202 articles.
Parmi les réformes importantes, on
relevait l'instauration d'un second
tour lors de l'élection présidentielle,
une réduction du mandat présidentiel de six à cinq ans et l'interdiction
d'une réélection, un rééquilibrage des
pouvoirs au profit du législatif, le
contrôle civil des forces armées et
l'interdiction du service militaire
obligatoire.

V. Chamorro n'a pas apprécié
l'interdiction faite aux membres de
la famille d'un président de se présenter aux élections, y voyant une
manœuvre contre son gendre, Antonio Lacayo, son successeur virtuel
après les présidentielles de 1996. Le
Parlement décidait tout de même, le
24 février, de publier la nouvelle
Constitution au *Journal officiel*. Le
pays s'est retrouvé dès lors avec deux
Constitutions, l'armée s'engageant à
faire respecter celle de 1987, seule
reconnue par la présidente.

Le paysage partisan a, de surcroît,
poursuivi sa décomposition. Après
que la coalition ayant porté au pouvoir V. Chamorro s'est dissoute, ce
sont les sandinistes qui, en 1994, se
sont divisés. Lors du congrès du Front
sandiniste de libération nationale
(FSLN), du 21 au 23 mai 1994, un
groupe de « rénovateurs » dirigé par
l'ancien vice-président de la République, Sergio Ramírez, s'est opposé à
Daniel Ortega. Celui-ci est toutefois
parvenu à préserver son contrôle sur
le parti et à lui maintenir son orientation idéologique « révolutionnaire »,
contraignant de nombreuses figures
historiques à l'abandonner. De cette
scission est né le Mouvement de rénovation sandiniste (MRS).

Panama

Le 8 mai 1994, Ernesto Pérez Balladares était élu président de la République, avec 33,2 % des suffrages
exprimés. Le candidat du Parti révolutionnaire démocratique (PRD)
devançait le candidat du Parti arnul-
fiste (PA), Mireya Moscoso de Gru-
ber (veuve de l'ancien président
Arnulfo Arias, au pouvoir par intervalles de 1940 à 1968), avec 29,5 % des
voix, le chanteur Rubén Blades arrivant en troisième position. Ces élections ont donc consacré le large
bouleversement intervenu dans le paysage partisan.

▼

République du Panama

Nature du régime : présidentiel.
Chef de l'État et du gouvernement :
Ernesto Pérez Balladares, qui a
succédé, le 1.9.94, à Guillermo
Endara (élu le 8.5.94).
Monnaie : théoriquement le balboa
(1 balboa = 4,91 FF au 30.4.95),
de fait le dollar.
Échéances électorales : présidentielles
en 1996.
Langues : espagnol (off.), langues
indiennes (guaymi, kuna, etc.).
Statut de la zone du canal : selon le
traité Hay-Bunau-Varilla de 1903,
le canal et une zone adjacente ont
été concédés aux États-Unis. Le
traité Carter-Torrijos du 7.9.77 a
abrogé le traité de 1903, et prévu le
passage sous souveraineté
panaméenne au 31.12.1999.

BIBLIOGRAPHIE

O. DABÈNE, « Amérique centrale : les élections de 1993-1994 », *Problèmes d'Amérique latine*, n° 15, La Documentation française, Paris, oct.-déc. 1994.

O. DABÈNE, « Invention et rémanence d'une crise : leçons d'Amérique centrale », *Revue française de science politique*, n° 42/4, Paris, août 1992.

Y. LEBOT, *La Guerre en terre maya. Communauté, violence et modernité au Guatémala*, Karthala, Paris, 1992.

A. ROUQUIÉ, *Guerres et paix en Amérique centrale*, Seuil, Paris, 1992.

A. ROUQUIÉ (sous la dir. de), *Les Forces politiques en Amérique centrale*, Karthala, Paris, 1992.

D. VAN EEUWEN, Y. PIZETTY-VAN EEUWEN (sous la dir. de), *Caraïbes-Amérique centrale 1980-1990. Le sang et les urnes*, IEP/Annales CREAC, Aix-en-Provence, 1991.

Voir aussi la bibliographie sélective « Amérique centrale et du Sud », page 522, ainsi que la bibliographie p. 138.

Les formations traditionnelles, héritières des grands *caudillos*, ont ainsi repris le devant de la scène, tandis que les partis qui avaient lutté contre la dictature du général Manuel Antonio Noriega s'effacent. La démocratie chrétienne, notamment, n'a obtenu que 2 % des suffrages exprimés. Ancien collaborateur d'Omar Torrijos (homme fort de la période 1968-1978), E. Pérez Balladares n'était autre qu'un des dirigeants du Parti révolutionnaire démocratique (PRD) qui a soutenu la dictature de M. Noriega jusqu'à la destitution de ce dernier en 1989.

Dans son discours de prise de fonction, le 1er septembre 1994, E. Pérez Balladares a promis de mettre un terme aux affrontements politiques et d'œuvrer à la réconciliation nationale. Il a annoncé vouloir tourner définitivement la page d'une période sombre marquée par l'intervention militaire nord-américaine de décembre 1989, en procédant à une amnistie. Enfin, il a déclaré vouloir en priorité s'acquitter de la dette sociale, en combattant la misère. Avec une dette toujours non renégociée, la croissance a encore ralenti en 1994, passant à 5 %, contre 5,9 % en 1993 et 6 % en 1992.

Bien que ne disposant pas de la majorité au Parlement, E. Pérez Balladares a pu faire ratifier, le 4 octobre 1994, par les deux tiers des députés, un projet du gouvernement précédent visant à abolir l'armée. Au plan extérieur, il s'est rapidement fait remarquer en acceptant de donner asile au dictateur haïtien déposé, Raoul Cédras, en accueillant près de 10 000 réfugiés cubains (dont un millier s'est violemment révolté le 8 décembre) et en normalisant les relations diplomatiques de Panama avec le Mexique.

Le 11 janvier 1995, alors que le nouveau gouvernement était accusé de corruption et de népotisme, le ministre de l'Intérieur et de la Justice annonçait opportunément la découverte d'un complot contre le régime, selon lequel le président devait être assassiné le 13 janvier et un régime militaire devait être installé. Une cinquantaine de personnes furent arrêtées, mais des doutes surgirent rapidement quant à la véracité du complot.

Olivier Dabène

Grandes Antilles

**Bahamas, Bermudes, Cayman, Cuba, Haïti, Jamaïque,
Porto Rico, République dominicaine, Turks et Caicos**

Bahamas

En février 1995, les autorités ont organisé des rafles parmi les milliers d'immigrés haïtiens illégaux ; environ 3 000 d'entre eux ont été rapatriés. L'immigration illégale en provenance d'Haïti et de la Jamaïque a été qualifiée en avril 1994 de « menace la plus grande à tout [le] développement » par le Premier ministre adjoint — devenu en février 1995 gouverneur des Bahamas — Orville Turnquest. La police a lancé en mars 1995 une campagne contre la multiplication des crimes les plus violents.

▼

Commonwealth des Bahamas

Nature du régime : parlementaire.
Chef de l'État (nominal) : reine Elizabeth II, représentée par un gouverneur, sir Orville Turnquest, qui a remplacé sir Clifford Darling en févr. 1995.
Chef du gouvernement : Hubert Ingraham (depuis le 19.8.92).
Monnaie : dollar bahaméen, aligné sur le dollar américain (1 dollar = 4,81 FF au 8.8.95).
Langue : anglais.

Le tourisme, principale activité du pays, a été frappé par une baisse de fréquentation (escales) des bateaux de croisière. L'enquête sur les affaires auxquelles aurait été mêlé l'ancien Premier ministre Lynden Pindling (1967-1992), soupçonné de corruption dans l'industrie hôtelière, s'est poursuivie.

Bermudes

Un référendum sur l'indépendance de cette colonie britannique a été fixé au 15 août 1995 par le gouvernement du Premier ministre sir John Swan. L'opposition (PLP, Parti travailliste progressiste), en désaccord sur la procédure, a appelé à un boycottage. Certains partisans du gouvernement étaient également hostiles à cette consultation, qui ne semblait pas non plus convaincre l'opinion publique. La fermeture, en 1995, des petites bases militaires américaines et britanniques promettait d'affecter de façon importante l'économie de l'île.

Cayman

A la demande du gouvernement de cette dépendance britannique, les États-Unis ont évacué, entre décembre 1994 et mai 1995, presque la totalité des 1 200 *boat people* arrivés de l'île voisine de Cuba, pour les accueillir à la base américaine de Guantánamo. Truman Bodden a succédé, le 12 avril 1995, à Thomas Jefferson comme « leader of government business » (ministre en chef officieux). Le nombre de touristes a été en hausse (18 %) en 1994. Le secteur des compagnies *offshore* est également apparu croître dans ce paradis fiscal.

Greg Chamberlain

Cuba

L'exode des *balseros* (réfugiés de la mer, environ 30 000 pour l'été 1994) et la manifestation d'août 1994 à La Havane (1 000 à 2 000 personnes) ont représenté un tournant dans la crise cubaine. Le gouvernement a été contraint d'accélérer le processus de réformes économiques engagé en juillet 1993 avec la légalisation de la possession de dollars. L'initiative privée a été élargie, bien que de façon très limitée. Les marchés libres paysans interdits depuis 1986 ont été autorisés en octobre 1994. Le développement de la petite entreprise (inexistante jusqu'alors) a été envisagé afin de faire face à la réduction des effectifs dans l'administration et les entreprises d'État. Cette réduction pourrait concerner plusieurs centaines de milliers de personnes.

532
•

▼

République de Cuba

Nature du régime : socialiste à parti unique (Parti communiste cubain, PCC).

Chef de l'État : Fidel Castro, premier secrétaire du PCC, au pouvoir depuis 1959.

Échéance institutionnelle : élection à l'Assemblée nationale populaire en 1998, laquelle renouvelle le Conseil d'État qui désigne le chef de l'État.

Monnaie : peso cubain.

Langue : espagnol.

Litige territorial : la base de Guantanamo fait l'objet d'une concession illimitée aux États-Unis.

L'essor des investissements étrangers (203 *joint-ventures* dont 63 dans le secteur minier et pétrolier et 37 dans le tourisme) n'est cependant pas apparu suffisant. La récolte de canne à sucre, évaluée à 3,3 millions de tonnes pour 1995, aura été inférieure à celle de 1994, alors que les recettes du pays, qui dépendent essentiellement de cette ressource, étaient déjà très en deçà du niveau nécessaire pour couvrir les besoins élémentaires de la population.

Outre l'aggravation de la pauvreté et le développement de la prostitution, les mesures d'ajustement adoptées ont créé d'importantes inégalités économiques et suscité des tensions sociales potentiellement explosives.

Seule la normalisation des relations avec les États-Unis pourrait faciliter l'accès aux financements extérieurs indispensables et atténuer le coût social des réformes. Les deux accords relatifs aux procédures migratoires conclus en septembre 1994 (fixant un quota annuel de 20 000 entrées) et mai 1995 ont repré-

senté un revirement politique de la Maison-Blanche. Le statut privilégié dont bénéficiaient aux États-Unis les Cubains fuyant illégalement leur pays a été aboli. Ces derniers ont désormais été reconduits dans l'île, décision qui a représenté une reconnaissance implicite de la légitimité du régime cubain. Le rapport du Pentagone de mars 1995 a confirmé ce tournant. Cependant, le projet de loi devant être présenté à l'été par Jesse Helms, président républicain de la commission des Affaires étrangères du Sénat, visait à renforcer et internationaliser l'embargo appliqué depuis 1960. L'approbation de ce projet, bien qu'il ait été condamné par l'Union européenne (UE) et les gouvernements latino-américains, permettrait à Washington de manier la carotte et le bâton.

Pour échapper à l'emprise américaine, Cuba s'est tournée vers l'Amérique latine et l'UE. Cette dernière a accordé à compter de 1993 une aide humanitaire croissante. La signature d'un accord de coopération entre l'Union européenne et l'île dépendait cependant des changements politiques opérés à La Havane. C'est sur ce plan que l'évolution est apparue la plus lente. Une lenteur que les autorités cubaines ont justifiée par les risques de la transition. Cependant, pour la première fois, un opposant en exil qui avait auparavant été emprisonné pendant vingt-deux ans à Cuba, Eloy Gutierrez Menoyo, a pu revenir à La Havane en juin 1995 et affirmer publiquement sa volonté d'y avoir pignon sur rue.

Concilier l'ouverture économique et politique, amortir les tensions sociales qui en découlent, tout en contrôlant grâce à l'armée les rouages essentiels du pouvoir, étaient les défis redoutables posés au chef de l'État Fidel Castro.

Janette Habel

Haïti

Le 19 septembre 1994, des troupes américaines (dont l'effectif atteindra 21 000 hommes) ont débarqué en

Grandes Antilles

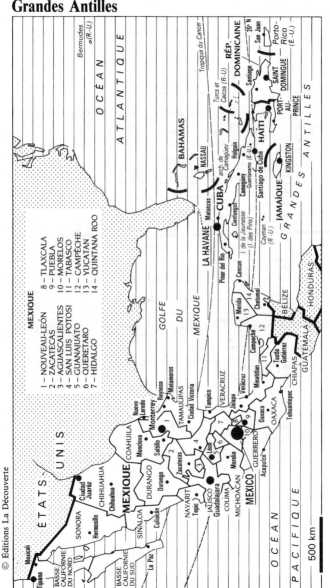

© Éditions La Découverte

533
•

Grandes Antilles *(Voir notes p. 536)*

	INDICATEUR	UNITÉ	BAHAMAS	CAYMAN	CUBA
	Capitale		Nassau	George Town	La Havane
	Superficie	km²	13930	259	110861
DÉMOGRAPHIE	Développement humain (IDH) [b]		0,854	..	0,666
	Population (*) [f]	million	0,28	0,03	11,04
	Densité [f]	hab./km²	19,8	119,7	99,6
	Croissance annuelle [i]	%	1,5	3,5	0,8
	Indice de fécondité (ISF) [i]		2,0	1,6	1,8
	Mortalité infantile [i]	‰	23	6,1 [e]	12
	Espérance de vie [i]	année	73	77,1 [e]	75
	Population urbaine	%	86,0	100,0	75,5
CULTURE	Analphabétisme [f]	%	7,8	2,5 [e]	6,3
	Scolarisation 12-17 ans	%	77,6 [e]	..	73,5 [c]
	Scolarisation 3e degré	%	19,6 [d]	..	19,4 [c]
	Téléviseurs [b]	‰ hab.	225	193	162
	Livres publiés	titre	15 [c]	..	1017 [c]
	Nombre de médecins	‰ hab.	1,45 [e]	1,63 [c]	4,35 [b]
ARMÉE	Armée de terre	millier d'h.		..	85
	Marine	millier d'h.	0,85	..	6
	Aviation	millier d'h.		..	15
ÉCONOMIE	PIB [a]	million $	3059	500,6	11370
	Croissance annuelle 1985-93	%	1,6	..	− 8,5
	1994	%	2,3	..	..
	Par habitant [g]	$	16820 [a]	..	2000 [c]
	Dette extérieure totale	million $	350 [a]	1158 [e]	7000 [a]
	Service de la dette/Export.	%	4,0	..	..
	Taux d'inflation	%	1,5	..	..
	Dépenses de l'État Éducation	% PIB	3,3 [c]	..	6,7 [l]
	Défense	% PIB	0,9	..	3,7 [a]
	Énergie [b] Consommation par habitant	kg	3258	4552	1152
	Taux de couverture	%	—	—	11,2
COMMERCE	Importations	million $	1155	..	2300 [a]
	Exportations	million $	250	..	2200 [a]
	Principaux fournis. [a]	%	E-U 25,7	..	Ex-CAEM [n] 21,7 [b]
		%	Jap 16,9	..	UE 25,5 [b]
		%	Ita 20,0	..	PVD 47,1 [b]
	Principaux clients [a]	%	E-U 41,5	..	Ex-CAEM [n] 45,5 [b]
		%	UE 27,6	..	UE 13,8 [b]
		%	PVD 12,6	..	PVD 24,4 [b]

HAÏTI	JAMAÏQUE	PORTO RICO	RÉPUB. DOMIN.
Port-au-Prince	Kingston	San Juan	St-Domingue
27 750	10 990	8 900	48 730
0,354	0,749	..	0,638
7,18	2,45	3,67	7,82
258,7	222,7	412,8	160,5
2,0	0,7	0,8	1,9
4,8	2,3	2,2	3,1
86	14	11	42
57	74	75	70
30,9	53,2	73,0	63,8
75,0	15,0	10,9 [k]	17,9
43,9 [e]	75,8 [e]	79,1 [b]	73,5 [e]
1,2 [e]	8,6 [c]	48,1 [m]	18,6 [j]
4,7	134	265	87
271 [l]	71 [j]	..	2 219 [k]
0,14 [e]	0,16 [e]	2,18 [h]	1,08 [e]
4 [o]	3	—	15
	0,15	—	4
	0,17	—	5,5
2 479 [b]	3 362	25 317	8 039
− 1,6	3,9	2,6	2,2
2,0	3,0	..	4,0
925 [c]	3 000 [a]	7 020 [a]	3 240 [a]
773 [a]	4 279 [a]	..	4 633 [a]
6,6 [c]	20,1 [a]	..	13,3 [b]
43,9	26,7	..	14,3
1,8 [e]	4,1 [b]	7,7 [c]	1,6 [b]
2,2 [a]	0,6	..	1,3
52	1 507	2 271	612
6,6	0,4	0,5	2,3
151	2 131	17 105 [a]	2 624
45	1 161	20 100 [a]	633
E-U 50,4	E-U 54,1	E-U 68,3 [c]	E-U 40,2
UE 15,8	UE 14,5	..	UE 16,4
AL 18,3	AL 20,3	..	AL 26,3
E-U 84,0	E-U 53,5	E-U 88,6 [c]	E-U 52,8
UE 11,4	Can 10,8	..	UE 23,2
Fra 4,0	UE 25,2	..	AL 11,0

Haïti afin d'assurer le retour du père Jean-Bertrand Aristide, président démocratiquement élu en décembre 1990 et renversé en septembre 1991 par l'armée. Ce dernier, quittant son exil américain, a regagné triomphalement son pays, le 15 octobre, deux jours après le départ du dictateur Raoul Cédras.

▼

République d'Haïti

Nature du régime : présidentiel.
Chef de l'État : Jean-Bertrand Aristide, élu démocratiquement le 16.12.90, avait été renversé par un coup d'État militaire. Il a été restauré le 15.10.94, remplaçant le général Raoul Cedras et le président Émile Jonassaint.
Monnaie : gourde (1 gourde = 0,35 FF au 30.4.95).
Langues : français, créole.

En avril 1994, sous la pression des hommes politiques américains noirs et libéraux et après la fuite vers les États-Unis de *boat people* haïtiens victimes de la pauvreté et de la répression, le président américain Bill Clinton avait, en effet, abandonné sa politique hésitante sur Haïti pour prendre clairement position en faveur du retour du président Aristide, en n'écartant pas l'éventualité d'un débarquement. Suite à la généralisation de l'embargo contre Haïti et l'interruption de toute liaison aérienne, l'ONU a autorisé fin juillet le renversement du régime militaire par «tous les moyens nécessaires».

[Notes du tableau des p. 534-535]
Chiffres 1994, sauf notes : a. 1993; b. 1992; c. 1991; d. 1987; e. 1990; f. 1995; g. A parité de pouvoir d'achat (voir p. 673); h. 1983; i. 1990-95; j. 1985; k. 1980; l. 1989; m. 1981; n. Conseil d'assistance économique mutuelle (COME-CON); o. Police.
(*) Dernier recensement utilisable : Bahamas, 1990; Cayman, 1989; Cuba, 1981; République dominicaine, 1990; Haïti, 1982; Jamaïque, 1991; Porto Rico, 1990.

La fuite de 16 000 *boat people* en juillet et l'assassinat d'un proche de J.-B. Aristide, le père Jean-Marie Vincent, le 28 août, auraient été des facteurs décisifs dans la décision américaine. Cependant, pour éviter des victimes dans les rangs de l'armée des États-Unis, que l'opinion publique, hostile à l'opération, aurait certainement mal acceptées, B. Clinton a autorisé l'ancien président Jimmy Carter (1977-1981) à négocier au préalable le départ des généraux putschistes. Accueillis avec enthousiasme par la population, les Américains ont rapidement démantelé l'armée, même s'il leur a été reproché de ne pas avoir désarmé systématiquement les nombreux civils armés.

Une police intérimaire de 4 000 hommes a été mise sur pied, encadrée par 1 100 conseillers étrangers. En même temps, a été engagée la constitution d'une police permanente (4 000 hommes), devant être en place au moment de la passation de pouvoir de J.-B. Aristide à son successeur — il ne peut, en effet, briguer un second mandat — à l'échéance de son mandat, en février 1996. Le président s'est prononcé, en avril 1995, pour la suppression définitive de l'armée, qu'il a qualifiée de «cancer», mais il a accepté l'offre de Washington de porter à 7 000 hommes les effectifs de la nouvelle force de police, la disparition des forces de l'ordre anciennes ayant entraîné une insécurité et une criminalité inquiétantes. Une personnalité de l'extrême droite, Mireille Durocher Bertin, a ainsi été assassinée le 28 mars 1995. Le système judiciaire ne fonctionnant pas, la population s'est vengée en lynchant des dizaines de petits voleurs et de *zenglendos* (malfaiteurs).

La condition du peuple le plus pauvre du continent n'a pas changé. Les pays développés se sont engagés à fournir 1,1 milliard de dollars, mais la lenteur du déblocage de ces aides a exaspéré les intéressés. Les prix sont restés élevés et l'approvisionnement en électricité aléatoire. Face aux carences de l'État, le Premier ministre Smarck Michel, nommé par J.-B. Aristide, a promis une vague de privatisations. 20 000 *boat people* de la base américaine de Guantánamo (à Cuba) ont été rapatriés.

Les forces américaines ont cédé la place, le 31 mars 1995, à des troupes de l'ONU (6 000 soldats et 900 policiers). Le tiers d'entre eux étaient cependant américains, tout comme le commandant de la nouvelle force. Cette dernière devrait quitter le pays en février 1996.

Les partisans du président ont largement remporté les élections législatives et locales du 25 juin 1995. Mais le déroulement très désorganisé de ce scrutin, que les États-Unis ont pourtant qualifié de « grand pas vers la démocratie », a amené tous les autres partis à exiger son annulation. Parmi eux figurait le FNCD (Front national pour le changement et la démocratie) d'Evans Paul, qui, battu dans sa tentative de réélection comme maire de la capitale par le chanteur populaire de gauche Manno Charlemagne (proche d'Aristide), n'était plus considéré comme successeur probable d'Aristide aux élections présidentielles de novembre 1995. J.-B. Aristide a refusé l'idée de « récupérer » ses trois ans d'exil et de rester au pouvoir.

Jamaïque

Le gouvernement s'est engagé à poursuivre une politique fiscale disciplinée en 1995-1996. L'inflation a été contenue à 21 % en 1994-1995 et divers secteurs (agriculture, bauxite, confection, services financiers) ont présenté des résultats satisfaisants, malgré de nombreux conflits sociaux. Le tourisme (1 milliard de dollars E-U par an) a stagné. Le programme de privatisations a avancé, appliqué notamment à Air Jamaïque en novembre 1994, mais le gouvernement a perdu de l'argent au cours de ces cessions d'actifs. Les réserves de devises ont augmenté et une croissance économique de 3,5 % était prévue pour 1995.

Le Premier ministre, P.J. Patterson, a maintenu son style de leadership très discret, mais une nouvelle contestation a éclaté en mars 1995 contre Edward Seaga, ancien Premier ministre et chef depuis vingt et un ans du Jamaica Labour Party (JLP, Parti travailliste jamaïcain — opposition). Ses opposants ont demandé son remplacement par Bruce Golding, président démissionnaire du parti. E. Seaga a obtenu un vote de confiance des militants du JLP, mais le mouvement de contestation a persisté. Le projet, toujours inachevé, de réforme électorale a fait renvoyer encore une fois les élections locales à juin 1996. Le JLP a par ailleurs boycotté plusieurs élections parlementaires partielles tenues en 1994.

▼
Jamaïque

Nature du régime : parlementaire.
Chef de l'État (nominal) : reine Elizabeth II, représentée par un gouverneur, sir Howard Cooke (depuis août 91).
Chef du gouvernement : P.J. Patterson (depuis le 26.3.92).
Monnaie : dollar jamaïcain (1 dollar = 0,15 FF au 30.4.95).
Langues : anglais, espagnol.

Face à la montée de la criminalité en 1994, le gouvernement s'est dit prêt à reprendre les exécutions de peine de mort. Il s'est à nouveau opposé, en janvier 1995, à l'introduction de casinos dans l'île.

Porto Rico

Une grave pénurie d'eau, la pollution et le niveau atteint par la criminalité ont préoccupé la population de ce riche « État associé » aux États-Unis. Le rationnement de l'eau a été à nouveau décrété en mai 1995, avec des coupures de 12 heures par jour dans la capitale. La pire sécheresse depuis trente ans a paru toucher à sa fin, mais ses effets ont persisté à cause du manque d'entretien du réseau hydraulique. Le gouvernement a rendu public un projet de réaménagement de 2,4 milliards de dollars. Il avait

BIBLIOGRAPHIE

J.-B. ARISTIDE (en coll. avec C. WARGNY), *Tout moun es moun. Tout homme est un homme*, Seuil, Paris, 1992.

E. CARDOSO, A. HELWEGE, *Cuba after Communism*, The MIT Press, Cambridge (MA), 1992.

Caribbean Insight (mensuel), 8 Northumberland St, London, WC2N 5RA.

M. CEARA HATTON, « La economia dominicana, 1980-1990 », *Annales des pays d'Amérique latine et des Caraïbes*, n° 11-12, IEP/CREALC, Aix-en-Provence, 1993.

G. CHAMBERLAIN, T. GUNSON, A. THOMPSON, *Dictionnary of Contemporary Politics : Central America and the Caribbean*, Routledge, Londres, 1991.

J.-F. FOGEL, B. ROSENTHAL, *Fin de siècle à La Havane*, Seuil, Paris, 1993.

J. HABEL, « Cuba : une transition à haut risque », *Problèmes d'Amérique latine*, n° 17, La Documentation française, Paris avr.-juin 1995 (dans ce même numéro voir aussi R.J. SCOTT, « Cuba : questions sociales, raciales, et politiques d'une transition à l'autre ».

Haïti-Hebdo (bulletin d'information) 29, rue Victor-Hugo, F 93170 Bagnolet.

IRELA, *Cuba : Apertura economica y relationes con Europa*, Madrid, 1994.

B. MEEKS, *Caribbean Revolution and Revolutionnary Theory*, MacMillan, Londres, 1993.

A. OPPENHEIMER, *Castro's Final Hour*, Simon & Schuster, New York, 1992.

« Puerto Rico, 1988-1992 », *Homines*, déc. 1992.

C. RUDEL, *Les Chaînes d'Aristide*, Éd. de l'Atelier, Paris, 1994.

N. SANCHEZ (sous la dir. de), *The Military and Transition in Cuba*, The National Security Archive, Washington, mars 1995/rapport commandé par le Pentagone.

déjà consacré 81 millions de dollars au nettoyage de 10 km de plages touristiques, après le naufrage d'un pétrolier début 1994.

Le nombre d'homicides, majoritairement liés au trafic de la drogue, a encore augmenté en 1994, pour la cinquième année. L'île a reçu une aide spéciale des États-Unis pour combattre les trafiquants, dont certains seraient protégés par des parlementaires. Plus de 900 personnes ont été arrêtées le 1er juin 1995 lors des rafles anti-drogue organisées dans l'île.

République dominicaine

Devant l'évidence de la fraude massive intervenue lors de sa ré-élection en mai, le président Joaquin Balaguer a accepté, en août 1994, la tenue d'un nouveau scrutin en novembre 1995, auquel il ne lui serait pas permis d'être candidat. Mais ses partisans au Congrès en ont reporté la date au 16 mai 1996.

Les candidats à la succession ne manquaient pas : parmi eux, le vice-président Jacinto Peynado et le ministre des Affaires étrangères Carlos Morales Troncoso. Le Parti révolutionnaire dominicain (PRD), principale formation de l'opposition), a décidé de faire concourir son leader, José Francisco Peña Gomez, qui avait été officiellement battu de justesse par J. Balaguer en 1994 et a été opéré d'un cancer, en octobre

1994. Le rival de toujours de J. Balaguer, l'ancien président Juan Bosch (85 ans), a finalement quitté la tête de la troisième plus importante formation politique, le Parti de libération dominicaire (PLD), pour être remplacé par un leader plus jeune, Léonel Fernandez (42 ans).

▼

République dominicaine

Nature du régime : présidentiel.
Chef de l'État et du gouvernement : Joaquin Balaguer (depuis le 16.8.86).
Monnaie : peso (1 peso = 0,36 FF au 30.4.95).
Langue : espagnol.

L'économie, qui a connu une croissance de 4 % en 1994, est apparue menacée par le manque d'électricité fournie par la compagnie d'État, en piètre situation. 40 % seulement de la production d'électricité a été payé en 1994. Des scandales ont éclaté début 1995 dans les services de douane, ainsi qu'à la minoterie nationale et la compagnie aérienne Dominicana, appartenant toutes deux à l'État.

Les prix ont augmenté en 1995, surtout dans les transports publics, ce qui a provoqué des émeutes sanglantes en février et en juin. Les réserves de devises ont chuté en 1994 de 95 %, mais le secteur minier (or et nickel) a obtenu d'excellents résultats. Le pays est devenu le plus grand exportateur du monde de cigares, devant Cuba. Les échanges extérieurs ont été perturbés par la suppression des tarifs douaniers en Haïti, État voisin de la République dominicaine. Des importations massives de marchandises en ont été la conséquence.

Turks et Caicos

George Taylor, chef du Mouvement démocratique du peuple (PDM, opposition), a été nommé « ministre en chef » de la colonie autonome, après la victoire de son parti aux élections générales du 31 janviers 1995. Il a succédé à Washington Missick. Le gouverneur britannique conservera cependant la responsabilité de l'important secteur de banques *off-shore*, très touché par la corruption. Un plan économique de trois ans, mis sur pied par Londres en octobre 1994, a prévu l'octroi d'une aide d'environ 22 millions de livres.

Greg Chamberlain

Petites Antilles

(Les îles sont présentées selon un ordre géographique, en suivant l'arc qu'elles forment, du nord au sud, dans la mer des Caraïbes.)

◆ **Iles Vierges britanniques.** Le « ministre en chef » Lavity Stoutt, à nouveau en poste depuis 1986, est mort le 14 mai 1995, après avoir dominé pendant trois décennies la scène politique de cette dépendance britannique. Stoutt a été remplacé par son adjoint, Ralph O'Neal, L'économie a enregistré une croissance de 4,5 % par an, grâce surtout au tourisme et à l'installation de siè-

ges sociaux de compagnies étrangères dans ce paradis fiscal.

◆ **Iles Vierges américaines.** S'engageant à combattre le crime, Roy Schneider (indépendant) a été élu gouverneur de ce territoire américain non incorporé le 8 novembre 1994, succédant à Alexander Farrelly. La libération, le mois suivant, de cinq détenus condamnés à perpétuité pour meurtre, dont l'un pour l'assassinat de huit personnes, en majorité des Blancs, sur un terrain de golf en 1972, a provoqué des manifestations.

Le Parlement a autorisé, en mai 1995, l'implantation de casinos sur l'île de Sainte-Croix.

———

◆ **Anguilla.** Retiré de la scène politique après onze ans d'exercice du pouvoir, le « ministre en chef » sir Emile Gumbs, a vu lui succéder, au terme des élections législatives de mars 1994, Hubert Hughes, chef du Parti unifié d'Anguilla (AUP). Le taux de croissance économique de cette dépendance britannique a été de 6,5 % en 1994, notamment dans les secteurs du tourisme (+ 20 %) et des compagnies *offshore* (+ 23 %). Une centaine de trafiquants de drogue opérant dans l'île ont été arrêtés à l'étranger, en 1994.

———

◆ **St. Kitts et Nevis.** L'opposition a largement remporté les élections du 3 juillet 1995 et Denzil Douglas, leader du Parti travailliste, est devenu Premier ministre. Ainsi s'achevait une période de confusion, née de l'arrivée au pouvoir, au terme des

▼

St. Kitts et Nevis
(Saint-Christophe-et-Nièves)

Nature du régime : parlementaire.
Chef de l'État (nominal) : reine Elizabeth II, représentée par un gouverneur, sir Clement Arrindell (depuis sept. 83).
Chef du gouvernement : Denzil Douglas, qui a succédé au Dr. Kennedy A. Simmonds le 4.7.95.
Monnaie : dollar des Caraïbes orientales (1 dollar EC = 1,82 FF au 30.4.95).
Langues : anglais, créole.

élections de décembre 1993, du gouvernement minoritaire de Kennedy Simmonds. Le vice-premier ministre, Sydney Morris, avait démissionné en novembre 1994 à la suite de l'arrestation de deux de ses fils et du meurtre d'un troisième, ainsi que d'un policier de haut rang, dans une

affaire de blanchiment d'argent et de trafic de cocaïne.

———

◆ **Antigua et Barbuda.** Quinze ans après que son père Vere Bird lui avait officieusement laissé le pouvoir comme adjoint, Lester Bird est devenu Premier ministre en titre, au terme des élections législatives du 8 mars 1994, gagnées face à une

▼

Antigua et Barbuda

Nature du régime : parlementaire.
Chef de l'État (nominal) : reine Elizabeth II, représentée par un gouverneur, sir James Carlisle (depuis juin 93).
Chef du gouvernement : Lester Bird, qui a succédé à Vere C. Bird le 9.2.94.
Monnaie : dollar des Caraïbes orientales (1 dollar EC = 1,82 FF au 30.4.95).
Langue : anglais.

poussée de l'opposition contre la dynastie des Bird. Des manifestations et des grèves contre des hausses d'impôt ont eu lieu de janvier à mars 1995. Diverses affaires de corruption impliquant le pouvoir se sont succédé et le frère du Premier ministre, Ivor Bird, a été condamné en mai 1995 pour trafic de cocaïne.

———

◆ **Montserrat.** L'économie de l'« île d'émeraude » a connu une légère progression en 1994, avec une forte hausse des exportations de composants électroniques. Un plan de relance a été convenu avec le gouvernement britannique, par rapport auquel Montserrat jouit d'une large autonomie. La réhabilitation du port a entraîné davantage d'escales pour tourisme. Il a été prévu d'agrandir l'aéroport et d'étendre le réseau de distribution de l'électricité. Le « ministre en chef », Reuben Meade, a révoqué l'un de ses ministres, David Brandt, pour le remplacer par un membre de l'opposition, Noel Tuitt.

———

Petites Antilles

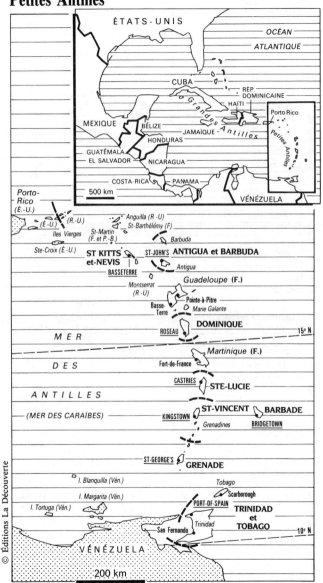

ÉTATS-UNIS

OCÉAN

ATLANTIQUE

CUBA

RÉP.
DOMINICAINE

Grandes

HAÏTI

Porto Rico

MEXIQUE

BÉLIZE

JAMAÏQUE

Antilles

Petites
Antilles

GUATÉMALA
EL SALVADOR

HONDURAS

NICARAGUA

COSTA-RICA

PANAMA

500 km

VÉNÉZUELA

Porto-
Rico
(É.-U.)

(É.-U.)

(R.-U.)

Anguilla (R-U)

St-Barthélémy (F)

Iles Vierges

St-Martin
(F. et P.-B.)

Barbuda

Ste-Croix (É.-U.)

ST KITTS
et-NEVIS

ST-JOHN'S

ANTIGUA et BARBUDA

BASSETERRE

Antigua

Guadeloupe (F.)

Montserrat
(R -U)

Pointe-à-Pitre

Basse-
Terre

Marie Galante

MER

ROSEAU

DOMINIQUE

15° N

DES

Martinique (F.)

Fort-de-France

ANTILLES

CASTRIES

STE-LUCIE

(MER DES CARAÏBES)

KINGSTOWN

ST-VINCENT

BARBADE

Grenadines

BRIDGETOWN

ST-GEORGE'S

GRENADE

I. Blanquilla (Vén.)

Tobago

I. Margarita (Vén.)

Scarborough

I. Tortuga (Vén.)

PORT-OF-SPAIN

TRINIDAD
et
TOBAGO

Trinidad

San Fernando

10° N

VÉNÉZUELA

200 km

© Éditions La Découverte

Petites Antilles *(Voir notes p. 544)*

	INDICATEUR	UNITÉ	ANTIGUA ET BARBUDA	BARBADE	DOMINI-QUE
	Capitale		St. John's	Bridgetown	Roseau
	Superficie	km²	442	430	440
	Développement humain (IDH) [b]		0,796	0,894	0,749
DÉMOGRAPHIE	Population (*) [e]	millier	66	262	71
	Densité [e]	hab./km²	149,3	609,3	161,4
	Croissance annuelle [h]	%	0,6	0,3	− 0,1
	Indice de fécondité (ISF) [h]		1,9 [c]	1,8	2,7 [c]
	Mortalité infantile [h]	‰	20 [b]	9	18,4 [d]
	Espérance de vie [h]	année	72 [c]	76	76 [c]
	Population urbaine	%	35,7	46,9	41 [c]
CULTURE	Analphabétisme [e]	%	4,0 [b]	2,6	3,0 [b]
	Scolarisation 12-17 ans [c]	%	..	74,3	..
	Scolarisation 3e degré	%	..	17,7 [c]	..
	Téléviseurs [b]	‰ hab.	356	280	72
	Livres publiés	titre	..	77 [d]	20 [e]
	Nombre de médecins	‰ hab.	0,77 [f]	1,14 [d]	0,53 [c]
ARMÉE	Armée de terre	millier d'h.	} 0,7	} 0,15	—
	Marine	millier d'h.			—
	Aviation	millier d'h.			—
ÉCONOMIE	PIB [a]	million $	425	1 620	193
	Croissance annuelle 1985-93	%	3,1	− 0,1	5,1
	1994	%	2,9	2,4	1,0
	Par habitant [i]	$	4 500 [c]	10 940 [a]	3 900 [c]
	Dette extérieure totale	million $	268 [d]	566 [a]	89,5 [a]
	Service de la dette/Export.	%	..	12,4 [b]	5,0 [a]
	Taux d'inflation	%	4,5	0,5	1,1
	Dépenses de l'État Éducation	% PIB	2,5 [l]	7,9 [d]	5,8 [f]
	Défense	% PIB	0,3 [d]	0,7 [f]	..
	Énergie [b] Consommation par habitant	kg	2 091	1 811	417
	Taux de couverture	%	—	25,2	6,7
COMMERCE	Importations	million $	171	608	147 [a]
	Exportations	million $	29	195	86 [a]
	Principaux fournis. [a]	%	E-U 47,0	E-U 31,4	E-U 20,4
		%	UE 31,0	UE 19,0	UE 19,7
		%	AL 11,1	AL 35,5	PVD 55,8
	Principaux clients [a]	%	E-U 50,2	E-U 15,2	E-U 7,0
		%	UE 17,2	R-U 16,7	R-U 37,2
		%	AL 24,1	AL 33,8	AL 24,4

GRENADE	GUADE-LOUPE	MARTI-NIQUE	SAINTE-LUCIE	ST. VINCENT ET LES GRENADINES	TRINIDAD ET TOBAGO
St. George's	Basse-Terre	Fort-de-F.	Castries	Kingstown	Port of Spain
344	1 780	1 100	620	388	5 130
0,707	..	..	0,709	0,732	0,855
92	428	379	142	112	1 306
267,4	240,4	344,5	229,0	288,7	254,6
0,3	1,8	1,0	1,4	0,9	1,1
3,0 c	2,3	1,9	3,1 c	2,6 c	2,4
29 c	12	8	18,5 b	20,3 d	18
71,5 c	75	76	71,5 d	70 c	72
..	99,3	92,8	47,7	45,8	71,3
2,0 b	9,9 c	7,5 f	7,0 b	2,0 b	2,1
..	..	..	..	..	65,3
..	..	..	..	..	6,7 c
331	265	136	190	144	316
..	..	..	63 e	..	186 k
0,62 d	1,47 g	1,68 j	0,43 c	0,51 c	0,65 d
..	—	—	..		2
..	—	—	..	0,08	0,6
..	—	—	..		—
219	3 209 b	4 514 b	480	233	4 776
4,0	4,4 m	5,9 m	6,2	5,5	1,4
0,8	..	..	2,8	1,6	4,0
3 374 c	..	..	3 500 c	3 700 c	8 850 a
139 a	..	..	101 a	86 a	2 137 a
6,7 a	..	..	3,5 b	3,5 b	27,7 b
2,6	..	..	4,2	− 0,1	5,5
4,7 g	15,7 b	11,5 b	4,9 c	6,7 d	4,0 d
..	—	—	..	1,7 b	1,9
637	1 248	1 731	3 445	413	8 422
—	—	—	—	11,1	168,1
116 a	1 394 a	1 557 a	218 a	167 a	1 448 a
32 a	129 a	191 a	124 a	109 a	1 612 a
E-U 22,4	PCD 86,5	PCD 83,9	E-U 50,0	E-U 24,6	E-U 39,4
UE 22,4	Fra 72,5	Fra 69,2	UE 22,9	UE 35,9	UE 19,6
AL 42,2	AL 11,5	PVD 15,1	AL 17,0	AL 15,0	AL 24,9
E-U 25,0	PCD 72,6	PCD 50,7	E-U 24,2	E-U 4,6	E-U 45,4
UE 25,0	Fra 63,7	Fra 48,4	UE 63,7	UE 24,8	UE 5,0
AL 12,5	AL 25,3	AL 49,3	AL 11,3	UE 47,7	AL 38,8

♦ **Guadeloupe.** Une grave sécheresse a amené les autorités à déclarer, en août 1994, ce département français d'outre-mer (DOM) zone sinistrée. Les plantations de banane et de canne à sucre (qui ont connu une baisse de leur superficie de l'ordre d'un tiers depuis 1989), ainsi que l'élevage, en ont été affectés. L'industrie sucrière a été restructurée. Il a été décidé que la seule usine de Gardel resterait en fonction, après modernisation, l'objectif étant d'augmenter la production jusqu'à 800 000 tonnes par an (trois fois plus qu'en 1995).

La corruption et de nombreux conflits sociaux ont marqué le paysage politique, avec notamment l'incarcération en novembre 1994 de l'ancien député-maire de Baie-Mahault, Édouard Chammougon. Une quantité record de cocaïne a été saisie dans les îles dépendantes de Saint-Martin et de Saint-Barthélemy en 1994 et l'augmentation de l'offre de crack à Pointe-à-Pitre est devenue inquiétante. Aux municipales de juin 1995, pour la première fois, un indépendantiste, Jean Barfleur, a été élu maire d'une ville, en l'occurrence Port-Louis.

Aux présidentielles du 23 avril et du 7 mai 1995, le candidat socialiste Lionel Jospin a obtenu 55 % au second tour, contre 45 % à Jacques Chirac. Lucette Michaux-Chevry, élue maire de Basse-Terre, n'a pas été retenue comme ministre délégué à l'Action humanitaire et aux droits de l'homme par le nouveau gouvernement.

[Notes du tableau des p. 542-543]

Chiffres 1994, sauf notes : a. 1993; b. 1992; c. 1991; d. 1990; e. 1995; f. 1989; g. 1986; h. 1990-95; i. A parité de pouvoir d'achat (voir p. 673); j. 1987; k. 1978; l. 1984; m. 1985-92. (*) Dernier recensement utilisable : Antigua et Barbuda, 1981; Barbade, 1990; Dominique, 1991; Grenade, 1981; Guadeloupe, 1990; Martinique, 1990; Sainte-Lucie, 1980; Saint Vincent et les Grenadines, 1980; Trinidad et Tobago, 1990.

♦ **Dominique.** L'opposition centriste a remporté de justesse les élections législatives du 12 juin 1995 et le leader du Parti unifié des travailleurs, Edison James, a été nommé Premier ministre. La « dame de fer »

▼

Commonwealth de la Dominique

Nature du régime : parlementaire.
Chef de l'État : Crispin Sorhaindo (président, depuis oct. 93).
Chef du gouvernement : Edison James, qui a succédé à Eugenia Charles le 14.6.95.
Monnaie : dollar des Caraïbes orientales (1 dollar EC = 1,82 FF au 30.4.95).
Langues : anglais, créole.

de l'île, le Premier ministre sortant Eugenia Charles — qui ne s'était pas représentée après quinze ans de pouvoir —, avait dû faire face, pendant la dernière année de son mandat, à la baisse du prix de la banane, principale exportation. Une hausse brutale des taxes sur les automobiles a provoqué des violences en avril 1994 et l'état d'urgence a momentanément été proclamé.

♦ **Martinique.** L'homme de gauche qui aura animé pendant un demi-siècle la vie politique de ce département français d'outre-mer (DOM), l'écrivain de la négritude Aimé Césaire (82 ans), s'est fait réélire, en juin 1995, maire de Fort-de-France, poste qu'il occupe depuis 1945. L'île avait voté fermement à gauche lors des présidentielles d'avril-mai 1995 (59 % des voix au candidat socialiste, Lionel Jospin, contre 41 % des voix à Jacques Chirac). L'économie a été perturbée par une grève dans le secteur bancaire de janvier à mars 1995 et par le passage de la tempête *Debbie*, en septembre 1994, qui a durement frappé les bananeraies.

Les investissements majeurs ont chuté de 60 % en 1994. Mais le montant du contrat de plan départemental 1994-1998 (1,568 milliard FF) a représenté une augmentation de

37 % par rapport au précédent. Le «plan Perben» du nom du ministre français alors en charge du dossier, annoncé en juillet 1994 pour les DOM, a mis l'accent sur la création d'emplois. Le rapprochement des échéances concernant l'Union monétaire européenne inquiète les Martiniquais, qui ont dû faire face à plus de rigueur en matière d'aide et faire montre de plus de compétitivité. De nouveaux scandales financiers ont impliqué plusieurs hauts fonctionnaires.

♦ **Sainte-Lucie.** L'éclatement de grèves dans divers secteurs et un scandale concernant le détournement de fonds de l'ONU au profit du parti au pouvoir ont sérieusement ébranlé le gouvernement du Premier ministre John Compton, en avril-mai 1995.

> ▼
> **Sainte-Lucie**
>
> **Nature du régime :** parlementaire.
> **Chef de l'État (nominal) :** reine Elizabeth II, représentée par un gouverneur, sir Stanislaus James (depuis oct. 88).
> **Chef du gouvernement :** John Compton (depuis le 3.5.82).
> **Monnaie :** dollar des Caraïbes orientales (1 dollar EC = 1,82 FF au 30.4.95).
> **Langues :** anglais, créole.

L'opposition s'est battue contre une tentative du pouvoir visant à limiter le droit de grève, la liberté de manifestation et celle de la presse. Les petits planteurs de bananes, activité principale de l'île, ont été les plus actifs pendant les grèves de 1994 et 1995. La tempête *Debbie* a détruit, en septembre 1994, 60 % des bananeraies.

♦ **Saint-Vincent et les Grenadines.** Le gouvernement a été fort critiqué pour son inaction face à l'important trafic de drogue, passant surtout par les petits îlets des Grenadines. La

> ▼
> **Commonwealth de Saint Vincent et les Grenadines**
>
> **Nature du régime :** parlementaire.
> **Chef de l'État (nominal) :** reine Elizabeth, représentée par un gouverneur, sir David Jack (depuis sept. 89).
> **Chef du gouvernement :** sir James Mitchell (depuis le 26.7.84).
> **Monnaie :** dollar des Caraïbes orientales (1 dollar EC = 1,82 FF au 30.4.95).
> **Langue :** anglais.

crise dans l'activité bananière, frappée en partie par une forte sécheresse, est restée grave et la production en 1994 (30 000 tonnes) a été la plus basse en dix ans. L'opposition s'est unifiée en octobre 1994 en créant le Parti travailliste unifié, dirigé par Vincent Beache et Ralph Gonsalves.

♦ **Barbade.** Privé de la direction de son parti du fait d'une contestation interne, en juin 1994, et vivement critiqué pour ses méthodes et la politique économique menée, Erskine Sandiford, Premier ministre depuis

> ▼
> **Barbade**
>
> **Nature du régime :** parlementaire.
> **Chef de l'État (nominal) :** reine Elizabeth II, représentée par un gouverneur, dame Nita Barrow (depuis juin 90).
> **Chef du gouvernement :** Owen Arthur, qui a succédé à Erskine Sandiford le 7.9.94.
> **Monnaie :** dollar de la Barbade (1 dollar = 2,44 FF au 30.4.95).
> **Langue :** anglais.

1987, a perdu les élections législatives anticipées du 6 septembre 1994, au profit du Parti travailliste de la Barbade (BLP) dirigé par Owen Arthur, qui l'a remplacé. Dans l'espoir de stimuler l'économie, le nouveau gouvernement a largement

BIBLIOGRAPHIE

Antilles : espoirs et déchirements de l'âme créole, Autrement, Paris, 1989.

G. BELORGEY, G. BERTRAND, *Les DOM-TOM*, La Découverte, «Repères», Paris, 1994.

Caribbean Insight (mensuel), 8 Northumberland, St London WC2N 5RA.

Caribbean Week (mensuel), River Road, St. Michael, Barbados.

J.-C. GIACOTTINO, «Guyane, Guadeloupe, Martinique», *in L'état de la France 95-96*, La Découverte, coll. «L'état du monde», Paris, 1995.

F. MORIZOT, *Grenade, épices et poudre*, L'Harmattan, Paris, 1988.

G. OOSTINDIE, «The Dutch Caribbean in the 1990s : decolonization, recolonization», *Annales des pays d'Amérique latine et des Caraïbes*, n° 11-12, IEP/CREALC, Aix-en-Provence, 1993.

réduit le niveau des prélèvements fiscaux dans le budget qu'il a présenté en avril 1995. Le tourisme et la canne à sucre, piliers de l'économie, ont eu de moins bons résultats début 1995 que durant la bonne année qu'a été 1994.

♦ **Grenade.** Le ministre de l'Agriculture, George Brizan est devenu Premier ministre de l'«île aux épices» en février 1995, succédant à Nicholas Brathwaite, qui a pris sa retraite. Mais, après que son parti a

---

Grenade

Nature du régime : parlementaire.
Chef de l'État (nominal) : reine Elizabeth II, représentée par un gouverneur, sir Reginald Palmer (depuis août 92).
Chef du gouvernement : Keith Mitchell, qui a succédé, le 22.6.95, à George Brizan, lequel avait remplacé Nicholas Brathwaite le 1.2.95.
Monnaie : dollar des Caraïbes orientales (1 dollar EC = 1,82 FF au 30.4.95).
Langue : anglais.

---

perdu les élections générales du 20 juin 1995, il a dû céder son poste à Keith Mitchell, leader du Parti

national nouveau (NNP). Les revenus du tourisme ont augmenté de 21 % en 1994, mais l'économie n'a connu une croissance que de 0,8 %. Un accord pour maintenir le prix de la noix de muscade a été passé avec l'Indonésie, l'autre grand producteur mondial.

♦ **Trinidad et Tobago.** L'économie a connu une vraie croissance en 1994 (4 %), grâce à de bons résultats dans le secteur du pétrole et du gaz naturel, principales ressources du pays. Les privatisations, notamment de la compagnie aérienne BWIA (vendue à un groupe américain en février 1995), ont contribué à équilibrer le

---

Trinidad et Tobago

Nature du régime : parlementaire.
Chef de l'État : Noor Mohammed Hassanali (depuis mars 87).
Chef du gouvernement : Patrick Manning (depuis le 17.12.91).
Monnaie : dollar de Trinidad et Tobago (1 dollar = 0,83 FF au 30.4.95).
Langues : anglais, hindi.

---

budget. Le pouvoir a renoué avec les exécutions capitales, en juillet 1994, pour combattre le crime, après quinze ans de suspension de la peine de mort. Il a eu gain de cause, en octobre 1994, devant la plus haute instance judiciaire — le Privy Council à Londres —, qui a dû annuler l'amnistie octroyée sous la contrainte à 114 musulmans qui avaient participé au coup d'État manqué de 1990.

♦ **Antilles néerlandaises et Aruba.** En octobre 1994, Sint Maarten et les îles de Statia (Saint-Eustache), Saba et Bonaire ont choisi, à l'instar de Curaçao, en 1993, de voter contre l'indépendance, préférant rester dans la fédération des Antilles néerlandaises dirigée par le Premier ministre Miguel Pourier. Sur l'île autonome d'Aruba, Henny Eman est redevenu Premier ministre après avoir battu son prédecesseur, Nelson Oduber, aux élections législatives du 29 juillet 1994. Claude Wathey, qui détenait officieusement le pouvoir à Sint Maarten de 1951 à 1991, a par ailleurs été condamné en juillet 1994 à dix-huit mois de prison pour corruption.

Greg Chamberlain

Vénézuela - Guyanes

Guyana, Guyane française, Suriname, Vénézuela

Guyana

Le puissant ancien Premier ministre Hamilton Green a fait une rentrée politique remarquée en se faisant élire maire de la capitale en septembre 1994. Son parti, Good and Green Georgetown (Sage et vert Georgetown), y a obtenu une majorité relative. Sa victoire est issue des premières élections organisées depuis vingt-quatre ans ; elle a constitué un véritable plébiscite national du gouvernement du président Cheddi Jagan. En décembre 1994, H. Green a annoncé le lancement d'un mouvement national. C. Jagan, dont les partisans avaient été les victimes des méthodes musclées de H. Green quand il était au pouvoir (de 1985 à 1992), s'est montré conciliant et a proposé une concertation générale avec le parti de ce dernier et les autres formations de l'opposition.

Le PIB a progressé de 8,5 % en 1994. Le budget 1995 a reposé sur l'hypothèse de réductions d'impôts, une hausse des salaires des fonctionnaires et un plan de lutte contre la pauvreté. L'exploitation des gisements aurifères par la compagnie canadienne Omai est apparue en pleine expansion, l'or se classant au premier rang des exportations du pays. Celle de la bauxite, en revanche, a chuté de 40 % en 1994. La production agricole et sylvicole (sucre, riz, bois) a augmenté de 12 %. Les quatre premières privatisations des nombreuses entreprises publiques, dans le cadre du programme triennal d'ajustement structurel de l'économie convenu avec le FMI en juillet 1994, devaient intervenir avant 1996.

République de Guyana

Nature du régime : présidentiel.
Chef de l'État : Cheddi Jagan (depuis le 9.10.92).
Chef du gouvernement : Sam Hinds (depuis le 9.10.92).
Monnaie : dollar de Guyana (100 dollars = 3,4 FF au 30.4.95).
Langue : anglais.

Guyane

Le barrage de Petit-Saut, devant satisfaire la totalité des besoins en électricité de ce département français d'outre-mer (DOM) jusqu'en 2005, a commencé de fonctionner en juillet 1994 pour être pleinement opérationnel en novembre 1995. Ses cinq années de construction auront coûté 2,7 milliards FF à l'État français, 310 km² de forêt amazonienne ont été noyés pour sa réalisation.

Le centre spatial de Kourou, leader mondial pour le lancement de satellites (60 % du marché malgré deux échecs en 1994), fournit un cinquième des emplois du département, les travailleurs immigrés étant principalement d'origine brésilienne, surinamienne et haïtienne. Si l'exploitation de l'or a battu de nouveaux records, elle a continué de polluer gravement les rivières par le cyanure et le mercure utilisés. Lors des élections municipales de juin 1995, le député Christiane Taubira-Delannon, du mouvement Walwary, a échoué de peu dans sa tentative d'emporter la mairie de Cayenne, bastion du Parti socialiste guyanais (PSG) depuis trente ans. Jean-Claude Lafontaine a succédé à Gérald Holder, maire depuis 1978.

Suriname

Malgré la grave crise économique et la fragilité politique dont souffre le pays, le Suriname est devenu, en février 1995, le quatorzième membre du Caricom (Communauté et marché commun des Caraïbes), après des négociations qui avaient duré près d'un an. Le gouvernement a souhaité ainsi rééquilibrer ses relations avec l'étranger, ses liens étroits avec les Pays-Bas, l'ancienne puissance tutélaire, lui ayant fait craindre de rater le rendez-vous des accords commerciaux régionaux se dessinant au niveau du continent.

▼

République du Suriname

Nature du régime : présidentiel.
Chef de l'État et du gouvernement : Ronald Venetiaan (depuis le 7.9.91).
Monnaie : florin de Surinam (100 florins = 1,2 FF au 30.4.95).
Langues : néerlandais, sranan tongo.

Le taux d'inflation a été de 357 % en 1994 et le florin a perdu 70 % de sa valeur entre juillet 1994 et mai 1995. Le prix du pain a été multiplié par seize en quatorze mois. Quelque 75 000 personnes — un cinquième de la population — vivaient avec pas plus de six dollars par famille et par mois. Dans ce contexte, des émeutes ont éclaté dans la capitale, Paramaribo, en novembre 1994, auxquelles le Parti national démocratique (NDP), formation de l'ancien dictateur militaire Desi Bouterse (au pouvoir de 1980 à 1988) aurait été mêlé. La compagnie canadienne Golden Star a conclu un accord d'association avec l'entreprise minière publique Grassalco pour l'extraction de l'or en mars 1994. Mais plus rentable encore est le trafic de la cocaïne. Le Suriname est, en effet, devenu un centre de transit important pour les cartels de la drogue latino-américains. Des militaires toujours puissants y étant mêlés, le gouvernement semblait bien impuissant à combattre ce trafic.

Greg Chamberlain

Vénézuela

Les garanties constitutionnelles suspendues par le président Rafaël Caldera le 27 juin 1994, quelques mois après sa prise de fonctions, n'ont été rétablies que le 4 juillet 1995. Cette

République du Vénézuela

Nature du régime : démocratique présidentiel.
Chef de l'État et du gouvernement : Rafaël Caldera (depuis le 5.12.93).
Monnaie : bolivar (100 bolivars = 2,8 FF au 1.7.95).
Langue : espagnol.
Territoires contestés : Essequibo (région guyanaise ; différend avec le Guyana) et golfe du Vénézuela (frontière maritime avec la Colombie).

privation « partielle » des libertés individuelles était, selon le chef de

Vénézuela - Guyanes

© Éditions La Découverte

VÉNÉZUELA

1 – ARAGUA
2 – CARABOBO
3 – YARACUY
4 – COJEDES
5 – PORTUGUESA
6 – TRUJILLO
7 – MERIDA
8 – TÁCHIRA

300 km

549

Vénézuela - Guyanes

INDICATEUR	GUYANA	GUYANE FRANÇAISE	SURINAME	VÉNÉZUELA
Capitale	Georgetown	Cayenne	Paramaribo	Caracas
Superficie (km²)	214 970	91 000	163 270	912 050
Développement humain (IDH) [b]	0,580	••	0,677	0,820
Population (*) [f] (million)	0,83	0,15	0,42	21,84
Densité [f] (hab./km²)	3,9	1,6	2,6	24,0
Croissance annuelle [k] (%)	0,9	4,5	1,1	2,3
Indice de fécondité (ISF) [k]	2,5	3,2 [c]	2,7	3,3
Mortalité infantile (‰) [k]	48	22,7 [j]	28	23
Espérance de vie (année) [k]	65	67 [e]	70	72
Population urbaine (%)	35,6	76,2	49,7	92,4
Analphabétisme [f] (%)	1,9	18,0 [d]	7,0	8,9
Scolarisation 12-17 ans (%)	70,5 [e]	••	77,1 [e]	59,8 [c]
Scolarisation 3e degré (%)	5,1 [d]	••	9,2 [e]	29,5 [e]
Téléviseurs [b] (‰ hab.)	40	212	132	163
Livres publiés (titre)	46 [g]	••	••	3879 [b]
Nbre de médecins (‰ hab.)	0,15 [g]	2,7 [j]	0,83 [e]	1,72 [g]
Armée de terre (millier d'h.)	1,4	—	1,4	34
Marine (millier d'h.)	0,2	—	0,24	15
Aviation (millier d'h.)	0,1	—	0,15	7
PIB (million $) [a]	285	266 [d]	488	58 916
Croissance annuelle 1985-93 (%)	0,9	••	2,2	3,5
1994 (%)	8,0	••	0,8	– 3,3
Par habitant ($) [ha]	1 710	••	3 670	8 130
Dette extérieure totale (milliard $)	1,94 [a]	••	0,06 [e]	37,46 [a]
Service de la dette/Export. (%)	33,5 [c]	••	••	22,8 [a]
Taux d'inflation (%)	14,0	••	357,0	70,8
Dépenses de l'État Éducation (% PIB)	4,7 [e]	19,2 [d]	8,3 [e]	5,2 [b]
Défense (% PIB)	2,2	—	1,0 [a]	2,0
Énergie [b] Consommation par habitant (kg)	491	2 519	1 788	3 214
Taux de couverture (%)	0,3	—	68,6	344,4
Importations (million $)	511 [a]	1 968 [a]	436 [a]	8 674
Exportations (million $)	385	62 [a]	374 [a]	14 922
Principaux fournis. [a] (%)	E-U 26,4	E-U 18,1	E-U 29,8	E-U 40,3
	Jap 17,2	UE 77,0	UE 25,0	UE 21,0
	AL 27,8	Fra 66,0	AL 28,0	AL 17,3
Principaux clients [a] (%)	E-U 23,6	PCD 72,6	E-U 15,0	E-U 46,8
	R-U 24,3	Fra 51,6	UE 39,0	UE 7,9
	Can 27,9	AL 27,4	AL 14,4	AL 37,6

DÉMOGRAPHIE · CULTURE · ARMÉE · ÉCONOMIE · COMMERCE

l'État, nécessaire pour tenter d'enrayer la crise économique sans précédent qui mine le pays et pour frapper les «corrompus», dans le milieu bancaire notamment, où une dizaine de banques ont finalement déposé frauduleusement leur bilan, en laissant une ardoise de près de 5 milliards de dollars, réglée par l'État. Le résultat n'a cependant pas été à la hauteur des ambitions. Malgré de timides pressions sur Washington, Caracas n'a, en effet, pas pu obtenir l'extradition de la vingtaine de banquiers vénézuéliens réfugiés aux États-Unis, dont le plus connu, Gustavo Gómez, l'ancien P-DG du Banco Latino, la deuxième du pays.

Diminué par l'âge (80 ans), le chef de l'État n'a pas mieux réussi dans la gestion économique du pays. Quatre plans successifs et parfois antagonistes — du «tout-État» à des rechutes néolibérales — n'ont pas empêché tous les indicateurs de virer au rouge vif. D'après la Banque mondiale, le déficit budgétaire a représenté 9 % du PIB et dépassé 7 milliards de dollars. L'inflation a atteint 70,8 % et le dollar, bloqué artificiellement par le gouvernement à 170 bolivars depuis l'été 1994, s'est envolé sur les marchés parallèles, où il était négocié entre 230 et 280 bolivars. Raúl Matos Azocar, le ministre des Finances et l'un des plus proches conseillers du président, a reconnu que près de 20 % de la population active se trouvait sans emploi et que 50 % de cette même population exerçait une activité dans l'économie informelle. Le revenu par habitant a ainsi baissé de près de 3 % en un an.

Le cinquième plan Caldera, présenté à l'été 1995, a été accueilli avec fraîcheur. Adossé à un bolivar «fort», le président s'est refusé à dévaluer, a décrété de nouveaux impôts sur les transactions commerciales, tout en renonçant, dans ce pays pétrolier, à augmenter le prix intérieur de l'essence — 0,04 dollar le litre, ce qui coûte à l'État 2 milliards de dollars par an en subventions. Enfin, il a décidé de maintenir un strict contrôle des changes, paralysant ainsi une grande partie de l'activité économique, et cela sans pour autant préserver le niveau des réserves de la Banque centrale, qui sont descendues, en quelques mois, à moins de 10 milliards de dollars.

Sur le plan de la politique intérieure, les Vénézuéliens n'étaient plus que 25 % à faire confiance à R. Caldera en juin 1995, contre plus de 60 % à l'automne 1994. L'insécurité — toujours plus de cinquante morts en moyenne chaque fin de semaine à Caracas — et la paupérisation grandissantes ont eu raison de l'image «pacificatrice» du patriarche vénézuélien. Privilégiant la résolution des problèmes internes, l'administration Caldera s'est peu attachée à élaborer une véritable politique extérieure. Le pays a pris ses distances avec les principales organisations d'intégration régionale, Groupe des Trois (Vénézuela, Colombie et Mexique), Pacte andin ou Groupe de Rio, même si aucune rupture formelle n'est intervenue. En revanche, le président a donné une impulsion nouvelle aux relations avec le Brésil, présenté comme le futur premier partenaire du pays. Ce renversement d'alliances, au détriment de l'autre proche voisin, la Colombie, s'est traduit par la signature d'accords, en matière énergétique en particulier, qui prévoyaient la fusion à terme des deux compagnies nationales de pétrole, la vénézuélienne PDVSA et la brésilienne Petrobras.

Cet ambitieux projet a retardé de quelques jours, à la fin du mois de juin 1995, le vote par le Congrès d'une nouvelle loi, autrement importante, ouvrant l'industrie pétrolière vénézuélienne aux investisseurs étrangers. L'or noir de Caracas, nationalisé vingt ans plus tôt par le social-démocrate Carlos Andrés

Chiffres 1994, sauf notes : a. 1993; b. 1992; c. 1991; d. 1988; e. 1990; f. 1995; g. 1989; h. A parité de pouvoir d'achat (voir p. 673); i. 1987; j. 1985-88; k. 1990-95.
(*) Dernier recensement utilisable : Guyana, 1980; Guyane française, 1990; Suriname, 1980; Vénézuela, 1990.

BIBLIOGRAPHIE

O. BARRY (coord. par), « Dossier Vénézuela », *Espaces latino-américains*, n° 101-110, Villeurbanne, mars-avr. 1994.

G. BELORGEY, G. BERTRAND, *Les DOM-TOM*, La Découverte, « Repères », Paris, 1994.

J.D. MARTZ, D.J. MYERS, « Technological Elites and Political Parties. The Venezuelan Professionnal Community », *Latin American Research Review*, vol. 29, n° 1, 1994.

J. MOLINA, C. PEREZ, « Venezuela : les élections de 1993. Vers un nouveau système des partis ? », *Problèmes d'Amérique latine*, n° 15, La Documentation française, Paris, oct.-déc. 1994.

P. MOUREN-LASCAUX, *La Guyane*, Karthala, Paris, 1990.

Problèmes d'Amérique latine, n° 12, La Documentation française, Paris, janv.-mars 1994 (voir articles de E. Lander et M. López Maya).

C.A. ROMERO (coord. par), *Reforma y politica exterior en Venezuela*, Nueva Sociedad/INVESP/COPRE, Caracas, 1992.

D. VAN EEUWEN, Y. PIZETTI-VAN EEUWEN, « Caraïbes insulaires et Guyanes 1980-1990 » *in Caraïbes-Amérique centrale 1980-1990*, IEP/Annales CREAC, Aix-en-Provence, 1991.

« Venezuela rethinking capitalist democracy », *NACLA'S Report on the Americas*, vol. 27, n° 5, mars-avril 1994.

Perez, le prédecesseur de Caldera, destitué en mai 1993 et jugé pour malversations de fonds publics, a ainsi été en partie reprivatisé, avec pour résultat prévu d'engranger à échéance de l'an 2000 50 milliards de dollars de recettes fiscales supplémentaires.

Claude Pereira

Amérique andine

Bolivie, Colombie, Équateur, Pérou
(Le Pérou est traité p. 343.)

Bolivie

En 1994, la tenue des indicateurs macro-économiques boliviens s'est améliorée. Ainsi la croissance économique a-t-elle atteint 4 % et l'inflation a été contenue à 8,8 %, son niveau le plus bas depuis 1990. Les projets de vente de gaz naturel au Chili et au Brésil ainsi que le développement du port franc d'Ilo au Pérou ont également alimenté l'optimisme.

L'année aura, en revanche, été difficile sur les plans politique et social.

▼
République de Bolivie

Nature du régime : présidentiel.
Chef de l'État et du gouvernement : Gonzalo Sanchez de Lozada, investi le 6.8.93, qui a succédé à Jaime Paz Zamora.
Monnaie : boliviano (1 boliviano = 1,13 FF au 30.12.94).
Langues : espagnol (off.), quechua, aymara, guarani.

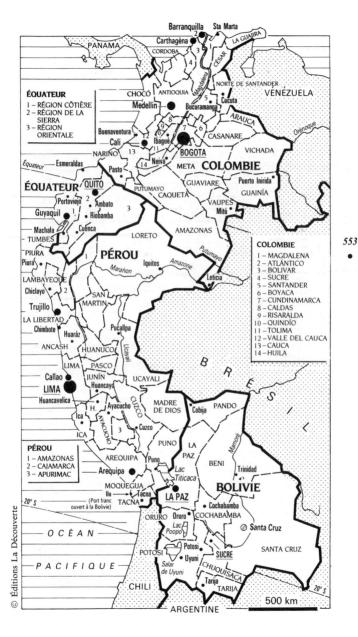

Amérique andine

INDICATEUR		BOLIVIE	COLOMBIE	ÉQUATEUR	PÉROU
	Capitale	La Paz	Bogota	Quito	Lima
	Superficie (km²)	1 098 581	1 138 914	283 561	1 285 216
DÉMOGRAPHIE	Développement humain (IDH) [b]	0,530	0,813	0,718	0,642
	Population (*) [e] (million)	7,41	35,10	11,46	23,78
	Densité [e] (hab./km²)	6,7	30,8	40,4	18,5
	Croissance annuelle [g] (%)	2,4	1,7	2,2	1,9
	Indice de fécondité (ISF) [g]	4,8	2,7	3,5	3,4
	Mortalité infantile [g] (‰)	75	37	50	64
	Espérance de vie [g] (année)	59	69	69	66
	Population urbaine (%)	59,8	72,2	57,7	71,7
CULTURE	Analphabétisme [e] (%)	16,9	8,7	9,9	11,3
	Scolarisation 12-17 ans (%)	43,4 [d]	65,7 [c]	73,4 [d]	74,6 [d]
	Scolarisation 3e degré (%)	22,6 [c]	14,8 [c]	20,1 [d]	39,4 [c]
	Téléviseurs [b] (‰ hab.)	103	117	85	98
	Livres publiés (titre)	447 [h]	1 481 [c]	717 [c]	1 063 [c]
	Nbre de médecins (‰ hab.)	0,39 [c]	0,95 [d]	1,20 [b]	0,73 [b]
ARMÉE	Armée de terre (millier d'h.)	25	121	50	75
	Marine (millier d'h.)	4,5	18,1	4,5	25
	Aviation (millier d'h.)	4	7,3	3	15
ÉCONOMIE	PIB (million $) [a]	5 472	50 119	13 217	34 030
	Croissance annuelle 1985-93 (%)	3,7	5,2	3,2	− 1,5
	1994 (%)	4,0	5,7	3,9	12,9
	Par habitant ($) [fa]	2 400	5 630	4 260	3 130
	Dette extérieure totale (million $)	4 213 [a]	17 173 [a]	13 200	20 300 [a]
	Service de la dette/Export. (%)	59,4 [a]	29,2 [a]	23,8	63,7 [a]
	Taux d'inflation (%)	7,7	23,2	25,4	15,4
	Dépenses de l'État Éducation (% PIB)	2,7 [c]	3,1 [b]	2,7 [b]	1,5 [d]
	Défense (% PIB)	2,3	1,3	2,7	1,9 [a]
	Énergie [b] Consommation par habitant (kg)	368	854	770	484
	Taux de couverture (%)	8,7	216,7	292,8	99,6
COMMERCE	Importations (million $)	1 074	11 893	3 626	6 716
	Exportations (million $)	868	8 804	3 765	4 502
	Principaux fournis. [a] (%)	E-U 24,2	E-U 37,7	E-U 36,0	E-U 30,1
		UE 16,6	UE 17,1	UE 18,7	AL 39,4
		AL 40,0	AL 26,4	AL 23,9	UE 14,3
	Principaux clients [a] (%)	E-U 26,5	E-U 40,5	E-U 40,5	E-U 21,2
		R-U 19,2	UE 22,3	UE 16,1	UE 29,1
		Arg 15,5	AL 26,4	AL 20,0	AL 17,8

Soutenue par les États-Unis, l'«opération zéro» visant à substituer aux plantations de coca d'autres cultures a rencontré une violente opposition, notamment dans la région du Chaparé. Les paysans dont les terres devaient être rachetées ayant organisé des rondes, l'armée est intervenue et des affrontements ont eu lieu en février 1995. Une marche de manifestation sur La Paz a commencé le 30 mars suivant. Le gouvernement de Gonzalo Sanchez de Lozada (MNR — Mouvement nationaliste révolutionnaire, centre-droit) a dû reculer et ne plus remettre en cause que les productions nouvelles de coca, qualifiées de surproduction. La tentative bolivienne de faire accepter l'usage privé des drogues ayant échoué, le président de la République a dénoncé la mainmise des États-Unis.

De nombreux Boliviens ont été accusés d'entretenir des liens plus ou moins étroits avec le narco-trafic, notamment l'ex-président Jaime Paz Zamora et dix-huit de ses anciens collaborateurs. Une demande d'extradition a par ailleurs été transmise au Brésil à l'encontre de l'ex-dictateur Luis Garcia Meza. Des banques privées seraient impliquées dans le blanchiment de l'argent sale. Cependant l'impunité reste souvent de mise.

La politique néo-libérale du gouvernement a par ailleurs été contestée, notamment par l'organisation syndicale, la COB (Centrale ouvrière bolivienne). Son congrès annuel, qui s'est tenu du 30 mai au 10 juin 1994, a cependant souligné son affaiblissement et ses dissensions internes. En rupture avec les thèses de gauche précédemment soutenues, le document final a reconnu la légitimité de plusieurs formes de propriété (publique, privée, coopérative, communautaire et autogestionnaire). Le rapport

Chiffres 1994, sauf notes : a. 1993; b. 1992; c. 1991; d. 1990; e. 1995; f. A parité de pouvoir d'achat (voir p. 673); g. 1990-95; h. 1988. (*) Dernier recensement utilisable : Bolivie, 1992; Colombie, 1985; Équateur, 1990; Pérou, 1981.

adopté affirme également que l'État doit être régulateur, planificateur et promoteur, ainsi que la nécessité que la société démocratique garantisse le pluralisme, respecte les minorités et assure la décentralisation.

Avec la défection de son allié Max Fernandez de l'UCS (Union civique de la solidarité), l'alliance gouvernementale a échoué. Le gouvernement a cependant engagé des réformes, généralement contestées. Il a établi un système d'OTB (organisations territoriales de base), devant prendre en charge les travaux publics et les services communautaires. Il a, par ailleurs, fait voter une loi sur la participation populaire en matière de santé, d'éducation, de culture... et une réforme de l'éducation. Les syndicats se sont opposés aux OTB en particulier, qui empiètent sur leurs prérogatives.

Colombie

A s'en tenir aux résultats macroéconomiques affichés, la situation de la Colombie en 1994 a pu paraître encourageante. La croissance du PIB a atteint 5,7 % et l'inflation a été plafonnée à 23,2 %, taux le plus bas depuis 1990. Si les perspectives d'exportations pétrolières se sont annoncées prometteuses, la production de café a quant à elle chuté.

▼

République de Colombie

Nature de l'État : république unitaire.
Nature du régime : démocratique présidentiel.
Chef de l'État : Ernesto Samper, qui a remplacé Cesar Gaviria le 7.8.94.
Monnaie : peso colombien (100 pesos = 0,6 FF au 30.4.95).
Langue : espagnol.

En février 1994, le président Cesar Gaviria avait dû essuyer un blâme du Conseil d'État, critiquant la présence sur le territoire national, à Juanchaco, de 250 soldats américains. Officiellement, ceux-ci étaient occupés à réparer des routes et à construire un hôpital. En fait, ils

BIBLIOGRAPHIE

AMNESTY INTERNATIONAL, *Colombie. Le vrai visage de la terreur*, AEFAI, Paris, 1994.

CAMPAGNE EUROPÉENNE D'INFORMATION SUR LA DROGUE, *Géopolitique de la drogue*, La Découverte, Paris, 1991.

A. COLLIN-DELAVAUD, *Le Guide de l'Équateur*, La Manufacture, Lyon, 1993.

«Colombie», *Problèmes d'Amérique latine*, n° 16, La Documentation française, Paris, janv.-mars 1995 (articles de M.J. CEPEDA ESPINOSA, R. GARCIA DUARTE, J.A. BEJARANO A., C. ECHANDIA CASTILLA).

R. CORTEZ, *La Guerre de la coca*, FLACSO-CID, La Paz, 1992.

A. LABROUSSE, *La Drogue, l'argent et les armes*, Fayard, Paris, 1991.

R. A. MAYORGA, «Bolivie : élections générales de 1993 et système politique», *Problèmes d'Amérique latine*, n° 15, La Documentation française, Paris, oct.-déc. 1995.

C. RUDEL, *L'Équateur*, Karthala, Paris, 1994.

A. SALAZAR, *Des enfants tueurs à gages, les bandes d'adolescents de Medellin*, Centre Europe-Tiers Monde, Ramsay, Paris, 1992.

R. SANTANA, *Les Indiens d'Équateur, citoyens de l'ethnicité*, CNRS-Éditions, Paris, 1992.

Voir aussi la bibliographie «Colombie» dans la section «34 États».

étaient soupçonnés de surveiller les narco-trafiquants du cartel de Cali. Cette organisation est en effet montée en puissance après la désorganisation du cartel vital de Medellin dont le «parrain» Pablo Escobar avait été tué par la police en décembre 1993.

L'année 1994 aura été marquée par plusieurs scrutins. Les législatives de mars ont donné la victoire aux candidats du Parti libéral (48,6 % des suffrages exprimés, contre 25,4 % au Parti conservateur). Lors des élections présidentielles le candidat libéral Ernesto Samper l'a emporté de justesse sur le candidat conservateur Andrès Pastrana (45,8 % contre 44 %, 7 % au premier tour, 50,1 % contre 48,3 % au second, le 19 juin 1994). L'abstention a été très importante, tant pour les législatives (67,2 %) que pour les deux tours des présidentielles (respectivement 66,3 % et 56,6 %).

Deux jours après sa victoire, E. Samper était accusé par son adversaire d'avoir reçu du cartel de Cali 3,7 millions de dollars pour financer sa campagne électorale. Le *Miami Herald*, à l'origine de l'accusation, a présenté des excuses, mais le pays n'en a pas moins été présenté comme une narco-démocratie...

S'agissant de la lutte contre le narco-trafic, l'aide américaine de 37 millions de dollars a été conditionnée à l'adoption de mesures réelles par la Colombie. Lors de la rencontre des chefs d'État latino-américains (Houston, 9-11 décembre 1994), cette dernière a préconisé la signature d'une convention contre le blanchiment de l'argent sale. Le secret bancaire oppose cependant son opacité à ce genre de résolution.

La lutte anti-guérilla s'est poursuivie contre les FARC (Forces armées révolutionnaires colombiennes) et l'ELN (Armée de libération nationale) tandis que le Courant de rénovation socialiste (CRS) décidait, le 9 avril 1994, d'abandonner les armes et de s'intégrer à la vie politique. Les groupes paramilitaires sont réapparus et Amnesty International a dénoncé les violations chroniques des droits de l'homme.

Par ailleurs, en août 1994, un nouveau contrat social a été accepté par les principaux partenaires (secteur privé, organisations syndicales, communautés et organisations non gouvernementales). Ce contrat s'est notamment fixé pour objectif de créer 220 000 emplois nouveaux, de soutenir les enfants en âge pré-scolaire, d'aider les femmes chefs de famille et les personnes âgées, d'apporter un appui aux femmes enceintes et à celles allaitant leur enfant... Les restrictions budgétaires sont cependant apparues comme une contrainte pour ces projets de politique sociale.

Équateur

La croissance économique équatorienne s'est maintenue en 1994, avec un taux de 3,9 % tandis que l'inflation, avec 25,4 %, atteignait son niveau le moins élevé depuis 1990. La production de pétrole a continué à augmenter. Un nouveau pipeline Orient-Pacifique devrait être construit. Par ailleurs, le FMI a accordé un prêt de 184 millions de dollars au pays. Des manifestations n'en ont pas moins été organisées (fin décembre 1994-début janvier 1995) contre la politique économique suivie par le président Sixto Duran Ballen, responsable d'une hausse de 71 % du prix du carburant en février 1994. Dans plusieurs secteurs, une vive opposition s'est par ailleurs manifestée à l'encontre de privatisations.

▼

République de l'Équateur

Nature du régime : présidentiel.
Chef de l'État et du gouvernement : Sixto Duran Ballen (depuis le 10.8.92).
Monnaie : sucre (100 sucres = 0,2 FF au 30.4.95).
Langues : espagnol (off.), quechua.
Territoires outre-mer : îles Galapagos.

Lors des élections du 1er mai 1994, portant sur le renouvellement de 65 sièges de députés, de 54 sièges de conseillers provinciaux et de 607 sièges de conseillers municipaux, les candidats soutenant le chef de l'État ont subi des revers (seuls neuf d'entre eux ont été élus au Parlement, contre 37 auparavant).

La nouvelle loi de développement agraire a suscité l'opposition de la puissante Conaie (Confédération des nationalités indigènes de l'Équateur) qui a considéré que cette loi favorisait le secteur privé. Une grève générale a eu lieu le 28 juin 1994. Un accord a été négocié qui préserve l'essentiel de la réforme agraire.

Le début de l'année 1995 a été marqué par le conflit frontalier avec le Pérou. L'Équateur avait déclaré nul et non avenu le protocole de Rio signé à la suite du conflit de 1942, le litige portant sur une zone de 380 km².

Des affrontements armés ont eu lieu les 6, 9, 11 et 23 janvier. Un cessez-le-feu était finalement accepté, sous l'égide du Brésil, des États-Unis, du Chili et de l'Argentine. Une zone démilitarisée a été créée. L'Équateur, en situation d'infériorité militaire, aura dans cette affaire joué habilement de l'arme diplomatique. En février 1995, le président Duran Ballén s'est rendu au Chili, au Brésil et en Argentine.

La position équatorienne dans ce conflit s'explique surtout par une question d'honneur national. Au-delà de la question d'un «débouché» sur l'Amazonie ou de putatives richesses naturelles, il s'est en effet agi de préserver l'image des forces armées dans un contexte politique où le ministre de la Défense réactivait le sentiment national.

Gilles Brunel

Cône sud

Argentine, Chili, Paraguay, Uruguay

Argentine

Lors du scrutin du 14 mai 1995, le président Carlos Saúl Menem a été réélu au premier tour, avec presque 50 % des voix. Il l'a emporté dans les vingt-trois provinces de la république fédérale ; à Buenos Aires, il n'a été réélu que de trois points par le Front pour un pays solidaire (Frepaso, centre gauche). De plus, sa formation, le Parti justicialiste (PJ, péroniste), a obtenu la majorité absolue à la Chambre des députés (132 sièges sur 257), ce qui lui a donné le nombre minimal de membres pour que ses délibérations soient

> **République d'Argentine**
>
> **Nature du régime :** démocratie présidentielle.
> **Chef de l'État et du gouvernement :** Carlos Saúl Menem (depuis le 8.7.89, réélu le 14.5.95).
> **Monnaie :** peso (1 peso = 4,91 FF au 30.4.95).
> **Langue :** espagnol.
> **Revendication territoriale :** îles Falkland (Malouines, R-U).

valables. Par ailleurs, le PJ a obtenu onze sièges de gouverneurs parmi les quatorze sièges en jeu. Le Frepaso, né de l'union du Frente Grande et d'une faction dissidente du PJ, dont les candidats à la Présidence et à la vice-présidence étaient respectivement José O. Bordón et Carlos «Chacho» Alvarez, et dont la campagne avait été centrée sur les valeurs éthico-politiques, a obtenu presque 30 % des voix et a vu son nombre de députés passer de 14 à 27. L'Union civique radicale (UCR), dont les candidats étaient Horacio Massaccesi et Ramón Hernández, a réalisé pour sa part, avec 17 % de la faveur populaire, le pire score de son

histoire ; le nombre de ses députés a chuté de 83 à 71.

Plusieurs facteurs expliquent la victoire du PJ : la stabilité économique, les résultats de l'ajustement structurel, surtout pour les classes supérieures, et la prégnance de l'identité politique péroniste dans les couches populaires.

Fin 1994, le gouvernement argentin pensait avoir vaincu pour toujours les fantômes du passé : il était certain d'avoir payé depuis longtemps le coût politique de l'amnistie octroyée aux militaires en 1989, tournant ainsi la page la plus douloureuse de l'histoire de l'Argentine — la dictature militaire qui, de 1976 à 1982, a provoqué la mort ou la «disparition» de 20 000 à 30 000 opposants politiques —, et d'avoir exorcisé pour toujours crise et stagnation économique. Pourtant, la confession, en octobre 1994, de deux membres de la marine, qui ont avoué, pour la première fois, avoir reçu et exécuté l'ordre de torturer et de séquestrer des civils, a rompu la loi du silence que s'étaient imposée les militaires et a ramené sur la place publique le débat sur les disparus de cette période. Ni le gouvernement ni les autorités militaires n'ont voulu entendre parler de la «sale guerre» quand un capitaine de corvette a avoué, fin février 1995, avoir précipité à la mer des prisonniers vivants depuis son avion. Cependant, le gouvernement s'est vu obligé d'exiger l'autocritique des militaires et, pour ne pas blesser leur susceptibilité, également celle des guérilleros, plaçant ainsi les uns et les autres au même niveau de responsabilité.

En matière économique, plus de trois ans durant, le plan de convertibilité du ministre de l'Économie Domingo Cavallo a réussi à faire baisser l'inflation et à assurer une reprise rapide de l'économie. Malgré un taux de chômage (11 %) repassé

© Éditions La Découverte

ARGENTINE
1 - MISIONES
2 - TUCUMAN
3 - ENTRE RIOS

CHILI
1 - RÉGION
    MÉTROPOLITAINE
    DE SANTIAGO
2 - LIBERTADOR
    GENERAL
    B. O'HIGGINS
3 - BIOBÍO

500 km

Cône sud

INDICATEUR	UNITÉ	ARGENTINE	BRÉSIL [1]
Capitale		Buenos Aires	Brasilia
Superficie	km²	2 766 889	8 511 965
Développement humain (IDH) [b]		0,853	0,756

DÉMOGRAPHIE

INDICATEUR	UNITÉ	ARGENTINE	BRÉSIL [1]
Population (*) [f]	million	34,59	161,79
Densité [f]	hab./km²	12,5	19,0
Croissance annuelle [e]	%	1,2	1,7
Indice de fécondité (ISF) [e]		2,8	2,9
Mortalité infantile [e]	‰	24	58
Espérance de vie [e]	année	72	66
Population urbaine	%	87,8	77,6

CULTURE

INDICATEUR	UNITÉ	ARGENTINE	BRÉSIL [1]
Analphabétisme [f]	%	5,8	16,7
Scolarisation 12-17 ans	%	79,1 [c]	74,3 [c]
Scolarisation 3e degré	%	43,4 [c]	11,7 [c]
Téléviseurs [b]	‰ hab.	221	208
Livres publiés	titre	5 628 [b]	17 648 [g]
Nombre de médecins	‰ hab.	3,03 [d]	1,49 [d]

ARMÉE

INDICATEUR	UNITÉ	ARGENTINE	BRÉSIL [1]
Armée de terre	millier d'h.	40,4	219
Marine	millier d'h.	20,5	58,4
Aviation	millier d'h.	8,9	59,4

ÉCONOMIE

INDICATEUR	UNITÉ	ARGENTINE	BRÉSIL [1]
PIB [a]	milliard $	244,0	472,0
Croissance annuelle 1985-93	%	2,6	1,3
1994	%	7,1	5,7
Par habitant [ha]	$	9 130	5 470
Dette extérieure totale [a]	milliard $	74,47	132,7
Service de la dette/Export. [a]	%	47,6	24,4
Taux d'inflation	%	3,9	1 238
Dépenses de l'État Éducation	% PIB	3,1 [b]	4,6 [i]
Défense	% PIB	1,7	0,7 [a]
Recherche et Développement	% PIB	0,3 [b]	0,4 [g]
Énergie [b] Consommation par habitant	kg	1 994	810
Taux de couverture	%	118,8	66,3

COMMERCE

INDICATEUR	UNITÉ	ARGENTINE	BRÉSIL [1]
Importations	million $	21 065	35 997
Exportations	million $	15 259	43 589
Principaux fournis. [a]	%	E-U 22,6	E-U 23,6
	%	UE 24,3	M-O 8,8
	%	Bré 22,0	UE 22,7
Principaux clients [a]	%	E-U 9,1	E-U 20,7
	%	UE 25,1	UE 25,9
	%	Bré 18,4	AL 25,2

CHILI	PARAGUAY	URUGUAY
Santiago	Asunción	Montevideo
756 945	406 752	176 215
0,848	0,679	0,857
14,26	4,96	3,19
18,8	12,2	18,1
1,6	2,8	0,6
2,5	4,3	2,3
16	38	20
74	70	72
83,8	51,9	90,1
4,8	7,9	2,7
86,6 [c]	46,6 [c]	84,4 [b]
23,3 [c]	8,2 [d]	32,0 [c]
210	82	232
1 820 [b]	..	1 143 [c]
1,11 [b]	0,71 [a]	5,32 [b]
54	12,5	17,2
25	3	5,4
14	1	3
42,45	6,99	12,31
7,8	4,2	3,6
4,5	3,5	2,1
8 380	3 490	6 350
20,64	1,60	7,26
23,4	14,8	48,8
8,9	10,0	44,1
2,9 [b]	1,9 [c]	2,8 [b]
2,2	1,3	1,3
0,7 [b]	..	..
1 305	327	830
45,5	225,0	1,5
11 825	3 619	2 773
11 575	1 480	1 913
E-U 22,6	PCD 47,1	UE 17,6
UE 19,0	E-U 23,2	Arg 20,8
AL 22,7	AL 24,1	Bré 27,4
E-U 17,3	E-U 7,6	UE 20,4
UE 25,6	UE 36,0	Arg 19,3
AL 19,6	AL 30,5	Bré 22,3

au-dessus du niveau historique de 6 %, l'expansion s'est poursuivie pendant l'année 1994; la croissance s'est élevée à 7,1 % et l'inflation à 3,9 %. Les exportations ont augmenté, surtout dans le secteur manufacturier, et la demande interne s'est accrue grâce à la consommation et à l'investissement.

Deux problèmes ont néanmoins pris de l'importance : la surévaluation du peso et le déficit de la balance commerciale qui, en 1994, était de presque 6 milliards de dollars. Pour accroître la compétitivité des produits argentins, on a procédé à la réduction des impôts indirects et à la flexibilisation ou à la déréglementation des marchés. On a par ailleurs entrepris de diminuer les coûts de production, dont les coûts salariaux. A cette fin, ont été engagées la réforme du droit du travail (longtemps bloquée par la Confédération générale du travail — CGT — et finalement approuvée par le Congrès en mars 1995), et celle du système de sécurité sociale. Ainsi les contributions des entreprises au système de sécurité sociale ont-elles été réduites et le déficit fiscal en est-il devenu inquiétant en 1994.

Le calendrier politique avait amené le gouvernement à refuser la « facilité d'ajustement élargie » du FMI, avec les contraintes qu'il impliquait, mais la crise mexicaine et ses effets sur l'économie argentine, appelé « effet tequila » [*voir p. 135*] en ont décidé autrement. La mise en place d'un nouveau plan d'ajustement a été acceptée par Buenos Aires, en mars 1995, en échange d'un prêt de 6,7 milliards de dollars censé

1. Le Brésil n'est pas traité dans ce chapitre « Cône sud ». Les données statistiques présentées ici permettent cependant une comparaison de ce pays avec ses partenaires du Mercosur (Argentine, Paraguay, Uruguay).
Chiffres 1994, sauf notes : a. 1993; b. 1992; c. 1991; d. 1990; e. 1990-95; f. 1995; g. 1985; h. A parité de pouvoir d'achat (voir p. 673); i. 1989.
(*) Dernier recensement utilisable : Argentine, 1991; Brésil, 1991; Chili, 1992; Paraguay, 1992; Uruguay, 1985.

BIBLIOGRAPHIE

D. ABENTE BRUN (sous la dir. de), *Paraguay en transición*, Editorial Nueva Sociedad, Caracas, 1993.

J. BRIANT, *Ces Indiens qui veulent vivre*, La Pensée sauvage, Grenoble, 1992.

A. COLLIN DELVAUD, J.-C. NEFFA (coord.), *L'Argentine à l'aube du troisième millénaire*, IHEAL, Paris, 1994.

G. DUCATENZEILER, P. OXHORN, «Democracia, Autoritarismo y el problema de la gobernabilidad en America latina», *Desarollo economico*, n° 133, Buenos Aires, 1994.

R. FREGOSI, «La Société paraguayenne et la transition démocratique», *Problèmes d'Amérique latine*, n° 10, La Documentation française, juil.-sept. 1993.

C. RUDEL, *Le Paraguay*, Karthala, Paris, 1990.

J. SCHVARZER, «La restructuration de l'économie argentine (1989-1992)», *Problèmes d'Amérique latine*, n° 8, La Documentation française, Paris, janv.-mars 1993 (dans ce même numéro, voir aussi les articles de R. SIDICARO, E. ZULETA PUCEIRO, et de L. GOLBERT et E. TENTI FANFANI).

épargner à l'Argentine une crise à la mexicaine. Le gouvernement a ainsi dû augmenter les taxes, dont celle à la valeur ajoutée (TVA).

Chili

La première année de présidence d'Eduardo Frei (élu le 11 décembre 1993) a vu se développer les conflits au sein de la coalition au pouvoir, la Concertation des partis pour la démocratie, réunissant le Parti démocrate-chrétien, le Parti radical, le Parti socialiste et le Parti pour la démocratie. La faute en était à un manque de coordination entre les membres du gouvernement et aux divisions entre les partis sur les politiques à suivre.

▼
République du Chili

Nature du régime : démocratie présidentielle.
Chef de l'État et du gouvernement : Eduardo Frei (depuis le 11.12.93).
Monnaie : peso (100 pesos = 1,3 FF au 30.4.95).
Langue : espagnol.

Le 20 septembre 1994 sont intervenus un remaniement ministériel, qui a coûté son poste au ministre de l'Intérieur, Germán Correa (Parti socialiste, PS), et un renforcement du rôle du président. De manière générale, le poids des socialistes à l'intérieur du gouvernement a été affaibli, malgré la nomination de José Miguel Insulzá au ministère des Affaires étrangères.

Quant aux divisions sur le fond, elles ont reflété les compromis, plus ou moins grands selon les cas, réalisés par les partis de la Concertation et les forces du marché. Des dissensions se sont ainsi fait jour au sujet de la réforme du secteur public et de la prise de participation de capitaux privés dans la compagnie publique Codelco, la plus grande entreprise de cuivre au monde et la plus grande entreprise chilienne.

La Constitution de 1980 mise au point alors que le général Pinochet était encore au pouvoir a été une fois de plus source de tension entre les autorités civiles et les militaires. Deux réformes ont été présentées par le gouvernement au Congrès. La première, concernant les procédures visant à accélérer les travaux législatifs et le renforcement du pouvoir de la Chambre des députés face à l'exécutif, a été approuvée. L'opposition a, en revanche, refusé de discuter l'amendement concernant le remplacement, à partir de 1998, des sénateurs désignés par des sénateurs élus. En revanche, la condamnation des membres des forces armées responsables de l'assassinat, en 1976, de l'ancien ministre des Affaires étrangères de l'Unité populaire, Orlando Letelier, alors en exil aux États-Unis, a constitué une nouvelle victoire pour la démocratie.

La prospérité économique a assuré le maintien au pouvoir de la Concertation malgré les dissensions politiques. Le taux de croissance, en baisse par rapport aux années précédentes, a été de 4,5 % en 1994. Il apparaissait cependant très important au vu de la rigueur de la politique monétaire appliquée. Les secteurs où la croissance a été la plus importante ont été la pêche (21,2 %), les transports et les communications (7,2 %), l'agriculture (6,8 %) et les mines (4,9 %). L'investissement a représenté 28 % du PIB et le taux d'inflation est ressorti à 8,9 %, le niveau le plus faible depuis 1960. La balance commerciale a été excédentaire de 650 millions de dollars. Les investissements étrangers directs se sont accrus de 70 %. Le taux de chômage s'est élevé à 6,5 %, avec la perte de 65 000 emplois. Le salaire réel a, en revanche, connu une augmentation de 5 %.

Le Chili est devenu membre associé du Mercosur (Marché commun d'Amérique du Sud), le 5 août 1994, et membre à part entière de l'APEC (Coopération économique de la zone Asie-Pacifique), en novembre suivant. Les négociations en vue de l'accession à l'ALENA (Accord de libre-échange nord-américain) ont bien avancé.

Paraguay

Depuis la chute de la dictature d'Alfredo Stroessner (1954-1989), le Paraguay a entrepris une difficile démocratisation, et la stabilité politique de son premier gouvernement civil depuis quarante ans s'est continuellement trouvée mise à l'épreuve. Malgré la réforme de la Constitution, qui, en 1992, a rompu le lien entre l'armée et le Parti colorado (toujours au pouvoir), le président Wasmosy a dû résister aux ingérences militaires, tout en ménageant les forces armées et la fraction promilitaire de son propre parti. En même temps, il lui fallait s'assurer de l'appui de l'opposition, majoritaire au Congrès et se méfiant des liens existant entre le président et certains généraux. En mai 1995, le président Wasmosy a obtenu une importante victoire politico-institutionnelle avec un accord impliquant la désaffiliation partisane des militaires et l'interdiction pour ces derniers de participer à des activités économiques privées.

▼

République du Paraguay

Nature du régime : démocratie présidentielle.
Chef de l'État et du gouvernement : Juan Carlos Wasmosy (depuis le 9.5.93).
Monnaie : guarani (100 guaranis = 0,2 FF au 30.4.95).
Langues : espagnol, guarani.

Plusieurs événements ont secoué le gouvernement. En novembre 1994, la Chambre des députés a constitué une commission d'enquête sur les allégations d'ingérence militaire dans la gestion politique du pays. L'assassinat du général Ramón Rosa, chef du Bureau national anti-drogue (SENAD), a mis en évidence le rôle du Paraguay dans le trafic de stupéfiants. La destitution, en décembre 1994, du ministre des Finances, Crispiano Sandoval, déclaré coupable de fraude, la découverte, en mai 1995, de malversations orchestrées par le ministère de l'Intérieur ainsi que l'emprisonnement de trois militaires qui avaient critiqué le commandant en chef de l'armée, Lindo Oviedo, ont semé le doute quant à la probité du gouvernement.

Les tensions politiques ont empêché l'élaboration et l'application de
politiques publiques efficaces, et
l'économie s'est trouvée à la merci
des conditions climatiques et des
hauts et des bas qu'a connus celle du
Brésil, principal partenaire commercial. La croissance économique a été
de 3,5 % en 1994. Le déficit de la
balance commerciale a, quant à lui,
augmenté de 67 % par rapport à
1993, le taux d'inflation s'établissant
à 10 %.

Le 2 mai 1994, le pays a connu sa
première grève générale en trente-six
ans ; elle a fait l'objet d'une répression de la part de la police dans plusieurs régions du pays. Le
gouvernement a accordé une augmentation de 10 % des salaires au
lieu des 80 % réclamés.

Uruguay

Julio Sanguinetti, qui avait déjà été
président entre 1985 et 1989, l'est
redevenu au terme des élections du
27 novembre 1994. Sa formation, le
Parti colorado, a obtenu 32,3 % des
suffrages, tandis que le Parti national en recueillait 31,1 % et la
Convergence progressiste 30,8 %.

▼

République orientale de l'Uruguay

Nature du régime : démocratie
présidentielle.
Chef de l'État et du gouvernement :
Julio Sanguinetti, qui a succédé à
Luis Alberto Lacalle le 27.11.94.
Monnaie : peso (1 peso = 0,88 FF au
28.2.95).
Langue : espagnol.

A l'occasion de ce scrutin, s'est révélée la force de la gauche, qui a rompu
avec le bipartisme traditionnel. A
Montevideo, la Convergence est arrivée en tête avec 44 % des voix. Au
Congrès, les suffrages se sont répartis
dans la même proportion que pour
l'élection présidentielle, le Parti colorado s'y est donc trouvé minoritaire,
tout pacte de gouvernement se révé-
lant laborieux.

La redéfinition du rôle de l'État est
devenue une question majeure. En
avril 1994, le Congrès a voté contre
une réforme de la Constitution qui
aurait donné plus de pouvoirs au président et permis d'accélérer les réformes économiques, souvent bloquées
par le législateur. En août 1994, la
population s'est prononcée par référendum contre des réformes concernant les retraites. Lors d'un
deuxième référendum qui coïncidait
avec les élections de novembre 1994
et après une pétition signée par plus
de 10 % de la population, l'électorat a voté pour que tout changement
du système de sécurité sociale passe
par une loi spécifique, indépendante
de la loi de finances annuelle. Cela
devrait rendre très difficile toute
transformation de la sécurité sociale.

Les résultats économiques, entraînés par la croissance qu'ont connue
l'Argentine et le Brésil, ont été bons.
La croissance a été de 2,1 %, fortement influencée par le tourisme. La
construction, le commerce, les secteurs hôtelier et de la restauration ont
connu une croissance de 10 %.

La reprise économique a contribué
à la remontée de l'inflation, qui a été
de 44,1 % en 1994. Le taux de chômage s'est situé à plus de 9 %.

Graciela Ducatenzeiler

Europe

Que désigne le mot « Europe » aujourd'hui ? D'abord, un conti-nent marqué à la fois par un demi-siècle de paix, appelée à durer, et, localement comme en Bosnie-Herzégovine et dans le Cau-case, par la réapparition de la guerre (depuis 1992) comme mode violent de règlement des différends territoriaux et comme moyen de modifier la répartition spatiale des groupes nationaux.

Le fait que l'idéal européen sorte altéré des conflits fratrici-des de l'ancienne Yougoslavie résulte de la difficulté des États de l'Union européenne à prévenir et à arrêter ces guerres à bref délai, en dépit d'efforts intenses et de la présence sur le terrain des « casques bleus », en grande partie européens.

L'Europe est aussi un ensemble territorial en mutation, formé de plus de quarante-cinq États anciens ou très récents, du fait de l'émancipation des composantes nationales des trois ancien-nes fédérations d'Europe de l'Est (URSS, Yougoslavie, Tché-coslovaquie). C'est à l'évidence un espace discontinu traversé de multiples clivages et marqué, de ce fait, de nombreuses ten-sions. Le continent est néanmoins maillé par un réseau d'insti-tutions multi-États et interdépendantes en élargissement croissant : Conseil de l'Europe (35 membres) ; Union euro-péenne (UE) ; Organisation sur la sécurité et la coopération en Europe (OSCE) ; Union de l'Europe occidentale (UEO), Orga-nisation du traité de l'Atlantique nord (OTAN).

Le mot « Europe » constitue enfin, de manière plus restric-tive, un critère d'admission à l'UE ; selon l'article 237 du traité de Rome (1957), « tout État européen peut en devenir mem-bre », mais le terme « européen » n'y est pas défini. D'après le rapport sur l'élargissement des Douze préparé par la Commis-sion de Bruxelles (1992), le terme « combine des éléments géo-graphiques, historiques et culturels qui, ensemble, contribuent à l'identité européenne. Leur expérience partagée de proximité, d'idées, de valeurs et d'interaction historique ne peut être con-densée en une formule simple et reste sujette à révision à cha-que génération successive ». Selon la Commission, il n'est « ni possible ni opportun d'établir maintenant les frontières de l'Union européenne, dont les contours se construiront au fil du temps ». Il s'agit là d'une définition de géopolitique cons-tructive, dans le sens où se rencontrent un projet politique volon-taire et un espace de taille continentale. En sont membres, dans cette acception, les États qui participeront, de près ou de plus loin, du projet, démocratique à l'intérieur comme à l'extérieur.

L'unification allemande, pacifique, a montré que des fron-tières n'étaient plus intangibles et a ouvert la voie à une lame de fond où s'affirment des nations voulant toutes disposer des attributs de la souveraineté. Le phénomène se produit dans les espaces où la fin de la « guerre froide » a laissé percer les insatisfactions héritées de 1945 (États baltes, Moldavie) ou de 1919 (espace yougoslave, Albanie et Kosovo, Slovaquie contre pays tchèques, relations Hongrie-Roumanie et Roumanie-Russie-Ukraine). Diverses aspirations se sont manifestées : volonté de se soustraire par la sécession à des régimes national-communistes (Slovénie) ; souci de renouer avec une tradition étatique antérieure (pays baltes), d'en élargir le champ territorial (Serbie, Roumanie) ou d'en inventer une (Ukraine, Slovénie, Macédoine, Croatie) ; exigence d'un droit de regard sur les minorités co-ethniques (Hongrie avec tous ses voisins) ; transformation inédite d'un statut de centre impérial à celui d'État-nation (Russie). Et, un peu partout, s'est manifestée la volonté de se protéger des rudes effets de l'introduction du marché.

Le continent européen comptait environ 26 000 kilomètres de frontières en 1989. Depuis 1994, on en dénombre 14 200 de plus, qui sont autant de fronts réels ou virtuels et de frontières d'alarme. Les divorces sont parfois négociés (Slovaquie ou majorité des États successeurs de l'URSS), souvent conflictuels avec des fronts (espace yougoslave, Moldavie et Caucase), là où le droit des peuples à disposer d'eux-mêmes est revendiqué aussi par les nouvelles minorités (Serbes et Croates hors de Serbie, Russes de Moldavie). L'alliance des conservateurs et des nationalistes tire parti des scrutins démocratiques pour imposer ces ruptures.

Nouveaux enjeux

Les nouvelles configurations du continent se dessinent avec plus de netteté. Outre l'adhésion de la majorité des États de l'AELE (Association européenne de libre-échange) à l'UE en 1995, les États d'Europe centrale bénéficient déjà d'accords d'association, la Hongrie et la Pologne ayant pour leur part déposé en avril 1993 leur demande officielle d'adhésion. L'Europe centrale est à la recherche de garanties de sécurité et souhaite une intégration dans l'OTAN qui marquerait l'irréversibilité des transformations géopolitiques, face à une Russie qui revendique un statut de grande puissance et un droit de regard sur un « étranger proche » aux contours flous. Le retour de la croissance économique en Europe centrale a marqué le succès de la transition et de la réorientation des échanges vers l'Union. Ces résultats ont toutefois des conséquences politiques nouvelles.

Quelques années après l'unification allemande (1990), l'Europe apparaît, en effet, de nouveau partagée, en raison des divergences d'évolution politique et économique entre le pôle occidental et l'Europe centrale d'une part, et la Russie, les pays proches et l'aire balkanique d'autre part. Les aléas de la situation politique russe, l'instabilité des relations entre Moscou et son « étranger proche », le constat que l'ex-URSS n'est pas en mesure d'affronter la concurrence internationale contribuent à écarter la Russie de la construction européenne.

L'Europe du Sud-Est est, elle, à la croisée des chemins. Si un règlement négocié est obtenu autour de la Bosnie du fait de la pression convergente des cinq États du « groupe de contact » (Russie, États-Unis, Royaume-Uni, Allemagne, France), qu'un accord est trouvé entre Serbie et Croatie et que les contacts officieux qui ont cours entre Serbes et Albanais du Kovoso et d'Albanie débouchent sur un compromis politique, une « débalkanisation » de la région est envisageable. Cela supposerait aussi une amélioration des relations gréco-turques et la mise en œuvre par la Grèce, seul État sud-est-européen de l'Union, d'une stratégie de codéveloppement éloigné des nostalgies nationalistes.

La seconde réunion à Paris en mars 1995 d'une conférence sur la stabilité en Europe a participé d'un effort de diplomatie préventive, en encourageant les États à signer des traités de bon voisinage qui garantissent les frontières et le statut des minorités nationales. Cette normalisation des relations de proximité intéresse surtout l'Allemagne, la Pologne, la Bulgarie; elle est plus lente entre la Russie et les États baltes et autour de la Hongrie. L'intérêt de participer à l'aire d'influence du pôle économique et politique occidental est un levier puissant pour sortir des ornières de la vieille géopolitique européenne, dans des nations où le poids de l'histoire reste encore obsédant.

C'est pourquoi, la stabilité du continent dépend pour l'essentiel de la poursuite de l'effort d'intégration ouest-européenne et, en premier lieu, de la promotion dans les relations bilatérales du modèle franco-allemand. Depuis 1994, le « triangle de Weimar » associe Allemagne, France et Pologne dans un système permanent d'entretiens politiques, prolongé par une planification militaire commune.

L'Union européenne a toujours progressé à deux conditions : le maintien d'une croissance soutenue, la conscience de défis externes. La reprise économique s'est amorcée depuis fin 1994 ; la nécessité d'apporter des réponses aux défis externes de stabilité et de pacification conduit les principaux États à construire une approche politique commune. La séquence Allemagne-France-Espagne-Italie pour la présidence de l'Union européenne entre juillet 1994 et juin 1996 devrait confirmer ce processus. Enfin, la conférence des États riverains de la Méditerranée (Barcelone, novembre 1995) montre le souci d'une action commune de l'UE vers les « Sud » [voir article p. 135].

Michel Foucher

Europe / Journal de l'année

— 1994 —

9-12 juin. **Union européenne**. Les élections au Parlement européen de Strasbourg voient la montée des droites anti-européennes, les socialistes et les chrétiens-démocrates restant les deux principaux groupes.

12 juin. **Autriche-UE**. Avec une majorité de deux tiers, le « oui » l'emporte largement au référendum d'adhésion à l'Union européenne (UE). Ce vote favorable à l'ouverture contrastera avec le résultat des législatives du 9 octobre suivant qui verront la percée du FPÖ (22,5 %), parti à tendance xénophobe et autoritaire.

22 juin. **France-Rwanda**. Après les massacres perpétrés à partir d'avril par les milices extrémistes hutu du régime de Juvénal Habyarimana qui ont fait plus de 500 000 victimes, la France, autorisée à intervenir au Rwanda par le Conseil de sécurité, envoie 2 500 soldats dans le cadre de l'opération à but humanitaire *Turquoise*. [*Voir dans l'édition précédente, encadré p. 48-49.*]

22 juin. **OTAN-Russie**. La Russie adhère au « partenariat pour la paix », proposé par l'OTAN aux pays de l'ex-pacte de Varsovie dans le but de développer la coopération militaire Est-Ouest.

8-10 juillet. **G-7**. « Sommet » de Naples. Les Sept accordent 200 millions de dollars d'aide à l'Ukraine pour la fermeture de la centrale nucléaire de Tchernobyl, qui viennent s'ajouter aux 120 millions de dollars promis par l'Union européenne.

12 juillet. **Allemagne**. La Cour constitutionnelle de Karlsruhe autorise la participation de soldats allemands à des opérations internationales, sous réserve d'un accord préalable du Bundestag.

15 juillet. **Hongrie**. Investiture du gouvernement de Gyula Horn, après le raz-de-marée enregistré aux législatives des 8 et 29 mai précédents par les ex-communistes du Parti socialiste hongrois. [*Sur le retour des ex-communistes en Europe centrale, voir l'édition précédente, article p. 45.*]

5 août. **Serbie**. Les autorités de Belgrade annoncent un embargo à l'encontre de la « république serbe » autoproclamée de Bosnie. Cette décision — à l'application toute relative — traduit le souci de démarcation diplomatique de Slobodan Milosevic à l'égard de Radovan Karadzic. [*Voir articles p. 100 et p. 285.*]

22 août. **Pays-Bas**. Wim Kok succède à Ruud Lubbers comme chef de gouvernement après que les législatives du 3 mai ont engendré une coalition inédite d'où sont absents les chrétiens-démocrates.

31 août. **Irlande du Nord**. Un cessez-le-feu total et inconditionnel est annoncé par l'Armée républicaine irlandaise (IRA). Le 10 mai 1995 auront lieu les premiers pourparlers directs entre le Sinn Féin (aile politique de l'IRA) et le gouvernement britannique. [*Voir encadré p. 240. Voir aussi édition précédente, article p. 559.*]

31 août. **Fin d'époque**. Départ des derniers soldats russes d'Estonie, de Lettonie et de Berlin.

18 septembre. **Suède**. Aux législatives, les sociaux-démocrates obtiennent 45,4 %, loin devant le Parti conservateur (22,4 %). Le social-démocrate Ingmar Carlsson forme le nouveau gouvernement qui optera pour une politique d'austérité (programme d'assainissement des finances publiques le 2 novembre suivant).

21 septembre. **Danemark**. La coalition de centre gauche sort affaiblie des législatives, ayant perdu 14 sièges sur un total de 179. Les radicaux libéraux progressent.

29 septembre. **OTAN-France**. Pour la première fois depuis 1966, la France participe à la réunion des ministres de la Défense de l'OTAN, à Séville. Le même jour, le Belge Willy Claes est nommé secrétaire général de l'OTAN.

16 octobre. **Allemagne**. Les législatives fédérales marquent la victoire de la coalition chrétienne-démocrate (41,5 % des voix), 6,9 % allant aux libéraux et 36,4 % aux sociaux-démocrates. Le chancelier Helmut Kohl, au pouvoir depuis douze ans, est reconduit.

16 octobre. **Finlande-UE**. 56,9 % des votants se prononcent en faveur de l'adhésion du pays à l'Union européenne.

7 novembre. **Ancienne Yougoslavie**. Première audience du Tribunal pénal international mis en place à La Haye en 1993 pour juger les criminels de guerre. [*Sur la théorie et la pratique de la purification ethnique, voir édition 1994, p. 36.*]

10 novembre. **UEO**. Le Portugais José Cutileiro est désigné secrétaire général de l'organisation, en succession du Néerlandais Wim Van Eekelen.

13 novembre. **Suède-UE**. Le référendum portant sur l'adhésion à l'UE voit une majorité favorable au «oui» l'emporter (52,2 %).

28 novembre. **Norvège-UE.** Au référendum portant sur l'adhésion à l'Union européenne, une courte majorité d'opposants (52,2 %) l'emporte. Déjà en 1972, un référendum comparable avait vu le «non» majoritaire.

5-6 décembre. OSCE. Le «sommet» de Budapest entérine la transformation de la CSCE, née des accords d'Helsinki de 1975, en «Organisation pour la sécurité et la coopération en Europe», qui réunit 52 États. Devant l'OSCE, le président B. Eltsine exprime à nouveau l'opposition de la Russie à un élargissement de l'Alliance atlantique aux pays d'Europe de l'Est, évoquant même la menace d'une «paix froide» en Europe. L'Ukraine, la Biélorussie et le Kazakhstan signent par ailleurs le Traité de non-prolifération nucléaire, ce qui permet l'entrée en vigueur du traité START-1 relatif aux normes stratégiques. [*Sur la prolifération post-«guerre froide», voir article p. 51.*]

16 décembre. **Bulgarie.** Les ex-communistes du Parti socialiste bulgare (PSB) emportent les législatives anticipées avec 43,5 % des voix, ce qui leur donne la majorité absolue au Parlement.

— 1995 —

1er janvier. **UE** L'Union européenne compte désormais quinze membres avec l'entrée en son sein de l'Autriche, de la Suède et de la Finlande. Le 23, le Luxembourgeois Jacques Santer succède au Français Jacques Delors à la présidence de la Commission européenne. [*Sur les défis des élargissements, voir article p. 58.*]

13 janvier. **Italie.** Lamberto Dini est désigné pour former le gouvernement, au terme d'une période de crise ayant succédé à la démission de Silvio Berlusconi. Celui-ci avait perdu l'appui de son allié de la Ligue Nord, Umberto Bossi. Aux élections régionales du 23 avril, les ex-communistes réformateurs du PDS (Parti démocratique de la gauche), deviennent, avec 25,1 %, le premier parti du pays.

10 février. **Conseil de l'Europe.** La Lettonie, après l'adhésion d'Andorre le 10 novembre 1994, devient le 34e pays membre. La Moldavie adhérera le 26 juin suivant. La Russie voit son admission repoussée du fait de la guerre menée en Tchétchénie.

15-17 février. **UE-ACP.** Le désaccord entre les Quinze sur le montant de l'aide aux pays ACP (Afrique, Caraïbes, Pacifique) pour la période 1995-2000 entraîne l'abandon de la révision à mi-parcours de la Convention de Lomé IV. [*Sur les dispositions de cette convention, voir édition 1991, article p. 498.*]

5 mars. **Système monétaire.** Dévaluation de la peseta espagnole de 7 % et de l'escudo portugais de 3,3 %, du fait de la chute du dollar et des retombées de la crise financière mexicaine. [*Sur les fragilités du système monétaire et financier international, voir édition précédente, p. 27.*]

6 mars. **UE-Turquie.** Les «Quinze» signent un accord d'union douanière avec la Turquie, qui semble remis en cause par l'intervention de l'armée turque contre le PKK (Parti des travailleurs du Kurdistan, marxiste-léniniste et séparatiste) au nord de l'Irak.

20 mars. **Pacte de stabilité en Europe.** Adopté par 52 États lors d'une conférence sur la stabilité en Europe réunie à Paris. Elle vise à favoriser le «bon voisinage» en Europe de l'Est, concernant les minorités et les questions frontalières. Le suivi de la conférence est confié à l'OSCE.

26 mars. **Convention de Schengen.** Cette convention, signée en 1990, et qui prévoit de supprimer les contrôles aux frontières intérieures avec renforcement des contrôles aux frontières extérieures, entre en vigueur pour les transports aériens et maritimes, devant être étendue à toute la circulation trois mois plus tard. Le renforcement policier aux frontières communes vise notamment un contrôle accru des flux migratoires. Sept pays sont à cette date signataires : France, Allemagne, Pays-Bas, Belgique, Luxembourg, Espagne et Portugal. [*Voir édition 1991, p. 542.*]

7 avril. **Belgique.** Dans le scandale Agusta (pots-de-vin versés à l'occasion d'achats d'hélicoptères), la justice belge est autorisée à interroger Willy Claes, secrétaire général de l'OTAN.

11 avril. **UE-Russie.** Confirmation par les «Quinze» du gel de l'accord commercial intérimaire conclu avec Moscou pour marquer leur réprobation face à l'intervention russe en Tchétchénie. Cette grave crise où des populations civiles ont été massacrées et des crimes de guerre perpétrés n'en a pas moins été juridiquement considérée par les Occidentaux comme une «affaire» intérieure. [*Voir article p. 42, 90 et 166.*]

14 avril. Serbie-Monténégro. Cinq pays voisins — la Bulgarie, la Grèce, la Moldavie, l'Ukraine et la Roumanie — critiquent la

EUROPE/BIBLIOGRAPHIE SÉLECTIVE

B. BEUTLER, *Réflexions sur l'Europe*, Complexe, Bruxelles, 1993.

F. FÉRON, A. THORAVAL (sous la dir. de), *L'état de l'Europe*, La Découverte, coll. « L'état du monde », Paris, 1992.

M. FOUCHER, *Fronts et frontières, un tour du monde géopolitique* (2ᵉ éd. rev. et augm.), Fayard, Paris, 1991.

M. FOUCHER (sous la dir. de), *Fragments d'Europe, atlas de l'Europe médiane et orientale*, Fayard / L'Observatoire européen de géopolitique, Paris, 1994 (3ᵉ éd.).

M. FOUCHER, J.-Y. POTEL, *Le Continent retrouvé*, DATAR, Éd. de l'Aube, La Tour-d'Aigues, 1993.

T. GARTON ASH, *Au nom de l'Europe*, Gallimard, Paris, 1995.

L. HURWITZ, C. LEQUESNE, *The State of the European Community. Policies, Institutions and Debates in the Transition Years*, Longman, Londres, 1991.

F. DE LA SERRE, C. LEQUESNE, *L'Union européenne : ouverture à l'Est ?*, PUF, Paris, 1994.

D. LENOIR, *L'Europe sociale*, La Découverte, « Repères », Paris, 1994.

J. LÉONARD, C. HEN, *L'Europe*, La Découverte, « Repères », Paris, 1994 (nouv. éd.).

E. LHOMEL, T. SCHREIBER (sous la dir. de), *L'Europe centrale et orientale*, éd. 1994, Les études de la Documentation française, Paris, 1994.

G. MINK, J.-C. SZUREK, *Cet Étrange Post-Communisme. Ruptures et transitions en Europe centrale et orientale*, Presses du CNRS/La Découverte, Paris, 1992.

J. et A. SELLIER, *Atlas des peuples d'Europe centrale*, La Découverte, Paris, 1994 (nouv. éd.).

J. et A. SELLIER, *Atlas des peuples d'Europe occidentale*, Paris, 1995 (à paraître).

sévérité de l'embargo appliqué par l'ONU à l'encontre de Belgrade.

19 avril. **Espagne.** Le chef du Parti populaire José Maria Aznar échappe à un attentat de l'ETA tandis que se développe un scandale portant sur la responsabilité du gouvernement socialiste dans la création des GAL, les « groupes antiterroristes de libération », responsables de multiples assassinats de séparatistes.

23 avril. **France.** Premier tour des élections présidentielles. Le candidat socialiste, Lionel Jospin crée la surprise en arrivant en tête (23,3 %), contre respectivement 20,8 % et 18,6 % aux deux principaux candidats de la droite, Jacques Chirac et Édouard Balladur (tous deux membres du parti dominant du gouvernement sortant). Jean-Marie Le Pen (extrême droite) atteint 15 %. Au second tour (7 mai), Chirac l'emportera, sur le thème du changement, avec 52,6 %, contre 47,7 % à Lionel Jospin.

2 mai. **Croatie.** Une rapide attaque permet à l'armée croate de reprendre le contrôle de l'enclave de Slavonie occidentale tenue par les Serbes. Début août, une offensive d'ampleur permettra la reconquête de la Krajina de Knin par cette même armée, suscitant un considérable exode des populations serbes.

8 mai. **Allemagne.** Le cinquantième anniversaire de la capitulation du régime nazi est l'occasion de débats sur l'identité nationale.

26 mai. **ONU-Bosnie-Herzégovine.** Les Serbes de Bosnie prennent en otage plusieurs centaines de « casques bleus » et observateurs de l'ONU, en réponse aux raids aériens de l'OTAN des 25 et 26 mai. La proposition française d'une Force de réaction rapide (FRR) chargée de soutenir la Forpronu est adoptée par quinze ministres de la Défense de l'OTAN et de l'Union européenne le 3 juin. Les Serbes de Bosnie n'en conquéreront pas moins bientôt les enclaves de Srebrenica et Zepa. [*Sur l'attitude des chancelleries face à la crise yougoslave, voir édition précédente, p. 563.*]

EDM

Europe germanique

Allemagne, Autriche, Liechtenstein, Suisse
(L'Allemagne et l'Autriche sont traitées p. 204 et p. 300.)

Liechtenstein

Une révision complète du traité d'union douanière entre la Suisse et le Liechtenstein a été rendue nécessaire pour concilier l'ouverture des frontières de la principauté à son voisin helvétique et l'adhésion à un EEE (Espace économique européen) que la Suisse n'a pas rallié. Le 9 avril 1995, les citoyens de la principauté,

▼

Principauté du Liechtenstein

Nature du régime : monarchie constitutionnelle.
Chef de l'État : prince Hans-Adam II.
Chef du gouvernement : Mario Frick (depuis le 25.10.93).
Monnaie : franc suisse (1 franc suisse = 4,17 FF au 19.7.95).
Langue : allemand.

appelés à voter à nouveau sur l'adhésion à l'EEE, ont en effet donné une seconde fois leur accord, à une majorité presque identique à celle du premier vote du 13 décembre 1992 (55,9 % des voix, contre 55,8 %). En matière de libre circulation des personnes, Bruxelles a pour sa part accepté le principe d'une période de transition courant jusqu'au 1er janvier 1998 et la possibilité de renégocier cette question.

Suisse

Le 12 décembre 1994, la Suisse ouvrait à Bruxelles des négociations bilatérales avec l'Union européenne (UE), portant sur sept domaines : libre circulation des personnes, recherche, accès au marché pour les produits agricoles, marchés publics, obstacles techniques au commerce et transports aériens et routiers. Cet

événement concrétisait les efforts déployés par Berne afin de surmonter l'isolement du pays, né du refus d'adhérer à l'Espace économique européen (EEE) par le peuple helvétique le 6 décembre 1992. L'isolement de la Suisse au sein de l'Europe s'est encore accentué dans le courant de l'année 1994, après que l'Autriche, la Finlande et la Suède eurent ratifié leur adhésion à l'Union européenne, l'AELE ne regroupant plus, dès lors, que le Liechtenstein, la Suisse, l'Islande et la Norvège.

▼

Confédération helvétique

Nature du régime : parlementaire.
Chef de l'État et du gouvernement (pour un an) : Kaspar Villiger, qui a succédé à Otto Stich le 1.1.95.
Monnaie : franc suisse (1 franc suisse = 4,17 FF au 19.7.95).
Langues : allemand, français, italien, romanche.

Le dossier européen a mis une nouvelle fois en évidence les divisions politiques existant au sein du pays. L'ouverture des négociations bilatérales avec Bruxelles a été retardée pendant de nombreux mois, parce que l'Union européenne avait très mal ressenti l'acceptation de l'« initiative des Alpes », le 20 février 1994. Cette consultation populaire avait été lancée à l'initiative d'un groupe de citoyens riverains des grands axes autoroutiers de la région alpine, sensibles à la pollution engendrée par le trafic des poids lourds. Acceptée par une majorité des électeurs, en dépit d'une vigoureuse campagne de dissuasion menée par le gouvernement helvétique et par les partisans de l'intégration européenne, elle oblige la Suisse à transférer de la route au

Europe germanique *(Voir notes p. 574)*

	INDICATEUR	ALLE-MAGNE	AUTRICHE	LIECHTEN-STEIN	SUISSE
DÉMOGRAPHIE	Capitale	Bonn-Berlin [1]	Vienne	Vaduz	Berne
	Superficie *(km²)*	357 325	83 850	157	41 288
	Développement humain (IDH) [b]	0,918	0,917	..	0,931
	Population (*) [c] *(million)*	81,59	7,97	0,031	7,20
	Densité [c] *(hab./km²)*	228,3	95,0	197,5	174,4
	Croissance annuelle [f] *(%)*	0,6	0,7	1,4	1,0
	Indice de fécondité (ISF) [f]	1,3	1,5	..	1,6
	Mortalité infantile [f] *(‰)*	6	7	7 [h]	6
	Population urbaine *(%)*	86,3	55	21,1	60,5
CULTURE	Scolarisation 2e degré *(%)*	107 [ej]	106 [bk]	..	92 [bl]
	Scolarisation 3e degré *(%)*	33,3 [h]	36,5 [b]	..	30,7 [b]
	Téléviseurs [b] *(‰ hab.)*	558	480	345	407
	Livres publiés *(titre)*	67 277 [b]	3 786 [d]	..	14 663 [b]
	Nbre de médecins *(‰ hab.)*	3,2 [d]	2,10 [e]	0,99 [d]	3,0 [d]
ARMÉE	Armée de terre *(millier d'h.)*	254,3	44	—	565
	Marine *(millier d'h.)*	30,1	—	—	—
	Aviation *(millier d'h.)*	82,9	7,3	—	60
ÉCONOMIE	PIB *(milliard $)*	2 041,5	195,6	0,978 [d]	259,6
	Croissance annuelle 1985-93 *(%)*	2,2	2,8	..	1,7
	1994 *(%)*	2,5	2,8	..	2,1
	Par habitant *($)* [g]	19 279	19 756	..	23 850
	Taux d'inflation *(%)*	2,7	2,6	..	0,4
	Taux de chômage [i] *(%)*	6,8	6,3	..	3,8
	Dépenses de l'État Éducation *(% PIB)*	4,0 [e]	5,8 [b]	..	5,2 [d]
	Défense *(% PIB)*	1,4	0,8 [e]	—	1,7
	Recherche et Développement *(% PIB)*	2,5 [a]	1,64	..	2,68 [b]
	Énergie [b] Consommation par habitant *(kg)*	5 890	4 171	..	4 877
	Taux de couverture *(%)*	48,4	26,9	..	38,7
COMMERCE	Importations *(million $)*	376 560	55 194	626 [d]	67 711
	Exportations *(million $)*	422 280	44 865	1 200 [d]	70 065
	Principaux fournis. *(%)*	UE 47,2	UE 66,1	..	UE 72,9
		Fra 11,1	RFA 40,1	..	RFA 32,8
		PVD 23,2	PVD 16,9	..	PVD 9,5
	Principaux clients *(%)*	UE 48,9	UE 63,1	UE 45,4 [d]	UE 62,1
		PVD 22,2	RFA 38,2	AELE [h] 20,3 [d]	RFA 23,4
		E-U 7,9	PVD 21,2	Sui 14,8 [d]	PVD 22,0

DANEMARK

MER DU NORD

MER BALTIQUE

SCHLESWIG-HOLSTEIN

• Kiel
• Lübeck

Hambourg

MECKLEMBOURG POMÉRANIE OCC.¹ᵉ

POLOGNE

Odenbourg
• Brême

Schwerin   • Neubrandenburg

PAYS-BAS

BASSE-SAXE

BRANDEBOURG

Hanovre

Rhin

ALLEMAGNE

Brunswick

BERLIN

Francfort-sur-l'Oder

Oder

Magdebourg

Potsdam

AUTRICHE
Länder :

Essen
RHÉNANIE DU NORD

Duisbourg

Dortmund
WESTPHALIE

Düsseldorf

Cassel

SAXE-ANHALT

Halle

Cottbus

VORARLBERG   (1)
TYROL   (2)
CARINTHIE   (3)
SALZBOURG   (4)
STYRIE   (5)
HAUTE-AUTRICHE (6)
BURGENLAND   (7)

BONN
Cologne

BELG.

Coblence

HESSE

THURINGE

Erfurt
Suhl

Gera

Leipzig

SAXE

Dresde

Chemnitz

573
•

Francfort

RHÉNANIE-PALATINAT

SARRE
Sarrebruck

Wurtzbourg

Mannheim

• Nuremberg

RÉP. TCHÈQUE

BÂDE-
Stuttgart
WURTEMBERG

BAVIÈRE

Danube

VIENNE

FRANCE

Fribourg

Rhin

• Munich

Linz

BASSE-AUTRICHE

Eisenstadt

Zürich
• St-Gall
Bienne   Bregenz

Salzbourg

6

Neuchâtel
• Lucerne
BERNE

2

Innsbruck

4

AUTRICHE

5

Graz

7

HONGRIE

Lausanne

SUISSE

2

3

Klagenfurt

Genève   Rhône

ITALIE

SLOVÉNIE

CROATIE

SUISSE

ARGOVIE

THURGOVIE

3

11

FRANCE

JURA

2

ZURICH

12

NEUCHÂTEL

3

4

LUCERNE

10

13

LIECHTENSTEIN

6

4

8
7

9

14

ST-GALL

VAUD

5

URI

GRISONS

BERNE

VALAIS

TESSIN

ITALIE

50 km

100 km

© Éditions La Découverte

BIBLIOGRAPHIE

A. BERGMANN, Le « Swiss Way of Managment », Éd. Eska, Paris, 1994.

F. COTTI, La Suisse à l'heure de la vérité, Éditions Universitaires, Fribourg, 1992.

P. GERN, S. ARLETTAZ, Relations franco-suisses, Éd. Georg, Genève, 1992.

W. KELLER, J. ODERMATT, La Suisse vue par elle-même, Der Alltag/Scalo Verlag, Zurich, 1992.

A. MELICH (sous la dir. de), Les Valeurs des Suisses, Éd. Peter Lang, Berne, 1991.

P. SCHIARINI, M. VON HOLZEN, GATT-Europe : la Suisse face à ses paysans, Éd. Georg/Journal de Genève, Genève, 1995.

Voir aussi les bibliographies « Allemagne » et « Autriche » dans la section « 34 États ».

rail, à l'horizon de l'an 2000, tout transit de marchandises.

Le dossier du transport constitue ainsi, avec la libre circulation des personnes, le point le plus délicat des négociations entre la Suisse et l'UE. D'ores et déjà, les milieux politiques anti-européens de Suisse, emmenés par le conseiller national (parlementaire) populiste Christoph Blocher, ont menacé de remettre en cause par référendum les accords bilatéraux si la Suisse faisait trop de concessions à Bruxelles, notamment en matière de libre circulation des personnes.

La population a donné le 12 juin 1994 un nouveau signe de repli sur soi en refusant par référendum la création d'un corps suisse de « casques bleus » destiné à participer à des actions humanitaires dans le cadre de missions organisées par les Nations unies. En revanche, en dépit du poids politique des milieux agricoles,

aucune opposition notable ne s'est manifestée contre la ratification, le 16 décembre 1994, des accords commerciaux de l'Uruguay Round, négociés dans le cadre du GATT (Accord général sur les tarifs douaniers et le commerce). La Suisse a cependant dû mener contre l'Allemagne une bataille diplomatique absolument inhabituelle, pour obtenir que le siège de l'Organisation mondiale du commerce (OMC), qui a succédé au GATT, le 1er janvier 1995, reste à Genève au lieu d'être implanté à Bonn.

De nouvelles tensions sont apparues au sein du gouvernement de coalition, formé de deux ministres socialistes, deux démocrates-chrétiens et trois centristes. Flavio Cotti (ministre des Affaires étrangères) et Arnold Koller (ministre de la Justice) ont publiquement exposé leurs divergences au début de l'année, à propos de la réaction à opposer à la France qui avait refusé d'expulser deux Iraniens fortement soupçonnés d'être impliqués dans l'assassinat, le 6 août 1991, du dernier Premier ministre du chah, Chapour Bakhtiar, et dont la Suisse demandait l'extradition. Le ministre socialiste des finances, Otto Stich, n'a pas réussi à faire adopter par le Parlement, au début de 1995, un ambitieux programme de mesures d'assainissement destiné à réduire le

Notes du tableau de la page 572]

1. Le Bundestag a décidé le 20.6.1991 du transfert de la capitale de Bonn à Berlin. Chiffres 1994, sauf notes : a. 1993; b. 1992; c. 1995; d. 1991; e. 1990; f. 1990-95; g. A parité de pouvoir d'achat (voir p. 673); h. Association européenne de libre-échange; i. En fin d'année; j. 10-18 ans; k. 10-17 ans; l. 13-19 ans.
(*) Dernier recensement utilisable : Autriche, 1991; Liechtenstein, 1980; RFA, 1987; Suisse, 1990.

déficit du budget de la Confédération. Le déficit de l'ensemble des collectivités publiques en Suisse est resté au-dessus de la barre des 4 % du PIB, l'une des principales causes de la détérioration des finances publiques demeurant un taux de chômage de 5 % en 1994.

Jean-Luc Lederrey

Benelux

Belgique, Luxembourg, Pays-Bas

Belgique

De nouveaux rebondissements sont intervenus dans le scandale Agusta, cette vieille affaire de pots-de-vin versés à des personnalités belges par une firme italienne fabriquant des hélicoptères. Jusque-là, seul le Parti socialiste francophone avait été éclaboussé ; il est probable notamment que l'assassinat, en 1991, d'un de ses dirigeants, André Cools, était lié à ce dossier. En 1994-1995, les investigations judiciaires se sont aussi orientées vers le Parti socialiste flamand (SP, Socialistische Partij), à la tête duquel figuraient alors des hommes politiques de premier plan : le commissaire européen Karel van Miert et le secrétaire général de l'OTAN, Willy Claes, qui était ministre de l'Économie au moment de la négociation du contrat Agusta (1988-1989).

▼

Royaume de Belgique

Nature du régime : monarchie parlementaire.

Chef de l'État : roi Albert II, qui a remplacé Baudouin Iᵉʳ (décédé), le 9.8.93.

Chef du gouvernement : Jean-Luc Dehaene (depuis mars 92).

Monnaie : franc belge (100 francs belges = 2,63 écus ou 16,9 FF au 19.7.95).

Langues : français, néerlandais (flamand), allemand.

Le ministre des Affaires étrangères, Frank Vandenbroucke, a démissionné, le 22 mars 1995, après avoir reconnu l'existence d'une caisse noire à l'époque de sa présidence du SP (1989-1991). Le 8 mars, le général Jacques Lefèbvre, ancien chef d'état-major de la force aérienne belge, s'est suicidé ; on avait cité son nom à propos de malversations dans l'achat de matériel militaire (Agusta et Dassault). Le 7 avril, le Parlement a autorisé la justice à interroger trois anciens ministres socialistes et à perquisitionner chez eux ; parmi lesquels W. Claes, dont la position au secrétariat général de l'OTAN est apparue de plus en plus menacée.

Le gouvernement a décidé, en février 1995, de ramener au 21 mai 1995, les élections législatives et régionales — premiers scrutins régionaux au suffrage direct —, qui devaient se tenir à la fin de l'année. Compte tenu du climat politique engendré par l'affaire Agusta, et malgré la pause intervenue dans le débat entre les communautés et les régions, le Premier ministre Jean-Luc Dehaene souhaitait éviter à une équipe en fin de mandat de prendre des décisions importantes pour l'avenir de la Belgique : le pays est, en effet, loin de satisfaire aux critères de « convergence » pour le passage à la monnaie unique, en raison surtout d'une dette publique représentant 130 % du PIB.

Les élections législatives ont été marquées par une relative stabilité. La coalition sortante, n'ayant finalement pas souffert de l'affaire Agusta, a conservé une large majorité. Les libéraux (opposition) ont progressé plus modérément que prévu, tandis que le Vlaams Blok

Benelux

	INDICATEUR	UNITÉ	BELGIQUE	LUXEM-BOURG	PAYS-BAS
	Capitale		Bruxelles	Luxembourg	Amsterdam
	Superficie	km²	30 514	2 586	40 844
	Développement humain (IDH) [b]		0,916	0,908	0,923
DÉMOGRAPHIE	Population (*) [f]	million	10,11	0,406	15,50
	Densité [f]	hab./km²	331,4	157,0	379,6
	Croissance annuelle [g]	%	0,3	1,3	0,7
	Indice de fécondité (ISF) [g]		1,6	1,6	1,6
	Mortalité infantile [g]	‰	6	7	7
	Population urbaine	%	96,9	88,6	88,9
CULTURE	Scolarisation 2e degré	%	102 [ck]	75 [dl]	117 [bk]
	Scolarisation 3e degré	%	37,6 [d]	2,4 [e]	38,8 [c]
	Téléviseurs [b]	‰ hab.	453	267	488
	Livres publiés	titre	13 913 [c]	417 [b]	11 844
	Nombre de médecins [c]	‰ hab.	3,6	2,1	2,5
ARMÉE	Armée de terre	millier d'h.	48	0,8	43,2
	Marine	millier d'h.	2,9	—	14,3
	Aviation	millier d'h.	12,1	—	9
ÉCONOMIE	PIB	milliard $	226,7	13,6	328,5
	Croissance annuelle 1985-93	%	2,7	3,7	2,7
	1994	%	2,3	2,6	2,5
	Par habitant [i]	$	20 449	30 088	18 252
	Taux d'inflation	%	1,9	2,0	2,6
	Taux de chômage [j]	%	9,8	3,0	7,3
	Dépenses de l'État Éducation	% PIB	5,2 [b]	4,3 [h]	6,2 [c]
	Défense	% PIB	1,5	0,8	2,2
	Recherche et Développement	% PIB	1,67 [c]	••	1,86 [b]
	Énergie [b] Consommation par habitant	kg	6 872	14 003	7 122
	Taux de couverture	%	24,5	1,9	96,8
COMMERCE	Importations	million $	112 105	7 545 [a]	115 633
	Exportations	million $	103 860	5 947 [a]	131 141
	Principaux fournis. [a]	%	RFA 22,8	Bel 38,1	UE 57,8
		%	Fra 16,9	RFA 28,5	RFA 22,1
		%	PB 13,0	Fra 11,0	Bel 11,1
	Principaux clients [a]	%	RFA 20,4	Bel 15,0	UE 72,6
		%	Fra 18,5	RFA 28,2	RFA 28,5
		%	PB 10,3	Fra 17,8	Bel 12,5

Benelux

Îles Frisonnes :
1 - Schiermonnikoog
2 - Ameland
3 - Terschelling
4 - Vieland

PAYS-BAS

Îles Frisonnes
Mer des Wadden
FRISE
GRONINGUE
Leeuwarden • Groningue
Assen •
DRENTHE
Texel

HOLLANDE
SEPTENTRIONALE

MER
DU
NORD

AMSTERDAM
Haarlem •
Lelystad •
FLEVOLAND
Zwolle •
OVERIJSSEL
Enschede •

HOLLANDE
MÉRIDIONALE
Utrecht •
GUELDRE
Arnhem •
UTRECHT
La Haye
Rotterdam

ZÉLANDE
Middelburg •
Breda •
Bois-le-Duc •
Tilburg •
BRABANT
SEPTENTRIONAL
Eindhoven •
LIMBOURG

Rhin

ANVERS
Bruges •
FLANDRE
ORIENTALE
FLANDRE
OCCIDENTALE
Ypres •
Gand •
Anvers
I
LIMBOURG
Hasselt •
Maastricht •
ALLEMAGNE

BELGIQUE
Tournai •
BRUXELLES
III
BRABANT
Liège
Meuse

BELGIQUE
Régions :
I - FLANDRE
II - WALLONIE
III - BRUXELLES
CAPITALE

HAINAUT
Mons •
Charleroi •
Namur
NAMUR
II
Philippeville •
LIÈGE

LUXEMBOURG
Districts :
DIEKIRCH (1)
LUXEMBOURG (2)
GREVENMACHER (3)

FRANCE
LUXEMBOURG
Neufchâteau •
Arlon •
LUXEMBOURG
1
2
3

Escaut
Sambre

50 km

577
•

© Éditions La Découverte

(extrême droite) confirmait (11 sièges sur 150 à la Chambre), sans les amplifier, ses résultats significatifs des européennes du 12 juin 1994.

Chiffres 1994, sauf notes : a. 1993;
b. 1992; c. 1991; d. 1990; e. 1986;
f. 1995; g. 1990-95; h. 1989; i. A parité de pouvoir d'achat (voir p. 673); j. En fin d'année; k. 12-17 ans; l. 12-18 ans.
(*) Dernier recensement utilisable : Belgique, 1991; Luxembourg, 1991; Pays-Bas, 1980.

La reprise de la croissance (2,3 % en 1994), après une mauvaise année 1993, a un peu élargi la marge de manœuvre du gouvernement, et la suppression du service militaire (à compter du 1er mars 1995) a permis de faire quelques économies. Les tensions sociales sont cependant restées fortes, dans un contexte de diminution de l'emploi industriel et d'augmentation du chômage ; le coût élevé de la main-d'œuvre encourage, en effet, les entreprises à « délocaliser » à l'étranger certaines de leurs activi-

J.-C. Boyer, *Pays-Bas, Belgique, Luxembourg*, Masson géographie, Paris, 1994.

P. Dayez-Burgeon, *Belgique, Nederland, Luxembourg*, Belin histoire, Paris, 1994.

C. Gengler, *Le Luxembourg dans tous ses états*, Éditions de l'Espace européen, La Garenne-Colombes, 1991.

J. de la Gueriviere, *Belgique : la revanche des langues*, Seuil, Paris, 1994.

tés, notamment au Luxembourg. Le 29 novembre 1994, une grève des services publics contre les privatisations a rencontré un large succès ; le 18 octobre, les problèmes d'organisation et de financement de l'enseignement supérieur avaient déjà donné lieu à une grande manifestation des étudiants francophones.

Aux élections européennes du 12 juin 1994, à la fois le Vlaams Blok et les écologistes (AGALEV flamand et Écolo francophone) ont dépassé la barre des 10 % et aux municipales d'octobre suivant, le Vlaams Blok a été plébiscité à Anvers, avec 28 % des voix.

Luxembourg

Ayant bien résisté à la récession du début des années quatre-vingt-dix, l'économie luxembourgeoise a participé à la reprise de 1994 ; la société sidérurgique ARBED a renoué avec

▼

Grand-Duché de Luxembourg

Nature du régime : monarchie constitutionnelle.

Chef de l'État : prince Jean (depuis 1964).

Chef du gouvernement : Jean-Claude Juncker, qui a succédé à Jacques Santer le 26.1.95.

Monnaie : franc luxembourgeois, franc belge (100 francs = 2,63 écus ou 16,9 FF au 19.7.95).

Langues : français, allemand, dialecte luxembourgeois.

les bénéfices, et l'appel à la main-d'œuvre frontalière a continué de s'accroître.

La nomination de Jacques Santer (qui dirigeait le gouvernement depuis 1984) à la présidence de la Commission européenne, le 15 juillet 1994, a entraîné un changement de Premier ministre : Jean-Claude Juncker, 43 ans, chrétien-social comme son prédécesseur, a été nommé le 20 janvier 1995. La coalition des chrétiens-sociaux et des socialistes a été reconduite après les élections législatives du 12 juin 1994, qui ont marqué peu de changements dans l'opinion. Lors des élections européennes, qui avaient lieu le même jour, les Verts ont, en revanche, pris un siège aux chrétiens-sociaux.

Pays-Bas

A la suite des législatives du 3 mai 1994, une coalition gouvernementale insolite a vu le jour, le 19 août, après de longues tractations. Elle a réuni les socialistes (PvdA, Parti du travail), les libéraux (VVD, Parti populaire pour la liberté et la démocratie) et un parti de centre gauche, D 66 (Démocrates 66), mais exclu l'Appel des chrétiens-démocrates (CDA) qui jusque-là avaient fait partie de tous les gouvernements et les avaient souvent dirigés.

Appelé quatre fois aux urnes de mars 1994 à mars 1995, l'électorat néerlandais a fait preuve d'une inhabituelle volatilité. Les municipales du 2 mars 1994 et les législatives du 3 mai 1994 ont surtout sanctionné la

Royaume des Pays-Bas

Nature du régime : monarchie
constitutionnelle.

Chef de l'État : reine Beatrix Ire
(depuis 80).

Chef du gouvernement : Wim Kok,
qui a succédé à Ruud Lubbers le
22.8.94.

Monnaie : florin (1 florin = 0,48 écu
ou 3,10 FF au 19.7.95).

Langue : néerlandais.

Territoire outre-mer : Aruba-Antilles
néerlandaises [Caraïbes].

coalition sortante (chrétiens-démocrates et socialistes), qui a perdu la majorité au Parlement ; malgré son recul, le PvdA (24 % des suffrages) est devenu, après les législatives, le premier parti du pays, chargé de former le nouveau gouvernement. Les européennes du 9 juin 1994 ont globalement confirmé les avancées et reculs des uns et des autres. Les chrétiens-démocrates s'en sont cependant mieux tirés que les socialistes, revenant en tête, grâce à l'absence du scrutin des listes de défense des personnes âgées, qui avaient mordu sur leur électorat lors des législatives.

Les élections provinciales du 8 mars 1995 ont, en revanche, favorisé les libéraux du VVD (27 % des suffrages), qui ont tiré profit de leur participation au gouvernement, alors que leurs partenaires de D 66 étaient sévèrement sanctionnés. Le PvdA a poursuivi son recul, le CDA a stabilisé ses positions, tandis que les listes de défense des personnes âgées obtenaient plus de 5 % des voix.

L'établissement de la «coalition violette» — le rouge est la couleur des socialistes, le bleu, celle des libéraux — dirigée par Wim Kok (PvdA), qui était vice-Premier ministre et ministre des Finances dans le gouvernement sortant, a reposé sur un compromis difficile à trouver : alors que les socialistes voulaient ne pas démanteler trop vite l'État-providence, les libéraux étaient surtout attachés à la défense du budget militaire et à la réduction des prélèvements obligatoires ; la tendance globale est cependant restée à l'austérité.

La reprise économique a eu lieu (le PIB s'est accru de 2,5 % en 1994), mais les Néerlandais ont continué de s'inquiéter de l'important taux de chômage, dont le taux officiel — sous-évalué en raison de l'importance de l'«inaptitude au travail» — était de 7,3 %. Près de 100 000 emplois industriels ont été perdus entre décembre 1990 et décembre 1994, alors que les grandes entreprises néerlandaises étaient pour la plupart (Philips comprise) largement bénéficiaires mais investissaient toujours surtout à l'étranger.

Pendant deux hivers consécutifs, les Pays-Bas ont été victimes de graves inondations fluviales : en décembre 1993, dans la vallée de la Meuse ; en janvier 1995 — où l'on a redouté le pire (évacuation de 250 000 personnes) —, dans les vallées de la Meuse et du Rhin. Après avoir conjuré le péril marin qui menaçait directement les zones vitales du pays, il aurait fallu s'attaquer au renforcement de la protection contre les crues des grands fleuves. Mais les régions concernées étaient plus rurales, moins stratégiques sur le plan économique et, croyait-on, moins immédiatement menacées ; en outre, l'austérité budgétaire incitait à étaler les investissements. L'achèvement des opérations avait donc été reporté à 2008. Les inondations de décembre 1993 avaient obligé à reconsidérer ce calendrier ; les crues de janvier 1995 auront obligé à inscrire le renforcement des digues fluviales dans la liste des priorités immédiates.

Jean-Claude Boyer

Europe du Nord

Danemark, Finlande, Groenland, Islande, Norvège, Suède

Danemark

La coalition de centre gauche est sortie affaiblie du scrutin législatif du 21 septembre 1994, perdant 14 sièges sur un total de 179 : les sociaux-démocrates (34,6 % des voix) et le représentant du Centre démocrate (2,8 %) ont enregistré un recul par rapport à 1990 (respectivement − 2,8 % et − 2,3 %), quant au Parti chrétien populaire, il n'a obtenu aucun siège au Parlement. Seuls les radicaux libéraux ont progressé (4,6 %, + 1,1 %), moins toutefois que le Parti libéral (deuxième formation du pays, dans l'opposition),

---

▼

Royaume du Danemark

Nature du régime : monarchie parlementaire.

Chef de l'État : reine Margrethe II.

Chef du gouvernement : Poul Nyrup Rasmussen (depuis le 25.1.93).

Monnaie : couronne danoise (100 couronnes = 13,8 écus ou 89,4 FF au 19.7.95).

Langue : danois.

Territoires autonomes : Groenland ; îles Féroé (communautés autonomes au sein du royaume).

---

grand vainqueur des élections avec 23,3 % des voix (+ 7,5 %, + 13 sièges), devant le Parti conservateur (15 %, − 1 %). Le 27 septembre 1994, le social-démocrate Poul Nyrup Rasmussen a reconduit avec le Centre démocrate et les radicaux libéraux un gouvernement minoritaire. Celui-ci, en recherchant le soutien de la «droite bourgeoise» (conservateurs et libéraux) pour faire adopter le budget, a clairement «recentré» sa position et accentué la mise à l'écart du Parti socialiste populaire (− 2 sièges), déjà concur-

rencé sur la gauche par la Liste de l'unité, entrée au Parlement à l'issue du scrutin de septembre 1994 (6 sièges). Hostile à l'Union européenne, celle-ci s'était, en effet, opposée — à l'inverse des socialistes populaires, mais comme nombre de leurs électeurs — au «compromis national» qui avait conduit une majorité de Danois à approuver, sous conditions, le traité de Maastricht, le 18 mai 1993, après l'avoir repoussé lors d'un précédent référendum, le 2 juin 1992. Le 16 octobre et le 13 novembre 1994, respectivement la Norvège et la Suède ont rejoint le Danemark (membre depuis 1973) au sein de l'Union européenne.

La reprise économique s'est confirmée en 1994. La réduction du déficit public (− 13 milliards de couronnes) a été favorisée par la vente d'actifs publics et devait se prolonger en 1995. Les investissements ont repris (+ 6 %), la consommation des ménages s'est élevée de 7 %, conduisant à un accroissement des importations de 13 %. Une hausse générale des revenus a résulté de la diminution du taux marginal d'imposition — élément central de la réforme fiscale engagée pour cinq ans (1994-1998) — et de la baisse temporaire des taux d'intérêt, laquelle a encouragé la construction de logements (+ 5 %).

La production industrielle et le PNB ont augmenté (+ 8 % et + 4,5 %), de même que les exportations (+ 5,5 %), mais les excédents de la balance commerciale et des comptes courants se sont réduits (respectivement 28 et 22 milliards de couronnes). Très attendu, un léger reflux du chômage a été constaté à partir de septembre 1994 (10,9 % pour 1994, contre 12,4 % en 1993), lié au développement de la flexibilité de l'emploi et des congés sabbatiques ou parentaux.

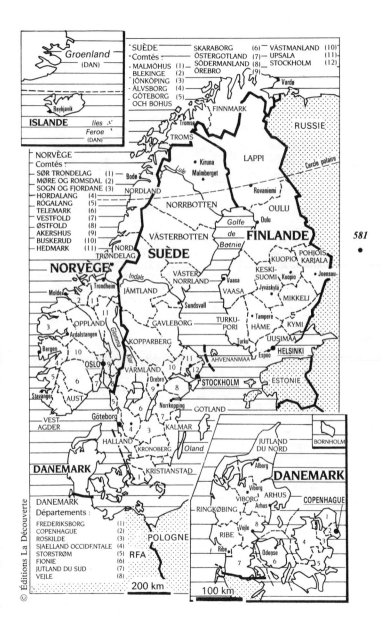

SUÈDE
Comtés :
MALMÖHUS (1)
BLEKINGE (2)
JÖNKÖPING (3)
ÄLVSBORG (4)
GÖTEBORG (5)
OCH BOHUS

SKARABORG (6)
ÖSTERGOTLAND (7)
SÖDERMANLAND (8)
ÖREBRO (9)

VÄSTMANLAND (10)
UPSALA (11)
STOCKHOLM (12)

Groenland
(DAN)

Reykjavik

ISLANDE   Iles
Feroe
(DAN)

NORVÈGE
Comtés :
SØR TRONDELAG (1)
MØRE OG ROMSDAL (2)
SOGN OG FJORDANE (3)
HORDALANG (4)
ROGALANG (5)
TELEMARK (6)
VESTFOLD (7)
ØSTFOLD (8)
AKERSHUS (9)
BUSKERUD (10)
HEDMARK (11)

Vardø

FINNMARK

RUSSIE

Tromsø

TROMS

Kiruna
Malmberget

LAPPI

Cercle polaire

Bodø

NORDLAND

Rovaniemi

OULU

NORRBOTTEN

Oulu

NORVÈGE

NORD
TRØNDELAG

Lule

Golfe
de
Botnie

FINLANDE

581

•

VÄSTERBOTTEN

SUÈDE

POHJOIS-
KUOPIO KARJALA

Molde

Trondheim

Indals

JÄMTLAND

VÄSTER-
NORRLAND

Vaasa

KESKI-
SUOMI

Joensuu

Kuopio

2   1

11

Sundsvall

VAASA

Jyväskylä

MIKKELI

OPPLAND

3

Ardalstangen

Bergen

10

Glomma

GÄVLEBORG

TURKU-
PORI

Tampere

HÄME

KYMI

Klar

KOPPARBERG

Turku

UUSIMAA

OSLO 9

4   6   7   8

VÄRMLAND

10

11

12

AHVENANMAA

Espoo

HELSINKI

5

AUST

Örebro

9

8

STOCKHOLM

ESTONIE

Stavanger

5

6

7

Norrkøpping

VEST-
AGDER

Göteborg

4

7

GOTLAND

6

KALMAR

BORNHOLM

HALLAND

KRONOBERG

Öland

JUTLAND
DU NORD

NORVÈGE

DANEMARK

1

KRISTIANSTAD

Ålborg

DANEMARK

DANEMARK
Départements :
FREDERIKSBORG (1)
COPENHAGUE (2)
ROSKILDE (3)
SJAELLAND OCCIDENTALE (4)
STORSTRØM (5)
FIONIE (6)
JUTLAND DU SUD (7)
VEJLE (8)

POLOGNE

RFA

200 km

Viborg

VIBORG

ARHUS

Arhus

COPENHAGUE

RINGKØBING

Vejle

8

1

2

RIBE

4

3

Ribe

7

Odense

6

5

100 km

© Éditions La Découverte

Europe du Nord

	INDICATEUR	UNITÉ	DANE-MARK	FINLANDE	GROEN-LAND
	Capitale		Copenhague	Helsinki	Godthab [i]
	Superficie	km²	43 070	337 010	2 186 000
	Développement humain (IDH) [b]		0,912	0,911	..
DÉMOGRAPHIE	Population (*) [e]	million	5,18	5,11	0,058
	Densité [e]	hab./km²	120,3	15,2	0,03
	Croissance annuelle [f]	%	0,2	0,5	0,7
	Indice de fécondité (ISF) [f]		1,7	1,8	2,5 [b]
	Mortalité infantile [f]	‰	7	5	13 [b]
	Population urbaine	%	85,1	62,8	79,5
CULTURE	Scolarisation 2e degré	%	110 [cj]	124 [bj]	..
	Scolarisation 3e degré	%	37,6 [c]	57,0 [b]	..
	Téléviseurs [b]	‰ hab.	537	505	200
	Livres publiés	titre	11 761 [b]	11 033 [b]	..
	Nombre de médecins	‰ hab.	2,8 [g]	2,47 [c]	1,28 [c]
ARMÉE	Armée de terre	millier d'h.	16,3	25,7	—
	Marine	millier d'h.	4,6	2,5	—
	Aviation	millier d'h.	6,1	3	—
ÉCONOMIE	PIB	milliard $	147,4	95,9	1,01 [b]
	Croissance annuelle 1985-93	%	1,3	0,1	..
	1994	%	4,4	3,9	..
	Par habitant [h]	$	20 587	16 327	..
	Taux d'inflation	%	2,3	1,7	..
	Chômage [i]	%	10,9	17,3	..
	Dépenses de l'État Éducation	% PIB	7,4 [c]	7,4 [b]	11,3 [d]
	Défense	% PIB	1,9	1,7	—
	Recherche et Développement	% PIB	1,70 [c]	2,18 [b]	..
	Énergie [b] Consommation par habitant	kg	4 655	6 566	4 000
	Taux de couverture	%	68,9	33,4	—
COMMERCE	Importations	million $	30 540	23 275	406 [a]
	Exportations	million $	37 168	29 692	620 [a]
	Principaux fournis.	%	UE 50,5	PCD 77,2	UE 90,6 [a]
		%	RFA 21,9	UE 43,6	Dnk 88,4 [a]
		%	PVD 18,5	RFA 14,7	Nor 3,9 [a]
	Principaux clients	%	UE 50,1	UE 46,4	Jap 18,2 [a]
		%	RFA 23,0	RFA 13,4	Dnk 49,7 [a]
		%	PVD 17,8	PVD 25,1	RFA 20,2 [a]

L'inflation est restée modérée (2,3 % en 1994) et des négociations ont été menées au printemps 1995 pour contenir l'augmentation des coûts salariaux dans l'industrie à 4,5 % en 1995.

Finlande

Le 16 octobre 1994, 56,9 % des Finlandais se sont prononcés en faveur de l'adhésion à l'Union européenne, décision ratifiée le 28 novembre 1994 par 152 des 197 députés du Riksdag (Parlement finlandais), à l'issue d'un baroud d'honneur livré par d'irréductibles opposants (Parti du centre — ex-agrariens —, emmené par Paavo Väyrynen, Parti rural — populiste —, Alliance de gauche

▼

République de Finlande

Nature du régime : parlementaire.
Chef de l'État : Martti Ahtisaari, qui a remplacé Mauno Koivisto le 6.2.94.
Chef du gouvernement : Paavo Lipponen, qui a succédé à Esko Aho le 13.4.95.
Monnaie : mark finlandais (1 mark = 0,18 écu ou 1,14 FF au 19.7.95).
Langues : finnois, suédois.

— ex-communistes — et Parti chrétien). Favorable à l'Union économique et monétaire (UEM), le président Martti Ahtisaari s'est aussi montré soucieux de maintenir une défense indépendante et de renforcer la coopération « nordique », notamment en matière d'environnement, avec la

ISLANDE	NORVÈGE	SUÈDE
Reykjavik	Oslo	Stockholm
103 000	324 220	449 960
0,914	0,928	0,928
0,269	4,34	8,78
2,6	13,4	19,5
1,1	0,4	0,5
2,2	1,9	2,1
5	8	5
91,4	73,0	83,1
99 dk	111 bk	96 bk
29,2 c	49,3 b	33,8 c
319	425	469
1 576 c	4 881 b	12 813 b
2,8 d	3,24 c	2,9 c
—	18	43,5
—	6,6	9
—	7,9	11,5
6,1	108,2	194,7
1,3	1,0	0,7
1,9	5,1	2,1
19 976	20 476	17 473
0,5	1,9	2,5
4,5	5,2	7,4
5,8 g	8,7 b	8,8 b
—	3,0	2,5
1,39 b	1,76 a	3,11 a
6 215	6 713	6 937
50,0	716,0	54,7
1 472	27 294	51 766
1 623	34 746	61 293
UE 48,7	UE 49,4	UE 55,2
Scan 32,3	Scan 26,2	Scan 19,2
PVD 9,8	PVD 13,6	PVD 14,8
UE 61,6	UE 64,4	UE 45,0
Scan 11,2	Scan 17,7	Scan 20,0
E-U 14,5	PVD 8,6	PVD 16,7

L'abréviation Scan désigne ici les autres pays d'Europe du Nord, y compris la Finlande.
Chiffres 1994, sauf notes : a. 1993; b. 1992; c. 1991; d. 1989; e. 1995; f. 1990-95; g. 1990; h. A parité de pouvoir d'achat (voir p. 673); i. En fin d'année; j. 13-18 ans; k. 13-19 ans; l. En danois (Nuuk en inuit).
(*) Dernier recensement utilisable : Danemark, 1981; Finlande, 1990; Groenland, 1976; Islande, 1970; Norvège, 1990; Suède, 1990.

région de Saint-Pétersbourg et les pays baltes.

Les élections législatives du 19 mars 1995 ont consacré d'un côté le reflux du Parti du centre, formation du Premier ministre démissionnaire Esko Aho (19,9 % des voix, − 11 sièges), et des conservateurs (17,9 %, − 11 sièges), de l'autre l'avancée des sociaux-démocrates (28,3 %, + 15 sièges). Leur chef Paavo Lipponen a formé, le 13 avril 1995, un gouvernement majoritaire, rassemblant cinq formations, sociaux-démocrates, conservateurs, Alliance de gauche (comprenant des ex-communistes, 11,2 % des voix aux législatives, + 3 sièges), Verts (6,1 %) et Parti suédois (défendant la minorité suédophone, 5,1 %).

Après la dépression traversée par l'économie finlandaise en 1991-1993, l'année 1994 a été marquée par la reprise : hausse des exportations (+ 12,5 %), augmentation de l'excédent commercial (34 milliards de marks, + 9,6 %) et gonflement des comptes courants (6 milliards de marks contre − 5 milliards en 1993), enfin, inflation contenue à 1,7 %. Le PNB et la production industrielle se sont accrus (4 % et 10 %, contre − 2 % et + 5,2 % en 1993), mais la demande intérieure est restée faible (augmentation nulle pour la consommation des ménages, limitée à + 4,5 % pour les investissements).

Le programme économique du gouvernement de Paavo Lipponen s'est fixé deux objectifs majeurs : lutter contre le chômage — qui a atteint un taux de 17,3 % en 1994 —, notamment en veillant au maintien de la compétitivité, rendue fragile par la forte appréciation du mark enregistrée en 1994 (+ 8 % par rapport à l'écu), et réduire le déficit des finances publiques (308 milliards de marks en 1994 contre 54 en 1990). Un projet de 25 milliards d'économies sur quatre ans, sur les transferts aux collectivités locales, allocations diverses et retraites, a été programmé.

Groenland

Un nouvel accord organisant pour six ans la cession de quotas de pêche

à l'Union européenne (115 000 tonnes de poissons par an, soit 283 millions de couronnes), troisième source de revenus du pays, est entré en vigueur le 1er janvier 1995.

▼

Groenland

Statut : territoire autonome rattaché à la couronne danoise.
Chef de l'État : reine Margrethe II.
Chef de l'exécutif : Lars-Emil Johansen (depuis le 5.3.91).
Monnaie : couronne danoise (100 couronnes = 89,4 F au 19.7.95).
Langues : groenlandais, danois.

Les élections de mars 1995 au Landsting (parlement autonome groenlandais) ont conduit le chef de l'exécutif Lars Emil Johansen, social-démocrate (Siumut), à former une coalition avec les libéraux (Atassut).

Islande

La signature, le 21 février 1995, d'un accord salarial prévoyant sur deux ans une augmentation des salaires (6,9 %) modulable selon leur niveau a couronné le redressement de l'économie islandaise, intervenue en 1994,

▼

République d'Islande

Nature du régime : parlementaire.
Chef de l'État : Mme Vigdis Finnbogadóttir (réélue le 27.6.92).
Chef du gouvernement : David Oddsson (depuis le 24.4.91).
Monnaie : couronne islandaise (100 couronnes = 7,8 FF au 30.4.95).
Langue : islandais.

tempéré par un coût social élevé (le taux de chômage était en 1994 de 4,5 %). L'inflation est restée limitée à 0,5 %, la balance courante et la balance commerciale demeurant excédentaires (10 et 11 milliards de couronnes), grâce à l'augmentation des exportations (+ 15,6 %) et en dépit de la chute des prises de poissons (– 14,6 %) — partiellement compensée par la hausse des prix des produits de la pêche (+ 5,5 %).

Après le «non» norvégien à l'Europe, lors du référendum du 28 novembre 1994, l'Islande s'est trouvée moins isolée qu'elle n'aurait pu le craindre au sein de la communauté nordique et de l'Espace économique européen (EEE) — où elle réalise 70 % de ses échanges. Seul le Parti social-démocrate est resté favorable au dépôt d'une candidature islandaise à l'entrée dans l'Union européenne (décision du 5 février 1995).

Les élections législatives du 8 avril 1995 ont consacré un léger recul de la coalition sortante réunissant les sociaux-démocrates (7 députés sur un total de 63, au lieu de 10 auparavant) et le Parti de l'indépendance (conservateur) du Premier ministre David Oddsson (25 députés, contre 28), au profit du Parti du progrès (centriste, ex-agrarien, 15 députés, + 2).

Norvège

Le 28 novembre 1994, 52,2 % des Norvégiens ont dit «non» à l'Europe et réitéré le choix fait en 1972 (53 % de «non»). Ils ont tenu à protéger l'indépendance nationale, le mode de

---

Royaume de Norvège

Nature du régime : monarchie parlementaire.

Chef de l'État : Harald V (depuis le 21.1.91).

Chef du gouvernement : Mme Gro H. Brundtland (depuis le 3.11.90).

Monnaie : couronne norvégienne (100 couronnes = 78,3 FF au 19.7.95).

Langue : norvégien.

---

vie et l'économie des périphéries rurales, mais aussi à préserver la politique de défense de l'environnement, le secteur public et le système de pro-

tection sociale. Cinq seulement des dix-neuf comtés, autour d'Oslo, ont approuvé l'adhésion à l'Union européenne.

Suivant l'attitude des socialistes populaires à gauche, des chrétiens populaires, des centristes et des libéraux au centre droit, un tiers des électeurs travaillistes ont opté pour le «non», recommandé par la centrale syndicale (Lands Organisasjon), pour la première fois en désaccord avec la majorité du Parti travailliste. Après le référendum qui a consacré la défaite du Premier ministre travailliste Gro Harlem Brundtland, resté à son poste, et le succès personnel de la «reine du non» Anne Enger Lahnstein, dirigeante du Parti du centre (ex-agrarien), le gouvernement a réaffirmé sa volonté d'ancrage dans l'Espace économique européen (EEE) et proposé ses services pour «garder» les frontières de l'Union, afin de préserver la libre circulation des personnes au sein de la communauté nordique.

La bonne santé économique n'a pas été étrangère à la vigueur du «non» et la Norvège, deuxième exportateur mondial de produits pétroliers (+ 11,2 % en 1994), est parvenue à compenser une baisse du prix du pétrole (– 9 %) par une hausse de la production (+ 12,5 %, soit 154,6 millions de tonnes équivalent pétrole). Les revenus de l'État provenant des gisements de la mer du Nord (25 milliards de couronnes en 1994) ont permis une réduction du déficit budgétaire (1 % du PNB, contre 2,5 % en 1993) et la croissance des exportations (7,6 %) a amené un excédent de la balance courante (25,8 milliards de couronnes, contre 15,1 en 1993).

D'autres indicateurs ont montré une évolution positive : la croissance du PNB (5,1 %), y compris dans les activités autres que *off shore* (3,9 %, contre 2,4 % en 1993), le niveau plancher atteint par l'inflation (1,9 %) comme par les faillites (qui ont baissé de 16 %), la baisse des taux d'intérêt, qui a entraîné une relance de la construction de logements (+ 34 %) et de la consomma-

BIBLIOGRAPHIE

J. Arnault, Le « Modèle suédois » revisité, L'Harmattan, Paris, 1991.

J.-F. Batail, R. Boyer, Les Sociétés scandinaves de la Réforme à nos jours, PUF, Paris, 1992.

J.-P. Durand (sous la dir. de), La Fin du modèle suédois, Syros éditeur, « Alternatives économiques », Paris, 1994.

A. Helle, Histoire du Danemark, Hatier, Paris, 1992.

A.-M. Klausen, Le Savoir-Être norvégien, L'Harmattan, Paris, 1991.

J. Mer, L'Islande. Une ouverture obligée, mais prudente, Les études de La Documentation française, Paris, 1994.

J.-P. Mousson-Lestang, La Scandinavie et l'Europe de 1945 à nos jours, PUF, Paris, 1990.

OCDE, Études économiques, Paris [Danemark : 1994 ; Finlande : 1995 ; Islande : 1994 ; Norvège : 1994 ; Suède : 1994].

H. Valen, « La Norvège et l'Europe : la pérennité du clivage centre-périphérie », Revue internationale de politique comparée, vol. II, n° 1, Bruxelles, avr. 1995.

tion des ménages (+ 4,4 %). Le taux de chômage a enregistré un léger reflux (5,2 %, contre 6 % en 1993), pour la première fois depuis 1987. Le 3 avril 1995, les organisations syndicales ont obtenu une augmentation du salaire horaire dans le secteur privé allant jusqu'à 2,10 couronnes pour les salaires inférieurs à 75,90 couronnes.

Suède

Appelés à renouveler le Riksdag (Parlement), le 18 septembre 1994, les Suédois ont été beaucoup plus nombreux qu'en 1991 à accorder leurs voix à la gauche — sociaux-démocrates (45,4 %, + 7,6) ou Parti de gauche (ex-communistes, 6,2 %, + 1,6). Les élections locales qui se tenaient le même jour ont aussi porté des candidats de gauche à la tête d'une majorité de communes (52 % contre 25 % auparavant). Le scrutin législatif a entériné un maintien du Parti conservateur (22,4 %, + 0,5), un recul du Parti libéral (7,2 %, − 1,9 %) et du Parti du centre (ex-agrarien, 7,7 %, − 1,4) et un progrès du Parti de l'environnement (5 %, + 1,6). Après l'échec d'une stratégie de rapprochement avec les centristes, le social-démocrate Ingvar Carlsson a formé, le 6 octobre 1994, un gouvernement minoritaire et monocolore.

Le Premier ministre et son prédécesseur conservateur Carl Bildt sont alliés pour défendre la cause européenne, gagnée de justesse à l'issue du référendum du 13 novembre 1994 sur l'adhésion à l'Union européenne (52,2 % de « oui »). Pour les électeurs hostiles, nombreux dans les rangs sociaux-démocrates, l'Union représentait une menace pour la protection de l'environnement (les normes nationales étant beaucoup plus exigeantes que les normes européennes), la souveraineté nationale et l'indépendance économi-

---

▼

Royaume de Suède

Nature du régime : monarchie parlementaire.

Chef de l'État : roi Carl XVI Gustaf.

Chef du gouvernement : Ingvar Carlsson, qui a succédé à Carl Bildt le 6.10.94.

Monnaie : couronne suédoise (100 couronnes = 10,5 écus ou 67,3 FF au 19.7.95).

Langue : suédois.

que. Le gouvernement s'est montré favorable à l'élargissement et à l'approfondissement de l'Union. Il entendait aussi y promouvoir les préoccupations chères aux Suédois : démocratie, écologie, égalité des sexes et défense indépendante.

Les grandes entreprises exportatrices ont affiché des bénéfices records en 1994, tandis que certains indicateurs économiques s'amélioraient : le taux de croissance a atteint 2,1 % (contre − 2,7 % en 1993), les exportations ont augmenté de 13,8 % et les investissements (− 0,4 %, contre − 17,6 %) — surtout industriels (+ 27,7 %) — ont repris. La balance commerciale (70,1 milliards de couronnes) et la balance des paiements (7,5 milliards, contre − 31,3) ont enregistré des soldes positifs. L'inflation a baissé (2,5 %, contre 4,7 % en 1993), mais la couronne, flottante depuis novembre 1992, a continué de se déprécier (− 5,5 % de 1993 à 1995) et les taux d'intérêt de monter (10 %). Surtout, la dette externe a atteint, à la fin de 1994, 1 300 milliards de couronnes (86 % du PNB) et le déficit budgétaire, 181 milliards (10,4 % du PNB, contre 13,4 % en 1993).

Le gouvernement a opté pour une politique d'austérité entamant un peu plus le «modèle suédois». Le 2 novembre 1994, il élaborait un programme d'assainissement des finances publiques (56 milliards sur quatre ans) par une pression fiscale accrue (sur les hauts salaires, le capital, et la propriété), une désindexation des retraites et des aides aux étudiants sur les prix. Le 5 avril 1995, il obtenait le soutien du Parti du centre sur les coupes budgétaires (22 milliards de couronnes), affectant notamment les allocations familiales et de logement, sur la réduction des taux d'indemnisation de sécurité sociale (de 80 % à 75 %), sur le plafonnement des dépenses des collectivités locales et la relance de la demande par une baisse de 21 % à 12 % du taux de la TVA.

Pour tenter de diminuer le taux de chômage (7,4 %, + 5 % en formation ou emplois précaires), un allégement des charges patronales, réservé aux entreprises de moins de 500 salariés et qui devait favoriser l'embauche des chômeurs de longue durée, a été annoncé le 6 février 1995.

Martine Barthélémy

Iles Britanniques

Irlande, Royaume-Uni
(Le Royaume-Uni est traité p. 245.)

Irlande

1994 aura été l'année où la paix est enfin revenue en Irlande du Nord, après vingt-cinq ans de violences et quelque 3 000 morts. Le gouvernement de la République d'Irlande a joué un rôle prépondérant dans cette évolution, sachant soutenir une initiative courageuse à la fois de Gerry Adams, président du Sinn Féin (aile politique de l'Armée républicaine irlandaise — IRA), et de John Hume, leader du parti nationaliste constitutionnel d'Irlande du Nord, le

▼

République d'Irlande
[Eire]
Nature du régime : parlementaire.
Chef de l'État : Mary Robinson (depuis le 3.12.90).
Chef du gouvernement : John Bruton, qui a succédé à Albert Reynolds le 15.12.94.
Monnaie : livre irlandaise — *punt* (1 livre = 1,23 écu ou 7,9 FF au 19.7.95).
Langues : anglais, irlandais.

Iles Britanniques

INDICATEUR	UNITÉ	IRLANDE	ROYAUME-UNI
Capitale		Dublin	Londres
Superficie	km²	70 280	244 046
Développement humain (IDH) [b]		0,892	0,919
DÉMOGRAPHIE			
Population (*) [d]	million	3,55	58,26
Densité [d]	hab./km²	50,6	238,7
Croissance annuelle [e]	%	0,3	0,3
Indice de fécondité (ISF) [e]		2,1	1,8
Mortalité infantile [e]	‰	7	7
Population urbaine	%	57,4	89,4
CULTURE			
Nombre de médecins [c]	‰ hab.	1,5	1,6
Scolarisation 2e degré	%	103 [cj]	86 [fk]
Scolarisation 3e degré	%	37,9 [c]	27,8 [f]
Téléviseurs [b]	‰ hab.	304	435
Livres publiés	titre	2 679 [h]	86 573 [b]
ARMÉE			
Armée de terre	millier d'h.	11,2	123
Marine	millier d'h.	1	55,6
Aviation	millier d'h.	0,8	75,7
ÉCONOMIE			
PIB	milliard $	51,8	1 013,6
Croissance annuelle 1985-93	%	4,8	1,6
1994	%	5,0	3,8
Par habitant [g]	$	14 785	18 036
Taux d'inflation	%	2,4	2,9
Taux de chômage [i]	%	14,6	8,9
Dépenses de l'État Éducation [c]	% PIB	6,1	5,2
Défense	% PIB	1,0	3,4
Recherche et Développement [b]	% PIB	1,08	2,12
Énergie [b] Consommation par habitant	kg	3 997	5 400
Taux de couverture	%	34,3	98,4
COMMERCE			
Importations	million $	21 847	226 560
Exportations	million $	29 046	203 880
Principaux fournis.	%	UE 58,5	UE 55,3
	%	R-U 36,2	PVD 17,5
	%	E-U 17,1	E-U 12,0
Principaux clients	%	UE 71,0	UE 56,6
	%	R-U 28,5	PVD 20,3
	%	RFA 13,2	E-U 13,0

(*) Dernier recensement utilisable : Irlande, 1991 ; Royaume-Uni, 1991.
Chiffres 1994, sauf notes : a. 1993 ; b. 1992 ; c. 1991 ; d. 1995 ; e. 1990-95 ; f. 1990 ; g. A parité de pouvoir d'achat (voir p. 673) ; h. 1985 ; i. En fin d'année ; j. 12-16 ans ; k. 11-17 ans.

ÉCOSSE

Régions :

CENTRE (1)
FIFE (2)
LOTHIAN (3)
STRATHCLYDE (4)
DOMFRIES ET
GALLOWAY (5)

SHETLAND

ORCADES

HÉBRIDES

MER
DU NORD

Thurso
HIGHLAND
Ullapool

OCÉAN

ATLANTIQUE

Inverness
GRAMPIAN
ÉCOSSE
Aberdeen

TAYSIDE
Oban
Perth
Dundee

ROYAUME-
UNI

Edimbourg

Glasgow

BORDERS

ULSTER
Londonderry
IRLANDE
DU NORD

CONNAUGHT ULSTER

IRLANDE

Belfast

Hawick

Dumfries

NORD
Carlisle

Newcastle

Ile
de Man

Kendal

YORKSHIRE
ET HUMBERSIDE

York

Beverley

LEINSTER

DUBLIN

NORD-
OUEST

Leeds
Bradford

Limerick

Liverpool

Carnarvon

Manchester

Sheffield

MUNSTER

Waterford

Stoke

MIDDLAND
DE L'EST

Cork

Canal Saint-Georges

MIDDLAND
DE L'OUEST

Birmingham

Nottingham

Leicester

Norwich

PAYS-DE-
GALLES

Coventry

EST-ANGLIE

Cambridge

ANGLETERRE

Cardiff

Oxford

SUD-EST

Bristol

LONDRES

SUD-OUEST

Southampton

Brighton

Douvres

Plymouth

Ile de
Wight

Pas de Calais

MANCHE

Iles
Anglo-
Normandes

© Éditions La Découverte

100 km

FRANCE

589
•

BIBLIOGRAPHIE

P. BRENNAN, *La Civilisation irlandaise*, Hachette, Paris, 1994.

P. BRENNAN, R. DEUTSCH, *L'Irlande du Nord : Chronologie, 1968-1991*, Presses de la Sorbonne Nouvelle, Paris, 1993.

P. BRENNAN, *The Conflict in Northern Ireland*, Longman, Londres, 1992.

R. FALIGOT, *La Résistance irlandaise, 1916-1992*, Terre de Brume, Rennes, 1993.

M. GOLDRING, *Gens de Belfast*, L'Harmattan, Paris, 1994.

« L'État en Irlande », *Études irlandaises*, PUL, Lille, print. 1995.

Voir aussi la bibliographie « Royaume-Uni » dans la section « 34 États ».

SDLP (Parti social-démocrate et travailliste).

Cependant ce même gouvernement, alors dirigé par Albert Reynolds, leader du Fianna Fail, et accueillant aussi des travaillistes, est tombé à la fin de 1994 de manière spectaculaire, perdant ainsi le prestige qu'il avait acquis avec son rôle dans le processus de paix.

Bénéficiant du climat favorable lié à la reprise économique, A. Reynolds et le Fianna Fail ont connu une forte popularité. Ils ont ainsi pu soutenir les pressions diplomatiques exercées par l'administration du président américain Bill Clinton, lui-même poussé par le puissant lobby irlando-américain, visant à contraindre le gouvernement britannique à engager les négociations avec le Sinn Féin. Ce dernier a été encouragé par des signaux conciliants venus de Londres, avec notamment la « déclaration de Downing Street » faite le 15 décembre 1995 par le Premier britannique John Major et A. Reynolds. Londres y acceptait pour la première fois l'idée d'une Irlande unie, si c'étaient les Irlandais eux-mêmes qui décidaient de leur destin. Le 31 août 1994 a constitué un tournant historique : l'IRA a annoncé un cessez-le-feu total et inconditionnel [*voir encadré p. 246*].

Les relations d'A. Reynolds avec ses partenaires de coalition sont cependant devenues de plus en plus difficiles. La nomination d'un ultra-conservateur, Harry Whelehan, au poste de président de la Haute Cour de justice, malgré une forte opposition des travaillistes, lui a été fatale. Alors procureur général, celui-ci avait, semble-t-il, retardé l'extradition vers le Royaume-Uni (Irlande du Nord) d'un prêtre catholique, le père Brendan Smyth, accusé de pratiques pédophiles pendant vingt-six ans.

Le Premier ministre a ainsi été accusé de vouloir blanchir H. Whelehan et, le 11 novembre 1994, les travaillistes ont quitté le gouvernement. A. Reynolds a dû démissionner de la présidence de son parti, tandis que son gouvernement expédiait les affaires courantes. Son remplaçant à la tête du Fianna Fail, Bertie Ahern, a essayé de former un nouveau gouvernement, mais il n'a pas réussi à se ménager la collaboration d'autres formations, nécessaire pour avoir une majorité. Finalement, sans dissolution de l'Assemblée (Dail), le principal parti d'opposition, Fine Gael, a créé le 15 décembre 1994 une coalition « arc-en-ciel » avec les travaillistes et la Gauche démocratique sous la direction de son leader John Bruton.

Ce dernier a calmé les inquiétudes quant aux éventuelles conséquences de sa nomination sur la suite du processus de paix. Malgré le sobriquet qu'il avait reçu de « John l'unioniste », lorsqu'il était dans l'opposition, il s'est vite transformé en « ami des nationalistes », tout en souhaitant préserver les garanties pour les unionistes — qui souhaitaient toujours le maintien du rattachement de l'Irlande du Nord au Royaume-

Uni — dans un éventuel traité de paix.

L'affaire du prêtre pédophile a profondément terni l'image de l'Église catholique irlandaise. D'autres scandales du même ordre ont suivi, provoquant un dégoût généralisé dans la population. Un référendum sur la légalisation du divorce a été prévu pour le 30 novembre 1995, devant servir de test sur l'influence qui reste à l'Église catholique.

Kathryn Hone

(Voir aussi édition précédente, p. 559.)

Europe latine

Andorre, Espagne, France, Italie, Monaco, Portugal, Saint-Marin, Vatican
(L'Espagne est traitée p. 261, la France p. 240 et l'Italie p. 251.)

Andorre

Célèbre dans la région pour son rôle de *duty free shop* attirant consommateurs frontaliers et touristes, la principauté andorrane est officiellement devenue indépendante en 1993.

▼

Principauté d'Andorre

Statut : seigneurie «parrainée» par deux coprinces : le président de la République française et l'évêque d'Urgel, devenue État constitutionnel le 14.3.93.
Président du Conseil général : Josep Dellers (syndic).
Chef du gouvernement : Marc Farne a succédé à Oscar Ribas Reig le 6.12.94.
Monnaie : franc français, peseta espagnole.
Langues : catalan, français, espagnol.

Le 14 mars, elle s'est en effet dotée d'une Constitution (approuvée par 74 % des votants, lors d'un référendum) qui devrait faire évoluer les institutions jusqu'alors féodales de ce mini-territoire. Formellement, la suzeraineté exercée depuis sept siècles par les deux coprinces — le président de la République française et l'évêque d'Urgel — a été abolie et la principauté a été admise à l'ONU le 27 juillet 1993. Les premières élections législatives, le 12 décembre 1993, avaient donné une majorité relative à la liste du chef du gouvernement, Oscar Ribas Reig. La vie politique de la Principauté a été marquée par la chute du gouvernement, le 25 novembre 1994, à propos de projets fiscaux. Andorre est par ailleurs devenu membre du Conseil de l'Europe.

Monaco

Principauté de 181 hectares située au sud de la France, Monaco est considéré comme un paradis fiscal et compte une majorité d'étrangers. Soucieuses de réfuter certains écrits

▼

Principauté de Monaco

Statut : État constitutionnel.
Chef de l'État : prince Rainier III.
Ministre d'État (chef du gouvernement) : Paul Dijoud (depuis le 2.12.94).
Monnaie : franc français.
Langues : français, monégasque.

évoquant l'hypothèse de malversations financières ou de blanchiment, les autorités, en 1993, avaient adopté des dispositions légales pour lutter contre de telles pratiques. De plus, une enquête a été diligentée à la demande du prince Rainier concernant des accusations visant des «agents-prêteurs» du casino. Cinq personnes — dont trois Italiens — ont été arrêtées le 23 mai 1995 et une perquisition a eu lieu au casino le 31 mai. La puissante Société des bains de mer — SBM, contrôlant le casino et elle-même contrôlée par l'État monégasque — a dû revoir son organigramme, de même que la Société monégasque d'avances sur recettes.

Cet assainissement aura été de nature à améliorer l'image de la Principauté en une période où les recettes avaient fortement chuté et alors que le diplomate et ancien secrétaire d'État français Paul Dijoud venait d'être nommé ministre d'État de la Principauté, remplaçant Jacques Dupont.

Nicolas Bessarabski

592

Portugal

En 1995, le Portugal a tourné une page politique importante. Mário Soares, président de la République depuis 1986, ne pouvant pas constitutionnellement briguer un troisième mandat aux élections présidentielles de janvier 1996, s'est préparé à quitter la scène politique. Quant au Premier ministre Aníbal Cavaco Silva, à la tête du gouvernement et du Parti social-démocrate (PSD) depuis 1985, il a lui aussi décidé de passer la main. A l'horizon des législatives d'octobre 1995, une nouvelle génération politique prenait ainsi les commandes du pays.

▼

République du Portugal

Nature du régime : parlementaire.
Chef de l'État : Mario Soares, président de la République (depuis mars 86; réélu le 13.1.91).
Chef du gouvernement : Anibal Cavaco Silva, Premier ministre (depuis nov. 85).
Échéances électorales : présidentielle en janvier 96.
Monnaie : escudo (100 escudos = 0,62 écu ou 4,03 FF au 19.7.95).
Langue : portugais.
Territoire outre-mer : Macao [Asie].

Ceux qui avaient assuré la stabilisation et le recentrage politique du Portugal pendant les deux décennies qui avaient suivi la « révolution des œillets » (qui sonna le glas de la dictature d'Antonio de Oliveira Salazar, le 25 avril 1974) laissaient donc la place à la première génération ayant grandi sous la bannière démocratique. La relève a éé symbolisée dès février 1995 par l'élection du ministre de la Défense Fernando Nogueira (45 ans) à la tête du PSD et par la véritable prise en main du Parti socialiste (PS) par Antonio Guterres (46 ans).

Fort des victoires de son parti aux élections municipales de 1993 et européennes de 1994, ce dernier a adopté un discours de futur chef de gouvernement. Il a vanté les mérites d'une large décentralisation et prôné une plus grande transparence dans la vie politique, secouée par une série de scandales. Sur sa gauche, Carlos Carvalhas (56 ans) a continué de maintenir le Parti communiste portugais dans l'orthodoxie définie par son dirigeant historique Álvaro Cunhal (1961-1992). A droite de la droite, l'« étoile montante » du populisme « patriotique », Manuel Monteiro (33 ans), a rompu les ponts avec la ligne démocrate-chrétienne qui avait jusque-là guidé son parti. A son initiative, le CDS (Parti chrétien démocrate) a ainsi été rebaptisé « Parti populaire », un nom plus conforme aux convictions à relents salazaristes de M. Monteiro.

Mais l'ombre tutélaire des trois hommes qui marquèrent tant la vie politique portugaise, M. Soares, A. Cunhal et A. Cavaco Silva, semblait devoir planer encore quelque temps sur leurs partis respectifs. On prêtait d'ailleurs à A. Cavaco Silva l'intention de se porter candidat à la présidence de la République en janvier 1996, charge honorifique très convoitée par ceux souhaitant mettre un terme à une carrière politique de premier plan. Son principal rival serait le maire socialiste de Lisbonne, Jorge Sampaio.

Le bilan économique, nuancé, a déclanché une polémique mesurée portant sur les dix ans passés de « cavaquisme ». Les Portugais ont

Europe latine

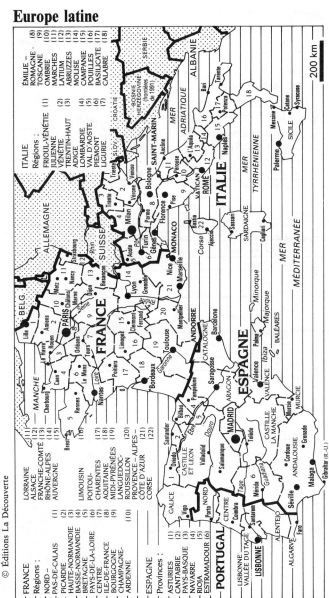

© Éditions La Découverte

593

Europe latine

INDICATEUR	UNITÉ	ANDORRE	FRANCE	ESPAGNE
Capitale		Andorre-la-V.	Paris	Madrid
Superficie	km²	453	547 026	504 782
Développement humain (IDH) [b]		••	0,927	0,888
DÉMOGRAPHIE				
Population (*) [d]	million	0,068	57,98	39,62
Densité [d]	hab./km²	150,1	106,0	78,5
Croissance annuelle [e]	%	5,5	0,4	0,2
Indice de fécondité (ISF) [e]		1,3 [g]	1,7	1,2
Mortalité infantile [e]	‰	6,4 [b]	7	7
Population urbaine	%	62,5	72,7	76,2
CULTURE				
Analphabétisme [d]	%	—	1,0 [b]	4,6
Scolarisation 2e degré	%	••	102 [bp]	109 [bp]
Scolarisation 3e degré	%	••	45,6 [b]	39,5 [b]
Téléviseurs [b]	‰ hab.	428	408	402
Livres publiés	titre	49 [c]	45 379 [b]	41 816 [b]
Nombre de médecins	‰ hab.	2,06 [i]	2,9	3,9 [g]
ARMÉE				
Armée de terre	millier d'h.	—	241,4	145
Marine	millier d'h.	—	64,2	33,1
Aviation	millier d'h.	—	89,8	28,4
ÉCONOMIE				
PIB	milliard $	1,06 [b]	1 318,9	480,3
Croissance annuelle 1985-93	%	••	2,4	3,3
1994	%	••	2,7	2,0
Par habitant [h]	$	••	19 403	13 791
Taux de chômage [s]	%	••	12,4	23,5
Taux d'inflation	%	••	1,6	4,3
Dépenses de l'État Éducation	% PIB	••	5,7 [b]	4,6 [b]
Défense	% PIB	—	2,7	1,2
Recherche et Développement	% PIB	—	2,41 [a]	0,85
Énergie [b] Consommation par habitant	kg	••	5 434	3 109
Taux de couverture	%	••	49,0	35,1
COMMERCE				
Importations	million $	1 178 [f]	228 696	83 042
Exportations	million $	27 [f]	233 500	63 029
Principaux fournis.	%	Fra 36,7 [f]	UE 63,7	UE 64,3
	%	Esp 32,6 [f]	PVD 18,1	M-O 2,7
	%	RFA 7,0 [f]	E-U 8,5	E-U 6,8
Principaux clients	%	Fra 64,1 [f]	UE 62,0	UE 70,7
	%	Esp 29,1 [f]	PVD 22,1	Afr 4,9
	%	RFA 3,5 [f]	Afr 6,2	A-L 6,1

ITALIE	MONACO	PORTU-GAL	SAINT-MARIN
Rome	Monaco	Lisbonne	Saint-Marin
301 225	1,81	92 080	61
0,891	..	0,838	..
57,19	0,032	9,82	0,025
189,8	17 680	106,7	409,8
0,1	1,2	– 0,1	1,5
1,3	1,2 [i]	1,5	1,3 [m]
8	4 [k]	10	12,2 [f]
66,6	100,0	35,1	93,8
2,6 [b]	—	13,8 [b]	2,0 [b]
77 [bq]	..	81 [cr]	..
33,7 [b]	..	23,4 [c]	..
421	820	188	352
29 351 [b]	41 [f]	6 430 [c]	..
4,75 [i]	2,65 [i]	2,9 [c]	2,67 [j]
205	—	27,2	—
44	—	12,5	—
73,3	—	11	—
1 020,2	0,28 [i]	87,5	0,188 [j]
2,1	..	4,1	..
2,2	..	1,0	..
18 520	..	12 313	..
11,8	..	6,9	..
3,8	..	4,0	..
5,4 [b]	..	4,8 [f]	..
1,6	..	1,8	—
1,22	—	0,61 [f]	—
4 019	..	2 111	..
17,2	..	3,6	..
166 200	[n]	26 529	[o]
188 520	[n]	17 473	[o]
UE 55,4 [a]	..	PCD 83,7	..
PVD 25,3 [a]	..	UE 71,0	..
E-U 5,3 [a]	..	PVD 16,0	..
UE 53,3 [a]	..	PCD 89,9	..
PVD 26,9 [a]	..	UE 75,2	..
E-U 7,7 [a]	..	PVD 9,4	..

Chiffres 1994, sauf notes : a. 1993; b. 1992; c. 1991; d. 1995; e. 1990-95; f. 1990; g. 1991; h. A parité du pouvoir d'achat (voir p. 673); i. 1989; j. 1987; k. 1985-90; l. 1988; m. 1984; n. Compris dans les chiffres français; o. Compris dans les chiffres italiens; p. 11-17 ans; q. 11-18 ans; r. 12-17 ans; s. En fin d'année.
(*) Dernier recensement utilisable : Andorre, 1954; France, 1990; Espagne, 1991; Italie, 1991; Monaco, 1982; Portugal, 1991; Saint-Marin, 1982.

porté à l'actif de leur Premier ministre la modernisation du pays par la réalisation d'importants travaux publics, mais se sont cependant montrés plus critiques dans les domaines de l'éducation, de la santé et de l'administration. Ils ont aussi dénoncé la « dérive » des privatisations des dernières années. En outre, 75 % des actifs bancaires portugais se sont trouvés concentrés entre les mains de deux groupes privés, BPC et Champallimaud, et d'un organisme financier public, la Caisse générale des dépôts, à la suite d'une série d'opérations peu réglementaires autorisées par le pouvoir.

En 1994, le Portugal est sorti de la récession avec un taux de croissance de 1 %, et tablait sur une augmentation de 2 % du PIB en 1995. La stagnation de la consommation et la baisse des salaires réels ont ramené l'inflation à 4,0 % en 1994, contre 6,4 % en 1993. Seules les exportations (+ 6,1 % en 1994) ont « tiré » la croissance et sorti l'investissement de l'impasse (+ 5,2 % prévus en 1995, contre 0 % en 1994). Le chômage (6,9 % en 1994) a encore augmenté au début de 1995. Une forte grogne sociale a ainsi ponctué le tournant politique du pays.

Ana Navarro Pedro

Saint-Marin

Plus ancienne république libre du monde, Saint-Marin est enclavée, au nord-est de l'Italie, entre l'Émilie-Romagne et les Marches. Dotée d'une Constitution dès le XVIIᵉ siècle, le suffrage universel y est appli-

BIBLIOGRAPHIE

« Andorre », *Revue géographique des Pyrénées et du Sud-Ouest*, 62/2, Universités de Toulouse-Le Mirail, Bordeaux, Pau, Perpignan, avr.-juin 1991.

C. AUSCHER, *Portugal*, Seuil, Paris, 1992.

J.-L. BIANCHINI, *Monaco : une affaire qui tourne*, Seuil, Paris, 1992.

C. COLONNA CESARI, *Urbi et orbi. Enquête sur la géopolitique vaticane*, La Découverte, Paris, 1992.

« Dans les coulisses de Monaco », *Géo*, n° 173, Paris, juil. 1993.

« Géopolitique des mondes lusophones », *Lusotopie*, n° 1-2, L'Harmattan, Paris, 1994.

Y. LÉONARD, *Le Portugal. Vingt ans après la révolution des œillets*, Les études de la Documentation française, Paris, 1994.

M.J. LLUELLES, *La Transformació economica d'Andorra*, L'Avenç, Barcelone, 1991.

J. P. DE OLIVEIRA MARTINS, *Histoire du Portugal*, La Différence, Paris, 1995.

A. VIRCONDELET, *Jean-Paul II*, Julliard, Paris, 1994.

Voir aussi les bibliographies « Espagne », « France » et « Italie » dans la section « 34 États ».

qué depuis 1906 pour désigner le Grand Conseil général (Parlement, dont le renouvellement a lieu tous les cinq ans). Deux capitaines-régents sont élus tous les six mois par ce Grand Conseil et président le Conseil d'État (exécutif de dix membres). Les trois principales forces politiques sont la démocratie chrétienne (PDCS, 41,4 % des voix aux élections de mai 1993), les socialistes (PSS, 23,7 %), et les ex-communistes du Parti progressiste démocratique saint-marinais (18,6 %).

République de Saint-Marin

Nature du régime : parlementaire.
Chef de l'État : deux capitaines-régents élus tous les six mois président le Conseil d'État (10 membres), qui assure le gouvernement.
Monnaie : lire italienne.
Langue : italien.

Pleinement souveraine en matière administrative et diplomatique, la république est liée à l'Italie par une union douanière.

Vatican

A mesure que son âge avançait, Jean-Paul II (soixante-quinze ans) a semblé très préoccupé de laisser une trace sur les questions lui tenant à cœur. Après avoir publié un livre d'entretiens à l'automne 1994 (*Entrez dans l'espérance*), il a successivement rendu publiques deux encycliques (en mars et en mai 1995).

Cité du Vatican

Statut : État souverain.
Chef de l'État : Karol Wojtyla (Jean-Paul II, pape depuis octobre 78).
Monnaie : lire italienne.
Langue : italien (off.), latin (pour les actes off.).

Dans la première (*Evangelium Vitæ*, « Évangile de la vie »), il revient notamment sur la question de l'ordre moral et de ses rapports avec la loi civile. Il y dénonce une nouvelle fois l'euthanasie, la contraception et l'avortement qui illustrent à ses yeux la « culture de mort » qui se serait emparée des sociétés modernes.

La seconde encyclique (*Ut unum sint*, « Que tous soient un »), publiée peu avant une rencontre avec le patriarche orthodoxe Bartholomée Ier de Constantinople (le 27 juin), présente un intérêt géopolitique certain. Il y est question de la réunification des Églises chrétiennes (catholiques, protestants, orthodoxes). Elle semble accepter que la primauté du pape soit mise en débat. Cette prise de position n'a pu cependant suffire à gommer les fortes irritations suscitées — notamment dans l'orthodoxie — par le caractère offensif de certaines interventions papales en direction des chrétiens d'Europe centrale et orientale. La guerre dans l'ancienne Yougoslavie n'aura fait qu'aviver les tensions. Les Croates sont majoritairement de culture catholique, les Serbes majoritairement orthodoxes et la diplomatie vaticane n'est pas restée inactive dans la période qui a vu la Fédération yougoslave éclater. Les Églises protestantes ont à plusieurs reprises également exprimé leur exaspération. En mai 1995, au risque de raviver le souvenir des guerres de religion, Jean-Paul II a ainsi, dans un voyage en République tchèque, canonisé Jan Sarkander, prêtre de la recatholisation lors de la guerre de Trente Ans, qui avait été torturé à mort par les protestants.

Nicolas Bessarabski

Méditerranée orientale

Chypre, Grèce, Malte, Turquie
(La Turquie est traitée p. 290.)

Chypre

Depuis 1974, les populations de Chypre demeurent séparées et l'île partagée : aucune solution n'est acceptée à la fois par les Grecs regroupés au sud et par les Turcs mélangés au nord avec des immigrés venus de Turquie. Au sud, où la forte croissance économique enregistrée depuis 1977 permet d'acquérir des systèmes d'armes modernes, mais ne laisse pas oublier l'occupation du nord par l'armée turque, on a, pendant l'hiver 1994-1995, promené pour réclamer l'intercession divine une icône apportée des monastères du mont Athos, en Grèce. En février 1995, un séisme qui a ravagé l'arrière-pays de Paphos, a fait craindre pour la fréquentation touristique de la région. En avril 1995, le gouvernement et les dirigeants politiques se sont inquiétés de la découverte d'une Armée helléno-chypriote de libération, aussitôt mise hors la loi.

Le nord a continué d'éprouver d'importantes difficultés : inflation importée de Turquie, émigration des Chypriotes turcs, division de l'opinion à propos du statut des immigrants et de celui des biens abandonnés par les Chypriotes grecs pendant la guerre de 1974, au point que la réélection de Rauf Denktash à la « Présidence » — la « république turque de Chypre nord » autoproclamée, n'est reconnue que par Ankara — n'a été acquise après ballottage que par 60 % des voix.

République de Chypre

Nature du régime : présidentiel.

Chef de l'État et du gouvernement : Glafkos Cléridès (depuis le 14.2.93).

Monnaie : livre chypriote (1 livre = 11,24 FF au 28.2.95).

Territoires contestés : le tiers nord de l'île et la partie nord de Nicosie (capitale) sont occupés par l'armée turque depuis juil.-août 1974. Leurs habitants grecs les ont presque tous fuis, cependant que 40 000 à 50 000 Turcs ont quitté le sud. L'administration chypriote turque a proclamé une « république turque de Chypre nord » en 1983, non reconnue, sinon par la Turquie.

Langues : grec, turc, anglais.

Méditerranée orientale

	INDICATEUR	CHYPRE	GRÈCE	MALTE	TURQUIE
	Capitale	Nicosie	Athènes	La Valette	Ankara
	Superficie (km²)	9 251	131 944	316	780 576
	Développement humain (IDH) [b]	0,873	0,874	0,843	0,739
DÉMOGRAPHIE	Population (*) [g] (million)	0,742	10,45	0,366	61,95
	Densité [g] (hab./km²)	80,2	79,2	1 158	79,4
	Croissance annuelle [f] (%)	1,1	0,4	0,7	2,0
	Indice de fécondité (ISF) [f]	2,5	1,4	2,0	3,3
	Mortalité infantile [f] (‰)	9	10	9	65
	Population urbaine (%)	53,5	64,7	89,0	67,3
CULTURE	Analphabétisme (%)	6,0 [b]	6,8 [b]	13,0 [b]	17,7 [g]
	Scolarisation 2e degré (%)	94 [cm]	98 [em]	85 [dn]	51 [bj]
	Scolarisation 3e degré (%)	14,0 [c]	25,0 [d]	13,1 [d]	14,8 [c]
	Téléviseurs [b] (‰ hab.)	149	201	744	176 [b]
	Livres publiés (titre)	900 [b]	4 066 [c]	395 [b]	6 549 [b]
	Nombre de médecins (‰ hab.)	1,71 [d]	3,7 [c]	1,96 [e]	0,9 [d]
ARMÉE	Armée de terre (millier d'h.)		113		393
	Marine (millier d'h.)	10	19,5	1,85	54
	Aviation (millier d'h.)		26,8		56,8
ÉCONOMIE	PIB (milliard $) [a]	7,54	77,6	2,69 [b]	134,6
	Croissance annuelle 1985-93 (%)	6,4	1,8	5,9	5,2
	1994 (%)	5,0	1,0	5,0	– 3,9
	Par habitant ($) [l]	15 470 [a]	8 360 [a]	7 575 [c]	5 206 [a]
	Dette extérieure totale (milliard $)	3,21 [c]	21,9 [d]	0,75 [a]	67,9 [a]
	Service de la dette/Export. (%)	10,6 [d]	..	1,9 [b]	28,3 [a]
	Taux d'inflation (%)	5,6	10,8	3,5	125,5
	Dépenses de l'État Éducation (% PIB)	4,0 [b]	3,1 [k]	4,0 [d]	4,0 [b]
	Défense (% PIB)	8,1	4,0	1,1	2,4
	Recherche et développement (% PIB)	0,2 [b]	0,46 [c]	—	0,50 [b]
	Énergie [b] Consommation par habitant (kg)	2 285	3 241	1 997	1 045
	Taux de couverture (%)	—	34,1	—	41,5
COMMERCE	Importations (million $)	2 935	21 939	2 360	17 670
	Exportations (million $)	955	8 934 [a]	1 499	22 560
	Principaux fournis. [a] (%)	E-U 9,3	UE 57,9	PCD 86,5	UE 45,2
		UE 54,2	RFA 17,7	Ita 30,8	E-U 11,4
		PVD 23,0	PVD 24,8	PVD 13,5	M-O 11,4
	Principaux clients [a] (%)	PCD 43,2	UE 58,5	PCD 80,2	UE 44,2
		UE 38,7	RFA 22,4	Ita 31,1	M-O 14,1
		M-O 31,5	PVD 29,6	PVD 16,3	E-U 7,1

Chiffres 1994, sauf notes : a. 1993; b. 1992; c. 1991; d. 1990; e. 1989; f. 1990-95; g. 1995;
h. 12-17 ans; i. 11-17 ans; j. 11-16 ans; k. 1989; l. A parité de pouvoir d'achat (voir p. 673);
m. 12-17 ans; n. 11-17 ans.
(*) Dernier recensement utilisable : Chypre, 1976; Grèce, 1991; Malte, 1985; Turquie, 1990.

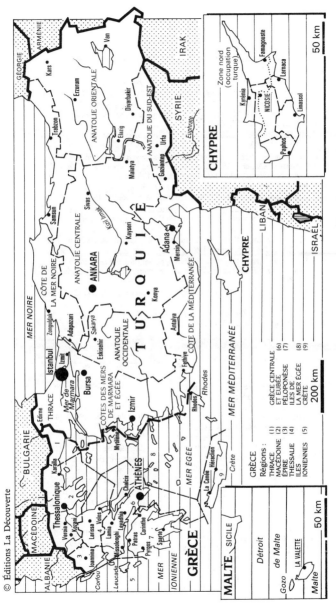

© Éditions La Découverte

599
•

CHYPRE

50 km

Zone nord
(occupation
turque)

Kyrénia · Famagouste
NICOSIE · Larnaca
Paphos · Limassol

GÉORGIE
ARMÉNIE
Van
Kars · Erzurum · Trabzon
Diyarbakir
IRAK
SYRIE
Euphrate
Elaziğ · Malatya
ANATOLIE ORIENTALE
ANATOLIE DU SUD-EST
Gaziantep · Urfa
Sivas
Kizil Irmak
Samsun
CÔTE DE LA MER NOIRE
ANATOLIE CENTRALE
ANKARA
Kayseri
Konya
Adana · Mersin
CÔTE DE LA MÉDITERRANÉE
CHYPRE
LIBAN
ISRAËL

MER NOIRE
Zonguldak · Adapazari
Sakarya
Eskişehir
T U R Q U I E
ANATOLIE OCCIDENTALE
Antalya
Istanbul · Izmit
Bursa
Mer de Marmara
CÔTES DES MERS DE MARMARA ET ÉGÉE
Izmir
Mytilène
Rhodes
Fethiye
MER MÉDITERRANÉE

BULGARIE
Edirne
THRACE
MACÉDOINE
Thessalonique
Karála
ALBANIE
Veroia · Kozáni
Ioannina · Larissa
Corfou · Volos
Leucade · Missolonghi · Lamia
ATHÈNES
Chalcis
Patras · Corinthe
Pyrgos · Sparte
MER IONIENNE
Crète
La Canée · Heraclion
MER ÉGÉE
Rhodes

MALTE · SICILE

Détroit de Malte

Gozo · Malte
LA VALETTE

50 km

GRÈCE

Régions :
THRACE (1)
MACÉDOINE (2)
ÉPIRE (3)
THESSALIE (4)
ÎLES IONIENNES (5)
GRÈCE CENTRALE ET EUBÉE (6)
PÉLOPONÈSE (7)
ÎLES DE LA MER ÉGÉE (8)
CRÈTE (9)

200 km

BIBLIOGRAPHIE

L. Briguglio, *Island economics - Plans, Strategies and Performance : Malta*, RSPS, Australian National University, Canberra, 1992.

G. Contogeorgis, *Histoire de la Grèce*, Hatier, Paris, 1992.

J.-F. Drevet, *Chypre, île extrême*, Syros Alternatives, Paris, 1991.

« Grèce. Identités, territoires, voisinages, modernisations », *Cahiers d'études sur la Méditerranée orientale et le monde turco-iranien (CEMOTI)*, n° 17, Paris.

« La Méditerranée assassinée », *Peuples méditerranéens*, n° 62-63, Paris 1er sem. 1993.

« La zone de coopération économique des pays riverains de la mer Noire », *Cahiers d'études sur la Méditerranée orientale et le monde turco-iranien (CEMOTI)*, n° 15, Paris, 1993.

F. Lerin, L. Mizzi (sous la dir. de), *Malta : Food, Agriculture, Fisheries and the Environment*, IAM-CIHEAM, Montpellier, 1993.

P.-Y. Péchoux, « Chypre et les Chypriotes : vers une double insularité », *Territoires et sociétés insulaires*, Ministère de l'Environnement, Paris, 1991.

P.-Y. Péchoux, « Il nodo cipriota », *La citta nuova*, vol. VII, n° 1-2, G. Macchiaroli, Naples, 1992.

P.-Y. Péchoux, « Tourisme et développement à Chypre », *IMCO, La revue de l'Institut européen de la communication*, n° 13, Paris, été 1994.

F. Stangos, « La politique étrangère de la Grèce », *Dossiers du GRIP*, Bruxelles.

Voir aussi la bibliographie « Turquie » dans la section « 34 États ». Voir aussi la bibliographie p. 290.

Grèce

Alors que la guerre dans l'ancienne Yougoslavie, la décomposition du bloc soviétique et la déstabilisation de l'ensemble arabe depuis la guerre du Golfe (1991) ont bouleversé le climat géopolitique qui avait permis à Athènes de jouer, dans le cadre de l'OTAN (Organisation du traité de l'Atlantique nord) et de la Communauté européenne, des rôles sans rapport avec l'importance de sa population, son territoire et ses ressources, ses relations de voisinage, à l'exception de celles avec la Bulgarie, sont devenues difficiles.

Le contentieux historique (guerres balkaniques de 1912-1923, occupation du nord de Chypre par des troupes turques, etc.) opposant la Grèce à la Turquie a continué d'être alimenté par les complaisances d'Athè-

▼

République de Grèce

Nature de l'État : république unitaire.
Nature du régime : parlementaire monocaméral.
Chef de l'État : Costis Stéphanopoulos, qui a succédé à Constantin Karamanlis (démissionnaire) le 8.3.95.
Chef du gouvernement : Andréas Papandréou (depuis le 12.10.93).
Échéances électorales : législatives à l'automne 97.
Monnaie : drachme (100 drachmes = 0,33 écu = 2,14 FF au 19.7.95).
Langues : grec moderne (off.), turc (langue reconnue de la minorité musulmane), albanais, valaque, bulgare.

nes pour les activistes kurdes réfugiés dans le pays, par son inquiétude devant le regain d'influence turque dans l'aire balkanique et sa réticence face aux compromis élaborés en février 1995 dans le cadre de l'Union européenne, en vue d'une union douanière avec la Turquie, à échéance de 1996, suivant un processus amorcé dès 1964 et bloqué depuis l'adhésion de la Grèce à la CEE (Communauté économique européenne), en 1981.

Proche de la Serbie parce que les intérêts de celle-ci s'opposent à un accroissement du rôle des peuples bulgare, macédonien et albanais, la Grèce a accepté de reprendre à l'ONU les négociations sur la Macédoine qu'elle a soumise, à partir de 1994, à un embargo sur le transit des marchandises destinées à sa population. Elle n'a, en effet, cessé de lui reprocher de s'être approprié une dénomination («Macédoine») et des symboles qui appartiendraient à la Grèce et de vouloir exercer vis-à-vis de la diaspora macédonienne un dangereux apostolat national. Ses relations sont demeurées d'autant plus délicates avec l'Albanie que le délabrement de celle-ci a ravivé les particularismes d'une minorité albanaise de culture grecque et facilité les agissements de provocateurs grecs visant à remettre en question la frontière commune en Épire.

Ces tensions, masquant l'incertitude de rapports politiques internes tels que les députés conservateurs n'ont pu faire échouer la candidature à la présidence de la République d'un de leurs dissidents passé à l'extrême droite et soutenu par les socialo-populistes du PASOK (Mouvement socialiste panhellenique) au pouvoir, s'inscrivent dans une nouvelle organisation des flux migratoires et des échanges économiques. Longtemps pays de départ, la Grèce a attiré à partir des années quatre-vingt de nombreux sans-emploi d'Asie du Sud-Est, du monde arabe et du Kurdistan, du monde russe, d'Europe médiane, et beaucoup d'immigrants d'Albanie. Leur nombre a semblé avoisiner 500 000, ce sont souvent des «irréguliers», cherchant à séjourner temporairement dans le pays ou à s'y installer. La présence de ces migrants, constituant une bonne occasion de disposer, dans l'économie — souterraine ou pas —, d'une main-d'œuvre à bas prix, a été décriée comme un facteur de délinquance et a semblé susceptible de raviver les discriminations imposées à partir de 1935-1941 aux 50 000 catholiques romains de Grèce, auxquels se sont ajoutés depuis 200 000 Polonais et Philippins.

Cependant, les hommes d'affaires grecs ont progressé, des Balkans au Kazakhstan. Premiers investisseurs étrangers en Roumanie, en Bulgarie, deuxièmes en Albanie, bons fournisseurs clandestins de la Serbie soumise à embargo, ils ajoutent aux rentrées «invisibles», nécessaires à l'équilibre de la balance commerciale d'une économie inflationniste. Cette dernière est marquée par les oppositions existant entre des zones urbaines «congestionnées» et des montagnes à l'abandon, entre une agriculture modernisée et des industries fragiles, entre une société prospère et un État d'autant plus endetté qu'il nourrit une pléthore de fonctionnaires et ne parvient pas à se doter d'un système fiscal efficace.

Malte

La population des îles maltaises, d'autant plus dense qu'elle est presque toute citadine, a continué de croître : l'allongement de l'espérance de vie et les retours au pays compensent, en effet, le déclin du taux de

---

République de Malte

Nature du régime : parlementaire.
Chef de l'État : Censu Tabone (depuis mai 89).
Chef du gouvernement : Edward Fenech Adami (depuis mai 87).
Monnaie : livre maltaise (1 livre = 14,29 FF au 30.4.95).
Langues : maltais, anglais, italien.

natalité, qui est passé de 15,9 °/₀₀ en 1985 à 9,6 °/₀₀ en 1994. Un certain nombre d'indicateurs rendent compte d'un niveau de développement élevé : consommation annuelle d'eau de 48 millions de cm³ (soit 50 % de plus qu'en 1985) satisfaite grâce à trois usines de dessalement ; production d'électricité de 1 500 millions de kWh, doublée depuis 1985 (sa consommation par les industries et les installations touristiques augmente toutefois plus vite que celle des particuliers) ; taux de chômage inférieur à 4 % pour une population active de 141 000 personnes à 27 % féminine, en septembre 1994.

L'originalité économique de Malte tient à ce que le secteur public emploie 38 % des actifs (estimation pour 1994), notamment dans des entreprises nationalisées appartenant aux secteurs secondaire et tertiaire.

Malte a continué de réclamer d'adhérer à l'Union européenne, l'Europe étant, de loin, son premier partenaire commercial.

Pierre-Yves Péchoux

Balkans

Albanie, Bulgarie, Roumanie, Slovénie, Croatie, Bosnie-Herzégovine, Serbie-Monténégro, Macédoine
(La Bosnie-Herzégovine est traitée p. 285.)

Albanie

Le redressement économique qu'a connu l'Albanie à partir de 1994 est largement dû aux transferts en devises des centaines de milliers d'Albanais travaillant, le plus souvent sans titre de séjour, en Grèce ou en Italie pour la plupart. Alors que le chômage est demeuré très élevé (19,0 %), la croissance économique, en 1994, a été considérée comme la meilleure de la région (+ 8 %), tandis que l'inflation était limitée à 22,6 %, et que le déficit budgétaire passait de 11,3 % à 8 % du PNB.

▼

République d'Albanie

Nature du régime : parlementaire.
Chef de l'État : Sali Berisha (depuis le 9.4.92).
Chef du gouvernement : Alexandre Meksi (depuis le 12.4.92).
Monnaie : nouveau lek (1 nouveau lek = 0,05 FF au 26.6.95).
Langues : albanais, grec.

Ces résultats ne devaient pas occulter la grande pauvreté du pays comme l'illustrent le taux de mortalité infantile très élevé (30 °/₀₀) ou encore l'épidémie de choléra qui s'est déclarée durant l'été 1994. De même n'ont-ils pas pu éviter au régime, au caractère présidentialiste très marqué, de connaître quelques revers. Croyant renforcer sa popularité en soumettant à référendum le projet de Constitution, le président Sali Berisha a essuyé un sérieux camouflet avec 53,9 % de « non » exprimés le 6 novembre 1994. Par-delà le désaveu personnel qu'il constituait pour le président, ce vote a eu pour conséquence de reporter l'admission de l'Albanie au Conseil de l'Europe (conditionnée par l'adoption d'une nouvelle Constitution) et indirectement sanctionné les exigences de Tirana en matière de nomination des responsables religieux qui visaient directement la minorité grecque de l'Albanie du Sud (estimée à 300 000 personnes selon Athènes, 60 000 selon Tirana). Le 29 juin 1995, l'Albanie devenait malgré tout membre à part entière du Conseil de l'Europe.

Les relations albano-grecques ont commencé de s'apaiser après des ten-

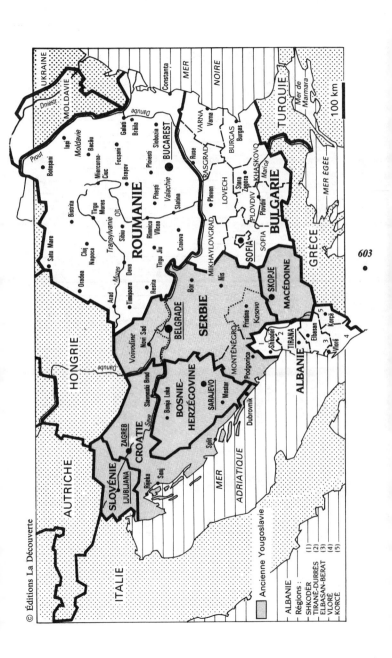

© Éditions La Découverte

603

100 km

Ancienne Yougoslavie.

ALBANIE
Régions :
SHKODËR (1)
TIRANË-DURRES (2)
ELBASAN-BERAT (3)
VLORË (4)
KORÇË (5)

Balkans *(Voir aussi tableau «Ancienne Yougoslavie», p. 606)*

	INDICATEUR	UNITÉ	ALBANIE	BULGARIE	ROUMANIE
	Capitale		Tirana	Sofia	Bucarest
	Superficie	km²	28 748	110 912	237 500
DÉMOGRAPHIE	Développement humain (IDH) [b]		0,714	0,815	0,729
	Population (*) [e]	million	3,44	8,77	22,84
	Densité [e]	hab./km²	119,7	19,1	96,2
	Croissance annuelle [f]	%	0,9	− 0,5	− 0,3
	Indice de fécondité (ISF) [f]		2,8	1,5	1,5
	Mortalité infantile [f]	‰	30	14	23
	Population urbaine	%	37,0	70,1	55,0
CULTURE	Scolarisation 2e degré	%	79 [dk]	70 [bk]	82 [bk]
	Scolarisation 3e degré	%	7,2 [d]	30,0 [b]	11,9 [b]
	Téléviseurs [b]	‰ hab.	88	257	196
	Livres publiés	titre	381 [c]	4 773 [b]	3 662 [b]
	Nombre de médecins	‰ hab.	1,37 [d]	3,17 [d]	1,81 [h]
ARMÉE	Armée de terre	millier d'h.	60	51,6	160,5
	Marine	millier d'h.	3	3	19
	Aviation	millier d'h.	10	21,6	27,4
ÉCONOMIE	PIB [a]	milliard $	1,17	9,77	25,43
	Croissance annuelle 1985-93	%	− 5,3	− 3,6	− 6,5
	1994	%	8,0	0,2	1,0
	Par habitant [g]	$	3 500 [c]	3 730 [a]	2 910 [a]
	Dette extérieure totale [a]	milliard $	0,8	12,25	4,46
	Service de la dette/Export.	%	0,9 [b]	5,7 [a]	6,2 [a]
	Taux d'inflation	%	22,6	96,0	70,1
	Chômage [i]	%	19,0	12,8	10,9
	Dépenses de l'État Éducation	% PIB	6,4 [j]	6,4 [b]	3,6 [b]
	Défense	% PIB	7,0	4,5	6,4
	Recherche et Développement [b]	% PIB	••	1,5	0,7
	Énergie [b] Consommation par habitant	kg	567	3 139	2 702
	Taux de couverture	%	92,8	43,5	73,2
COMMERCE	Importations	million $	629 [a]	3 900	5 661
	Exportations	million $	117 [a]	3 800	5 398
	Principaux fournis.	%	PCD 87,6 [a]	PCD 42,7 [a]	Ex-CAEM 12,3
		%	UE 79,0 [a]	UE 30,2 [a]	PCD 44,9
		%	PVD 12,4 [a]	CEI 36,2 [a]	PVD 33,5
	Principaux clients	%	PCD 88,9 [a]	PCD 43,1 [a]	Ex-CAEM 18,1
		%	UE 77,8 [a]	UE 28,1 [a]	PCD 56,2
		%	PVD 12,0 [a]	CEI 19,4 [a]	PVD 15,5

sions très alarmantes en 1993-1994. Alors que Tirana s'est efforcé de taire ses craintes concernant la menace d'une «hellénisation de l'Albanie du Sud», en raison notamment de l'importante présence commerciale de la Grèce dans cette région, celle-ci a levé son veto à l'octroi à l'Albanie d'un prêt de 43 millions de dollars de l'Union européenne.

Cette dernière, comme les États-Unis, avec lesquels les liens se sont encore resserrés, et d'autres pays occidentaux ont continué d'apporter au pays une aide financière décisive, tout en s'inquiétant du respect de certains droits de l'homme, notamment en matière d'information. L'important remaniement ministériel intervenu en décembre 1994 a consacré l'hégémonie du Parti démocratique albanais après le départ des sept députés du Parti social-démocrate et de ceux du Parti républicain, qui se considéraient instrumentalisés.

Bulgarie

Le 16 décembre 1994, la Bulgarie a connu, pour la troisième fois en quatre ans, la tenue d'élections législatives, anticipées comme celles d'octobre 1991. Le gouvernement transitoire de Reneta Indjova (nommée le 16 octobre 1994) a été chargé de préparer le scrutin, après la démission, le 5 septembre 1994, du gouvernement de Liouben Berov.

Victorieux, le Parti socialiste bulgare (PSB) a remporté 43,5 % des suffrages (soit 125 sièges sur 240) ; cet héritier du Parti communiste a tiré largement profit de l'état de division endémique qui a rongé les rangs de l'Union des forces démocratiques (UFD ; 69 députés) et a confirmé son emprise tant sur les rouages de l'administration que sur la vie économique.

République de Bulgarie

Nature du régime : parlementaire (le président est élu au suffrage universel pour 5 ans).

Chef de l'État : Jelio Jelev (élu le 1.8.90, réélu président de la République au suffrage direct le 19.1.92).

Chef du gouvernement : Jan Videnov, qui a succédé, le 25.1.95, à Reneta Indjova, laquelle avait formé un gouvernement de transition, le 16.10.94, après la démission de Liouben Berov le 5.9.94.

Monnaie : lev de Bulgarie (1 lev = 0,074 FF au 26.6.95).

Langue : bulgare.

Outre le net recul de l'UFD, ces élections ont marqué la baisse d'audience relative du Mouvement des libertés démocratiques (porte-parole des Bulgares d'origine turque) qui a remporté 5,45 % des voix (contre 7,5 % en 1991), perdant ainsi son rôle de formation charnière en cas de mise en place d'une coalition. De nombreux votants se sont tournés vers l'Union populaire (6,5 %), fraction dissidente de l'UDF, vers le Business Block (parti populiste mené par Georges Gantchev, 4,75 %) ou encore vers la quarantaine de petites formations — dont une dizaine de sensibilité monarchiste — qui ont, à elles seules, attiré près du tiers des votants.

Bénéficiant de la majorité absolue au Parlement, le PSB a désigné Jan Videnov (trente-cinq ans) à la tête d'un gouvernement qui a accueilli plusieurs anciens hauts responsables du régime communiste de Todor Jivkov (au pouvoir de 1959 à 1989) ainsi que des représentants de partis satellites (agrariens et fraction d'Ecoglasnost).

Se présentant comme appartenant à la «gauche moderne», le nouveau gouvernement a hérité d'une situation économique moins catastro-

Chiffres 1994, sauf notes : a. 1993; b. 1992; c. 1991; d. 1990; e. 1995; f. 1990-95; g. A parité de pouvoir d'achat (voir p. 673); h. 1989; i. En fin d'année); j. 1988; k. 14-17 ans.
(*) Dernier recensement utilisable : Albanie, 1989; Bulgarie, 1992; Roumanie, 1992.

Ancienne Yougoslavie

INDICATEUR	UNITÉ	SLOVÉNIE	CROATIE	BOSNIE-HERZÉGOV.
Capitale		Ljubljana	Zagreb	Sarajevo
Superficie	km²	20 251	56 538	51 129
DÉMOGRAPHIE				
Population (*) [c]	million	1,95	4,50	3,46
Densité [c]	hab./km²	96,1	79,5	67,7
Croissance annuelle [g]	%	0,3	− 0,1	..
Indice de fécondité (ISF) [g]		1,5	1,6	1,6 [a]
Mortalité infantile [g]	‰	8	9	14,6 [a]
Espérance de vie [g]	année	73	71	72,4 [a]
Population urbaine	%	62,7	63,5	47,9
CULTURE				
Analphabétisme [e]	% [i]	0,8	5,6	14,5
Téléviseurs [b]	‰ hab.	295	337	..
Livres publiés	titre	2 136 [b]	2 239 [d]	1 008 [f]
Nombre de médecins [ik]	‰ hab.	2,6	2,6	1,8
ARMÉE				
Armée de terre	millier d'h.	8	99,6	110
Marine	millier d'h.	0,04	1,1	..
Aviation	millier d'h.	0,1	0,3	..
ÉCONOMIE				
PIB	milliard $	12,57 [a]	15,2 [d]	1,8 [c]
Croissance annuelle [c] 1985-93	%	..	..	..
1994	%	5,0	0,8	..
Par habitant [h]	$	6 310 [a]	1 943 [a]	..
Composition du PIB Agriculture	%	5,6 [a]	11,5 [a]	..
Industrie	%	36,0 [a]	30,0 [a]	..
Production agricole, croissance annuelle 1985-90	%	1,7	0,0	1,1
1994	%	1,6	..	..
Production industrielle, et minière [o] 1980-90	%	− 0,1	0,0	1,8
1994	%	6,4	− 2,7	..
Taux d'inflation	%	18,7	− 2,9	..
Dette extérieure	milliard	2,2	2,7	2,9 [a]
Emploi	millier	751	1 195	..
Taux de chômage [i]	%	14,3	17,7	..
Dépenses de l'État Défense	% PIB	1,8	6,6	48,7 [a]
Énergie [b] Consommation par habitant	kg	1 882	1 819	1 444
Taux de couverture	%	80,5	66,3	55,2
Importations	million $	7 248	3 903 [a]	1 630 [d]
Exportations	million $	6 807	4 666 [a]	1 796 [d]

SERBIE-MONTÉNÉG.	MACÉDOINE
Belgrade	Skopje
102 200	25 713
10,85	2,16
106,2	84,1
..	1,1
2,0 [a]	2,0
19,6 [a]	27
72,1 [a]	72
55,1 [a]	59,4
9,5 [d]	10,9
172	162
4 049 [e]	559 [d]
2,4	2,4
90	10,4
7,5	—
29	0,05
9,5 [a]	1,71 [a]
..	..
6,5	−7,2
..	780 [a]
..	..
..	..
−1,5	−1,9
4,0	8,5
0,9	2,3
1,2	−9,0
8,6	66,7
6,2 [a]	0,9
2 370	426
23,9	33,2
10,6 [a]	1,8
1 602	980
74,1	3,6
5 630 [d]	1 602
3 964 [d]	1 190

phique qu'en 1993 (croissance de 0,2 % en 1994, production industrielle en hausse de +4,8 %, balance des paiements positive, ralentissement du chômage estimé à 12,8 %). Il a bénéficié d'une certaine marge de manœuvre financière, les négociations du gouvernement de L. Berov avec les créanciers du Club de Londres en juillet 1994 ayant abouti à un rééchelonnement de la dette (8,1 milliards de dollars). En juin 1994, enfin, avait été voté le programme de privatisation de masse que le gouvernement de R. Indjova, ancienne responsable de l'Agence de privatisation, s'est efforcé d'engager et qu'il est revenu à celui de Jan Videnov de concrétiser.

Le gouvernement Videnov s'est empressé d'amender la réforme agraire de 1991 dans le but de favoriser la création de coopératives ; des milliers de manifestants ont exprimé leur désapprobation vis-à-vis de ce projet, à Sofia, le 23 mars 1995.

Entre, d'une part, un chef de l'État ardent défenseur d'une politique de bon voisinage (notamment avec la Macédoine, la Turquie et la Grèce), d'une intégration croissante à l'Union européenne et de relations étroites avec les États-Unis, et d'autre part, un gouvernement socialiste attaché à un resserrement des liens avec ses voisins de la CEI (Communauté d'États indépendants) ainsi qu'à un désengagement plus net des problèmes de la région, la cohabitation s'annonçait délicate.

Roumanie

Alors que les indicateurs économiques ont enregistré une nette amélioration de la situation économique, le Parti de la démocratie sociale de Roumanie (PDSR) a renforcé son emprise sur la vie politique, notamment à l'échelon local, avec la destitution de près de 180 maires dont une écrasante majorité appartenait au Parti démocrate - Front de salut national (PD-FSN) de Petre Roman ou encore à la mouvance libérale.

▼

République de Roumanie

Nature du régime : parlementaire à pouvoir présidentiel fort.
Chef de l'État : Ion Iliescu (réélu le 11.10.92).
Chef du gouvernement : Nicolae Vacaroiu (depuis le 4.11.92).
Monnaie : leu (pluriel lei) ; (au taux officiel, 1 leu = 0,003 FF au 30.4.95).
Langues : roumain ; les différentes minorités parlent également le hongrois, l'allemand et le rom.

La confirmation de la reprise économique ébauchée en 1993, illustrée par une croissance de 1,0 % à l'issue de 1994, le très net ralentissement de l'inflation (74 %, contre 256 % en 1993), la rigueur de la politique de change et le redressement de la balance commerciale grâce à la surprenante augmentation des exportations (5,4 milliards de dollars, soit une majoration en valeur de près de 20 % par rapport à 1993) ont contribué à prévenir les critiques que l'Union européenne comme les États-Unis (nettement plus sourcilleux seulement un an plus tôt sur l'évolution du processus démocratique) auraient pu formuler. Certaines dispositions en matière de contrôle sur la presse audiovisuelle ou de nouveau code pénal ont toutefois suscité quelques murmures.

Plusieurs fois pressentie, l'entrée au gouvernement de deux représentants du Parti de l'unité nationale des Roumains (PUNR) a été formalisée en août 1994 et a permis à deux autres ministres nommés en mars 1994 d'officialiser leur appartenance à cette formation. Quatre portefeuilles (Justice, Transports, Agriculture, Télécommunications) ont donc été accordés au PUNR au terme d'une surenchère dont d'autres formations plus extrémistes (Parti de la Grande

Roumanie, Parti socialiste du travail) ont su, dans une moindre mesure, tirer profit. Plusieurs fois mis en difficulté au Parlement par les formations réunies dans la Convention démocratique (CD) et le PD-FSN, le PDSR, disposant de 34 % des sièges, a ainsi choisi son camp.

Cette préférence sans ambiguïté en faveur des rangs nationalistes face à une opposition qui n'avait pas (encore) fait la preuve de son efficacité avait son importance dans la perspective des futures élections locales, présidentielles et législatives de 1996.

Le climat social est demeuré un autre impondérable de taille, sachant que la reprise économique s'est très peu répercutée sur le niveau de vie : de nombreux indicateurs sociaux sont parmi les plus bas de la région, surtout en matière de santé et de petite enfance.

Le président Ion Iliescu a tenu à l'égard du président américain Bill Clinton (rencontré en décembre 1994), comme à l'égard des pays occidentaux, un discours très «euro-atlantique» que justifiait, selon lui, l'existence d'une Russie toujours menaçante... Si la Roumanie a conclu de nombreux accords bilatéraux de coopération militaire, acquis le statut de partenaire associé dans l'Union européenne occidentale (UEO) et présenté, le 22 juin 1995, sa demande d'adhésion à l'Union européenne, le projet de traité hungaro-roumain demeurait toujours en souffrance.

Édith Lhomel

Slovénie

Le flamboyant ministre de la Défense Janez Jansa a été contraint de donner sa démission, en mars 1994, à la suite du «passage à tabac» d'un ancien collaborateur par les services secrets, qu'il avait couvert ou ordonné. Après son remplacement par Jelko Kacin (lui-même gravement accidenté sur la route le 24 mars 1995), la vie politique a connu un calme réel et nouveau.

La quiétude slovène était cependant toute relative. La relative puissance du Parti national slovène (extrême droite), dont le leader, Zmago Jelincic, a souvent été soupçonné, à partir de juillet 1993, d'avoir été un agent des services secrets titistes, le grand nombre de partis représentés au Parlement dans le cadre d'un mode de scrutin semi-proportionnel, le caractère de « coalition nationale » du gouvernement de Janez Drnovsek (Parti démocrate-libéral, Liste unie — ex-Parti communiste — et Parti démocrate-chrétien), les scandales post-communistes (révélations par les services secrets d'un passé communiste fort problématique, corruption dans les affaires de privatisation et de financement politique) ou liés à la crise bosniaque (trafic d'armes) pouvaient faire songer à l'Italie des années 1978-1994.

République de Slovénie

Nature de l'État : ancienne république fédérée de la Yougoslavie ayant proclamé son indépendance le 25.6.91.
Chef de l'État : Milan Kucan, président de la République.
Premier ministre : Janez Drnovsek (depuis le 22.4.92).
Monnaie : tolar (au cours officiel, 1 tolar = 0,04 FF au 26.6.95).
Langue : slovène (off.).

Le pays a connu en 1994 une croissance remarquable (5 % de son PIB), comparable à celle de la Pologne, alors que le Fonds de développement procédait, en 1994-1995, à la privatisation de plus de 2 000 entreprises. Membre de toutes les grandes organisations internationales, hormis l'Union européenne, la Slovénie, dont les relations avec l'Italie se sont améliorées malgré les revendications territoriales des « post-fascistes » d'Alliance nationale, pouvait espérer profiter de la reprise pendant quelques années.

Croatie

A partir du printemps 1994, la Croatie a connu une phase de stabilité politique interne, la politique internationale reprenant la première place.

République de Croatie

Nature de l'État : ancienne république fédérée de la Yougoslavie ayant proclamé son indépendance le 25.6.91.
Chef de l'État : Franjo Tudjman, président de la République.
Premier ministre : Nikica Valentic, (depuis le 31.3.93).
Monnaie : kuna (au cours officiel, 1 kuna = 0,97 FF au 26.6.95).
Langues : croate (off.), serbe, italien, hongrois.

Après que Stipe Mesic et Josip Manolic ont quitté le HDZ (Communauté démocratique croate ; parti du président Franjo Tudjman, au pouvoir depuis avril 1990) et ont fondé le HND (Parti des démocrates indépendants croates), en avril 1994, tandis que l'opposition refusait de siéger au Parlement (mai 1994), la politique intérieure croate s'est structurée dans le cadre d'un bipartisme imparfait avec le HDZ, au pouvoir, d'un côté, et le HSLS (Parti libéral social croate), comme principal parti d'opposition, de l'autre.

Le premier a semblé pouvoir compter sur le soutien de plus d'un tiers des électeurs, base suffisante dans le cadre d'un scrutin à dominante majoritaire, et contrôle presque tous les médias importants, tandis que le HSLS de Drazen Budisa, qui avait obtenu plus de 20 % des voix aux élections présidentielles d'août 1992, paraissait pouvoir rallier la majorité des électeurs de Dalmatie, à l'exception de l'Istrie où un parti autonomiste pourrait obtenir deux tiers des suffrages. Les autres formations, Parti du droit croate (extrême droite), Parti paysan, Parti social-démocrate (ex-parti communiste) et Parti national serbe, pouvaient être considérées comme des figurants.

En matière de diplomatie, la Croatie a d'abord semblé appliquer une politique d'apaisement : pendant les combats de la poche de Bihac (Bosnie-Herzégovine) en octobre-novembre 1994, malgré l'intervention des Serbes de Croatie à l'appui de l'offensive de ceux de Bosnie, Zagreb n'est pas intervenu. Un accord économique a même été conclu le 22 décembre 1994 entre le gouvernement croate et les Serbes de Croatie.

Mais dès le mois de janvier 1995, le président Tudjman faisait savoir que le mandat de la Forpronu (Force de protection des Nations unies) ne serait pas renouvelé dans les mêmes termes. S'il en a été autrement, le 1er avril 1995, c'est en raison du nouveau mandat confié à l'ONURC, nouvelle appellation de cette force, chargée d'une mission théorique de contrôle des frontières internationales de la Croatie, dont les modalités pratiques restaient cependant floues.

Cela a été le prélude d'un nouvel éclat : le 1er mai 1995, profitant de la fin de l'armistice bosniaque, l'armée croate attaquait, en Slavonie occidentale, les territoires de la « république serbe de Krajina » (« RSK »), situés sur le territoire internationalement reconnu de la Croatie — la « RSK », en effet, ne regroupe pas uniquement les territoires serbes de la Krajina, au sens géographique, mais également ceux de Slavonie. Cette opération militaire a été couronnée de succès, malgré les critiques politiques formulées par certains observateurs internationaux. Elle a montré que la stratégie de la reconquête par la guerre limitée, déjà illustrée au moment de l'opération *Maslenica* (janvier 1993) et des combats de septembre 1993, restait une option pour le pouvoir croate, parallèlement à des négociations internationales. Fin juillet 1995, l'armée régulière croate intervenait à nouveau contre les sécessionnistes de la « RSK », dans l'ouest du territoire bosniaque, reconquérant les villes de Glamoc et Bossansko-Grahovo.

Le 4 août, une offensive massive de l'armée croate était lancée en direction de la Krajina, contre les forces serbes sécessionnistes. Cette offensive aboutissait rapidement à la prise de Knin, la capitale de la « RSK ». Un cessez-le-feu était conclu le 7 août, sous les auspices de l'ONU. Un considérable exode de population serbe a suivi la reconquête croate.

Joseph Krulic

Serbie-Monténégro

La fédération serbo-monténégrine ne peut se permettre de vivre éternellement sous le poids de l'embargo économique sans compromettre l'existence de son appareil productif et ses chances de réintégrer dans les meilleures conditions possibles le marché mondial et, surtout, le marché de l'Union européenne, son premier partenaire économique avant l'introduction du blocus en 1992.

▼

République de Serbie

Nature de l'État : la Serbie est officiellement fédérée au Monténégro dans le cadre de la « République fédérale de Yougoslavie » (RFY, présidée par Zoran Lilic), non reconnue internationalement au 31.7.95.

Nature du régime : officiellement démocratique, en fait dominé par le Parti socialiste (ex-communiste).

Chef de l'État : Slobodan Milosevic (réélu en décembre 92).

Chef du gouvernement : Mirko Marjanovic, qui a succédé à Nikola Sainovic en février 94.

Monnaie : nouveau dinar (au cours officiel, 1 nouveau dinar = 3,51 FF au 26.6.95).

Langues : serbe (off.), auparavant appelé « serbo-croate », albanais, hongrois, rom.

Le programme de stabilisation de l'économie proposé en janvier 1994 par Dragoslav Avramovic, gouverneur de la Banque nationale de

Yougoslavie, afin de faire face à l'hyperinflation, au désordre monétaire, et d'établir une monnaie convertible forte, a permis d'éviter la catastrophe. La production a connu une croissance après la chute des années précédentes : le produit social global (catégorie comptable des ex-pays communistes) avait accusé une baisse de 27,7 % en 1993 (contre +7 % environ en 1994), notamment à cause de la diminution de 37,4 % de la production industrielle. Toutefois, l'embellie s'est fixée à un niveau plutôt bas, puisque le produit social en dinars constants a été, en 1994, deux fois inférieur à celui de 1989 (la production industrielle ayant été, elle, de trois fois inférieure).

La Serbie, où l'État contrôle encore 80 % de l'économie à travers les « entreprises sociales », a pris du retard dans la transformation de son économie, notamment dans le processus de privatisation, par rapport aux autres États de la région. Le gouvernement monténégrin a, en revanche, semblé mener une politique économique distincte et paraissait décidé à accélérer les privatisations en 1995.

▼

République du Monténégro

Nature de l'État : le Monténégro est officiellement fédéré à la Serbie dans le cadre de la « République fédérale de Yougoslavie » (RFY, présidée par Zoran Lilic), non reconnue internationalement au 31.7.95.

Nature du régime : officiellement démocratique, en fait dominé par le Parti démocratique socialiste (ex-communiste).

Chef de l'État : Momir Bulatovic, (réélu en novembre 92).

Chef du gouvernement : Milo Djukanovic.

Monnaie : nouveau dinar (au cours officiel, 1 nouveau dinar = 3,51 FF au 26.6.95).

Langues : serbe (auparavant appelé « serbo-croate »), albanais.

La population s'est extrêmement appauvrie au cours des dernières années. On dénombrait, en 1993, 739 000 chômeurs, sans compter les centaines de milliers de salariés se trouvant au chômage technique ou travaillant à faible capacité. Outre les difficultés matérielles, la population a dû subir de nombreuses coupures d'électricité au cours de l'hiver 1994-1995.

La nécessité de voir l'embargo supprimé a conduit, au cours de l'année 1994, les dirigeants à modifier leur politique nationale. Le 19 janvier, ils ont signé à Genève un accord de normalisation progressive des rapports avec la Croatie. Le 4 août 1994, Belgrade a annoncé la rupture de ses relations économiques et politiques avec la « république serbe » (autoproclamée) de Bosnie, et le rejet du plan de paix du « groupe de contact » a amené la fermeture par la Serbie de sa frontière avec la Bosnie. En septembre, les autorités serbes ont accepté le déploiement d'observateurs afin de contrôler la réalité de ce blocus. Ce changement d'attitude de Belgrade a été apprécié par les Nations unies qui ont procédé, en octobre 1994, à un allègement des sanctions (*résolution 943*) frappant la Serbie et le Monténégro. Le pouvoir de Belgrade aura tenté en 1994-1995 de faire naître et de coordonner une opposition à la politique du leader serbe de Bosnie Radovan Karadzic.

En Serbie même, la nouvelle orientation du Parti socialiste (SPS, ex-communiste) a abouti à une repolarisation de la vie politique : opposition et rapprochement des partis nationalistes (Parti radical serbe — SRS —, Parti démocrate serbe — DSS —, Parti démocrate — DS) et soutien de la ligne de la formation au pouvoir par le Mouvement du renouveau serbe (SPO) et l'Alliance civique (GSS). Le Parti socialiste n'a pas pour autant modifié ses pratiques autoritaires : entraves multiples à l'activité des médias indépendants (affaires *Borda*, *Studio B*, etc.) durant l'hiver 1994-1995.

Le président Slobodan Milosevic se trouvait, au printemps 1995,

BIBLIOGRAPHIE

« Albanie » (dossier), *La Nouvelle Alternative*, n° 33, Paris, mars 1994.

J. ANCEL, *Peuples et nations des Balkans*, CTHS, Paris, 1992 (rééd.).

AMNESTY INTERNATIONAL, *Bosnie-Herzégovine. Une nouvelle barbarie*, EFAI, Paris, 1993.

Constitutions d'Europe centrale, orientale et balte (dossier constitué par M. LESAGE), La Documentation française, Paris, 1995.

Diagonales Est-Ouest (périodique), Lyon. Voir notamment les n° 24 (sept. 1994, sur les privatisations), 25 (oct. 1994, villes, marges et banlieues), 31 (avr. 1995, mafias à l'Est).

P. GARDE, *Vie et mort de la Yougoslavie*, Fayard, Paris, 1992.

J. GOW, *Legitimacy and Military : the Yugoslav Crisis*, Pinter, Londres, 1992.

J. KRULIC, *Histoire de la Yougoslavie. De 1945 à nos jours*, Complexe, Bruxelles, 1993.

« L'état des oppositions démocratiques en ex-Yougoslavie », *La Nouvelle Alternative*, n° 30, Paris, juin 1993.

« La justice du post-communisme » (dossier), *La Nouvelle Alternative*, n° 35, Paris, sept. 1994.

« La Question serbe », *Hérodote*, n° 67, La Découverte, 4ᵉ trim. 1992.

E. LHOMEL, « L'économie roumaine en 1994 : la sortie du tunnel », *Le Courrier des pays de l'Est*, n° 396, La Documentation française, Paris, janv.-févr. 1995.

É. LHOMEL, T. SCHREIBER (sous la dir. de), *L'Europe centrale et orientale. Stabilisation politique, reprise économique*, Les études de La Documentation française, Paris, 1994.

B. MAGAS, *The Destruction of Yugoslavia; Tracking the Break-up 1980-92*, Verso, Londres, 1993.

V. NAHOUM-GRAPPE (sous la dir. de), *Vukovar, Sarajevo..., La guerre en ex-Yougoslavie*, Éd. Esprit, Paris, 1993.

A. PAVLOVIC, « The Serb National Idea : a Revival 1986-92 », *The Slavonic and East European Review*, n° 3, Londres, 1994.

M. ROUX, *Les Albanais en Yougoslavie; Minorité nationale, territoire et développement*, Éd. de la MSH, Paris, 1992.

M. ROUX (sous la dir. de), *Nations, État et territoire en Europe de l'Est et en URSS*, L'Harmattan, Paris, 1992.

J. RUPNIK (sous la dir. de), *De Sarajevo à Sarajevo. L'échec yougoslave*, Complexe, coll. « CERI », Bruxelles, 1992.

« Une autre Serbie », *Les Temps modernes*, n° 570-571, janv.-févr. 1994.

Voir aussi la bibliographie « Bosnie-Herzégovine ».

déchiré entre les revendications des maximalistes de la « république » autoproclamée de Pale et les exigences des grandes puissances réclamant la reconnaissance des frontières de la Croatie et de la Bosnie-Herzégovine. A la mi-1995, une reconnaissance de la Bosnie apparaissait envisagée, sous condition d'obtenir une suppression totale et irrévocable des sanctions contre la Serbie et le Monténégro.

Yves Tomić

Macédoine

Après que la Macédoine s'est déclarée indépendante, le 17 septembre

1991, la Grèce a refusé de la reconnaître sous ce nom, qu'elle l'accuse d'avoir dérobé à son propre patrimoine antique. En février 1994, Athènes a mis en place un blocus économique qui, ajoutant ses effets à ceux de l'embargo infligé par l'ONU à la Serbie et au Monténégro, a accru les difficultés économiques de la Macédoine. Le 18 février 1994, Skopje a signé avec l'Albanie, la Bulgarie et la Turquie un accord prévoyant la mise en place d'un axe routier et ferroviaire Durrës-Istanbul susceptible de la désenclaver.

▼

République de Macédoine

Nature de l'État : ancienne république fédérée de la Yougoslavie ayant proclamé son indépendance (17.9.91), reconnue par l'ONU le 8.4.93 sous le nom provisoire d'Ex-république yougoslave de Macédoine (FYROM, sigle anglais).
Chef de l'État : Kiro Gligorov (président de la République depuis le 27.1.91, réélu le 14.10.94).
Premier ministre : Branko Crvenkovski (depuis septembre 92, il a formé un nouveau gouvernement le 21.12.94).
Monnaie : denar.
Langues : macédonien (off.), albanais, serbe, turc, valaque, rom.

En juin 1994, elle a procédé à un recensement financé et contrôlé par l'Union européenne, dont les résultats ont démenti les surenchères des Albanais majoritaires dans l'ouest du pays (22,9 %, et non 40 % de la population comme ils l'affirmaient pour être considérés non plus comme une minorité mais, au même titre que les Macédoniens, comme une nation constitutive de l'État).

Les élections présidentielles et législatives d'octobre 1994 ont vu la réélection du chef de l'État Kiro Gligorov — fort d'avoir conduit une sécession pacifique et obtenu l'admission de la Macédoine à l'ONU en avril 1993 —, le triomphe de l'Union pour la Macédoine (88 sièges sur 120) et la défaite du principal parti d'opposition, l'ultra-nationaliste VMRO (Organisation révolutionnaire intérieure macédonienne), victime de scissions. Le Premier ministre sortant Branko Crvenkovski, a formé le nouveau gouvernement.

Tout en jouant la carte de la participation (deux de leurs partis ont rejoint la majorité gouvernementale), les Albanais ont maintenu une certaine pression revendicative : en décembre 1994, ils ont créé sans autorisation à Tetovo leur propre université.

Michel Roux

Europe centrale

Hongrie, Pologne, République tchèque, Slovaquie

Hongrie

L'euphorie de la victoire a été de courte durée pour le Parti socialiste hongrois (PSH, ex-communistes réformateurs), après le raz de marée des élections législatives des 8 et 29 mai 1994 qui lui avait fait emporter la majorité absolue au Parlement. Quatre ans après les avoir chassés du pouvoir, lors des premières élections libres, les Hongrois avaient rappelé aux affaires les anciens communistes réformateurs dans l'espoir qu'ils soigneraient les maux sociaux nés de la transition vers le capitalisme, le chômage et l'inflation, que n'avait su endiguer le gouvernement conservateur du Forum démocratique hongrois (mai 1990-mai 1994).

Or, le gouvernement de Gyula Horn, investi le 15 juillet 1994, a rapidement été tiraillé entre les revendications sociales de son puissant allié syndical, ex-communiste, la Fédération nationale des syndicats hongrois, et les pressions de son partenaire de la coalition gouvernementale, l'Alliance des démocrates libres (ADL, formée d'anciens dissidents), partisan de l'austérité budgétaire. Pendant les six premiers mois du gouvernement social libéral, coups de barre à droite et virages à gauche ont semé le trouble chez les bailleurs de fonds étrangers. Toutefois, à la mi-mars 1995, G. Horn, pressé par le FMI, s'est engagé résolument dans la voie de la rigueur. Malgré les protestations de son aile gauche et le mécontentement de la population, il a lancé un plan d'austérité prévoyant notamment le gel des salaires des fonctionnaires, afin de réduire de moitié, en 1995, le déficit budgétaire (2,85 milliards de dollars en 1994).

▼

République de Hongrie

Nature du régime : démocratie parlementaire depuis 1990. Le chef de l'État désigne un Premier ministre chargé de former le gouvernement.

Chef de l'État : Arpad Göncz (élu président de la République par le Parlement le 3.8.90, réélu le 19.6.95).

Chef du gouvernement : Gyula Horn, investi le 15.7.94 en succession de Peter Boross.

Monnaie : forint (au cours officiel, 100 forints = 4,1 FF au 30.4.95).

Langue : hongrois.

Le Premier ministre a demandé à la population de faire preuve de « compréhension et de patience », mais sa marge de manœuvre était étroite devant la persistance des difficultés économiques et les risques de tensions sociales. L'inflation est restée forte (22,1 % en janvier 1995) alors que 10,4 % de la population active était au chômage et que la dette extérieure atteignait 28,52 milliards de dollars (1994). Toutefois, grâce aux dévaluations répétées du forint, l'économie a enregistré une hausse de 2,0 % de sa croissance en 1994 et a continué d'attirer les investisseurs étrangers, accueillant environ 45 % des capitaux investis en Europe centre-orientale.

Au plan international, G. Horn a entrepris de rectifier la politique nationaliste de son prédécesseur conservateur et a d'emblée prôné la détente avec les pays voisins, attentif cependant aux intérêts des minorités hongroises. Le 19 mars 1995, en prélude à la conférence sur le Pacte de stabilité en Europe, le Premier ministre hongrois a signé à Paris avec son homologue slovaque, Vladimir Mečiar, un traité de « bon voisinage et de coopération » garantissant l'intangibilité des frontières ainsi que les droits des 600 000 Magyars de Slovaquie. La signature d'un accord similaire avec la Roumanie, où vivent près de 2 millions de Magyars (notamment en Transylvanie), s'est toutefois révélée plus difficile, malgré la volonté officielle des deux États de parvenir « rapidement » à un accord.

L'adhésion à l'Union européenne et à l'OTAN (Organisation du traité de l'Atlantique nord) est restée la priorité de la diplomatie hongroise. En décembre 1994, le Parlement a ratifié à l'unanimité le programme de « partenariat pour la paix » de l'OTAN, prévoyant notamment des manœuvres communes avec les pays de l'Alliance atlantique. La Hongrie a été le premier pays non membre de l'OTAN choisi pour accueillir, fin mai 1995, la session de printemps 1995 de l'Assemblée de l'Atlantique nord.

Paola Juvénal

Pologne

A partir d'octobre 1993, le gouvernement a été conduit par le leader du PSL (Parti paysan de Pologne, ex-compagnon de route des communistes), Waldemar Pawlak. Les ex-communistes, bien que vainqueurs des législatives du 19 septembre 1993, ont préféré rester un peu en retrait, craignant que leur retour en première ligne ne soit trop choquant. Aleksander Kwasniewski, qui a

Europe centrale

En Pologne, les provinces portent le nom de leur capitale

SUÈDE

LETTONIE

DK

LITUANIE

MER BALTIQUE

RUSSIE

POLOGNE

Słupsk · Gdańsk · Elbląg · Suwałki

Koszalin · Olsztyn

Szczecin

Piła · Bydgoszcz · Toruń · Ostrołęka · Łomża · Białystok

ALLEMAGNE

Gorzów Wielkopolski · Poznań · Włocławek · Ciechanów

Zielona Góra · Konin · Płock · Skierniewice · Siedlce

Leszno · Kalisz · Łódź · **VARSOVIE** · Biała Podlaska

Legnica · Sieradz · Piotrków Trybunałski · Radom · Lublin · Chełm

Jelenia Góra · Wrocław · Częstochowa · Kielce · Tarnobrzeg · Zamość

Wałbrzych · Opole · Katowice · Tarnów · Rzeszów · Przemyśl

SEVERO ČESKÝ · Ústí · Hradec Králové · VÝCHODO ČESKÝ · SEVERO MORAVSKÝ · Bielsko Biała · Cracovie

Plzeň · **PRAGUE** · STŘEDO ČESKÝ · Ostrava · Nowy Sącz · Krosno

ZÁPADO ČESKÝ · JIHOČESKÝ · **RÉP. TCHÈQUE** · Brno · JIHOMORAVSKÝ · **SLOVAQUIE** · VÝCHODO SLOVENSKÝ

České Budějovice · Banská Bystrica · Košice

BRATISLAVA · STŘEDO SLOVENSKÝ · Miskolc · UKRAINE

AUTRICHE · ZÁPADO SLOVENSKÝ · PEST · HEVES · Debrecen

Danube · Győr · BUDAPEST · 8 · 14 · 13 · 12

HONGRIE
Comtés :
GYŐR-SOPRON (1)
KOMÁROM (2)
VESZPRÉM (3)
SOMOGY (4)
BARANYA (5)
TOLNA (6)
FEJER (7)
NOGRAD (8)
BÁCS-KISKUN (9)
CSONGRÁD (10)
SZOLNOK (11)
HAJDÚ-BIHAR (12)
SZABOLCS-SZATMÁR (13)
BORSOD-EBAÚJ-ZEMPLÉEN (14)

VAS · 3 · 7 · 11

ZALA · 4 · **HONGRIE** · 10 · BÉKÉS

SLOV · 6 · 9 · Szeged · Békéscsaba

Kaposvár · 5 · Pécs

CROATIE · ROUMANIE

BOSNIE-HERZÉGOVINE (frontières de 1991) · SERBIE · Danube

100 km

© Éditions La Découverte

615

Europe centrale

	INDICATEUR	HONGRIE	POLOGNE	REPUBLIQUE TCHÈQUE [1]	SLOVA- QUIE [1]
	Capitale	Budapest	Varsovie	Prague	Bratislava
	Superficie (km²)	93 030	312 677	78 864	49 016
DÉMOGRAPHIE	Développement humain (IDH) [b]	0,863	0,815	..	..
	Population (*) [d] (million)	10,11	38,39	10,30	5,35
	Densité [d] (hab./km²)	108,7	122,8	130,6	109,2
	Croissance annuelle [e] (%)	− 0,5	0,1	0,0	0,4
	Indice de fécondité (ISF) [e]	1,7	1,9	1,8	1,9
	Mortalité infantile [e] (‰)	15	15	9	12
	Population urbaine (%)	64,1	64,3	65,3	58,3
CULTURE	Nbre de médecins (‰)	3,21 [c]	2,14 [g]	3,70 [c]	3,55 [c]
	Scolarisation 2e degré (%)	82 [ci]	84 [bj]	..	..
	Scolarisation 3e degré (%)	15,3 [c]	23,0 [b]	..	..
	Téléviseurs [b] (‰ hab.)	414	295	476	473
	Livres publiés [b] (titre)	8 536	10 727	6 743	3 308
ARMÉE	Armée de terre (millier d'h.)	56,5	185,9	37,4	33
	Marine (millier d'h.)	—	19	—	—
	Aviation (millier d'h.)	18	78,7	25	14
ÉCONOMIE	P I B (milliard $) [a]	34,25	87,31	28,19	10,14
	Croissance annuelle 1985-93 (%)	− 0,5	− 1,4	− 2,0	− 2,2
	1994 (%)	2,0	5,0	2,7	4,8
	Par habitant ($) [fa]	6 260	5 010	7 700	6 450
	Dette extérieure totale [a] (milliard $)	24,77	45,31	8,66	3,33
	Service de la dette/Export. [a] (%)	40,8	10,6	9,5 [b]	8,2
	Taux d'inflation (%)	19,5	29,4	10,2	11,8
	Chômage [h] (% hab.)	10,4	16,0	3,2	14,8
	Dépenses de l'État Éducation (% PIB) [b]	7,2	5,6	5,0	7,0
	Défense (% PIB)	1,7	3,1	2,5	3,1
	Recherche et Développement (‰ PIB)	1,1 [b]	0,8 [b]	1,8 [b]	..
	Énergie [b] Consommation par habitant (kg)	3 339	3 484	5 610	4 253
	Taux de couverture (%)	55,8	96,3	85,3	29,3
COMMERCE	Importations (million $)	9 484	21 383	15 465	5 041
	Exportations (million $)	9 224	17 042	14 294	4 624
	Principaux fournis. (%)	PCD 64,8	PCD 71,9	PCD 65,7	Tch 39,1
		RFA 21,5	RFA 29,5	RFA 29,6	PCD 52,0
		Ex-URSS 20,9	Rus 7,0	Slov 16,3	PVD 0,4
	Principaux clients (%)	PCD 66,0	PCD 64,0	PCD 62,4	Tch 43,0
		RFA 25,3	RFA 30,6	RFA 31,8	PCD 50,3
		Ex-URSS 14,0	Rus 9,4	Slov 19,3	PVD 0,7

réussi la conversion de l'ex-Parti communiste, a toutefois su se donner une position d'influence dans la coalition et rester le plus populaire de tous les présidentiables.

▼

République de Pologne

Nature du régime : démocratie pluraliste.

Chef de l'État : Lech Walesa, élu le 9.12.90.

Chef du gouvernement : Joseph Oleksy, qui a succédé à Waldemar Pawlak le 1.3.95.

Monnaie : nouveau zloty (au cours officiel, 1 nouveau zloty = 2,07 FF au 3.7.95).

Langue : polonais.

Son allié, W. Pawlak, en pratiquant une politique indécise et clientéliste pour favoriser l'électorat du PSL, a nui à la réforme (le programme de privatisations n'a été signé qu'après de longs mois). Cette lenteur a fourni au président Lech Walesa, encore plus isolé depuis les élections de 1993, le prétexte à d'incessantes attaques contre les propositions de la coalition gouvernementale exigeant sa contre-signature, et donc au blocage des nominations. La cohabitation querelleuse qui en est résultée pouvait permettre au président de redorer son image — très ternie dans l'opinion publique —, en le faisant apparaître comme le dernier résistant à la « recommunisation » du pays.

L'incapacité du Premier ministre à poursuivre la réforme a fini par irriter jusqu'à ses propres alliés qui ont obtenu, non sans l'aide de

1. La Tchécoslovaquie a cessé d'exister le 31.12.1992. La République tchèque et la Slovaquie lui ont succédé le 1.1.1993. Chiffres 1994, sauf notes : a. 1993 ; b. 1992 ; c. 1991 ; d. 1995 ; e. 1990-95 ; f. A parité du pouvoir d'achat (voir p. 673) ; g. 1990 ; h. En fin d'année ; i. 14-17 ans ; j. 15-18 ans.
(*) Dernier recensement utilisable : Hongrie, 1990 ; Pologne, 1988 ; Tchécoslovaquie, 1991 ; Rép. tchèque, 1991 ; Slovaquie, 1991.

L. Walesa, qu'il soit remplacé par l'un des leurs, Joseph Oleksy, le 1er mars 1995. L'antagonisme existant entre le gouvernement et le président n'en est cependant pas resté là. De longues tractations pour désigner les titulaires des portefeuilles de l'Intérieur, de la Défense et des Affaires étrangères, domaines réservés à L. Walesa, ont précédé la formation du gouvernement, en mars 1995.

Malgré quelques tentatives de regroupement, les partis de droite ont dû se contenter d'un rôle de spectateurs, échouant même à désigner un candidat unique aux présidentielles. Le syndicat Solidarité, qui s'est érigé en intégrateur des droites, n'a obtenu aucun succès. C'est plutôt au principal parti du centre, l'Union pour la liberté (issue de la réunification de l'Union démocratique et du Congrès des libéraux, le 24 avril 1994), qui s'est donné pour président, en avril 1995, Leszek Balcerowicz, et pour candidat à la présidence de la République le très populaire vétéran des luttes oppositionnelles, Jacek Kuron, qu'est échu le rôle de concurrencer la coalition au pouvoir.

Sur le plan macroéconomique, les grandes tendances sont restées positives. La croissance a été particulièrement forte dans l'industrie (19 % en 1994) et l'augmentation du PIB a été de 5 % en 1994. Fait important, pour la première fois, cette croissance aura été tirée par l'investissement et les exportations, prenant le relais de la consommation.

L'intégration à l'OTAN (Organisation du traité de l'Atlantique nord), à l'UEO (Union de l'Europe occidentale) et à l'Union européenne est restée la grande priorité pour les Polonais, soucieux de remplir le vide de sécurité apparu après l'effondrement du monde communiste, et de retrouver un statut d'État européen. La conséquence en est la détérioration régulière des relations russo-polonaises, qui ont été émaillées, en 1994-1995, d'incidents inamicaux (affaire des « touristes » russes rossés à la gare de l'Est de Varsovie par des policiers, conflit autour des

BIBLIOGRAPHIE

«Anciennes et nouvelles élites en Europe centrale et orientale» (dossier constitué par G. MINK et J.-C. SZUREK), *Problèmes politiques et sociaux*, n° 703, La Documentation française, Paris, avr. 1993.

B. GEREMEK, *La Rupture*, Seuil, Paris, 1991.

N. HOLCBLAT, «L'économie hongroise en 1993 et au début de 1994 : reprise et déséquilibre extérieur», *Le Courrier des pays de l'Est*, n° 391, La Documentation française, Paris, août 1994.

J. KURON, *La Foi et la Faute : à la rencontre et hors du communisme*, Fayard, Paris, 1991.

«La justice du post-communisme» (dossier), *La Nouvelle Alternative*, n° 35, Paris, sept. 1994.

«Les régimes post-communistes et la mémoire du temps présent» (dossier), *La Nouvelle Alternative*, n° 32, Paris, déc. 1993.

É. LHOMEL, T. SCHREIBER (sous la dir. de), *L'Europe centrale et orientale. Stabilisation politique, reprise économique*, Les études de La Documentation française, Paris, 1994.

«Mémoire des guerres et des résistances en Tchéco-Slovaquie, en Europe centrale et en France» (dossier), *La Nouvelle Alternative*, n° 37, Paris, mars 1995.

G. MINK, «Les Relations Pologne-Russie (1991-1995) : un espoir déçu», *Le Courrier des pays de l'Est*, La Documentation française, Paris, mars-avr. 1995.

G. MINK, J.-C. SZUREK (co-dir.), «1989 : une révolution sociale? Acteurs, structures, représentations à l'Est», *Revue d'études comparatives Est/Ouest*, n° 4, CNRS, Paris, 1994.

locaux de l'Église polonaise à Moscou...). Les autorités russes ayant des difficultés à accepter la volonté polonaise de rejoindre le système de sécurité atlantique, on pouvait craindre de voir s'affronter les deux diplomaties, une certaine résurgence des courants antirusses en Pologne et antipolonais en Russie jouant également.

L'intervention militaire russe en Tchétchénie a, de surcroît, provoqué un élan de solidarité en Pologne, qui n'était pas de nature à améliorer ces relations.

A l'occasion du cinquantenaire de la libération du joug nazi, L. Walesa a voulu exprimer l'amertume d'une nation qui n'a été libérée de l'occupation allemande que pour tomber sous la coupe soviétique. La Pologne a revendiqué une place de choix dans ces commémorations. Le Premier ministre s'est, quant à lui, rendu à Moscou, à titre «privé», pour rendre hommage aux libérateurs de l'Est. Deux mémoires marquaient ainsi la profondeur du clivage historique polonais.

Georges Mink

République tchèque

L'évolution de la République tchèque vers l'«économie de marché» s'est poursuivie sûrement et paisiblement, si l'on en croit les données statistiques. Pour la première fois depuis 1989, le produit national brut a augmenté de 2,6 %, la production industrielle de 2,3 % ; le chômage a été ramené à 3,2 % (3,1 % fin mars 1995), l'inflation a été de 10 % au cours de l'année. Les petites et moyennes entreprises sont encore apparues comme les éléments les plus dynamiques. La baisse de la production des grandes entreprises s'est pour sa part arrêtée. D'autres évolutions ont été préoccupantes. L'endettement du pays est ainsi passé de 6,9 à 8,6 milliards de dollars, et le nombre de ménages ayant rencontré des problèmes pour satisfaire leurs besoins alimentaires a augmenté — les foyers de retraités, ou de professions ouvrières et ayant des enfants d'âge préscolaires étant comme toujours les plus touchés.

▼

République tchèque
*(État issu de la division
de la Tchécoslovaquie, le 1.1.93)*

Nature du régime : démocratie parlementaire.

Chef de l'État : Václav Havel.

Chef de gouvernement : Václav Klaus.

Monnaie : couronne tchèque (au cours officiel, 1 couronne tchèque = 0,19 FF au 30.4.95).

Langues : tchèque, slovaque, allemand, rom.

Tout semble cependant aller mieux que dans les autres pays postcommunistes... Et puis, Prague, la capitale, voit toujours affluer des millions de touristes. La paix sociale apparaît pourtant fragile, la grogne envers les gouvernants libéraux semblant faire son chemin. Les syndicats ont manifesté pour la défense des acquis sociaux le 25 mars 1995 à Prague, en rassemblant entre 80 000 et 90 000 personnes venues de tout le pays. Les enseignants, sous-payés, ont commencé à s'organiser pour défendre leurs intérêts, menaçant d'entreprendre une grève générale. En ce qui concerne la coalition au pouvoir, les tiraillements entre le Parti civique démocratique (ODS) du Premier ministre Vaclav Klaus et l'Alliance civique démocratique (ODA) ont atteint un tel degré qu'elle a failli éclater en mars 1995. L'échéance des législatives de 1996 approchant, les alliés de l'ODS sont apparus vouloir se démarquer. Enfin, le président Vaclav Havel a publiquement exprimé son désaccord avec certains aspects de la politique gouvernementale, notamment à propos du « secteur public », et du principe faisant de la course au profit la valeur essentielle de la société.

Le débat public est devenu plus ample et passionné concernant la position internationale de la République tchèque et plus particulièrement ses relations avec l'Allemagne. Une tension certaine s'est développée, perceptible dans toutes les catégories de la population tchèque. Les remarques sur le nationalisme allemand renaissant, anti-tchèque d'abord, mais aussi anti-polonais, se sont multipliées. Après la Seconde Guerre mondiale, trois millions d'Allemands ont été expulsés de Tchécoslovaquie. Bien que les victimes tchèques du nazisme n'aient toujours pas été dédommagées par les autorités allemandes, les puissants *lobbies* d'Allemands des Sudètes demandent que la République tchèque condamne non seulement les « crimes contre l'humanité » commis lors de cette expulsion, mais en dédommage les victimes en allant jusqu'à la restitution de leurs biens. L'un des historiens tchèque les plus éminents, Robert Kvaček, pose la question : « Quel rôle a joué l'Allemagne dans le démantèlement de la Tchécoslovaquie en 1992 ? » Il répond que celui-ci a été « très, très grand ».

Karel Bartošek

Slovaquie

Au cours de sa deuxième année d'indépendance, la République slovaque a sérieusement mis à l'épreuve sa démocratie toute fraîche. En un an, elle a traversé une crise gouvernementale, connu des législatives anticipées, des élections municipales, un référendum ; elle a aussi vécu des conflits portant sur les pouvoirs et l'attitude du président, ainsi que des tentatives de liquidation des médias indépendants.

En mars 1994, le gouvernement de Vladimir Meciar a perdu la majorité parlementaire lorsqu'une partie des députés a quitté son Mouvement pour la Slovaquie démocratique

(HZDS). L'un d'entre eux, Jozef Moravcik, a réuni un gouvernement de large coalition qui a accéléré le processus de privatisation, et fait d'importantes démarches en direction de l'OTAN (Organisation du traité de l'Atlantique nord) et de

---

▼

République slovaque
(État issu de la division de la Tchécoslovaquie, le 1.1.93)

Nature du régime : démocratie parlementaire.

Chef de l'État : Michal Kovac.

Chef de gouvernement : Vladímír Mečiar.

Monnaie : couronne slovaque (au cours officiel, 1 couronne slovaque = 0,17 FF au 26.6.95).

Langues : slovaque, hongrois, ukrainien-ruthène, rom.

---

l'Union européenne (UE), dont la Slovaquie est devenue membre associé. Dans l'opposition, le Mouvement pour la Slovaquie démocratique s'est rapidement régénéré et a remporté les élections législatives de septembre. Il a obtenu 34,9 % des voix, contre seulement 29 % aux partis de la coalition. Le nouveau gouvernement de V. Meciar a toutefois compromis rapidement sa victoire par de violentes interventions dans les médias publics — radio et télévision ; il a réduit les pouvoirs et du président et du Parlement, et a entamé un processus de « purges » massives, depuis les ministères jusqu'aux échelons locaux de l'admi-

nistration, aux directeurs d'écoles, d'hôpitaux, de musées.

V. Meciar n'a obtenu une majorité parlementaire qu'au prix d'une coalition avec deux partis de moindre importance : le Rassemblement des ouvriers slovaques (ZRS, gauchisant et populiste) et le Parti national slovaque (SNS, très nationaliste). Le premier a refusé le rapprochement avec l'UE ainsi que les privatisations contre lesquelles il a lancé un référendum malheureux : 80 % des électeurs se sont abstenus, ce qui l'a rendu nul. Le SNS a, de son côté, freiné l'établissement des relations avec la Hongrie. Néanmoins, sous la vive pression des partenaires occidentaux, V. Meciar et Gyula Horn, le chef du gouvernement hongrois, ont signé à Paris, le 19 mars 1995, un accord entre États membres du Pacte de stabilité. Bratislava a obtenu la reconnaissance de l'inviolabilité de ses frontières et Budapest, la protection de la nombreuse minorité magyare en Slovaquie.

L'économie slovaque a pour la première fois depuis 1989 enregistré une croissance : le produit national brut a augmenté de 4,5 %, les réserves en devises ont doublé, le solde du commerce extérieur étant positif, notamment dans les échanges avec la République tchèque. L'inflation a atteint 11,5 %, le chômage s'est maintenu à 14,5 %, malgré les réductions drastiques du budget de l'État. Celles-ci ont surtout atteint les retraités, les enfants, tout le système de santé, l'enseignement et la culture.

Lubomír Lipták

Ex-empire soviétique

Malgré l'apparente sérénité des rapports entre la Russie et ses partenaires de la CEI (Communauté d'États indépendants), l'ombre de la guerre en Tchétchénie, déclenchée à la fin de l'automne 1994, a lourdement plané sur l'ex-empire soviétique. Les pays baltes, dont tous les efforts sont tendus vers une intégration rapide à l'Union européenne, ont nettement marqué leur hostilité à l'intervention militaire de Moscou, l'Estonie ayant condamné particulièrement vigoureusement l'opération. Au sein de la CEI, tandis que la Géorgie approuvait, par la bouche d'Édouard Chevardnadzé, « une action militaire légitime contre un territoire séparatiste », à l'égal de celle menée par Tbilissi contre les insurgés abkhazes à partir de l'automne 1993, l'Arménie exprimait une prudente compréhension. Entre neutralité et approbation, les autres États se cantonnaient dans une attitude prudente. L'Ukraine et la Moldavie, confrontées en Crimée et en Transdniestrie à de fortes tendances sécessionnistes pro-russes, ont fait preuve d'une circonspection à la mesure des enjeux.

La brutalité de l'intervention russe en Tchétchénie a donné aux déclarations de Boris Eltsine une résonance particulière bien au-delà des frontières de la CEI : alors que d'« autres Tchétchénie » sont possibles, la Russie restait, selon son président, « la seule force capable d'éviter les conflits sur le territoire de l'ex-URSS, et d'amener les parties à la table de négociation ».

Une logique impériale

S'appuyant sur cette certitude, le « sommet » d'Alma-Ata (Kazakhstan) des chefs d'État de la CEI, le 10 février 1995, devait aboutir, d'après la partie russe, à un « pacte de paix et de concorde ». Malgré l'ambition de ses organisateurs, qui avaient mis à l'ordre du jour une vingtaine de sujets aussi divers que l'espace économique commun, le problème des réfugiés, les questions de sécurité, etc., ce « sommet » n'a débouché sur aucune décision marquante. Certes, l'« opération de maintien de la paix » au Tadjikistan a été approuvée par les participants, et le principe d'une défense aérienne commune était adopté par l'Arménie, la Biélorussie, la Géorgie, le Kazakhstan, l'Ouzbékistan, la Russie, le Tadjikistan et l'Ukraine. Méfiances, divisions et doutes sur la viabilité de la CEI se sont une nouvelle fois ouvertement exprimés. La proposition du président kazakh, Noursultan Nazarbaïev, de créer une « union eurasienne » n'a plus semblé totalement rejetée par Moscou. Mais la majorité des chefs d'État présents à Alma-Ata se disaient, à l'instar du président ouzbek Islam Karimov, hostiles à toute structure politique supranationale.

La situation des 25 millions de Russes vivant hors de Russie, mais aussi celle des millions de russophones de l'« étranger proche » (c'est-à-dire, dans la terminologie de Moscou, les autres anciennes républiques de l'URSS) a connu des évolutions contrastées. La guerre en Tchétchénie a naturellement entraîné le départ des Russes en état de quitter la République. La poursuite de la guerre civile déclenchée en 1992 au Tadjikistan et les incertitudes qui planent sur l'avenir de l'Asie centrale ont vu la poursuite des processus migratoires. Sous la pression des Occidentaux, l'Estonie et la Lettonie ont singulièrement assoupli les conditions d'acquisition de la citoyenneté. Mais le Kremlin a continué à utiliser le terme d'apartheid pour qualifier la condition des « pieds rouges » vivant dans ces États, tandis que les menaces d'intervention militaire, proférées en particulier par le ministre russe des Affaires étrangères Andréï Kozyrev, se sont faites plus précises.

Désormais clairement présentée comme un enjeu de politique intérieure, la « défense des intérêts » de ces communautés s'inscrit dans une stratégie plus globale : il ne s'agit plus seulement d'exercer une pression sur les nouveaux États indépendants, mais de marquer la zone d'influence d'un empire qui s'affirme avec agressivité.

La profonde imbrication des économies républicaines, en particulier dans le secteur militaro-industriel, leur grande dépendance énergétique à l'égard de la Russie ont lourdement pesé sur les comportements politiques des républiques d'Asie centrale, de l'Arménie, de la Géorgie, de la Biélorussie et de l'Ukraine. En 1994, l'endettement des partenaires de la Russie s'est aggravé. A la suite de l'accord douanier signé par la Russie, la Biélorussie et l'Ukraine le 25 janvier 1995, plusieurs membres de la CEI, en particulier le Kazakhstan, le Kirghizstan et l'Ouzbékistan, ont fait état de leur désir de les rejoindre avant de décider d'unir leurs efforts pour arriver à terme à une intégration économique régionale.

Alliances et projets régionaux ont continué de s'ébaucher dans un espace prenant conscience de la nécessité d'une gestion collective des situations de crise. En mars 1995, les présidents du Kazakhstan, du Kirghizstan, de l'Ouzbékistan, du Tadjikistan, et du Turkménistan avaient constaté l'incapacité de leurs pays à faire face à leurs responsabilités dans la lutte pour le sauvetage de la mer d'Aral (victime de longue date d'une catastrophe écologique), tandis que l'Azerbaïdjan, le Kazakhstan, le Kirghizstan et le Tadjikistan continuaient de participer à l'Organisation de coopération économique (OCE) constituée autour de la Turquie, de l'Iran et du Pakistan.

Affirmation des tendances autoritaires

A l'exclusion des pays baltes, les tendances autoritaires se sont partout affirmées. En Asie centrale, en Transcaucasie, tout comme en Russie, la démocratie est restée extrêmement fragile. Les pouvoirs présidentiels se sont singulièrement renforcés, le plus souvent au détriment des parlements nationaux.

Malgré le calme apparent qui régnait en Abkhazie et au Haut-Karabakh, les cessez-le-feu ont été fréquemment violés par des « irréguliers », tandis que les relations entre les différentes parties restaient tendues malgré l'activité des organisations internationales, en particulier de l'OSCE (Organisation de sécurité et de coopération en Europe). Les soldats russes des troupes d'interposition de la CEI, dont la neutralité est contestée par les parties en présence, ne semblaient toujours pas en mesure de régler la question des 200 000 réfugiés géorgiens victimes d'un « nettoyage ethnique » en Abkhazie en octobre 1993.

Au sein de la Communauté, les tensions ont subsisté : à la mi-mars, la Biélorussie menaçait de retirer sa participation de la banque constituée par les pays de la CEI, tandis que la question de la Crimée relançait les tensions entre Kiev et Moscou. Sur ce sujet et sur celui du partage de la flotte militaire de la mer Noire, les négociations sont restées du domaine exclusif des relations bilatérales, reléguant la CEI à un rôle subalterne. Moscou a cependant tenté de susciter de nouvelles structures d'intégration dans le domaine militaire, proposant la mise en place de quatre « zones de sécurité » sur le territoire de la CEI, tandis qu'étaient relancées les propositions visant à synchroniser l'activité des services de sécurité des membres de la Communauté.

Cette volonté de disposer à nouveau des instruments d'une domination sur l'espace traditionnel de l'Empire russe s'est accompagnée d'une banalisation du thème patriotique. Se considérant entourée d'ennemis, sous la menace d'une extension de l'OTAN (Organisation du traité de l'Atlantique nord) aux pays d'Europe centrale et orientale, la Russie entend défendre ses frontières et son intégrité territoriale.

Puissance européenne et asiatique, Moscou hésite toujours sur son ancrage. Aux yeux de nombre de ses dirigeants, la reconstitution de l'empire peut permettre à la Russie d'échapper aux dangers qui la menacent. Alors que l'économie manifeste des signes persistants de marasme, l'armée apparaît comme l'instrument privilégié de la puissance. Quel sera le rôle de la CEI dans ce processus ? Celui de frein aux ambitions impériales de Moscou ou de cadre institutionnel d'une nouvelle domination ?

Charles Urjewicz

Ex-empire soviétique / Journal de l'année

— 1994 —

21 juin. **CEI.** La Russie envoie pour six mois des forces d'interposition dans le cadre du conflit opposant les séparatistes d'Abkhazie aux autorités géorgiennes ; le 19 juillet, les autres États de la CEI, à l'exception du Tadjikistan, refusent de participer à cette opération.

22 juin. **OTAN.** La Russie adhère au « partenariat pour la paix » de l'OTAN.

8 juillet. **G-7.** La Russie participe pour la première fois à la partie politique de la réunion et se joint à la déclaration demandant aux belligérants serbes, croates et musulmans d'accepter avant le 19 juillet le plan de paix du Groupe de contact pour la Bosnie.

10 juillet. **Ukraine.** Leonid Koutchma, ancien Premier ministre réputé favorable à des liens privilégiés avec la Russie, devient président de l'Ukraine avec 52,58 % des suffrages, battant le président sortant Leonid Kravtchouk.

10 juillet. **Biélorussie.** Alexandre Loukachenko, qui s'est prononcé en faveur de liens étroits avec la Russie, l'emporte au deuxième tour de l'élection présidentielle avec 80,1 % des suffrages.

20 juillet. **Russie.** Dans la république tchétchène qui a autoproclamé son indépendance, début des affrontements armés entre les forces du président Doudaïev et l'opposition à son régime soutenue par Moscou. Le 11 août, Djokhar Doudaïev procède à la mobilisation générale contre l'« agression russe ».

22 juillet. **Lettonie.** Le Parlement adopte une nouvelle loi permettant à la plupart des résidents étrangers permanents parlant le letton de se faire naturaliser.

3 août. **Russie.** Après avoir normalisé ses relations avec le Tatarstan et la république de Kabardino-Balkarie, le pouvoir central signe un traité avec le Bachkortostan. Le 23 mars 1995, il signera un traité analogue avec l'Ossétie du Nord.

31 août. **Russie.** Départ des derniers soldats russes d'Estonie, de Lettonie et de Berlin.

20 septembre. **Azerbaïdjan.** Signature, malgré l'obstruction de Moscou, d'un contrat de trente ans avec un consortium occidental pour l'exploitation du pétrole de la Caspienne [*voir article p. 348*].

3 octobre. **Azerbaïdjan.** Proclamation, par le président Heidar Aliev, de l'état d'urgence à Bakou et limogeage du Premier ministre Souret Gousseïnov, accusé d'avoir participé à un « coup d'État ».

11 octobre. **Ukraine.** Le président Koutchma annonce des réformes économiques radicales ainsi qu'une réforme institutionnelle (adoption d'une « petite Constitution » à titre provisoire), impliquant la prééminence de l'exécutif. Le 1er novembre, hausse massive des produits alimentaires, des transports et des loyers.

11 octobre. **Russie.** Le rouble perd 21 % de sa valeur face au dollar ; cette chute de la monnaie russe entraîne la destitution du gouverneur de la Banque centrale et d'importants remaniements ministériels.

21-24 octobre. **CEI.** À l'issue du 14e « sommet », création d'un comité interétatique économique, première structure supranationale où la Russie détient 50 % des voix.

22 octobre. **Kirghizstan.** Approbation par 72,9 % des Kirghizes d'un référendum instituant un Parlement bicaméral qui sera élu le 7 février 1995.

24 octobre. **Moldavie.** Accord avec la Russie sur le retrait de la 14e armée russe de Transdniestrie d'ici à 1997.

6 novembre. **Tadjikistan.** Élection présidentielle : Imamali Rahmanov, président du Soviet suprême sortant, l'emporte avec 60 % des suffrages. La régularité du scrutin est contestée.

20 novembre. **Arménie.** Le Parlement approuve le programme de réformes économiques, notamment la libération des prix.

26 novembre. **Géorgie.** Le Parlement d'Abkhazie adopte une Constitution faisant de la république un État souverain. Cette décision est condamnée par la Géorgie, la Russie et les Nations unies.

29 novembre. **Tchétchénie.** Des soldats russes combattant aux côtés de l'opposition tchétchène sont capturés par les forces du général Doudaïev ; le président Eltsine donne aux parties « 48 heures pour cesser les combats et libérer les prisonniers » ; il promet l'amnistie aux Tchétchènes qui déposeraient les armes d'ici au 15 décembre. Cet ultimatum est rejeté par le président Doudaïev qui fait, néanmoins, libérer les prisonniers. Le 11 décembre, l'armée fédérale entre en Tchétchénie pour mettre fin à « l'activité des bandes armées illégales ». Les négociations qui s'engagent à Vladikavkaz se heurtent au préalable de Moscou qui exige que la république séparatiste se reconnaisse sujet de la Fédération. Le 18, offensive des blindés russes sur Grozny qui, malgré le pilonnage de l'aviation, ne tombera que le 10 février 1995. Cette intervention, très brutale et coûteuse en vies humaines, surtout pour les populations civiles, suscite l'opposition d'une partie de l'armée, des reclassements dans le monde politique et la condamnation de l'opinion publique russe [*voir article p. 166 et chronologie p. 43*].

5-6 décembre. **OTAN**. Devant l'OSCE, le président Eltsine renouvelle l'opposition de la Russie à un élargissement de l'Alliance atlantique aux pays d'Europe de l'Est, évoquant même la menace d'une « paix froide » en Europe. Par ailleurs, l'Ukraine, la Biélorussie et le Kazakhstan signent le TNP, ce qui permet à START-I d'entrer en vigueur.

11 décembre. **Turkménistan**. Élections des 50 députés du Parlement turkmène.

25 décembre. **Ouzbékistan**. Élections législatives. Au troisième tour (22 mars 1995), elles octroieront 83 sièges sur 250 au Parti démocratique populaire (ex-communiste) et au Parti du progrès de la patrie (suscité par le pouvoir), 167 revenant à des notables locaux. Le 26 mars, un référendum prolonge le mandat du président Islam Karimov — qui aurait dû arriver à expiration en 1996 — jusqu'en l'an 2000.

— 1995 —

26 février. **Tadjikistan**. Élections législatives : au deuxième tour (12 mars), les communistes obtiennent 60 sièges sur 181.

5 mars. **Estonie**. Élections législatives. Échec de Pro patria, la coalition ultra-libérale au pouvoir (9 élus sur 101). Le bloc conservateur modéré du Parti de la coalition et de l'Union rurale remporte 41 sièges.

10 mars. **Kazakhstan**. Le président Noursultan Nazarbaiev, mettant à profit l'invalidation des élections de mars 1994 par la Cour constitutionnelle, dissout le Parlement avec lequel il était en conflit. Le 29 avril, un référendum, approuvé par 95,4 % des voix, prolonge le mandat du président jusqu'en décembre 2000.

17 mars. **Ukraine**. Le Parlement de Kiev annule la Constitution de la Crimée et supprime la fonction présidentielle dans cette région essentiellement peuplée de Russes. Le 1er avril, le président Koutchma place le gouvernement de la presqu'île sous son

contrôle jusqu'à ce qu'une nouvelle Loi fondamentale y soit adoptée.

11 avril. **Tchétchénie**. Alors que, dans un premier temps, les puissances occidentales et les organisations internationales avaient considéré l'intervention armée en Tchétchénie comme une « affaire intérieure » à la Russie, l'enlisement du conflit et les violations flagrantes des droits de l'homme par l'armée russe conduisent l'Union européenne à confirmer le gel décidé le 6 mars de l'accord commercial intérimaire et incitent les chefs d'État des puissances victorieuses de l'Allemagne nazie venus commémorer à Moscou la fin de la Seconde Guerre mondiale à ne pas assister, le 9 mai, à la parade militaire à laquelle participent des soldats russes combattant en Tchétchénie.

26 avril. **Russie**. Afin de renforcer le flanc sud de la Fédération, le Kremlin décide d'y déployer une nouvelle armée ; cette décision entre en contradiction avec le traité CFE signé en novembre 1990 à Paris. Le 7 avril, la Douma avait porté le service militaire de dix-huit mois à deux ans.

14 mai. **Biélorussie**. Premier tour des élections législatives voit les communistes arriver au premier rang (22,9 % des suffrages) et référendum portant, notamment, sur le statut officiel du russe (83,1 % de « oui ») ; l'intégration économique avec la Russie (82,4 % de « oui ») ; le droit pour le président de dissoudre le Parlement (77,6 % de « oui »).

19 mai. **Tadjikistan**. Le président Imamali Rahmonov et le chef de l'opposition armée, Saïd Abdoullah Nouri, se rencontrent pour la première fois depuis le début de la guerre civile à Kaboul et prolongent pour trois mois le cessez-le-feu.

26 mai. **CEI**. A l'issue du 16e sommet de la CEI, l'Ouzbékistan, le Turkménistan, l'Azerbaïdjan, la Moldavie et l'Ukraine refusent de signer le traité sur la défense commune des frontières de la Communauté proposé par la Russie.

31 mai. **OTAN**. Après quelques atermoiements, la Russie signe les accords annexes au « partenariat pour la paix » — qu'elle avait refusé d'entériner en décembre 1994 —, tout en continuant de refuser l'élargissement à l'Est de l'OTAN. Pour sa part, le président ukrainien, venu à Bruxelles signer un accord intérimaire avec l'Union européenne, s'engage, le 1er juin, à développer des « relations spéciales » avec l'OTAN.

Roberte Berton-Hogge

EX-URSS/BIBLIOGRAPHIE SÉLECTIVE

R. BERTON-HOGGE, M.-A. CROSNIER (sous la dir. de), *Ex-URSS : les États du divorce*, Les études de La Documentation française, Paris, 1993.

R. CARATINI, *Dictionnaire des nationalités et des minorités en URSS*, Larousse, Paris, 1990.

G. CHARACHIDZÉ, « L'Empire et Babel, les minorités face à la perestroïka », *in* « Face aux Drapeaux », *Le Genre humain*, n° 20, Seuil, Paris, 1989.

« Douze nouveaux États indépendants issus de l'URSS : la CEI », *Le Courrier des pays de l'Est*, n° 373 (spécial), La Documentation française, Paris, 1995.

M. FERRO (sous la dir. de, avec la collab. de M.-H. Mandrillon), *L'état de toutes les Russies. Les États et les nations de l'ex-URSS*, La Découverte, coll. « L'état du monde », Paris, 1993.

Le Courrier des pays de l'Est (mensuel), La Documentation française, Paris.

« L'ex-URSS à la recherche du pouvoir perdu » (dossier), *La Nouvelle Alternative*, n° 29, Paris, mars 1993.

M. LEWIN, *Russia, USSR, Russia, The Drive and Drift of a Superstate*, The New Press, New York, 1995.

B. NAHAYLO, V. SWOBODA, *Après l'Union soviétique. Les peuples de l'espace post-soviétique*, PUF, Paris, 1994.

J. SAPIR, *Feu le système soviétique? Permanences politiques. Mirages économiques. Enjeux stratégiques*, La Découverte, Paris, 1992.

Voir aussi la bibliographie « Russie », p. 176.

Pays baltes

Estonie, Lettonie, Lituanie

Estonie

Le retrait, le 31 août 1994, des dernières troupes russes (2 500 hommes) au terme de l'accord du 26 juillet 1994 aurait pu amorcer la normalisation des relations russo-estoniennes. A l'été 1995, Tallinn n'avait cependant toujours pas ratifié l'accord sur les retraités militaires russes. De son côté, Moscou a continué d'appliquer des droits de douane dissuadant l'importation des produits agricoles baltes et a poursuivi ses accusations concernant le non-respect des droits des russophones de la région, tout en s'élevant contre le rapprochement des États baltes avec l'OTAN (Organisation du traité de l'Atlantique nord). Les deux pays ont, en outre, continué de s'opposer sur le tracé de leur frontière commune.

Prisonnier des conflits internes à son parti Pro Patria (droite) et tenu pour responsable d'un trafic de roubles effectué à l'occasion de la réforme monétaire de 1992, le Premier ministre Mart Laar a démissionné et a été remplacé le 27 octobre 1994 par Andres Tarand (soutenu par le Parti social-démocrate), qui, au lendemain des élections législatives du 5 mars 1995, a lui-même cédé la place à Tiit Vähi (Parti de coalition, centre droit), déjà Premier ministre de janvier à septembre 1992. Ayant obtenu 32,2 % des voix, grâce à son alliance avec l'Union du peuple rural d'Arnold Rüütel (président du Soviet suprême d'Estonie de 1983 à 1992), T. Vähi a formé un gouvernement de coalition (centre gauche) avec le Parti du centre (14,2 % des voix) d'Edgar Savisaar, Premier ministre de 1990 à 1992. Les représentants des citoyens estoniens d'origine russe sont entrés au Parlement (6 sièges sur 101), devançant désormais les partis ultra-nationalistes délaissés par les Estoniens malgré l'intervention russe en Tchétchénie, et le Parti démocratique du travail (ex-Parti communiste estonien), non représentés. Dans la région Nord-Est (Ida Virumaa), de population majoritairement russe, le Parti du centre a devancé la coalition russophone « Notre maison c'est l'Estonie ! ».

▼

République d'Estonie

Nature de l'État : ancienne république soviétique devenue indépendante le 20.8.91.

Nature du régime : démocratie parlementaire.

Chef de l'État : Lennart Meri (élu le 5.10.92).

Chef du gouvernement : Tiit Vähi, qui a succédé, le 5.4.95, à Andres Tarand, lequel avait remplacé Mart Laar (démissionnaire), le 27.8.94.

Monnaie : couronne estonienne (EEK) (au cours officiel, 1 EEK = 0,62 FF au 26.6.95).

Territoires contestés : l'Estonie a limité ses revendications territoriales à quelques modifications du tracé frontalier, contre la reconnaissance par la Russie du traité de Tartu (1920) et, en conséquence, du caractère illégal de l'annexion d'alors du pays par l'URSS.

Langues : estonien (off.), russe.

S'il a prévu de maintenir le rythme des réformes, le nouveau gouvernement a également inscrit à l'ordre du jour — outre la décentralisation des pouvoirs — davantage de mesures sociales et d'aides aux agriculteurs,

grands perdants des bouleversements économiques. La croissance de 4 % s'est accompagnée d'une inflation encore élevée (45,1 %).

L'accord d'association, signé le 12 juin 1995, avec l'Union européenne s'est inscrit dans le cadre de la tentative estonienne de rechercher à l'Ouest le maximum de garanties de sécurité.

Lettonie

Divisée sur le sujet de sa politique économique, la coalition gouvernementale Voix lettone - Union rurale, mise en place en 1993 et dont les leaders, respectivement Anatolijs Gorbunovs et Guntis Ulmanis, occupaient les postes de président du Parlement et de président de la République, a été dissoute en juillet 1994. Après l'échec de la tentative du Parti conservateur national de former une coalition de droite, la direction du gouvernement est finalement revenue

---

▼

République de Lettonie

Nature de l'État : ancienne république soviétique devenue indépendante le 21.8.91.

Nature du régime : démocratie parlementaire.

Chef de l'État : Guntis Ulmanis, président de la République (depuis le 7.7.93).

Chef du gouvernement : Valdis Birkavs (depuis le 7.7.93).

Monnaie : lats letton (au cours officiel, 1 Ls = 9,58 FF au 26.6.95).

Territoires contestés : la Lettonie et la Russie s'opposent sur le tracé de leur frontière commune. La région d'Abrene (Pitalovo en russe) avait été rattachée à la république socialiste soviétique de Russie en 1945.

Langues : letton (off.), russe.

à Maris Gailis, un membre de Voix lettone (alliée cette fois à l'Union politique des économistes) comme le

Pays baltes

	INDICATEUR	UNITÉ	ESTONIE	LETTONIE	LITUANIE
DÉMOGRAPHIE	Capitale		Tallinn	Riga	Vilnius
	Superficie	km²	45 100	64 500	65 200
	Développement humain (IDH) [b]		0,867	0,865	0,868
	Population (*) [c]	million	1,53	2,56	3,70
	Densité [c]	hab./km²	33,9	39,6	56,7
	Croissance annuelle [i]	%	− 0,6	− 0,9	− 0,1
	Indice de fécondité (ISF) [i]		1,6	1,6	1,8
	Mortalité infantile [i]	‰	16	14	13
	Espérance de vie [i]	année	69	69	70
	Population urbaine	%	72,8	72,5	71,4
CULTURE	Analphabétisme [f]	%	0,3	0,5	1,6
	Scolarisation 2e degré [b]	%	91	85	79
	Scolarisation 3e degré [b]	%	23,4	22,5	••
	Livres publiés [b]	titre	1 557	1 509	2 361
	Nombre de médecins	‰ hab.	4,57	4,96	4,61
ARMÉE	Armée de terre	millier d'h.	2,5	1,5	4,3
	Marine	millier d'h.	••	0,9	0,35
	Aviation	millier d'h.	••	0,15	0,25
ÉCONOMIE	PNB [a]	milliard $	4,70	5,26	4,89
	Croissance annuelle 1985-93	%	− 5,1	− 4,6	− 5,7
	1994 [j]	%	− 2,0	− 2,2	− 6,5
	Par habitant [ae]	dollars	6 860	5 170	3 160
	Structure du PIB [a] Agriculture	%	11	15	11
	Industrie	%	37	31	39
	Taux de croissance 1994 Agriculture	%	− 9,0	− 20,0	− 22,0
	Industrie	%	− 7,0	− 7,0	− 27,8
	Inflation	%	45,1	30,9	48,5
	Dette extérieure	milliard $	0,3	0,3	0,5
	Pop. active occupée	millier	650 [a]	1 235	1 709
	Agriculture	%	12,4 [g]	19,5 [a]	19,6 [a]
	Industrie et bât.	%	43,8 [g]	28,5 [a]	38,0 [a]
	Taux de chômage [d]	%	2,2	6,5	4,5
	Dépenses de l'État Éducation	% PIB	5,9 [b]	6,0 [a]	5,5 [b]
	Défense	% PIB	1,6	1,0	2,0
	Énergie [b] Consommation par habitant	kg	5 358	3 240	4 157
	Taux de couverture	%	61,7	5,1	35,9
COMMERCE	Importations	million $	1 123	880	1 756
	Exportations	million $	894	729	1 528
	Principaux fournis.	%	CEI 20,9	CEI 30,1	CEI 7,5
		%	PCD 69,8	PCD 42,3	PCD 35,4
	Principaux clients	%	CEI 31,2	CEI 41,8	CEI 6,7
		%	PCD 51,8	PCD 40,5	PCD 30,6

Premier ministre démissionnaire Valdis Birkavs. Par ailleurs, dans la perspective des élections législatives d'octobre 1995, l'Union rurale a passé un accord avec les chrétiens-démocrates.

La loi sur la citoyenneté débattue pendant plusieurs années a finalement été adoptée le 22 juillet 1994 sans les quotas de naturalisation demandés initialement par le Parti conservateur national. Il a été prévu que les naturalisations commencent en janvier 1996 par les jeunes nés en Estonie puis les tranches d'âge suivantes et, à partir de 2003, les personnes de plus de soixante ans. Au printemps 1995, la Lettonie n'avait toujours pas adopté sa loi portant sur le statut des anciens citoyens soviétiques. Elle a cependant été admise au Conseil de l'Europe, en février 1995.

Le 29 mai 1995 a été signé un accord d'association à l'Union européenne, représentant aux yeux de Riga une garantie de sécurité face aux menaces russes. Malgré le retrait des troupes russes effectué le 31 août 1994, la Lettonie et la Russie ont, en effet, continué de s'opposer sur de nombreux points (droits de douane appliqués par Moscou, tracé de la frontière commune, citoyenneté, OTAN...).

La croissance a été négative en 1994 (2,2 %), mais donnait des signes plus encourageants pour 1995. Le taux de chômage s'est élevé à 6,5 % et l'inflation a atteint 30,9 %. La balance commerciale a été déficitaire de 75 milliards de lats en 1994. Les réformes ont cependant continué de suivre leur cours, à leur rythme.

Lituanie

Le paysage politique lituanien a été modifié le 25 mars 1995, par la victoire aux élections locales du leader de l'opposition Vytautas Landsber-

© Éditions La Découverte

629
•

Chiffres 1994, sauf notes : a. 1993; b. 1992; c. 1995; d. En fin d'année; e. A parité de pouvoir d'achat (voir p. 673); f. 1989; g. 1991; h. 1990; i. 1990-95; j. Source Nations unies, selon le FMI les taux de croissance ont été de : Estonie, 6 %, Lettonie, 2,0 %, Lituanie, 1,5 %. (*) Dernier recensement utilisable : 1989.

▼

République de Lituanie

Nature de l'État : ancienne république soviétique devenue indépendante le 11.3.90.

Nature du régime : démocratie parlementaire.

Chef de l'État et président du Parlement : Algirdas Brazauskas (depuis le 14.2.93).

Chef du gouvernement : Adolfas Slezevicius (depuis le 10.3.93).

Monnaie : le litas lituanien a remplacé le 20.7.93 le coupon (talonas), lequel avait supplanté le rouble le 2.10.92 (au cours officiel, 1 litas = 1,22 FF au 31.5.95).

Langues : lituanien (off.), russe, polonais.

BIBLIOGRAPHIE

E. CALABUIG-ODINS, « Les Russes de la Baltique, un levier politique à la reconquête ? », *Hérodote*, n° 72-73, La Découverte, Paris, 1994.

G. LE MARC, M.-A. CROSNIER, « Pays baltes », *in* M. Ferro (sous la dir. de), *L'état de toutes les Russies. États et nations de l'ex-URSS*, La Découverte, coll. « L'état du monde », Paris, 1993.

A. LIEVEN, *The Baltic Revolution. Estonia, Latvia, Lithuania and the Path to Independence*, Yale University Press, New Haven, Londres, 1993.

Y. PLASSERAUD, *Les Pays baltes*, Montchrestien, Paris, 1992.

A. et J. SELLIER, *Atlas de peuples d'Europe centrale*, La Découverte, Paris, 1994 (nouv. éd.).

L. TEIBERIS, *La Lituanie*, Karthala, Paris, 1995.

Voir également la bibliographie p. 626.

---

gis (conservateurs-Union de la Patrie, 28,8 % des voix). En deuxième position, le Parti démocratique du travail (20 % des voix) du président de la République Algirdas Brazauskas a expliqué sa défaite par la faible participation des Lituaniens (45,2 %) et le fait que l'électorat de droite (dans l'opposition depuis 1992) était plus actif que l'électorat de gauche. Les chrétiens-démocrates ont obtenu 16,6 % des voix et les sociaux-démocrates 4,8 % devançant de peu l'Action des Polonais de Lituanie (4,6 %). Représentant 63 % des électeurs de la région de Vilnius et 56 % de Salcininkai, au sud-est du pays, les Polonais auraient également bénéficié du soutien d'une partie de l'électorat russe de Lituanie.

Le transit militaire entre la Russie et l'enclave russe de Kaliningrad *via* la Lituanie est demeuré la pierre d'achoppement des relations russo-lituaniennes, également altérées par la question du rapprochement des États baltes et de l'OTAN, par le problème de l'approvisionnement en gaz. En revanche, en matière commerciale, la Russie a finalement accepté d'appliquer à la Lituanie la clause de la nation la plus favorisée.

L'accord d'association de la Lituanie à l'Union européenne, signé le 12 juin 1995, a prévu une période de transition jusqu'en 1999 — le libre-échange ne devant devenir réalité qu'en 2001. L'Union européenne a exigé notamment de la Lituanie qu'elle permette aux étrangers d'acquérir des terres, ce qui impliquerait de modifier la Constitution.

Bien que les réformes économiques aient permis — tout en conservant la Russie comme premier partenaire commercial — d'accroître le commerce avec l'Ouest, et surtout avec l'Allemagne, la balance commerciale du pays est restée déficitaire. A la mi-1995, les privatisations, presque achevées, n'avaient pas encore produit les effets escomptés, faute d'investissements.

En 1994, l'inflation, en diminution, est tout de même restée élevée (48,5 %).

Gaëlle Le Marc

Europe orientale

Biélorussie, Russie, Ukraine, Moldavie

(La Russie est traitée p. 166. Voir aussi articles p. 42, 90 et 109.)

(Les États sont présentés selon un axe géographique nord/sud.)

Biélorussie

La destitution comme chef d'État, le 27 janvier 1994, de Stanislas Chouchkevitch, l'un des auteurs du traité de démantèlement de l'URSS (21 décembre 1991), a été le signal d'une tentative de reprise en main du pays par le Premier ministre Viatcheslav Kebitch et les milieux issus

---

▼

République de Biélorussie

Nature de l'État : ancienne république soviétique devenue indépendante le 25.8.91.

Nature du régime : présidentiel fort.

Chef de l'État : Alexandre Loukachenko, élu président le 10.7.94.

Chef du gouvernement : Mikhaïl Tchiguir, qui a succédé à Vetcheslav Kebitch (démissionnaire) le 20.7.94.

Échéances électorales : troisième tour des législatives (suite à une participatin insuffisante au deuxième tour du 28.5.95), en novembre 95.

Monnaie : rouble belarus (au cours officiel, 100 roubles = 0,042 FF au 31.6.95).

Langues : biélorusse, russe, polonais, ukrainien.

---

de la nomenklatura. Cette opération semblait pouvoir s'appuyer sur le désarroi de la population, confrontée à de nouveaux problèmes sociaux, économiques et identitaires, et désireuse de maintenir certaines structures socialistes ainsi que de rétablir des liens durables avec la Russie. Le 15 mars 1994, le Parlement adoptait une Constitution prévoyant l'instauration d'une présidence de la République.

Les élections présidentielles de juin-juillet 1994 ont démontré qu'une forte majorité de la population refusait les candidats « nationalistes » (S. Chouchkevitch, Zenon Pozniak), mais aussi V. Kebitch, qui n'a obtenu que 17 % des voix au premier tour, contre 45 % pour Alexandre Loukachenko, candidat « intègre », « populiste » et « russophile ». Le 10 juillet 1994, ce dernier a été élu avec 80,1 % des voix, contre 14,1 % à V. Kebitch.

Le nouveau président a constitué une équipe chargée de renforcer son pouvoir et de reprendre en main l'administration locale. L'accord d'union monétaire avec la Russie signé le 14 avril 1994 par V. Kebitch a été suspendu. Minsk a, en revanche, signé en janvier 1995 huit accords avec la Russie, portant sur l'union douanière et une politique de défense commune et visant à contrebalancer les effets d'un éventuel élargissement vers l'est de l'OTAN (Organisation du traité de l'Atlantique nord).

A. Loukachenko s'est heurté à l'opposition des partis nationalistes et aux réticences des milieux communistes, mais a obtenu la tenue d'un référendum qui s'est déroulé en même temps que les élections législatives, le 14 mai 1995. Les électeurs ont approuvé, lors de cette consultation, l'élargissement des pouvoirs présidentiels, l'intégration économique avec la Russie, le rétablissement du russe comme seconde langue officielle et le retour des emblèmes hérités de la période soviétique.

Les élections pour un Parlement aux pouvoirs désormais réduits ont confirmé la puissance des notables locaux issus de la nomenklatura, l'enracinement du Parti des communistes de Biélorussie et la stagnation des forces de l'opposition, plus ou moins nationaliste.

Bénéficiant d'un potentiel économique important, le pays a pu résister assez bien jusqu'en 1993 à certains effets de la désagrégation de l'URSS. La situation économique s'est ensuite rapidement dégradée. En 1995, une légère amélioration s'est fait sentir, mais les incertitudes pesant sur la stratégie économique envisagée par les autorités ont empêché une véritable relance des investissements.

Ukraine

Après la chute de 43 % du PNB entre 1990 et 1993, la situation de l'Ukraine a continué à se dégrader. Si le taux de chômage est resté quasi nul, on a estimé que 20 % à 40 % de la main-d'œuvre était au chômage technique et beaucoup de salariés n'ont pas reçu leur salaire pendant plusieurs mois.

▼

République d'Ukraine

Nature de l'État : ancienne république soviétique devenue indépendante le 24.8.91.

Nature du régime : présidentiel fort.

Chef de l'État : Leonid Koutchma, président de la République, qui a remplacé Leonid Kravtchouk le 10.7.94.

Chef du gouvernement : Yevhen Martchouk, qui a succédé de manière intérimaire à Vitali Massol (démissionnaire) le 1.3.95.

Monnaie : karbovanets (au cours officiel, 100 000 karbovanets = 3 FF au 26.6.95).

Langues : ukrainien, russe, tatar, roumain, hongrois, bulgare, polonais, allemand, slovaque, biélorusse, grec.

La tenue d'élections législatives (mars-avril 1994) et présidentielles (juin-juillet 1994) a permis une cla-

rification de la scène politique. L'ouest du pays a massivement voté pour les nationalistes tandis que le Sud et l'Est se sont montrés favorables au Bloc de gauche, et en particulier au Parti communiste ukrainien, reconstitué peu avant les élections. La majorité des élus provenant des diverses nomenklaturas locales s'était présentée sous l'étiquette « indépendante ».

Les élections présidentielles ont confirmé la cassure du pays. Leonid Kravtchouk, un apparatchik reconverti tardivement dans le nationalisme et bénéficiant surtout d'appuis dans l'ouest du pays, a obtenu 45,06 % des voix, contre 52,15 % pour Leonid Koutchma. Lors de sa campagne électorale, ce dernier avait prôné l'instauration d'un pouvoir exécutif fort et la nécessité d'un rapprochement avec la Russie.

Après son élection, il s'est doté d'une équipe issue de la nomenklatura économique, russophone, jugée compétente et décidée à promouvoir la politique prônée par le FMI. L. Koutchma a cherché à renforcer son pouvoir, ce qui, au début, a provoqué quelques tensions avec le Parlement. Le président est parvenu ensuite à convaincre plusieurs députés « indépendants » d'appuyer sa politique. Cette évolution a contribué à affaiblir le poids du Bloc de gauche et à renforcer celui des « réformateurs », appuyés par les nationalistes. Le 11 octobre 1994, les députés ont approuvé le programme présidentiel de réformes économiques défendant l'option du marché. Le 19 octobre, ils ont adopté une loi prévoyant la privatisation des terres. Le Premier ministre Vitali Massol, qui hésitait à appliquer les mesures d'austérité prônées par L. Koutchma, a démissionné le 1er mars 1995. Son gouvernement a fait de même le 4 avril, à la suite d'un vote du Soviet suprême.

Le 6 avril, après des promesses du FMI et d'autres organismes internationaux et portant sur le déblocage de crédits (5,5 milliards de dollars), les députés ont adopté un budget d'austérité. Cette politique prévoyait

Europe orientale

NORV

Mer de Barents

• Mourmansk

Presqu'île de Kola

Cercle polaire

SUÈDE

Golfe de Botnie

CARÉLIE

Mer
Blanche

• Arkhangelsk

KOMIS

Dvina Sept le

FINLANDE

Petrozavodsk

L. Onega

633
•

Mer
Baltique

G. de Finlande

ESTONIE

Lac Ladoga

Saint-Pétersbourg

R U S S I E

*G. de
Riga*

• Novgorod

*Réservoir
de Rybinsk*

LETTONIE

Rybinsk

Kostroma

Iaroslavl

Ivanovo

MARIS Ka3aHb

Kaliningrad

LITUANIE

Vitebsk

MOSCOU

Vladimir

Nijni-
Novgorod

Volga

RUSSIE

Orsha

Smolensk

Riazan

TATARSTAN

POLOGNE

• MINSK

Moguilev

Oka

•Toula

MORDOVIE

Baranovitchi

BIÉLORUSSIE

• Briansk

•Penza

• Brest

• Pinsk

Gomel

•Orel

Rovno

Tchernobyl

•Koursk

•Voronej

Saratov

• Lvov

Jitomir

KIEV

Ivano-
Pranskovsk

Kamenets-
Podolski

Dniepr

U K R A I N E

Kharkov

Don

KAZAKH
STAN

Dniestr

Bug

Dniepropetrovsk

Lougansk

Volgograd

Bieltsy

Krivoi Rog

•Donetsk

•Makaïevka

MOLDAVIE

Zaporoje

Rostov

Astrakhan

CHISINAU •

Tiraspol

Kherson

Marioupol

KALMOUKIE

ROUMANIE

Odessa

Mer
d'Azov

CRIMÉE

Krasnodar

KABARDINO-
BALKARIE

OSSÉTIE
DU NORD

Danube

Simferopol

ADYGHÉENS

KARATCHEVO
TCHERKESSIE

TCHÉTCHÉNIE

BULGARIE

Sébastopol

Balaklava

Novorossiisk

INGOUCHIE

DAGH.

Mer   Noire

GÉORGIE

Bosphore

Dardanelles

TURQUIE

500 km

© Éditions La Découverte

Europe orientale

INDICATEUR		BIÉLO-RUSSIE	RUSSIE	UKRAINE	MOLDAVIE
	Capitale	Minsk	Moscou	Kiev	Chisinau
	Superficie (km²)	207 600	17 075 400	603 700	33 700
DÉMOGRAPHIE	Développement humain (IDH) [b]	0,847	0,858	0,823	0,714
	Population (*) [c] (million)	10,14	147,0	51,38	4,43
	Densité [c] (hab./km²)	48,8	8,6	85,1	131,5
	Croissance annuelle [i] (%)	− 0,1	− 0,1	− 0,1	0,3
	Indice de fécondité (ISF) [i]	1,6	1,5	1,6	2,1
	Mortalité infantile [i] (‰)	16	21	16	25
	Espérance de vie [i] (année)	70	68	69	68
	Population urbaine (%)	70,3	75,6	69,7	50,9
CULTURE	Analphabétisme [f] (%)	2,1	1,3	1,6	5,0
	Livres publiés [b] (titre)	2 364	28 716	4 410	802
	Nbre de médecins [h] (‰ hab.)	4,07	4,43	4,42	3,92
ARMÉE	Armée de terre millier d'h.	52,5	780	308	9 800
	Marine millier d'h.	—	13	16	—
	Aviation millier d'h.	15,8	170	146	1 300
ÉCONOMIE	P N B [a] (milliard $)	29,29	348,4	99,68	5,16
	Croissance annuelle 1988-93 (%)	0,2	− 4,6	− 3,6	− 5,0
	1994 (%)	− 20,0	− 15,0	− 19,0	− 30,0
	Par habitant [ae] (dollar)	6 360	5 240	4 030	3 210
	Structure du PIB Agriculture (%)	15 [a]	7	21,2 [h]	34,7 [h]
	Industrie (%)	49 [a]	39	50,1 [h]	45,6 [h]
	Taux de croissance 1994 Agriculture (%)	− 14,0	− 9,0	− 17,0	− 28,0
	Industrie (%)	− 19,3	− 20,9	− 27,7	− 29,9
	Taux d'inflation (%)	2 588	198,5	493,1	304,2
	Dette extérieure (milliard $)	1,2	120	7,1	0,5
	Pop. active occupée (million)	4 737	70 077	23 433 [a]	1 955
	Agriculture (%)	20,1	14,0	20,8 [a]	38,3
	Industrie et bât. (%)	28,8	28,3	25,2 [a]	13,6
	Taux de chômage [d] (%)	2,1	2,1	0,3	1,0
	Dépenses de l'État Défense (% PIB)	1,5	4,1	3,9 [a]	1,0
	Énergie [b] Consommation par habitant (kg)	5 095	7 357	5 996	1 689
	Taux de couverture (%)	10,4	146,4	54,1	0,4
COMMERCE	Importations (million $)	4 296	36 100	9 989	1 251
	Exportations (million $)	2 412	62 100	9 708	400
	Principaux fournis. (%)	CEI 87,5	CEI 21,9	Ex-URSS 76,0	CEI 85,9
		Autres 12,5	Autres 78,1	Autres 24,0	Autres 14,1
	Principaux clients (%)	CEI 59,6	CEI 22,7	Ex-URSS 57,1	CEI 60,5
		Autres 40,4	Autres 77,3	Autres 42,9	Autres 39,5

une baisse du taux d'inflation, devant passer de 11,4 % en mars 1995 à 1 % à la fin de l'année. Cette évolution s'est heurtée à une résistance des députés de gauche. Certains députés nationalistes se sont montrés réticents à l'application d'une politique jugée trop soumise aux intérêts des centres financiers internationaux. Le nouveau Premier ministre, Yevhen Martchouk, nommé le 9 juin 1995, a formé un gouvernement de « notables », apparemment décidé à mener une politique économique correspondant aux vœux du président.

Afin d'obtenir une aide économique occidentale, Kiev a entrepris de négocier la fermeture de la centrale de Tchernobyl, responsable de la catastrophe nucléaire de 1986. L'évolution de la situation économique semblait surtout dépendre des rapports avec la Russie, d'où est importée la majorité de l'énergie du pays. Les négociations ukraino-russes présentent deux volets, économique et politique, fortement liés. La Russie a clairement laissé entendre qu'elle reconnaissait désormais l'appartenance à l'Ukraine de la péninsule de Crimée — laquelle abrite d'importantes bases navales — à l'occasion de la décision du Parlement de Kiev du 17 mars 1995 d'annuler l'autonomie de cette république majoritairement russophile qui avait proclamé sa souveraineté en 1992 et élaboré en 1994 un programme d'autonomie très large. Kiev a profité du conflit existant entre le président de Crimée Youri Mechkov et son Parlement pour tenter de reprendre le contrôle de la région, mais la négociation d'un compromis semblait surtout dépendre de l'évolution générale des rapports entre l'Ukraine et la Russie.

Au même moment, Moscou négociait une annulation de la dette énergétique ukrainienne en échange d'une prise de participation dans le capital des entreprises que Kiev avait décidé de privatiser.

Le 28 mars 1995, L. Koutchma déclarait à la presse que les négociations portant sur le partage russo-ukrainien de la flotte militaire de la mer Noire achoppaient, en raison de la volonté de la Russie d'obtenir des bases navales sur le littoral ukrainien. L. Koutchma semblait avoir choisi de négocier l'intégration économique de son pays avec la Russie à des conditions favorables, tout en proclamant publiquement son indépendance politique. Cette stratégie « réaliste » a mis en émoi les milieux nationalistes mais elle s'est aussi heurtée aux réticences des communistes, méfiants devant le « nouveau capitalisme russe ».

Bruno Drweski

Moldavie

La victoire remportée aux élections législatives du 27 février 1994 par le Parti démocrate agraire du président Mircea Ion Snegur (56 sièges sur 104) et ses alliés a fermé la parenthèse du nationalisme pro-roumain qui avait éloigné la Moldavie de ses partenaires de l'ex-URSS et favorisé l'émergence en son sein de forces centrifuges. Les électeurs ont

---

République de Moldavie

Nature de l'État : ancienne république soviétique devenue indépendante le 27.8.91.

Nature du régime : pouvoir exécutif fort.

Chef de l'État : Mircea Ion Snegur (depuis le 8.12.91).

Chef du gouvernement : Andreï Sangheli (depuis le 1.7.92, confirmé dans ses fonctions le 2.4.94).

Échéances électorales : présidentielles en décembre 96.

Monnaie : leu (au cours officiel, 1 leu = 1,09 FF au 26.6.95).

Langues : moldave (forme dialectale du roumain) et russe (off.), ukrainien, turc.

Chiffres 1994, sauf notes : a. 1993 ; b. 1992 ; c. 1995 ; d. En fin d'année ; e. A parité de pouvoir d'achat (voir p. 673) ; f.1989 ; g. 1988 ; h. 1991 ; i. 1990-95. (*) Dernier recensement utilisable : 1989.

BIBLIOGRAPHIE

M. CAZACU, N. TRIFON, « La Moldavie ex-soviétique, histoire et enjeux actuels, suivi de Notes sur les Aroumains en Grèce, Macédoine et Albanie », *Cahiers d'Iztok*, 2/3 Akratie, Paris, 1993.

W. CROWTHER, « Moldova after independence », *Current History*, vol. 93, n° 585, Philadelphie, oct. 1994.

B. DRWESKI, *La Biélorussie*, PUF, « Que sais-je ? », Paris, 1993.

B. DRWESKI, « La Biélorussie à la recherche de la stabilité », *La Nouvelle Alternative*, n° 29, Paris, 1993.

A. GOUJON, « Biélorussie 1992-1993 : une transition prudente vers le marché », *Le Courrier des pays de l'Est*, n° 386, La Documentation française, Paris, 1994.

M. KAHN, « L'Ukraine deux ans après l'indépendance », *Le Courrier des pays de l'Est*, n° 338, La Documentation française, Paris, 1994.

C. KING, *Post-Soviet Moldava : a Borderland in Transition*, The Royal Institute of International Affairs, Londres, 1995.

« L'Ukraine , une nation en chantier » (dossier), *La Nouvelle Alternative*, n° 36, Paris, déc. 1994 (Voir aussi, concernant l'Ukraine, les n°s 34 et 35).

A. et J. SELLIER, *Atlas des peuples d'Europe centrale*, La Découverte, Paris, 1994 (nouv. éd.).

« Unruly Child. A survey of Ukraine », *The Economist*, Londres, 7-13 mai 1994.

N. WERTH, M.-A. CROSNIER, M. KAHN, « Biélorussie », « Ukraine », « Moldavie », *in* M. FERRO (sous la dir. de), *L'état de toutes les Russies. États et nations de l'ex-URSS*, La Découverte, coll. « L'état du monde », Paris, 1993.

Voir aussi les bibliographies p. 177 et 626.

confirmé leur choix lors du référendum du 6 mars suivant, en se prononçant à 95 % contre un éventuel rattachement de leur pays à la Roumanie.

Par ailleurs, la Constitution, adoptée en juillet, a posé les bases d'une réconciliation interethnique en prévoyant une autonomie étendue (droit de posséder ses propres emblèmes et une autre langue officielle que le moldave, de se doter d'organes exécutifs et d'une Assemblée législative, de faire sécession en cas de réunification de la Moldavie avec la Roumanie) pour les deux principales minorités, les Gagaouzes (chrétiens d'origine turque, 3,5 % de la population) et les russophones de Transdniestrie, sur la rive orientale du Dniestr (16 % de la population). Les premiers ont accepté la solution proposée qui a reçu forme légale le 28 décembre 1994 et a été approuvée localement début mars 1995. En revanche, les négociations entre Chisinau et les séparatistes de Transdniestrie (qui ont autoproclamé leur indépendance le 16 août 1990) achoppaient toujours, ces derniers refusant de transiger sur l'octroi à leur région du statut d'État.

La tension est montée d'un cran quand Moscou, satisfait de voir la Moldavie revenir sous son aile — l'adhésion à la CEI (Communauté d'États indépendants) a été entérinée par le Parlement en avril 1994 —, a signé avec Chisinau en août 1994 un accord sur le retrait progressif en trois ans de la 14e armée russe, stationnée en Transdniestrie. Or, cette décision a été rejetée par 93 % de la population de ce territoire lors du référendum du 26 mars 1995; ces résultats ont été utilisés par les députés nationalistes et communistes russes pour bloquer le processus d'évacuation.

Même si le resserrement des liens avec la Russie a valu à la Moldavie une plus grande tolérance à l'égard de sa dette énergétique et quelques crédits, c'est sur l'aide internationale qu'elle comptait pour redresser son économie. Aussi est-ce avec zèle que ses dirigeants ont appliqué un programme de stabilisation dont les succès se sont mesurés à la décrue rapide de l'inflation (304,2 % en 1994, contre 3 200 % en 1993) et à la relative fermeté du leu par rapport au dollar. Les privatisations ont, en revanche, aussi peu avancé dans l'agriculture que dans l'industrie et n'étaient donc pas près de redynamiser une production qui, dans ces deux secteurs, a continué de chuter.

Le besoin vital des aides occidentales et le refroidissement des relations avec la Roumanie, même si les contacts ont été maintenus dans les domaines économique et culturel, devaient contraindre la Moldavie à tout faire pour dissiper l'impression qu'elle s'est réinstallée dans l'orbite de la Russie. Soucieuse d'assurer son ancrage en Europe, elle a signé, en mars 1994, le « partenariat pour la paix » de l'OTAN (Organisation du traité de l'Atlantique nord), en novembre un accord de coopération et de partenariat avec l'Union européenne et de multiples contrats commerciaux avec les pays de l'Est. Le 28 juin 1995, le Conseil de l'Europe a accepté son adhésion à l'organisation.

Les offres les plus nombreuses de crédits et d'assistance technique sont, cependant, venues de Turquie, un pays bien décidé à toucher le dividende de sa médiation dans le règlement du conflit entre le pouvoir moldave et la minorité gagaouze.

Marie-Agnès Crosnier

Transcaucasie

Arménie, Azerbaïdjan, Géorgie
(L'Azerbaïdjan est traité p. 348.)

Arménie

Les conséquences du conflit du Haut-Karabakh ont continué à peser lourdement sur l'économie de l'Arménie. Le blocus énergétique imposé par l'Azerbaïdjan et l'état chaotique des transports géorgiens n'ont pas empêché l'étonnante reprise de l'activité économique. En 1994, l'Arménie était le seul membre de la CEI (Communauté d'États indépendants) à présenter un bilan positif en affichant des indicateurs économiques à la hausse. Le pays semblait parvenu à une relative maîtrise de son appareil de production industriel et à des résultats honorables dans un secteur agricole devenu plus productif après sa privatisation en 1991. La gestion rigou-

Arménie

Nature de l'État : ancienne république soviétique devenue indépendante le 21.9.91.

Chef de l'État : Levon Ter Petrossian, président de la République (depuis le 16.10.91).

Chef du gouvernement : Grant Bagratian (depuis le 4.2.93).

Monnaie : dram (au cours officiel, 100 drams = 1,25 FF au 31.5.95).

Langues : arménien (off.), russe.

Litige territorial : le Haut-Karabakh, situé en Azerbaïdjan, est peuplé en majorité d'Arméniens qui réclament son rattachement à l'Arménie.

Transcaucasie

	INDICATEUR	UNITÉ	ARMÉNIE	AZER-BAÏDJAN	GÉORGIE
DÉMOGRAPHIE	Capitale		Erevan	Bakou	Tbilissi
	Superficie	km²	29 800	86 600	69 700
	Développement humain (IDH) [b]		0,801	0,730	0,747
	Population (*) [c]	million	3,70	7,56	5,46
	Densité [c]	hab./km²	124,1	87,3	78,3
	Croissance annuelle [i]	%	1,4	1,2	0,1
	Indice de fécondité (ISF) [i]		2,6	2,6	2,1
	Mortalité infantile [i]	‰	21	23	19
	Espérance de vie [i]	année	73	72	73
	Population urbaine	%	68,4	55,5	58,0
CULTURE	Analphabétisme [h]	%	1,2	2,7	1,0
	Livres publiés [ei]	titre	817	829	1 659
	Nombre de médecins	‰ hab.	4,28 [f]	3,89 [f]	5,9 [e]
ARMÉE	Armée de terre	millier d'h.	32,7	49	10,0
	Marine	millier d'h.	••	3	••
	Aviation	millier d'h.	••	2	0,2
ÉCONOMIE	PNB [a]	milliard $	2,47	5,42	3,07
	Croissance annuelle 1985-93	%	− 10,5	− 8,1	− 16,1
	1994 [m]	%	− 2,0	− 22,0	− 30,0
	Par habitant [ag]	dollar	2 080	2 230	1 410
	Structure du PIB Agriculture	%	48,0 [a]	28,6 [b]	52,9 [b]
	Industrie	%	29,8 [a]	45,4 [b]	23,9 [b]
	Taux de croissance 1994 Agriculture	%	3,0	− 13,0	− 10,0
	Industrie	%	6,9	− 24,8	− 39,7
	Inflation	%	2 122	2 175	7 000
	Dette extérieure [a]	million $	140	36	568
	Pop. active occupée	millier	1 517	2 607	1 940 [a]
	Agriculture	%	32,2	33,4	32,7 [b]
	Industrie et bât.	%	22,7	14,2	24,7 [b]
	Taux de chômage [d]	%	6,0	0,9	2,8
	Dépenses de l'État Défense	% PIB	2,9	2,4	2,9
	Énergie [b] Consommation par habitant	kg	750	2 199	1 294
	Taux de couverture	%	—	163,2	7,9
COMMERCE	Importations	million $	345	781	702 [a]
	Exportations	million $	196	620	362 [a]
	Principaux fournis.	%	CEI 64,8	CEI 62,6	Ex-URSS 84,5 [f]
		%	Autres 35,2	Autres 37,4	Autres 15,5 [f]
	Principaux clients	%	CEI 71,0	CEI 41,5	Ex-URSS 99,1 [f]
		%	Autres 29,0	Autres 58,5	Autres ••

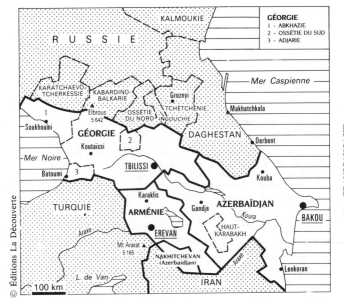

GÉORGIE
1 - ABKHAZIE
2 - OSSÉTIE DU SUD
3 - ADJARIE

KALMOUKIE

R U S S I E

Mer Caspienne

KARATCHAEVO-
TCHERKESSIE   KABARDINO-
BALKARIE   Groznyi   Makhatchkala
Elbrous   OSSÉTIE   TCHÉTCHÉNIE
5 642   DU NORD   INGOUCHIE
Soukhoumi   GÉORGIE   DAGHESTAN
Koutaissi   2   Derbent
Mer Noire
Batoumi   3   TBILISSI   Kouba
Karaklis
TURQUIE   Gandja   AZERBAÏDJAN
ARMÉNIE   Koura   BAKOU
Araxe   HAUT-
EREVAN   KARABAKH
Mt Ararat   Araxe
5 165   NAKHITCHEVAN
(Azerbaïdjan)   Lenkoran
L. de Van   IRAN
100 km

© Éditions La Découverte

reuse des ressources énergétiques et une réforme économique assez radicale opérée en plusieurs étapes ont permis cette évolution.

Malgré les vives manifestations d'hostilité de l'opposition, le Parlement avait en effet voté, le 19 novembre 1994, un nouveau programme de réformes économiques : rapide libéralisation des prix fondée sur la suppression des subventions, en particulier pour le prix du pain, réforme des impôts, réduction du déficit budgétaire et relance du processus de privatisation, notamment

Chiffres 1994, sauf notes : a. 1993; b. 1992; c. 1995; d. En fin d'année; e. 1990; f. 1991; g. A parité de pouvoir d'achat (voir p. 673); h. 1989; i. Y compris brochures; j. 1989; k. 1988; l. 1990-95; m. Source Nations unies, selon le FMI les taux de croissance ont été : Arménie, 0,0 %; Azerbaïdjan, −21,9 %; Géorgie, −10,0 %.
(*) Dernier recensement utilisable : 1989.

des grandes entreprises. La perspective de réouverture de la centrale nucléaire de Medzamor, dont le premier réacteur devait être remis en marche en juin 1995, a suscité de grands espoirs dans le pays. L'approvisionnement en énergie restait cependant à la merci de sabotages touchant régulièrement les gazoducs qui traversent le pays.

Le fait qu'une partie importante du territoire azerbaïdjanais (enclave du Haut-Karabakh) est habitée en majorité par des Arméniens a placé Erevan dans une situation délicate : comment concilier la modération du président Levon Ter Petrossian avec la supériorité militaire arménienne sur le terrain ? Malgré le rattachement matériel de cette région autonome à l'Arménie, du fait du contrôle militaire des zones intermédiaires, Stepanakert a continué à se vouloir une entité indépendante d'Erevan. Le Parlement de la République du Haut-Karabakh a été renouvelé le 30 avril 1995.

BIBLIOGRAPHIE

M. BENNIGSEN-BROXUP (sous la dir. de), *The North Caucasian Barrier; The Russian Advance toward Muslim World*, Hurst & Company, Londres, 1992.

M.-R. DJALLILI (sous la dir. de), *Le Caucase post-soviétique : la transition dans le conflit*, Bruylant/LGDJ, Paris/Bruxelles, 1995.

« Le Caucase des indépendances » (dossier constitué par C. MOURADIAN), *Problèmes politiques et sociaux*, n° 718, La Documentation française, Paris, déc. 1993.

C. MOURADIAN, *L'Arménie*, Ramsay, Paris, 1989.

C. MOURADIAN, C. URJEWICZ, M. KAHN, « Caucase », *in* M. FERRO (sous la dir. de), *L'état de toutes les Russies. États et nations de l'ex-URSS*, La Découverte, coll. « L'état du monde », Paris, 1993.

J. et A. SELLIER, *Atlas des peuples d'Orient. Moyen-Orient, Caucase, Asie centrale*, La Découverte, Paris, 1993.

T. TER MINASSIAN, « Les développements du drame en Arménie », *Hérodote*, n° 54-55, La Découverte, Paris, 2e sem. 1989.

C. URJEWICZ, « La Géorgie à la croisée des chemins : archaïsmes et modernité », *Hérodote*, n° 54-55, La Découverte, Paris, 2e sem. 1989.

C. URJEWICZ, « Abkhazie », « Adjarie », « Arménie », « Azerbaïdjan », « Géorgie », *in* Y. LACOSTE (sous la dir. de), *Dictionnaire de géopolitique*, Flammarion, Paris, 19993.

Voir aussi la bibliographie p. 626, ainsi que celle consacrée à l'Azerbaïdjan, dans la section « 34 États ».

Si l'avenir de l'enclave, avec les concessions qu'il implique, est demeuré l'objet d'un débat politique vif, l'Arménie, qui apparaissait comme la république la plus stable de la Transcaucasie, a connu une montée dangereuse de la tension. L'assassinat, le 17 décembre 1994, de l'ancien maire de la capitale Ambartsoum Galtsian, membre fondateur du Comité Karabakh, et qui avait rompu avec L. Ter Petrossian en 1992, a plongé le pays dans la stupeur. Alors que plusieurs députés de l'opposition démissionnaient afin de protester contre l'« inaction » du pouvoir, les autorités décidaient de frapper la Fédération révolutionnaire arménienne (Dachnakoutsioun, nationaliste de tradition socialiste) d'une interdiction de six mois. Le principal parti d'opposition a en effet été accusé d'avoir mis en place une organisation terroriste clandestine et d'avoir violé la loi sur le statut des résidents étrangers (neuf des treize dirigeants de ce parti sont des Arméniens de nationalité étrangère). Malgré les critiques venues de l'étranger (en particulier du département d'État américain) et le relatif succès des manifestations de l'opposition, le pouvoir est resté ferme.

Le 15 mars, 160 des 260 députés présents ont adopté une nouvelle loi électorale, tandis que se poursuivaient les consultations sur le projet de nouvelle Constitution. Malgré les protestations et les critiques acerbes voyant dans ce projet la concrétisation de la dérive autoritaire et présidentialiste du pouvoir, la population a largement voté « oui », lors du référendum le 5 juillet 1995. La nouvelle Constitution a donc été adoptée et le Mouvement national arménien (MNA, parti présidentiel) a emporté une large victoire aux législatives, qui se sont déroulées à la même date dans des conditions peu loyales. Le Dachnak et quelques autres formations d'opposition ont été interdits d'élections.

Pour un pays apparaissant comme l'allié le plus fiable de Moscou dans la région, la question des relations avec la Turquie est restée liée au problème du Haut-Karabakh, tout comme l'éventualité du passage par le territoire arménien d'un oléoduc évacuant le pétrole d'Azerbaïdjan.

Géorgie

Deux ans après la déroute de ses troupes face aux forces abkhazes insurgées, en octobre 1993, Tbilissi parvenait difficilement à surmonter les conséquences de ce conflit. La sécession *de facto* de la République autonome d'Abkhazie a continué à lourdement hypothéquer le développement politique, économique et social du pays. A la mi-1995, 200 000 Géorgiens d'Abkhazie victimes du « nettoyage ethnique » de 1993 étaient toujours dans l'attente d'un hypothétique retour. Au printemps 1995, on estimait à seulement 35 000 le nombre des Géorgiens résidant dans la république autonome, dont une partie importante du territoire restait ainsi à l'abandon.

En envisageant une fédéralisation de la Géorgie, Tbilissi a tenté d'offrir à l'Abkhazie un cadre institutionnel plus satisfaisant.

République de Géorgie

Nature de l'État : ancienne république soviétique devenue indépendante le 9.4.91.
Nature du régime : présidentiel.
Chef de l'État : Édouard Chevardnadzé (depuis le 11.10.92).
Premier ministre : Otar Pazazia.
Monnaie : « coupon » (au cours officiel, 1 000 coupons = 0,03 FF au 15.2.94).
Langues : géorgien (off.), russe, abkhaze, ossète, arménien, turc.
Souveraineté contestée : séparatisme en Abkhazie ; l'Ossétie du Sud a demandé son rattachement à l'Ossétie du Nord, laquelle relève de la Fédération de Russie.

La prolongation, jusqu'à la fin 1995, de la Mission d'observation de l'ONU en Géorgie (Unomig) et la présence de 3 000 militaires russes des forces d'interposition de la CEI (Communauté d'États indépendants) n'ont pas suffi à permettre une normalisation de la situation ; incidents armés et coups de main contre les civils se sont multipliés.

Conséquence directe de la guerre en Abkhazie, la pénurie énergétique a plongé le pays dans une crise économique d'une extrême gravité : privé d'électricité pendant de longs mois, il a vu sa production industrielle s'effondrer (-40 %). La grande majorité de la population a continué à vivre en dessous du seuil de pauvreté.

Confrontées à une insécurité chronique, les autorités ont privilégié la manière forte (quatorze exécutions en 1994). L'atmosphère politique est restée marquée par la violence verbale d'une opposition parlementaire exigeant à intervalles réguliers la démission du chef de l'État, tandis que le terrorisme frappait les responsables politiques. Le 6 septembre 1994, une bombe était découverte dans l'avion Tbilissi-Moscou, dans lequel avait pris place le ministre de la Défense Gueorgui Karkarachvili. Le 3 décembre 1994, Gueorgui Tchantouria, leader du Parti national-démocrate, était assassiné en plein Tbilissi.

L'arrestation de Tenguiz Kitovani, le 13 janvier 1995, a marqué le début d'une reprise en main du pays par le pouvoir. Accusé de complot contre l'État et de vente illicite d'avions de combat à l'Azerbaïdjan, l'ancien ministre de la Défense avait tenté d'organiser une « marche sur l'Abkhazie ». La volonté de restaurer l'autorité de l'État bafouée par les milices qui se sont développées dans le pays s'est également exercée à l'encontre des Mkhedrioni (« Les chevaliers »), un groupement paramilitaire qui, auparavant, comptait parmi les soutiens les plus actifs du président Édouard Chevardnadzé. Des élections présidentielles et législatives étaient prévues pour novembre 1995.

Malgré la volonté et la bonne image internationale de l'ancien ministre des Affaires étrangères de Mikhaïl Gorbatchev, la Géorgie n'a pas réussi à se dégager d'un difficile tête-à-tête avec la Russie. Après avoir soutenu l'intervention russe en Tchétchénie contre un « séparatisme agressif », Tbilissi a dû se plier aux exigences de Moscou. La visite de Pavel Gratchev, ministre russe de la Défense, en mars 1995, a marqué un net rapprochement entre les deux pays. Un accord signé entre les deux ministres a cédé à la Russie quatre bases militaires pour une durée de vingt-cinq ans, la frontière turco-géorgienne devant faire l'objet d'une garde conjointe et une assistance accrue devant être apportée à l'armée géorgienne. Pour faire contrepoids à ce retour en force de Moscou, la Géorgie a mis de grands espoirs dans l'éventuel passage par son territoire d'oléoducs évacuant le pétrole d'Azerbaïdjan vers la Turquie : ce n'était cependant pas là l'option défendue par Moscou.

Charles Urjewicz

Asie centrale

Kazakhstan, Turkménistan, Ouzbékistan, Tadjikistan, Kirghizstan

(Les républiques sont présentées ici selon un axe géographique ouest/est.)

Kazakhstan

La recherche de la stabilité, tant à l'intérieur qu'à l'extérieur, a constitué la priorité pour les dirigeants du pays. Les premières élections parlementaires depuis l'indépendance (1991), qui se sont tenues en mars 1994, quoique contestées, ont clairement accordé la majorité aux partisans du président Noursultan Nazarbaiev. Cependant, à l'été 1994, face à la détérioration de la situation économique, l'opposition a rejeté les propositions du gouvernement de réduire les dépenses sociales et a voté une motion de censure. Le 11 octobre 1994, le Premier ministre Sergueï Terechtchenko a été remplacé par son adjoint, Akejan Kajegueldine.

La crise politique s'est nettement aggravée au début de l'année 1995 avec la décision de la Cour constitutionnelle d'invalider le scrutin de mars 1994 pour cause de graves vices de procédure. Tous les actes du Parlement ayant été déclarés illégitimes, N. Nazarbaiev a dissous le Parlement et s'est doté de pouvoirs spéciaux afin de légiférer par décrets.

Lors du référendum du 29 avril 1995, il a obtenu le prolongement de son mandat présidentiel jusqu'en 2001.

▼

Kazakhstan

Nature de l'État : ancienne république soviétique devenue indépendante le 16.12.91.
Chef de l'État : Noursultan Nazarbaiev (depuis décembre 91).
Chef du gouvernement : Akejan Kajegueldine, qui a succédé à Sergueï Terechtchenko en octobre 94 et a été nommé chef du gouvernement provisoire en mars 95.
Monnaie : tengue (au cours officiel, 1 tengue = 0,077 FF, le 26.6.95).
Langues : kazakh et russe (off.), allemand, ukrainien, coréen.

L'accélération des privatisations et la politique de stabilité monétaire ont entraîné la fermeture des entreprises non rentables et la montée du chômage (plus de 10 % à la fin de l'année 1994). La production a baissé d'environ 25 %, les coupures dans l'approvisionnement en énergie en provenance des pays voisins, les départs des spécialistes à l'étranger et les grèves, surtout dans le secteur minier, n'étant pas étrangers à cette situation. Le pouvoir d'achat a baissé de plus de 20 % et le salaire moyen ne dépassait pas 4 000 tengues (75 dollars). L'inflation s'est nettement ralentie (en dessous de 10 % par mois) et le déficit budgétaire pour 1995 (évalué à 3,5 % du PIB par le FMI) devrait encore renforcer cette tendance. Les investisseurs étrangers ont semblé s'en trouver encouragés, puisque le Kazakhstan avait bénéficié, à la fin de 1994, de 39 % des investissements de longue durée au sein de l'ancien bloc soviétique, en particulier dans le secteur de l'énergie.

Les tensions interethniques ne se sont guère apaisées à la suite du refus du Parlement d'accorder à la langue russe le même statut qu'au kazakh et aux Russes du Kazakhstan la double citoyenneté. Le rejet des revendications d'autonomie de certaines minorités nationales, les arrestations d'activistes russes comme Boris Suproniuk, une faible représentation des minorités (russe, allemande, ukrainienne, ouzbèke, chinoise...) au sein du Parlement, ainsi que la fermeture du plus grand quotidien en langue russe, la *Kazakhstanskaya Pravda*, ont encouragé le départ de la population non kazakhe. Cela et la forte natalité ainsi que le retour continu des Kazakhs de l'étranger ont fait progresser leur part dans la population totale de 39,7 % en 1989 à 44,4 % en 1994 (estimation).

Engagé au début de 1994, l'approfondissement des relations avec l'Ouzbékistan et le Kirghizstan s'est poursuivi. Malgré la multitude d'accords signés, des signes contradictoires d'ouverture et de méfiance ont persisté entre les pays d'Asie centrale. Les relations entre Alma-Ata et Moscou se sont considérablement détendues par rapport à la période précédente. Les deux pays ont résolu leurs divergences quant à l'utilisation du site spatial de Baïkonour, aux politiques à adopter vis-à-vis de leurs concitoyens résidant chez le partenaire, ainsi qu'en matière de coopération militaire et de politique étrangère. En février 1995, le Kazakhstan a rejoint la Russie et la Biélorussie au sein de leur union douanière.

Les rapports avec la Chine se sont améliorés et les échanges se sont intensifiés. Des liens ont été établis entre les pouvoirs locaux des régions caspiennes du Kazakhstan et d'Iran tandis qu'Alma-Ata exprimait son désir d'utiliser le réseau ferroviaire iranien pour acheminer ses produits vers les marchés extérieurs.

Ayant signé, le 17 octobre 1994, un traité d'amitié et de coopération avec la Turquie, le Kazakhstan a participé, les 18-19 octobre 1994, au deuxième « sommet » regroupant les six États du monde turco-touranien (Turquie, Azerbaïdjan, Turkménistan, Kirghizstan, Ouzbékistan, Kazakhstan) qui s'est tenu à Istanbul en automne 1994. Alma-Ata a continué d'entretenir des rapports privilégiés avec les États-Unis, tant sur le plan économique que politique. Le Kazakhstan a accéléré le démantèlement de ses installations nucléaires et a signé en mai 1994 l'accord sur l'adhésion au « partenariat pour la paix » de l'OTAN (Organisation du traité de l'Atlantique nord).

Witt Raczka

Turkménistan

Sur le plan intérieur, le Turkménistan s'est orienté en douceur vers un régime de président à vie. Separmourad Nyazov, désormais désigné sous le titre de *Turkmanbashi* (« dirigeant des Turkmènes »), a fait proroger, début 1995, son mandat présidentiel par référendum jusqu'à l'an 2000.

▼
Turkménistan

Nature de l'État : ancienne république soviétique devenue indépendante le 27.10.91.

Chef de l'État : Separmourad Nyazov, président de la République.

Monnaie : manat.

Langues : turkmène, russe.

Aucune opposition ne s'est ouvertement manifestée dans le pays, tandis que deux opposants notoires, H. Soyounov et M. Esenov, étaient arrêtés à Moscou par le FSK (service russe de contre-espionnage), en novembre 1994. Aux élections législatives du 11 décembre 1994, le président a nommé les 50 candidats aux 50 sièges à pourvoir. Malgré la richesse potentielle du pays, le taux officiel du manat était, en janvier 1995, 23 fois inférieur à son taux réel (10 manats contre 230 en 1994). La situation économique du Turkménistan restait cependant nettement meilleure que celle des autres pays de la CEI (Communauté d'États indépendants).

Sur le plan extérieur, le Turkménistan a tenu à marquer sa spécificité sur l'échiquier politique de l'Asie centrale, notamment en évitant de participer aux réunions de la CEI, dont il fait partie, ainsi qu'aux différents « sommets » des républiques d'Asie centrale. Il entend ainsi assumer ses relations avec la Russie et ses voisins sur le mode bilatéral. Mais, très préoccupé de se désenclaver et d'exporter son importante production de gaz, il mène une politique active envers ses voisins du Sud. Jusque-là, son gaz a essentiellement été vendu à l'Ukraine, qui ne payait pas, et la gestion du contentieux a été prise en charge par Moscou. En août 1994, une visite officielle du président Nyazov en Iran a permis de resserrer les liens entre les deux pays. En conséquence, Téhéran a annoncé, en avril 1995, que le raccordement ferroviaire entre la frontière irano-turkmène et le port de Bandar Abbas, dans le golfe Persique, serait bientôt achevé. Les États-Unis se sont toutefois opposés à tout financement international d'un gazoduc traversant l'Iran. Par ailleurs, le président a entrepris en vain de réconcilier les deux chefs afghans, Ismaïl Khan et Rashid Dustom, qui tiennent les régions au sud de la frontière turkmène.

Ouzbékistan

Après les élections législatives de décembre 1994 et janvier 1995 et le référendum d'avril 1995 sur la pro-

▼
Ouzbékistan
Nature de l'État : ancienne république soviétique devenue indépendante le 1.09.91.
Nature du régime : présidentiel fort.
Chef de l'État et du gouvernement : Islam Karimov.
Monnaie : som.
Langues : ouzbek, russe, tadjik.

Asie centrale

© Éditions La Découverte

longation du mandat du président Islam Karimov jusqu'en l'an 2000, le régime a toujours semblé s'orienter vers un principe de président à vie. Seuls deux partis ont pu participer au scrutin : le Parti démocrate du peuple (ex-Parti communiste, au pouvoir) et Vatan Tariakati (Progrès de la nation, opposition officielle). Quelques sièges ont été réservés au second. Pour majorité, ce sont des apparatchiks locaux (en particulier des gouverneurs) qui ont été élus.

La nouvelle assemblée a accueilli 86 % d'Ouzbeks « de souche » (contre 77 % pour la précédente), les Russes devenant de plus en plus hors jeu. Quoique n'ayant à craindre aucune réelle opposition, le gouvernement n'a cessé de réprimer les membres des partis Erk et Birlik. Le chef de Erk, Mohammad Saleh,

Asie centrale

INDICATEUR	UNITÉ	KAZAKH-STAN	TURKMÉNI-STAN
Capitale		Alma-Ata	Achkhabad
Superficie	km²	2 717 300	488 100
Développement humain (IDH) [b]		0,774	0,697
Population (*) [d]	million	17,11	4,10
Densité [d]	hab./km²	6,3	8,4
Croissance annuelle [e]	%	0,5	2,3
Indice de fécondité (ISF) [e]		2,5	4,0
Mortalité infantile [e]	‰	30	57
Espérance de vie [e]	année	70	65
Population urbaine	%	59,3	44,8
Analphabétisme [g]	%	2,5	2,3
Téléviseurs [h]	‰ hab.	275	186
Livres publiés [b]	titre	1 226	565
Nombre de médecins [c]	‰ hab.	4,03	3,62
Forces armées	millier d'h.	40,0	28,0
P N B [a]	milliard $	26,49	5,28 [b]
Croissance annuelle 1985-93	%	− 3,6	0,9
1994	%	− 25,0	− 20,0
Par habitant [af]	dollar	3 770	3 540 [c]
Structure du PIB Agriculture	%	15	32,5 [c]
Industrie	%	39	31,0 [c]
Services	%	46	36,5 [c]
Taux de croissance 1994 Agriculture	%	− 17,0	2,0
Industrie	%	− 28,5	− 25,0
Taux d'inflation	%	2 460	1 100
Dette extérieure [a]	million $	1 640	9
Pop. active occupée	millier	6 656	1 632
Agriculture	%	24,4	44,2
Industrie et bât.	%	18,7	9,9
Taux de chômage [i]	%	1,0	0,6
Énergie [b] Consommation par habitant	kg	6 353	4 127
Taux de couverture	%	143,7	550,0
Importations	million $	3 533	599
Exportations	million $	2 800	2 022
Principaux fournis.	%	CEI 85,5	CEI 49,2
	%	Autres 14,5	Autres 50,8
Principaux clients	%	CEI 60,9	CEI 81,1
	%	Autres 39,1	Autres 18,9

Chiffres 1994, sauf notes : a. 1993; b. 1992; c. 1991; d. 1995; e. 1990-95; f. A parité de pouvoir d'achat (*) Dernier recensement utilisable : 1989.

Sections (left margin): DÉMOGRAPHIE · CULTURE · ÉCONOMIE · COMMERCE

OUZBÉKI-STAN	TADJIKI-STAN	KIRGHIZ-STAN
Tachkent	Douchanbé	Bichkek
447 400	143 100	198 500
0,664	0,629	0,689
22,84	6,10	4,75
51,1	42,6	23,9
2,2	2,9	1,7
3,9	4,9	3,7
41	48	35
69	70	69
41,1	32,1	38,7
2,8	2,3	3,0
163	150	201
••	••	••
3,55	2,55	3,73
45,0	2,5	12,0
21,10	2,69	3,75
0,8	− 5,2	− 0,5
− 4,0	− 12,0	− 26,0
2 580	1 430	2 420
25,5 [a]	33,2 [c]	34,4 [a]
40,0 [a]	35,2 [c]	36,4 [a]
34,5 [a]	31,6 [c]	29,2 [a]
− 1,0	− 25,0	− 15,0
1,0	− 30,8	− 24,5
712	124	204
739	42	308
7 920	1 815	1 705
43,5	46,2	38,2
13,8	11,1	14,9
0,3	1,8	0,8
3 220	738	1 771
97,4	50,8	45,2
2 475	787	283
2 223	407	340
CEI 53,5	CEI 59,6	CEI 67,5
Autres 46,5	Autres 40,4	Autres 32,5
CEI 57,5	CEI 21,4	CEI 65,9
Autres 42,5	Autres 78,6	Autres 34,1

(voir p. 673); g. 1989; h. 1988; i. En fin d'année.

s'était réfugié en Turquie, ce qui a entraîné une crise des relations turco-ouzbèkes (refus d'ouvrir des écoles turques en Ouzbékistan).

Une nouvelle monnaie, le som, a été introduite en juillet 1994 après l'intermède malheureux du som-coupon. Pour maintenir son cours, Tachkent a procédé à des réformes économiques à la demande du FMI : le prix du blé et du pain a ainsi triplé en septembre suivant. Les réformes de fond (privatisations en particulier) ont cependant marqué le pas, tandis que les difficultés bureaucratiques décourageaient nombre d'investisseurs. L'Ouzbékistan se procure des devises en vendant de l'or et du coton.

Se considérant comme *la* grande puissance de l'Asie centrale, l'Ouzbékistan cherche à limiter le rôle de Moscou dans la région. Tachkent a refusé l'extension de son intégration dans le cadre de la CEI (Communauté d'États indépendants), en particulier sur le plan de la défense, et a engagé une politique très différente de Moscou dans le conflit déchirant le Tadjikistan : aux élections présidentielles du 6 novembre 1994, elle a soutenu l'ancien Premier ministre Abdou Malik Abdoulajanov contre le président Imamali Rahmanov, l'« homme des Russes », instaurant même un quasi-blocus des frontières avec le Tadjikistan.

En avril 1995, le président Rahmanov a pourtant longuement reçu une délégation de l'opposition armée tadjike (menée par les chefs islamiques Abdoullah Nouri et le grand qazi Hajji Akbar Touradjanzade), ce qui a constitué une ouverture totalement contradictoire par rapport à la politique intérieure de l'Ouzbékistan ; le soutien de Tachkent s'explique cependant par sa volonté de voir se stabiliser politiquement son voisin. L'Ouzbékistan a cessé de craindre les revendications tadjikes sur Samarcande et Boukhara, s'orientant plutôt vers une sorte de protectorat de fait sur son petit voisin. Mais l'obstacle dans cette affaire venait de Moscou, désirant garder un « pied à terre » au Tadjikistan. Tachkent a,

BIBLIOGRAPHIE

M. BRILL OLCOTT, «Central Asian Independence», *Foreign Affairs*, New York, été 1992.

C. et R. CHOUKOUROV, *Peuples d'Asie centrale*, Syros, Paris, 1994.

«Douze nouveaux États indépendants issus de l'URSS : la CEI», *Le Courrier des pays de l'Est*, n° 397-398 (spécial), La Documentation française, Paris, 1995.

V. FOURNIAU, *Histoire de l'Asie centrale*, PUF, «Que sais-je?», Paris, 1994.

A. GIROUX, «Les États d'Asie centrale face à l'indépendance», *Le Courrier des pays de l'Est*, n° 388, La Documentation française, Paris, avr. 1994.

C. POUJOL (sous la dir. de), *Asie centrale. Aux confins des empires, réveil et tumulte*, Autrement, Paris, 1992.

C. POUJOL, V. FOURNIAU, K. FEIGELSON, M.-A. CROSNIER, M. KAHN, «Asie centrale», *in* M. FERRO (sous la dir. de), *L'état de toutes les Russie. États et nations de l'ex-URSS*, La Découverte, coll. «L'état du monde», Paris, 1993.

O. ROY (sous la dir. de), «Des ethnies aux nations en Asie centrale», *Revue du monde musulman et de la Méditerranée (REMM)*, n° 59-60, Édisud, Aix-en-Provence, 1992.

J. et A. SELLIER, *Atlas des peuples d'Orient. Moyen-Orient, Caucase, Asie centrale*, La Découverte, Paris, 1993.

Voir aussi la bibliographie p. 626.

par ailleurs, ouvertement critiqué la volonté du président kazakh Noursultan Nazarbaiev d'accentuer l'intégration dans le cadre de la CEI.

Les relations entre l'Ouzbékistan d'une part et la Turquie et l'Iran de l'autre sont restées fraîches. Tachkent a continué de refuser toute attitude de parrainage de la part de ces puissants voisins. L'Ouzbékistan a, par ailleurs, annoncé son soutien à l'embargo pétrolier américain contre l'Iran, en mai 1995. En Afghanistan, elle a soutenu le général ouzbek Rashid Dustom dans son conflit avec Ahmed Shah Massoud, qui a éclaté en janvier 1994, mais elle a avant tout cherché à verrouiller sa frontière sud. L'Ouzbékistan, sans intervenir dans le jeu afghan à Kaboul, a maintenu un embargo sur les biens (en particulier le kérosène et l'essence) destinés aux zones tenues par A.S. Massoud — les barges permettant de traverser l'Amou-Daria, entre le Tadjikistan et l'Afghanistan, appartiennent, en effet, à l'Ouzbékistan.

Tadjikistan

Le conflit entre l'opposition islamo-démocrate et le gouvernement de Douchanbé (soutenu par Moscou) s'est poursuivi. A partir de mars

▼
Tadjikistan

Nature de l'État : ancienne république soviétique devenue indépendante le 9.8.91.

Chef de l'État : Imamali Rahmanov (président du Parlement, faisant fonction de chef de l'État depuis le 25.11.92).

Monnaie : rouble tadjik.

Langues : tadjik, russe.

1994, un double processus a prévalu : d'une part, une négociation a été engagée, sous l'égide de l'ONU, entre le gouvernement et l'opposition ; d'autre part, la faction des Koulabi, qui «règne» déjà à Douchanbé, s'est attachée à s'assurer l'exclusivité du pouvoir, y compris contre ses propres alliés, accentuant ainsi son isolement.

Une série de négociations a eu lieu en 1994 (à Moscou, en mars ; à Téhéran, en juin et septembre ; à Islamabad en octobre et à Alma-Ata en juin 1995) sous l'égide de l'envoyé spécial de l'ONU, Ramon Piriz-Ballon. Ces négociations visaient à instaurer un cessez-le-feu, à assurer un système de garanties pour l'opposition et enfin à programmer la tenue d'élections libres ou, tout au moins, à envisager une formule de gouvernement de coalition acceptable pour toutes les parties.

Si le cessez-le-feu a pu être signé pour six mois en octobre 1994 à Islamabad, aucun progrès n'a été réalisé sur les autres plans. D'une part, les autorités russes refusaient toujours de donner des garanties de sécurité à l'opposition, ce qui concrètement revenait à soutenir le gouvernement de Douchanbé, d'autre part, ce dernier a organisé unilatéralement une série d'élections pour s'assurer le pouvoir.

L'ONU et la CSCE (Conférence sur la sécurité et la coopération en Europe) ont refusé de jouer le rôle traditionnel d'observateurs. Non seulement l'opposition armée n'a pas pu participer à ces élections, mais elles ont été l'occasion pour le régime d'éliminer ses ex-alliés de la province de Khojent (traditionnels détenteurs du pouvoir à l'époque communiste). Lors de l'élection présidentielle du 6 novembre 1994, largement truquée, le président Imamali Rahmanov l'a emporté sur son ancien Premier ministre Abdou Malik Abdoulajanov, discrètement soutenu par l'Ouzbékistan voisin. Le président en a aussi profité pour éliminer A. Doustiev, un Koulabi, de la présidence de l'Assemblée.

Malgré la présence d'une équipe d'observateurs militaires de l'ONU, prévue par les accords de Téhéran du 17 septembre 1994, les combats se sont intensifiés à la frontière entre le Tadjikistan et l'Afghanistan, où sont basées les troupes de l'opposition. La province autonome du Haut-Badakhchan, très proche des insurgés mais où les garde-frontières russes sont installés, a connu de sévères combats entre ces derniers et des troupes armés de l'opposition (mars-avril 1995). En représailles, Moscou a fait bombarder, en avril 1995, le bazar afghan de Taloqan, ancienne capitale du commandant afghan Ahmed Shah Massoud, faisant plusieurs centaines de victimes. La Russie n'en recevait pas moins fin avril les chefs de l'opposition tadjike.

Ces hésitations ont révélé l'embarras de Moscou, dont la politique s'identifie à celle des Koulabi, mais qui est apparu hésiter entre la force, conduisant à une escalade militaire, et une négociation ne pouvant aboutir qu'au départ des Koulabi, discrédités et isolés.

Kirghizstan

La faiblesse du pouvoir central au Kirghizstan est atypique en Asie centrale. Les pouvoirs locaux sont, en effet, très autonomes dans un pays enclavé où la circulation est difficile. Le 5 septembre 1994, le gouvernement a démissionné, après le blocage complet du Parlement, divisé entre conservateurs et libéraux. Des élections législatives se sont tenues début février 1995, mais les accusations de fraude électorale ont entraîné l'organisation d'un troisième tour pour un certain nombre de sièges (le quorum étant cependant atteint).

▼

Kirghizstan

Nature de l'État : ancienne république soviétique devenue indépendante le 31.8.91.

Chef de l'État : Askar Akaiev, président de la République.

Chef du gouvernement : Apas Djoumagoulov (depuis le 17.12.93).

Monnaie : som.

Langues : kirghize, russe.

Dans le nouveau Parlement se sont trouvés siéger avant tout des représentants des pouvoirs locaux, très conservateurs, s'opposant aux réformistes du président Askar Akaiev. De plus, 80 % des députés élus étaient des Kirghizes « de souche », alors que ceux-ci constituent à peine la majorité de la population, ce qui confirme l'exclusion des autres groupes (surtout russe et ouzbek). Si les Russes ont obtenu quelques concessions, comme la création d'une université slave à Bichkek, les tensions locales entre Kirghizes et Ouzbeks sont restées fortes, en particulier dans la ville d'Och.

Quoique détenant toujours le pouvoir politique en 1994-1995, le président n'a pas eu plus qu'auparavant les moyens de mener à bien des réformes économiques dont l'application dépend des autorités locales. La question clé demeurait celle de la privatisation des terres : A. Akaiev a annoncé une opération radicale et le démantèlement du système des kolkhozes — en contraste avec tout ce qui se fait en Asie centrale —, or le nouveau Parlement est composé d'apparatchiks locaux, parmi lesquels de nombreux présidents de kolkhozes...

Sur le plan extérieur, le Kirghizstan s'est efforcé, à l'instar du Kazakhstan, de suivre de près la Russie (participation symbolique au corps expéditionnaire au Tadjikistan), tout en tentant de se désenclaver au sud. Au sommet de l'OCE (Organisation de coopération économique) de mars 1995, la décision a été prise d'ouvrir une route rapide à travers le Karakorum pour relier Pakistan, Chine, Kirghizstan et Kazakhstan.

Olivier Roy

Annexes

L'ONU et son système

L'ONU (Organisation des Nations unies), fondée en 1945, s'est vue assigner des objectifs très vastes par la Charte signée à San Francisco. Elle comporte six organes principaux : l'Assemblée générale, le Conseil de sécurité, le Conseil économique et social, le Conseil de tutelle, la Cour internationale de justice et le Secrétariat.

Par ailleurs, une trentaine d'organisations spécialisées formant ce qu'on appelle le système des Nations unies couvrent pratiquement tous les champs du développement. Encore doit-on distinguer les institutions appartenant au système des Nations unies qui sont autonomes (FAO, UNESCO, FIDA, OMS, OIT, ONUDI, etc, ainsi que le FMI, le groupe de la Banque mondiale — BIRD, AID, SFI) et, d'autre part, les organes proprement dits des Nations unies (PNUD, CNUCED, UNICEF, HCR, PAM, UNITAR, FNUAP, etc.). Du fait de leur caractère et influence propres, le FMI et la Banque mondiale ont acquis une grande indépendance.

LES PRINCIPAUX ORGANES DE L'ONU

L'Assemblée générale

C'est le principal organe de délibération. Chaque État membre dispose d'une voix. L'Assemblée se réunit en sessions. Le fonctionnement repose sur les séances plénières et sur sept grandes commissions.

— Première commission : questions politiques et de sécurité.

— Commission politique spéciale : questions politiques diverses.

— Deuxième commission : questions économiques et financières.

— Troisième commission : questions sociales, humanitaires et culturelles.

— Quatrième commission : territoires sous tutelle et territoires non autonomes.

— Cinquième commission : questions administratives et judiciaires.

— Sixième commission : questions juridiques.

Le Conseil de sécurité

La fonction principale du Conseil de sécurité est de maintenir la paix et la sécurité internationales. Depuis 1963, il est composé de quinze membres (onze à l'origine), dont cinq membres permanents : la Chine, les États-Unis, la France, le Royaume-Uni et la Russie qui a hérité du siège de l'URSS à la disparition de celle-ci en décembre 1991. Ces pays peuvent exercer un droit de veto sur les décisions du Conseil. Les dix autres membres sont élus pour une période de deux ans par l'Assemblée générale. Le Conseil de sécurité est le seul organe de l'ONU habilité à prendre des décisions. Selon la Charte des Nations unies, tous les États membres sont dans l'obligation d'accepter et d'appliquer les décisions du Conseil.

Le Conseil économique et social

Placé sous l'autorité de l'Assemblée générale, le Conseil économique et social (Economic and Social Council, ou Ecosoc en anglais) coordonne les activités économiques et sociales des Nations unies et des institutions spécialisées. Depuis 1971, il est composé de 54 membres, dont 18 sont élus chaque année pour une période de trois ans. Les décisions sont prises à la majorité simple. Le Conseil, qui se réunit deux fois par an, à

Genève et à New-York, est composé de plusieurs organes subsidiaires :

— Les comités permanents qui traitent des questions de programme et coordination, organisations non gouvernementales, ressources naturelles, sciences et techniques au service du développement, etc. La Commission des sociétés transnationales et la Commission des établissements humains sont, elles aussi, des organes permanents.

— Les commissions économiques régionales : Commission économique pour l'Europe (CEE, siège à Genève), Commission économique et sociale pour l'Asie et le Pacifique (CESAP, siège à Bangkok), Commission économique pour l'Amérique latine et les Caraïbes (CEPAL, siège à Santiago du Chili), Commission économique pour l'Afrique (CEA, siège à Addis-Abéba) et Commission économique pour l'Asie occidentale (CEAO, siège à Bagdad).

— Les commissions techniques : Commission de statistique, Commission de la population, Commission du développement social, Commission des droits de l'homme, Commission de la condition de la femme, Commission des stupéfiants.

Le Conseil de tutelle

Le Conseil de tutelle est chargé de superviser l'administration des territoires sous tutelle dans le but de favoriser leur évolution progressive vers l'autonomie et l'indépendance. Le dernier territoire relevant de la compétence de ce Conseil, Palau, qui était sous la tutelle des États-Unis, étant devenu indépendant, en 1994, le Conseil est voué à disparaître.

La Cour internationale de justice

Principal organe judiciaire des Nations unies, la Cour, dont le siège est à La Haye, regroupe tous les États membres de l'ONU. Les États non membres peuvent l'intégrer sur recommandation du Conseil de sécurité. L'Assemblée générale ainsi que le Conseil de sécurité peuvent deman-

der un avis consultatif à la Cour sur les questions juridiques. Elle règle aussi les différends juridiques entre États dont elle est saisie. Elle est composée de 15 magistrats indépendants des États, élus pour neuf ans (et rééligibles) par l'Assemblée générale et le Conseil de sécurité, indépendamment de leur nationalité.

Le Secrétariat

Le Secrétariat assume les fonctions administratives de l'ONU, sous la direction d'un secrétaire général nommé par l'Assemblée générale sur recommandation du Conseil de sécurité pour une période de cinq ans. Il peut attirer l'attention du Conseil de sécurité sur toute affaire pouvant mettre en danger le maintien de la paix et de la sécurité internationales. Le sécrétaire général nomme le personnel de l'administration des Nations unies et présente chaque année un rapport sur l'activité de l'organisation. Depuis sa fondation, l'ONU a connu six secrétaires généraux successifs :

— Trygve Lie (Norvège) de 1946 à 1953.

— Dag Hammarskjöld (Suède) de 1953 à 1961.

— U Thant (Birmanie) de 1961 à 1971.

— Kurt Waldheim (Autriche) de 1972 à 1981.

— Javier Perez de Cuellar (Pérou) de 1982 à 1991.

— Boutros Boutros-Ghali (Égypte) depuis 1991.

AUTRES ORGANES DE L'ONU

L'UNRWA

L'Office des secours et des travaux des Nations unies pour les réfugiés de Palestine dans le Proche-Orient (UNRWA, siège à Genève), créé en 1949 pour venir en aide aux réfugiés victimes du conflit israélo-arabe de 1948, étend son action à la Jordanie, au Liban, à la Syrie et aux Territoires occupés — Cisjordanie et Gaza. A l'été 1994, un projet de déménagement du siège dans la zone d'autonomie palestinienne était en discussion.

La CNUCED

Créée en 1964 parce que les pays en développement jugeaient le GATT (Accord général sur les tarifs douaniers et le commerce) trop exclusivement préoccupé par les positions des pays industrialisés, la Conférence des Nations unies pour le commerce et le développement (CNUCED, siège à Genève) est une organisation qui a fait progresser l'analyse et le débat Nord-Sud. Elle a pour organe permanent le Conseil du commerce et du développement.

Le PNUD

Créé en 1965, le Programme des Nations unies pour le développement (PNUD, siège à New York) est le principal organe d'assistance technique du système. Il aide — sans restriction politique — les pays en développement à se doter de services administratifs et techniques de base, forme des cadres, cherche à répondre à certains besoins essentiels des populations, prend l'initiative de programmes de coopération régionale, et coordonne, en principe, les activités sur place de l'ensemble des programmes opérationnels des Nations unies. Le PNUD s'appuie généralement sur un savoir-faire et des techniques occidentales, mais parmi son fort contingent d'experts, un tiers est originaire du tiers monde.

Le PNUD publie annuellement un *Rapport sur le développement humain* (diffusion Économica, Paris) qui classe notamment les pays selon l'Indicateur de développement humain (IDH). *[A ce sujet, voir p. 667 et suiv.].*

L'UNITAR

L'Institut des Nations unies pour la formation et la recherche (UNITAR, siège à New York), créé en 1965, est un organisme autonome de l'ONU financé par des contributions volontaires. L'Institut prépare des fonctionnaires nationaux, en particulier des pays en développement, aux travaux dans le domaine de la coopération internationale. Il a aussi un vaste programme de recherches, notamment sur l'instauration d'un nouvel ordre économique international.

L'UNICEF

Créé en 1946, le Fonds des Nations unies de secours d'urgence à l'enfance (UNICEF ou FISE, siège à New York), avait à l'origine pour but d'apporter d'urgence un secours massif aux enfants et adolescents victimes de la Seconde Guerre mondiale. Le Fonds aide aujourd'hui les gouvernements à mettre au point des « services de base » dans les domaines de la santé, de la nutrition, de l'hygiène, de l'enseignement, de la conception, etc. Dépendant entièrement de contributions volontaires, l'UNICEF peut aussi intervenir rapidement en cas de catastrophe naturelle, conflit civil ou épidémie. Son Conseil d'administration est composé de représentants de trente pays désignés par le Conseil économique et social.

Le HCR

Créé en 1951, le Haut Commissariat des Nations unies pour les réfugiés (HCR, siège à Genève) assure protection juridique et aide matérielle aux réfugiés sur des bases strictement humanitaires. Le HCR compte 60 bureaux dans le monde entier pour s'occuper des quelque 20 millions de réfugiés et environ 25 millions de personnes déplacées dans leur propre pays.

Le PAM

Le Programme alimentaire mondial (PAM, siège à Rome) a été créé en 1963 à la fois pour répondre aux besoins des pays déficitaires en produits vivriers et pour écouler les surplus céréaliers. Le PAM, parrainé conjointement par l'ONU et la FAO, aide aussi à répondre aux besoins alimentaires d'urgence créés par les catastrophes naturelles.

Le PNUE

Créé en 1972, le Programme des Nations unies pour l'environnement (PNUE, siège à Nairobi) est chargé de surveiller les modifications notables de l'environnement et d'encourager et coordonner des pratiques positives en la matière.

L'UNU

Instituée en 1973 sous le patronage conjoint de l'ONU et l'UNESCO, l'Université des Nations unies (UNU) a ouvert ses portes en septembre 1975, à Tokyo. L'UNU ne forme pas d'étudiants, elle est surtout une communauté de recherche visant à trouver des solutions aux problèmes mondiaux de la survie, du développement et du bien-être de l'humanité.

Le CMA

Créé en 1974 à Rome, à l'occasion de la Conférence mondiale de l'alimentation, le Conseil mondial de l'alimentation (CMA, siège à Rome) est composé des représentants de 36 membres des Nations unies, de rang ministériel. Il est chargé d'examiner périodiquement la situation alimentaire mondiale et d'exercer une influence sur les gouvernements et les organes compétents de l'ONU.

Le FNUAP

Créé en 1967, le Fonds des Nations unies pour les activités en matière de population (FNUAP, siège à New York) est financé par des contributions volontaires gouvernementales et privées. Il est chargé d'entreprendre des activités de coopération dans le domaine démographique : collecte de données de base, étude de l'évolution de la population, service de planification familiale, programme de régulation de la fécondité, etc.

LES INSTITUTIONS SPÉCIALISÉES DE L'ONU

L'OIT

Créée en 1919 par le traité de Versailles, l'Organisation internationale du travail (OIT, siège à Genève) est devenue, en 1946, la première institution spécialisée des Nations unies. L'OIT réunit les représentants des gouvernements, des employeurs et des travailleurs, dans le but de recommander des normes internationales minimales et de rédiger des conventions internationales touchant le domaine du travail. L'OIT comprend une conférence générale annuelle, un conseil d'administration composé de 56 membres (28 représentants des gouvernements, 14 des employeurs et 14 des travailleurs) et le Bureau international du travail (BIT) qui assure le secrétariat de la conférence et du conseil.

La FAO

Créée en 1945, l'Organisation des Nations unies pour l'alimentation et l'agriculture (FAO, siège à Rome) a pour mission d'élever le niveau de nutrition et les conditions de vie, d'améliorer le rendement et l'efficacité de la distribution des produits agricoles, d'améliorer les conditions des populations rurales et contribuer à l'élimination de la faim dans le monde.

L'UNESCO

Créée en 1946, l'Organisation des Nations unies pour l'éducation, la science et la culture (UNESCO, siège à Paris) vise à diffuser l'éducation, à établir les bases scientifiques et techniques nécessaires au développement, à encourager et préserver les valeurs culturelles nationales, à développer les communications dans un échange équilibré, et à promouvoir les sciences sociales. L'UNESCO comprend une conférence générale se réunissant tous les deux ans et un Conseil exécutif élu pour quatre ans qui se réunit au moins deux fois par an.

L'OMS

Née en avril 1948, l'Organisation mondiale de la santé (OMS, siège à Genève) a pour but d'amener tous les peuples au niveau de santé le plus élevé possible. L'OMS comprend une Assemblée mondiale de la santé qui se réunit annuellement et un Conseil exécutif élu par l'Assemblée.

Le FMI

Créé en 1945, en même temps que la Banque mondiale, en application des décisions de la conférence monétaire et financière de Bretton Woods en 1944, le Fonds monétaire international (FMI, siège à Washington) conseille les gouvernements dans le domaine financier. Le Fonds peut aussi vendre des devises et de l'or à ses membres afin de faciliter leur commerce international. Il a créé une monnaie internationale, le DTS (Droits de tirage spéciaux), que les membres peuvent utiliser pour leurs paiements internationaux. Le Fonds comprend un Conseil des gouverneurs nommés par chacun des États membres, les administrateurs et un directeur général.

La Banque mondiale

La création de la Banque mondiale (siège à Washington) a été décidée en même temps que celle du FMI, lors de la conférence monétaire et financière de Bretton Woods en 1944. Le groupe de la Banque mondiale comprend aujourd'hui :
— la BIRD (Banque internationale pour la reconstruction et le développement créée en 1945) ;
— l'AID (Association internationale pour le développement), fonds créé en 1960 ;
— la SFI (Société financière internationale), créée en 1956 ;.
— l'AMGI (Agence multilatérale de garantie des investissements), créée en 1988.

L'OACI

Créée en 1947, l'Organisation de l'aviation civile internationale (OAIC, siège à Montréal) est chargée des questions relatives à l'aviation civile : principes et techniques de la navigation aérienne internationale, développement et planification des transports aériens.

L'UPU

Créée en 1874, l'Union postale universelle (siège à Berne) est devenue une institution spécialisée de l'ONU en 1948. L'Union vise à former un seul espace postal pour l'échange réciproque des correspondances entre les pays membres.

L'UIT

Fondée en 1865 à Paris sous le nom d'Union télégraphique internationale, l'Union internationale des communications (UIT, siège à Genève) est devenue une institution spécialisée de l'ONU en 1947. Son objectif est de promouvoir la coopération internationale en matière de télégraphie, téléphonie et radiocommunications. En particulier, l'IUT attribue les fréquences de radiocommunications et enregistre les assignations de fréquences.

L'OMM

Née en 1950, l'Organisation météorologique mondiale (OMM, siège à Washington) organise l'échange international des rapports météorologiques et aide les pays à créer des services dans ce domaine. Il existe six associations météorologiques régionales.

L'OMI

Née en 1975, l'Organisation maritime internationale (OMI, siège à Londres) a pris la succession de l'OMCI (Organisation intergouvernementale consultative de la navigation maritime), elle-même née en 1958. Elle est concernée par les questions relatives au commerce international par mer, à la sécurité maritime, aux restrictions nationales, aux pratiques déloyales des entreprises de navigation, à la préservation du milieu marin et la lutte contre la pollution marine.

L'OMPI

En 1967, l'Organisation mondiale de la propriété intellectuelle (OMPI,

ONU : OPÉRATIONS DE MAINTIEN DE LA PAIX ET MISSIONS D'OBSERVATION MILITAIRES EN COURS

Sigle	Nom de la force	Lieu d'opération	Création	Effectifs
Unmogip	Groupe d'observateurs des Nations unies dans l'Inde et le Pakistan	Jammu et Cachemire Frontière Inde/Pakistan	Rés./39 (janvier 1948)	102 (1965) 39 (1994)
Onust	Organisme des Nations unies chargé de la surveillance de la trêve en Palestine	Israël, Jordanie, Liban, Syrie, Égypte	Rés./50 (mai 1948)	572 (1948) 217 (1994)
Unficyp	Force des Nations unies chargée du maintien de la paix à Chypre	Chypre	Rés./186 (mars 1964)	6 411 (1964) 1 206 (1994)
Fnuod	Force des Nations unies chargée d'observer le dégagement	Hauteurs du Golan	Rés./350 (mai 1974)	1 450 (1974) 1 031 (1994)
Finul	Force intérimaire des Nations unies au Liban	Sud-Liban	Rés./425 (mars 1978)	7 000 (1978) 5 187 (1994)
Monuik	Mission d'observation des Nations unies pour l'Irak et le Koweït	Frontière Irak, Koweït	Rés./689 (avril 1991)	343 (3 645 autorités) 1 124 (1994)
Minurso	Mission des Nations unies pour le référendum au Sahara occidental	Sahara occidental	Rés./690 (avril 1991)	328 (1 700 autorisés) 334 (1994)
Onusal	Groupe d'observateurs des Nations unies au Salvador	El Salvador	Rés./693 (mai 1991)	389 34 (1994)
Unavem II	Mission de vérification des Nations unies en Angola	Angola	Rés./696 (mai 1991)	108 79 (1994)
Forpronu	Force de protection des Nations unies	Bosnie-Herzégovine, Croatie, Macédoine	Rés./743 (février 1992)	22 950 39 537 (1994) [a]
Onusom II	Opération des Nations unies en Somalie	Somalie	Rés./814 (mars 1993)	70 000 prévus 14 968 (1994)
Unomig	Mission d'observation des Nations unies en Géorgie	Géorgie	Rés./858 (août 1993)	88 prévus en 1993 126 (1994)
Unomil	Mission d'observation des Nations unies au Libéria	Libéria	Rés./866 (septembre 1993)	166 (1993) 84 (1994)
Unmih	Mission des Nations unies en Haïti	Haïti	Rés./867 (septembre 1993)	324 (1993) 41 (1994)
Unamir	Mission d'assistance des Nations unies au Rwanda	Rwanda	Rés./872 (octobre 1993)	5 522 (1994) 5 540 autorisés
Unmot	Groupe d'observateurs des Nations unies au Tadjikistan	Tadjikistan et frontière Tadjikistan/ Afghanistan	Rés./968 (décembre 1994)	84 autorisés

Source : ONU (données mises à jour en janvier 1995) ; a. Trois commandements : Croatie, Bosnie-Herzégovine, Macédoine (Rés./871, 1993).

siège à Genève) succéda au Bureau international réuni pour la propriété intellectuelle (BIRPI) fondé en 1893. L'OMPI devint une institution spécialisée de l'ONU en 1974. Elle encourage la conclusion de nouveaux traités internationaux et l'harmonisation des législations en matière de propriété intellectuelle et de patentes.

Le FIDA

Créé en 1976, le Fonds international de développement agricole (FIDA, siège à Rome) cherche à mobiliser de nouveaux fonds pour le développement agricole dans les pays en développement.

L'ONUDI

Créée en 1967, l'Organisation des Nations unies pour le développement industriel (ONUDI, siège à Vienne) est chargée de promouvoir le développement industriel et d'aider dans ce domaine les pays en développement qui souhaitent élaborer des politiques industrielles, créer de nouvelles industries ou améliorer des industries existantes. L'ONUDI est devenue une institution spécialisée de l'ONU en 1986.

ORGANISATIONS A STATUT SPÉCIAL

L'AIEA

Née en 1957, l'Agence internationale de l'énergie atomique (AIEA, siège à Vienne) est une organisation autonome liée à l'ONU par un accord spécial. L'Agence s'efforce de hâter et d'accroître la contribution de l'énergie atomique pour la paix, la santé et la prospérité du monde et

s'assure que son aide n'est pas utilisée à des fins militaires.

Le GATT et l'OMC

L'Accord général sur les tarifs douaniers et le commerce (GATT, siège à Genève) est un traité multilatéral entré en vigueur depuis le 1er janvier 1948. C'est le seul instrument international fixant des règles pour les échanges commerciaux acceptés par les Nations de plus de quatre cinquièmes du commerce mondial. De 1947 à 1993, le GATT a connu huit cycles de négociations multilatérales : Genève (avril-octobre 1947), Annecy (1949), Torquay (1950-1951), négociation art. 24/6 (sept. 1960-mai 1961), suivie par le *Dillon Round* (1961-1962), *Kennedy Round* (1964-1967), *Tokyo Round* (1973-1979), *Uruguay Round* (1986-1993). Le GATT a été remplacé le 1er janvier 1995 par l'Organisation mondiale du commerce (OMC). *[Voir aussi article p. 48.]*

L'OMT

L'Organisation mondiale du tourisme (OMT, siège à Madrid) bénéficie d'un statut spécial auprès de l'ONU depuis 1977. Ele est chargée des questions relatives au développement mondial du tourisme.

OIM

L'Organisation internationale pour les migrations (OIM, siège à Genève) porte ce nom depuis 1989. C'est l'héritière du Comité intergouvernemental pour les mouvements migratoires lui-même successeur, en 1952, de l'Organisation internationale des réfugiés créée après la Seconde Guerre mondiale.

Organisations « régionales »

Monde ou vastes espaces géopolitiques

CICR. Le Comité international de la Croix-Rouge a été fondé en 1863. Il est à l'origine des Conventions de Genève de 1949 et des protocoles additionnels de 1977 relatifs à la protection des victimes des conflits armés. C'est une institution privée suisse (siège à Genève) dont le Comité est constitué de 25 personnes, de nationalité suisse.

Commonwealth. Il compte 51 États (depuis la réintégration en 1994 de l'Afrique du Sud, qui avait dû se retirer en 1961). Avec la disparition de l'Empire britannique, en 1949, est apparue une nouvelle entité politique et culturelle qui regroupe autour du Royaume-Uni les anciens territoires de la couronne. Divers organes et structures coordonnent les activités de l'organisation.

Sommet des chefs d'État et de gouvernement ayant en commun l'usage du français. Il réunit, depuis 1986 (à l'initiative de la France), 44 pays francophones (ou dont une partie de la population utilise la langue française tels Cambodge, Bulgarie et Roumanie membres depuis 1993) et des États membres d'une fédération comme le Québec et le Nouveau-Brunswick. L'ACCT (Agence de coopération culturelle et technique), créée en 1970 et située à Paris assure les conférences au niveau ministériel.

OCI. L'Organisation de la conférence islamique (ou OIC, Organization of the Islamic Conference, siège à Djeddah, Arabie saoudite) a été fondée en 1969. Elle regroupe 150 États membres, d'Afrique, du Moyen-Orient et d'Asie, ainsi que l'Organisation de libération de la Palestine (OLP).

Pays industrialisés

G-7. Le groupe des sept pays les plus industrialisés rassemble, depuis le milieu des années soixante-dix, les États-Unis, le Japon, l'Allemagne, la France, le Royaume-Uni, l'Italie et le Canada. Le président de l'Union européenne est associé à ses « sommets ».

OCDE. En 1948 avait été créée l'Organisation européenne de coopération économique (OECE) visant à favoriser la reconstruction de l'Europe *via* l'aide américaine. L'Organisation de coopération et de développement économiques (OCDE, ou OECD en anglais, siège à Paris) a pris sa succession en 1960. Elle compte 24 membres : Allemagne, Australie, Autriche, Belgique, Canada, Danemark, Espagne, Finlande, France, Grèce, Irlande, Islande, Italie, Japon, Luxembourg, Norvège, Nouvelle-Zélande, Pays-Bas, Portugal, Royaume-Uni, Suède, Suisse, Turquie, États-Unis. La Yougoslavie possédait un statut spécial. La Pologne et la Corée du Sud ont fait acte de candidature.
— AEN. L'Agence pour l'énergie nucléaire de l'OCDE a été créée en 1972.
— AIE. L'Agence internationale de l'énergie de l'OCDE a été créée en 1974, après le premier choc pétrolier.
— CAD. Le Comité d'aide au développement de l'OCDE a été créé en 1961.
— Le Centre de développement de l'OCDE, créé en 1962, mène par ailleurs des activités de recherche et d'édition.

Pays en développement

Groupe des 77. Le groupe des 77 fut constitué par les pays en développement qui étaient alors soixante-dix-sept à la fin de la 1re CNUCED (Conférence des Nations unies pour le commerce et le développement) en

1964. Il réunit tous les pays en voie de développement (environ 130 en 1994).

Mouvement des non alignés. Forum aux structures souples, le mouvement des non alignés a regroupé après la décolonisation les pays soucieux d'échapper à la logique des blocs Est-Ouest et de favoriser une indépendance effective pour les pays du Sud. Son impact politique a décliné dans les années soixante-dix et il ne représente plus, aujourd'hui que la bipolarité a disparu, qu'une survivance symbolique.

OPEP. L'Organisation des pays producteurs de pétrole fut fondée à Bagdad en 1960 à l'initiative du Vénézuela. Membres : Algérie, Arabie saoudite, Gabon, Indonésie, Irak, Iran, Qatar, Koweït, Libye, Nigéria, Émirats arabes unis, Vénézuela. L'Équateur, auparavant membre, a quitté l'organisation en 1992.

PMA. Les pays les moins avancés (PMA) correspondent à la catégorie des pays les plus pauvres dans la nomenclature de l'ONU. Ils étaient au nombre de 47 au 1er janvier 1995.

Héritage Est-Ouest

BERD. La Banque européenne pour la reconstruction et le développement ou European Bank for Reconstruction and Development, EBRD (siège à Londres) vise à favoriser la transition des pays de l'Est vers l'économie de marché. Elle a été fondée en 1990 par 30 pays (Canada, États européens, États-Unis, Japon, Mexique, Corée du Sud, Australie, Nouvelle-Zélande, Israël, Égypte, Maroc) ainsi que par la Banque européenne d'investissement et la Commission européenne.

OSCE. La Conférence sur la sécurité et la coopération en Europe (CSCE) a été initiée en 1975 par la conférence d'Helsinki (35 États parties). La CSCE a donné naissance en décembre 1994 à l'OSCE (Organisation pour la Sécurité et la coopération en Europe). Au 1er janvier 1995, elle comptait 52 membres, soit tous les États européens (à l'exception de celui de Serbie-Monténégro, suspendu), ainsi que les États-Unis et le Canada. En mars 1995 a été adopté le Pacte de stabilité en Europe dont le suivi est confié à l'OSE.

Cocona. Le Conseil de coopération nord-atlantique est un forum de consultation créé en 1991 à l'initiative de l'OTAN. Il rassemble les pays de l'Alliance atlantique et ceux de l'ex-pacte de Varsovie.

OTAN. L'Organisation du traité de l'Atlantique nord ou NATO, North Atlantic Treaty Organization (siège à Bruxelles), a été fondée en 1949 à Washington par douze États occidentaux. Elle compte seize membres : Allemagne, Belgique, Canada, Danemark, Espagne, États-Unis, France, Grèce, Islande, Italie, Luxembourg, Norvège, Pays-Bas, Portugal, Royaume-Uni, Turquie. En 1954, l'OTAN a proposé à ses partenaires de l'ex-pacte de Varsovie l'adhésion au « partenariat pour la paix », dans l'attente d'un élargissement de l'Alliance.

Afrique

BAfD. La Banque africaine de développement (ADB, African Development Bank, siège à Abidjan, Côte d'Ivoire) a été créée en 1963. Elle regroupe plus de 75 États d'Afrique, d'Amérique et d'Europe.

CEAO. La Communauté économique de l'Afrique de l'Ouest (siège à Ouagadougou, Burkina Faso) a été créée en 1973, en succession de l'Union douanière des États d'Afrique de l'Ouest (UDEAO). En sont membres : Bénin, Burkina Faso, Côte d'Ivoire, Mali, Mauritanie, Niger, Sénégal. La Guinée et le Togo sont observateurs.

CEDEAO. La Communauté économique des États de l'Afrique de l'Ouest (siège à Lagos, Nigéria) était entrée en vigueur en 1977. En étaient membres : Bénin, Burkina Faso, Cap-Vert, Côte d'Ivoire, Gambie, Ghana, Guinée, Guinée-Bissau, Libéria, Mali, Mauritanie, Niger, Sénégal, Sierra Léone, Togo. La CEDEAO a été dissoute en 1994 du fait de la création de l'UEMOA.

CEEAC. La Communauté des États d'Afrique centrale (siège à Libreville, Gabon) a été créée en 1983. Elle compte dix membres : Burundi, Cameroun, Congo, Gabon, Guinée équatoriale, Rwanda, São Tomé et Principe, République centrafricaine, Tchad et Zaïre.

COMESA. Le Marché commun de l'Afrique australe et orientale (Common Market for Eastern and Southern Africa) s'est substitué en 1994 à la PTA (Preferential Trade Areas, ou ZEP, Zone d'échanges préférentiels), créée en 1981 à Lusaka (Zambie). 23 pays d'Afrique australe en sont membres. Une discussion a été engagée en vue d'une fusion avec la SACU.

Commission de l'océan Indien. Membres : Comores, Madagascar, Maurice, Réunion, Seychelles. La COI, ou IOC (Indian Ocean Commission) a été créée en 1984 (siège à Maurice)

OUA. L'Organisation de l'unité africaine (siège à Addis-Abéba, Éthiopie) a été fondée en 1963. Elle compte plus de 53 États membres. L'Afrique du Sud a été accueillie en 1994. Le Maroc a suspendu sa participation depuis 1984 pour des raisons diplomatiques liées à la crise du Sahara occidental.

SACU. L'Union douanière de l'Afrique australe, ou South African Customs Union (siège à Prétoria, Afrique du Sud) a été créée en 1969. Membres : Afrique du Sud, Botswana, Lésotho, Namibie, Swaziland.

SADC. La Communauté de développement de l'Afrique australe, ou Southern African Development Community (siège à Gaborone,

Botswana) s'appelait SADCC avant d'être transformée en 1992. Elle a été créée en 1979 à Lusaka et compte onze membres depuis l'entrée de l'Afrique du Sud en 1994 : Angola, Botswana, Lésotho, Malawi, Mozambique, Namibie, Swaziland, Tanzanie, Zambie, Zimbabwé.

UDEAC. L'Union douanière et économique de l'Afrique centrale a été créée en 1964 en remplacement de l'Union douanière de l'Afrique équatoriale. Membres : Cameroun, Congo, Gabon, Guinée équatoriale, Centrafrique, Tchad. Les pays membres de l'UDEAC ont créé le 16 mars 1994 la CEMAC (Communauté économique et monétaire en Afrique centrale) qui a la **BEAC** (Banque des États d'Afrique centrale) pour banque centrale.

UEMOA. L'Union économique et monétaire ouest-africaine remplace, depuis le 1er août 1994, l'UMOA (Union monétaire ouest-africaine), qui avait été créée en 1962. Membres : Bénin, Burkina Faso, Côte d'Ivoire, Mali, Niger, Sénégal, Togo. L'UEMOA a la **BCEAO** (Banque centrale des États d'Afrique de l'Ouest) pour banque centrale.

UMA. L'Union du Maghreb arabe a été créée en février 1989 entre l'Algérie, la Libye, le Maroc, la Mauritanie et la Tunisie. Elle est en sommeil du fait notamment de l'aggravation de la crise politique en Algérie.

Zone franc. Elle regroupe les États de l'UEMOA, ceux de l'UDEAC et les Comores.

Amériques

ALENA. L'Accord de libre-échange nord-américain (North American Free Trade Agreement, NAFTA) est entré en vigueur le 1er janvier 1994 entre les États-Unis, le Canada et le Mexique.

BID. La Banque interaméricaine de développement (IDB, Inter-American Development Bank) créée en 1959, compte 47 États membres américains et européens ainsi que le Japon. Elle siège à Washington ; son objectif est le développement économique de l'Amérique latine et des Caraïbes.

Caricom. La Communauté des Caraïbes a été créée en 1973 par la Barbade, le Guyana, la Jamaïque et Trinidad et Tobago (siège à Georgetown, Guyana). Outre les fondateurs, elle regroupe dix autres pays anglophones : Antigua-Barbuda, Bahamas, Bélize, Dominique, Grenade, Montserrat, St. Kitts et Nevis, Sainte-Lucie, Saint-Vincent et les Grenadines et le Suriname.

OEA. L'Organisation des États américains (Organization of American States, OAS) a été fondée en 1948 (siège à Washington). Elle regroupe les 34 États américains indépendants, à l'exception de Cuba (expulsé en 1962).

Groupe de Rio. Créé en 1986, il a d'abord eu une vocation politique en tant que dispositif permanent de consultation et de concertation politique, puis de plus en plus économique. Des réunions ministérielles ont régulièrement lieu avec l'Union européenne. Il compte onze membres : Argentine, Bolivie, Brésil, Chili, Colombie, Équateur, Mexique, Paraguay, Pérou, Uruguay, Vénézuela.

Groupe des Trois. La Colombie, le Mexique et le Vénézuela mettent en œuvre un accord de libre-échange depuis le 1er janvier 1995.

MCCA. Le Marché commun centre-américain (Central American Common Market, CACM) a été créé en 1960 (siège au Guatémala). Cinq pays membres : Costa Rica, Guatémala, Honduras, Nicaragua, El Salvador.

Pacte (ou Groupe) andin. Créé en 1969 par l'accord de Carthagène. États membres : Bolivie, Colombie, Équateur, Vénézuela et le Pérou qui a dû se retirer en 1992. Objectifs : union douanière (en cours), coordination des politiques économiques.

Mercosur. Le Marché commun du Sud de l'Amérique regroupant l'Argentine, le Brésil, le Paraguay et l'Uruguay est entré en vigueur le 1er janvier 1995. Le Chili est devenu membre associé en août 1994.

Europe

AELE. Accord européen de libre-échange. Il a regroupé à partir de 1958 et à l'initiative du Royaume-Uni les pays européens ne souhaitant pas adhérer au traité de Rome (Communautés européennes). Au 1er janvier 1995, il ne comptait plus que quatre membres : Islande, Liechtenstein, Norvège, Suisse (siège à Genève).

Conseil Baltique. Créé en mars 1992. Membres : Allemagne, Danemark, Estonie, Finlande, Lettonie, Lituanie, Pologne, Russie, Suède.

Conseil de l'Europe. Fondé en 1949 par dix États, il en comptait 36 au 1er juillet 1995 : Allemagne, Albanie, Andorre, Autriche, Belgique, Bulgarie, Chypre, Danemark, Espagne, Estonie, Finlande, France, Grèce, Hongrie, Irlande, Islande, Italie, Lettonie, Lichtenstein, Lituanie, Luxembourg, Malte, Moldavie, Norvège, Pays-Bas, Pologne, Portugal, République tchèque, Roumanie, Royaume-Uni, Saint-Marin, Suède, Suisse, Slovaquie, Slovénie, Turquie. Candidats officiels à l'adhésion : Biélorussie, Croatie, Russie, Ukraine.

Conseil nordique. Il a été créé en 1952 par le Danemark (ainsi que les îles Feroe et le Groenland), la Finlande, l'Islande, la Norvège et la Suède (siège à Stockholm). Il a pour vocation la coopération économique, sociale et culturelle.

Coopération économique de la mer Noire. La CEN a été fondée en 1992 à l'initiative de la Turquie. Elle regroupe Arménie, Azerbaïdjan,

Bulgarie, Géorgie, Grèce, Moldavie, Roumanie, Russie, Turquie et Ukraine. Observateurs : Italie, Autriche.

EEE. L'Espace économique européen créé par le traité de Porto (1992) est entré en vigueur le 1er janvier 1994. Il associe les Quinze de l'Union européenne et deux pays de l'AELE, l'Islande et la Norvège. Le Liechtenstein est observateur.

Groupe de Visegrad. Fondé en 1992, il regroupe les États parties de l'Accord de libre-échange d'Europe centrale. Membres : Hongrie, Pologne, République tchèque, Slovaquie.

Union européenne. Au 1er janvier 1995, l'Union européenne (nouveau nom de la Communauté européenne depuis l'entrée en vigueur du traité de Maastricht, le 1er novembre 1993) comptait quinze membres : Allemagne, Belgique, Danemark, Espagne, France, Grèce, Irlande, Italie, Luxembourg, Pays-Bas, Portugal, Royaume-Uni auxquels sont venus s'ajouter Autriche, Suède et Finlande. De nombreux autres pays ont fait acte de candidature ou manifesté leur intention de le faire : Turquie, Chypre, Malte, Maroc, les États d'Europe centrale, etc.

UEO. L'Union de l'Europe occidentale, ou Western European Union, WEU (siège à Londres), a été créée en 1955 dans le but de promouvoir l'intégration de l'Europe, la défense collective et la sécurité. Elle a fait suite au traité de Bruxelles de 1947. Au 1er janvier 1994, en étaient membres : Allemagne, Belgique, Espagne, France, Grèce, Italie, Luxembourg, Pays-Bas, Portugal, Royaume-Uni. Membres associés : Islande, Norvège, Turquie. Observateurs : Irlande et Danemark.

Ex-Empire soviétique

CEI. La Communauté d'États indépendants ou Commonwealth of Independant States, CIS, est issue du démantèlement de l'URSS fin 1991.

A l'exclusion des trois pays baltes, elle regroupait au 1er août 1994 toutes les anciennes républiques : Russie, Biélorussie, Ukraine, Moldavie, Azerbaïdjan, Géorgie, Arménie, Kazakhstan, Ouzbékistan, Kirghizstan, Turkménistan, Tadjikistan.

Asie centrale

OCE. L'Organisation de coopération économique a été créée en 1985 par la Turquie, l'Iran et le Pakistan (siège à Téhéran). Elle regroupe aussi, depuis 1992, l'Afghanistan et les six républiques « musulmanes » de l'ex-URSS : Azerbaïdjan, Kazakhstan, Ouzbékistan, Kirghizstan, Turkménistan, Tadjikistan.

Pacifique

APEC. La Coopération économique en Asie-Pacifique, Asia-Pacific Economic Cooperation Organization (siège à Canberra), a été initiée par l'Australie à la conférence de Canberra (Australie) de 1989. Membres : Brunéi, Fédération de Malaisie, Indonésie, Philippines, Singapour, Thaïlande (adhérents de l'ANSEA), Australie, Nouvelle-Zélande, Japon, États-Unis, Canada, Mexique, Papouasie-Nouvelle-Guinée, Corée du Sud, Chine, Taïwan, Hong Kong. Le Chili a adhéré en 1994.

Commission du Pacifique sud. Créée en 1947, elle rassemble les partenaires de la région et les grandes puissances qui y exercent des responsabilités (États-Unis, France, Royaume-Uni).

Forum du Pacifique sud. Créé en 1971 par les États riverains (à l'exclusion des grandes puissances), le Forum (South Pacific Forum, SPF) a été à l'initiative du traité de Rarotonga sur la dénucléarisation du Pacifique sud et de l'Équateur.

Asie

ANSEA. L'Association des nations du Sud-Est asiatique, ou Association of South East Asian Nations, ASEAN (siège à Jakarta, Indonésie), a été créée en 1967. Membres : Brunéi (depuis 1983), Fédération de Malaisie, Indonésie, Philippines, Singapour, Thaïlande, Vietnam (depuis juillet 1995). Le Laos, le Cambodge et la Papouasie-Nouvelle-Guinée ont le statut d'observateurs, tandis que la Corée du Sud dispose d'un statut spécial.

ANZUS. Pacte militaire signé en 1951 entre l'Australie, la Nouvelle-Zélande et les États-Unis.

BAsD. La Banque asiatique de développement ou Asian Development Bank, ADB (siège à Manille, Philippines) a été créée en 1965. Elle compte 54 États membres d'Asie, d'Europe et d'Amérique et intervient dans 38 États asiatiques.

EAEC. La proposition de la Malaisie en 1991 d'un Groupement économique de l'Asie de l'Est (EAEG), qui voulait ouvrir l'ANSEA sur la Chine et le Japon en écartant les États-Unis, a évolué vers un projet d'East Asia Economic Caucus, plus informel et s'inscrivant dans le cadre de l'APEC.

FRA. Le Forum régional de l'ASEAN (Asian Regional Forum,

ARF) réunit depuis 1994 les sept pays de l'ANSEA, Australie, Cambodge, Corée du Sud, Japon, Hong-Kong, Laos, Nouvelle-Zélande, Taïwan, États-Unis, Russie et Union européenne sur les questions de sécurité dans la zone Asie-Pacifique.

SAARC. L'Association d'Asie du Sud pour la coopération régionale, ou South Asian Association for Regional Cooperation (siège à Katmandou, Népal), a été fondée en 1985. Membres : Bangladesh, Bhoutan, Inde, Maldives, Népal, Pakistan, Sri Lanka.

Moyen-Orient et mondes arabe et musulman

Ligue arabe. Fondée en 1945 au Caire par l'Égypte, l'Irak, le Yémen, le Liban, l'Arabie saoudite, la Syrie et la Transjordanie. Elle regroupe aujourd'hui 22 membres.

CCG. Le Conseil de coopération du Golfe a été fondé en 1981 en réaction à la révolution iranienne. Il regroupe l'Arabie saoudite, Bahreïn, les Émirats arabes unis, le Koweït, Oman et Qatar.

Dossier réalisé avec la collaboration de Véronique Chaumet.

Pour lire les tableaux suivants

Pays	Rang dans le tableau IDH (p. 668 et suiv.)	Rang dans le tableau PIB (p. 674 et suiv.)	Pays	Rang dans le tableau IDH (p. 668 et suiv.)	Rang dans le tableau PIB (p. 674 et suiv.)
Afghanistan	171	162	Corée du Sud	32	37
Afrique du Sud	93	73	Costa Rica	39	55
Albanie	76	82	Côte d'Ivoire	136	132
Algérie	109	67	Cuba	89	116
Allemagne	11	8	Danemark	15	13
Angola	155	149	Djibouti	163	148
Antigua-Barbuda	55	66	Dominique	64	72
Arabie saoudite	67	34	Égypte	110	81
Argentine	37	38	El Salvador	112	106
Arménie	53	113	Émirats arabes unis	62	4
Australie	7	15	Équateur	74	68
Autriche	12	14	Espagne	23	29
Azerbaïdjan	71	108	Estonie	29	48
Bahamas	36	22	États-Unis	8	2
Bahreïn	58	28	Éthiopie	161	173
Bangladesh	146	137	Fidji	59	59
Barbade	20	33	Finlande	16	25
Biélorussie	40	50	France	6	11
Belgique	13	16	Gabon	114	85
Bélize	88	96	Gambie	166	138
Bénin	156	128	Géorgie	66	133
Birmanie : voir Myanmar.			Ghana	134	109
Bhoutan	162	166	Grèce	25	42
Bolivie	113	105	Grenade	78	88
Botswana	87	65	Guatémala	108	87
Brésil	63	57	Guinée	173	170
Brunéi	44	27	Guinée équatoriale	150	161
Bulgarie	48	75	Guinée-Bissau	164	155
Burkina Faso	172	154	Guyana	107	124
Burundi	152	163	Haïti	137	150
Cambodge	147	140	Honduras	115	118
Cameroun	124	115	Hong Kong	24	52
Canada	1	10	Hongrie	31	6
Cap-Vert	122	120	Iles Salomon	126	111
Centrafrique	160	145	Inde	135	139
Chili	38	41	Indonésie	105	93
Chine	94	110	Irak	100	84
Chypre	26	23	Iran	86	64
Colombie	50	54	Irlande	21	32
Comores	141	135	Islande	14	21
Congo	123	103	Israël	19	26
Corée du Nord	101	123	Italie	22	17

Jamaïque	65	97	Philippines	99	99
Japon	3	7	Pologne	49	63
Jordanie	98	70	Portugal	42	36
Kazakhstan	61	74	Qatar	56	5
Kénya	125	136	Rép. dominicaine	96	90
Kirghizstan	82	104	Rép. tchèque	27	44
Koweït	51	30	Roumanie	72	98
Laos	133	122	Royaume-Uni	10	19
Lésotho	120	121	Russie	34	58
Lettonie	30	61	Rwanda	153	165
Liban	103	101	St. Kitts et Nevis	70	79
Libéria	144	151	Sainte-Lucie	77	83
Libye	79	47	St-Vinc. et les Grenad.	69	76
Lituanie	28	92	Samoa	104	119
Luxembourg	17	1	São Tomé et Principe	128	167
Madagascar	131	160	Sénégal	143	127
Malaisie (Féd. de)	57	40	Seychelles	83	77
Malawi	157	156	Sierra Léone	170	157
Maldives	118	141	Singapour	43	9
Mali	167	169	Somalie	165	158
Malte	41	45	Soudan	151	143
Maroc	111	89	Sri Lanka	90	95
Maurice	60	31	Suède	4	20
Mauritanie	158	129	Suisse	2	3
Mexique	52	46	Suriname	85	78
Moldavie	75	91	Swaziland	117	125
Mongolie	102	107	Syrie	73	60
Mozambique	159	172	Tadjikistan	97	131
Myanmar (Birmanie)	130	164	Tanzanie	148	168
Namibie	127	71	Tchad	168	159
Népal	149	144	Thaïlande	54	49
Nicaragua	106	114	Togo	147	146
Niger	169	153	Trinidad et Tobago	35	39
Nigéria	139	130	Tunisie	81	62
Nouvelle-Zélande	18	24	Turkménistan	80	80
Norvège	5	12	Turquie	68	56
Oman	92	35	Ukraine	45	69
Ouganda	154	152	Uruguay	33	51
Ouzbékistan	91	100	Vanuatu	119	126
Pakistan	132	112	Vénézuela	46	43
Panama	47	53	Vietnam	116	146
Papouasie-N.-G.	129	102	Yémen	142	134
Paraguay	84	86	Zaïre	140	171
Pays-Bas	9	18	Zambie	138	142
Pérou	95	94	Zimbabwé	121	117

L'indicateur de « développement humain »

■ L'état du monde *indique désormais dans les pages suivantes et dans les tableaux statistiques de la section « 38 ensembles géopolitiques » le niveau de « développement humain » de chaque pays, mesuré par l'indicateur de développement humain (IDH). Ce nouvel indicateur composite est calculé chaque année, depuis 1990, par le Programme des Nations unies pour le développement (PNUD).*

Une telle initiative est venue du fait que l'indicateur de développement le plus couramment utilisé, le produit intérieur brut (PIB) par habitant, calculé au taux de change du marché, est, dans de nombreux cas, une très mauvaise mesure du niveau de bien-être atteint. Par exemple, l'Arabie saoudite, avec 7 040 dollars par habitant en 1992, ne comptait pas moins de 35,9 % d'analphabètes dans sa population adulte et présentait un taux de mortalité infantile de 31 ‰. L'île Maurice, dont le PIB par habitant atteint 40 % de celui de l'Arabie saoudite, semble néanmoins avoir un développement « humain » plus élevé ; elle ne compte que 14 % d'analphabètes et le taux de mortalité infantile y est trois fois moindre (20 ‰).

Dans l'idéal, l'indicateur de « développement humain » devrait pouvoir tenir compte de nombreux facteurs.

Le PNUD a préféré ne retenir que trois éléments pour construire son indice : le niveau de santé, représenté par l'espérance de vie à la naissance ; le niveau d'instruction, représenté par le taux d'alphabétisation des adultes et le nombre moyen d'années d'études (avec une pondération de deux tiers pour le premier et d'un tiers pour le second) ; et enfin le revenu

représenté par le PIB par habitant après une double transformation tenant compte de la différence de pouvoir d'achat existant d'un pays à l'autre et du fait que le revenu n'augmente pas le bien-être d'une manière linéaire (lorsqu'on passe de 1 000 à 2 000 dollars de revenu annuel par habitant, le bien-être augmente beaucoup plus que lorsqu'on passe de 14 000 à 15 000 dollars).

Dans un premier temps, chacun de ces facteurs (espérance de vie à la naissance, niveau d'instruction et revenu) est exprimé sur une échelle allant de 0 à 1. Le « 0 » signifie que le pays concerné est doté du maximum observable concernant la variable en question, tandis que le « 1 » correspond à la plus faible valeur observable. En matière d'espérance de vie à la naissance, par exemple, la valeur la plus élevée observée est celle du Japon (78,6 années), la plus faible est celle de la Sierra Léone (42 années). Un pays comme le Maroc, avec 62 années d'espérance de vie, aurait, dans l'échelle allant de 0 à 1, un indice 0,45 [(78,6 − 62) : (78,6 − 42) = 0,45] ; le Japon, avec ses 78,6 années d'espérance de vie, aurait un niveau 0 [(78,6 − 78,6) : (78,6 − 42) = 0].

Le même calcul est réalisé pour l'indicateur de niveau d'instruction et pour l'indicateur de niveau de revenu. Dans une seconde étape, on effectue la moyenne des trois chiffres ainsi obtenus, que l'on soustrait du chiffre 1. On obtient ainsi l'indice composite de développement humain. On aboutit pour le Japon à un IDH de 0,929 et pour le Maroc de 0,549. Par ce moyen, il est possible d'opérer un classement de tous les pays.

Francisco Vergara

Indicateurs de développement humain

Rang selon l'IDH	Pays	Indicateur de développe-ment humain 1992	PIB réel par habitant ($ ajusté) 1991	Espérance de vie à la naissance (années) 1992	Taux d'alpha-bétisation des adultes (%) 1992	Années de scolarité (moyenne) 1992	Rang selon le PIB PPA (année 1991)
1	Canada	0,932	19 320	77,2	99,0	12,2	6
2	Suisse	0,931	21 780	77,8	99,0	11,6	2
3	Japon	0,929	19 390	78,6	99,0	10,8	5
4	Suède	0,928	17 490	77,7	99,0	11,4	12
5	Norvège	0,928	17 170	76,9	99,0	12,1	14
6	France ·	0,927	18 430	76,6	99,0	12,0	8
7	Australie	0,926	16 680	76,7	99,0	12,0	18
8	États-Unis	0,925	22 130	75,6	99,0	12,4	1
9	Pays-Bas	0,923	16 820	77,2	99,0	11,1	17
10	Royaume-Uni	0,919	16 340	75,8	99,0	11,7	19
11	Allemagne	0,918	19 770	75,6	99,0	11,6	4
12	Autriche	0,917	17 690	75,7	99,0	11,4	10
13	Belgique	0,916	17 510	75,7	99,0	11,2	11
14	Islande	0,914	17 480	78,1	99,0	9,2	13
15	Danemark	0,912	17 880	75,3	99,0	11,0	9
16	Finlande	0,911	16 130	75,4	99,0	10,9	20
17	Luxembourg	0,908	20 800	75,2	99,0	10,5	3
18	Nouvelle-Zélande	0,907	13 970	75,3	99,0	10,7	24
19	Israël	0,900	13 460	76,2	95,0	10,2	25
20	Barbade	0,894	9 667	75,3	99,0	9,4	33
21	Irlande	0,892	11 430	75,0	99,0	8,9	30
22	Italie	0,891	17 040	76,9	97,4	7,5	15
23	Espagne	0,888	12 670	77,4	98,0	6,9	27
24	Hong Kong	0,875	18 520	77,4	90,0	7,2	7
25	Grèce	0,874	7 680	77,3	93,8	7,0	40
26	Chypre	0,873	9 844	76,7	94,0	7,0	32
27	Tchécoslovaquie	0,872	6 570	72,1	99,0	9,2	51
28	Lituanie	0,868	5 410	72,6	98,4	9,0	54
29	Estonie	0,867	8 090	71,2	99,0	9,0	39
30	Lettonie	0,865	7 540	71,0	99,0	9,0	42
31	Hongrie	0,863	6 080	70,1	99,0	9,8	52
32	Corée du Sud	0,859	8 320	70,4	96,8	9,3	37
33	Uruguay	0,859	6 670	72,4	96,5	8,1	50
34	Russie	0,858	6 930	70,0	98,7	9,0	48
35	Trinidad et Tobago	0,855	8 380	70,9	96,0	8,4	36
36	Bahamas	0,854	12 000	71,9	99,0	6,2	28
37	Argentine	0,853	5 120	71,1	95,5	9,2	59
38	Chili	0,848	7 060	71,9	93,8	7,8	46
39	Costa Rica	0,848	5 100	76,0	93,2	5,7	60

Pour retrouver facilement un pays, voir la liste alphabétique de ces derniers p. 665-666 qui indique leur rang dans ce tableau.

Indicateurs de développement humain

Rang selon l'IDH	Pays	Indicateur de développe-ment humain 1992	PIB réel par habitant ($ ajusté) 1991	Espérance de vie à la naissance (années) 1992	Taux d'alpha-bétisation des adultes (%) 1992	Années de scolarité (moyenne) 1992	Rang selon le PIB PPA (année 1991)
40	Biélorussie	0,847	6 850	71,0	97,9	7,0	49
41	Malte	0,843	7 575	75,7	87,0	6,1	41
42	Portugal	0,838	9 450	74,4	86,2	6,4	34
43	Singapour	0,836	14 734	74,2	92,0	4,0	21
44	Brunéi	0,829	14 000	74,0	86,0	5,0	23
45	Ukraine	0,823	5 180	70,0	95,0	6,0	58
46	Vénézuela	0,820	8 120	70,1	89,0	6,5	38
47	Panama	0,816	4 910	72,5	89,6	6,8	61
48	Bulgarie	0,815	4 813	71,9	94,0	7,0	64
49	Pologne	0,815	4 500	71,5	99,0	8,2	70
50	Colombie	0,813	5 460	69,0	87,4	7,5	53
51	Koweït	0,809	13 126	74,6	73,9	5,5	26
52	Mexique	0,804	7 170	69,9	88,6	4,9	45
53	Arménie	0,801	4 610	72,0	98,8	5,0	68
54	Thaïlande	0,798	5 270	68,7	93,8	3,9	55
55	Antigua-Barbuda	0,796	4 500	74,0	96,0	4,6	69
56	Qatar	0,795	14 000	69,6	79,0	5,8	22
57	Malaisie (Féd. de)	0,794	7 400	70,4	80,0	5,6	43
58	Bahreïn	0,791	11 536	71,0	79,0	4,3	29
59	Fidji	0,787	4 858	71,1	87,0	5,1	62
60	Maurice	0,778	7 178	69,6	79,9	4,1	44
61	Kazakhstan	0,774	4 490	69,0	97,5	5,0	71
62	Émirats arabes unis	0,771	17 000	70,8	65,0	5,6	16
63	Brésil	0,756	5 240	65,8	82,1	4,0	56
64	Dominique	0,749	3 900	72,0	97,0	4,7	73
65	Jamaïque	0,749	3 670	73,3	98,5	5,3	79
66	Géorgie	0,747	3 670	73,0	99,0	5,0	78
67	Arabie saoudite	0,742	10 850	68,7	64,1	3,9	31
68	Turquie	0,739	4 840	66,7	81,9	3,6	63
69	St-Vinc. et les Gren.	0,732	3 700	71,0	98,0	4,6	75
70	St. Kitts et Nevis	0,730	3 550	70,0	99,0	6,0	81
71	Azerbaïdjan	0,730	3 670	71,0	96,3	5,0	77
72	Roumanie	0,729	3 500	69,9	96,9	7,1	84
73	Syrie	0,727	5 220	66,4	66,6	4,2	57
74	Équateur	0,718	4 140	66,2	87,4	5,6	72
75	Moldavie	0,714	3 500	69,0	96,0	6,0	83
76	Albanie	0,714	3 500	73,0	85,0	6,2	87
77	Sainte-Lucie	0,709	3 500	72,0	93,0	3,9	85
78	Grenade	0,707	3 374	70,0	98,0	4,7	90
79	Libye	0,703	7 000	62,4	66,5	3,5	47
80	Turkménistan	0,697	3 540	66,0	97,7	5,0	82

Indicateurs de développement humain

Rang selon l'IDH	Pays	Indicateur de développement humain 1992	PIB réel par habitant ($ ajusté) 1991	Espérance de vie à la naissance (années) 1992	Taux d'alpha-bétisation des adultes (%) 1992	Années de scolarité (moyenne) 1992	Rang selon le PIB PPA (année 1991)
81	Tunisie	0,690	4 690	67,1	68,1	2,1	65
82	Kirghizstan	0,689	3 280	68,0	97,0	5,0	92
83	Seychelles	0,685	3 683	71,0	77,0	4,6	76
84	Paraguay	0,679	3 420	67,2	90,8	4,9	89
85	Surinam	0,677	3 072	69,9	95,6	4,2	96
86	Iran	0,672	4 670	66,6	56,0	3,9	67
87	Botswana	0,670	4 690	60,3	75,0	2,5	66
88	Bélize	0,666	3 000	68,0	96,0	4,6	97
89	Cuba	0,666	2 000	75,6	94,5	8,0	117
90	Sri Lanka	0,665	2 650	71,2	89,1	7,2	104
91	Ouzbékistan	0,664	2 790	69,0	97,2	5,0	102
92	Oman	0,654	9 230	69,1	35,0	0,9	35
93	Afrique du Sud	0,650	3 885	62,2	80,0	3,9	74
94	Chine	0,644	2 946	70,5	80,0	5,0	98
95	Pérou	0,642	3 110	63,6	86,2	6,5	94
96	Rép. dominicaine	0,638	3 080	67,0	84,3	4,3	95
97	Tadjikistan	0,629	2 180	70,0	96,7	5,0	112
98	Jordanie	0,628	2 895	67,3	82,1	5,0	99
99	Philippines	0,621	2 440	64,6	90,4	7,6	108
100	Irak	0,614	3 500	65,7	62,5	5,0	86
101	Corée du Nord	0,609	1 750	70,7	95,0	6,0	123
102	Mongolie	0,607	2 250	63,0	95,0	7,2	111
103	Liban	0,600	2 500	68,1	81,3	4,4	107
104	Samoa occidental	0,596	1 869	66,0	98,0	5,8	119
105	Indonésie	0,586	2 730	62,0	84,4	4,1	103
106	Nicaragua	0,583	2 550	65,4	78,0	4,5	105
107	Guyana	0,580	1 862	64,6	96,8	5,1	120
108	Guatémala	0,564	3 180	64,0	56,4	4,1	93
109	Algérie	0,553	2 870	65,6	60,6	2,8	100
110	Égypte	0,551	3 600	60,9	50,0	3,0	80
111	Maroc	0,549	3 340	62,5	52,5	3,0	91
112	El Salvador	0,543	2 110	65,2	74,6	4,2	116
113	Bolivie	0,530	2 170	60,5	79,3	4,0	113
114	Gabon	0,525	3 498	52,9	62,5	2,6	88
115	Honduras	0,524	1 820	65,2	74,9	4,0	121
116	Vietnam	0,514	1 250	63,4	88,6	4,9	135
117	Swaziland	0,513	2 506	57,3	71,0	3,8	106
118	Maldives	0,511	1 200	62,6	92,0	4,5	136
119	Vanuatu	0,489	1 679	65,0	65,0	3,7	125
120	Lésotho	0,476	1 500	59,8	78,0	3,5	128
121	Zimbabwé	0,474	2 160	56,1	68,6	3,1	114

Indicateurs de développement humain

Rang selon l'IDH	Pays	Indicateur de développement humain 1992	PIB réel par habitant ($ ajusté) 1991	Espérance de vie à la naissance (années) 1992	Taux d'alpha-bétisation des adultes (%) 1992	Années de scolarité (moyenne) 1992	Rang selon le PIB PPA (année 1991)
122	Cap-Vert	0,474	1 360	67,3	66,5	2,2	131
123	Congo	0,461	2 800	51,7	58,5	2,1	101
124	Cameroun	0,447	2 400	55,3	56,5	1,6	109
125	Kénya	0,434	1 350	58,6	70,5	2,3	133
126	Salomon (îles)	0,434	2 113	70,0	24,0	1,0	115
127	Namibie	0,425	2 381	58,0	40,0	1,7	110
128	S. Tomé et Princ.	0,409	600	67,0	60,0	2,3	166
129	Papouasie-N.-G.	0,408	1 550	55,3	65,3	1,0	126
130	Myanmar	0,406	650	56,9	81,5	2,5	162
131	Madagascar	0,396	710	54,9	81,4	2,2	156
132	Pakistan	0,393	1 970	58,3	36,4	1,9	118
133	Laos	0,385	1 760	50,3	55,0	2,9	122
134	Ghana	0,382	930	55,4	63,1	3,5	147
135	Inde	0,382	1 150	59,7	49,8	2,4	139
136	Côte d'Ivoire	0,370	1 510	51,6	55,8	1,9	127
137	Haïti	0,354	925	56,0	55,0	1,7	148
138	Zambie	0,352	1 010	45,5	74,8	2,7	143
139	Nigéria	0,348	1 360	51,9	52,0	1,2	132
140	Zaïre	0,341	469	51,6	74,0	1,6	171
141	Comores	0,331	700	55,4	55,0	1,0	158
142	Yémen	0,323	1 374	51,9	41,1	0,9	130
143	Sénégal	0,322	1 680	48,7	40,0	0,9	124
144	Libéria	0,317	850	54,7	42,5	2,1	150
145	Togo	0,311	738	54,4	45,5	1,6	155
146	Bangladesh	0,309	1 160	52,2	36,6	2,0	138
147	Cambodge	0,307	1 250	50,4	37,8	2,0	134
148	Tanzanie	0,306	570	51,2	55,0	2,0	167
149	Népal	0,289	1 130	52,7	27,0	2,1	140
150	Guinée équatoriale	0,276	700	47,3	51,5	0,8	159
151	Soudan	0,276	1 162	51,2	28,2	0,8	137
152	Burundi	0,276	640	48,2	52,0	0,4	164
153	Rwanda	0,274	680	46,5	52,1	1,1	160
154	Ouganda	0,272	1 036	42,6	50,5	1,1	141
155	Angola	0,271	1 000	45,6	42,5	1,5	145
156	Bénin	0,261	1 500	46,1	25,0	0,7	129
157	Malawi	0,260	800	44,6	45,0	1,7	151
158	Mauritanie	0,254	962	47,4	35,0	0,4	146
159	Mozambique	0,252	921	46,5	33,5	1,6	149
160	Rép. centrafric.	0,249	641	47,2	40,2	1,1	163
161	Ethiopie	0,249	370	46,4	50,0	1,1	173
162	Bhoutan	0,247	620	47,8	40,9	0,3	165

Indicateurs de développement humain

Rang selon l'IDH	Pays	Indicateur de développe-ment humain 1992	PIB réel par habitant ($ ajusté) 1991	Espérance de vie à la naissance (années) 1992	Taux d'alpha-bétisation des adultes (%) 1992	Années de scolarité (moyenne) 1992	Rang selon le PIB PPA (année 1991)
163	Djibouti	0,226	1 000	48,3	19,0	0,4	144
164	Guinée-Bissau	0,224	747	42,9	39,0	0,4	154
165	Somalie	0,217	759	46,4	27,0	0,3	153
166	Gambie	0,215	763	44,4	30,0	0,6	152
167	Mali	0,214	480	45,4	35,9	0,4	170
168	Tchad	0,212	447	46,9	32,5	0,3	172
169	Niger	0,209	542	45,9	31,2	0,2	168
170	Sierra Léone	0,209	1 020	42,4	23,7	0,9	142
171	Afghanistan	0,208	700	42,9	31,6	0,9	157
172	Burkina Faso	0,203	666	47,9	19,9	0,2	161
173	Guinée	0,191	500	43,9	26,9	0,9	169

a. Le PIB par habitant retenu par le PNUD dans le calcul de l'IDH est le vrai PIB/hab. jusqu'à 5 120 dollars.
Les niveaux au-delà sont fortement écrêtés. Ci-dessus, en deuxième colonne, sont indiqués les niveaux non écrêtés du PIB.
Source : PNUD.

La méthode des parités de pouvoir d'achat

■ Les tableaux suivants indiquent le Produit intérieur brut (PIB) de cent soixante-treize pays calculé par les Nations unies en utilisant la méthode des « parités de pouvoir d'achat » (PPA). Les PIB indiqués ailleurs dans ce livre — dans les tableaux consacrés aux différents pays et ensembles géopolitique — ainsi que les PIB le plus souvent cités dans la presse sont calculés par la méthode dite de la Banque mondiale. Avec cette méthode, la production d'un pays est évaluée en utilisant les prix intérieurs du pays concerné ; les valeurs ainsi obtenues sont ensuite converties en dollars en utilisant une moyenne pondérée des taux de change des trois dernières années. Les PIB-PPA, en revanche, évaluent la production des différents pays en utilisant pour tous un même ensemble de prix moyens mondiaux. La méthode des PPA permet ainsi une comparaison beaucoup plus rigoureuse des PIB des différents pays. Dans la méthode de la Banque mondiale, par exemple, la production de riz est évaluée à un prix six fois plus élevé dans le PIB japonais que dans celui de la Thaïlande, ce qui tend à gonfler artificiellement le PIB japonais. Dans la méthode PPA, un même prix est utilisé pour le riz ainsi que pour toute autre production ; deux productions identiques sont ainsi évaluées exactement au même prix.

Le calcul des PIB par la méthode des PPA donne certains résultats inattendus qui contredisent maintes idées reçues. Ainsi, apparaît-il, par exemple, que deux pays nouvellement industrialisés comme Hong Kong ou Singapour ont dépassé pour le PIB par habitant le niveau atteint par le Canada ou les pays scandinaves. Le Japon, en revanche apparaît relativement moins développé que ne le suggèrent les données de la Banque mondiale. En 1993, l'empire du Soleil-Levant n'avait en effet pas encore atteint le niveau de production du Luxembourg ou de la Suisse. D'autres exemples peuvent également surprendre : le PIB par habitant de la Chine a ainsi atteint plus de 2 000 dollars en 1991, soit plus de cinq fois plus que le montant indiqué en utilisant la méthode de calcul de la Banque mondiale. On constatera, de même, que ce PIB-PPA par habitant de la Chine est de 70 % supérieur à celui de l'Inde.

N'a-t-on pas répété pendant des décennies que la Tchécoslovaquie et la Hongrie étaient les pays les plus développés du « camp socialiste » ? L'étude des Nations unies montre pourtant que le PIB-PPA par habitant en Russie et en Biélorussie n'est pas très éloigné. De même l'Algérie a toujours été considérée comme le pays le plus développé du Maghreb. Selon les calculs de l'ONU, la production par habitant est cependant de 10 % plus élevée en Tunisie.

Le PIB-PPA par habitant de la Corée du Nord est de 25 % inférieur à celui de la Bolivie ; cela peut étonner pour un pays prétendant avoir les moyens de construire la bombe atomique.

Par ailleurs, la classification habituelle entre pays industrialisés et pays en voie de développement est soumise à critique par ces résultats. La Grèce (classée comme pays industrialisé) n'a-t-elle pas un PIB-PPA par habitant inférieur à celui de la Corée du Sud et de Chypre, se classant à peu près au même niveau que des pays comme le Mexique, le Vénézuela, le Chili, l'Estonie et la Fédération de Malaisie ?

Francisco Vergara

Produit intérieur brut [1]

Rang		Produit intérieur brut par habitant (1993)		Part dans le total mondial 1993 (en %)	Taux de croissance annuel			Taux d'investissement (en % du PIB) 1993
		à parité de pouvoir d'achat [a]	aux taux de change courants [b]		1970-1980	1980-1993	1994	
1	Luxembourg	29 510	35 850	0,06	2,3	3,1	2,8	27,7
2	États-Unis	24 750	24 750	25,50	2,8	2,5	4,1	16,5
3	Suisse	23 620	36 410	1,00	0,5	1,5	2,0	22,4
4	Émirats arabes unis	23 390	22 470	0,15	• •	0,1	1,1	23,2
5	Qatar	22 910	15 140	0,03	• •	• •	−0,1	• •
6	Hong Kong	21 670	17 860	0,39	9,2	6,3	5,7	29,3
7	Japon	21 090	31 450	15,87	4,3	3,5	0,6	30,3
8	Allemagne	20 980	23 560	8,30	2,6	2,8	2,9	19,3
9	Singapour	20 470	19 310	0,24	8,3	7,2	7,0	40,1
10	Canada	20 410	20 670	2,10	4,6	2,3	4,5	17,8
11	France	19 440	22 360	5,42	3,2	1,8	2,5	18,6
12	Norvège	19 130	26 340	0,45	4,8	2,7	5,5	21,9
13	Danemark	18 940	26 510	0,51	2,2	1,8	4,6	15,1
14	Autriche	18 800	23 120	0,79	3,4	2,0	2,8	24,1
15	Australie	18 490	17 510	1,25	3,1	2,9	4,7	19,8
16	Belgique	18 490	21 210	0,91	3,0	1,6	2,3	17,7
17	Italie	18 070	19 620	4,29	3,8	1,8	2,5	19,1
18	Pays-Bas	18 050	20 710	1,34	2,9	1,9	2,4	19,7
19	Royaume-Uni	17 750	17 970	3,54	2,0	2,0	3,8	15,2
20	Suède	17 560	24 830	0,72	1,9	1,1	2,2	14,3
21	Islande	17 160	23 620	0,03	6,1	2,0	2,0	15,6
22	Bahamas	16 820	11 500	0,01	• •	2,2	2,3	• •
23	Chypre	15 470	10 380	0,03	2,1	5,8	4,0	25,9
24	Nouv.-Zélande	15 390	12 900	0,19	1,9	2,0	4,8	18,4
25	Finlande	15 230	18 970	0,32	3,1	1,3	3,9	14,9
26	Israël	14 890	13 760	0,30	4,8	4,2	6,8	24,0
27	Brunéi	14 000	• •	0,02	• •	• •	• •	• •
28	Bahreïn	13 480	7 870	0,02	• •	2,0	5,1	22,0
29	Espagne	13 310	13 650	2,07	3,5	2,4	1,9	19,8
30	Koweït	13 126	23 350	0,10	• •	−0,2	7,8	16,8
31	Maurice	12 450	2 980	0,01	6,8	6,0	4,7	29,4
32	Irlande	11 850	12 580	0,19	4,9	3,8	5,2	14,9
33	Barbade	10 940	6 240	0,01	2,5	0,4	2,4	19,6
34	Arabie saoudite	10 850	7 810	0,50	10,1	0,1	0,3	23,7
35	Oman	10 720	5 600	0,05	6,2	8,6	5,0	17,0
36	Portugal	9 890	7 890	0,36	4,3	2,4	1,0	26,9
37	Corée du Sud	9 810	7 670	1,40	9,6	8,5	8,3	34,3
38	Argentine	9 130	7 290	1,08	2,5	1,0	7,1	18,4

1. Pour retrouver facilement un pays, voir la liste alphabétique de ces derniers p. 665-666, qui indique leur rang dans ce tableau.
a. En dollars des États-Unis 1993. Voir la définition des PIB à parité de pouvoir d'achat (PPA) p. 673.
b. En dollars des États-Unis ; calculé selon la méthode de la Banque mondiale. Voir définition p. 673.

Produit intérieur brut

Rang		Produit intérieur brut par habitant (1993)		Part dans le total mondial 1993 (en %)	Taux de croissance annuel			Taux d'investissement (en % du PIB) 1993
		à parité de pouvoir d'achat	aux taux de change courants		1970-1980	1980-1993	1994	
39	Trinidad et Tobago	8 850	3 730	0,02	5,9	−1,5	4,0	13,1
40	Malaisie (Féd. de)	8 630	3 160	0,27	7,9	6,5	8,5	33,2
41	Chili	8 380	3 070	0,19	1,8	4,7	4,2	28,8
42	Grèce	8 360	7 390	0,31	4,7	1,4	1,5	19,8
43	Vénézuela	8 130	2 840	0,25	3,5	1,8	−3,3	18,7
44	Rép. tchèque	7 700	2 730	0,13	··	··	2,6	17,0
45	Malte	7 575	7 970	0,01	11,8	4,1	4,3	29,4
46	Mexique	7 100	3 750	1,46	6,3	1,8	3,5	21,7
47	Libye	7 000	··	0,43	··	··	−3,0	··
48	Estonie	6 860	3 040	0,02	··	−3,5	6,0	26,2
49	Thaïlande	6 390	2 040	0,53	7,1	7,9	8,5	40,0
50	Biélorussie	6 360	2 840	0,12	··	1,8	−21,7	35,0
51	Uruguay	6 350	3 910	0,06	3,1	0,5	2,1	15,6
52	Hongrie	6 260	3 330	0,16	5,2	−0,2	2,6	19,7
53	Panama	5 940	2 580	0,03	4,4	2,3	5,0	25,0
54	Colombie	5 630	1 400	0,23	5,4	3,5	5,3	21,5
55	Costa Rica	5 580	2 160	0,03	5,7	3,1	3,5	30,4
56	Turquie	5 550	2 120	0,74	5,9	5,0	−5,6	27,1
57	Brésil	5 470	3 020	2,15	8,1	1,5	5,7	19,2
58	Russie	5 240	2 350	1,40	··	−1,8	−15,0	25,8
59	Fidji	5 220	2 140	0,01	4,8	1,9	3,3	13,5
60	Syrie	5 220	1 190	0,07	9,9	2,7	5,5	16,3
61	Lettonie	5 170	2 030	0,02	··	−2,1	2,0	10,5
62	Tunisie	5 070	1 780	0,06	6,8	3,8	4,4	29,3
63	Pologne	5 010	2 270	0,36	··	−0,1	6,0	15,6
64	Iran	4 670	2 120	0,46	··	3,4	1,9	35,4
65	Botswana	4 650	2 590	0,02	14,5	8,9	2,8	40,8
66	Antigua-Barbuda	4 500	6 390	0,00	··	5,5	2,9	··
67	Algérie	4 390	1 650	0,21	4,6	2,1	−0,2	29,2
68	Équateur	4 260	1 170	0,06	9,5	2,4	3,2	21,1
69	Ukraine	4 030	1 910	0,46	··	−0,5	−23,0	8,4
70	Jordanie	4 010	1 190	0,02	··	1,2	5,7	30,1
71	Namibie	3 930	1 660	0,01	··	1,8	3,8	9,6
72	Dominique	3 900	2 680	0,00	··	4,8	1,0	27,0
73	Afrique du Sud	3 885	2 900	0,50	3,0	0,9	2,3	15,2
74	Kazakhstan	3 770	1 540	0,10	··	−1,5	−25,0	31,3
75	Bulgarie	3 730	1 160	0,04	··	0,2	0,0	20,1
76	St-Vincent et les Gren.	3 700	2 130	0,00	··	6,0	1,6	··
77	Seychelles	3 683	6 370	0,00	··	3,7	−1,1	23,0
78	Surinam	3 670	1 210	0,00	2,3	−0,1	−0,8	23,2
79	St. Kitts et Nevis	3 550	4 470	0,00	··	4,9	3,2	39,7

Produit intérieur brut

Rang		Produit intérieur brut par habitant (1993)		Part dans le total mondial 1993 (en %)	Taux de croissance annuel			Taux d'investissement (en % du PIB) 1993
		à parité de pouvoir d'achat [a]	aux taux de change courants [b]		1970-1980	1980-1993	1994	
80	Turkménistan	3 540	1 390	0,02	∙ ∙	1,8	−19,5	46,0
81	Égypte	3 530	660	0,17	9,5	4,0	1,3	17,0
82	Albanie	3 500	340	0,01	∙ ∙	−2,3	7,4	7,9
83	Sainte-Lucie	3 500	3 040	0,00	∙ ∙	∙ ∙	2,8	24,6
84	Irak	3 500	∙ ∙	0,30	∙ ∙	∙ ∙	1,0	∙ ∙
85	Gabon	3 498	4 050	0,02	9,0	1,4	0,3	21,8
86	Paraguay	3 490	1 500	0,03	8,5	2,8	3,5	22,5
87	Guatémala	3 390	1 110	0,05	5,8	1,6	5,0	17,4
88	Grenade	3 374	2 410	0,00	∙ ∙	∙ ∙	0,8	32,4
89	Maroc	3 270	1 030	0,11	5,6	2,9	11,8	23,0
90	Rép. dominicaine	3 240	1 080	0,04	6,5	2,9	5,0	22,4
91	Moldavie	3 210	1 180	0,02	∙ ∙	−2,9	−22,1	7,0
92	Lituanie	3 160	1 310	0,02	∙ ∙	−3,8	1,5	18,1
93	Indonésie	3 140	730	0,61	7,2	5,8	7,0	28,3
94	Pérou	3 130	1 490	0,17	3,5	0,0	12,9	18,6
95	Sri Lanka	3 030	600	0,04	4,1	4,6	5,4	25,3
96	Bélize	3 000	2 440	0,00	∙ ∙	5,0	2,3	31,8
97	Jamaïque	3 000	1 390	0,02	−1,4	2,1	3,0	34,7
98	Roumanie	2 910	1 120	0,11	∙ ∙	−2,3	3,4	27,1
99	Philippines	2 660	830	0,23	6,0	1,4	4,5	24,1
100	Ouzbékistan	2 580	960	0,09	∙ ∙	1,7	−2,6	29,4
101	Liban	2 500	∙ ∙	0,03	∙ ∙	∙ ∙	7,0	20,0
102	Papouasie-N.-G.	2 470	1 120	0,02	2,2	3,9	1,2	19,8
103	Congo	2 430	920	0,01	5,8	3,9	−1,5	14,2
104	Kirghizstan	2 420	830	0,02	∙ ∙	0,3	−26,5	25,4
105	Bolivie	2 400	770	0,02	4,5	1,1	4,2	15,1
106	El Salvador	2 360	1 320	0,03	4,2	1,2	5,8	16,6
107	Mongolie	2 250	400	0,00	∙ ∙	2,4	2,5	19,0
108	Azerbaïdjan	2 230	730	0,02	∙ ∙	−3,5	−21,9	14,1
109	Ghana	2 160	430	0,03	−0,1	2,7	3,8	14,8
110	Chine	2 120	490	1,81	∙ ∙	9,6	12,0	41,2
111	Salomon	2 113	750	0,00	∙ ∙	6,5	3,7	28,0
112	Pakistan	2 110	430	0,22	4,9	6,0	4,1	20,7
113	Arménie	2 080	660	0,01	∙ ∙	−5,2	0,0	14,4
114	Nicaragua	2 070	360	0,01	1,1	−1,1	2,0	17,4
115	Cameroun	2 060	770	0,05	7,2	0,4	−3,8	14,8
116	Cuba	2 000	∙ ∙	0,10	∙ ∙	∙ ∙	∙ ∙	∙ ∙
117	Zimbabwé	1 900	540	0,02	1,6	3,3	4,5	22,5
118	Honduras	1 890	580	0,01	5,8	2,8	−1,5	26,7
119	Samoa	1 869	980	0,00	∙ ∙	−0,4	−5,5	42,0
120	Cap-Vert	1 830	870	0,00	2,8	5,2	4,5	44,6

Produit intérieur brut

Rang		Produit intérieur brut par habitant (1993)		Part dans le total mondial 1993 (en %)	Taux de croissance annuel			Taux d'investissement (en % du PIB) 1993
		à parité de pouvoir d'achat [a]	aux taux de change courants [b]		1970-1980	1980-1993	1994	
121	Lésotho	1 800	660	0,00	8,6	4,2	16,7	75,7
122	Laos	1 760	290	0,01	• •	• •	8,4	12,7
123	Corée du Nord	1 750	• •	• •	• •	• •	• •	• •
124	Guyana	1 710	350	0,00	1,0	−0,9	6,0	29,5
125	Swaziland	1 690	1 050	0,00	4,0	3,8	3,5	17,6
126	Vanuatu	1 679	1 230	0,00	• •	3,3	3,7	43,6
127	Sénégal	1 640	730	0,02	2,3	2,5	2,0	14,1
128	Bénin	1 630	420	0,01	2,2	3,0	3,4	14,3
129	Mauritanie	1 590	510	0,00	1,3	1,9	4,2	24,4
130	Nigéria	1 480	310	0,13	4,6	1,7	0,6	15,1
131	Tadjikistan	1 430	470	0,01	• •	−2,5	−16,3	17,7
132	Côte d'Ivoire	1 420	630	0,04	6,8	−0,2	1,7	9,3
133	Géorgie	1 410	560	0,01	• •	−8,5	−10,0	32,3
134	Yémen	1 374	• •	0,05	• •	• •	6,0	20,0
135	Comores	1 320	520	0,00	• •	2,4	0,8	15,4
136	Kénya	1 310	270	0,02	6,4	3,3	3,0	16,1
137	Bangladesh	1 290	220	0,10	2,3	4,5	5,0	13,8
138	Gambie	1 280	360	0,00	5,6	3,8	0,0	20,5
139	Inde	1 250	290	1,06	3,4	5,1	4,9	24,1
140	Cambodge	1 250	• •	0,05	• •	• •	5,2	• •
141	Maldives	1 200	820	0,00	• •	• •	5,7	• •
142	Zambie	1 170	370	0,02	1,4	1,0	1,4	15,3
143	Soudan	1 162	360	0,04	5,6	• •	5,5	12,7
144	Népal	1 150	160	0,02	2,7	4,7	5,1	21,4
145	Centrafrique	1 060	390	0,01	2,4	0,7	5,8	8,6
146	Vietnam	1 040	170	0,05	• •	• •	8,7	• •
147	Togo	1 040	330	0,01	4,0	−1,0	10,7	6,0
148	Djibouti	1 000	780	0,00	• •	0,6	−3,3	16,7
149	Angola	1 000	• •	0,04	• •	• •	2,7	12,0
150	Haïti	925	450	0,01	3,7	−2,0	2,0	3,7
151	Libéria	850	480	0,01	2,2	−1,7	2,2	• •
152	Ouganda	840	190	0,01	−2,4	4,2	7,0	15,3
153	Niger	810	270	0,01	0,6	−0,7	4,0	5,7
154	Burkina Faso	800	300	0,01	4,4	3,5	1,2	22,1
155	Guinée-Bissau	790	220	0,00	2,4	5,2	6,3	25,6
156	Malawi	780	220	0,01	5,8	2,4	−7,9	12,3
157	Sierra Léone	770	140	0,00	1,6	1,2	3,5	9,2
158	Somalie	759	120	0,00	4,8	2,6	• •	15,5
159	Tchad	710	200	0,01	0,1	4,7	4,1	9,4
160	Madagascar	700	240	0,01	0,5	0,1	3,3	11,7
161	Guinée équatoriale	700	360	0,00	• •	• •	2,5	25,1

PIB

677

Produit intérieur brut

Rang		Produit intérieur brut par habitant (1993)		Part dans le total mondial 1993 (en %)	Taux de croissance annuel			Taux d'investissement (en % du PIB) 1993
		à parité de pouvoir d'achat [a]	aux taux de change courants [b]		1970-1980	1980-1993	1994	
162	Afghanistan	700	••	0,06	••	••	−3,0	••
163	Burundi	660	180	0,00	4,2	3,6	−11,9	17,9
164	Myanmar	650	••	0,13	4,7	2,0	6,3	12,1
165	Rwanda	640	200	0,01	4,7	1,4	••	14,3
166	Bhoutan	620	170	0,00	••	6,6	5,0	28,2
167	S. Tomé et Princ.	600	330	0,00	••	−0,9	1,5	16,9
168	Tanzanie	570	100	0,01	3,0	3,3	5,0	50,7
169	Mali	530	300	0,01	4,9	1,5	2,4	21,9
170	Guinée	500	510	0,01	••	0,4	4,0	16,1
171	Zaïre	469	240	0,04	••	−0,5	−11,0	11,0
172	Mozambique	380	80	0,01	••	1,7	5,4	41,5
173	Éthiopie	380	100	0,09	1,9	1,8	1,3	9,0

Source : Atlas de la Banque mondiale 1994 ; Banque mondiale, Rapport sur le développement dans le monde, 1995 ; Banque mondiale, World Tables 1994.

La population mondiale

L'évolution démographique des différentes régions du monde souligne les phénomènes de transition démographique, le passage d'un régime démographique caractérisé par une natalité et une mortalité élevées (qui « s'équilibrent ») à un régime de natalité et mortalité basses. Dans un premier temps, dans l'histoire des populations, les progrès sanitaires et économiques font baisser sensiblement la mortalité sans que la natalité ne suive le même mouvement, et la population croît alors de manière accélérée. C'est ce fort déséquilibre que l'on nomme souvent l'« explosion démographique ». Ensuite, ce n'est que progressivement que la modernisation provoque une baisse de la fécondité (par la transformation de l'organisation familiale, la scolarisation des filles, la salarisation des femmes...) qui permet de rétablir l'équilibre démographique. Les pays industrialisés ont achevé cette transition et connaissent une croissance démographique faible, voire nulle ou négative, tandis que les pays en développement sont en général encore dans la phase de transition caractérisée par des croîts de population élevés. Toutes les données présentées ci-après ont l'ONU pour source.

POPULATION (en millions)						
	1970	1975	1980	1985	1995	2025 [b]
Monde	3 698	4 079	4 448	4 851	5 716	8 294
Afrique	362	413	477	553	728	1 496
Amérique latine	286	323	363	404	482	710
Amér. du Nord [a]	226	239	252	265	293	370
Asie [c]	2 147	2 406	2 642	2 904	3 458	4 960
Europe [c]	656	676	693	706	727	718
Océanie	19	21	23	25	29	41

a. Mexique non compris;   b. Projection;   c. Les républiques de l'ex-URSS sont classées pour les unes en Europe et pour les autres en Asie.

TAUX DE CROISSANCE DE LA POPULATION (en % annuel)						
	1970-75	1975-80	1980-85	1985-90	1990-95	2005-10 [b]
Monde	1,96	1,73	1,74	1,74	1,57	1,00
Afrique	2,66	2,88	2,94	2,99	2,81	2,08
Amérique latine	2,48	2,29	2,17	2,06	1,84	0,96
Amér. du Nord [a]	1,06	1,07	1,00	0,82	1,05	0,66
Asie [c]	2,27	1,89	1,89	1,86	1,64	0,89
Europe [c]	0,60	0,49	0,38	0,43	0,15	− 0,12
Océanie	1,81	1,49	1,51	1,48	1,54	1,00

a. Mexique non compris;   b. Projection;   c. Les républiques de l'ex-URSS sont classées pour les unes en Europe et pour les autres en Asie.

INDICE SYNTHÉTIQUE DE FÉCONDITÉ [c]						
	1970-75	1975-80	1980-85	1985-90	1990-95	2005-10 [b]
Monde	4,46	3,84	3,60	3,45	3,10	2,72
Afrique	6,62	6,54	6,40	6,24	5,80	4,49
Amérique latine	4,99	4,36	3,93	3,55	3,09	2,44
Amér. du Nord [a]	1,97	1,91	1,80	1,81	2,06	2,10
Asie [d]	5,06	4,20	3,70	3,40	3,03	2,58
Europe [d]	2,14	1,97	1,87	1,83	1,58	1,66
Océanie	3,21	2,79	2,61	2,51	2,51	2,38

a. Mexique non compris ; b. Projection ; c. Nombre d'enfants qu'une femme mettrait au monde, en moyenne, du début à la fin de sa vie, en supposant que prévalent, pendant cette vie, les taux de fécondité par tranche d'âge observés pendant la période indiquée ; d. Les républiques de l'ex-URSS sont classées pour les unes en Europe et pour les autres en Asie.

MORTALITÉ INFANTILE [c]						
	1970-75	1975-80	1980-85	1985-90	1990-95	2005-10 [b]
Monde	93	86	79	70	64	46
Afrique	137	126	116	103	93	69
Amérique latine	81	70	61	54	45	33
Amér. du Nord [a]	18	14	11	10	9	6
Asie [d]	98	94	83	73	65	43
Europe [d]	25	22	18	15	12	10
Océanie	41	35	30	26	27	20

a. Mexique non compris ; b. Projection ; c. Nombre de décès d'enfants âgés de moins d'un an pour mille enfants nés vivants ; d. Les républiques de l'ex-URSS sont classées pour les unes en Europe et pour les autres en Asie.

ESPÉRANCE DE VIE [c]						
	1970-75	1975-80	1980-85	1985-90	1990-95	2005-10 [b]
Monde	58,5	60,4	62,1	63,9	64,4	68,6
Afrique	45,9	47,9	49,6	52,0	53,0	58,0
Amérique latine	61,3	63,3	65,2	66,7	68,5	72,1
Amér. du Nord [a]	71,5	73,3	74,7	75,6	76,1	78,2
Asie [d]	56,3	58,4	60,4	62,5	64,5	69,4
Europe [d]	70,8	71,3	71,9	73,0	72,9	75,3
Océanie	66,5	68,2	70,1	71,3	72,8	75,6

a.Mexique non compris ; b. Projection ; c. Nombre d'années que vivrait, en moyenne, un enfant né pendant la période indiquée en supposant que les taux de mortalité par tranche d'âge demeurent durant toute sa vie inchangés par rapport à la période de naissance ; d. Les républiques de l'ex-URSS sont classées pour les unes en Europe et pour les autres en Asie.

Tables démographiques
(Pays dont la population est supérieure à 1 million d'habitants)

Pays	Population 1995 (millions)	Taux de croissance annuel 1990-1995 (%)	Taux de fécondité 1990-1995	Espérance de vie 1990-1995 (années)	Mortalité infantile 1990-1995 (pour mille)	Pourcentage (1994) de la population ayant : moins de 15 ans	Pourcentage (1994) de la population ayant : 65 ans et plus
TOTAL MONDE	**5 716**	**1,6**	**3,1**	**64**	**64**	**32**	**6**
AFRIQUE	**728**	**2,8**	**5,8**	**53**	**93**	**44**	**3**
Afrique du Sud	41,5	2,2	4,1	63	53	37	4
Algérie	27,9	2,3	3,8	67	55	39	4
Angola	11,1	3,7	7,2	46	124	47	3
Bénin	5,4	3,1	7,1	48	86	47	3
Botswana	1,5	3,1	4,8	65	43	44	2
Burkina Faso	10,3	2,8	6,5	47	130	45	3
Burundi	6,4	3,0	6,8	50	102	46	3
Cameroun	13,2	2,8	5,7	56	63	44	4
Centrafrique	3,3	2,5	5,7	49	102	43	4
Congo	2,6	3,0	6,3	51	84	46	3
Côte d'Ivoire	14,3	3,5	7,4	51	92	49	3
Égypte	62,9	2,2	3,9	64	67	38	4
Éthiopie	55,1	3,0	7,0	47	119	46	3
Gabon	1,3	2,8	5,3	54	94	39	6
Ghana	17,5	3,0	6,0	56	81	45	3
Guinée	6,7	3,0	7,0	44	134	47	3
Guinée-Bissau	1,1	2,1	5,8	44	140	42	4
Kénya	28,3	3,6	6,3	56	69	48	3
Lésotho	2,1	2,7	5,2	60	79	42	4
Libéria	3,0	3,3	6,8	55	126	46	4
Libye	5,4	3,5	6,4	63	68	45	3
Madagascar	14,8	3,2	6,1	56	93	46	3
Malawi	11,1	3,4	7,2	46	143	47	3
Mali	10,8	3,2	7,1	46	159	47	3
Maroc	27,0	2,1	3,8	63	68	37	4
Maurice	1,1	1,1	2,3	70	18	28	6
Mauritanie	2,3	2,5	5,4	51	101	43	3
Mozambique	16,0	2,4	6,5	46	148	45	3
Namibie	1,5	2,6	5,3	59	60	42	4
Niger	9,2	3,4	7,4	47	124	48	2
Nigéria	111,7	3,0	6,4	50	84	46	3
Ouganda	21,3	3,4	7,3	45	115	49	2
Rwanda	8,0	2,6	6,5	47	110	46	3
Sénégal	8,3	2,5	6,1	49	68	45	3
Sierra Léone	4,5	2,4	6,5	39	166	44	3
Somalie	9,3	1,3	7,0	47	122	47	3
Soudan	28,1	2,7	5,7	53	78	44	3
Tanzanie	29,7	3,0	5,9	52	85	46	3

Tables démographiques

(Pays dont la population est supérieure à 1 million d'habitants)

Pays	Population 1995 (millions)	Taux de croissance annuel 1990-1995 (%)	Taux de fécondité 1990-1995	Espérance de vie 1990-1995 (années)	Mortalité infantile 1990-1995 (pour mille)	Pourcentage (1994) de la population ayant : moins de 15 ans	65 ans et plus
Tchad	6,4	2,7	5,9	47	122	43	4
Togo	4,1	3,2	6,6	55	85	46	3
Tunisie	8,9	1,9	3,1	68	43	36	4
Zaïre	43,9	3,2	6,7	52	93	48	3
Zambie	9,5	3,0	6,0	49	104	48	2
Zimbabwé	11,3	2,6	5,0	54	67	44	3
PROCHE ET MOYEN-ORIENT	**228**						
Afghanistan	20,1	5,8	6,9	43	163	41	3
Arabie saoudite	17,9	2,2	6,4	70	29	42	3
Émirats arabes unis	1,9	2,6	4,2	74	19	31	2
Irak	20,4	2,5	5,7	66	58	44	3
Iran	67,3	2,6	5,0	67	36	44	4
Israël	5,6	3,8	2,9	76	9	29	9
Jordanie	5,4	4,9	5,6	68	36	43	3
Koweït	1,5	−6,5	3,1	75	18	40	2
Liban	3,0	3,3	3,1	69	34	34	5
Oman	2,2	4,2	7,2	70	30	47	3
Pakistan	140,5	2,8	6,2	62	91	44	3
Syrie	14,7	3,4	5,9	67	39	48	3
Yémen	14,5	5,0	7,6	50	119	47	2
PACIFIQUE SUD	**28,5**						
Australie	18,1	1,4	1,9	78	7	22	12
Nouvelle-Zélande	3,6	1,2	2,2	76	9	23	11
Papouasie-N.-G.	4,3	2,3	5,1	56	68	40	3
AMÉRIQUE DU NORD	**386,5**						
Canada	29,5	1,2	1,9	77	7	21	12
États-Unis	263,3	1,0	2,1	76	9	22	13
Mexique	93,7	2,1	3,2	71	36	36	4
AMÉRIQUE CENTRALE ET DU SUD	**386**						
Argentine	34,6	1,2	2,8	72	24	29	9
Bolivie	7,4	2,4	4,8	59	75	41	4
Brésil	161,8	1,7	2,9	66	58	33	5
Chili	14,2	1,6	2,5	74	16	30	7
Colombie	35,1	1,7	2,7	69	37	33	4
Costa Rica	3,4	2,4	3,1	76	14	35	5
Cuba	11,0	0,8	1,8	75	12	23	9
Équateur	11,5	2,2	3,5	69	50	37	4
Guatémala	10,6	2,9	5,4	65	48	45	3
Haïti	7,2	2,0	4,8	57	86	40	4

Tables démographiques

(Pays dont la population est supérieure à 1 million d'habitants)

Pays	Population 1995 (millions)	Taux de croissance annuel 1990-1995 (%)	Taux de fécondité 1990-1995	Espérance de vie 1990-1995 (années)	Mortalité infantile 1990-1995 (pour mille)	Pourcentage (1994) de la population ayant :	
						moins de 15 ans	65 ans et plus
Honduras	5,7	2,9	4,9	68	43	44	3
Jamaïque	2,4	0,7	2,3	74	14	31	7
Nicaragua	4,4	3,7	5,0	67	52	46	3
Panama	2,6	1,9	2,9	73	25	34	5
Paraguay	5,0	2,8	4,3	70	38	40	4
Pérou	23,8	1,9	3,4	66	64	36	4
Porto Rico	3,7	0,8	2,2	75	11	26	10
République domin.	7,8	1,9	3,1	70	42	35	4
El Salvador	5,8	2,2	4,0	66	46	41	4
Trinidad et Tobago	1,3	1,1	2,4	72	18	33	6
Uruguay	3,2	0,6	2,3	72	20	25	12
Vénézuela	21,8	2,3	3,3	72	23	37	4
EUROPE	**619**						
Albanie	3,4	0,9	2,8	72	30	32	5
Allemagne	81,6	0,6	1,3	76	6	16	15
Autriche	8,0	0,7	1,5	76	7	18	15
Belgique	10,1	0,3	1,6	76	6	18	16
Bosnie-Herzégovine	3,5	−4,4	1,6	72	15	23	7
Bulgarie	8,8	−0,5	1,5	71	14	19	14
Croatie	4,5	−0,1	1,6	71	9	19	12
Danemark	5,2	0,2	1,7	75	7	17	15
Espagne	39,6	0,2	1,2	78	7	17	15
Finlande	5,1	0,5	1,8	76	5	19	14
France	58,0	0,4	1,7	77	7	20	15
Grèce	10,5	0,4	1,4	78	10	17	15
Hongrie	10,1	−0,5	1,7	69	15	18	14
Irlande	3,6	0,3	2,1	75	7	25	11
Italie	57,2	0,1	1,3	77	8	15	16
Macédoine	2,2	1,1	2,0	72	27	25	8
Norvège	4,3	0,4	1,9	77	8	19	16
Pays-Bas	15,5	0,7	1,6	77	7	18	13
Pologne	38,4	0,1	1,9	71	15	23	11
Portugal	9,8	−0,1	1,5	75	10	19	14
Rép. tchèque	10,3	0,0	1,8	71	9	20	13
Roumanie	22,8	−0,3	1,5	70	23	21	12
Royaume-Uni	58,3	0,3	1,8	76	7	19	16
Serbie-Monténégro	10,8	1,3	2,0	72	20	22	11
Slovaquie	5,4	0,4	1,9	71	12	23	11
Slovénie	1,9	0,3	1,5	73	8	19	12

Tables démographiques

(Pays dont la population est supérieure à 1 million d'habitants)

Pays	Population 1995 (millions)	Taux de croissance annuel 1990-1995 (%)	Taux de fécondité 1990-1995	Espérance de vie 1990-1995 (années)	Mortalité infantile 1990-1995 (pour mille)	Pourcentage (1994) de la population ayant : moins de 15 ans	65 ans et plus
Suède	8,8	0,5	2,1	78	5	19	17
Suisse	7,2	1,0	1,6	78	6	18	14
Turquie	61,9	2,0	3,3	66	65	34	5
ASIE	**3 371**						
Bangladesh	120,4	2,2	4,4	56	108	40	3
Bhoutan	1,6	1,2	5,9	51	124	41	3
Cambodge	10,3	3,0	5,3	52	116	45	3
Chine	1 221,5	1,1	1,9	68	44	27	6
Corée du Nord	23,9	1,9	2,4	71	24	29	4
Corée du Sud	45,0	1,0	1,7	71	11	24	5
Hong Kong	5,9	0,6	1,2	79	7	20	10
Inde	935,7	1,9	3,7	60	82	35	5
Indonésie	197,6	1,6	2,9	63	58	33	4
Japon	125,1	1,1	1,5	79	4	17	14
Laos	4,9	3,0	6,7	51	97	45	3
Malaisie (Féd. de)	20,1	2,4	3,6	71	13	38	4
Mongolie	2,4	2,0	3,6	64	60	39	3
Myanmar	46,5	2,1	4,2	58	84	37	4
Népal	21,9	2,6	5,4	54	99	43	3
Philippines	67,7	2,1	3,9	66	44	39	3
Singapour	2,8	1,0	1,7	75	6	23	7
Sri Lanka	18,4	1,3	2,5	72	18	31	6
Thaïlande	58,8	1,1	2,1	69	37	29	5
Vietnam	74,6	2,2	3,9	65	42	38	5
EX-EMPIRE SOVIÉTIQUE	**283,5**						
Arménie	3,6	1,4	2,6	73	21	30	7
Azerbaïdjan	7,6	1,2	2,5	71	28	32	6
Biélorussie	10,1	−0,1	1,6	70	16	22	12
Estonie	1,5	−0,6	1,6	69	16	21	13
Géorgie	5,5	0,1	2,1	73	19	24	11
Kazakhstan	17,1	0,5	2,5	70	30	30	7
Kirghizstan	4,7	1,7	3,7	69	35	37	6
Lettonie	2,6	−0,9	1,6	69	14	21	13
Lituanie	3,7	−0,1	1,8	70	13	22	12
Moldavie	4,4	0,3	2,1	68	25	27	9
Ouzbékistan	22,8	2,2	3,9	69	41	40	4
Russie	147,0	−0,1	1,5	68	21	22	12
Tadjikistan	6,1	2,9	4,9	70	48	43	4
Turkménistan	4,1	2,3	4,0	65	57	40	4
Ukraine	51,4	−0,1	1,6	69	16	20	14

Source : World Population Prospects, *Nations unies, 1994.*